DATE DUE

KARL MARX

DIE FRÜHSCHRIFTEN

HERAUSGEGEBEN

VON

SIEGFRIED LANDSHUT

ALFRED KRÖNER VERLAG STUTTGART

VORWORT

Nach zwanzig Jahren, in denen die Werke von Karl Marx
teils aus der Öffentlichkeit in Deutschland verbannt, teils
später nicht mehr zugänglich waren, liegt hier nun eine
erste neue Ausgabe der Schriften von Marx bis zum Jahre
1848 vor. Diese Ausgabe umfaßt nicht das gesamte literarische Werk von Marx aus dieser Zeit, sondern hat mit Absicht auf gewisse Teile verzichtet.

Sowohl für die Begrenzung dieser Ausgabe auf die sogenannten Frühschriften, d. h. die Schriften bis zum Kommunistischen Manifest, als auch für den Verzicht auf einen
Teil der Schriften dieser Periode waren bestimmte Gründe
maßgebend.

Schon die zweibändige Ausgabe der Frühschriften, die
der Verlag im Jahre 1932 herausgegeben hatte, schloß mit
dem Kommunistischen Manifest ab, d. h. mit demjenigen
Dokument, das als Resultat und Abschluß der gedanklichen
„Selbstverständigung" Marxens und der Grundlegung seines „Historischen Materialismus" zugleich die Leitideen
für das zukünftige Feld der Forschungen herausstellte: für
die ökonomische „Anatomie der bürgerlichen Gesellschaft".
Diese Periode der Grundlegung hatte für das Verständnis
von Marx eine ganz neue Bedeutung erhalten, vor allem
durch die in der Ausgabe von 1932 erstmalig erfolgte Veröffentlichung des bis dahin unbekannten Manuskripts „Philosophie und Nationalökonomie". Die gesamte Marx-Auf-
fassung, wie sie sich durch die Vermittlung von Engels,
Kautsky, Bernstein, Luxemburg und schließlich Lenin befestigt hatte und sowohl für die Marxisten wie die Anti-
Marxisten gleichermaßen maßgebend geworden war, rückte
jetzt unter einen völlig veränderten Aspekt. Der vollstän-
digere Überblick über die Gedankenarbeit von Marx bis zu
seinem 30. Lebensjahr machte deutlich sichtbar, in welche
Beschränkung und „materialistische" Dürftigkeit der ganze
Reichtum der Marx'schen Gedankenwelt durch die bisherigen Ausleger gebracht worden war. Es stellte sich heraus,
wie wenig begründet die bis dahin übliche Vernachlässigung der Frühschriften als eines noch philosophisch „be-

fangenen" Vorstadiums von Marx war. Denn gerade diese
„Jugendschriften" eröffnen ja den geistesgeschichtlichen
Horizont, ohne den weder der „Historische Materialismus",
noch „Das Kapital" in ihrer wahren Bedeutung zu erfassen
sind. Es ist kein Zufall, daß die sowjet-amtliche Marx-Aus-
legung von diesen Schriften nie Notiz genommen hat. Für
das heute neu erwachte Bedürfnis nach einer Auseinandersetzung mit dem Marxismus sind gerade diese Dokumente
unentbehrlich.

Die Auswahl der Marx'schen Schriften, die der Herausgeber getroffen hat, ist unter dem Gesichtspunkt erfolgt,
möglichst alles aufzunehmen worin sich die produktive Gedankenarbeit von Marx bis zum Kommunistischen Manifest vollzieht. Es ist also nichts fortgelassen, was eine notwendige Phase in der Entwicklung des Marx'schen Standpunktes darstellt, wie er sich von den ersten schriftlichen
Dokumenten an in fortlaufender Absetzung gegen Hegel,
Feuerbach und schließlich Proudhon herausgebildet hat und
dann im Kommunistischen Manifest zum Abschluß gekommen ist. Der Verzicht auf die Herausgabe großer Teile der
„Deutschen Ideologie" bedeutet keineswegs eine Lücke in
dieser Entwicklung des Marx'schen Denkens, da diese Teile
so gut wie ausschließlich einer mehr bissig-artistischen als
produktiven Polemik gewidmet sind und häufig auch schon
durch die vielen Anspielungen auf personelle und zeitliche
Einzelheiten dem heutigen Leser unverständlich bleiben.
Diejenigen Teile jedoch, die Begriffe zur Sprache bringen,
denen in dem Gesamtzusammenhang der Marx'schen Theorie eine tragende Bedeutung zukommt, sind in die Ausgabe
aufgenommen; so die Abschnitte über „Die Gesellschaft als
bürgerliche Gesellschaft", „Privateigentum", „Staat und
Recht", „Die Empörung", „Der Verein", „Organisation der
Arbeit", „Geld" und „Staat".

Aus dem Manuskript „Zur Kritik der Hegelschen Staatsphilosophie" sind einige Stellen ausgefallen, teils einfache
Zitate der betreffenden Paragraphen bei Hegel, teils Auseinandersetzungen mit Hegel, die im gleichen Sinne auch an
anderen Stellen durchgeführt sind.

Hamburg, den 15. März 1953   S. Landshut

INHALT

EINLEITUNG

Die europäische Wirkung der von Karl Marx ausgesprochenen Gedanken, die das allgemeine Bewußtsein und die gesellschaftlichen und politischen Veränderungen der letzten fünfzig Jahre mit einer Gewalt durchdrungen und bestimmt haben, gegen die alle Kriege und Staatsaktionen gleichsam nur als begleitende Umstände erscheinen, — diese Wirkung geht von einem Manne aus, der während seines Lebens niemals aktiv in das öffentliche Geschehen der Zeit eingegriffen hat, ja, der in völliger Verborgenheit und zumeist in furchtbarem Elend lebend, ein System der schwierigsten und verwickeltsten Gedanken entworfen hat, dessen Studium dem Geübten außerordentliche Anstrengungen zumutet.

Die Möglichkeit eines solch ungewöhnlichen Einflusses von Gedanken, die heute nur noch sehr wenige in ihrer tieferen Bedeutung kennen, der eigentümliche Gegensatz einer äußerst verschlossenen persönlichen Einsamkeit des Denkers und einer allgemeinen Popularität seines Namens und seiner Ideen, ist für unsere heutigen Begriffe eine so unverständliche Erscheinung, daß es notwendig ist, eine Vorstellung von jener Zeit zu gewinnen, die die eigentümliche Vereinigung solcher Gegensätze möglich gemacht hat. Ja, man könnte in gewissem Sinne jenes Zitat, das Marx in der Vorrede zu seiner Doktorarbeit anwendet, auch auf die Popularität von Marx selbst übertragen, die ihm nach seinem Tode zuteil geworden ist: „Gottlos ist nicht, wer die Götter der Menge verachtet, sondern wer die Meinungen der Menge den Göttern anheftet." Denn die populäre Meinung, in der der Name von Marx fortlebt, vergißt, wie wenig populär Marx selbst gewesen ist, wenn auch der entscheidende Schluß seines Gedankenganges das Proletariat wurde. So stellt sich gerade einer Lebensbeschreibung von Marx die sehr schwierige Aufgabe, der Allgemeinheit die Gedankenwelt eines Mannes zu erschließen, die keineswegs einen sehr allgemeinen, sondern einen sehr philosophischen Ursprung hat.

Die Entwicklung und innere Reife der entscheidenden Grundgedanken von Marx konzentriert sich in die zehn Jahre zwischen 1837 und 1847. Nach dieser Zeit tritt kein grundsätzlich neuer Gedanke in ihm hervor, der nicht schon in dem in diesen Jahren herausgestellten enthalten gewesen wäre. Es ist heute schwer, sich eine richtige Vorstellung davon zu bilden, wie fast ausschließlich die religiösen und philosophischen Fragen das allgemeine Interesse der Zeit beherrschten, entzündet durch das eben vorangegangene Wirken von Kant, Schiller, Goethe, Humboldt, Hegel und Schelling. Die im „deutschen Idealismus", als dessen Erbe Engels noch im Alter die Marxsche Lehre bezeichnete, gebildete Auffassung von der freien Selbstbestimmung des Menschen, die den Begriff der Sittlichkeit kennzeichnete, das Verhältnis der Vernunft zum Glauben und zur Religion, alle diese Fragen der philosophischen Erkenntnis von der wahren Bestimmung des Menschen waren wirkliche Lebensmächte geworden, in deren Bann ein jeder aufwuchs, der zu den „Gebildeten" zählte, d. h. in jener allgemeinen geistigen Atmosphäre lebte, von der die Öffentlichkeit beherrscht war und in der auch Marx aufwuchs.

Aber noch eine andere Macht begann gerade in diesen Jahren in Deutschland in ihren ersten Äußerungen spürbar zu werden, von der zwar noch kaum jemand ahnte, welch dämonische Gewalt sie aus sich entbinden werde, die aber überall schon in ihren ersten Regungen zutage trat: die ersten Dampfschiffe, Eisenbahnen und Maschinen, die Entstehung von Kreditbanken und Aktiengesellschaften, die Beseitigung der Zollschranken, kurz, die Umwandlung der ganzen bisherigen Wirtschaftsformen.

In diesen von der Ahnung einer entscheidenden Wende in dem geschichtlichen Schicksal der Menschheit erfüllten Jahren reifte in Marx der Gedanke heran, der diese beiden gegensätzlichen Welten zu überspannen versuchte, der die Selbstbestimmung des Menschen in einen inneren Zusammenhang mit der industriellen Entwicklung setzte und gleichsam den Generalnenner geben wollte, auf dem sich alle Widersprüche und Spannungen der Zeit vereinigen sollten. Die ganze Kraft seines Verstandes und die gewaltige Leidenschaft seines Gemüts gingen in diese welthistorische Aufgabe ein.

Als Karl Heinrich Marx im Oktober 1835 als Siebzehnjähriger die Bonner Universität bezog (er war in Trier am 5. Mai 1818 geboren), kam er aus einem Familien- und Freundeskreis, in dem sein Wesen bei aller Liebe und Wärme, die ihn umgab, wohl schon immer etwas von einer unheimlichen Möglichkeit ausgestrahlt hatte. Während die Mutter, eine geborene Preßburg, die aus einer holländisch-jüdischen Rabbinerfamilie stammte, ihrem Sohn nur im Kreise ihrer täglichen häuslichen Fürsorge für sein leibliches Wohl verbunden war und ihn noch auf die Universität mit dem Rat begleitete: „und scheuere Du meinen lieben Carl wöchentlich mit der Schwamm und Seife", war das Verhältnis zum Vater wohl ein wesentlicheres. Der Vater, Heinrich Marx, ebenfalls aus jüdischer Familie, „Advokat-Anwalt" am Trierer Gericht und zum Justizrat ernannt, war 1824 mit seiner ganzen Familie zum Protestantismus übergetreten. In den Briefen, die er an den Sohn auf der Universität schreibt, zeigt er sich als ein Mann von philosophischer Bildung, sittlichem Ernst und einer besorgten Anteilnahme an der inneren Entwicklung des Sohnes, bei der das Bewußtsein von der außergewöhnlichen Vereinigung der glänzendsten Geistesgaben mit einer alles verzehrenden Heftigkeit des Gemüts fast aus jedem Briefe spricht. Während der junge Student sich in lyrischen Dichtungen versucht, in einem durch Tag und Nacht ausgedehnten Arbeitseifer sich der Wissenschaft und Philosophie zu bemächtigen sucht, dabei außerordentliche Summen verbraucht und zwischen den äußersten Stimmungen schwankt, begleitet ihn die besorgte Frage des Vaters, ob der Dämon, von dem diese Leidenschaften getrieben werden, „himmlischer oder faustischer Natur" sei.

Dem Vater hatte der Sohn auch das Geheimnis seiner Liebe zu seiner und seiner Schwester Sophie Jugendfreundin Jenny v. Westphalen anvertraut. In dem Hause des Regierungsrats Ludwig v. Westphalen hatten die beiden Ge-

schwister freundschaftlichen Umgang gehabt. Hier hatte
der junge Marx nicht nur die Liebe der um vier Jahre
älteren Jenny gefunden, des stolzen und „schönsten Mäd-
chens von Trier", wie sie überall genannt wurde, sondern
sich auch die väterliche Zuneigung ihres Vaters erobert.
Die Widmung seiner Doktorarbeit, in der er Ludwig v.
Westphalen als seinen „teuren väterlichen Freund" bezeichnet, der ihm stets bewiesen hätte, „daß der Idealismus
keine Einbildung, sondern eine Wahrheit ist", kennzeichnet sicherlich nicht nur eine förmliche Ergebenheit, sondern ist das Zeichen eines tiefen Einflusses, den die Bildung
seines Geistes dort empfangen hatte. Marxens durch sein
ganzes Leben bewahrte Verehrung und immer wiederholte Lektüre Shakespeares und der griechischen Tragiker
empfing hier ihren Anstoß. Die Liebe aber, die der noch
knabenhafte Jüngling in dem schon so viel reiferen Mädchen zu erwecken vermochte — denn als er mit siebzehn
Jahren zur Universität ging, war sie schon einundzwanzig
— und die ihre unverzehrbare Stärke durch vierzig Jahre
der unerhörtesten Leiden bewährt hat, fand wohl ihre
Nahrung in dem sicheren Gefühl, daß in der Macht und
Leidenschaft dieses Geistes eine außergewöhnliche Kraft
beschlossen liege.
Nach dem ersten Wintersemester in Bonn 1835/36 kehrte
Marx wieder nach Hause zurück und wählte sich — nachdem er sich mit seiner Jugendfreundin, zunächst ohne das
Wissen ihrer Eltern, verlobt hatte — zum weiteren Studium
die Berliner Universität, den damaligen „Mittelpunkt aller
Geistesbildung und Wahrheit", wie einst Hegel sie genannt
hatte. Mit einer Arbeitskraft, die alles begreifliche Maß
übersteigt, suchte er sich zunächst, bevor noch ein sicherer
Leitfaden die bestimmtere Richtung seiner Studien lenkte,
in den vielfältigen Richtungen seiner Interessen zu belehren. Obwohl er sich zunächst als sein eigentliches Gebiet
die Rechtswissenschaft gewählt hatte, hört und arbeitet er
daneben über griechische und römische Literatur, Kunstgeschichte, deutsche Geschichte, beginnt Englisch und Italienisch zu lernen, fertigt lange Auszüge aus Lessings Laokoon,
Winkelmanns Kunstgeschichte an und übt sich bei alledem

noch in eigner lyrischer Poesie, deren schließliches Produkt, das „Buch der Liebe", er seiner „teuren, ewiggeliebten Jenny v. Westphalen" im Herbst des Jahres 1836 zueignet. Nur wer niemals einen Hauch davon erfahren hat, was die Leidenschaft der Erkenntnis, der Wille des Geistes vermag, kann in dem von den Studien völlig verzehrten Marx einen weltfremden Stubenhocker und Bücherwurm erblicken. Bei aller Fülle der Gegenstände und Unersättlichkeit des Wissensdranges ist doch die Art der Arbeit überaus planmäßig. Fast von jedem Buch, das er liest, fertigt er sich lange Auszüge an. Ständig begleitet er seine Lektüre mit eigenen Erwägungen, die mitunter zu ganzen Bänden von Manuskripten anschwellen, ohne einen anderen Zweck damit zu verbinden als den der „Selbstverständigung", wie er selbst diese Methode zu bezeichnen pflegte. In der eigenen Beurteilung dessen, was seinen eigensten Absichten Genüge zu leisten vermag, ist er von einer solchen Rücksichtslosigkeit gegen das jeweils Erreichte, daß die Freunde ihm eigentlich jede Fertigstellung zur Veröffentlichung abpressen müssen. Ja selbst sein eigener Körper und das bescheidenste Wohlbefinden in den alltäglichen Bedürfnissen bieten nur das gequälte Schlachtfeld, aus dem der gewonnene Gedanke sich erhebt, — und mit Erstaunen hört man dann, daß dieser Gedanke kein anderer gewesen sein soll als der, daß der Mensch, um zu leben, zuerst essen und trinken müsse. Im Laufe des Jahres 1837 beginnt sein in die allerverschiedensten Richtungen sich erstreckendes Suchen allmählich bestimmtere Bahnen zu finden. In dem ersten von Marx erhaltenen Brief vom 10. November 1837 an seinen Vater, einem der großartigsten autobiographischen Dokumente, erschließt sich uns ein Einblick in den inneren Kampf des Neunzehnjährigen und wird zuerst eine festere Richtung erkennbar, in die sich die Gewalt des suchenden Gedankens erstreckt. Wie wenn ein Strom im flachen Gelände zunächst in planlosen Windungen seine Richtung zu verlieren scheint, dann aber, an den Punkt des Durchbruchs gelangt, sich mit der Wucht seiner Massen in die Richtung des Gefälles stürzt, so drängte sich die ganze Kraft seines suchenden Geistes auf einen Ort zusammen, als Marx mit

Hegels Philosophie bekannt wird. Denn nicht mit einer Fülle von einzelnen Kenntnissen und einem, wenn auch in noch so viele Gebiete sich erstreckenden zusammengehäuften Wissen war das ursprüngliche Bedürfnis seines geistigen Willens gestillt; wonach er verlangte, war die Gewißheit eines allgemeinen Prinzips, durch das sich das Vielfältige der Erscheinungen aus der Einheit seines Grundes begreifen ließe. Denn Marxens innerstes Bedürfnis war ein durchaus philosophisches. Aber dennoch gelingt es ihm nicht, mit Hegel übereinzukommen. Ein anderes ist in ihm, das sich von Anfang an dagegen sträubt, das sich selbst zunächst noch nicht bewußt zu machen vermochte, das ihn aber unausgesetzt bei der Vertiefung in die Hegelsche Philosophie quält.

Marx sieht sich nach den inneren Erfahrungen der ersten Studiensemester vor einer entscheidenden, aber noch nicht entschiedenen Wendung seines Denkens. Einer der ersten von ihm erhaltenen Briefe, der vom 10. Nov. 1837, gibt darüber Auskunft: „Es gibt Lebensmomente, die wie Grenzmarken vor eine abgelaufene Zeit sich stellen, aber zugleich auf eine neue Richtung mit Bestimmtheit hinweisen. In solch einem Übergangspunkt fühlen wir uns gedrungen, mit dem Adlerauge des Gedankens das Vergangene und Gegenwärtige zu betrachten, um so zum Bewußtsein unserer wirklichen Stellung zu gelangen. Ja, die Weltgeschichte selbst liebt solches Rückschauen und besieht sich, was ihr dann oft den Schein des Rückgehens und Stillstandes aufdrückt, während sie doch nur in den Lehnstuhl sich wirft, sich zu begreifen, ihre eigene, des Geistes Tat, geistig zu durchdringen." (S. 1). Nicht allein seine eigene, des Briefstellers, Rückschau auf das vergangene Arbeitsjahr im Augenblick der Abfassung dieses Rechenschaftsberichtes ist mit diesem welthistorischen Vergleich gemeint, sondern damit zugleich das Bewußtsein eines welthistorischen Augenblicks zum Ausdruck gebracht, in dem er, der Schreiber, sich selbst gestellt sieht. Es ist die allgemeine Lage des wissenschaftlichen Bewußtseins, in der sich die Gemüter im Banne der Hegelschen Philosophie nach dessen Tode befanden. Bis hierher war nun der Weltgeist gekommen (Hegel).

Die vollendete und abschließende Form, die Hegel der höchsten, der philosophischen Erkenntnis gegeben hatte, die eben in Hegel endgültig mit sich selbst einig geworden schien, ließ in der Nachwelt das bedrückende Gefühl der Verlegenheit eines „Was nun?" zurück. Dieser allgemeinen Situation, die das Erbe der „Hegelianer" war, konnte auch Marx nicht entgehen. Die Äußerungen in diesem Brief über seine Begegnung mit der Hegelschen Philosophie kennzeichnen drastisch die Zwiespältigkeit des inneren Verhältnisses zu ihr und enthalten im Keim schon das Ganze der Marxschen Position, die Grundvoraussetzung, die sich nur noch in ihre Konsequenzen zu entfalten brauchte, die sich aber im wesentlichen nie mehr geändert hat. Es ist einmal die prinzipielle Bejahung der Grundabsicht der Philosophie und in eins damit ihre leidenschaftliche Verneinung: „Von dem Idealismus ... geriet ich dazu, im Wirklichen selbst die Idee zu suchen" (S. 7). Die Suche nach der Idee in der Wirklichkeit, nach der „Vernunft" in der Wirklichkeit, die Suche nach der Vereinigung von Vernunft und Wirklichkeit, das ist in der Tat der philosophische Leitfaden, den Marx von Hegel übernimmt, und der den Zug seiner ganzen Lebensarbeit beherrscht. Aber zugleich regt sich von Anfang an eine zunächst unbestimmte Abwehr gegen Hegel: „Ich hatte Fragmente der Hegelschen Philosophie gelesen, deren groteske Felsenmelodie mir nicht behagte" (S. 7). Er unternimmt einen eigenen Versuch, sich philosophisch von Hegel zu befreien, aber: „Mein letzter Satz war der Anfang des Hegelschen Systems" und dies Unternehmen endet damit, daß es ihn „wie eine falsche Sirene dem Feind in den Arm" trägt. Dem „Feind": das empfindet Marx an allem Anfang schon deutlich genug, ohne diesen Widerstand zunächst sicherer bestimmen zu können, und während er sich immer „fester an die jetzige Weltphilosophie kettet", befällt ihn „eine wahre Ironiewut".

Dieser unbestimmte Widerstand gegen Hegel verdichtet sich erst zu einem festeren Standpunkt in der Gemeinsamkeit und in der Auseinandersetzung mit eben jenen Freunden, die sich in ihren Zusammenkünften und gegenseitig anfeuernden Debatten den Doktor-Klub nannten. Hier wehte

eine ganz besondere Luft, denn der Auftrag, zu dem sich
diese Gemeinde freier und enthusiastischer Geister berufen
fühlte, wurde von ihnen als nichts weniger als die Einleitung einer grundsätzlich neuen Epoche der Weltgeschichte
empfunden. „Die Katastrophe wird fruchtbar und muß
eine große werden, und ich möchte fast sagen, sie wird
größer und ungeheurer werden als diejenige war, mit der
das Christentum in die Welt getreten ist", so schreibt in
einem späteren Brief an Marx Bruno Bauer, der älteste und
ernsthafteste dieses Kreises, Theologe und Privatdozent an
der Berliner Universität. Dieser Kreis revolutionärer jun-
ger Wissenschaftler fühlte sich mit allem verbunden, was in
der Welt des Geistes sich gegen die herrschenden Gewalten
erhob. Und in diesem Punkte bestand überhaupt der eigentliche Zusammenhang der Jung-Hegelianer. Denn während
sie es auf der einen Seite als ihre Aufgabe sahen, in der
verschiedensten Weise, sei es in der Theologie, sei es in der
Rechtsphilosophie, Hegel zu korrigieren und über ihn hinaus fortzuschreiten und dabei keineswegs miteinander über-
einstimmten, waren sie doch alle vereinigt in ihrer Auf-
lehnung gegen die Mächte, die sie der Vernichtung geweiht
erklärten: Religion und Staat. Während Bruno Bauer, noch
radikaler aber dann Feuerbach, der zwar nicht zu dem Berliner Kreise, wohl aber zur Hegelschen Schule gehörte, die
Kritik des menschlichen Verstandes zum Richter über die
Glaubenssätze der Evangelien erhoben, wandte sich Arnold
Ruge in Halle gegen die Rechtfertigung des bestehenden
Staates, als welche er die Hegelsche Rechtsphilosophie auf-
faßte. Denn nichts wurde vom Kreise dieser kritischen und
vorwärtsdrängenden Geister als eine tiefere Entwürdigung
und Knebelung empfunden als die magisterliche Anmaßung
der preußischen Monarchie, das Selbstbewußtsein des freien
Geistes zu reglementieren und damit den Gang der Weltgeschichte zur Bewahrung veralteter Zustände aufzuhalten.
Marx nahm in diesem Kreise eine eigentümliche Stellung
ein. Während die allgemeine Feindschaft gegen die bestehenden Zustände in Staat und Gesellschaft ihn von vornherein mit allen verband, hatte sein überlegener Verstand, der ihm auch den soviel Älteren gegenüber eine

ebenbürtige Stellung verschaffte, in der Auseinandersetzung mit der Hegelschen Philosophie die schwache Seite
aller dieser Fortsetzer und Verbesserer entdeckt. Die Quelle,
aus der der Widerstand und die „Feindschaft" Marxens
gegen die Philosophie entsprang, sollte aber schon in den
nächsten Jahren klarer zutage treten im selben Maß, in
dem sich Marx schon mehr und mehr dem „Doktor-Klub",
d. h. dem Kreise der Berliner Hegelschen Linken entfremdete. Denn schon die nächsten Äußerungen, die sein Verhältnis zu Hegel betreffen, zeigen ihn in seiner Selbständigkeit gegenüber der ganzen Schülerschaft Hegels. Es galt aus
der eigentlichen Situation nach Vollendung der Philosophie
durch Hegel die Konsequenzen zu ziehen. Diese Situation
kommt deutlich in der Doktordissertation zum Ausdruck,
ja, das Thema dieser Arbeit selbst — die Philosophie nach
Aristoteles — ist wohl nur aus der Analogie zur eigenen
Situation von Marx ergriffen worden. Es war das Resultat
der Hegelschen Philosophie, die „Wirklichkeit" als eine
„vernünftige" erwiesen zu haben: sobald der absolute Geist
der in die Besonderungen der Wirklichkeit sich „ausgelegt"
hat, als philosophierender sich selbst erkennt, war damit
die „Versöhnung" von Idee und Wirklichkeit im philosophierenden Geist vollzogen und darin alle Besonderung bis
in Staat, Familie und bürgerliche Gesellschaft, ja, die ganze
bisherige Geschichte selbst als der Prozeß des sich selbst
wissenden absoluten Wissens „aufgehoben", „aufgehoben
in dem für Hegel typischen doppelten Sinne, wie ihn auch
Marx beibehält: von der bisherigen Stelle entfernt und zugleich „hinaufgehoben", in seine eigentliche Wahrheit gebracht. Diese „vollendete" Versöhnung von Idee und Wirklichkeit in der Form der in sich selbst geschlossenen Philosophie zeigte sich aber der Nachwelt Hegels in einem um
so unerträglicheren Widerspruch zu der beschränkten und
zurückgebliebenen Praxis des alltäglichen öffentlichen Lebens in Staat und Gesellschaft selbst. Die erhabene Harmonie der in sich selbst geschlossenen Theorie scheint der
der Idee feindlichen, kleinlich reaktionären öffentlichen
Wirklichkeit ohne Vermittlung gegenüber zu stehen. „So
wendet sich die Philosophie, die zur Welt sich erweitert

hat, sich gegen die erscheinende Welt... Indem die Philosophie zu einer vollendeten, totalen Welt sich abgeschlossen hat ... so ist also die Totalität der Welt überhaupt dirimiert in sich selbst..." (S. 12/13). „Die Welt ist also eine zerrissene, die einer in sich totalen Philosophie gegenübertritt" (S. 13). Gerade nach der vollendeten Versöhnung scheinen sich Philosophie und „Welt" um so unversöhnlicher gegenüber zu stehen. So begreift Marx selbst seine eigene Situation in der Nachfolge Hegels und hier entscheidet sich schon seine Auseinandersetzung mit den übrigen Hegelianern. In den von uns zum Abdruck gebrachten Bemerkungen zur Doktordissertation, die aber spätestens aus dem Jahre 1840 stammen müssen – am 6. April 1841 reicht Marx seine Arbeit bei der philosophischen Fakultät in Jena ein –, ist er sich über die prinzipielle Konsequenz, die aus jenem Verhältnis zur Philosophie zu ziehen ist, im klaren. Es kann nicht irgend eine Anpassung – eine „Akkomodation" des Hegelschen Systems selbst an die Erfordernisse der Realität sein, so wenig, wie jener Widerspruch zu irgend einem speziellen Vorwurf gegen Hegel hinsichtlich „dieser oder jener Bestimmung seines Systems" rechtfertigt. Die „Diremtion" der Welt, das Auseinanderbrechen der Welt in eine in sich totale und mit sich selbst einige Philosophie und eine ihr widersprechende widerspruchsvolle Wirklichkeit, kann nicht, wie die Schüler Hegels meinen, auf diese oder jene Inkonsequenz innerhalb des Hegelschen Systems zurückgeführt werden, es kann sich also nicht darum handeln, die Philosophie zu verbessern, vielmehr ist dies die Konsequenz der *Philosophie als Philosophie*, des sich selbst denkenden Denkens. Es ist die „Lüge des Prinzips". Es ist deshalb ein Zeichen der „halben Gemüter", die glauben „durch Zersplitterung, durch ein Friedenstraktat mit den realen Bedürfnissen" den Schaden wiederherstellen zu können. Mit einem großartigen Gleichnis charakterisiert Marx das prinzipielle Entweder-Oder, in das die Philosophie gedrängt zu sein scheint: „Themistokles, als Athen Verwüstung drohte, bewog die Athener, es vollends zu verlassen und zur See, *auf einem anderen Elemente*, ein neues Athen zu gründen" (S. 14). Was bedeutet das „andere Element"?

„Es ist ein psychologisches Gesetz, daß der in sich frei gewordene theoretische Geist zur praktischen Energie wird, als *Wille* aus dem Schattenreiche des Amenthes hervortretend, sich gegen die weltliche, ohne ihn vorhandene Wirklichkeit kehrt" (S. 16). Indem sich aber der theoretische Geist gegen die bestehende Wirklichkeit wendet und Wille wird, hört die Philosophie auf Philosophie zu sein, „ihre Verwirklichung bedeutet zugleich ihren Verlust".

In dieser Auseinandersetzung des 22jährigen Marx mit Hegel sind die Voraussetzungen für den Ansatz des eigenen Erkenntniswillens konstituiert, das Fundament für die Weiterführung aller Arbeit als „Kritik" gelegt, als Kritik, „die die einzelne Existenz am Wesen, die besondere Wirklichkeit an der Idee mißt", (S. 16). Es gilt aber nun, um der vollen Dimension des Marxschen Werkes gerecht zu werden, sich nicht mit der bequemen Konsequenz zu befriedigen, daß Marx damit die Philosophie erledigt hätte und daß alle weitere Arbeit nur noch als „positive" Wissenschaft — letzten Endes als pure Ökonomie — aufzufassen sei: diese künstliche Dürftigkeit, in welche die Marx-Interpretation zumeist der ganzen ökonomisch-soziologischen Analysen gebracht hat, ist keineswegs die Dürftigkeit ihres eigenen Prinzips. Wenn vielmehr — nach einem Ausdruck von Marx in der Einleitung zur „Kritik der Hegelschen Rechtsphilosophie" — die Philosophie gerade durch ihre Aufhebung zu verwirklichen sei, d. h. wenn er den einen den Vorwurf macht, sie suchten die Philosophie aufzuheben, ohne sie zu verwirklichen, den anderen, sie suchten sie zu verwirklichen, ohne sie aufzuheben, so ist eben die Marxsche wahre Absicht gerade aus diesem Paradox zu verstehen. Auch in dieser, seiner letzten Stellung zu Hegel und der Idee der Philosophie bleibt Marx — indem er sie aufgibt — vielleicht der echteste Hegelianer. Denn welcher Gedanke wäre mehr im Sinne der Hegelschen Philosophie gedacht als, daß nach der Vollendung der Philosophie als Philosophie der nächste Schritt des Geistes die absolute Unphilosophie sein muß. Es genügt aber nicht, Marx aus der bloßen Aufhebung der Philosophie zu verstehen, wenn man diese Aufhebung nicht zugleich als die Weise ihrer Verwirklichung zu verstehen vermag. Was meint aber Marx mit der Verwirklichung der Philosophie? Nichts anderes als die „Vernunft" selbst zur „erscheinenden Wirklichkeit" zu machen, die „Idee" aus der Sphäre des reinen Denkens in die der Praxis zu überführen, den Zwiespalt zwischen Idee und Wirklichkeit nicht bloß in der philosophischen Erkenntnis sondern in der sinnlichen Praxis aufzuheben. Damit aber wird die Erkenntnis zur Kritik, die sich gegen die bestehende Wirklichkeit wendet, „die die einzelne Existenz am Wesen, die besondere Wirklichkeit an der Idee mißt": Die „Idee" bleibt Richter über die „Wahrheit" der Wirklichkeit, im Grunde keine andere Idee als die der absoluten Sittlichkeit Hegels, die bei Hegel der Staat ist. Und gerade der Staat als die „Wirklichkeit der sittlichen Idee" ist der nächste Ansatz, an dem Marx beginnt, die „Hegelsche Philosophie" aufzuheben. Es gilt also für das Verständnis, im Anschluß an die fortlaufende „Selbst-Verständigung" Marxens zweierlei zu gewinnen: Einmal jene Idee der wahren Bestimmung des Menschen, seines eigentlich ihm als Menschen zukommenden Zustandes, die der Maßstab für die Beurteilung seiner Wirklichkeit ist. Und zweitens die Erkenntnis dieser Wirklichkeit selbst, den Charakter ihrer grundsätzlichen Mangelhaftigkeit. Das eine ist immer durch das andere bedingt und die Klärung nach beiden Richtungen hin vollzieht sich zunächst im gleichen Akt der Kritik. Damit ist der Hinblick auf das Werk der nächsten größeren Arbeit von Marx, die Kritik der Hegelschen Rechtsphilosophie, eröffnet.

Zunächst war in den Arbeiten Marxens nur dieser Standpunkt der radikalen Kritik der Grundlage des bestehenden Staatswesens aus dem Geiste der Philosophie zutage getreten, und auf diesem Boden war die Gemeinsamkeit der Gesinnung mit dem Kreise der Jung-Hegelianer gesichert. Marx dachte immer noch daran, sich als Privatdozent für Philosophie an einer Universität niederzulassen, und stand mit dem inzwischen an die Universität Bonn übergesiedelten Bruno Bauer über diesen Punkt in lebhaftem Briefwechsel. Aber selbst, wenn Bauer nicht infolge eines Wechsels im Kultusministerium seines Amtes enthoben worden wäre und der nun einsetzende Hegel feindliche Kurs alle Pläne einer Universitätslaufbahn an sich schon vereitelt hätte, konnte die Richtung, in der sich die Wirkung seines Geistes entfalten mußte, niemals in dieser Linie liegen. Aber auch die Übernahme der Redaktion der in Köln neu gegründeten liberal-demokratischen „Rheinischen Zeitung" konnte auf die Dauer nicht das Feld sein, das der Wirkungskraft Marxens Genüge zu leisten vermochte. Nachdem jedoch im März 1842 der Tod des Vaters seiner Braut — sein eigener Vater war schon 1838 gestorben — ihm den Gedanken an die Gewinnung der materiellen Voraussetzung zur Heirat nahe legen mußte, übernahm er diese Tätigkeit, die er jedoch schon im nächsten Jahre wieder aufgab, nicht allein, weil die Zeitung in Folge ihrer all zu scharfen Sprache von der Regierung verboten wurde, sondern vor allem aus Ekel vor den ständigen Zensurschikanen, die ihn zwangen, „mit Nadeln statt mit Kolben zu fechten", und weil er es überdrüssig war, „sich selbst zu verfälschen". Der in ihm sich fortentwickelnde Gedanke mußte sich schließlich in jeder Tätigkeit gefesselt fühlen, die ihn in den Rahmen der bestehenden öffentlich zugelassenen Einrichtungen zwang. Es wurde ihm klar: „In Deutschland kann ich nichts mehr beginnen."

So ergriff Marx die Gelegenheit, die ihm von Arnold Ruge, dem unentwegten Unternehmer neuer oppositioneller Zeitschriften geboten wurde, in Paris die Redaktion der neu zu gründenden „Deutsch-Französischen Jahrbücher" zu übernehmen, und siedelte im November 1843 mit seiner jungen Frau nach Paris über. Da ihm jetzt die Voraussetzung für eine Ehe gesichert schien, hatte er im Juni in Kreuznach geheiratet.

In die Zeit zwischen seiner Hochzeit und dem Erscheinen der „Deutsch-Französischen Jahrbücher" im Februar 1844 in Paris drängte sich eine unfaßbare Fülle historischer und anderer Arbeiten, und in den beiden Aufsätzen, die Marx zu den Jahrbüchern beigesteuert hat, tritt nun auch in erster Schärfe jenes bisher verdeckte Prinzip zutage, welches das eigentlich entscheidende Prinzip für das Ganze des Marxschen Lebenswerkes war und ihn von allem trennen mußte, das sich bisher noch mit ihm verbunden fühlen konnte.

Die beiden Aufsätze „Zur Judenfrage" und „Kritik der Hegelschen Rechtsphilosophie-Einleitung" sind Meisterstücke der vollendeten Einheit von Sprache und Gedanke. Die vollständigste Souveränität über den darzulegenden Gedanken gibt der dialektischen Kunst der Formulierungen jene spielende Freiheit, die in dem Feuerwerk glänzender Wortspiele, überraschend formulierter Gegensätze und Wortvertauschungen, doch gerade im Gedanken den Nagel auf den Kopf trifft. Hier wird zum ersten Mal der Gedanke ausgesprochen, daß „die Waffe der Kritik die Kritik der Waffen nicht ersetzen" könne, und den bisherigen Freunden der Vorwurf gemacht, sie suchten „die Philosophie zu verwirklichen, ohne sie aufzuheben", aber zugleich hinzugesetzt, man könne sie auch nicht aufheben, ohne sie zu verwirklichen.

Schon in einer Anmerkung zu seiner philosophischen Doktorarbeit hatte sich Marx gegen diejenigen gewandt – und diese waren niemand anders, als seine damaligen Gefährten –, die glaubten, die Hegelsche Philosophie in solchen Teilen verbessern zu müssen, in denen sie nicht die von ihnen gewünschte Auslegung der Tatsachen gab. Marx hatte von den „halben Gemütern" gesprochen, die ihren Widerspruch gegen diese oder jene Einzelheit der Hegelschen Philosophie auf eine Inkonsequenz Hegels zurückführten. Auch in Marx lebte ein ursprünglicher Widerstand gegen Hegel. Aber er, dem die vollendete Einheit dieses philosophischen Geistes eine in jahrelanger Bemühung gewonnene Einsicht war, durfte den Grund dieses Widerspruchs nicht in dieser oder jener Einzelheit suchen, in der ihm die Hegelsche Auffassung verfehlt schien, der wahre und tiefste Grund dieses Widerspruches mußte im Prinzip der Philosophie als Philosophie beschlossen liegen. Der Widerspruch Hegels zur Wirklichkeit mußte aus der „Lüge des Prinzips" resultieren.

Worin bestand diese Lüge? Gleich in der Diskussion der ersten Paragraphen der Kritik der Hegelschen Rechtsphilosophie von Paragraph 261 ab – der erste Bogen des Manuskripts, der wohl die grundlegenden Paragraphen 257 bis 260 behandelt hat, ist leider nicht erhalten – demonstriert

sich mit voller Deutlichkeit das Prinzip, von dem aus Marx
das Philosophische der Hegelschen Staatslehre „aufhebt".
Der Grundsatz, von dem aus die Kritik an Hegel ansetzt,
war, wie gesagt, schon in einem Satz der Doktordissertation
ausgesprochen: „Alle Philosophen haben die Prädikate selbst
zu Subjekten gemacht." Das Verhältnis von Prädikat zum
Subjekt und umgekehrt wird nun zum Angelpunkt der
Auseinandersetzung mit Hegel gemacht. Was heißt das?
Wir wollen dies an der Kommentierung des Paragraphen
262 verfolgen, von dem Marx am Schluß selbst sagt: „In
diesem Paragraphen ist das ganze Mysterium der Rechtsphilosophie niedergelegt und der Hegelschen Philosophie
überhaupt." — Hegels Ausführungen über den Staat sind
nur im Zuge und unter dem Leitmotiv seiner Philosophie
überhaupt aufzufassen. Wir müssen uns hier auf das Geringste beschränken: Das Philosophieren vollzieht sich als
die Entfaltung der Gesamtheit alles Seienden aus einem
einheitlichen Grund des Seins überhaupt, in dem alles, was
ist, als ein so mögliches Sein „begründet" ist. Für Hegel
heißt dieser Grund des Seins die Idee. Die Idee ist die höchste und die eigentliche Wirklichkeit, sie ist das, was überhaupt erst wirklich macht, wodurch das Seiende erst seine
Wahrheit erhält. Aus ihr entfaltet sich die Gesamtheit des
Seienden und gliedert sich in seine einzelnen Sphären und
Besonderungen: die Natur als die sich selbst äußerlich gewordene Idee, die Idee in ihrer Äußerlichkeit, und den
Geist als die aus der Äußerlichkeit zu sich zurückgekehrte
Idee. Das Begreifen alles Seienden als eine Bewegung des
Geistes muß also selbst eine Entwicklung des Seienden aus
seiner Idee sein.
Die Rechtsphilosophie steht selbst im Zuge der Entwick-
lung der Idee, und zwar der Idee als „objektiver Geist",
d. h.: der Idee, sofern sie sich in den Objektivationen des
Geistes, in der Sphäre des freien Willens manifestiert: in
Recht, Moralität und Sittlichkeit. Deren vollendetes We-
sen ist der Staat. In dem uns hier interessierenden Teil von
Hegels Philosophie des Rechts handelt es sich also um die
Entwicklung der Idee im Begriff des Staates.
So lautet der Paragraph 262: „Die wirkliche Idee, der Geist,

der sich selbst in die zwei individuellen Sphären seines Begriffs, die Familie und die bürgerliche Gesellschaft, als in
seine Endlichkeit scheidet, um aus ihrer Idealität für sich
unendlicher, wirklicher Geist zu sein, teilt somit diesen
Sphären das Material dieser seiner endlichen Wirklichkeit,
die Individuen als die *Menge* zu, so daß diese Zuteilung am
Einzelnen durch die Umstände, die Willkür und eigene
Wahl seiner Bestimmung *vermittelt* erscheint." Die Polemik Marxens gegen Hegel richtet sich nun gegen dessen
Darstellungsweise und stellt ihr „das wirkliche Verhältnis"
gegenüber: Familie und bürgerliche Gesellschaft sind wirkliche Staatsteile, sie sind Daseinsweisen des Staates, d. h. nur
insofern sie sind, ist Staat, und insofern die einzelnen Individuen zu Familie und bürgerlicher Gesellschaft gehören, ist
das Staatsmaterial also unter sie verteilt, an sie „vermittelt".
So ist das Verhältnis der Einzelnen als Mitglieder von Familie und bürgerlicher Gesellschaft die Bedingung für den Staat,
„der politische Staat kann nicht sein ohne die natürliche Basis der Familie und die künstliche Basis der bürgerlichen Gesellschaft". In der Darstellungsweise Hegels erscheint aber
alles umgekehrt. Nicht das Vorhandensein von Familie und
bürgerlicher Gesellschaft ist bei ihm die Bedingung für das
Dasein des Staates, sondern umgekehrt der Staat als die
Idee der sittlichen Gemeinschaft „scheidet" sich in zwei
Sphären, die Familie und die bürgerliche Gesellschaft. In der
Darstellungsweise Hegels wird also die Bedingung (Familie
und bürgerliche Gesellschaft) zum Bedingten, nämlich zu
dem von der Idee (des Staates) bedingten. Die Idee wird
als das eigentlich „Tätige" angesetzt, zum Subjekt gemacht
und nun erscheint das wahre Subjekt (Familie und bürgerliche Gesellschaft) als das Prädikat, als eine bloße weitere
Bestimmung der Idee. Die Tatsachen werden so „als mystisches Resultat gefaßt." Auf diesen Nachweis, „daß Hegel
überall die Idee zum Subjekt macht und das eigentliche,
wirkliche Subjekt ... zum Prädikat" (S. 28) ist die ganze
Diskussion der ersten zehn Paragraphen abgestellt. Marx
wirft Hegel vor, daß er auf diese Weise die Staatslehre zu
einem Kapitel der Logik macht, daß er nicht die Bestimmung des Staates und seiner Glieder aus der „Vernunft der

Sache" entnimmt, sondern aus einer der Sache selbst „jenseitigen" Vernunft. „Nicht die Logik der Sache, sondern die Sache der Logik ist das philosophische Moment" (S. 33). Das eigentümliche der Marxschen Polemik aber liegt darin: der Vorwurf, der gegen Hegel erhoben wird, betrifft eine angebliche „Mystifikation" Hegels. Marx weiß selbst ganz genau, daß das, was er als „Mystifikation" erklärt, nicht die spezielle Mystifikation Hegels ist, sondern diejenige der Philosophie als Philosophie. „Alle Philosophen haben die Prädikate selbst zu Subjekten gemacht" – nicht zufällig, sondern darin besteht das Wesen der Philosophie. Sie interessiert ja nicht das Besondere des Seienden in seiner Eigentümlichkeit, sondern nur als eine Modifikation des Seins überhaupt, des „Eines und Alles", der Staat also nur als eine Modifikation der Idee. Insofern also in der Logik die „Idee als Gedachtes" zur Entwicklung kommt, wiederholten sich in der „Idee als Gestaltung", im Staat, die Bestimmungen, die der Idee als solcher eigentümlich sind. Der eigentliche Gegenstand der Marxschen Kritik müßte also die Philosophie als solche, das Prinzip der Philosophie sein. Anstatt dessen demonstriert Marx *stillschweigend* von einem prinzipiell unphilosophischen Standpunkt aus, dessen innere Rechtfertigung er einfach setzt. Er beruft sich auf den gemeinen Menschenverstand und von ihm aus spricht er vom „wahren", „wirklichen", „reellen" Subjekt. Der Standpunkt, von dem aus Marx seine Kritik ansetzt, ist eine schlichte, gar nicht ausdrücklich diskutierte Negation des philosophischen Standpunktes als solchen. Unter der einfachen Berufung auf das, was so gemeinhin Wirklichkeit genannt wird, wird die philosophische Frage danach, was sie eigentlich sei, abgeschnitten und das eigentliche Geschäft der Philosophie, das Sein dieser Wirklichkeit selbst erst zu begründen und die Mannigfaltigkeit des Seienden als Prädikate (Bestimmungen) dieses Grundes zu erweisen, ignoriert. Indem nun Marx — wenn man sich so ausdrücken darf - Hegel gleichsam absichtlich mißversteht, faßt er alle Begriffe Hegels, die stets als philosophische Bestimmungen des Seienden, also als Prädikate der Idee, gemeint sind, als Aussagen über ein faktisches Geschehen, einen tatsächlichen

Vorgang in Raum und Zeit auf: „Bedingung", „Voraussetzung" heißt für Marx empirische Bedingung und Voraussetzung. Als solche empirische ist dann in der Tat der jeweilige faktische Staat das Bedingte, die bürgerliche Gesellschaft das Bedingende.

Den Ausgang zur Kritik des Hegelschen Staates nimmt Marx also von der empirischen, tatsächlich wirksamen Wirklichkeit der unmittelbaren Erfahrung. Von ihr aus zeigt sich ihm die Darstellung Hegels als eine Umkehrung. Es gilt also den „auf dem Kopf stehenden Hegel" wieder auf die Beine zu stellen. Dadurch aber, daß Hegel das „wirkliche" Verhältnis umkehrt, d. h. dadurch, daß er das wirkliche, „reelle" Subjekt des Gemeinwesens, die Familie, die bürgerliche Gesellschaft, das Individuum zum Prädikat, zu einer Bestimmung der Idee (des Staates) macht, rechtfertigt er zugleich die bestehenden Verhältnisse, die von ihm eben als in der Idee begründete und durch sie bedingte in ihrem So-Sein bestätigt werden: sie sind „das mystische Resultat der Idee". In Wahrheit widerstreitet aber die existierende Wirklichkeit der wahren Idee des Staates. Diesen Widerspruch des wirklich bestehenden Staates mit der wahren Idee des Staates sucht Marx Hegel nun Paragraph für Paragraph nachzuweisen. Nicht also, daß Hegels Idee des Staates als „die Wirklichkeit der sittlichen Idee" als solche falsch sei, will Marx erweisen, sondern gerade, daß die bestehende Wirklichkeit ihr nicht entspreche, daß das bestehende Gemeinwesen, um ihr zu entsprechen, ein anderes sein müsse.

Hegel geht von der bestehenden Trennung des Staates und der bürgerlichen Gesellschaft aus und begründet sie als den Gegensatz des „an und für sich seienden Allgemeinen" (der Staat) gegenüber den „besonderen Interessen" der Individuen der bürgerlichen Gesellschaft. Aber gerade diese Trennung widerspricht der wahren Idee des Allgemeinen, der Idee des wahren Gemeinwesens. Denn im „wahren Staat", im „vernünftigen Staat" darf das Allgemeine nicht etwas Besonderes gegenüber dem wirklichen Leben des Individuums sein, nicht eine besondere Sphäre jenseits der privaten Sphären des Einzelnen; im wahren Staat muß das wirklich

Seiende, das wahre Subjekt, der Staatsbürger selbst ein „Gemeinwesen", selbst ein Allgemeines sein: „der sozialisierte Mensch." „Es ist dies der Dualismus, daß Hegel das Allgemeine nicht als das Wesen des Wirklich-Endlichen, d. i. Existierenden, Bestimmten betrachtet oder das wirkliche Ens (Seiende) nicht als das *wahre Subjekt* des Unendlichen" (S.42). Der Staat wird also bei Hegel zu einem „abstrakt Allgemeinen", das eigentlich überhaupt kein wirklich Allgemeines, sondern vielmehr für sich ein Besonderes ist, das als „politischer Staat", von dem wirklichen Leben des Volkes abgehoben, ihm in der *Verfassung* und als *Bürokratie* gegenübertritt. So ist der Staat dem „wirklichen", „materiellen" Leben des Individuums etwas „Äußerliches", ihm „Entfremdetes", in einer besonderen Organisation und Verfassung jenseits seines privaten Interesses für sich Bestehendes. Aber gerade diese Trennung, diese „Entfremdung" des Menschen von seinem wahren Wesen, ist ja der Widerspruch der bestehenden Wirklichkeit gegen die wahre Idee des Gemeinwesens. Im vernünftigen Staat ist die Trennung von privaten Angelegenheiten des Individuums und allgemeinen Angelegenheiten des Gemeinwesens aufgehoben, in ihm ist jeder Einzelne ein allgemeines Wesen, d. h. zu seinem eigenen allgemeinen Wesen, der Mensch zum wahren „Gattungswesen" geworden. Die Verfassung eines solchen Gemeinwesens nennt Marx die „wahre Demokratie." Ihr Wesensmerkmal ist die Identität privater und öffentlicher Existenz: „in der Demokratie erscheint die *Verfassung selbst* nur als *eine* Bestimmung, und zwar als Selbstbestimmung des Volkes" (S. 47). Deshalb kann man es auch so auffassen, „daß in der wahren Demokratie der politische Staat untergehe" (S. 48).

Diese Idee der „wahren Demokratie", in der der Mensch nicht einer ihm äußeren, entfremdeten Ordnung untersteht, d. h. in der der „politische Staat" untergegangen oder wie es später heißt „abgestorben" ist, darf nicht verwechselt werden mit der Verfassung der demokratischen Republik. „Der Streit zwischen Monarchie und Republik ist selbst noch ein Streit innerhalb des abstrakten Staates." (S. 49). Die besondere Begründung dieser These gibt Marx in

dem in den Deutsch-Französischen Jahrbüchern erschienenen Aufsatz „Zur Judenfrage." Aber auch schon in der
„Kritik der Hegelschen Rechtsphilosophie" ist deutlich, was
Marx zum Ausdruck bringen will, und es ist wichtig, sich
dies besonders zu vergegenwärtigen, weil der spätere Unterschied zwischen dem Begriff des Kommunismus und der
wahren „klassenlosen Gesellschaft" dem Unterschied zwischen der demokratischen Republik und der wahren Demokratie analog ist. Die Republik ist zwar die Staatsform, die
im Gegensatz zur Monarchie der Wille des Volkes ist, aber
des Volkes, das immer noch seine Privatsphäre von der
allgemeinen abstrahiert, das immer noch die Verfassung als
ein „Jenseitiges" sich gegenüber hat. Die Republik ist aber
immer nur Negation der Entfremdung auf dem gleichen
Boden der Entfremdung, sie ist bloß die „Negation der Negation." „Die *Monarchie* ist der vollendete Ausdruck dieser
Entfremdung. Die *Republik* ist die Negation derselben innerhalb ihrer eigenen Sphäre" (S. 50). Das wahre Gemeinwesen liegt jenseits dieser ganzen Sphäre der Trennung des
privaten und öffentlichen Seins, in ihm ist alles Private öffentliche, allgemeine Angelegenheit und alles Allgemeine
Privatangelegenheit eines jeden geworden.

In dieser Idee der „wahren Demokratie" stößt man nun
auf ein altes Erbgut der europäischen Vergangenheit, auf
das alte Ideal des Gemeinwesens, das auch Rousseau bei seiner Konstruktion des Contrat social vorgeschwebt hatte.
Sein stilles Vorbild ist die Idee der antiken polis mit ihrer
Identität privater und öffentlicher Existenz, wo Mensch-
Sein und Bürger-Sein nicht etwas Verschiedenes, sondern
ein und dasselbe ist. Das ist auch die Ursprungsquelle für
die Idee der „klassenlosen Gesellschaft", wie später die „wahre Demokratie" bei Marx genannt wird. Sie ist die eigentliche „Wirklichkeit der sittlichen Idee."

Wenn Marx in der „Kritik der Hegelschen Rechtsphilosophie" die Verwandlung der Wirklichkeit selbst in die vollendete Vernunft als die wahre Lösung der rechtsphilosophischen Aufgabe fordert, so hatte er sich damit ein Ziel
gesetzt, das ihn hinfort von allen früheren Bundesgenossen
trennte. So war es nicht allein das finanzielle Fiasko der

„Deutsch-Französischen Jahrbücher", das eine Fortsetzung der Zeitschrift unmöglich machte, was Marx von Ruge trennte und ihn auf sich allein verwies. Jetzt wandte sich sein ganzes Interesse der Geschichte der großen französischen Revolution zu, deren Auswirkungen bis in die unmittelbare Gegenwart die politische Öffentlichkeit Frankreichs bewegten. Hier kam Marx persönlich mit jener Fülle sozialistischer und kommunistischer Gruppen in Berührung, die über die Verwirklichung der demokratischen Grundsätze der großen Revolution von 1789 hinaus nach einer noch radikaleren Gleichheit als der rein politischen verlangten. Denn dieses war das Gemeinsame aller dieser Prediger und Propagandisten, daß sie die Verwirklichung des Grundsatzes der Freiheit und Gleichheit so lange unmöglich erachteten, als die bloß politische Gleichheit infolge der tatsächlichen wirtschaftlichen Ungleichheit illusorisch blieb.

Mit welcher Vehemenz sich Marx in das Studium dieser ganzen Bewegung warf, erfahren wir aus Berichten, die sich über seine Heftigkeit und Gereiztheit beklagen, besonders, wenn er sich krank gearbeitet habe und drei, ja vier Nächte hintereinander nicht ins Bett gekommen sei. Denn allerdings, diese ganzen Bewegungen innerhalb der französischen Gesellschaft mußten ihn deshalb aufs brennendste fesseln, weil sie praktische Konsequenzen seiner eigenen Gedanken waren und weil er es sogleich als seine eigenste Aufgabe empfinden mußte, ihre Zerfahrenheit in die verschiedensten Richtungen in die Einheit ihres wesentlichen Prinzips emporzuheben.

Die Idee der wahren Demokratie, die als die Idee der philosophischen Vernunft für Marx auch die Forderung an die unvernünftige Wirklichkeit sein mußte, war ja dadurch bestimmt, daß der Unterschied zwischen Staat und Individuum aufgehoben sein sollte, daß der einzelne Mensch in seiner Besonderheit aufgehen sollte in die Allgemeinheit. Mit dieser Idee von der wahren Demokratie war aber schon vorgezeichnet, daß die Frage über ihre rein staatspolitische Bedeutung hinaus sich zu der Frage des gesellschaftlichen Verhältnisses der Einzelnen zueinander erweitern mußte. Denn damit, daß die politische Besonderheit der Staatsbürger aufgehoben wurde, daß politisch jede Unterscheidung zwischen ihnen fortfiel, damit blieb noch immer ihre Unterscheidung im Privatleben bestehen, oder — wie Marx sich ausdrückte — die „politische Emanzipation" war noch keineswegs die „menschliche Emanzipation". Die entscheidende außerpolitische Besonderung, die den Menschen vom Menschen trennte, war aber die Unterscheidung in Besitzende und Besitzlose, der Unterschied, der durch die wirtschaftliche Tätigkeit der Menschen gesetzt war. Damit begann die Idee der wahren Demokratie, die Idee, an der die Wirklichkeit zu messen war, sich zu verwandeln in die Idee der „klassenlosen Gesellschaft", und vor Marx eröffnete sich ein Feld neuer Studien, das ihm bisher fern gelegen hatte: Die Ökonomie.

Und wie Marx durch diese neue Wendung den Zusammenhalt mit seinen früheren Gefährten verlor, so bot sich zugleich die Brücke, über die er die Freundschaft des Mannes gewann, der als der einzige wirklich vertraute und rückhaltlos ergebene Mensch durch das ganze weitere Leben hindurch ihm verbunden blieb, Friedrich Engels. Engels, den Marx schon aus einer damals ziemlich kühl verlaufenden Begegnung in Köln kannte, hatte ebenfalls in den „Deutsch-Französischen Jahrbüchern" zwei Aufsätze veröffentlicht, deren Thema „Umrisse zu einer Kritik der Nationalökonomie" und „Die Lage Englands" dem erwachten Interesse Marxens die willkommenste Nahrung boten, da er selbst schon mit dem Studium der englischen Nationalökonomie begonnen hatte, und als sich beide bei einem Besuch von Engels in Paris im September 1844 persönlich kennen lernten, schlossen sich der jüngere handfeste und draufgängerische Praktikus und der ältere ihm geistig überlegene Marx für immer in Freundschaft zusammen.

In der Zeit zwischen dem Erscheinen der Jahrbücher Februar 1844 und dem Besuch von Engels im September desselben Jahres entstand eine Arbeit, in der der nun Sechsundzwanzigjährige diese Summe seiner Erkenntnisse vor sich selbst ins Klare zu bringen unternahm. Diese Arbeit, die nie veröffentlicht worden ist, ja deren Existenz bis 1932 überhaupt unbekannt war, bildet nichtsdestoweniger den Knotenpunkt seines ganzen Lebenswerkes und stellt in ihrem Ineinandergreifen philosophischer, ökonomischer und historischer Erörterungen am eindringlichsten die Einheit und Totalität seines geistigen Willens vom Gedanken des Wirklichwerdens der Idee bis zur Aufgabe des Proletariats heraus.

Das Manuskript „Philosophie und Nationalökonomie" zeigt Marx auf der vollendeten Höhe seiner Position. Obwohl seine äußere Form erkennen läßt, daß es so nicht zur Publikation bestimmt war, sondern lediglich der Selbst-Verständigung diente, ist es doch das einzige Dokument, das in sich die ganze Dimension des Marxschen Geistes umspannt. Hier tritt der großartige Zusammenhang vollständig zutage, der von der Idee der Philosophie in *einem* Zuge über die Selbstentfremdung des Menschen (Kapital und Arbeit) zur Selbstverwirklichung des Menschen, zur „klassenlosen Gesellschaft" führt. Wir werden versuchen, die innere Verklammerung dieses ganzen Zusammenhangs und die Gesamt-Sicht, von der er geführt ist, zur Darstellung zu bringen, indem wir dabei an den notwendigen Stellen — ohne uns streng an die zeitliche Reihenfolge der Entstehung zu halten — diejenigen Gedanken heranziehen, die zur allseitigen Erhellung des Zusammenhangs dienen. So greifen wir auch schon auf den Feuerbach-Teil der „Deutschen Ideologie" vor, weil er in einem unmittelbaren inneren Zusammenhang mit dem neuen Manuskript steht. Die Entstehungszeit dieses Entwurfs über Philosophie und Nationalökonomie ist unmittelbar nach Erscheinen der Deutsch-Französischen Jahrbücher, also Anfang des Jahres 1844, anzusetzen. Im Januar 1845 wurde Marx auf Betreiben der Berliner Regierung aus Frankreich ausgewiesen und siedelte nach Brüssel über, da er nach Deutschland, wo ihm Verhaftung „wegen versuchten Hochverrats und Majestätsverbrechen" drohte, nicht mehr zurückkehren konnte. In Brüssel 1845 ist dann die „Deutsche Ideologie" entstanden und ebenso die übrigen, in dieser Ausgabe enthaltenen Schriften. Mit dem Aufenthalt in Brüssel, von wo aus Marx nach dem Ausbruch der deutschen Revolution von 1848 über Paris

nach Köln zurückkehrte, schließt die Periode, deren Dokumente den Inhalt dieser Ausgabe bilden.

Versuchen wir uns jetzt noch einmal die Aufgabe zu vergegenwärtigen, wie sie sich Marx aus der Ablösung von der
Hegelschen Philosophie stellen mußte, unter dem Leitmotiv
der Verwirklichung der Philosophie durch ihre Aufhebung.
Unter dem Titel der Verwirklichung der Philosophie versteht also Marx nicht eine Aufgabe der Philosophie, sondern eine Aufgabe der Wirklichkeit. Es ist unbedingt erforderlich, den inneren Zusammenhang mit Hegel, der auch
noch in aller Ablösung von der Philosophie erhalten bleibt,
ja, der diese Ablösung geradezu leitet, sich in Marxens eigenen Gedanken deutlich zu machen, um verstehen zu können, was die sogenannte „materialistische Geschichtsauffassung" *eigentlich* besagt.

In dem Entwurf eines Vorwortes zu der Arbeit über Philosophie und Nationalökonomie beruft sich Marx noch einmal auf die „Kritik der Hegelschen Rechtsphilosophie" und
macht sich zur Aufgabe, die Kritik, die er dort nur an einer
ganz bestimmten Materie, dem Staatsrecht vollzogen hatte,
von dieser Vermengung loszulassen und auf die Philosophie
als solche, auf die „Spekulation", zu konzentrieren. Marx
geht dabei von der Hegelschen „Phänomenologie des Geistes" aus. — Wir sind uns bewußt, hier nur ganz grob verfahren zu können, vor allem Hegel gegenüber. Aber da es
hier weniger darauf ankommt, Hegel in seinem originären
Gedanken gerecht zu werden als viel mehr darauf, uns nur
so weit an ihm zu orientieren, wie Marx ihn für sich aus-
legt, so mag es beim Allgemeinsten sein Bewenden haben.

Hegels Werk steht unter der Absicht, den Prozeß zur Darstellung zu bringen, in dem das, was Geist heißt, in Erscheinung tritt. Dies vollzieht sich durch eine Darstellung
des „Wissens" in den drei Stufen des Bewußtseins, des
Selbstbewußtseins und der Vernunft, wobei jedesmal die
höhere Stufe die vorhergehende in sich „aufgehoben" hat.
Dies ist der Prozeß, in dem das Wissen als absolutes Wissen
sich selbst verwirklicht. Diese Bewegung des zu sich selbst
kommenden Wissens, in der der Geist gleichsam sich selbst
gewinnt, wird nun von Marx — analog dem schon geschil-

derten Verfahren in der „Kritik der Rechtsphilosophie" — von vorn herein nicht philosophisch, d. h. als eine Bewegung des Geistes (wobei der *Geist* das Subjekt ist), sondern anthropologisch, d. h. als ein inneres Verhalten des Menschen (wobei der *Mensch* Subjekt ist) aufgefaßt und auf dieser Basis die Aneignung und Verwandlung der Hegelschen Begriffe vollzogen. Das Thema der Phänomenologie ist aber die Selbsterzeugung des absoluten Wissens: Marx stellt das folgendermaßen dar: „Das Große an der Hegelschen *Phänomenologie* und ihrem Endresultat — der Dialektik, der Negativität als dem bewegenden und erzeugenden Prinzip — ist also, einmal, daß Hegel die Selbsterzeugung des Menschen als einen Prozeß faßt, die Vergegenständlichung als Entgegenständlichung, als Entäußerung und als Aufhebung dieser Entäußerung; daß er also das Wesen der *Arbeit* faßt und den gegenständlichen Menschen, wahren, weil wirklichen Menschen, als Resultat seiner *eigenen Arbeit begreift.*" (S. 269). Diese Auslegung der Hegelschen Phänomenologie ist von grundsätzlicher Bedeutung; Marx sagt an anderer Stelle, Hegel stehe auf dem Standpunkt der modernen Nationalökonomie, daß die Arbeit das Wesen des Menschen sei. Arbeit aber ist Selbstentfremdung des Menschen, in der Arbeit entäußert sich der Mensch in einen Gegenstand, vergegenständlicht er sein eigenes Wesen, das ihm nun selbst als Äußeres, als ein ihm selbst Entfremdetes gegenübertritt. Alle diese Begriffe nun: Entäußerung, Entfremdung, Vergegenständlichung sind Hegelsche Terminologie und erwachsen aus der Darstellung der Bewegung des Wissens. Das Wissen nämlich weiß stets *etwas* als den Gegenstand seines Wissens, als sein Gewußtes. Insofern aber dies Wissen selbst Gegenstand des Wissens ist, das Wissen sich selbst Gegenstand ist, ist es in diesem sich selbst Äußeren ein Anderes und ist doch dies Andere nur das Andere seiner selbst. Das Wissen als Gewußtes, das sich selbst entfremdet, sich selbst als Gegenstand äußerlich wird, ist doch nur das vergegenständlichte Wissen selbst. In der Entäußerung weiß das Wissen seinen Gegenstand als sich selbst, damit aber hebt es ihn als Gegenstand wieder auf. Hegel — das ist der Einwurf von Marx — hebt die Entfrem-

dung des Gegenstandes und damit die Gegenständlichkeit
selbst wieder auf und er kann das, weil er diese ganze Bewegung nur als eine Bewegung des Selbstbewußtseins zur
Darstellung bringt, als eine abstrakte, d. h. von der wirklichen, sinnlichen Gegenständlichkeit des menschlichen Wirkens abgelöste Bewegung; weil er sie nicht als die Bewegung
der wirklichen, sinnlich gegenständlichen Arbeit, sondern
als Bewegung einer abstrakten Gedankenarbeit kennt. Die
Philosophie erfaßt in ihrer Weise den Menschen in seinem
wahren Wesen — als Arbeit —, aber sie erfaßt ihn nur abstrakt, losgelöst von seinem wirklichen, sinnlich — gegenständlichen Leben. Als sich selbst wissendes Wissen hebt sie
in sich die Selbstentfremdung des Menschen wieder auf,
gerade indem sie seine wirkliche Entfremdung bestehen
läßt, ja bestätigt und rechtfertigt.

Die *wahre*, wirkliche Aufhebung der Selbstentfremdung
des Menschen kann daher nur das Werk der Wirklichkeit
selbst sein, sie allein kann den Widerspruch der Wirklichkeit zur Lösung bringen, d. h. die Philosophie *verwirklichen*. Die „Aufhebung" der Selbstentfremdung im absoluten Wissen des philosophierenden Geistes, in der „Vernunft", läßt die wirkliche Selbstentfremdung als ein ihr
„Jenseitiges" bestehen. Die Aufgabe der Versöhnung von
Vernunft und Wirklichkeit, der Aufhebung der Selbstentfremdung, also die eigentlich philosophische Aufgabe bleibt
nach wie vor bestehen. Sie kann aber nur — soll sie eine
wirkliche Versöhnung sein, das Werk der bestehenden
Wirklichkeit selbst, d. h. aber ein Werk der *geschehenden
Geschichte* sein, die Aufhebung der wirklichen Selbstentfremdung des Menschen kann nur das Werk seiner praktischen
Selbstverwirklichung sein. Damit diese Tat der Geschichte
überhaupt ein mögliches geschichtliches Ereignis werde,
*dazu müssen die Voraussetzungen aber in der wirklichen,
in der Zeit geschehenden Geschichte schon angelegt sein.*
Das materielle Geschehen muß in sich die Momente jener
„Aufhebung" im Keime schon enthalten. Mit anderen Worten: mit der Selbstentfremdung, die ja das menschliche Resultat des wirklichen, materiellen Prozesses der geschehenden Geschichte ist, müssen auch schon die wirklichen Be-

dingungen ihrer Aufhebung mit da sein, ja, *die Bedingungen der Selbstentfremdung müssen als solche zugleich die
Bedingungen der Selbstverwirklichung des Menschen sein.*
Der wirkliche, materielle Prozeß der menschlichen Geschichte ist in seinem Geschehen selbst das Herausbilden der
menschlichen Freiheit. *Dies ist der eigentliche Kern der sogenannten „materialistischen Geschichtsauffassung".* Sie ist
die Entwicklung der „wahren", „vernünftigen" Wirklichkeit als ein Werk der geschehenden Geschichte selbst, die
ihre Vernunft im Keime immer schon enthält, wenn sie
auch bisher nicht wirklich geworden ist. „Die Vernunft hat
immer existiert, nur nicht immer in der vernünftigen Form.
Der Kritiker kann also an jede Form des theoretischen und
praktischen Bewußtseins anknüpfen und aus den *eigenen*
Formen der existierenden Wirklichkeit die wahre Wirklichkeit als ihr Sollen und ihren Endzweck entwickeln"
(S. 169). „Es ist also die *Aufgabe der Geschichte,* nachdem
das *Jenseits der Wahrheit* verschwunden ist, die *Wahrheit
des Diesseits* zu etablieren" (S. 208/209).
Damit aber erhält alle „Erkenntnis" als Erkenntnis der bestehenden Wirklichkeit die Funktion der *Kritik.* Die Erkenntnis des inneren Widerspruchs der bestehenden Wirklichkeit ist als solche der Widerspruch *gegen* diesen Widerspruch: die Kritik ist selbst ein Element der sich widersprechenden Wirklichkeit. Ihre Tätigkeit braucht also keine
andere zu sein als die, daß sie der Wirklichkeit „ihre eigene
Melodie vorsingt". Sie ist selbst ein vorwärts treibendes
Element dieser widerspruchsvollen Wirklichkeit, indem sie
diesen Widerspruch als solchen heraustreibt. Sie hat keine
andere Aufgabe als die, „daß man (der Welt) ihre eigenen
Aktionen erklärt", sie wird so zur „praktischen Energie".
Die Aufgabe der theoretischen Erkenntnis, die unmittelbar
Kritik ist, besteht so darin, *in der Welt der praktischen
Tätigkeit des Menschen diejenigen Momente zur Klarheit
zu bringen, die die Selbstentfremdung des Menschen be-
gründen und die damit zugleich in sich die Bedingungen
ihrer Aufhebung bergen.*
Darum konzentriert sich nun die Energie des Marxschen
Denkens auf die Herausarbeitung der Widerspruchs-Mo-

mente der geschichtlichen Wirklichkeit. Der allgemeine Titel, unter dem Marx den Widerspruch der Wirklichkeit begreift, ist die „Selbstentfremdung"; die ihr entsprechende, ihr entgegenarbeitende Aufgabe und der Herstellung des wahren und vernünftigen Zustandes ist die „Selbstverwirklichung" oder „Emanzipation" des Menschen: die Verwirklichung der Idee (des Menschen). Beides ist natürlich gegenseitig aneinander orientiert. *Daß der bestehende Zustand der Wirklichkeit als fundamentaler Mangel erscheint, ist nur möglich, weil er sich als ein Mangel der wahren Bestimmung des Menschen zeigt,* d. h.: nur aus der im voraus sicheren Idee der Bestimmung des Menschen ergibt sich sein augenblicklicher Zustand als ein mangelhafter, ist der Mensch sich selbst ein Fremdes, sich, d. h. seiner eigentlichen Bestimmung gegenüber. Ohne jenen Begriff des wahren Seins des Menschen muß also die Kritik der bestehenden Wirklichkeit unverständlich bleiben, bleibt sie ein leerer Vorwurf, ein unzufriedenes Gezänk. Die Arbeit von Marx bis ins Jahr 1845 ist geleitet von dem Bemühen, nach beiden Hinsichten in gegenseitiger Erhellung das Fundament zu sichern. Dabei tritt das Bedürfnis nach einer anthropologischen Klärung, d. h. der Bestimmung der Grundcharaktere des Menschen, vor allem in unserem neuen Manuskript und in dem ersten Teil der „Deutschen Ideologie" stark in den Vordergrund. Erst nachdem diese Arbeit geleistet ist, steht das weitere Lebenswerk nur noch unter dem *einen* Ziel: der Bloßlegung der inneren Notwendigkeit, mit welcher der auf die Spitze getriebene Widerspruch der bestehenden Wirklichkeit sich selbst seiner Auflösung entgegentreibt. Die Gewißheit dieser geschichtlichen Notwendigkeit sprechen die bestehenden Tatsachen aus: im „Kapital" bringt sie Marx zur Sprache.

Die dramatische Bewegung, die dieses Werk zum Thema hat, stellt sich als die Aktion des Titelhelden selbst dar: des Kapitals. Das Kapital ist das Subjekt der Bewegung, wie bei Hegel der Geist, und eine geistreiche Bemerkung, die das Kapital als die Wiederholung der Hegelschen Phänomenologie des Geistes bezeichnet, d. h. die Darstellung, wie der Geist selbst in Erscheinung tritt, jetzt in der Form des Geistes der bürgerlichen Gesellschaft, trifft durchaus zu. Daß aber das Kapital das wahre Subjekt des Geschehens ist, daß der Geist der bürgerlichen Gesellschaft in seiner Wahrheit im Kapital als einem Subjekt in Erscheinung tritt, darin kommt nichts anderes zum Vorschein als jenes Verhältnis des Menschen zu seiner Welt, das Marx sonst unter dem Stichwort der Selbstentfremdung begreift. Marx meint damit — das bedingt auch der Ursprung aus der Hegelschen Philosophie — einen Grundcharakter des menschlichen Lebens aller bisherigen Geschichte. Mit einer kleinen Abwandlung könnte der erste Satz des Kommunistischen Manifestes auch lauten: Alle bisherige Geschichte ist die Geschichte der Selbstentfremdung des Menschen. Wir bemühen uns um die Klärung dessen, was Marx im Auge hat.

Das Wesensmerkmal, durch das sich der Mensch vom Tier unterscheidet, ist, daß der Mensch „sein Leben produziert". Das soll nichts anderes heißen, als daß der Mensch nicht wie das Tier im unmittelbaren Zusammenhang mit der Natur das vorfindet, womit er sein Leben fristet, sondern daß der Mensch, dem dieser unmittelbare Naturzusammenhang mangelt, sich seine eigene Lebensmöglichkeit — und zwar im allerweitesten Sinne — erst schaffen muß. Das, was der Mensch jeweils ist, ist immer das Resultat seiner eigenen Tätigkeit. Tätigkeit, „Pro-duzieren" (d. h. herausführen) setzt aber ein Wesen voraus, das sich selbst Zwecke setzt, welches das, was es schaffen will, bevor es beginnt, in sich selbst fertig haben muß. „Was aber von vornherein den schlechtesten Baumeister vor der besten Biene auszeichnet, ist, daß er die Zelle in seinem Kopf gebaut hat, bevor er sie in Wachs baut" (Aus „Das Kapital", Bd. I, S. 139). Aus seinem Kopf „führt" er es „heraus", produziert er. Das, was er in sich hegt und in sich entworfen hat, ein Element seines eigenen Wesens „entäußert" er. Damit nimmt dieses eine selbständige, vom produzierenden Menschen unabhängige Gestalt an. Dieser Ur-Tatbestand des menschlichen Lebens wird aber bedrohlich für den Menschen, sobald ein zweites hinzutritt: die Teilung der Arbeit. Damit beginnt die Abhängigkeit der Individuen von einander und damit begründet sich zugleich „der Widerspruch zwischen dem Interesse des einzelnen Individuums oder der einzelnen Familie und dem gemeinschaftlichen Interesse aller Individuen" (S. 359). Das gemeinsame Werk entfaltet so eine Macht jenseits der Macht der Menschen, indem jeder von ihm abhängig ist als der äußeren Bedingung seiner Existenz. So kommt es, daß „die eigene Tat des Menschen ihm zu einer fremden gegenüberstehenden Macht wird, die ihn unterjocht, statt daß er sie beherrscht" (S. 361). Das, was aber der Mensch in seiner Tätigkeit schafft, ist alles das, was die Weise seines Lebens bedingt. Es sind nicht nur die „Lebensmittel" im robusten leiblichen Sinn, es ist die Gesamtheit der Bedingungen seines sozialen Daseins, kurz das, was Marx „die Verhältnisse" nennt. Und in diesem Sinne ist es zu verstehen, wenn Marx schließlich sagt: „Dieses Sichfestsetzen der sozialen Tätigkeit, diese Konsolidation unseres eigenen Produkts zu einer sachlichen Gewalt über uns, die unserer Kontrolle entwächst, unsere Erwartungen durchkreuzt, unsere Berechnungen zunichte macht, ist eines der Hauptmomente in der bisherigen geschichtlichen Entwicklung" (S. 361). Diese anonyme Macht der „Verhältnisse", die den Menschen zu ihrem Produkt macht, „entmenscht" den Menschen.

Hinter diesem ganzen monumentalen Aufriß der Geschichte als der ständig sich vergrößernden Selbstentfremdung des Menschen steht aber nun der ebenso monumentale idealistische Glaube, daß es gleichwohl das Werk der Geschichte sei, „die Wahrheit des Diesseits zu etablieren" – die Philosophie, d. h. die Idee durch sich selbst zu verwirklichen. Während der Philosoph Hegel keineswegs so phantastisch war, alles das als vernünftig anzusehen, was Marx als Wirklichkeit galt und so andererseits von der Wirklichkeit selbst keine idealen Erwartungen hegte, wächst der ganze Realismus des Marxschen Erkennens auf dem idealen Glauben an die wirkliche und vollständige Vereinigung von Idee und Wirklichkeit, von Vernunft und Wirklichkeit. Die Selbstentfremdung selbst hat also gleichsam die welthistorische Aufgabe, durch sich die Selbstverwirklichung des Menschen zu bewirken, und es gilt für die kritische Erkenntnis den Punkt zu bestimmen, in dem sich beides – Entfremdung und

Verwirklichung — wie in einem Brennpunkt konzentriert. Das ist das Proletariat. *Es ist also nicht so, daß die Anschauung vom bestehenden Proletariat die Voraussetzung war für die Formulierung des historischen Materialismus* — dies Proletariat war zum Teil ja erst in der Bildung begriffen —, *sondern umgekehrt: der historische Materialismus,* d. h. die Auffassung, daß die geschehene Geschichte selbst die Verwirklichung der Idee aus sich erzeugt, *ist die Voraussetzung für die Erkenntnis der Rolle des Proletariats;* „Die Philosophie kann sich nicht verwirklichen ohne die Aufhebung des Proletariats, das Proletariat kann sich nicht aufheben ohne die Verwirklichung der Philosophie" (S.224). Um jedoch den Begriff des Proletariats als die völlige Verneinung des Menschen zu verstehen, dessen Existenz der lebendige Widerspruch selber ist: der völlige Verlust des Menschen und in eins damit die Empörung über diesen Verlust, die Negation der Negation, dazu bedarf es vorher des Hinblicks auf das in dieser Verneinung eben verneinte wahre Wesen des Menschen.

Es gehört zum Begriff des Menschen selbst, daß er nur in Gemeinschaft mit anderen Mensch ist. Die Gemeinschaft ist nicht etwas, was zum einzelnen Individuum noch hinzukommt, sondern das, was jeder einzelne als Mensch ist, ist er nur in und durch die Gemeinschaft mit anderen. Das ist es, was Marx eigentlich meint, wenn er als das wahre Wesen sein Gattungswesen erklärt. In einem wieder durchgestrichenen Satz der „Deutschen Ideologie" sagt Marx: „Mein Verhältnis zu meiner Umgebung ist mein Bewußtsein." Zwischen dies Verhältnis des Menschen zum Menschen treten jedoch „die Verhältnisse", der ganze Komplex von Organisationen die das *menschliche* Verhalten des Menschen zum Menschen durchbrechen, den Menschen vom Menschen trennen und entfremden. Durch die vollendete Arbeitsteilung, durch die niemand mehr über das verfügt, was er braucht, ist der Mechanismus der Produktions- und Tauschverhältnisse schließlich vollkommen an die Stelle der menschlichen Beziehungen getreten, sind alle *menschlichen* Verhältnisse schließlich selbst Produktions- und Tauschverhältnisse geworden. Die Menschen bekommen miteinander überhaupt nicht mehr als Menschen zu tun, sondern bloß noch als Exponenten der alles beherrschenden Produktionsverhältnisse. „Die Entfremdung erscheint sowohl darin, daß *mein* Lebensmittel eines *anderen* ist, daß das, was *mein* Wunsch, der unzugängliche Besitz eines anderen ist, als daß jede Sache selbst ein *anderes* als sie selbst, als daß meine Tätigkeit ein anderes, als endliche — und das gilt auch für den Kapitalisten — daß überhaupt die *unmenschliche* Macht die menschliche beherrscht" (S. 266). Daß eine jede Sache ein anderes als sie selbst ist, heißt nichts anderes, als daß auch der Schuh nicht mehr ein richtiger Schuh ist, also zum Bekleiden der Füße dient, sondern Ware geworden, also gegen seine wirkliche Verwendung gleichgültig geworden ist. Dem Schuhfabrikanten ist die Bestimmung des Schuhes gleichgültig, wenn er ihm nur *eine* Bestimmung erfüllt: Geld zu bringen. Im Geld aber hat die Entfremdung des menschlichen Wesens ihren äußersten Ausdruck erhalten. Das Geld ist die in sich völlig qualitätslose und gegen jede mögliche Verwendung indifferente Verfügungsallmacht über alles und über jeden. Da niemand das hat, was er braucht, braucht er Geld, um alles haben zu können. „Was mir aber *mein* Leben vermittelt, das *vermittelt mir* auch das Dasein des anderen Menschen für mich. Das ist für mich der andere Mensch" (S. 297). Der andere Mensch wird für jeden das, was er in Beziehung zum Geld sein kann. Das Geld ist „die allgemeine Hure", die alles verkuppelt, die „das widersprechende zum Kusse zwingt". Was ich nicht bin, das kann ich durch Geld sein. Es macht alle menschlichen Verhältnisse zu wirkungslosen, indem es alle Wesensäußerungen des Menschen wirkungslos macht. Es verkehrt „die Treue in Untreue, die Liebe in Haß, den Haß in Liebe, die Tugend in Laster, die Laster in Tugend, den Knecht in den Herrn, den Herrn in den Knecht, den Blödsinn in Verstand, den Verstand in Blödsinn" (S. 301). Im Geld also zeigt sich die vollendete Entfremdung des Menschen von seinem wahren Wesen, von seinem Wesen als Mensch.

So wie aber im Geld die Ware ihre letzte qualitative Bestimmtheit entäußert hat, so der Mensch die seinige, indem er zur Ware wird. Dazu aber wird er unmittelbar, wenn seine Arbeitskraft zu nichts anderem dienen kann als zum Verkauf. Er selbst als Mensch kommt ja dann für das, was er in der Gesellschaft ist, nicht in Betracht, er ist nur der Träger einer abstrakten Ware, mit der er — indem er sie verkauft — sich selbst verkauft. Der bloße Arbeiter existiert in der Gesellschaft gar nicht als Mensch sondern als Ware, sein Mensch-Sein ist zur bloßen Zufälligkeit herabgesunken; es ist die letzte mögliche Form der Selbstentfremdung des Menschen. Im Proletariat dokumentiert sich „der völlige Verlust des Menschen". Die Selbstverwirklichung des Menschen kann sich also nur vollziehen durch die Selbst-Aufhebung des Proletariats.

In der Bildung des Proletariats hat die „bisherige" Geschichte des Menschen den Punkt erreicht, an dem sie sich selbst aufhebt und damit zugleich zu ihrem eigenen Ziel gelangt. Die Bewegung der Idee, die sich als geschehende Geschichte entfaltet, gelangt ins Ziel, d. h. sie kommt aus ihrer Selbstentäußerung zu sich selbst, zu ihrer eigenen Verwirklichung. Das ist die sogenannte „Dialektik", die nicht eine „Methode" ist, sozusagen ein griffiges Werkzeug, mit dem Marx die Geschichte bearbeitet und das er von Hegel zu handhaben gelernt hat, sie ist vielmehr die Art und Weise selbst, in der der wirkliche Vollzug der Geschichte geschieht, der nur aus einem Grunde dialektisch ist: weil er der Vollzug der Bewegung der „Idee" ist: der Vollzug der „Verwirklichung der Philosophie".

Das Ziel der Geschichte aber ist nicht die „Vergesellschaftung der Produktionsmittel", die Beseitigung der „Ausbeutung" durch die „Expropriation der Expropriateure", alles das ist sinnlos, wenn es nicht zugleich die „Verwirklichung des Menschen" ist. Auch der Kommunismus ist nicht das Ziel der Geschichte: „Der Kommunismus ist für uns nicht ein *Zustand*, der hergestellt werden soll, ein *Ideal*, wonach die Wirklichkeit sich zu richten habe. Wir nennen Kommunismus die *wirkliche* Bewegung, welche den jetzigen Zustand aufhebt. Die Bedingungen dieser Bewegung ergeben sich aus der jetzt bestehenden Voraussetzung" (S. 361). Der Kommunismus ist also nur bedingt durch die „jetzt be-

stehende Voraussetzung", d. h. er gehört selbst zu dem
„jetzt" bestehenden, er ist das, was er ist, nur als Moment
des bestehenden Widerspruchs, als Negation der Negation.
Allerdings gebraucht Marx das Wort in zweierlei Bedeutung und mitunter auch für den herzustellenden Zustand.
Inhaltlich aber unterscheidet er scharf. Alles das, was mit
dem Begriff des Kommunismus gewöhnlich verbunden wird,
und als was er sich selbst heute versteht, hat Marx selbst,
vorweggreifend, deutlich abgelehnt. Marx nennt den allein
auf die Aufhebung des Privateigentums fixierten Kommunismus „nur eine *Verallgemeinerung* und Vollendung desselben". Dieser Kommunismus ist so sehr gebannt vom
Haben und Nicht-Haben, „die Herrschaft des *sachlichen
Eigentums* ist so groß ihm gegenüber, daß er allein vernichten will, was nicht fähig ist als *Privateigentum* von allen
besessen zu werden. Der physisch unmittelbare Besitz gilt
ihm als einziger Zweck des Lebens und Daseins; die Bestimmung des Arbeiters (des Proletariers. D. Herausgb.) wird
nicht aufgehoben, sondern auf alle Menschen ausgedehnt;
er will auf gewaltsame Weise von Talent etc. abstrahieren"
(S. 233). Die Motive dieses Kommunismus sind nur „Neid
und Nivellierungssucht", d. h. nichts anderes als das Wesen
der Konkurrenz selbst, ebenso wie die Gemeinschaft dieses
Kommunismus nichts anderes ist als „eine Gemeinschaft der
Arbeit oder der Gleichheit des Salairs (Lohnes), das das gemeinschaftliche Kapital ... auszahlt". Diese Gemeinschaft
ist nur „der allgemeine Kapitalist". Hier ist das Kapital in
seiner Gewalt über den Menschen nicht aufgehoben, sondern als ein allgemeines erst recht in die Herrschaft über
den Menschen gesetzt. Das bedeutet zugleich die Vernichtung
des Menschen als Persönlichkeit, wie eben die zur Ausschließlichkeit erhobene Herrschaft der Ökonomie den
„völligen Verlust des Menschen" bedeutet. „Dieser Kommunismus — indem er die *Persönlichkeit* des Menschen überall negiert — ist aber nur der konsequente Ausdruck des
Privateigentums, welches die Negation ist" (S. 233). Und
schließlich: „Wie wenig diese Aufhebung des Privateigentums eine wirkliche Aneignung ist, beweist eben die abstrakte Negation der ganzen Welt der Bildung und der

Zivilisation; die Rückkehr zur *unnatürlichen* Einfachheit des *armen* und bedürfnislosen Menschen, der nicht über das Privateigentum hinaus, sondern noch nicht einmal bei demselben angelangt ist" (S. 234).

Alles dies kann also nicht das wahre Ziel der Geschichte sein. Der „reale Humanismus" — wie Marx seinen Standpunkt auch bezeichnet — ist nicht dadurch schon gewährleistet, daß das Privateigentum aufgehoben und die sachlichen Produktionsmittel als allgemeines Eigentum nunmehr alle Menschen in die gleiche Abhängigkeit gebracht habe. Überhaupt ist „die Gleichheit als Grund des Kommunismus keine *politische* Bedingung". Nicht die völlige Durchdringung des ganzen Gesellschaftslebens durch den Produktionsapparat, die nur zur Folge hat, daß die ganze Gesellschaft zum Proletariat wird, sondern die Befreiung des Lebens aus der Unterworfenheit unter „fremde Mächte" kann die Verwirklichung der wahren Bestimmungen des Menschen sein. Der Mensch soll nicht ein Produkt der Verhältnisse, sondern die Verhältnisse sollen ein Produkt des Menschen sein. Es gilt also „die Verhältnisse in den Menschen aufzulösen", damit „der Mensch das höchste Wesen für den Menschen sei". Das Verhalten des Menschen zum Menschen und zu sich selbst soll durch nichts anderes bestimmt sein als durch seinen Charakter als Mensch. Das Verhalten der Menschen zu ihresgleichen und zur Welt wird dann das Verhalten des „Theoretikers": „Sie verhalten sich zu der Sache um der Sache willen." Erst dann, wenn der Mensch aus der Verfangenheit in die ihm selbst äußerlichen Bedingungen seiner Existenz befreit ist, die alle wahren Wesensäußerungen des Menschen verfälschen (das Geld!), erst dann werden alle seine Wesensäußerungen unmittelbar das sein, was sie wirklich sind, erst dann wird das Ohr frei für die Musik, das Auge für die Schönheit der Form. „Der unter dem rohen praktischen Bedürfnis befangene *Sinn* hat auch nur einen *bornierten* Sinn ... Der sorgenvolle, bedürftige Mensch hat keinen *Sinn* für das schönste Schauspiel; der Mineralienkrämer sieht nur den merkantilischen Wert, aber nicht die Schönheit und eigentümliche Natur des Minerals" (S. 242/243). Und ebenso wird erst dann das Verhalten des Menschen zu seinesgleichen und sein eigenes Sein zu dem, was es wirklich ist. Wenn niemand mehr hinter einem äußeren Schein, den „die Verhältnisse" ihm verleihen, sein wahres Wesen verbergen kann, dann kann jeder „Liebe nur gegen Liebe austauschen, Vertrauen nur gegen Vertrauen usw.". „Jedes Deiner Verhältnisse zum Menschen und zu der Natur muß eine *bestimmte*, dem Gegenstand Deines Willens entsprechende *Äußerung* Deines *wirklichen indivi-duellen* Lebens sein. Wenn du liebst, ohne Gegenliebe hervor-zurufen, d. h. wenn Dein Lieben als Liebe nicht die Gegen-liebe produziert, wenn Du durch eine *Lebensäußerung* als liebender Mensch Dich nicht *zum geliebten Menschen* machst, so ist Deine Liebe ohnmächtig, ein Unglück" (S. 301).

Dann also, wenn das Verhältnis von Mensch zu Mensch nichts anderes mehr ist als der unmittelbare Ausdruck ihres individuellen Daseins, wenn der Mensch frei geworden ist von der Knechtschaft unter der Notdurft des materiellen Lebens und er damit erst wahrhaft sich zu dem erhebt, was er ist: einem Wesen, das sich selbst bestimmt, dann also ist die Gemeinschaft in der Tat „die Wirklichkeit der sittlichen Idee". Und diese — in dem jetzt umschriebenen Sinne — Verwirklichung der wahren Bestimmung des Menschen ist die das *ganze* Werk tragende Idee. Aus ihrem Inhalt ist die Bedeutung alles anderen allein zu verstehen und zu be-stimmen. Nachdem sie Marx in der Abhebung *gegen* Hegel und *gegen* Feuerbach gewonnen und vor sich hingestellt hat, ist die Bemühung seines ganzen weiteren Lebens nur noch darauf konzentriert, die Kräfte der geschehenden Wirklichkeit namhaft zu machen, die den Widerspruch von Idee und Wirklichkeit zur Auflösung bringen.

Marx fühlt sich selbst gleichsam von der Vorsehung beauf-tragt, der Welt auf den Kopf zuzusagen, welche Stunde geschlagen hat. Damit war das nächste Ziel — und es sollte das endgültigste sein — seiner Lebensarbeit bestimmt: es mußten diejenigen Elemente der tätigen Wirklichkeit der Gesellschaft zur klaren Erkenntnis gebracht werden, die durch ihre eigene Beschaffenheit und Wirkung den Zu-sammenbruch der bestehenden Verhältnisse aus sich hervor-treiben mußten und infolge ihres eigenen inneren Wider-

spruches die allgemeine Selbstentfremdung aufzuheben bestimmt waren. Diese Elemente aber mußten in den Verhältnissen des tätigen Lebens selbst bestehen, eben in denjenigen, die als namenlose Macht die Beziehungen der Menschen zueinander beherrschen, d. h. in den ökonomischen
Verhältnissen, in denen die eigentliche Wurzel der Selbstentfremdung begründet lag. Die Gesetze der Ökonomie
also zu erkennen, bedeutete zugleich die Erkenntnis der Bedingungen der Selbstverwirklichung des Menschen. So fühlte
sich Marx gedrungen, das Studium der wirtschaftlichen
Gesetze und ihrer Entwicklung zu seiner eigensten Aufgabe zu machen, einer Aufgabe, die seinen Neigungen und
ursprünglichen Interessen ganz fern lag und die ihn dennoch bis an sein Lebensende in Atem hielt. Er hat sich oft
darüber beklagt, daß er sich mit diesem Zeug abgeben muß,
und immer mit dem Gedanken geliebäugelt, sich wieder ihn
mehr fesselnden Gegenständen zuwenden zu können. So
dachte er noch in seinem Alter daran, wie sein Schwieger-
sohn Lafargue berichtet, eine Logik und eine Geschichte
der Philosophie zu schreiben. Es ist nie dazu gekommen.
Der unerbittliche Ernst, mit dem ihn seine Aufgabe als ein
höheres Gebot durchdrang, drängte alles Private in den
Hintergrund.

Auf Betreiben der Preußischen Regierung wurde Marx am
11. Januar 1845 vom französischen Ministerium ausgewiesen zusammen mit einigen anderen in Paris weilenden Revolutionären Schriftstellern, die in dem in Paris erscheinenden „Vorwärts" geschrieben hatten. Marx mußte mit seiner
Frau und der inzwischen geborenen kleinen Jenny nach
Brüssel übersiedeln. Während der drei Jahre des Brüsseler
Aufenthaltes versuchten nun Marx und mit ihm zusammen
Engels, der vorläufig seine kaufmännische Tätigkeit aufgegeben hatte, mit den vielfältigen Gruppen verschieden-
artiger sozialistischer Richtungen in Verbindung zu kommen, die sich teils aus Ausgewanderten Handwerksburschen,
teils aus Literaten jeweils um irgendeinen der verschiedenen Verkünder eines zukünftigen Gesellschaftsideals gebildet hatten, wie z. B. den Schneiderlehrling Wilhelm
Weidling, Proudhon u. a.

Diesen beliebigen Phantasien über eine bessere Gesellschaftsordnung die notwendige Bedeutung ihres eigenen dunklen
Wunsches klar zu machen, anstelle des willkürlichen Sich-
Ausdenkens der besten Güterverteilung und des Appells an
die bessere Vernunft der Menschen die unabdingbaren materiellen Voraussetzungen für einen Umsturz zum Bewußtsein zu bringen, das hatte sich Marx zur Aufgabe gesetzt.
Gegenüber dem furchtbaren Ernst der weltgeschichtlichen
Stunde mußte ihm all solch leichtsinniges Gerede als uner-
träglicher Unfug erscheinen, und so ist denn auch sein persönliches Auftreten von den meisten Menschen als maßlose
Überheblichkeit beurteilt worden und hat, wo immer auch
Marx mit den sozialen Bestrebungen in Berührung kam,
zu unerträglichen Intrigen, Hinterträgereien, Verleumdungen und kleinen Gemeinheiten geführt. Das souveräne
Selbstbewußtsein des Mannes, dem der Gang der Weltgeschichte ein aufgeschlossenes Buch war und dem jeder Widerspruch keineswegs eine persönliche abweichende Meinung, sondern ein lächerlicher Widerstand gegen den eiser-
nen Zwang des Schicksals erschien, mußte auf alle Personen,
die nicht bereit waren, seine aristokratische Überlegenheit
anzuerkennen, als aufreizende Überheblichkeit wirken. Ein
ausgezeichnetes Bild seiner Erscheinung entwirft ein Russe,
Anienkow, der an einer der Versammlungen in Brüssel teil-
genommen hat: „Er selbst stellte den Typus eines Menschen
dar, der aus Energie, Willenskraft und unbeugsamer Überzeugung zusammengesetzt ist, ein Typus, der auch der äußeren Erscheinung nach höchst merkwürdig war. Eine dichte
schwarze Mähne auf dem Kopfe, die Hände mit Haaren
bedeckt, den Rock schief zugeknöpft, hatte er dennoch das
Aussehen eines Mannes, der das Recht und die Macht hat,
Achtung zu fordern, wenn sein Aussehen und sein Tun
auch seltsam genug erscheinen mochte. Seine Bewegungen
waren eckig, aber kühn und selbstbewußt. Seine Manieren
liefen geradezu allen gesellschaftlichen Umgangsformen
zuwider. Aber sie waren stolz, mit einem Anflug von Verachtung, und seine scharfe Stimme, die wie Metall klang,
stimmte merkwürdig überein mit den radikalen Urteilen
über Menschen und Dinge, die er fällte. Er sprach nicht

anders als in imperativen, keinen Widerstand duldenden
Worten, die übrigens noch durch einen mich fast schmerz-
lich berührenden Ton, welches alles, was er sprach, durchdrang, verschärft wurden. Dieser Ton drückte die feste
Überzeugung von seiner Mission aus, die Geister zu beherrschen, und ihnen Gesetze vorzuschreiben. Vor mir stand
die Verkörperung eines demokratischen Diktators, wie sie
auf Momente der Phantasie vorschweben mochte."

Die Brüsseler Zeit ist vorwiegend eine Zeit der Zusammenfassung und Sicherung des bis dahin an Erkenntnissen
Gewonnenen. War sie einerseits dem — allerdings nicht sehr
erfolgreichen — Versuch gewidmet, den verschiedenen sozialistischen Richtungen, die in den Gruppen und Vereinigun-
gen diskutiert wurden, den notwendigen Sinn ihrer eigenen
Bestrebungen bewußt zu machen und mit den allgemeinen
Bedingungen der öffentlichen Zustände ins Verhältnis zu
setzen, so galten andererseits die schriftstellerischen Arbeiten der endgültigen Abgrenzung gegen alle diejenigen literarischen Richtungen, die durch ihre Verwandtschaft in
irgendeinem Punkte eine besondere Unterscheidung heraus-
forderten. So entstand zunächst in Gemeinschaft mit Engels
„Die Heilige Familie oder Kritik der kritischen Kritik",
eine Auseinandersetzung mit „Bruno Bauer und Konsorten", ferner die umfangreiche „Deutsche Ideologie", deren
erster Teil eine positive Auseinandersetzung mit Feuerbach
und eine in ihrer Langatmigkeit und akrobatischen Klopf-
fechterei unerquickliche Kritik des Buches von Max Stirner „Der Einzige und sein Eigentum" unter dem Titel
„Sankt Max" enthält. Der zweite Teil setzt sich aus mehreren Polemiken gegen verschiedene Verkünder des „wahren
Sozialismus" zusammen. Positiv wichtig ist nur der erste
Teil über Feuerbach. Wir haben seinen Inhalt schon mit in
die vorhergehende Darstellung einbezogen. Den Abschluß
dieser nach allen Seiten hin verteidigenden und sichernden
literarischen Bemühungen bildet das gegen die Schrift des
damals bekanntesten französischen Sozialisten Proudhon
„Philosophie des Elends" sich richtende Buch von Marx,
das in schlagender Umkehrung des Titels als „Elend der
Philosophie" in französischer Sprache 1847 erschien. Gegen

Ende des Jahres 1847 erhielten nun Marx und Engels von dem in London gebildeten „Bund der Gerechten", einer Gruppe deutscher Sozialisten, die sich den neuen Namen „Bund der Kommunisten" gegeben hatten und sich der Marxschen Lehre anzuschließen bereit waren, den Auftrag, die neuen Grundsätze in einem öffentlichen Manifest niederzulegen. Dies war der äußere Anlaß zur Abfassung des „Kommunistischen Manifests", der berühmtesten und in alle Sprachen der Welt übertragenen Schrift von Marx. In einer Sprache, die die knappe Strenge eines Armeebefehls mit der unfehlbaren Treffsicherheit einer mathematischen Beweisführung vereinigt und deren mitreißendes Pathos nicht so sehr aus dem Gebrauch großer Worte als aus der Gewalt der unentrinnbaren Konsequenz der entwickelten Tatsachen floß, wurde aller Welt vor Augen geführt, daß es sich im Kommunismus nicht um die Durchführung irgendeines utopistischen Systems, sondern um die selbstbewußte Teilnahme an dem vor aller Augen vor sich gehenden geschichtlichen Umwälzungsprozeß der Gesellschaft handle und daß die einzige haltbare theoretische Grundlage die der Beförderung dieses Prozesses die wissenschaftliche Einsicht in die ökonomische Struktur der bürgerlichen Gesellschaft sei.

Jede Beunruhigung der politischen Zustände mußte für Marx ein Wetterleuchten der herannahenden großen Katastrophe bedeuten. Mit Spannung und intensiver Aufmerksamkeit hat er immer die politischen Vorgänge in allen Staaten verfolgt; und stets ihre welthistorische Bedeutung im Rahmen der Entwicklung zu bestimmen versucht, die für ihn als unabänderliche Konsequenz aus der Gewalt der materiellen Verhältnisse floß. Noch mit fünfzig Jahren begann er Russisch zu lernen, um die Dokumente der russischen Regierungs-Untersuchungen gegen die politisch Verfolgten selbst lesen zu können. In jedem Ereignis des politischen Geschehens erwartete er die Bestätigung der von ihm bestimmten weltgeschichtlichen Konstellation, überall sollte und mußte die Wirklichkeit bestätigen, was der Gedanke erkannt hatte. Ein glänzendes Dokument dieser Auslegungskunst, durch die er die sprödesten Tatsachen in den Zusammenhang seiner Weltansicht brachte, ist die im Jahre 1852 erschienene Darstellung des Staatsstreiches Napoleons III. „Der achtzehnte Brumaire des Louis Napoleons", und auch den Aufstand der Pariser Kommune im Jahre 1871 glaubte er noch als ein bestätigendes Ereignis begrüßen zu dürfen. Und als nun im Jahre 1848 allenthalben in Europa revolutionäre Bewegungen losbrachen, war für Marx das Zeichen gegeben, diesen Bewegungen von sich aus das notwendige Gesetz ihres Handelns und das wahre Ziel ihres Willens vor Augen zu halten. Zunächst erfuhr er sogar die Genugtung, daß die französische provisorische Regierung nach dem Sturz des Bürgerkönigs Louis Philippe ihn durch ein persönliches Schreiben nach Paris zurück berief. Marx, der aus Brüssel sofort ausgewiesen wurde, ging nach Paris und gründete dort eine neue „Zentralbehörde" des kommunistischen Bundes. Es gelang ihm, von der Pariser Revolutions-Regierung eine Reiseunterstützung für diejenigen in Frankreich sich aufhaltenden Deutschen zu erwirken, die in ihre Heimat als Propagandisten für die neue Lehre zurückkehren sollten. Denn im März brachen auch allenthalben in Deutschland revolutionäre Unruhen aus, und Marx selbst hielt die Zeit für gekommen, in seine Heimat zurückzukehren, wo ihm bisher sofortige Verhaftung „wegen versuchten Hochverrats und Majestätsverbrechen" gedroht hatte. Es gelang, das Geld zur Gründung einer neuen Zeitung in Köln, der „Neuen Rheinischen Zeitung" aufzubringen, deren leitender Redakteur Marx wurde, und zu deren schriftstellerischem Stab auch der Dichter Ferdinand Freiligrath gehörte. Die Zeitung begann sofort mit einer scharfen Kritik all der halben Maßnahmen, mit denen sich die bürgerlichen Demokraten begnügten. Es war Marx klar, daß unter den gegebenen Umständen für eine soziale Revolution der Boden nicht bereitet war, daß alles, worauf man zunächst hinzuarbeiten hatte, sich auf die Eroberung der politischen Macht durch die bürgerliche Demokratie beschränken mußte. Aber noch nicht einmal dies Resultat ließ sich in Deutschland erreichen.

Der Anfang des Jahres 1849 brachte den Zusammenbruch der revolutionären Bewegung in ganz Europa. Marx war wieder heimatlos geworden. Der Gang der Weltereignisse, der seinem eigenwilligen Gesetz folgte und die auf ihn gesetzten Erwartungen eines notwendigen Ablaufs enttäuscht hatte, mußte in Marx eine furchtbare Bedrückung zurücklassen. Die Zeitung, in die Marx den letzten Rest seines und seiner Frau Vermögens hineingesteckt hatte, mußte aufgelöst, das wertvolle, aus dem schottischen Herzoghause Argyll, den Vorfahren seiner Frau, stammende Familiensilber im Pfandhaus versetzt werden. Marx selbst wurde in Darmstadt vorübergehend verhaftet, ging dann nach Paris, und als schließlich die neue Pariser Regierung ihn mit seiner Familie in das ungesunde Klima eines abgelegenen Landesteils verbannen wollte, floh er mit Frau und den inzwischen auf vier Köpfe vermehrten Kindern nach London, wo er ohne alle Mittel und im elendesten Zustande seine letzte Zuflucht fand, die ihm dann bis an sein Lebensende blieb.

Der lähmende Ausgang der revolutionären Ereignisse in Europa, die mit kleinen Privatintrigen, persönlicher Eitelkeit und politischer Kurzsichtigkeit erfüllte Atmosphäre der durch den Ausgang der Revolution aus Deutschland vertriebenen Revolutionäre, im Grunde aber das dumpfe Gefühl von der Widerspenstigkeit der Wirklichkeit, die nur wenig die Züge erkennen ließ, die sie nach der theoretischen Vernunft hätte zeigen müssen, alles dies erweckte in Marx nicht etwa den Zweifel an der Zulänglichkeit der von ihm gestellten Diagnose. Im Gegenteil: es verfestigte sich allmählich in ihm eine innere Haltung, deren Eigentümlichkeit zu den merkwürdigsten Fehlurteilen über seinen Charakter verleitet hat und die allerdings so lange ganz unverständlich bleiben muß, als man über allerlei psychologischen Vermutungen gerade die einzige und entscheidende Realität seines Lebens vergißt: seine unbeirrbare metaphysische Überzeugung, daß es das Gesetz des wirklichen Geschehens in Staat und Gesellschaft sei, die vernünftige Idee aus sich zu entwickeln, daß dieses Gesetz in den wirtschaftlichen Verhältnissen zur Auswirkung komme und daß das Resultat — die verwirklichte Idee — die klassenlose Gesellschaft sein müsse. Die Reinheit und Unbedingtheit dieser Idee mußte aber gewahrt werden vor all den persönlichen Beliebigkeiten, den Bemühungen, sie den „realen Bedürfnissen anzupassen", dem Ehrgeiz, Politik auf eigene Faust zu treiben. So zog sich Marx im Verlauf der Zeit immer mehr von aller Vermischung mit der unmittelbaren Praxis zurück. Jeder von all denen, die in der praktischen Bewegung mitwirkten, war ihm irgend wie verdächtig, und »das System wechselseitiger Konzessionen, aus Anstand gebildeter Halbheiten", das alle Politik mit sich brachte, war ihm zutiefst zuwider. Und während seine Urteile über andere Menschen immer schärfer und eisiger werden, wird er selbst immer isolierter und einsamer. Er, der sich selbst mit der entschiedensten Unerbittlichkeit außerhalb der bestehenden Ordnung der Dinge gestellt hatte, der diese ganze Welt dem Verfall preisgegeben sah, gegen den sich alles, die Regierung, wie die demokratische Opposition verschworen hatte, dem die gesamte Presse sich verschloß, so daß ihm jede Verteidigung abgeschnitten und er oft wehrlos den niedrigsten Verleumdungen preisgegeben war, er mußte zugleich die Reinheit seiner Idee gegen diejenigen ständig sichern, die glaubten, mit ihm in gemeinsamer Sache sich verbinden zu können. Kennzeichnend in dieser Richtung ist vor allem sein Verhalten zu Lassalle. So wenig Marx verkannte, was ein solch durchtriebener Politiker, findiger Kopf und berauschender Redner für den Zusammenschluß der Arbeiterschaft bedeuten konnte, den ja Lassalle durch die Gründung des Allgemeinen Deutschen Arbeitervereins im Jahre 1863 erstmals zustande gebracht hatte, so fremd, ja anstößig und widerwärtig war ihm die persönliche Art Lassalles, die ihm stets den Verdacht einer riesenhaften Hochstapelei erweckte und ihn zu maßlosen Wutausbrüchen reizen konnte. Dieser Einsatz aller Kräfte sowohl für die größten sozialen Probleme wie für die persönlichsten Skandalgeschichten, dieser grenzenlose Ehrgeiz, sowohl in den ersten Gesellschaftskreisen anerkannt zu sein und zu glänzen als auch als populärer Führer einer neuen sozialen Bewegung sich Macht und Bedeutung zu erobern; diese phantastische Mischung aus Schauspielerei, die keinen Effekt versäumte, und eben in dieser Schauspielerei vorbehaltlose Verschwendung aller Kraft und Überzeugung — dies alles war der verschlossenen Aristokratie seines Wesens, der geräuschlosen Inbrunst seines geistigen Willens aufs höchste zuwider.

Aber auch sonst verhielt sich Marx der sozialen Bewegung und ihren verschiedenen Bestrebungen gegenüber im Hintergrund, trat nach außen wenig in Erscheinung, auch wenn er mit gespanntestem Interesse der Entwicklung, vor allem der im Jahre 1864 in London gegründeten internationalen Zusammenfassung aller Arbeiterbewegungen, der Internationalen Arbeiter-Assoziation, folgte und der Ausgestaltung ihres Programms und der Beratung des Generalrats einen nicht unbeträchtlichen Teil seiner Arbeitskraft widmete. Aber auch dieses Gebilde, das als internationale Klammer alle nationalen Besonderheiten der Arbeiterbewegung in sich umschließen sollte und dem europäischen Charakter seiner Theorie am ehesten entsprach, mußte ihn in seinem kläglichen Ausgang aufs bitterste enttäuschen. Im Jahre 1872 löste sich die I. A. A. auf, aus Unfähigkeit, die verschiedenartigen Strömungen und Richtungen und die ewigen kleinen kläglichen Streitigkeiten in sich zusammenzuhalten. Marx hatte schon vorher die Absicht auszutreten.

Ebenso verhielt er sich zur deutschen sozialdemokratischen Arbeiterbewegung durchaus im Abstand. In Deutschland bestand neben dem von Lassalle gegründeten Allgemeinen Deutschen Arbeiterverein noch eine andere Richtung, die „Eisenacher" (die sich dort 1869 gegründet hatte) unter der Leitung der Marx nahestehenden Wilhelm Liebknecht und August Bebel. Als nun im Jahre 1875 sich beide Richtungen auf einem Kongreß in Gotha zur „Sozialdemokratischen Arbeiterpartei" zusammenschlossen und sich dabei auf ein Programm einigen mußten, in das sehr viele Programmpunkte der Lassalleaner aufgenommen wurden, wandte sich Marx in einer äußerst scharfen Kritik dieses Gothaer Programms an die Eisenacher, in der er von einem „durchaus verwerflichen und demoralisierenden Programm" sprach, das es ihm verbiete, auch nur „ein diplomatisches Stillschweigen" zu wahren.

Obwohl er wußte, daß alle Politik mehr in einem Sich-Einfügen und Anpassen an das jeweils Mögliche bestand als in der unmittelbaren Durchsetzung eines abstrakten Willens, so war ihm doch eben gerade deswegen alles Politisieren und Sich-Einlassen mit der Dummheit der Welt im Grund ein Greuel und eine unerträgliche Erniedrigung der wahren Idee. Diese einzigartige Kreuzung der philosophischen reinen Vernunft mit dem praktisch-politischen Willen, die nach beiden Seiten hin immer das Prinzip des einen durch das beigemischte des anderen verfälschen mußte, bedingt diese ganz übermenschliche Anstrengung, dem wirklichen Geschehen das vernünftige Gesetz seiner Entwicklung aufzwingen zu wollen. Resultiert so auf der einen Seite ein immer tieferer Groll gegen die tatsächliche Unvernunft und Eigenmächtigkeit der Menschen und Ereignisse des wirklichen Geschehens, eine grundsätzliche Abneigung gegen jede verfälschende Popularisierung, die ihm jenes aristokratische und diktatorische Ansehen verlieh, das stets alle kleineren Geister als Selbstüberheblichkeit und Gehässigkeit auffaßten, so auf der anderen Seite der alles verzehrende Wille, die Wirklichkeit — so wie sie wirklich ist — zu entlarven als die sich entfaltende Entwicklung zur wahren Idee, zur klassenlosen Gesellschaft, ihr auf den Kopf zuzusagen, daß sie selbst es nicht verleugnen kann, die letzte Auflösung der Selbstentfremdung zu sein. Und dieser Sysiphusarbeit sind die dreißig Jahre seines Londoner Lebens gewidmet, die Auseinanderlegung des Lebensgesetzes der bürgerlichen Gesellschaft, das in ihren Produktionsverhältnissen wirksam ist.

Von neun Uhr früh bis sieben Uhr abends, zehn Stunden am Tage, arbeitete Marx in London gewöhnlich im British-Museum, der großen Londoner Bibliothek, und dann meistens noch nachts bis zwei und drei Uhr, wenn seine Arbeit nicht durch Geldnot, Pfändungen, eigene Krankheiten und die der Kinder unterbrochen wurde. In der ersten Zeit erschien es ihm, als wenn er nun bald — 1851 meinte er in fünf Wochen — mit „der ganzen ökonomischen Plackerei" fertig wäre, aber erst nach weiteren 16 Jahren, im Jahre 1867, sollte der erste Band des „Kapital" erscheinen. Sein unerschöpflicher Wissensdrang, seine unerbittliche Gewissenhaftigkeit ließen ihn bei keiner Sache zum Abschluß

kommen, und so sammelte sich mit der Zeit ein Wissensstoff
an, zu dessen vollständiger Ausarbeitung die ihm gegönnte
Lebenszeit nicht ausreichte. Nach seinem Tode übergab
Engels im Jahre 1885 und dann erst im Jahre 1894 den
zweiten und den dritten Band, die in einiger Ausarbeitung
schon vorlagen, der Öffentlichkeit. Einen verhältnismäßig
kurzen Vorläufer des „Kapital" gab Marx unter dem Titel
„Zur Kritik der politischen Ökonomie" schon 1859 heraus.
Das berühmte ökonomische Werk von Marx ist in einer
streng sachlich-wissenschaftlichen Sprache geschrieben, in
einer Fülle schwierigster Einzeluntersuchungen durchgeführt, und läßt nur an einzelnen Stellen die grelle Empörung der entwürdigten Menschheit oder das dumpfe Grol-
len einer unausweichlichen Katastrophe durchtönen. Wer
aber dem Gang der Entwicklung von Kapitel zu Kapitel zu
folgen vermag, der wird in die gewaltige Bewegung her-
eingerissen, in der sich der Held dieses Dramas zu seiner
äußersten Möglichkeit steigert. Der Held dieses gewaltigen
Dramas ist aber kein Mensch, keine menschliche Gemeinschaft, sondern, wie es der Titel sagt, „Das Kapital". Denn
was in dieser weitausgreifenden Analyse zum Bewußtsein
gebracht werden soll, ist ja, daß die Beziehungen und Verhältnisse, in die die Menschen miteinander eintreten und
die jeden Einzelnen zu dem machen, was er als Mensch ist,
nicht ein Ergebnis ihrer persönlichen Bestrebungen, sondern das Resultat des anonymen Prozesses sind, in dem das
Kapital sich selbst erhält, vermehrt und zusammenballt; daß
die Menschen selbst also nur das willenlose Objekt einer
blinden Macht sind, einer Macht jedoch, die sich nach Gesetzen auswirkt, nicht weniger exakt und notwendig als es
diejenigen sind, nach denen der Fall der Körper im Raum
sich vollzieht. Und diese Gesetze zu erkennen und aus den
Tatsachen der Wirklichkeit selbst zu entwickeln, ist die
Aufgabe des „Kapitals".
Die Beziehungen der Menschen untereinander in der bürgerlichen Gesellschaft sind nicht durch persönliche Verhältnisse oder Abhängigkeiten bedingt, nicht durch Nachbarschaft, Untertänigkeit oder Herrschaft. In rechtlicher
Beziehung sind in ihr alle Personen einander gleich und

stehen überhaupt in keinerlei Beziehung zu einander. Sofern sie in Beziehung zu einander treten, geschieht dies nur unter einem allgemeinen und allmächtigen Gesetz, dem Gesetz des Warenaustauschs. Denn in einer arbeitsteilig produzierenden Gesellschaft, in der niemand über das verfügt, was er alles zum Leben braucht, kann nur durch einen unendlichen Austausch aller Dinge das Ziel des Wirtschaftens erreicht werden. Bei diesem allgemeinen Austausch, den man den Markt nennt, kommt es natürlich darauf an, wer über eine Ware verfügt, noch mehr, wer über diejenigen Einrichtungen und Veranstaltungen verfügt, durch die immer wieder von neuem die Verfügung über Waren gesichert ist. Der einzige, aber fundamentale Unterschied also zwischen den Menschen der bürgerlichen Gesellschaft, die sonst in jeder anderen Hinsicht einander völlig gleichgestellt sind, ist der, ob sie sich im Besitz solcher, die immer erneute Wiederherstellung von Waren sichernden Einrichtungen befinden oder nicht. Damit zerfällt die bürgerliche Gesellschaft in zwei sich entgegenstehende Klassen, in diejenige der Besitzer und in die der Nichtbesitzer oder, da die zur wahren Produktion notwendigen Einrichtungen Kapital genannt werden, in die der Kapitalisten und in die der Proletarier. Denn, da die letzten über nichts verfügen, was sie auf den Markt zum Austausch geben könnten, so ist das Einzige, womit sie sich das zum Leben Notwendige verschaffen können, die Verwendung ihrer Arbeitskraft. So stehen sich Kapital und Arbeit als die beiden entgegengesetzten Pole der bürgerlichen Gesellschaft gegenüber. Ihr gegenseitiges Verhältnis aber ist grundsätzlich dadurch bestimmt, daß der Arbeiter mit seiner nackten Arbeitskraft auf diejenigen angewiesen, ja an sie ausgeliefert ist, die allein ihm ihre Verwendung gewähren können, die Besitzer der Produktionsmittel, des Kapitals. Nach welchen Bedingungen regelt sich aber die Verwendung der Arbeitskraft durch die Kapitalisten? Nach den allgemeinen Bedingungen des Warenaustausches, und das heißt nichts anderes, als daß der Arbeiter seine Arbeitskraft, und das heißt sich selbst als Ware zu Markt bringt und an den Kapitalisten verkauft. Bei diesem Verlauf aber tritt ein geheimes Gesetz in Wirksamkeit, das ohne Zutun der Beteiligten aus den allgemeinen Bedingungen des Warenaustausches resultiert und über die Köpfe der Beteiligten hinweg jene unheimliche Bewegung in den Ablauf der immer sich wiederholenden Produktion bringt, der die Gesamtheit dieses ganzen Verhältnisses ihrer Auflösung entgegentreiben muß: das Gesetz des Mehrwerts. Der Preis der Waren auf dem Markt, das Maß, nach dem sie sich gegenseitig austauschen, bestimmt sich nämlich durch die in ihnen enthaltene durchschnittliche Arbeitszeit, der Preis der Ware Arbeit selbst aber wieder nach der zu ihrer eigenen Wiederherstellung notwendigen Arbeitszeit. Da der Arbeiter aber in einer Stunde Arbeit mehr produziert als zur bloßen Wiederherstellung seiner Arbeitskraft erforderlich wäre, der Kapitalist aber als regulären Marktpreis für die Arbeitskraft nur die zu ihrer Wiederherstellung erforderliche Arbeitszeit bezahlt, da der Arbeiter also mehr Wert produziert als er selbst für seine Arbeit vergütet erhält, so sammelt sich dieser Mehrwert beim Kapitalisten an, er „akkumuliert sich". Der Arbeiter aber, der seinen regulären Lohn, den Marktpreis für die Arbeitskraft erhält, bleibt ewig dazu verdammt, nichts als die bloße Wiederherstellung seiner Arbeitskraft zu erzeugen und als blindes Instrument der Anhäufung, der Akkumulation des Kapitals, doch zur Erhaltung seines eigenen nackten Daseins seine eigene Folter immer von neuem wieder erzeugen zu müssen.

Durch die ständige Anhäufung des Mehrwerts, der stets nach Verkauf der Ware und Vergütung der Arbeit zurückbleibt, gerät jedoch das Kapital selbst in eine neue Bewegung. Das um den Mehrwert vergrößerte Kapital erzeugt nun auf dieser erweiterten Grundlage in neuem und größerem Umfang Mehrwert, der wiederum den gleichen lawinenartig anwachsenden Prozeß erzeugt. Die einzelnen Kapitale, die unter einander in Konkurrenz stehen, erzielen in ganz verschiedenem Ausmaß Mehrwert, je nach dem Umfang, in dem sie den Unterschied zwischen der Lohnsumme und dem Wert des Produkts zu erweitern, d. h. den Mehrwert zu steigern vermögen. Sie überbieten sich gegenseitig darin, um durch gegenseitige Überflügelung den Mitkonkurrenten auszuschalten, ihn zunächst durch Unterbietung zu ruinieren, um dann als Alleinherrscher auf dem Markt sich als Monopolist schadlos halten zu können. Je mehr Konkurrenten in diesem ständigen Kampf erliegen, desto größer und umfangreicher werden die übrig Gebliebenen. Die ständige Akkumulation der Kapitalien führt so zu ihrer immer größeren Konzentration. Immer mehr selbständige Handwerker, kleine Unternehmer und Fabrikanten werden durch die größeren Unternehmungen vernichtet, in immer weniger Händen ballt sich das Kapital auf der einen Seite zusammen, immer zahlreicher wird auf der anderen Seite die Klasse derjenigen, die nichts als ihre Arbeitskraft zu verwerten haben, um den gewaltigen Prozeß des Wachstums und der Zusammenballung der Kapitale in immer riesenhafterem Ausmaß befördern zu helfen. Aber, indem der Proletarier so sein eigenes Joch immer von neuem und immer lastender wieder herstellen muß, erzeugt das Kapital im ständig sich vermehrenden Proletariat zugleich seinen eigenen Totengräber.

Indem die Zahl der Proletarier immer wächst, übersteigt sie bei weitem die Verwertungsmöglichkeit, die das Kapital für sie bietet. Und indem die Produktion immer riesenhaftere Ausmaße gewinnt, treibt sie immer wieder dem Augenblick entgegen in dem die allgemeine Überproduktion zu einem Zusammenbruch vieler Kapitale führt, dem auf der anderen Seite die Bildung einer ständigen „industriellen Reservearmee" entspricht. Schließlich müssen diese Krisen einen solchen Umfang annehmen, die Kapitalisten sich in solch große Komplexe konzentriert haben und die Masse des Elends so angewachsen sein, daß die äußerste Möglichkeit der kapitalistischen Produktionsweise und damit der bürgerlichen Gesellschaft erreicht ist. „Die Zentralisation der Produktionsmittel und die Vergesellschaftung der Arbeit erreichen einen Punkt, wo sie unverträglich werden mit ihrer kapitalistischen Hülle. Sie wird gesprengt. Die Stunde des kapitalistischen Privateigentums schlägt." Die Gesellschaft übernimmt als Gesamtheit, indem sie die letzten Kapitalisten aus ihrem Privateigentum entfernt, den ihr zufallenden aufs höchste zentralisierten Produktionsapparat, die Klassenscheidung wird aufgehoben. Die Gesellschaft übernimmt die planmäßige Leitung der Produktion, und der Mensch erhebt sich damit zum ersten Mal aus der Unterworfenheit unter die blinde Naturgewalt zur Selbstbestimmung seines eigenen Daseins. Indem er frei wird von der Sklaverei der Ökonomie, indem er sich über die bloße Abhängigkeit von seiner eigenen Notdurft erhebt, wird er erst wahrhaft zum Menschen: die klassenlose Gesellschaft ist die Befreiung des Menschen aus der Selbstentfremdung zur Selbstverwirklichung, „der Sprung aus dem Reich der Notwendigkeit in das Reich der Freiheit". Die Vernunft ist wirklich, die Wirklichkeit vernünftig geworden.

Die Rolle, die das Proletariat in der kapitalistischen Welt spielt, ist ebenso wie diejenige seines Gegners, der Bourgeoisie, eine durchaus passive. Beides sind Gegensätze, die nicht sich selbst, sondern die das Kapital erzeugt in seinem blinden Drang, sich zu vermehren. Sie beide werden in die allgemeine Bewegung, die sich über ihre Köpfe hinweg durchsetzt, mitgerissen, und der Unterschied zwischen beiden ist ein Unterschied innerhalb der allgemeinen Selbstentfremdung. Während der Kapitalist als Nutznießer der Selbstvermehrung des Kapitals einen Schein von menschlicher Existenz hat und gleichsam die sich selbst bestätigende Selbstentfremdung ist, ist das Proletariat in seiner eigenen Existenz die sich selbst verneinende Selbstentfremdung. Der Mensch, der nur noch als bloße Arbeitskraft in Frage kommt, d. h. eben nicht als Mensch, sondern als Ware, ist selbst die Verneinung des Privateigentums, er ist die negative Seite des Gegensatzes, die „Negation der Negation", die Verneinung des zu Verneinenden. Das Proletariat ist die vollständige Entfremdung an sich. Und das, was es ist, braucht es sich nur bewußt zu machen, um zu seiner eigenen Aufhebung, d. h. zu seiner Aufhebung als Proletariat reif zu sein. Die Einsicht in die Bedingungen seiner Existenz ist schon der erste Schritt ihrer Beseitigung.

Diese Einsicht in die notwendigen und unabwendbaren Grundgesetze der kapitalistischen Gesellschaftsordnung zu erschließen, ist der weltgeschichtliche Auftrag, dem Marx sein eigenes persönliches Leben unterworfen fühlt. Sein privates Leben tritt hinter dieser Berufung völlig zurück. Kaum, daß er jemals von irgend etwas persönlichem in seinen Briefen spricht. Gefühlsäußerungen und persönliche Bekenntnisse sind ihm zuwider. Er lebt in einer fremden Stadt, unter fremden Menschen in der Verbannung. Außer seinem Freund Engels, der bis ins Jahr 1870 in Manchester im Geschäft arbeitet und zum großen Teil die Marxsche Familie ernährt, ist seine eigene Familie der einzige ihn in seinem ganzen Wesen umfangende menschliche Zusammenhang. In ihr, vor allem aber in der grenzenlosen Liebe zu seiner Frau liegt der menschliche Rückhalt seiner vollständigen Selbstentäußerung beschlossen. Während in dem unsagbaren Elend drei von den sechs Kindern sterben, die Mädchen häufig nichts anzuziehen haben, um in die Schule zu gehen, während die Frau vor Erschöpfung krank ist und die Familie, weil sie die Miete nicht zahlen kann, buchstäblich auf die Straße gesetzt wird, arbeitet in Marx unausgesetzt der Gedanke an die Vollendung seines Auftrags. Er gibt ihm die Kraft zur Selbstbehauptung, wenn auch der Körper allmählich seine Dienste zu versagen beginnt. Marx wird unausgesetzt von schmerzhaften Krankheiten gequält. Eine immer wieder auftauchende Furunkulose hindert ihn am Gehen, Sitzen oder Schreiben; dazu ein altes Leberleiden. Allmählich verzehren sich die Kräfte, und der Körper rächt sich für seine ständige Nichtachtung. Ein chronischer Luftröhrenkatarrh vermehrt die Leiden; und als im Jahre 1881 seine Frau stirbt, sagt Engels in einem Brief an einen Freund: „Der Mohr (so wurde Marx in der Familie genannt) ist auch gestorben." Er wird zur Kräftigung vom Freund und dem Arzt ins Ausland geschickt, reist bis nach Algerien, aber die seelische Kraft ist verzehrt. In einer seiner letzten Briefe aus Algerien an den Freund Engels steht ein Satz, der wie mit einem Schlag die nach außen stets verschlossene Tiefe seiner Erschütterung enthüllt; noch indem er sich gegen jede Weichheit wehrt, gesteht er schon: „Du weißt, daß wenige Leute demonstrativem Pathos abgeneigter sind; aber es würde eine Lüge sein zu leugnen, daß meine Gedanken zum großen Teil in Anspruch genommen

werden durch die Erinnerung an mein Weib, solch ein
Stück von dem besten Teile meines Lebens."
Aber als Marx nach London zurückkehrt und, gesundheit-
lich sogar etwas gekräftigt, von dem Tode seiner Lieblings-
tochter Jenny getroffen wird, versiegt die Lebenskraft endgültig. Am 14. März 1883 findet ihn Engels bei seinem
täglichen Besuch in seinem Lehnstuhl entschlafen.

Siegfried Landshut

I
MARX' BRIEF AN SEINEN VATER
VOM 10. NOVEMBER 1837

Berlin, den 10. November.

Teurer Vater!

Es gibt Lebensmomente, die wie Grenzmarken vor eine abgelaufene Zeit sich stellen, aber zugleich auf eine neue Richtung mit Bestimmtheit hinweisen.

In solch einem Übergangspunkt fühlen wir uns gedrungen, mit dem Adlerauge des Gedankens das Vergangene und Gegenwärtige zu betrachten, um so zum Bewußtsein unserer wirklichen Stellung zu gelangen. Ja die Weltgeschichte selbst liebt solches Rückschauen und besieht sich, was ihr dann oft den Schein des Rückgehens und Stillstandes aufdrückt, während sie doch nur in den Lehnstuhl sich wirft, sich zu begreifen, ihre eigene, des Geistes Tat geistig zu durchdringen.

Der einzelne aber wird in solchen Augenblicken lyrisch, denn jede Metamorphose ist teils Schwanensang, teils Ouvertüre eines großen neuen Gedichts, das in noch verschwimmenden glanzreichen Farben Haltung zu gewinnen strebt; und dennoch möchten wir ein Denkmal setzen dem einmal Durchlebten, es soll in der Empfindung den Platz wiedergewinnen, den es für das Handeln verloren, und wo fände es eine heiligere Stätte als an dem Herzen von Eltern, dem mildesten Richter, dem innigsten Teilnehmer, der Sonne der Liebe, deren Feuer das innerste Zentrum unserer Bestrebungen erwärmt! Wie könnte besser manches Mißliebige, Tadelnswerte seine Ausgleichung und Verzeihung erhalten, als wenn es zur Erscheinung eines wesentlich notwendigen Zustandes wird, wie könnte wenigstens das oft widrige Spiel der Zufälligkeit, der Verirrung des Geistes dem Vorwurfe mißgestalteten Herzens entzogen werden? Wenn ich also jetzt am Schlusse eines hier verlebten Jahres einen Blick auf die Zustände desselben zurückwerfe und so, mein teurer Vater, Deinen so lieben, lieben Brief von Ems beantworte, so sei es mir erlaubt, meine Verhältnisse zu beschauen, wie ich das Leben überhaupt betrachte, als den Ausdruck eines geistigen Tuns, das nach allen Seiten hin, in Wissen, Kunst, Privatlagen dann Gestalt ausschlägt.

Als ich Euch verließ, war eine neue Welt für mich erstanden, die der Liebe und zwar im Beginne sehnsuchtstrunkener, hoffnungsleerer Liebe. Selbst die Reise nach Berlin, die mich sonst im höchsten Grade entzückt, zur Naturanschauung aufgeregt, zur Lebenslust entflammt hätte, ließ mich kalt, ja sie verstimmte mich auffallend, denn die Felsen, die ich sah, waren nicht schroffer, nicht kecker als die Empfindungen meiner Seele, die breiten Städte nicht lebendiger als mein Blut, die Wirtshaustafeln nicht überladener, unverdaulicher als die Phantasiepakete, die ich trug und endlich die Kunst nicht so schön, als Jenny.

In Berlin angekommen, brach ich alle bis dahin bestandenen Verbindungen ab, machte mit Unlust seltene Besuche und suchte in Wissenschaft und Kunst zu versinken.

Nach der damaligen Geisteslage mußte notwendig lyrische Poesie der erste Vorwurf, wenigstens der angenehmste, nächstliegende sein, aber, wie meine Stellung und ganze bisherige Entwicklung es mit sich brachten, war sie rein idealistisch. Ein ebenso fern liegendes Jenseits, wie meine Liebe, wurde mein Himmel, meine Kunst. Alles Wirkliche verschwimmt und alles Verschwimmende findet keine Grenze, Angriffe auf die Gegenwart, breit und formlos geschlagenes Gefühl, nichts Naturhaftes, alles aus dem Mond konstruiert, der völlige Gegensatz von dem, was da ist, und dem, was sein soll, rhetorische Reflektionen statt poetischer Gedanken, aber vielleicht auch eine gewisse Wärme der Empfindung und Ringen nach Schwung bezeichnen alle Gedichte der ersten drei Bände, die Jenny von mir zugesandt erhielt. Die ganze Breite eines Sehnens, das keine Grenze sieht, schlägt sich in mancherlei Form und macht aus dem „Dichten" ein „Breiten".

Nun durfte und sollte die Poesie nur Begleitung sein; ich mußte Jurisprudenz studieren und fühlte vor allem Drang, mit der Philosophie zu ringen. Beides wurde so verbunden, daß ich teils Heineccius, Thibaut und die Quellen rein unkritisch, nur schülerhaft durchnahm, so z. B. die zwei ersten Pandektenbücher ins Deutsche übersetzte, teils eine Rechtsphilosophie durch das Gebiet des Rechts durchzuführen suchte. Als Einleitung schickte ich einige metaphysische Sätze voran und führte dieses unglückliche Opus bis zum öffentlichen Rechte, eine Arbeit von beinahe dreihundert Bogen.

Vor allem trat hier derselbe Gegensatz des Wirklichen und Sollenden, der dem Idealismus eigen, sehr störend hervor und war die Mutter folgender unbehülflich unrichtiger Einteilung. Zuerst kam die von mir gnädig so getaufte Metaphysik des Rechts, d. h. Grundsätze, Reflektionen, Begriffsbestimmungen, getrennt von allem wirklichen Rechte und jeder wirklichen Form des Rechts; wie es bei Fichte vorkömmt, nur bei mir moderner und gehaltloser. Dabei war die unwissenschaftliche Form des mathematischen Dogmatismus, wo das Subjekt an der Sache umherläuft, hin und her räsonniert, ohne daß die Sache selbst als reich entfaltendes, lebendiges sich gestaltete, von vornherein Hindernis, das Wahre zu begreifen. Das Dreieck läßt den Mathematiker konstruieren und beweisen, es bleibt bloße Vorstellung im Raume, es entwickelt sich zu nichts Weiterem, man muß es neben anderes bringen, dann nimmt es andere Stellungen ein, und dieses verschieden an dasselbe gebrachte gibt ihm verschiedene Verhältnisse und Wahrheiten. Dagegen im konkreten Ausdruck lebendiger Gedankenwelt, wie es das Recht, der Staat, die Natur, die ganze Philosophie ist, hier muß das Objekt selbst in seiner Entwicklung belauscht, willkürliche Einteilungen dürfen nicht hineingetragen, die Vernunft des Dinges selbst muß als in sich widerstreitendes fortrollen und in sich seine Einheit finden.

Als zweiter Teil folgte nun die Rechtsphilosophie, d. h. nach meiner damaligen Ansicht die Betrachtung der Gedankenentwicklung im positiven römischen Rechte, als wenn das positive Recht in seiner Gedankenentwicklung (ich meine nicht in seinen rein endlichen Bestimmungen) überhaupt irgend etwas sein könnte, verschieden von der Gestaltung des Rechtsbegriffes, den doch der erste Teil umfassen sollte. Diesen Teil hatte ich nun noch obendrein in formelle und materielle Rechtslehre geteilt, wovon die erste die reine Form des Systems in seiner Aufeinanderfolge und seinem Zusammenhang, die Einteilung und den Umfang, die zweite hingegen den Inhalt, das Sichverdichten der Form in ihrem Inhalt beschreiben sollte. Einen Irrtum, den ich mit dem Herrn von Savigny gemein habe, wie ich später in seinem gelehrten Werke vom Besitz gefunden, nur mit dem Unterschied, daß er formelle Begriffsbestimmung nennt, „die Stelle zu finden, welche die und die Lehre im (fingierten) römischen System einnimmt", und materielle „die Lehre von dem Positiven, was die Römer einem so fixierten Begriff beigelegt", während ich unter Form die notwendige Architektonik der Gestaltungen des Begriffs, unter Materie die notwendige Qualität dieser Gestaltungen verstanden. Der Fehler lag darin, daß ich glaubte, das eine könne und müsse getrennt von dem anderen sich entwickeln, und so keine wirkliche Form, sondern einen Sekretär mit Schubfächern erhielt, in die ich nachher Sand streute.

Der Begriff ist ja das Vermittelnde zwischen Form und Inhalt. In einer philosophischen Entwicklung des Rechts muß also eins in dem anderen hervorspringen; ja die Form darf nur der Fortgang des Inhalts sein. So kam ich denn zu einer Einteilung, wie das Subjekt sie höchstens zur leichten und seichten Klassifizierung entwerfen kann, aber der Geist des Rechts und seine Wahrheit ging unter. Alles Recht zerfiel in vertrags- und unvertragsmäßiges. Ich bin so frei, bis zur Einteilung des ius publicum, das auch im formellen Teile bearbeitet ist, das Schema zu besserer Versinnlichung herzusetzen.

I.	II.
Ius privatum	*Ius publicum*

I. Ius privatum

a) Vom bedingten vertragsmäßigen Privatrecht;
b) vom unbedingten unvertragsmäßigen Privatrecht.

A. Vom bedingten vertragsmäßigen Privatrecht

a) Persönliches Recht; b) Sachenrecht; c) Persönlich dingliches Recht.

a) Persönliches Recht

I. Aus belästigtem Vertrag; II. aus Zusicherungsvertrag; III. aus wohltätigem Vertrag.

I. Aus belästigtem Vertrag

2. Gesellschaftsvertrag (societas); 3. *Verdingungsvertrag* (locatio conductio).

3. Locatio conductio

1. Soweit er sich auf operae bezieht.
    a) Eigentliche locatio conductio (weder das römische Vermieten noch Verpachten gemeint!);
    b) mandatum.
2. Soweit er sich auf usus rei bezieht.
    a) Auf Boden: *usus fructus* (auch nicht im bloß römischen Sinne);
    b) auf Häuser: *habitatio.*

II. Aus Zusicherungsvertrag

1. Schieds- oder Vergleichungsvertrag; 2. Assekuranzvertrag.

III. Aus wohltätigem Vertrag

2. Gutheißungsvertrag

1. fide iussio; 2. negotiorum gestio.

3. Schenkungsvertrag

1. donatio; 2. gratiae promissum.

b) Sachenrecht

I. Aus belästigtem Vertrag

2. permutatio stricte sic dicta.
1. Eigentliche permutatio; 2. mutuum (usurae); 3. *emptio venditio.*

II. Aus Zusicherungsvertrag

pignus.

III. Aus wohltätigem Vertrag

2. commodatum; 3. depositum.

Doch was soll ich weiter die Blätter füllen mit Sachen, die
ich selbst verworfen? Trichotomische Einteilungen gehen
durch das Ganze durch, es ist mit ermüdender Weitläufig-
keit geschrieben und die römischen Vorstellungen auf das
barbarischste mißbraucht, um sie in mein System zu zwän-
gen. Von der anderen Seite gewann ich Liebe und Überblick zum Stoffe wenigstens auf gewisse Weise.

Am Schlusse des materiellen Privatrechts, sah ich die Falsch-
heit des Ganzen, das im Grundschema an das Kantische
grenzt, in der Ausführung gänzlich davon abweicht und
wiederum war es mir klar geworden, ohne Philosophie sei
nicht durchzudringen. So durfte ich mit gutem Gewissen
mich abermals in ihre Arme werfen und schrieb ein neues
metaphysisches Grundsystem, an dessen Schlusse ich abermals seine und meiner ganzen früheren Bestrebungen Verkehrtheit einzusehen gezwungen wurde.

Dabei hatte ich die Gewohnheit mir eigen gemacht, aus
allen Büchern, die ich las, Exzerpte zu machen, so aus Lessings Laokoon, Solgers Erwin, Winckelmanns Kunstgeschichte, Ludens Deutscher Geschichte, und so nebenbei
Reflektionen niederzukritzeln. Zugleich übersetzte ich Ta-
citus Germania, Ovids Libri tristium und fing privatim,
d. h. aus Grammatiken, Englisch und Italienisch an, worin
ich bis jetzt nichts erreicht, las Kleins Kriminalrecht und
seine Annalen und alles neueste der Literatur, doch neben-
hin das letztere.

Am Ende des Semesters suchte ich wieder Musentänze und
Satyrmusik, und schon in diesem letzten Heft, das ich Euch
zugeschickt, spielt der Idealismus durch erzwungenen Hu-
mor (Skorpion und Felix), durch ein mißlungenes phan-
tastisches Drama (Oulanem) hindurch, bis er endlich gänzlich umschlägt und in reine Formkunst, meistenteils ohne
begeisternde Objekte, ohne schwunghaften Ideengang, übergeht.

Und dennoch sind diese letzten Gedichte die einzigen, in
denen mir plötzlich, wie durch einen Zauberschlag, ach!
der Schlag war im Beginn zerschmetternd, das Reich der
wahren Poesie wie ein ferner Feenpalast entgegenblitzte
und alle meine Schöpfungen in nichts zerfielen.

Daß bei diesen mancherlei Beschäftigungen das erste Semester hindurch viele Nächte durchwacht, viele Kämpfe durchstritten, viele innere und äußere Anregung erduldet werden mußte, daß ich am Schlusse doch nicht sehr bereichert hinaustrat und dabei Natur, Kunst, Welt vernachlässigt, Freunde abgestoßen hatte, diese Reflektionen schien mein Körper zu machen, ein Arzt riet mir das Land und so geriet ich zum erstenmale durch die ganze lange Stadt vor das Tor nach Stralow. Daß ich dort aus einem bleichsüchtigen Schwächling zu einer robusten Festigkeit des Körpers heranreifen würde, ahnte ich nicht.

Ein Vorhang war gefallen, mein Allerheiligstes zerrissen, und es mußten neue Götter hineingesetzt werden.

Von dem Idealismus, den ich beiläufig gesagt, mit Kantischem und Fichteschem verglichen und genährt, geriet ich dazu, im Wirklichen selbst die Idee zu suchen. Hatten die Götter früher über der Erde gewohnt, so waren sie jetzt das Zentrum derselben geworden.

Ich hatte Fragmente der Hegelschen Philosophie gelesen, deren groteske Felsenmelodie mir nicht behagte. Noch einmal wollte ich hinabtauchen in das Meer, aber mit der bestimmten Absicht, die geistige Natur ebenso notwendig, konkret und festgerundet zu finden wie die körperliche, nicht mehr Fechterkünste zu üben, sondern die reine Perle ans Sonnenlicht zu halten.

Ich schrieb einen Dialog von ungefähr vierundzwanzig Bogen: „Kleanthes, oder vom Ausgangspunkt und notwendigen Fortgang der Philosophie." Hier vereinte sich einigermaßen Kunst und Wissen, die ganz auseinandergegangen waren, und ein rüstiger Wanderer schritt ich ans Werk selbst, an eine philosophisch-dialektische Entwicklung der Gottheit, wie sie als Begriff an sich, als Religion, als Natur, als Geschichte sich manifestiert. Mein letzter Satz war der Anfang des Hegelschen Systems und diese Arbeit, wozu ich mit Naturwissenschaft, Schelling, Geschichte einigermaßen mich bekannt gemacht, die mir unendliches Kopfzerbrechen verursacht und so kommun geschrieben ist (da sie eigentlich eine neue Logik sein sollte), daß ich jetzt selbst mich kaum wieder hineindenken kann, dies mein liebstes Kind, beim Mondschein gehegt, trägt mich wie eine falsche Sirene dem Feind in den Arm.

Vor Ärger konnte ich einige Tage gar nichts denken, lief wie toll im Garten an der Spree schmutzigem Wasser, „das Seelen wäscht und Tee verdünnt", umher, machte sogar eine Jagdpartie mit meinem Wirte mit, rannte nach Berlin und wollte jeden Eckensteher umarmen.

Kurz darauf trieb ich nur positive Studien, Studium des Besitzes von Savigny, Feuerbachs und Grolmanns Kriminalrecht, de verborum significatione von Kramer, Wenning-Ingenheims Pandektensystem und Mühlenbruch: doctrina Pandectarum, woran ich noch immer durcharbeite, endlich einzelne Titel nach Lauterbach, Zivilprozeß und vor allem Kirchenrecht, wovon ich den ersten Teil, die concordia discordantium canonum von Gratian fast ganz im corpus durchgelesen und exzerpiert habe, wie auch den Anhang, des Lancelotti Institutiones. Dann übersetzte ich Aristoteles Rhetorik teilweise, las den berühmten Baco v. Verulam: de augmentis scientiarum, beschäftigte mich sehr mit Reimarus, dessen Buch „Von den Kunsttrieben der Tiere" ich mit Wollust durchgedacht, verfiel auch auf deutsches Recht, doch hauptsächlich nur, insofern ich die Kapitulare der fränkischen Könige und der Päpste Briefe an sie durchnahm.

Aus Verdruß über Jennys Krankheit und meine vergeblichen, untergegangenen Geistesarbeiten, aus zehrendem Ärger, eine mir verhaßte Ansicht zu meinem Idol machen zu müssen, wurde ich krank, wie ich schon früher Dir, teurer Vater, geschrieben. Wiederhergestellt, verbrannte ich alle Gedichte und Anlagen zu Novellen etc., in dem Wahne, ich könne ganz davon ablassen, wovon ich bis jetzt allerdings noch keine Gegenbeweise geliefert.

Während meines Unwohlseins hatte ich Hegel von Anfang bis Ende, samt den meisten seiner Schüler kennengelernt. Durch mehrere Zusammenkünfte mit Freunden in Stralow geriet ich in einen Doktorklub, worunter einige Privatdozenten und mein intimster der Berliner Freunde, Dr. Rutenberg. Hier im Streite offenbarte sich manche widerstrebende Ansicht, und immer fester kettete ich mich selbst an die jetzige Weltphilosophie, der ich zu entrinnen ge-

dacht, aber alles Klangreiche war verstummt, eine wahre
Ironiewut befiel mich, wie es wohl leicht nach so viel Ne-
giertem geschehen konnte. Hierzu kam Jennys Stillschweigen und ich konnte nicht ruhen, bis ich die Modernität und
den Standpunkt der heutigen Wissenschaftsansicht durch
einige schlechte Produktionen, wie „Den Besuch" etc., erkauft hatte.

Wenn ich hier vielleicht Dir dies ganze letzte Semester weder klar dargestellt noch in alle Einzelheiten eingegangen,
auch alle Schattierungen verwischt, so verzeihe es meiner
Sehnsucht, von der Gegenwart zu reden, teurer Vater.

H. v. Chamisso hat mir einen höchst unbedeutenden Zettel
zugeschickt, worin er mir meldet, „er bedaure, daß der
Almanach meine Beiträge nicht brauchen könne, weil er
schon lange gedruckt ist". Ich verschluckte ihn aus Ärger.
Buchhändler Wigand hat meinen Plan dem Dr. Schmidt,
Verleger des Wunderschen Kaufhauses von gutem Käse und
schlechter Literatur, zugeschickt. Seinen Brief lege ich bei;
der letztere hat noch nicht geantwortet. Indessen gebe ich
keinesfalls diesen Plan auf, besonders da sämtliche ästhe-
tischen Berühmtheiten der Hegelschen Schule durch Vermittlung des Dozenten Bauer, der eine große Rolle unter
ihnen spielt, und meines Koadjutors Dr. Rutenberg, ihre
Mitwirkung zugesagt.

Was nun die Frage hinsichtlich der kameralistischen Karriere betrifft, mein teurer Vater, so habe ich kürzlich die
Bekanntschaft eines Assessors Schmidthänner gemacht, der
mir geraten, nach dem dritten juristischen Examen als Ju-
stitiarus dazu überzugehen, was mir um so eher zusagen
würde, als ich wirklich die Jurisprudenz aller Verwaltungs-
wissenschaft vorziehe. Dieser Herr sagte mir, daß vom
Münsterschen Oberlandesgericht in Westfalen er selber und
viele andere in drei Jahren es bis zum Assessor gebracht,
was nicht schwer sei, versteht sich bei vielem Arbeiten, da
hier die Stadien nicht wie in Berlin und anderswo fest bestimmt sind. Wenn man später als Assessor promoviert zum
Dr., sind auch viel leichter Aussichten vorhanden, sogleich
als außerordentlicher Professor eintreten zu können, wie
es dem Herrn Gärtner in Bonn gegangen, der ein mittel-

mäßiges Werk über Provinzialgesetzbücher schrieb und
sonst nur darin bekannt ist, daß er sich zur Hegelschen Ju-
ristenschule bekennt. Doch mein teurer bester Vater, wäre
es nicht möglich, dies alles persönlich mit Dir zu bespre-
chen? Eduards Zustand, des lieben Mütterchens Leiden,
Dein Unwohlsein, obgleich ich hoffe, daß es nicht stark ist,
alles ließ mich wünschen, ja macht es fast zur Notwendigkeit zu Euch zu eilen. Ich würde schon da sein, wenn ich
nicht bestimmt Deine Erlaubnis, Zustimmung bezweifelt.
Glaube mir, mein teurer, lieber Vater, keine eigennützige
Absicht drängt mich (obgleich ich selig sein würde, Jenny
wiederzusehen), aber es ist ein Gedanke, der mich treibt,
und den darf ich nicht aussprechen. Es wäre mir sogar in
mancher Hinsicht ein harter Schritt, aber, wie meine einzige, süße Jenny schreibt, diese Rücksichten fallen alle zusammen vor der Erfüllung von Pflichten, die heilig sind.
Ich bitte Dich, teurer Vater, wie Du auch entscheiden
magst, diesen Brief, wenigstens dies Blatt der Engelsmutter
nicht zu zeigen. Meine plötzliche Ankunft könnte vielleicht
die große, herrliche Frau aufrichten.
Der Brief, den ich an Mütterchen geschrieben, ist lange vor
der Ankunft von Jennys lieben Schreiben abgefaßt, und so
habe ich unbewußt vielleicht zuviel von Sachen geschrieben,
die nicht ganz oder gar sehr wenig passend sind.
In der Hoffnung, daß nach und nach die Wolken sich ver-
ziehen, die um unsere Familie sich lagern, daß es mir selbst
vergönnt sei, mit Euch zu leiden und zu weinen und vielleicht in Eurer Nähe den tiefen, innigen Anteil, die unermeßliche Liebe zu beweisen, die ich oft so schlecht nur
auszudrücken vermag, in der Hoffnung, daß auch Du teurer
ewig geliebter Vater, die vielfach hin und her geworfene
Gestaltung meines Gemüts erwägend, verzeihst, wo oft das
Herz geirrt zu haben scheint, während der kämpfende Geist
es übertäubte, daß Du bald wieder ganz völlig hergestellt
werdest, so daß ich selbst Dich an mein Herz pressen und
mich ganz aussprechen kann

Dein Dich ewig liebender Sohn

Karl.

Verzeihe, teurer Vater, die unleserliche Schrift und den schlechten Stil; es ist beinahe vier Uhr, die Kerze ist gänzlich abgebrannt und die Augen trüb; eine wahre Unruhe hat sich meiner bemeistert; ich werde nicht eher die aufgeregten Gespenster besänftigen können, bis ich in Euer lieben Nähe bin.

Grüße gefällig meine süße, herrliche Jenny. Ihr Brief ist schon zwölfmal durchlesen von mir und stets entdecke ich neue Reize. Es ist in jeder, auch in stilistischer Hinsicht der schönste Brief, den ich von Damen denken kann.

II

AUS DER DOKTORDISSERTATION (1840)

a. Knotenpunkte in der Entwicklung der Philosophie

Wie der νοῦς des Anaxagoras in Bewegung tritt in den Sophisten (hier wird der νοῦς realiter das Nichtsein der Welt) und diese unmittelbare *dämonenhafte Bewegung* als solche objektiv wird in dem Daimonion des Sokrates, so wird wieder die praktische Bewegung des Sokrates eine allgemeine und ideelle im Plato, und der νοῦς erweitert sich zu einem Reiche von Ideen. Im Aristoteles wird dieser Prozeß wieder in die Einzelnheit befaßt, die jetzt aber die wirkliche begriffliche Einzelnheit ist.

Wie es in der Philosophie Knotenpunkte gibt, die sie in sich selbst zur Konkretion erheben, die abstrakten Prinzipien in eine Totalität befassen und so den Fortgang der geraden Linie abbrechen, so gibt es auch Momente, in welchen die Philosophie die Augen in die Außenwelt kehrt, nicht mehr begreifend, sondern als eine praktische Person gleichsam Intriguen mit der Welt spinnt, aus dem durchsichtigen Reiche des Amenthes heraustritt und sich ans Herz der weltlichen Sirene wirft. Das ist die Fastnachtszeit der Philosophie; kleide sie sich nun in eine Hundetracht wie der Cyniker, in ein Priestergewand wie der Alexandriner oder in ein duftig Frühlingskleid wie der Epikureer. Es ist ihr da wesentlich, Charaktermasken anzulegen. Wie uns erzählt wird, daß Deukalion bei Erschaffung der Menschen Steine hinter sich geworfen, so wirft die Philosophie ihre Augen hinter sich (die Gebeine ihrer Mutter sind leuchtende Augen), wenn ihr Herz zur Schaffung einer Welt erstarkt ist; aber wie Prometheus, der das Feuer vom Himmel gestohlen, Häuser zu bauen und auf der Erde sich anzusiedeln anfängt, so wendet sich die Philosophie, die zur Welt sich erweitert hat, sich gegen die erscheinende Welt. So jetzt die Hegelsche.

Indem die Philosophie zu einer vollendeten, totalen Welt sich abgeschlossen hat, die Bestimmtheit dieser Totalität ist bedingt durch ihre Entwicklung überhaupt, wie sie die Bedingung der Form ist, die ihr Umschlagen in ein praktisches Verhältnis zur Wirklichkeit annimmt, so ist also die Totalität der Welt überhaupt dirimiert in sich selbst, und zwar ist diese Diremption auf die Spitze getrieben, denn die geistige Existenz ist frei geworden, zur Allgemeinheit bereichert. Der Herzschlag ist sich selbst der Unterschied geworden auf konkrete Weise, welche der ganze Organismus ist. Die Diremption der Welt ist nicht kausal, wenn ihre Seiten Totalitäten sind. Die Welt ist also eine zerrissene, die einer in sich totalen Philosophie gegenübertritt. Die Erscheinung der Tätigkeit dieser Philosophie ist dadurch auch eine zerrissene und widersprechende; ihre objektive Allgemeinheit kehrt sich um in subjektive Formen des einzelnen Bewußtseins, in denen sie lebendig ist. Gemeine Harfen klingen unter jeder Hand; Aeolsharfen nur, wenn der Sturm sie schlägt. Man darf sich aber durch diesen Sturm nicht irren lassen, der einer großen, einer Weltphilosophie folgt.

Wer diese geschichtliche Notwendigkeit nicht einsieht, der muß konsequenterweise leugnen, daß überhaupt nach einer totalen Philosophie noch Menschen leben können, oder er muß die Dialektik des Maßes als solche für die höchste Kategorie des sich wissenden Geistes halten und mit einigen unseren falsch verstehenden Hegelianern behaupten, daß die *Mittelmäßigkeit* die normale Erscheinung des absoluten Geistes ist; aber eine Mittelmäßigkeit, die sich für die reguläre Erscheinung des Absoluten ausgibt, ist selbst ins Maßlose verfallen, nämlich in eine maßlose Prätension. Ohne diese Notwendigkeit ist es nicht zu begreifen, wie nach Aristoteles ein Zeno, ein Epikur, selbst ein Sextus Empiricus, wie nach Hegel die meistenteils bodenlos dürftigen Versuche neuerer Philosophen ans Tageslicht treten konnten.

Die halben Gemüter haben in solchen Zeiten die umgekehrte Ansicht ganzer Feldherren. Sie glauben durch Verminderung der Streitkräfte den Schaden wiederherstellen zu können, durch Zersplitterung, durch einen Friedenstraktat mit den realen Bedürfnissen, während Themistokles, als Athen Verwüstung drohte, die Athener bewog, es vollends zu verlassen und zur See, auf einem anderen Elemente, ein neues Athen zu gründen.

Auch dürfen wir nicht vergessen, daß die Zeit, die solchen Katastrophen folgt, eine eiserne ist, glücklich, wenn Titanenkämpfe sie bezeichnen, bejammernswert, wenn sie den nachhinkenden Jahrhunderten großer Kunstepochen gleicht, denn diese beschäftigen sich, in Wachs, Gips und Kupfer abzudrücken, was aus karrarischem Marmor, ganz wie Pallas Athene aus dem Haupt des Göttervaters Zeus, hervorsprang. Titanenartig sind aber diese Zeiten, die einer in sich totalen Philosophie und ihren subjektiven Entwicklungsformen folgen, denn riesenhaft ist der Zwiespalt, der ihre Einheit ist. So folgt Rom auf die stoische, skeptische und epikureische Philosophie. Unglücklich und eisern sind sie, denn ihre Götter sind gestorben und die neue Göttin hat unmittelbar noch die dunkle Gestalt des Schicksals, des reinen Lichts oder der reinen Finsternis. Die Farben des Tages fehlen ihr noch. Der Kern des Unglücks aber ist, daß dann die Seele der Zeit, die geistige Monas, in sich ersättigt, in sich selbst nach allen Seiten ideal gestaltet, keine Wirklichkeit, die ohne sie fertig geworden ist, anerkennen darf. Das Glück in solchem Unglücke ist daher die subjektive Form, die Modalität, in welcher die Philosophie als subjektives Bewußtsein sich zur Wirklichkeit verhält.

So war z. B. die epikureische, stoische Philosophie das Glück ihrer Zeit; so sucht der Nachtschmetterling, wenn die allgemeine Sonne untergegangen, das Lampenlicht des Privaten.

Die andere Seite, die für den Geschichtsschreiber der Philosophie die wichtigere ist, ist diese, daß dieses Umschlagen der Philosophen, ihre Transsubstantiation in Fleisch und Blut verschieden ist, je nach der Bestimmtheit, welche eine in sich totale und konkrete Philosophie als das Mal ihrer Geburt an sich trägt. Es ist zugleich eine Erwiderung für diejenigen, die glauben, daß, weil Hegel die Verurteilung des Sokrates für recht, d. h. für notwendig hielt, weil Giordano Bruno auf dem rauchischen Feuer des Scheiterhaufens sein Geistesfeuer büßen mußte, in ihrer abstrakten Einseitigkeit nun schließen, daß z. B. die Hegelsche Philosophie sich selbst das Urteil gesprochen habe. Wichtig aber ist es in philosophischer Hinsicht, diese Seite hervorzukehren, weil aus der bestimmten Weise dieses Umschlagens rückgeschlossen werden kann auf die immanente Bestimmtheit und den weltgeschichtlichen Charakter des Verlaufs einer Philosophie. Was früher als Wachstum hervortrat, ist jetzt Bestimmtheit, was an sich seiende Negativität, Negation geworden. Wir sehen hier gleichsam das curriculum vitae einer Philosophie aufs Enge, auf die subjektive Pointe gebracht, wie man aus dem Tode eines Helden auf seine Lebensgeschichte schließen kann. Da ich das Verhältnis der epikureischen Philosophie für eine solche Form der griechischen Philosophie halte, mag dies hier zugleich zur Rechtfertigung dienen, wenn ich, statt aus den vorhergehenden griechischen Philosophien Momente als Bedingungen im Leben der epikureischen Philisophie voranzustellen, vielmehr rückwärts aus dieser auf jene schließe und so sie selbst ihre eigentümliche Stellung aussprechen lasse.

b. Die Philosophie nach ihrer Vollendung

Auch in betreff Hegels ist es bloße Ignoranz seiner Schüler, wenn sie diese oder jene Bestimmung seines Systems aus Akkommodation und dergleichen, mit einem Wort *moralisch* erklären. Sie vergessen, daß sie vor einer kaum abgelaufenen Zeitspanne, wie man ihnen aus ihren eigenen Schriften evident beweisen kann, allen seinen Einseitigkeiten begeistert anhingen.

Waren sie wirklich so affiziert von der fertig empfangenen Wissenschaft, daß sie derselben mit naivem, unkritischem Vertrauen sich hingaben: wie gewissenlos ist es, dem Meister eine versteckte Absicht hinter seiner Einsicht vorzuwerfen, dem die Wissenschaft keine empfangene, sondern eine werdende war, bis an deren äußerste Peripherie sein eigenstes geistiges Herzblut hinpulsierte. Vielmehr verdächtigen sie damit sich selbst, als sei es ihnen früher nicht ernst gewesen, und diesen ihren eigenen früheren Zustand bekämpfen sie unter der Form, daß sie ihn Hegel zuschreiben, vergessen aber dabei, daß er in unmittelbarem, substanzialem, sie in reflektiertem Verhältnis zu seinem System standen.

Daß ein Philosoph diese oder jene scheinbare Inkonsequenz aus dieser oder jener Akkommodation begeht, ist denkbar; er selbst mag dieses in seinem Bewußtsein haben. Allein was er hat in seinem Bewußtsein hat, daß die Möglichkeit dieser scheinbaren Akkommodation in einer Unzulänglichkeit oder unzulänglichen Fassung seines Prinzips selber ihre innerste Wurzel hat. Hätte also wirklich ein Philosoph sich akkommodiert, so haben seine Schüler *aus seinem inneren wesentlichen Bewußtsein* das zu erklären, was *für ihn selbst die Form eines exoterischen* Bewußtseins hatte. Auf diese Weise ist, was als Fortschritt des Gewissens erscheint, zugleich ein Fortschritt des Wissens. Es wird nicht das partikulare Gewissen des Philosophen verdächtigt, sondern seine wesentliche Bewußtseinsform konstruiert, in eine bestimmte Gestalt und Bedeutung erhoben und damit zugleich darüber hinausgegangen.

Ich betrachte übrigens diese unphilosophische Wendung eines großen Teiles der Hegelschen Schule als eine Erscheinung, die immer den Übergang aus der Disziplin in die Freiheit begleiten wird.

Es ist ein psychologisches Gesetz, daß der in sich frei gewordene theoretische Geist zur praktischen Energie wird, als *Wille* aus dem Schattenreiche des Amenthes hervortretend, sich gegen die weltliche, ohne ihn vorhandene Wirklichkeit kehrt. (Wichtig aber ist es in philosophischer Hinsicht, diese Seiten mehr zu spezifizieren, weil aus der bestimmten Weise dieses Umschlagens rückgeschlossen werden kann auf die immanente Bestimmtheit und den weltgeschichtlichen Charakter einer Philosophie. Wir sehen hier gleichsam ihr curriculum vitae aufs Enge, auf die subjektive Pointe gebracht.) Allein die *Praxis* der Philosophie ist selbst *theoretisch*. Es ist die *Kritik*, die die einzelne Existenz am Wesen, die besondere Wirklichkeit an der Idee mißt.

Allein diese *unmittelbare Realisierung* der Philosophie ist ihrem innersten Wesen nach mit Widersprüchen behaftet, und dieses ihr Wesen gestaltet sich in der Erscheinung und prägt ihr sein Siegel auf.

Indem die Philosophie als Wille sich gegen die erscheinende Welt herauskehrt, ist das System zu einer abstrakten Totalität herabgesetzt, das heißt, es ist zu einer Seite der Welt geworden, der eine andere gegenübersteht. Sein Verhältnis zur Welt ist ein Reflexionsverhältnis. Begeistert mit dem Trieb, sich zu verwirklichen, tritt es in Spannung gegen Anderes. Die innere Selbstgenügsamkeit und Abrundung ist gebrochen. Was innerliches Licht war, wird zur verzehrenden Flamme, die sich nach außen wendet. So ergibt sich die Konsequenz, daß das Philosophisch-Werden der Welt zugleich ein Weltlich-Werden der Philosophie, daß ihre Verwirklichung zugleich ihr Verlust, daß, was sie nach außen bekämpft, ihr eigener innerer Mangel ist, daß gerade im Kampfe sie selbst in die Schäden verfällt, die sie am Gegenteil als Schäden bekämpft, und daß sie diese Schäden erst aufhebt, indem sie in dieselben verfällt. Was ihr entgegentritt und was sie sie bekämpft, ist immer dasselbe, was sie ist, nur mit umgekehrten Faktoren.

Dies ist die eine Seite, wenn wir die Sache *rein objektiv* als unmittelbare Realisierung der Philosophie betrachten. Allein sie hat, was nur eine andere Form davon ist, auch eine *subjektive* Seite. Dies ist *das Verhältnis des philosophischen Systems,* das verwirklicht wird, zu seinen geistigen Trägern, zu den einzelnen Selbstbewußtsein, an denen ihr Fortschritt erscheint. Es ergibt sich aus dem Verhältnis, das in der Realisierung der Philosophie selbst der Welt gegenüberliegt, daß diese einzelnen Selbstbewußtsein immer *eine zweischneidige Forderung* haben, deren die eine sich gegen die Welt, die andere gegen die Philosophie selbst kehrt. Denn, was als ein in sich selbst verkehrtes Verhältnis an der Sache, erscheint an ihnen als eine doppelte, sich selbst widersprechende Forderung und Handlung. Ihre Freimachung der Welt von der Unphilosophie ist zugleich ihre eigene Befreiung von der Philosophie, die sie als ein bestimmtes System in Fesseln schlug. Weil sie selbst erst im Akt und der un-

mittelbaren Energie der Entwicklung begriffen, also in
theoretischer Hinsicht noch nicht über jenes System hinaus-
gekommen sind: empfinden sie nur den Widerspruch mit
der plastischen Sichselbstgleichheit des Systems und wissen
nicht, daß, indem sie sich gegen dasselbe wenden, sie nur
seine einzelnen Momente verwirklichen.

Endlich tritt diese Gedoppeltheit des philosophischen Selbstbewußtseins als eine doppelte, sich auf das extremste gegenüberstehende Richtung auf, deren eine, die *liberale* Partei,
wie wir sie im allgemeinen bezeichnen können, den Begriff
und das Prinzip der Philosophie, die andere ihren *Nicht-
begriff*, das Moment der Realität, als Hauptbestimmung
festhält. Diese zweite Richtung ist die *positive Philosophie*.
Die Tat der ersten ist die Kritik, also gerade das Sich-nach-
außen-wenden der Philosophie, die Tat der zweiten der
Versuch zu philosophieren, also das In-sich-wenden der
Philosophie, indem sie den Mangel als der Philosophie immanent weiß, während die erste ihn als Mangel der Welt,
die philosophisch zu machen, begreift. Jede dieser Parteien
tut gerade das, was die andere tun will und was sie selbst
nicht tun will. Die erste aber ist sich bei ihrem inneren
Widerspruch des Prinzips im allgemeinen bewußt und ihres
Zwecks. In der zweiten erscheint die Verkehrtheit, sozusagen die Verrücktheit, als solche. Im Inhalt bringt es nur
die liberale Partei, weil die Partei des Begriffs, zu realen
Fortschritten, während die positive Philosophie es nur zu
Forderungen und Tendenzen, deren Form ihrer Bedeutung
widerspricht, zu bringen imstande ist.

Was also erstens als ein verkehrtes Verhältnis und feindliche
Diremption der Philosophie mit der Welt erscheint, wird
zweitens zu einer Diremption des einzelnen philosophischen
Selbstbewußtseins in sich selbst und erscheint endlich als
eine äußere Trennung und Gedoppeltheit der Philosophie,
als zwei entgegengesetzte philosophische Richtungen.

Es versteht sich, daß außerdem noch eine Menge untergeordneter, quengelnder, individualitätsloser Gestaltungen
auftauchen, die sich entweder hinter eine philosophische
Riesengestalt der Vergangenheit stellen, — aber bald bemerkt man den Esel unter der Löwenhaut, die weinerliche

Stimme eines Mannequin von heute und gestern greint komisch kontrastierend hervor hinter der gewaltigen, Jahrhunderte durchtönenden Stimme, etwa des Aristoteles, zu
deren unwillkommenem Organe sie sich gemacht; es ist, als
wenn ein Stummer sich durch ein Sprachrohr von enormer
Größe zu Stimme verhelfen wollte — oder aber, mit doppelter Brille bewaffnet, steht irgendein Liliputaner, auf
einem Minimum vom posterius des Riesen, verkündet der
Welt nun ganz verwundert, welche überraschend neue Aussicht von seinem punctum visus aus sich darbiete, und müht
sich lächerlich ab, darzutun, nicht im flutenden Herzen,
sondern im soliden kernigen Revier, auf dem er steht, sei
der Punkt des Archimedes gefunden, ποῦ στῶ, an dem die
Welt in Angeln hängt. So entstehen Haar-, Nägel-, Zehen-,
Exkrementenphilosophen und andere, die einen noch schlim-
meren Posten im mystischen Weltmenschen des Sweden-
borg zu repräsentieren haben. Allein ihrem Wesen nach
fallen alle diese Schleimtierchen den beiden Richtungen, als
ihrem Element, anheim, die angegeben sind.

III

KRITIK DER HEGELSCHEN STAATS-
PHILOSOPHIE (1841/42)

§ 261. „Gegen die Sphären des Privatrechts und Privatwohls, der Familie und der bürgerlichen Gesellschaft ist
der Staat *einerseits* eine *äußerliche* Notwendigkeit und
ihre höhere Macht, deren Natur ihre Gesetze sowie ihre
Interessen untergeordnet und davon abhängig sind; aber
andererseits ist er ihr *immanenter* Zweck und hat seine
Stärke in der Einheit seines allgemeinen Endzweckes und
des besonderen Interesses der Individuen, darin, daß sie insofern *Pflichten* gegen ihn haben, als sie zugleich Rechte
haben (§ 155)."

Der vorige Paragraph [1] belehrt uns dahin, daß die *konkrete
Freiheit* in der Identität (sein sollenden, zwieschlächtigen)
des Systems des Sonderinteresses (der Familie und der bürgerlichen Gesellschaft) mit dem System des allgemeinen
Interesses (des Staates) bestehe. Das Verhältnis dieser Sphären soll nun näher bestimmt werden.
Einerseits der Staat *gegen* die Sphäre der Familie und der
bürgerlichen Gesellschaft eine „*äußerliche* Notwendigkeit",
eine Macht, wovon ihm „Gesetze" und „Interessen" „untergeordnet und abhängig" sind. Daß der Staat *gegen* die Familie und bürgerliche Gesellschaft eine „*äußerliche* Notwendigkeit" ist, lag schon teils in der Kategorie des „Über-
gangs", teils in ihrem *bewußten Verhältnis* zum Staat. Die
„Unterordnung" unter den Staat entspricht noch vollständig diesem Verhältnis der „*äußerlichen* Notwendigkeit".
Was Hegel aber unter der „Abhängigkeit" versteht, zeigt
folgender Satz der Anmerkung zu diesem Paragraphen:
„Daß den Gedanken der *Abhängigkeit* insbesondere auch

---

[1] [Er fehlt im Manuskript.]

der privatrechtlichen Gesetze von dem bestimmten Charakter des Staats und die philosophische Ansicht, den Teil nur in seiner Beziehung auf das Ganze zu betrachten, — vornehmlich Montesquieu ... ins Auge gefaßt" etc.

Hegel spricht also hier von der *inneren* Abhängigkeit oder der wesentlichen Bestimmung des Privatrechts etc. vom Staat; zugleich aber subsumiert er diese Abhängigkeit unter das Verhältnis der *„äußerlichen* Notwendigkeit" und stellt sie der anderen Beziehung, worin sich Familie und bürgerliche Gesellschaft zum Staate als ihrem *„immanenten Zweck"* verhalten, als die andere Seite entgegen.

Unter der „äußerlichen Notwendigkeit" kann nur verstanden werden, daß „Gesetze" und „Interessen" der Familie und der Gesellschaft den „Gesetzen" und „Interessen" des Staats im Kollisionsfalle weichen müssen, ihm untergeordnet sind, ihre Existenz von der seinigen abhängig ist oder auch sein Wille und sein Gesetz ihrem „Willen" und ihren „Gesetzen" als eine Notwendigkeit erscheint.

Allein Hegel spricht hier nicht von empirischen Kollisionen: er spricht vom Verhältnis der *„Sphären* des Privatrechts und Privatwohls, der Familie und der bürgerlichen Gesellschaft" zum Staat; es handelt sich vom *wesentlichen Verhältnis* dieser Sphären selbst. Nicht nur ihre „Interessen", auch ihre „Gesetze", ihre wesentlichen Bestimmungen sind vom Staate „abhängig", ihm „untergeordnet". Er verhält sich als „höhere *Macht*" zu ihren „Gesetzen und Interessen". Ihr „Interesse" und „Gesetz" verhalten sich als sein „Untergeordneter". Sie leben in der „Abhängigkeit" von ihm. Eben weil „Unterordnung" und „Abhängigkeit" *äußere*, das selbständige Wesen einengende und ihm zuwiderlaufende Verhältnisse sind, ist das Verhältnis der „Familie" und der bürgerlichen Gesellschaft zum Staat das der „*äußerlichen* Notwendigkeit", einer Notwendigkeit, die gegen das innere Wesen der Sache angeht. Dies selbst, „daß die privatrechtlichen Gesetze von dem bestimmten Charakter des Staats" abhängen, nach ihm sich modifizieren, wird daher unter das Verhältnis der *„äußerlichen Notwendigkeit"* subsumiert, eben weil „bürgerliche Gesellschaft und

Familie" in ihrer wahren, d. i. in ihrer selbständigen und vollständigen Entwicklung dem Staat als besondere „Sphären" vorausgesetzt sind. *„Unterordnung"* und *„Abhängigkeit"* sind die Ausdrücke für eine „äußerliche", *erzwungene*, scheinbare Identität, als deren logischen Ausdruck Hegel richtig die *„äußerliche Notwendigkeit"* gebraucht. In der „Unterordnung" und „Abhängigkeit" hat Hegel die eine Seite der zwiespältigen Identität weiter entwickelt, und zwar die Seite der Entfremdung innerhalb der Freiheit, „aber andererseits ist er ihr *immanenter* Zweck und hat seine Stärke in der Einheit seines *allgemeinen Endzweckes* und des *besonderen Interesses* der Individuen, darin, daß sie insofern *Pflichten* gegen ihn haben, als sie zugleich Rechte haben".

Hegel stellt hier eine ungelöste *Antinomie* auf. *Einerseits* äußerliche Notwendigkeit, *andererseits* immanenter Zweck. Die Einheit des *allgemeinen Endzwecks* des Staats und des *besonderen Interesses der Individuen* soll darin bestehen, daß ihre *Pflichten* gegen den Staat und *ihre Rechte* an denselben identisch sind (also z. B. die Pflicht, das Eigentum zu respektieren, mit dem Recht auf Eigentum zusammenfiele). Diese Identität wird in der Anmerkung zum § 261 also expliziert:

„Da die *Pflicht* zunächst das Verhalten *gegen* etwas für mich *Substantielles*, an und für sich Allgemeines ist, das Recht dagegen das *Dasein* überhaupt dieses Substantiellen ist, damit die Seite seiner *Besonderheit* und meiner *besonderen* Freiheit ist, so erscheint beides auf den formellen Stufen an verschiedene Seiten oder Personen verteilt. Der Staat als Sittliches, als Durchdringung des Substantiellen und des Besonderen, enthält, daß meine Verbindlichkeit gegen das Substantielle zugleich das Dasein meiner besonderen Freiheit, d. i. in ihm Pflicht und Recht *in einer* und *derselben Beziehung vereinigt sind.*"

§ 262. „Die wirkliche Idee, der Geist, der sich selbst in die zwei ideellen Sphären seines Begriffs, die Familie und die bürgerliche Gesellschaft, als in seine *Endlichkeit* scheidet, um aus ihrer Idealität *für sich unendlicher* wirklicher Geist

zu sein, teilt somit diesen Sphären das Material dieser seiner
endlichen Wirklichkeit, die Individuen als die *Menge* zu,
so daß diese Zuteilung am Einzelnen durch die Umstände,
die Willkür und eigene Wahl seiner Bestimmung vermittelt erscheint."

Übersetzen wir diesen Satz in Prosa, so folgt:
Die Art und Weise, wie der Staat sich mit der Familie und
der bürgerlichen Gesellschaft vermittelt, sind „die Umstände, die Willkür und die eigene Wahl der Bestimmung".
Die Staatsvernunft hat also mit der Zerteilung des Staatsmaterials an Familie und bürgerliche Gesellschaft nichts
zu tun. Der Staat geht auf eine unbewußte und willkürliche Weise aus ihnen hervor. Familie und bürgerliche Gesellschaft erscheinen als der dunkle Naturgrund, woraus
das Staatslicht sich entzündet. Unter dem Staatsmaterial
sind die *Geschäfte* des Staats, Familie und bürgerliche Gesellschaft verstanden, insofern sie Teile des Staats bilden,
am Staat als solchen teilnehmen.
In doppelter Hinsicht ist diese Entwicklung merkwürdig.
1. Familie und bürgerliche Gesellschaft werden als *Begriffs-
sphären* des Staats gefaßt, und zwar als die Sphären seiner
Endlichkeit, als seine *Endlichkeit*. Der Staat ist es, der sich
in sie *scheidet*, der sie *voraussetzt*, und zwar *tut* er dieses,
„um aus ihrer Idealität *für sich unendlicher* wirklicher
Geist zu sein". „Er scheidet sich, um." Er „*teilt somit* diesen Sphären das Material seiner Wirklichkeit zu, *so daß*
diese Zuteilung etc. vermittelt *erscheint*". Die sogenannte
„wirkliche Idee" (der Geist als unendlicher, wirklicher)
wird so dargestellt, als ob sie nach einem bestimmten Prinzip und zu bestimmter Absicht handle. Sie scheidet sich in
endliche Sphären, sie tut dieses, „um in sich zurückzukehren, für sich zu sein", und sie tut dieses zwar so, daß das
gerade ist, wie es wirklich ist.
An dieser Stelle erscheint der logische, pantheistische Mystizismus sehr klar.
Das *wirkliche* Verhältnis ist: „daß die Zuteilung des Staatsmaterials am Einzelnen durch die Umstände, die Willkür

und die eigene Wahl seiner Bestimmung vermittelt ist".
Diese Tatsache, dies *wirkliche Verhältnis* wird von der
Spekulation als *Erscheinung*, als *Phänomen* ausgesprochen.
Diese Umstände, diese Willkür, diese Wahl der Bestimmung, diese *wirkliche Vermittlung* sind bloß die *Erscheinung einer Vermittlung*, welche die wirkliche Idee mit sich
selbst vornimmt, und welche hinter der Gardine vorgeht.
Die Wirklichkeit wird nicht als sie selbst, sondern als eine
andere Wirklichkeit ausgesprochen. Die gewöhnliche Empirie hat nicht ihren eigenen Geist, sondern einen fremden
zum Gesetz, wogegen die wirkliche Idee nicht eine aus ihr
selbst entwickelte Wirklichkeit, sondern die gewöhnliche
Empirie zum Dasein hat. Die Idee wird versubjektiviert.
Das *wirkliche* Verhältnis von Familie und bürgerlicher Gesellschaft zum Staate wird als ihre *innere imaginäre* Tätigkeit gefaßt. Familie und bürgerliche Gesellschaft sind die
Voraussetzungen des Staats; sie sind die eigentlich Tätigen,
aber in der Spekulation wird es umgekehrt. Wenn aber die
Idee versubjektiviert wird, werden hier die wirklichen Subjekte, bürgerliche Gesellschaft, Familie, „Umstände, Willkür usw." zu *unwirklichen*, anderes bedeutenden, objektiven Momenten der Idee.
Die Zuteilung des Staatsmaterials „am Einzelnen durch die
Umstände, die Willkür und die eigene Wahl seiner Bestimmung" werden nicht als das Wahrhafte, das Notwendige,
das an und für sich Berechtigte schlechthin ausgesprochen;
sie werden nicht *als solche* für das Vernünftige ausgegeben;
aber sie werden es doch wieder andererseits, nur so, daß
sie für eine *scheinbare* Vermittlung ausgegeben, daß sie
gelassen werden, wie sie sind, zugleich aber die Bedeutung
einer Bestimmung der Idee erhalten, eines Resultats, eines
Prädikats der Idee. Der Unterschied ruht nicht im Inhalt,
sondern in der Betrachtungsweise oder in der *Sprechweise*.
Es ist eine doppelte Geschichte, eine esoterische und eine
exoterische. Der Inhalt liegt im exoterischen Teil. Das
Interesse des esoterischen ist immer das, die Geschichte des
logischen Begriffs im Staate wiederzufinden. An der exoterischen Seite aber ist es, daß die eigentliche Entwicklung
vor sich geht.

Rationell hießen die Sätze Hegels nur:

Die Familie und die bürgerliche Gesellschaft sind Staatsteile. Das Staatsmaterial ist unter sie verteilt durch „die Umstände, die Willkür und die eigene Wahl der Bestimmung". Die Staatsbürger sind Familienglieder und Glieder der bürgerlichen Gesellschaft.

„Die wirkliche Idee, der Geist, der *sich selbst* in die zwei ideellen Sphären seines Begriffs, die Familie und die bürgerliche Gesellschaft, als in *seine Endlichkeit scheidet*" — also die Teilung des Staats in Familie und bürgerliche Gesellschaft ist *ideell*, d. h. notwendig, gehört zum Wesen des Staats; Familie und bürgerliche Gesellschaft sind wirkliche Staatsteile, wirkliche geistige Existenzen des Willens, sie sind Daseinsweisen des Staates; Familie und bürgerliche Gesellschaft machen *sich selbst* zum Staat. Sie sind das Treibende. Nach Hegel sind sie dagegen *getan* von der wirklichen Idee; es ist nicht ihr eigener Lebenslauf, der sie zum Staate vereint, sondern es ist der Lebenslauf der Idee, die sie von sich dezerniert hat; und zwar sind sie die Endlichkeit dieser Idee; sie verdanken ihr Dasein einem anderen Geist als dem ihrigen; sie sind von einem Dritten gesetzte Bestimmungen, keine Selbstbestimmungen; deswegen werden sie auch als „Endlichkeit", als die eigene *Endlichkeit* der „wirklichen Idee" bestimmt. Der Zweck ihres Daseins ist nicht das Dasein selbst, sondern die Idee scheidet diese Voraussetzungen von sich ab, „um aus ihrer Idealität für sich unendlicher wirklicher Geist zu sein", d. h. der politische Staat kann nicht sein ohne die natürliche Basis der Familie und die künstliche Basis der bürgerlichen Gesellschaft; sie sind für ihn eine conditio sine qua non; die Bedingung wird aber als das Bedingte, das Bestimmende wird als das Bestimmte, das Produzierende wird als das Produkt seines Produkts gesetzt; die „wirkliche Idee" erniedrigt sich nur in die Endlichkeit der Familie und der bürgerlichen Gesellschaft, um durch ihre Aufhebung seine Unendlichkeit zu genießen und hervorzubringen; sie „teilt *somit*" (um seinen Zweck zu erreichen) „diesen Sphären das Material dieser seiner endlichen Wirklichkeit", (dieser? welcher? diese Sphären sind ja seine endliche Wirklichkeit, sein „Ma-

terial") „die Individuen als die Menge zu" (das Material
des Staates sind hier „die Individuen, die Menge", „aus
ihnen besteht der Staat", dieses sein Bestehen wird hier als
eine Tat der Idee, als eine „Verteilung", die sie mit ihrem
eigenen Material vornimmt, ausgesprochen: das Faktum
ist, daß der Staat aus der Menge, wie sie als Familienglieder und Glieder der bürgerlichen Gesellschaft existieren,
hervorgehe, die Spekulation spricht das Faktum als Tat der
Idee aus, nicht als die Idee der Menge, sondern als Tat
einer subjektiven, von dem Faktum selbst unterschiedenen
Idee) „so daß diese Zuteilung am Einzelnen" (früher war
nur von der Zuteilung der Einzelnen an die Sphären der
Familie und der bürgerlichen Gesellschaft die Rede) „durch
die Umstände, die Willkür etc. vermittelt erscheint". Es
wird also die empirische Wirklichkeit erscheinen, wie sie
ist; sie wird auch als vernünftig ausgesprochen, aber sie ist
nicht vernünftig wegen ihrer eigenen Vernunft, sondern
weil die empirische Tatsache in ihrer empirischen Existenz
eine andere Bedeutung hat als sich selbst. Die Tatsache, von
der ausgegangen wird, wird nicht als solche, sondern als
mystisches Resultat gefaßt.

Das Wirkliche wird zum Phänomen, aber die Idee hat
keinen anderen Inhalt als dieses Phänomen. Auch hat die
Idee keinen anderen Zweck als den logischen, „für sich unendlicher wirklicher Geist zu sein". In diesem Paragraphen
ist das ganze Mysterium der Rechtsphilosophie niedergelegt und der Hegelschen Philosophie überhaupt.

§ 263. „In diesen Sphären, in denen seine Momente, die
Einzelheit und Besonderheit, ihre *unmittelbare* und *reflektierte* Realität haben, ist der Geist als ihre *in* sie *scheinende*
objektive Allgemeinheit, als die Macht des Vernünftigen
in der Notwendigkeit, nämlich als die im vorherigen betrachteten *Institutionen.*"

§ 264. „Die Individuen der Menge, da *sie selbst* geistige
Naturen und damit das gedoppelte Moment, nämlich das
Extrem der *für sich* wissenden und wollenden *Einzelnheit*
und das Extrem der das Substantielle wissenden und wollenden *Allgemeinheit* in sich enthalten und daher zu dem

Rechte dieser beiden Seiten nur gelangen, insofern sie sowohl als Privat- wie als substantielle Personen wirklich sind; — erreichen in jenen Sphären teils unmittelbar das erstere, teils das andere so, daß sie in den Institutionen, als dem an sich seienden *Allgemeinen* ihrer besonderen Interessen, ihr wesentliches Selbstbewußtsein haben, teils daß sie ihnen ein auf einen allgemeinen Zweck gerichtetes Geschäft und Tätigkeit in der Korporation gewähren."

§ 265. „Diese Institutionen machen die *Verfassung*, d. i. die entwickelte und verwirklichte Vernünftigkeit, im *besonderen* aus und sind darum die feste Basis des Staates, sowie des Zutrauens und der Gesinnung der Individuen für denselben und die Grundsäulen der öffentlichen Freiheit, da in ihnen die besondere Freiheit realisiert und vernünftig, damit in ihnen selbst *an sich* die Vereinigung der Freiheit und Notwendigkeit vorhanden ist."

§ 266. „*Allein* der Geist ist nicht nur als diese (welche?) Notwendigkeit . . ., sondern als die *Idealität* derselben, und als ihr Inneres sich objektiv und wirklich; so ist diese substantielle Allgemeinheit *sich selbst* Gegenstand und Zweck, und jene Notwendigkeit hierdurch sich ebenso sehr in *Gestalt* der Freiheit."

Der Übergang der Familie und der bürgerlichen Gesellschaft in den politischen Staat ist also der, daß der Geist jener Sphären, der *an sich* der Staatsgeist ist, sich nun auch als solcher zu sich verhält und als ihr Inneres sich *wirklich* ist. Der Übergang wird also nicht aus dem *besonderen* Wesen der Familie etc. und dem besonderen Wesen des Staats, sondern aus dem *allgemeinen* Verhältnis von *Notwendigkeit* und *Freiheit* hergeleitet. Es ist ganz derselbe Übergang, der in der Logik aus der Sphäre des Wesens in die Sphäre des Begriffs bewerkstelligt wird. Derselbe Übergang wird in der Naturphilosophie aus der unorganischen Natur in das Leben gemacht. Es sind immer dieselben Kategorien, die bald die Seele für diese, bald für jene Sphäre hergeben. Es kommt nur darauf an, für die einzelnen konkreten Bestimmungen die entsprechenden abstrakten aufzufinden.

§ 267. „Die *Notwendigkeit* in der Idealität ist die *Entwick-lung* der Idee innerhalb ihrer selbst; sie ist als *subjektive* Substantialität die *politische Gesinnung*, als *objektive* in Unterscheidung von jener der *Organismus* des Staats, der eigentlich *politische* Staat und *seine Verfassung.*“

Subjekt ist hier „die Notwendigkeit in der Idealität“, die „Idee innerhalb ihrer selbst“, *Prädikat* — die *politische Ge-sinnung* und die *politische Verfassung.* Heißt zu deutsch: Die *politische Gesinnung* ist die subjektive, die *politische Verfassung* ist die *objektive Substanz* des Staats. Die logi-sche Entwicklung von Familie und bürgerlicher Gesell-schaft zum Staate ist also reiner *Schein;* denn es ist nicht entwickelt, wie Familiengesinnung, die bürgerliche Gesin-nung, die Institution der Familie und die sozialen Insti-tutionen als solche sich zur politischen Gesinnung und poli-tischen Verfassung verhalten und mit ihnen zusammen-gehen.

Der Übergang, daß der Geist „nicht nur als diese Notwen-digkeit und als ein *Reich der Erscheinung*“ ist, sondern als „die Idealität derselben“, als die Seele dieses Reichs für sich wirklich ist und eine besondere Existenz hat, ist gar kein Übergang, denn die Seele der Familie existiert für sich als Liebe etc. Die reine Idealität einer wirklichen Sphäre könnte aber nur als *Wissenschaft* existieren.

Wichtig ist, daß Hegel überall die Idee zum Subjekt macht und das eigentliche, wirkliche Subjekt, wie die „politische Gesinnung“, zum Prädikat. Die Entwicklung geht aber immer auf Seite des Prädikats vor.

§ 269. „Ihren besonders bestimmten *Inhalt* nimmt die Ge-sinnung aus den verschiedenen Seiten des *Organismus* des Staats. Dieser *Organismus* ist die Entwicklung der Idee zu ihren Unterschieden und zu deren objektiven Wirklichkeit. Diese unterschiedenen Seiten sind *so* die *verschiedenen Ge-walten* und deren Geschäfte und Wirksamkeiten, wodurch das *Allgemeine* sich fortwährend, und zwar indem sie durch die *Natur des Begriffes* bestimmt sind, auf *notwendige* Weise *hervorbringt* und, indem es ebenso seiner Produktion vorausgesetzt ist, sich *erhält;* — dieser Organismus ist die *politische Verfassung.*"

Der Wahrheit nach hat Hegel nichts getan, als die „politische Verfassung" in die allgemeine abstrakte Idee des „Organismus" aufgelöst, aber dem Schein und seiner eigenen Meinung nach hat er aus der allgemeinen Idee das Bestimmte entwickelt. Er hat zu einem Produkt, einem Prädikat der Idee gemacht, was ihr Subjekt ist. Er entwickelt sein Denken nicht aus dem Gegenstand, sondern den Gegenstand nach einem mit sich fertig und in der abstrakten Sphäre der Logik mit sich fertig gewordenen Denken. Es handelt sich nicht darum, die bestimmte Idee der politischen Verfassung zu entwickeln, sondern es handelt sich darum, der politischen Verfassung ein Verhältnis zur abstrakten Idee zu geben, sie als ein Glied ihrer Lebensgeschichte (der Idee) zu rangieren, eine offenbare Mystifikation. Eine andere Bestimmung ist, daß die „verschiedenen Gewalten" „durch die *Natur des Begriffs* bestimmt sind" und darum „das Allgemeine sie auf *notwendige* Weise hervorbringt". Die verschiedenen Gewalten sind also nicht durch ihre „eigene Natur" bestimmt, sondern durch eine fremde. Ebenso ist die *Notwendigkeit* nicht aus ihrem eigenen Wesen geschöpft, noch weniger kritisch bewiesen. Ihr Schicksal ist vielmehr prädestiniert durch die „Natur des Begriffs", versiegelt in der santa casa (der Logik) heiligen Registern.

Die Seele der Gegenstände, hier des Staats, ist fertig, prädestiniert vor ihrem Körper, der eigentlich nur Schein ist. Der „Begriff" ist der Sohn in der „Idee", dem Gott Vater, das agens, das determinierende, unterscheidende Prinzip. „Idee" und „Begriff" sind hier verselbständigte Abstraktionen.

§ 270. „Daß der Zweck des Staates das allgemeine Interesse als solches und darin als ihrer Substanz die Erhaltung der besonderen Interessen ist, ist 1. seine *abstrakte Wirklichkeit* oder Substantialität; aber sie ist 2. seine *Notwendigkeit*, als sie sich in die Begriffs*unterschiede* seiner Wirksamkeit dirimiert, welche durch jene Substantialität ebenso wirkliche *feste* Bestimmungen, *Gewalten* sind; 3. eben diese Substantialität ist aber der als durch die *Form der Bildung hindurchgegangene* sich wissende und wollende Geist. Der Staat *weiß* daher, was er will, und weiß es in seiner *Allgemeinheit*, als *Gedachtes;* er wirkt und handelt deswegen nach gewußten Zwecken, gekannten Grundsätzen und nach Gesetzen, die es nicht nur *an sich*, sondern fürs Bewußtsein sind; und ebenso, insofern seine Handlungen sich auf vorhandene Umstände und Verhältnisse beziehen, nach der bestimmten Kenntnis derselben."

(Die Anmerkung zu diesem Paragraphen über das Verhältnis von Staat und Kirche später.)
Die Anwendung dieser logischen Kategorien verdient ein ganz spezielles Eingehen.

„Daß der Zweck des Staates das *allgemeine Interesse* als solches und darin als ihre Substanz die Erhaltung der besonderen Interessen ist, ist 1. seine *abstrakte Wirklichkeit* oder Substantialität." Daß das allgemeine Interesse als solches und als Bestehen der besonderen Interessen *Staatszweck* ist, — ist seine Wirklichkeit, sein Bestehen, abstrakt definiert. Der Staat ist nicht wirklich ohne diesen Zweck. Es ist dies das wesentliche Objekt seines Wollens, aber zugleich nur eine ganz allgemeine Bestimmung dieses Objekts. Dieser Zweck als Sein ist das Element des Bestehens für den Staat.

„Aber sie (die abstrakte Wirklichkeit, Substantialität) ist 2. seine *Notwendigkeit*, als sie sich in die Begriffs-*Unterschiede* seiner Wirksamkeit dirimiert, welche durch jene Substantialität ebenso wirkliche *feste* Bestimmungen, Gewalten sind."
Sie (die abstrakte Wirklichkeit, die Substantialität) ist seine (des Staats) *Notwendigkeit*, als seine Wirklichkeit sich in *unterschiedene Wirksamkeiten* teilt, deren Unterschied ein vernünftig bestimmter, die dabei feste Bestimmungen sind. Die abstrakte Wirklichkeit des Staats, die Substantialität desselben ist Notwendigkeit, insofern der reine Staatszweck und das reine Bestehen des Ganzen nur in dem Bestehen der unterschiedenen Staatsgewalten realisiert ist.

Versteht sich: die erste Bestimmung seiner Wirklichkeit war *abstrakt;* der Staat kann nicht als einfache Wirklichkeit, er muß als Wirksamkeit, als eine unterschiedene Wirksamkeit betrachtet werden.

„Seine *abstrakte Wirklichkeit* oder Substantialität ist seine *Notwendigkeit,* als sie sich in die Begriffsunterschiede seiner Wirksamkeit dirimiert, welche durch jene *Substantialität* ebenso wirkliche, *feste* Bestimmungen, Gewalten sind.“

Das Substantialitätsverhältnis ist Notwendigkeitsverhältnis; d. h. die Substanz erscheint geteilt in selbständige, aber wesentlich bestimmte *Wirklichkeiten* oder *Wirksamkeiten.* Diese Abstraktionen werde ich auf jede Wirklichkeit anwenden können. Insofern ich den Staat zuerst unter dem Schema der „abstrakten“, werde ich ihn nachher unter dem Schema der „konkreten Wirklichkeit“, der „Notwendigkeit“, des erfüllten Unterschieds betrachten müssen.

3. „Eben diese Substantialität ist aber der als durch die *Form der Bildung hindurchgegangene* sich wissende und wollende Geist. Der Staat *weiß* daher, was er will, und weiß es in seiner *Allgemeinheit,* als *Gedachtes;* er wirkt und handelt deswegen nach gewußten Zwecken, gekannten Grundsätzen und nach Gesetzen, die es nicht nur *an sich,* sondern fürs Bewußtsein sind; und ebenso, insofern seine Handlungen sich auf vorhandene Umstände und Verhältnisse beziehen, nach der bestimmten Kenntnis derselben.“ Übersetzen wir nun diesen ganzen Paragraphen zu deutsch also:

1. Der *sich wissende und wollende Geist* ist die Substanz des Staats; (der *gebildete, selbstbewußte* Geist ist das Subjekt und das Fundament, ist die Selbständigkeit des Staats).

2. *Das allgemeine Interesse und in ihm die Erhaltung der besonderen Interessen* ist der allgemeine Zweck und Inhalt dieses Geistes, die seiende Substanz des Staates, die Staatsnatur des sich wissenden und wollenden Geistes.

3. Die *Verwirklichung* dieses abstrakten Inhalts erreicht der sich wissende und wollende Geist, der selbstbewußte, gebildete Geist nur als eine unterschiedene *Wirksamkeit,* als das Dasein *verschiedener Gewalten,* als eine *gegliederte Macht.*

Über die Hegelsche Darstellung ist zu bemerken:

a) zu *Subjekten* werden gemacht: die *abstrakte Wirklichkeit*, die *Notwendigkeit* (oder der substantielle Unterschied), die *Substantialität; also die abstrakt-logischen Kategorien.* Zwar werden die „abstrakte Wirklichkeit" und „Notwendigkeit", als „*seine*", des Staats, Wirklichkeit und Notwendigkeit bezeichnet, allein 1. ist „*sie*", „die abstrakte Wirklichkeit" oder „Substantialität", *seine* Notwendigkeit. 2. *Sie* ist es, „die sich in die Begriffsunterschiede seiner Wirksamkeit dirimiert". Die Begriffsunterschiede „sind durch jene Substantialität ebenso wirkliche, *feste*" Bestimmungen, *Gewalten; 3.* wird die „Substantialität" nicht mehr als eine abstrakte Bestimmung des Staats, als *seine* Substantialität genommen: sie wird als solche zum Subjekt gemacht, denn es heißt schließlich: „eben diese *Substantialität* ist aber der durch die Form der Bildung hindurchgegangene, sich wissende und wollende Geist".

b) Es wird auch schließlich nicht gesagt: „der gebildete etc. Geist ist die Substantialität", sondern umgekehrt: „die Substantialität ist der gebildete etc. Geist". Der Geist wird also zum Prädikat seines Prädikats.

c) Die Substantialität, nachdem sie 1. als der allgemeine Staatszweck, dann 2. als die unterschiedenen Gewalten bestimmt war, wird 3. als der gebildete, sich wissende und wollende, *wirkliche* Geist bestimmt. Der wahre Ausgangspunkt, der sich wissende und wollende Geist, ohne welchen der „Staatszweck" und die „Staatsgewalten" haltungslose Einbildungen, essenzlose, sogar unmögliche Existenzen wären, erscheint nur als das *letzte* Prädikat der Substantialität, die vorher schon als *allgemeiner Zweck* und als die *verschiedenen Staatsgewalten* bestimmt war. Wäre von dem *wirklichen Geist* ausgegangen worden, so war der „allgemeine Zweck" sein Inhalt, die verschiedenen Gewalten seine Weise, sich zu verwirklichen, sein *reelles* oder *materielles* Dasein, deren Bestimmtheit eben aus der Natur seines Zweckes zu entwickeln gewesen wäre. Weil aber von der „Idee" oder der „Substanz" als dem Subjekt, dem wirklichen Wesen ausgegangen wird, so erscheint das *wirkliche Subjekt* nur als *letztes Prädikat* des abstrakten *Prädikats*.

Der „Staatszweck" und die „Staatsgewalten" werden mystifiziert, indem sie als „Daseinsweisen" der Substanz dargestellt und getrennt ihrem wirklichen Dasein, dem „sich
wissenden und wollenden Geist, dem gebildeten Geist" erscheinen.

d) Der konkrete Inhalt, die wirkliche Bestimmung, erscheint
als formell; die ganz abstrakte Formbestimmung erscheint
als der konkrete Inhalt. Das Wesen der staatlichen Bestimmungen ist nicht, daß sie staatliche Bestimmungen, sondern
daß sie in ihrer abstraktesten Gestalt als logisch-metaphy-
sische Bestimmungen betrachtet werden können. Nicht die
Rechtsphilosophie, sondern die Logik ist das wahre Interesse. Nicht daß das Denken sich in politischen Bestimmungen verkörpert, sondern daß die vorhandenen politischen
Bestimmungen in abstrakte Gedanken verflüchtigt werden,
ist die philosophische Arbeit. Nicht die Logik der Sache,
sondern die Sache der Logik ist das philosophische Moment.
Die Logik dient nicht zum Beweis des Staats, sondern der
Staat dient zum Beweis der Logik.

1. Das allgemeine Interesse und darin die Erhaltung der
besonderen Interessen als *Staatszweck;*

2. die verschiedenen Gewalten als *Verwirklichung* dieses
Staatszwecks;

3. der gebildete, selbstbewußte, wollende und handelnde
Geist als das *Subjekt* des Zwecks und seiner Verwirklichung.

Diese konkreten Bestimmungen sind äußerlich aufgenommen, hors d'oeuvres: ihr philosophischer Sinn ist, daß der
Staat in ihnen den logischen Sinn hat:

1. als abstrakte Wirklichkeit oder Substantialität;

2. daß das Substantialitätsverhältnis in das Verhältnis der
Notwendigkeit, der substantiellen Wirklichkeit übergeht;

3. daß die substantielle Wirklichkeit in Wahrheit *Begriff,
Subjektivität* ist.

Mit Auslassung der konkreten Bestimmungen, welche ebensogut für eine andere Sphäre, z. B. die Physik, mit anderen
konkreten Bestimmungen vertauscht werden können, also
unwesentlich sind, haben wir ein *Kapitel der Logik* vor
uns.

Die Substanz muß „sich in Begriffsunterschiede dirimieren, welche durch jene Substantialität ebenso wirkliche, *feste* Bestimmungen sind". Dieser Satz — das Wesen gehört der Logik und ist vor der Rechtsphilosophie fertig. Daß diese Begriffsunterschiede hier Unterschiede „seiner (des Staats) Wirksamkeit" und die „festen Bestimmungen" „Staatsgewalten" sind, diese Parenthese gehört der Rechtsphilosophie, der politischen Empirie. So ist die ganze Rechtsphilosophie nur Parenthese zur Logik. Die Parenthese ist, wie sich von selbst versteht, nur hors d'oeuvre der eigentlichen Entwicklung. Cf. zum Beispiel p. 347 § 270, Zusatz:[1]

„Die Notwendigkeit besteht darin, daß das Ganze in die Begriffsunterschiede dirimiert sei und daß dieses Dirimierte eine feste und aushaltende Bestimmtheit abgebe, die nicht totfest ist, sondern in der Auflösung sich immer erzeugt." Cf. auch die Logik.

§ 271. „Die politische Verfassung ist *fürs erste:* die Organisation des Staates und der Prozeß seines organischen Lebens *in Beziehung auf sich selbst,* in welcher er seine Momente innerhalb seiner selbst unterscheidet und sie zum *Bestehen* entfaltet.

Zweitens ist er als eine Individualität *ausschließendes* Eins, welches sich damit zu *Anderen* verhält, seine Unterscheidung also *nach außen* kehrt und nach dieser Bestimmung seine bestehenden Unterschiede innerhalb seiner selbst in ihrer Idealität setzt."

Zusatz: „Der innerliche Staat als solcher ist die *Zivilgewalt,* die Richtung nach außen die *Militärgewalt,* die aber im Staate eine bestimmte Seite in ihm selbst ist."

I. Innere Verfassung für sich

§ 272. „Die Verfassung ist vernünftig, insofern der Staat seine Wirksamkeit *nach der Natur des Begriffs* in sich unterscheidet und bestimmt, und zwar so, daß *jede* dieser *Gewalten* selbst in sich die *Totalität* dadurch ist, daß sie

---

[1] [Die Zitate beziehen sich auf Hegels Grundlinien der Philosophie des Rechts, ed. Gans (Hegels Werke. Vollständige Ausgabe, 1. Auflage, Berlin 1833, Bd. 8.)]

die anderen Momente in sich wirksam hat und enthält, und daß sie, weil sie den Unterschied des Begriffs ausdrücken, schlechthin in seiner Idealität bleiben und nur *ein individuelles* Ganzes ausmachen."

Die Verfassung ist also vernünftig, insofern seine Momente in die abstrakt logischen aufgelöst werden können. Der Staat hat seine Wirksamkeit nicht nach seiner spezifischen Natur zu unterscheiden und zu bestimmen, sondern nach der Natur des Begriffs, welcher das mystifizierte Mobile des abstrakten Gedankens ist. Die Vernunft der Verfassung ist also die abstrakte Logik und nicht der Staatsbegriff. Statt des Begriffs der Verfassung erhalten wir die Verfassung des Begriffs. Der Gedanke richtet sich nicht nach der Natur des Staats, sondern der Staat nach einem fertigen Gedanken.

§ 273. „Der politische Staat dirimiert sich somit (wieso?) in die substantiellen Unterschiede:
a) die Gewalt, das Allgemeine zu bestimmen und festzusetzen, die *gesetzgebende* Gewalt;
b) der Subsumption der *besonderen* Sphären und einzelnen Fälle unter das Allgemeine, — die *Regierungsgewalt;*
c) der *Subjektivität* als der letzten Willensentscheidung, die *fürstliche Gewalt,* — in der die unterschiedenen Gewalten zur individuellen Einheit zusammengefaßt sind, die also die Spitze und der Anfang des Ganzen, — der *konstitutionellen Monarchie,* ist."
Wir werden auf diese Einteilung zurückkommen, nachdem wir ihre Ausführung im besonderen geprüft.

§ 274. „Da der *Geist* nur als das *wirklich* ist, als was er sich weiß, und der Staat als Geist eines Volkes zugleich das *alle seine Verhältnisse durchdringende* Gesetz, die Sitte und das Bewußtsein seiner Individuen ist, so hängt die Verfassung eines bestimmten Volkes überhaupt von der *Weise und Bildung des Selbstbewußtseins desselben ab;* in diesem liegt seine subjektive Freiheit und damit die *Wirklichkeit der Verfassung* ... Jedes Volk hat deswegen die Verfassung, die ihm angemessen ist und für dasselbe gehört."

Aus Hegels Räsonnement folgt nur, daß der Staat, worin
„Weise und Bildung des Selbstbewußtseins" und „Verfassung" sich widersprechen, kein wahrer Staat ist. Daß die
Verfassung, welche das Produkt eines vergangenen Bewußtseins war, zur drückenden Fessel für ein fortgeschrittenes
werden kann etc. etc., sind wohl Trivialitäten. Es würde
vielmehr nur die Forderung einer Verfassung folgern, die
in sich selbst die Bestimmung und das Prinzip hat, mit dem
Bewußtsein fortzuschreiten; fortzuschreiten mit dem wirklichen Menschen, was erst möglich ist, sobald der „Mensch"
zum Prinzip der Verfassung geworden ist. Hegel hier
Sophist.

a. Die fürstliche Gewalt

§ 275. „Die fürstliche Gewalt enthält selbst die drei Momente der Totalität in sich, die *Allgemeinheit* der Verfassung und der Gesetze, die Beratung als Beziehung des
Besonderen auf das Allgemeine und das Moment der letzten
Entscheidung als der *Selbstbestimmung,* in welche alles
übrige zurückgeht und wovon es den Anfang der Wirklichkeit nimmt. Dieses absolute Selbstbestimmen macht das
unterscheidende Prinzip der fürstlichen Gewalt als solcher
aus, welches zuerst zu entwickeln ist."

Der Anfang dieses Paragraphen heißt zunächst nichts als:
„die Allgemeinheit der Verfassung und der Gesetze" sind
— die *fürstliche Gewalt.* Die *Beratung* oder die Beziehung
des *Besonderen* auf das Allgemeine ist — die *fürstliche Gewalt.* Die fürstliche Gewalt steht nicht außerhalb der Allgemeinheit der Verfassung und der Gesetze, sobald unter
der fürstlichen Gewalt die des Monarchen (konstitutionellen) verstanden ist.
Was Hegel aber eigentlich will, ist nichts als daß die „Allgemeinheit der Verfassung und der Gesetze" — die fürstliche Gewalt, die Souveränität des Staats ist. Es ist dann
unrecht, die *fürstliche Gewalt* zum *Subjekt* zu machen und,
da unter fürstlicher Gewalt auch die Gewalt des Fürsten
verstanden werden kann, den Schein hervorzubringen, als
sei er Herr *dieses* Moments; das Subjekt desselben. Doch

wenden wir uns zunächst zu dem, was Hegel als „*das unterscheidende Prinzip der fürstlichen Gewalt als solcher*" ausgibt, so ist es:

„das Moment der letzten *Entscheidung*, als der *Selbstbestimmung*, in welche alles übrige zurückgeht und wovon es den Anfang der Wirklichkeit nimmt", dieses:

„absolute Selbstbestimmen".

Hegel sagt hier nichts als: der *wirkliche*, d. h. *individuelle Wille* ist die *fürstliche Gewalt*. So heißt es § 12:

„Daß der Wille sich ... die Form der *Einzelnheit* gibt ..., ist er beschließend, und nur als beschließender Wille überhaupt ist er *wirklicher* Wille."

Insofern dies Moment der „letzten Entscheidung" oder der „absoluten Selbstbestimmung" getrennt ist von der „Allgemeinheit" des Inhalts und der Besonderheit der Beratung, ist es der *wirkliche Wille* als *Willkür*, oder:

„Die *Willkür* ist die fürstliche Gewalt", oder die „fürstliche Gewalt ist die Willkür".

§ 276. „Die Grundbestimmung des politischen Staates ist die substantielle Einheit als *Idealität* seiner Momente, in welcher:

α) die besonderen Gewalten und Geschäfte desselben ebenso aufgelöst als erhalten und nur so erhalten sind, als sie keine unabhängige, sondern allein eine solche und soweit gehende Berechtigung haben, als in der *Idee des Ganzen* bestimmt ist, *von seiner Macht* ausgehen und flüssige Glieder desselben als ihres einfachen Selbsts sind."

Zusatz: „Mit dieser Idealität der Momente ist es wie mit dem Leben im organischen Körper."

Versteht sich: Hegel spricht nur von der Idee „der besonderen Gewalten und Geschäfte" ... Sie sollen nur eine so weitgehende Berechtigung haben, als in der Idee des Ganzen bestimmt ist; sie sollen nur „von seiner Macht ausgehen". Daß dies so sein *soll*, liegt in der Idee *des Organismus*. Es wäre aber eben zu entwickeln gewesen, wie dies zu bewerkstelligen ist. Denn im Staate muß *bewußte Vernunft* herrschen; die *substantielle* bloß innere und darum bloß äußere Notwendigkeit, die zufällige Verschränkung der „Gewalten

und Geschäfte" kann nicht für das Vernünftige ausgegeben
werden.

§ 277. *β*) „Die besonderen Geschäfte und Wirksamkeiten
des Staats sind als die wesentlichen Momente desselben *ihm
eigen* und an die *Individuen*, durch welche sie gehandhabt
und betätigt werden, nicht nach deren unmittelbaren Persönlichkeit, sondern nur nach ihren allgemeinen und objektiven Qualitäten geknüpft und daher mit der besonderen
Persönlichkeit als solcher äußerlicher- und zufälligerweise
verbunden. Die Staatsgeschäfte und Gewalten können daher
nicht *Privateigentum* sein."

Es versteht sich von selbst, daß, wenn *besondere* Geschäfte
und Wirksamkeiten als Geschäfte und Wirksamkeit *des
Staats*, als *Staatsgeschäfte* und *Staatsgewalt* bezeichnet werden, sie nicht *Privateigentum*, sondern *Staatseigentum* sind.
Das ist eine Tautologie.

Die Geschäfte und Wirksamkeiten des Staats sind an Individuen geknüpft (der Staat ist nur wirksam durch Individuen), aber nicht an das Individuum als *physisches*, sondern als *staatliches*, an die *Staatsqualität* des Individuums.
Es ist daher lächerlich, wenn Hegel sagt, *sie* seien „mit der
besonderen Persönlichkeit *als solcher äußerlicher- und zufälligerweise* verbunden". Sie sind vielmehr durch ein *vinculum substantiale*, durch eine wesentliche Qualität desselben, mit ihm verbunden. Sie sind die natürliche Aktion
seiner wesentlichen Qualität. Es kömmt dieser Unsinn dadurch herein, daß Hegel die Staatsgeschäfte und Wirksamkeiten abstrakt für sich und im Gegensatz dazu die besondere Individualität faßt; aber er vergißt, daß die besondere
Individualität eine menschliche und die Staatsgeschäfte und
Wirksamkeiten menschliche Funktionen sind; *er vergißt,
daß das Wesen* der „besonderen Persönlichkeit" nicht ihr
Bart, ihr Blut, ihre abstrakte Physis, sondern *ihre soziale
Qualität ist*, und daß die Staatsgeschäfte etc. nichts als
Daseins- und Wirkungsweisen der sozialen Qualitäten der
Menschen sind. Es versteht sich also, daß die Individuen,
insofern sie die Träger der Staatsgeschäfte und Gewalten

sind, ihrer sozialen und nicht ihrer privaten Qualität nach betrachtet werden.

§ 278. „Diese beiden Bestimmungen, daß die besonderen Geschäfte und Gewalten des Staats weder für sich noch in dem besonderen Willen von Individuen selbständig und fest sind, sondern in der *Einheit des Staats* als ihrem *einfachen Selbst* ihre letzte Wurzel haben, macht die *Souveränität des Staats* aus.“

„Der Despotismus bezeichnet überhaupt den Zustand der Gesetzlosigkeit, wo der besondere Wille als solcher, es sei nun eines Monarchen oder eines Volks, als Gesetz oder vielmehr statt des Gesetzes gilt, da hingegen die Souveränität gerade im gesetzlichen, konstitutionellen Zustande das Moment der Idealität der besonderen Sphären und Geschäfte ausmacht, daß nämlich eine solche Sphäre nicht ein Unabhängiges, in ihren Zwecken und Wirkungsweisen Selbständiges und sich nur in sich Vertiefendes, sondern in diesen Zwecken und Wirkungsweisen vom *Zwecke des Ganzen* (den man im allgemeinen mit einem unbestimmteren Ausdruck das *Wohl des Staats* genannt hat) bestimmt und abhängig sei. Diese Idealität kommt auf die gedoppelte Weise zur Erscheinung. — Im *friedlichen* Zustande gehen die besonderen Sphären und Geschäfte den Gang der Befriedigung ihrer besonderen Geschäfte fort, und es ist teils nur die Weise der bewußtlosen *Notwendigkeit* der Sache, nach welcher ihre Selbstsucht in den Beitrag zur gegenseitigen Erhaltung und zur Erhaltung des Ganzen *umschlägt* ..., teils aber ist es die *direkte Einwirkung* von oben, wodurch sie sowohl zu dem Zwecke des Ganzen fortdauernd zurückgeführt und danach beschränkt ... als angehalten werden, zu dieser Erhaltung direkte Leistungen zu machen; — im *Zustande der Not* aber, es sei innerer oder äußerlicher, ist es die Souveränität, in deren einfachen Begriff der dort in seinen Besonderheiten bestehende Organismus zusammengeht und welcher die Rettung des Staats mit Aufopferung dieses sonst Berechtigten anvertraut ist, wo denn jener *Idealismus* zu seiner *eigentümlichen* Wirklichkeit kommt.“

Dieser Idealismus ist also nicht entwickelt zu einem gewußten vernünftigen System. Er erscheint im *friedlichen* Zustande entweder nur als ein äußerlicher Zwang, der der herrschenden Macht, dem Privatleben durch direkte Einwirkung von oben angetan wird, oder als blindes ungewußtes Resultat der Selbstsucht. Seine „eigentümliche Wirklichkeit" hat dieser Idealismus nur im „Kriegs- oder Notzustand" des Staats, so daß sich hier sein Wesen als „Kriegs- und Notzustand" des wirklichen bestehenden Staats ausspricht, während sein „*friedlicher*" Zustand eben der Krieg und die Not der Selbstsucht ist.

Die *Souveränität*, der Idealismus des Staats, existiert daher nur als *innere* Notwendigkeit: als *Idee*. Auch damit ist Hegel zufrieden, denn es handelt sich nur um die *Idee*. Die Souveränität existiert also einerseits nur als *bewußtlose, blinde Substanz*. Wir werden sogleich ihre andere Wirklichkeit kennenlernen.

§ 279. „Die Souveränität, zunächst nur der *allgemeine* Gedanke dieser Idealität, *existiert* nur als die ihrer selbst gewisse *Subjektivität* und als die abstrakte, insofern grundlose *Selbstbestimmung* des Willens, in welcher das Letzte der Entscheidung liegt. Es ist dies das Individuelle des Staats als solches, der selbst nur darin *einer* ist. Die Subjektivität aber ist in ihrer Wahrheit nur als *Subjekt*, die Persönlichkeit nur als *Person*, und in der zur reellen Vernünftigkeit gediehenen Verfassung hat jedes der drei Momente des Begriffs seine *für sich wirk-*

1. „Die Souveränität, zunächst nur der allgemeine Gedanke dieser Idealität, *existiert* nur als die ihrer selbst gewisse Subjektivität. Die Subjektivität ist in ihrer Wahrheit nur als *Subjekt*, die *Persönlichkeit* nur als *Person*. In der zur reellen Vernünftigkeit gediehenen Verfassung hat jedes der drei Momente des Begriffs für sich wirkliche ausgesonderte Gestaltung."

2. „Die Souveränität existiert nur als die abstrakte, insofern grundlose *Selbstbestimmung* des Willens, in welcher das Letzte der Entscheidung liegt. Es ist dies das Individuelle des Staats

liche ausgesonderte Gestaltung. Dies absolut entscheidende Moment des Ganzen ist daher nicht die Individualität überhaupt, sondern *ein* Individuum, der *Monarch.*"

als solches, der selbst darin nur *einer* ist (und in der zur reellen Vernünftigkeit gediehenen Verfassung — hat jedes der drei Momente des Begriffs seine *für sich wirkliche* ausgesonderte Gestaltung). Dies absolut entscheidende Moment des Ganzen ist *daher* nicht die Individualität überhaupt, sondern *ein* Individuum, der *Monarch.*"

Der erste Satz heißt nichts, als daß der allgemeine Gedanke dieser Idealität, dessen traurige Existenz wir oben gesehen haben, das selbstbewußte Werk der Subjekte sein und als solches für sie und in ihnen existieren müßte. Wäre Hegel von den wirklichen Subjekten als den Basen des Staates ausgegangen, so hätte er nicht nötig, auf eine mystische Weise den Staat sich versubjektivieren zu lassen. „Die Subjektivität", sagt Hegel, „aber ist in ihrer Wahrheit nur als *Subjekt*, die Persönlichkeit nur als *Person.*" Auch dies ist eine Mystifikation. Die Subjektivität ist eine Bestimmung des Subjekts, die Persönlichkeit eine Bestimmung der Person. Statt sie nur als Prädikate ihrer Subjekte zu fassen, verselbständigt Hegel die Prädikate und läßt sie hinterher auf eine mystische Weise in ihre Subjekte sich verwandeln. Die Existenz der Prädikate ist das Subjekt: also das Subjekt die Existenz der Subjektivität etc. Hegel verselbständigt die Prädikate, die Objekte, aber er verselbständigt sie getrennt von ihrer wirklichen Selbständigkeit, ihrem Subjekt. Nachher erscheint dann das wirkliche Subjekt als Resultat, während vom wirklichen Subjekt auszugehen und seine Objektivation zu betrachten ist. Zum wirklichen Subjekt wird daher die mystische Substanz, und das reelle Subjekt erscheint als ein anderes, als ein Moment der mystischen Substanz. Eben weil Hegel von den Prädikaten der allgemeinen Bestimmung statt von dem reellen Ens (ὑπο-

κείμενον, Subjekt) ausgeht, und doch ein Träger dieser Be-
stimmungen da sein muß, wird die mystische Idee dieser
Träger. Es ist dies der Dualismus, daß Hegel das Allgemeine
nicht als das wirkliche Wesen des Wirklich-Endlichen, d. i.
Existierenden, Bestimmten betrachtet oder das wirkliche
Ens nicht als das *wahre Subjekt* des Unendlichen.

So wird hier die Souveränität, das Wesen des Staats, zuerst
als ein selbständiges Wesen betrachtet, vergegenständlicht.
Dann, versteht sich, muß dies Objektive wieder Subjekt
werden. Dies Subjekt erscheint aber dann als eine Selbst-
verkörperung der Souveränität, während die Souveränität
nichts anderes ist als der vergegenständlichte Geist der
Staatssubjekte.

Abgesehen von diesem Grundmangel der Entwicklung, betrachten wir diesen ersten Satz des Paragraphen. Wie er da
liegt, so heißt er nichts als: die Souveränität, der Idealismus des Staats als Person, als „Subjekt" existiert, versteht
sich, als viele Personen, viele Subjekte, da keine einzelne
Person die Sphäre der Persönlichkeit, kein einzelnes Subjekt die Sphäre der Subjektivität in sich absorbiert. Was
sollte das auch für ein Staatsidealismus sein, der, statt als
das wirkliche Selbstbewußtsein der Staatsbürger, als die
gemeinsame Seele des Staats, *eine* Person, *ein* Subjekt wäre.
Mehr hat Hegel auch nicht an diesem Satz entwickelt. Aber
betrachten wir nun den mit diesem Satz verschränkten
zweiten Satz. Es ist Hegel darum zu tun, den Monarchen
als den wirklichen „Gottmenschen", als die *wirkliche Verkörperung* der Idee darzustellen.

„Die Souveränität ... existiert nur ... als die abstrakte, insofern grundlose *Selbstbestimmung* des Willens, in welcher
das Letzte der Entscheidung liegt. Es ist dies das *Individuelle* des Staats als solches, der selbst nur darin *einer*
ist ... in der zur rellen Vernünftigkeit gediehenen Verfassung hat jedes der drei Momente des Begriffs seine *für
sich wirkliche* ausgesonderte Gestaltung. Dies absolut entscheidende Moment des Ganzen ist *daher* nicht die Individualität überhaupt, sondern ein Individuum, der *Monarch.*"

Wir haben vorher schon auf den Satz aufmerksam gemacht:

Das Moment des Beschließens, der willkürlichen, weil bestimmten Entscheidung ist die *fürstliche Gewalt* des *Willens* überhaupt. Die Idee der *fürstlichen Gewalt,* wie sie Hegel entwickelt, ist nichts anderes, als die *Idee des Willkürlichen,* der *Entscheidung* des Willens.

Während Hegel aber oben die Souveränität als den Idealismus des Staats, als die wirkliche Bestimmung der Teile durch die Idee des Ganzen auffaßt, macht er sie jetzt zur „*abstrakten, insofern grundlosen* Selbstbestimmung des Willens, in welcher das Letzte der Entscheidung ist. Es ist dies das *Individuelle* des Staats als solches". Vorhin war von der Subjektivität, jetzt ist von der Individualität die Rede. Der Staat als souveräner muß *einer, ein Individuum* sein, Individualität besitzen. Der Staat ist „nicht nur" darin, in dieser Individualität *einer;* die Individualität ist nur das *natürliche* Moment seiner Einheit; die *Naturbestimmung* des Staats. „Dies absolut entscheidende Moment ist *daher* nicht die Individualität überhaupt, sondern *ein* Individuum, der *Monarch.*" Woher? Weil „jedes der drei Momente des Begriffs in der zur reellen Vernünftigkeit gediehenen Verfassung *seine für sich wirkliche,* ausgesonderte Gestaltung" hat. Ein Moment des Begriffs ist die „Einzelnheit", allein dies ist noch nicht *ein Individuum.* Und was sollte das auch für eine Verfassung sein, wo die Allgemeinheit, die Besonderheit, die Einzelnheit, jede „*seine für sich wirkliche,* ausgesonderte Gestaltung" hätte? Da es sich überhaupt von keinem Abstraktum, sondern vom Staat, von der Gesellschaft handelt, so kann man selbst die Klassifikation Hegels annehmen. Was folgte daraus? Der Staatsbürger als das Allgemeine bestimmend ist Gesetzgeber, als das Einzelne entscheidend, als *wirklich* wollend ist Fürst; was sollte das heißen: „*Die Individualität des Staatswillens*" ist „ein *Individuum*", ein besonderes, von allen unterschiedenes Individuum? Auch die *Allgemeinheit,* die Gesetzgebung hat „eine für sich wirkliche, ausgesonderte Gestaltung". Könnte man daher schließen: „die Gesetzgebung sind diese besonderen Individuen".

Der gemeine Mann:	*Hegel:*
2. Der Monarch hat die souveräne Gewalt, die Souveränität.	2. Die *Souveränität* des Staats ist *der* Monarch.
3. Die Souveränität tut, was sie will.	3. Die Souveränität ist „die abstrakte, insofern grundlose *Selbstbestimmung* des Willens, in welcher das Letzte der Entscheidung liegt."

Alle Attribute des konstitutionellen Monarchen im jetzigen Europa macht Hegel zu absoluten Selbstbestimmungen *des Willens*. Er sagt nicht: der Wille des Monarchen ist die letzte Entscheidung, sondern: die letzte Entscheidung des Willens ist — der Monarch. Der erste Satz ist empirisch, der zweite verdreht die empirische Tatsache in ein metaphysisches Axiom.

Hegel verschränkt die beiden Subjekte, die Souveränität „als die ihrer selbst gewisse Subjektivität" *und* die Souveränität „als die *grundlose* Selbstbestimmung des Willens, als den individuellen Willen" durcheinander, um die „Idee" als „*ein* Individuum" herauszukonstruieren.

Es versteht sich, daß diese selbstgewisse Subjektivität auch *wirklich* wollen, auch als Einheit, als Individuum wollen muß. Wer hat aber auch je bezweifelt, daß der Staat durch Individuen handelt? Wollte Hegel entwickeln: Der Staat muß *ein* Individuum als Repräsentanten seiner individuellen Einheit haben, so brachte er den *Monarchen* nicht heraus. Wir halten als *positives* Resultat dieses Paragraphen nur fest:

Der *Monarch* ist im Staate das Moment des *individuellen Willens*, der grundlosen Selbstbestimmung, der Willkür.

„*Volks-Souveränität* kann in dem Sinn gesagt werden, daß ein Volk überhaupt *nach außen* ein Selbständiges sei und einen eigenen Staat ausmache" etc.

Das ist eine Trivialität. Wenn der Fürst die „wirkliche Staatssouveränität" ist, so muß auch nach außen „der Fürst"

für einen „selbständigen Staat" gelten können, auch ohne
das Volk. Ist er aber souverän, insofern er die Volkseinheit
repräsentiert, so ist er also selbst nur Repräsentant, Symbol
der Volkssouveränität. Die Volkssouveränität ist nicht durch
ihn, sondern umgekehrt er durch sie.

„Man kann so auch von der *Souveränität nach innen* sagen,
daß sie im Volke residiere, wenn man nur überhaupt vom
Ganzen spricht, ganz so wie vorhin (§ 277, 278) gezeigt ist,
daß dem *Staate* Souveränität zukomme."

Als wäre nicht das Volk der wirkliche Staat. Der Staat ist
ein Abstraktum. Das Volk allein ist das Konkretum. Und
es ist merkwürdig, daß Hegel, der ohne Bedenken dem Abstraktum, nur mit Bedenken und Klauseln dem Konkretum
eine lebendige Qualität wie die der Souveränität beilegt.

„Aber Volks-Souveränität, als im *Gegensatz gegen die im
Monarchen existierende Souveränität* genommen, ist der gewöhnliche Sinn, in welchem man in neueren Zeiten von
Volkssouveränität zu sprechen angefangen hat — in diesem
Gegensatze gehört die Volkssouveränität zu den verworrenen Gedanken, denen die *wüste* Vorstellung des *Volkes* zugrunde liegt."

Die „verworrenen Gedanken" und die „*wüste* Vorstellung"
befindet sich hier allein auf der Seite Hegels. Allerdings:
wenn die Souveränität im Monarchen *existiert*, so ist es eine
Narrheit, von einer gegensätzlichen Souveränität im Volke
zu sprechen; denn es liegt im Begriff der Souveränität, daß
sie keine doppelte und gar entgegengesetzte Existenz haben
kann. Aber:
1. ist gerade die Frage: ist die Souveränität, die im Monarchen absolut ist, nicht eine Illusion? Souveränität des
Monarchen oder des Volkes, das ist die question;
2. kann auch von einer Souveränität des Volkes *im Gegensatz gegen die im Monarchen existierende Souveränität* gesprochen werden. Aber dann handelt es sich nicht um *eine
und dieselbe Souveränität*, die auf zwei Seiten entstanden (?), sondern es handelt sich um zwei *ganz entgegenge-*

setzte Begriffe der Souveränität, von denen die eine eine
solche ist, die in einem *Monarchen,* die andere eine solche,
die nur in einem *Volke* zur Existenz kommen kann. Ebenso
wie es sich fragt: Ist Gott der Souverän, oder ist der Mensch
der Souverän. Eine von beiden ist eine Unwahrheit, wenn
auch eine existierende Unwahrheit.

„Das Volk, *ohne* seinen Monarchen und die *eben damit*
notwendig und unmittelbar zusammenhängende *Gegliede-*
rung des Ganzen genommen, ist die formlose Masse, die
kein Staat mehr ist und der *keine* der Bestimmungen, die
nur in dem *in sich geformten* Ganzen vorhanden sind, —
Souveränität, Regierung, Gerichte, Obrigkeit, Stände und
was es sei, mehr zukommt. Damit, daß solche auf eine Organisation, das Staatsleben, sich beziehende Momente in
einem Volke hervortreten, hört es auf, dies unbestimmte
Abstraktum zu sein, das in der bloß allgemeinen Vorstellung Volk heißt."

Dies Ganze eine Tautologie. Wenn ein Volk einen Monarchen und eine mit ihm notwendig und unmittelbar zusammenhängende Gliederung hat, d. h. wenn es als Monarchie gegliedert ist, so ist es allerdings, aus dieser Gliederung
herausgenommen, eine formlose Masse und bloß allgemeine
Vorstellung.

„Wird unter der Volks-Souveränität die Form der *Republik*
und zwar bestimmter der Demokratie verstanden, ... so ...
kann gegen die entwickelte Idee nicht mehr von solcher
Vorstellung die Rede sein."

Das ist allerdings richtig, wenn man nur eine „solche Vorstellung" und keine „entwickelte Idee" von der Demokratie
hat.
Die Demokratie ist die Wahrheit der Monarchie, die Monarchie ist nicht die Wahrheit der Demokratie. Die Monarchie ist notwendig Demokratie als Inkonsequenz gegen sich
selbst, das monarchische Moment ist keine Inkonsequenz
in der Demokratie. Die Monarchie kann nicht, die Demo-

kratie kann aus sich selbst begriffen werden. In der Demokratie erlangt keines der Momente eine andere Bedeutung, als ihm zukommt. Jedes ist wirklich nur Moment des ganzen Demos. In der Monarchie bestimmt ein Teil den Charakter des Ganzen. Die ganze Verfassung muß sich nach dem festen Punkt modifizieren. Die Demokratie ist die Verfassungsgattung. Die Monarchie ist eine Art, und zwar eine schlechte Art. Die Demokratie ist „Inhalt und Form". Die Monarchie *soll* nur Form sein, aber sie verfälscht den Inhalt.

In der Monarchie ist das Ganze, das Volk, unter eine seiner Daseinsweisen, die politische Verfassung, subsumiert; in der Demokratie erscheint die *Verfassung selbst* nur als *eine* Bestimmung, und zwar Selbstbestimmung des Volkes. In der Monarchie haben wir das Volk der Verfassung; in der Demokratie die Verfassung des Volks. Die Demokratie ist das aufgelöste *Rätsel* aller Verfassungen. Hier ist die Verfassung nicht nur *an sich*, dem Wesen nach, sondern der *Existenz*, der Wirklichkeit nach in ihren wirklichen Grund, den *wirklichen Menschen*, das *wirkliche Volk*, stets zurückgeführt und als sein *eigenes* Werk gesetzt. Die Verfassung erscheint als das, was sie ist, freies Produkt des Menschen; man könnte sagen, daß dies in gewisser Beziehung auch von der konstitutionellen Monarchie gelte, allein der spezifische Unterschied der Demokratie ist, daß hier die *Verfassung* überhaupt nur *ein* Daseinsmoment des Volkes, daß nicht die *politische Verfassung* für sich den Staat bildet.

Hegel geht vom Staate aus und macht den Menschen zum versubjektivierten Staat; die Demokratie geht vom Menschen aus und macht den Staat zum verobjektivierten Menschen. Wie die Religion nicht den Menschen, sondern wie der Mensch die Religion schafft, so schafft nicht die Verfassung das Volk, sondern das Volk die Verfassung. Die Demokratie verhält sich in gewisser Hinsicht zu allen übrigen Staatsformen, wie das Christentum sich zu allen übrigen Religionen verhält. Das Christentum ist die Religion χατ' ἐξοχὴν, das *Wesen der Religion*, der deifizierte Mensch als eine *besondere* Religion. So ist die Demokratie das *Wesen aller Staatsverfassung*, der sozialisierte Mensch, als eine *besondere* Staatsverfassung; sie verhält sich zu den übrigen Verfassungen, wie die Gattung sich zu ihren Arten verhält; nur daß hier die Gattung selbst als Existenz, darum gegenüber den dem Wesen nicht entsprechenden Existenzen selbst als eine *besondere* Art erscheint. Die Demokratie verhält sich zu allen übrigen Staatsformen als ihrem alten Testament. Der Mensch ist nicht des Gesetzes, sondern das Gesetz ist des Menschen wegen da, es ist *menschliches Dasein*, während in den anderen der Mensch das *gesetzliche* Dasein ist. Das ist die Grunddifferenz der Demokratie.

Alle übrigen *Staatsbildungen* sind eine gewisse, bestimmte, *besondere Staatsform*. In der Demokratie ist das *formelle* Prinzip zugleich das *materielle* Prinzip. Sie ist daher erst die wahre Einheit des Allgemeinen und Besonderen. In der Monarchie z. B., in der Republik als einer nur besonderen Staatsform hat der politische Mensch sein besonderes Dasein neben dem unpolitischen, dem Privatmenschen. Das Eigentum, der Vertrag, die Ehe, die bürgerliche Gesellschaft erscheinen hier (wie dies Hegel für diese *abstrakten* Staatsformen ganz richtig entwickelt, nur daß er die Idee des Staats zu entwickeln *meint*) als *besondere* Daseinsweisen neben dem *politischen* Staat, als der *Inhalt*, zu dem sich der *politische Staat* als die *organisierende Form* verhält, eigentlich nur als der bestimmende, beschränkende, bald bejahende, bald verneinende, in sich selbst inhaltslose Verstand. In der Demokratie ist der politische Staat, so wie er sich neben diesen Inhalt stellt und von ihm unterscheidet, selbst nur ein *besonderer* Inhalt wie eine besondere *Daseinsform* des Volks. In der Monarchie z. B. hat dies Besondere, die politische Verfassung, die Bedeutung des alles Besonderen beherrschenden und bestimmenden *Allgemeinen*. In der Demokratie ist der Staat als Besonderes *nur* Besonderes, als Allgemeines das wirkliche Allgemeine, d. h. keine Bestimmtheit im Unterschied zu dem anderen Inhalt. Die neueren Franzosen haben dies so aufgefaßt, daß in der wahren Demokratie der politische Staat untergehe. Dies ist insofern richtig, als er qua politischer Staat, als Verfassung, nicht mehr für das Ganze gilt.

In allen von der Demokratie unterschiedenen Staaten ist der *Staat*, das *Gesetz*, die *Verfassung* das Herrschende, ohne daß er wirklich herrschte, d. h. den Inhalt der übrigen nicht politischen Sphären materiell durchdringe. In der Demokratie ist die Verfassung, das Gesetz, der Staat selbst nur eine Selbstbestimmung des Volks, ein bestimmter Inhalt desselben, soweit er politische Verfassung ist.

Es versteht sich übrigens von selbst, daß alle Staatsformen *zu* ihrer Wahrheit die Demokratie haben und daher eben, soweit sie nicht die Demokratie sind, unwahr sind.

In den alten Staaten bildet der politische Staat den Staatsinhalt mit Ausschließung der anderen Sphären; der moderne Staat ist eine Akkomodation zwischen dem politischen und dem unpolitischen Staat.

In der Demokratie hat der *abstrakte* Staat aufgehört, das herrschende Moment zu sein. Der Streit zwischen Monarchie und Republik ist selbst noch ein Streit innerhalb des abstrakten Staats. Die *politische* Republik ist die Demokratie innerhalb der abstrakten Staatsform. Die abstrakte Staatsform der Demokratie ist daher die Republik; sie hört hier aber auf, die *nur politische* Verfassung zu sein.

Das Eigentum etc., kurz der ganze Inhalt des Rechts und des Staats, ist mit wenigen Modifikationen in Nordamerika dasselbe wie in Preußen. Dort ist also die *Republik* eine bloße Staats*form* wie hier die Monarchie. Der Inhalt des Staats liegt außerhalb dieser Verfassungen. Hegel hat daher recht, wenn er sagt: der politische Staat ist die Verfassung, d. h. der materielle Staat ist nicht politisch. Es findet hier nur eine äußere Identität, eine Wechselbestimmung statt. Von den verschiedenen Momenten des Volkslebens war es am schwersten, den politischen Staat, die Verfassung, herauszubilden. Sie entwickelte sich als die allgemeine Vernunft gegenüber den anderen Sphären, als ein Jenseitiges derselben. Die geschichtliche Aufgabe bestand dann in ihrer Revindikation, aber die besonderen Sphären haben dabei nicht das Bewußtsein, daß ihr privates Wesen mit dem jenseitigen Wesen der Verfassung oder des politischen Staates fällt, und daß sein jenseitiges Dasein nichts anderes als der Affirmativ ihrer eigenen Entfremdung ist. Die *politische Verfassung* war bisher die *religiöse Sphäre, die Religion* des Volkslebens, der Himmel seiner Allgemeinheit gegenüber

dem *irdischen Dasein* seiner Wirklichkeit. Die politische
Sphäre war die einzige Staatssphäre im Staat, die einzige
Sphäre, worin der Inhalt wie die Form Gattungsinhalt, das
wahrhaft Allgemeine war, aber zugleich so, daß, derweil
diese Sphäre den anderen gegenüberstand, auch ihr Inhalt
zu einem formellen und besonderen wurde. Das *politische
Leben* im modernen Sinn ist der *Scholastizismus* des Volks-
lebens. Die *Monarchie* ist der vollendete Ausdruck dieser
Entfremdung. Die *Republik* ist die Negation derselben innerhalb ihrer eigenen Sphäre. Es versteht sich, daß da erst
die politische Verfassung als solche ausgebildet ist, wo die
Privatsphären eine selbständige Existenz erlangt haben. Wo
Handel und Grundeigentum unfrei, noch nicht verselbständigt sind, ist es auch noch nicht die politische Verfassung.
Das Mittelalter war die *Demokratie der Unfreiheit.*
Die Abstraktion des *Staats als solchen* gehört erst der modernen Zeit, weil die Abstraktion des Privatlebens erst der
modernen Zeit gehört. Die Abstraktion des *politischen Staats*
ist ein modernes Produkt.
Im Mittelalter gab es Leibeigene, Feudalgut, Gewerbe-Kor-
poration, Gelehrten-Korporation etc., d. h. im Mittelalter
ist Eigentum, Handel, Sozietät, Mensch *politisch*, der materielle Inhalt des Staats ist durch seine Form gesetzt, jede
Privatsphäre hat einen politischen Charakter oder ist eine
politische Sphäre, oder die Politik ist auch der Charakter
der Privatsphären. Im Mittelalter ist die politische Verfassung die Verfassung des Privateigentums, aber nur, weil die
Verfassung des Privateigentums politische Verfassung ist.
Im Mittelalter ist Volksleben und Staatsleben identisch. Der
Mensch ist das wirkliche Prinzip des Staats, aber der *unfreie* Mensch. Es ist also die *Demokratie der Unfreiheit*, die
durchgeführte Entfremdung. Der abstrakte reflektierte Gegensatz gehört erst der modernen Welt. Das Mittelalter ist
der *wirkliche*, die moderne Zeit ist *abstrakter* Dualismus.

„Auf der vorhin bemerkten Stufe, auf welcher die Einteilung der Verfassungen in Demokratie, Aristokratie und
Monarchie gemacht worden ist, dem Standpunkte der noch
in sich bleibenden substantiellen Einheit, die noch nicht zu

ihrer unendlichen Unterscheidung und Vertiefung in sich gekommen ist, tritt das Moment der *letzten sich selbst bestimmenden Willensentscheidung* nicht als *immanentes* organisches Moment des Staats für sich in *eigentümliche Wirklichkeit* heraus."

In der unmittelbaren Monarchie, Demokratie, Aristokratie gibt es noch keine politische Verfassung im Unterschied zu dem wirklichen, materiellen Staat oder dem übrigen Inhalt des Volkslebens. Der politische Staat erscheint noch nicht als die *Form* des materiellen Staates. Entweder ist, wie in Griechenland, die res publica die wirkliche Privatangelegenheit, der wirkliche Inhalt der Bürger, und der Privatmensch ist Sklave; der politische Staat als politischer ist der wahre einzige Inhalt ihres Lebens und Wollens; oder wie in der asiatischen Despotie, der politische Staat ist nichts als die Privatwillkür eines einzelnen Individuums oder der politische Staat, wie der materielle, ist Sklave. Der Unterschied des modernen Staats von diesen Staaten der substantiellen Einheit zwischen Volk und Staat besteht nicht darin, daß die verschiedenen Staaten als Verfassung zu *besonderer* Wirklichkeit ausgebildet sind, wie Hegel will, sondern darin, daß die Verfassung selbst zu einer *besonderen* Wirklichkeit neben dem wirklichen Volksleben ausgebildet ist, daß der politische Staat zur *Verfassung* des übrigen Staats geworden ist.

Resumé über Hegels Entwicklung der fürstlichen
Gewalt oder der Idee der Staatssouveränität.[1]

§ 279. S. 367 heißt es:

„*Volks-Souveränität* kann in dem Sinne gesagt werden, daß ein Volk überhaupt *nach außen* ein Selbständiges sei und einen eigenen Staat ausmache, wie das Volk von Großbritannien, aber das Volk von England, oder Schottland, Irland, oder von Venedig, Genua, Ceylon usf. kein souveränes Volk mehr sei, seitdem sie aufgehört haben, *eigene Fürsten* oder oberste Regierungen für sich zu haben."

---

[1] [Der Titel findet sich im Manuskript.]

Die *Volks-Souveränität* ist also hier die Nationalität, die
Souveränität des Fürsten ist die *Nationalität,* oder das Prinzip des Fürstentums ist die *Nationalität,* die für sich und
ausschließlich die Souveränität eines Volkes bildet. Ein
Volk, dessen *Souveränität nur* in der Nationalität besteht,
hat einen *Monarchen.* Die verschiedene Nationalität kann
sich nicht besser befestigen und ausdrücken als durch verschiedene *Monarchen.* Die Kluft, die zwischen einem absoluten Individuum und dem anderen, ist zwischen diesen
Nationalitäten.

Die *Griechen* (und Römer) waren *national,* weil und insofern sie das *souveräne Volk* waren. Die Germanen sind
souverän, weil und insofern sie national sind (vid. pag.
XXXIV).

§ 279. „Eine sogenannte *moralische* Person" — heißt es
ferner in derselben Anmerkung, — „Gesellschaft, Gemeinde,
Familie, so konkret sie in sich ist, hat die Persönlichkeit
nur als Moment, *abstrakt in ihr;* sie ist darin nicht zur
Wahrheit ihrer Existenz gekommen, der Staat aber ist eben
diese Totalität, in welcher die Momente des Begriffs zur
Wirklichkeit nach ihrer *eigentümlichen* Wahrheit gelangen."

Die moralische Person, Gesellschaft, Familie etc. hat die
Persönlichkeit nur abstrakt in ihr; dagegen im Monarchen
hat die *Person den Staat in sich.*

In Wahrheit hat die *abstrakte Person* erst in der *moralischen*
Person, Gesellschaft, Familie etc. ihre Persönlichkeit *zu*
einer wahren Existenz gebracht. Aber Hegel faßt Gesellschaft, Familie etc., überhaupt die *moralische Person,* nicht
als die Verwirklichung der wirklichen empirischen Person,
sondern als *wirkliche* Person, die aber das Moment der Persönlichkeit erst abstrakt in ihr hat. Daher kommt bei ihm
auch nicht die wirkliche Person zum Staat, sondern der
Staat wird erst zur wirklichen Person kommen. Statt daß
daher der Staat als die höchste Wirklichkeit der Person, als
die höchste soziale Wirklichkeit des Menschen, wird *ein
einzelner* empirischer Mensch, wird die empirische Person
als die höchste Wirklichkeit des Staats hervorgebracht. Diese
Verkehrung des Subjektiven in das Objektive und des Ob-

jektiven in das Subjektive (die daher rührt, daß Hegel die
Lebensgeschichte der abstrakten Substanz, der Idee, schreiben will, daß also die menschliche Tätigkeit als Tätigkeit
und Resultat eines anderen erscheinen muß, daß Hegel das
Wesen des Menschen für sich, als eine imaginäre Einzelheit,
statt in seiner *wirklichen, menschlichen* Existenz wirken
lassen will) hat notwendig das Resultat, daß *unkritischerweise* eine *empirische Existenz* als die wirkliche Wahrheit
der Idee genommen wird; denn es handelt sich nicht davon,
die empirische Existenz zu ihrer Wahrheit, sondern die
Wahrheit zu einer empirischen Existenz zu bringen, und da
wird denn die zunächstliegende als ein *reales* Moment der
Idee entwickelt. (Über dieses notwendige Umschlagen von
Empirie in Spekulation und von Spekulation in Empirie
später mehr.)
Auf diese Weise wird denn auch der Eindruck des *Mystischen* und *Tiefen* hervorgebracht. Es ist sehr vulgär, daß
der Mensch geboren worden ist; und daß dies durch die
physische Geburt gesetzte Dasein zum sozialen Menschen
etc. wird bis zum Staatsbürger herauf; der Mensch wird
durch seine Geburt alles, was er wird. Aber es ist sehr tief,
es ist frappant, daß die Staatsidee unmittelbar geboren wird,
in der Geburt des Fürsten sich selbst zum empirischen Dasein herausgeboren hat. Es ist auf diese Weise kein Inhalt
gewonnen, sondern nur die *Form* des alten Inhalts verändert. Er hat eine philosophische *Form* erhalten, ein philosophisches Attest.
Eine andere Konsequenz dieser mystischen Spekulation, daß
ein *besonderes*, empirisches Dasein, ein einzelnes empirisches
Dasein im Unterschied von den anderen als das *Dasein der
Idee* gefaßt wird. Es macht wieder einen tiefen mystischen
Eindruck, ein *besonderes* empirisches Dasein von der Idee
gesetzt zu sehen und so auf allen Stufen einer Menschwer-
dung Gottes zu begegnen.
Würden z. B. bei der Entwicklung von Familie, bürgerlicher Gesellschaft, Staat etc. diese sozialen Existentialweisen des Menschen als Verwirklichung, Versubjektivie-
rung seines Wesens betrachtet, so erscheinen Familien etc.
als einem Subjekt inhärente Qualitäten. Der Mensch bleibt

immer das Wesen aller dieser Wesen, aber diese Wesen erscheinen auch als seine *wirkliche* Allgemeinheit, daher auch als das *Gemeinwesen*. Sind dagegen Familie, bürgerliche Gesellschaft, Staat etc. Bestimmungen der Idee, der Substanz als Subjekt, so müssen sie eine empirische Wirklichkeit erhalten und die Menschenmasse, in der sich die Idee der bürgerlichen Gesellschaft entwickelt, ist Bürger, die andere Staatsbürger. Da es eigentlich nur um eine *Allegorie*, nur darum zu tun ist, irgendeiner empirischen Existenz die *Bedeutung* der verwirklichten Idee beizulegen, so versteht es sich, daß diese Gefäße ihre Bestimmung erfüllt haben, sobald sie zu einer bestimmten Inkorporation eines Lebensmomentes der Idee geworden sind. Das Allgemeine erscheint daher überall als ein Bestimmtes, Besonderes, wie das Einzelne nirgends zu seiner wahren Allgemeinheit kömmt.

Am tiefsten, spekulativsten erscheint es daher notwendig, wenn die abstraktesten, noch durchaus zu keiner wahren sozialen Verwirklichung gereiften Bestimmungen, die Naturbasen des Staates, wie die Geburt (beim Fürsten) oder das Privateigentum (im Majorat) als die höchsten, unmittelbar Mensch gewordenen Ideen erscheinen.

Und es versteht sich von selbst. Der wahre Weg wird auf den Kopf gestellt. Das Einfachste ist das Verwickeltste und das Verwickeltste das Einfachste. Was Ausgang sein sollte, wird zum mystischen Resultat, und was rationelles Resultat sein sollte, wird zum mystischen Ausgangspunkt.

Wenn aber der Fürst die abstrakte *Person* ist, die den *Staat in sich* hat, so heißt das überhaupt nichts, als daß das Wesen des Staats die abstrakte, die *Privatperson* ist. Bloß in seiner Blüte spricht er sein Geheimnis aus. Der Fürst ist die einzige Privatperson, in der sich das Verhältnis der Privatperson überhaupt zum Staat verwirklicht.

Die Erblichkeit des Fürsten ergibt sich aus seinem Begriff. Er soll die spezifisch von der ganzen Gattung, von allen anderen Personen unterschiedene Person sein. Welches ist nun der letzte feste Unterschied einer Person von allen anderen? Der *Leib*. Die höchste Funktion des Leibes ist die *Geschlechtstätigkeit*. Der höchste konstitutionelle Akt des Königs ist daher seine Geschlechtstätigkeit, denn durch diese *macht* er einen König und setzt seinen Leib fort. Der Leib seines Sohnes ist die Reproduktion seines eigenen Leibes, die Schöpfung eines königlichen Leibes.

b. Die Regierungsgewalt

§ 289. *„Die Festhaltung des allgemeinen Staatsinteresses* und des *Gesetzlichen* in diesen besonderen Rechten und die Zurückführung derselben auf jenes erfordert eine Besorgung durch *Abgeordnete* der Regierungsgewalt, die *exekutiven Staatsbeamten* und die höheren beratenden, insofern kollegialisch konstituierten Behörden, welche in den obersten, den Monarchen berührenden Spitzen zusammenlaufen."

Hegel hat die *Regierungsgewalt* nicht *entwickelt.* Aber selbst dies unterstellt, so hat er nicht bewiesen, daß sie mehr als *eine Funktion,* eine *Bestimmung* des Staatsbürgers überhaupt ist, er hat sie als eine *besondere, separierte* Gewalt nur dadurch deduziert, daß er die „besonderen Interessen der bürgerlichen Gesellschaft" als solche betrachtet, die „außer dem an und für sich seienden Allgemeinen des Staats liegen".

„Wie die *bürgerliche Gesellschaft der Kampfplatz des individuellen Privatinteresses Aller gegen Alle ist, so hat hier der Konflikt desselben gegen die gemeinschaftlichen besonderen Angelegenheiten und dieser zusammen* mit jenem gegen die höheren Gesichtspunkte und Anordnungen des Staats seinen Sitz. Der Korporationsgeist, der sich in der Berechtigung der besonderen Sphären erzeugt, schlägt in sich selbst zugleich in den Geist des Staates um, indem er an dem Staate das Mittel der Erhaltung der besonderen Zwecke hat. Dies ist das *Geheimnis* des Patriotismus der Bürger nach dieser Seite, daß sie den Staat als ihre Substanz wissen, *weil* er ihre besonderen Sphären, deren Berechtigung und Autorität wie deren Wohlfahrt erhält. In dem Korporationsgeist, da er die *Einwurzelung des Besonderen in das Allgemeine unmittelbar* enthält, ist insofern die Tiefe und die Stärke des Staates, die er in der *Gesinnung* hat."

Merkwürdig

1. wegen der Definition der bürgerlichen Gesellschaft als des bellum omnium contra omnes;

2. weil der *Privategoismus* als das „*Geheimnis des Patriotismus der Bürger*" verraten wird und als die „Tiefe und Stärke des Staats in der Gesinnung";

3. weil der „Bürger", der Mann des besonderen Interesses im Gegensatz zum Allgemeinen, das Mitglied der bürgerlichen Gesellschaft als „fixes Individuum" betrachtet wird, wogegen ebenso der Staat in „fixen Individuen" den „Bürgern" gegenübertritt.

Hegel, sollte man meinen, mußte die „bürgerliche Gesellschaft" wie die „Familie" als Bestimmung jedes Staatsindividuums, also auch die späteren „Staatsqualitäten" ebenso als Bestimmung des Staatsindividuums überhaupt bestimmen. Aber es ist nicht dasselbe Individuum, welches eine neue Bestimmung seines sozialen Wesens entwickelt. Es ist das Wesen des Willens, welches seine Bestimmungen angeblich aus sich selbst entwickelt. Die bestehenden verschiedenen und getrennten, empirischen Existenzen des Staates werden als unmittelbare Verkörperungen einer dieser Bestimmungen betrachtet.

Wie das Allgemeine als solches verselbständigt wird, wird es unmittelbar mit der empirischen Existenz konfondiert, wird das Beschränkte unkritischerweise sofort für den Ausdruck der Idee genommen.

Mit sich selbst gerät Hegel hier nur insofern in Widerspruch, als er den „Familienmenschen" nicht gleichmäßig wie den Bürger als eine fixe, von den übrigen Qualitäten ausgeschlossene Rasse betrachtet.

§ 297. „Die Mitglieder der Regierung und die Staatsbeamten machen den Hauptteil des *Mittelstandes* aus, in welchen die gebildete Intelligenz und das rechtliche Bewußtsein der Masse eines Volks fällt. Daß er nicht die isolierte Stellung einer Aristokratie nehme und Bildung und Geschicklichkeit nicht zu einem Mittel der Willkür und einer Herrenschaft werde, wird durch die *Institutionen der Souveränität* von

oben herab und der *Korporations-Rechte* von unten herauf
bewirkt."

Zusatz.

„In dem Mittelstande, zu dem die Staatsbeamten gehören,
ist das Bewußtsein des Staats und die hervorstechendste
Bildung. Deswegen macht er auch die Grundsäule desselben
in Beziehung auf Rechtlichkeit und Intelligenz aus." „Daß
dieser Mittelstand gebildet werde, ist ein Hauptinteresse des
Staates, aber dies kann nur in einer Organisation, wie die
ist, welche wir gesehen haben, geschehen, nämlich durch die
Berechtigung besonderer Kreise, die relativ unabhängig sind,
und durch eine *Beamtenwelt*, deren Willkür sich an solchen
Berechtigten bricht. Das Handeln nach allgemeinem Rechte
und die Gewohnheit dieses Handelns ist eine Folge des Gegensatzes, den die für sich selbständigen Kreise bilden."

Was Hegel über die „Regierungsgewalt" sagt, verdient nicht
den Namen einer philosophischen Entwicklung. Die meisten
Paragraphen könnten wörtlich im preußischen Landrecht
stehen, und doch ist die eigentliche Administration der
schwierigste Punkt der Entwicklung.

Da Hegel die „polizeiliche" und die „richterliche" Gewalt
schon der Sphäre der *bürgerlichen Gesellschaft* vindiziert
hat, so ist die *Regierungsgewalt* nichts anderes als die Administration, die er als *Bürokratie* entwickelt.

Der Bürokratie sind zunächst vorausgesetzt die „*Selbstver-
waltung*" der bürgerlichen Gesellschaft in „*Korporationen*".
Die einzige Bestimmung, die hinzukommt, ist, daß die Wahl
der Verwalter, Obrigkeiten derselben etc. eine *gemischte*
ist, ausgehend von den Bürgern, bestätigt von der eigentlichen Regierungsgewalt; („*höhere* Bestätigung", wie Hegel
sagt).

Über dieser Sphäre „zur Festhaltung des allgemeinen Staatsinteresses und des Gesetzlichen" stehen „*Abgeordnete* der
Regierungsgewalt", die „exekutiven Staatsbeamten" und
die „kollegialischen Behörden", welche „im Monarchen"
zusammenlaufen.

In dem „Geschäfte der Regierung" findet „Teilung der Ar-

beit" statt. Die Individuen müssen ihre Fähigkeit zu Re-
gierungsgeschäften beweisen, d. h. Examina ablegen. Die
Wahl der *bestimmten* Individuen zu Staatsämtern kommt
der fürstlichen Staatsgewalt zu. Die Einteilung dieser Geschäfte ist „durch die Natur der Sache gegeben". Das Amts-
geschäft ist die Pflicht, der Lebensberuf der Staatsbeamten.
Sie müssen daher *besoldet* werden vom Staat. Die Garantie
gegen den Mißbrauch der Bürokratie ist teils ihre Hierarchie und Verantwortlichkeit, anderseits die Berechtigung
der Gemeinden, Korporationen; ihre Humanität hängt teils
mit der „direkten sittlichen und Gedankenbildung", teils
mit der „Größe des Staats" zusammen. Die Beamten bilden
den „Hauptteil des Mittelstandes". Gegen ihn als „Aristokratie und Herrenschaft" schützen teils die „Institutionen
der Souveränität von oben herab", teils „die der Korpo-
rationsrechte von unten herauf". Der „Mittelstand" ist der
Stand der „Bildung". Voilà tout. Hegel gibt uns eine empirische Beschreibung der Bürokratie, teils, wie sie wirklich
ist, teils der Meinung, die sie selbst von ihrem Sein hat. Und
damit ist das schwierige Kapitel von der „Regierungsgewalt"
erledigt.

Hegel geht von der *Trennung* des „Staats" und der „bürgerlichen" Gesellschaft, den „besonderen Interessen" und dem
„an und für sich seienden Allgemeinen" aus, und allerdings
basiert die Bürokratie auf *dieser Trennung*. Hegel geht von
der „Voraussetzung der Korporationen" aus, und allerdings
setzt die Bürokratie die „*Korporationen*" voraus, wenigstens
den „Korporationsgeist". Hegel entwickelt keinen *Inhalt* der
Bürokratie, sondern nur einige allgemeine Bestimmungen
ihrer „*formellen*" Organisation, und allerdings ist die Bürokratie nur der „*Formalismus*" eines Inhalts, der außerhalb
derselben liegt.

Die *Korporationen* sind der Materialismus der Bürokratie,
und die Bürokratie ist der *Spiritualismus* der Korporationen. Die Korporation ist die Bürokratie der bürgerlichen
Gesellschaft; die Bürokratie ist die Korporation des Staats.
In der Wirklichkeit tritt sie daher als die „bürgerliche Gesellschaft des Staats" dem „Staat der bürgerlichen Gesellschaft", den Korporationen gegenüber. Wo die „Bürokratie"

neues Prinzip ist, wo das allgemeine Staatsinteresse anfängt, für sich ein „apartes", damit ein „wirkliches" Interesse zu werden, kämpft sie gegen die Korporationen, wie jede Konsequenz gegen die Existenz ihrer Voraussetzungen kämpft. Sobald dagegen das wirkliche Staatsleben erwacht und die bürgerliche Gesellschaft sich von den Korporationen aus eigenem Vernunfttriebe befreit, sucht die Bürokratie sie zu restaurieren; denn sobald der „Staat der bürgerlichen Gesellschaft" fällt, fällt die „bürgerliche Gesellschaft des Staats". Der Spiritualismus verschwindet mit dem ihm gegenüberstehenden Materialismus. Die Konsequenz kämpft für die Existenz ihrer Voraussetzungen, sobald ein neues Prinzip nicht gegen die *Existenz*, sondern gegen das *Prinzip* dieser Existenz kämpft. Derselbe Geist, der in der Gesellschaft die Korporation, schafft im Staate die Bürokratie. Sobald also der Korporationsgeist, wird der Geist der Bürokratie angegriffen, und wenn sie früher die Existenz der Korporationen bekämpfte, um ihrer eigenen Existenz Raum zu schaffen, so sucht sie jetzt gewaltsam die Existenz der Korporationen zu halten, um den Korporationsgeist, ihren eigenen Geist zu retten.

Die „Bürokratie" ist der „*Staatsformalismus*" der bürgerlichen Gesellschaft. Sie ist das „Selbstbewußtsein", der „Staatswille", die „Staatsmacht", als *eine Korporation* (das „allgemeine Interesse" kann sich dem besonderen gegenüber nur als ein „Besonderes" halten, solange sich das Besondere dem Allgemeinen gegenüber als ein „Allgemeines" hält. Die Bürokratie muß also die *imaginäre* Allgemeinheit des besonderen Interesses, den Korporationsgeist, beschützen, um die *imaginäre* Besonderheit des allgemeinen Interesses, ihren eigenen Geist, zu beschützen. Der Staat muß Korporation sein, solange die Korporation Staat sein will), also eine *besondere, geschlossene* Gesellschaft im Staat. Die Bürokratie will aber die Korporation als eine *imaginäre* Macht. Allerdings hat auch die einzelne Korporation diesen Willen für ihr *besonderes* Interesse gegen die Bürokratie, aber sie *will* die Bürokratie gegen die andere Korporation, gegen das andere besondere Interesse. Die Bürokratie als die *vollendete Korporation* trägt daher den Sieg davon über die

Korporation als die unvollendete Bürokratie. Sie setzt dieselbe zum Schein herab oder will sie zum Schein herabsetzen, aber sie will, daß dieser Schein existiere und an seine eigene Existenz glaube. Die Korporation ist der Versuch der bürgerlichen Gesellschaft, Staat zu werden, also die Bürokratie ist der Staat, der sich wirklich zur bürgerlichen Gesellschaft gemacht hat.

Der „Staatsformalismus", der die Bürokratie ist, ist der „Staat als Formalismus", und als solchen Formalismus hat sie Hegel beschrieben. Da dieser „Staatsformalismus" sich als wirkliche Macht konstituiert und sich selbst zu einem eigenen *materiellen* Inhalt wird, so versteht es sich von selbst, daß die „Bürokratie" ein Gewebe von *praktischen* Illusionen oder die „Illusion des Staats" ist. Der bürokratische Geist ist ein durch und durch jesuitischer, theologischer Geist. Die Bürokraten sind die Staatsjesuiten und Staatstheologen. Die Bürokratie ist la république prêtre.

Da die Bürokratie der „Staat als Formalismus" ihrem Wesen nach ist, so ist sie es auch ihrem *Zwecke* nach. Der wirkliche Staatszweck erscheint also der Bürokratie als ein Zweck *wider* den Staat. Der Geist der Bürokratie ist der „formelle Staatsgeist". Sie macht daher den „formellen Staatsgeist" oder die *wirkliche* Geistlosigkeit des Staats zum kategorischen Imperativ. Die Bürokratie gilt sich selbst als der letzte Endzweck des Staats. Da die Bürokratie ihre „formellen" Zwecke zu ihrem Inhalt macht, so gerät sie überall in Konflikt mit den „reellen" Zwecken. Sie ist daher genötigt, das Formelle für den Inhalt und den Inhalt für das Formelle auszugeben. Die Staatszwecke verwandeln sich in Bürozwecke oder die Bürozwecke in Staatszwecke. Die Bürokratie ist ein Kreis, aus dem niemand herausspringen kann. Ihre Hierarchie ist eine *Hierarchie des Wissens*. Die Spitze vertraut den unteren Kreisen die Einsicht ins Einzelne zu, wogegen die unteren Kreise der Spitze die Einsicht in das Allgemeine zutrauen, und so täuschen sie sich wechselseitig.

Die Bürokratie ist der imaginäre Staat neben dem reellen Staat, der Spiritualismus des Staats. Jedes Ding hat daher eine doppelte Bedeutung, eine reelle und eine bürokratische, wie das Wissen ein doppeltes ist, ein reelles und ein büro-

kratisches (so auch der Wille). Das reelle Wesen wird aber
behandelt nach seinem bürokratischen Wesen, nach seinem
jenseitigen, spirituellen Wesen. Die Bürokratie hat das
Staatswesen, das spirituelle Wesen der Gesellschaft in ihrem
Besitze, es ist ihr *Privateigentum.* Der allgemeine Geist der
Bürokratie ist das *Geheimnis,* das Mysterium, innerhalb
ihrer selbst durch die Hierarchie, nach außen als geschlossene Korporation bewahrt. Der offenbare Staatsgeist, auch
die Staatsgesinnung, erscheinen daher der Bürokratie als ein
Verrat an ihrem Mysterium. Die *Autorität* ist daher das
Prinzip ihres Wissens, und die Vergötterung der Autorität
ist ihre *Gesinnung.* Innerhalb ihrer selbst aber wird der
Spiritualismus zu einem *krassen Materialismus,* dem Materialismus des passiven Gehorsams, des Autoritätsglaubens,
des *Mechanismus* eines fixen formellen Handelns, fixer
Grundsätze, Anschauungen, Überlieferungen. Was den einzelnen Bürokraten betrifft, so wird der Staatszweck zu seinem Privatzweck, zu einem *Jagen nach höheren Posten,* zu
einem *Machen von Karriere.* Erstens betrachtet er das wirkliche Leben als ein *materielles,* denn *der Geist dieses Lebens
hat seine für sich abgesonderte Existenz* in der Bürokratie.
Die Bürokratie muß daher dahin gehen, das Leben so materiell wie möglich zu machen. Zweitens ist es für ihn selbst,
d. h. soweit es zum Gegenstande der bürokratischen Behandlung wird, materiell, denn sein Geist ist ihm vorgeschrieben,
sein Zweck liegt außer ihm, sein Dasein ist das Dasein des
Büros. Der Staat existiert nur mehr als verschiedene fixe
Bürogeister, deren Zusammenhang die Subordination und
der passive Gehorsam ist. Die *wirkliche* Wissenschaft erscheint als inhaltslos, wie das wirkliche Leben als tot, denn
dies imaginäre Wissen und dies imaginäre Leben gelten für
das Wesen. Der Bürokrat muß daher jesuitisch mit dem
wirklichen Staat verfahren, sei dieser Jesuitismus nun ein
bewußter oder bewußtloser. Es ist aber notwendig, daß er,
sobald sein Gegensatz Wissen ist, ebenfalls zum Selbstbewußtsein gelangt und nun absichtlicher Jesuitismus wird.
Während die Bürokratie einerseits dieser krasse Materialismus ist, zeigt sich ihr krasser Spiritualismus darin, daß sie
Alles machen will, d. h. daß sie den *Willen* zur causa prima

macht, weil sie bloß *tätiges* Dasein ist und ihren Inhalt von
außen empfängt, ihre Existenz also nur durch Formieren,
Beschränken dieses Inhalts beweisen kann. Der Bürokrat
hat in der Welt ein bloßes Objekt seiner Behandlung.

Wenn Hegel die Regierungsgewalt die *objektive* Seite der
dem Monarchen innewohnenden Souveränität nennt, so ist
das richtig in demselben Sinne, wie die katholische Kirche
das *reelle Dasein* der Souveränität, des Inhalts und Geistes
der heiligen Dreieinigkeit war. In der Bürokratie ist die
Identität des Staatsinteresses und des besonderen Privat-
zweckes so gesetzt, daß das *Staatsinteresse zu* einem *besonderen* Privatzwecke gegenüber den anderen Privatzwecken
wird.

Die Aufhebung der Bürokratie kann nur sein, daß das allgemeine Interesse *wirklich* und nicht, wie bei Hegel, bloß
im Gedanken, in der *Abstraktion* zum besonderen Interesse
wird, was nur dadurch möglich ist, daß das *besondere* Interesse wirklich zum *allgemeinen* wird.

Hegel geht von einem unwirklichen Gegensatz aus und
bringt es daher nur zu einer imaginären, in Wahrheit selbst
wieder gegensätzlichen Identität. Eine solche Identität ist
die Bürokratie.

Hegel läßt den „Staat selbst“, die „Regierungsgewalt“ zur
„Besorgung“ des „allgemeinen Staatsinteresses und des Gesetzlichen etc.“ innerhalb der bürgerlichen Gesellschaft per
„Abgeordnete“ hineintreten, und nach ihm sind eigentlich
diese „Regierungsabgeordneten“, die „exekutiven Staatsbeamten“, die *wahre* „Staatsrepräsentation“, nicht „der“,
sondern „gegen“ die „bürgerliche Gesellschaft“. Der Gegensatz von Staat und bürgerlicher Gesellschaft ist also fixiert;
der Staat residiert nicht in, sondern außerhalb der bürgerlichen Gesellschaft, er berührt sie nur durch seine „*Abgeordneten*“, denen die „*Besorgung des Staats*“ innerhalb dieser Sphären anvertraut ist. Durch diese „Abgeordneten“ ist
der Gegensatz nicht aufgehoben, sondern zu einem „gesetzlichen“, „fixen“ Gegensatz geworden. Der „Staat“ wird als
ein dem *Wesen* der bürgerlichen Gesellschaft Fremdes und
Jenseitiges von Deputierten dieses Wesens gegen die bürgerliche Gesellschaft geltend gemacht. Die „Polizei“ und das

„Gericht" und die „Administration" sind nicht Deputierte der bürgerlichen Gesellschaft selbst, die in ihnen und durch sie ihr *eigenes* allgemeines Interesse verwaltet, sondern Abgeordnete des Staats, um den Staat gegen die bürgerliche Gesellschaft zu verwalten. Hegel expliziert diesen *Gegensatz* weiter in der mehr oben betrachteten offenherzigen Anmerkung.

c. Die gesetzgebende Gewalt

§ 298. „Die *gesetzgebende Gewalt* betrifft die Gesetze als solche, insofern sie weiterer Fortbestimmung bedürfen, und die ihrem Inhalte nach *ganz allgemeinen* (sehr allgemeiner Ausdruck) *inneren* Angelegenheiten. Diese Gewalt ist selbst ein *Teil der Verfassung*, welche ihr vorausgesetzt ist und insofern an und für sich außer deren direkten Bestimmung liegt, aber in der Fortbildung der Gesetze und in dem fortschreitenden Charakter der allgemeinen Regierungsangelegenheiten ihre weitere Entwicklung erhält."

Zunächst fällt es auf, daß Hegel hervorhebt, wie „diese Gewalt selbst ein Teil der Verfassung" ist, „welcher ihr vorausgesetzt ist und an für sich außer deren direkter Bestimmung liegt", da Hegel diese Bemerkung weder bei der fürstlichen noch der Regierungsgewalt, wo sie ebenso wahr ist, angebracht hatte. Dann aber konstruiert Hegel erst das Ganze der Verfassung und kann es insofern nicht voraussetzen; allein darin eben erkennen wir die Tiefe bei ihm, daß er überall mit dem *Gegensatz* der Bestimmungen (wie sie in unseren Staaten sind) beginnt und den Akzent darauf legt. Die „gesetzgebende Gewalt ist selbst ein Teil der *Verfassung*", welche „an und für sich außer deren direkter Bestimmung liegt". Aber die Verfassung hat sich doch auch nicht von selbst gemacht. Die Gesetze, die „weiterer Fortbestimmung bedürfen", müssen doch formiert worden sein. Es muß eine gesetzgebende Gewalt *vor* der Verfassung und *außer* der Verfassung bestehen oder bestanden haben. Es muß eine gesetzgebende Gewalt bestehen außer der wirklichen, *empirischen, gesetzten* gesetzgebenden Gewalt. Aber, wird Hegel antworten: wir setzen einen *bestehenden* Staat voraus? Allein Hegel ist Rechtsphilosoph und entwickelt die Staatsgattung. Er darf nicht die Idee am Bestehenden, er muß das Bestehende an der Idee messen.

Die Kollision ist einfach. Die *gesetzgebende Gewalt* ist die Gewalt, das Allgemeine zu organisieren. Sie ist die Gewalt der Verfassung. Sie greift über über die Verfassung.

Allein anderseits ist die gesetzgebende Gewalt eine verfassungsmäßige Gewalt. Sie ist also unter die Verfassung subsumiert. Die Verfassung ist *Gesetz* für die gesetzgebende Gewalt. Sie *hat* der gesetzgebenden Gewalt Gesetze gegeben und gibt sie ihr beständig. Die gesetzgebende Gewalt ist nur gesetzgebende Gewalt innerhalb der Verfassung, und die Verfassung stände hors de loi, wie sie außerhalb der gesetzgebenden Gewalt stände. Voilà la collision! Innerhalb der jüngsten französischen Geschichte ist mancherlei herumgeknuspert worden.

Wie löst Hegel diese Antinomie?

Zunächst heißt es:

Die *Verfassung* ist der gesetzgebenden Gewalt „*vorausgesetzt*"; sie liegt „*insofern* an und für sich *außer deren* direkten Bestimmung". „*Aber*" — aber „in der Fortbildung der Gesetze" „und in dem fortschreitenden Charakter der allgemeinen Regierungsangelegenheiten" „erhält" sie „ihre weitere Entwicklung".

D. h. also: Direkt liegt die Verfassung außerhalb dem Bereich der gesetzgebenden Gewalt, aber indirekt verändert die gesetzgebende Gewalt die Verfassung. Sie tut auf einem Wege, was sie nicht auf geradem Wege tun kann und darf. Sie zerpflückt sie en détail, weil sie dieselbe nicht en gros verändern kann. Sie tut durch die Natur der Dinge und der Verhältnisse, was sie nach der Natur der Verfassung nicht tun sollte. Sie tut *materiell, faktisch*, was sie nicht *formell, gesetzlich*, verfassungsmäßig tut.

Hegel hat damit die Antinomie nicht gehoben, er hat sie in eine andere Antinomie verwandelt, er hat das *Wirken* der gesetzgebenden Gewalt, ihr *verfassungsmäßiges* Wirken in Widerspruch gestellt mit ihrer verfassungsmäßigen *Bestimmung*. Es bleibt der Gegensatz zwischen der *Verfassung und der gesetzgebenden Gewalt*. Hegel hat das *faktische* und das *legale* Tun der gesetzgebenden Gewalt als Widerspruch definiert oder auch den Widerspruch zwischen dem, was die gesetzgebende Gewalt sein soll, und dem, was sie wirklich ist, zwischen dem, was sie zu tun meint, und dem, was sie wirklich tut.

Wie kann Hegel diesen Widerspruch für das Wahre ausgeben? „Der fortschreitende Charakter der allgemeinen Regierungsangelegenheiten" erklärt ebenso wenig, denn eben dieser fortschreitende Charakter soll erklärt werden.

In dem Zusatze trägt Hegel zwar nichts zur Lösung der Schwierigkeiten bei. Wohl aber stellt er sie noch klarer heraus.

„Die Verfassung muß an und für sich der feste geltende Boden sein, auf dem die gesetzgebende Gewalt steht, und sie muß deswegen nicht erst gemacht werden. Die Verfassung *ist* also, aber ebenso wesentlich *wird* sie, d. h. sie schreitet in der Bildung fort. Dieses Fortschreiten ist eine *Veränderung*, die *unscheinbar* ist und nicht die *Form der Veränderung* hat."

D. h. die Verfassung *ist* dem Gesetz (der Illusion) nach, aber sie *wird* in der Wirklichkeit (der Wahrheit) nach. Sie ist ihrer Bestimmung nach unveränderlich, aber sie verändert sich wirklich, nur ist diese Veränderung unbewußt, sie hat nicht die Form der Veränderung. Der *Schein* widerspricht dem *Wesen*. Der Schein ist das *bewußte* Gesetz der Verfassung, und das Wesen ist ihr *bewußtloses*, dem ersten widersprechendes Gesetz. Es ist nicht im Gesetz, was in der Natur der Sache ist. Es ist vielmehr das Gegenteil im Gesetz. Ist das nun das Wahre, daß im Staat, nach Hegel dem höchsten Dasein der *Freiheit*, dem Dasein der selbstbewußten Vernunft, nicht das Gesetz, das Dasein der Freiheit, sondern die blinde Naturnotwendigkeit herrscht? Und wenn nun das Gesetz der Sache als widersprechend der gesetzlichen Definition erkannt wird, warum nicht das Gesetz der Sache, der Vernunft auch als das Staatsgesetz anerkennen, wie nun den Dualismus mit Bewußtsein festhalten? Hegel will überall den Staat als die Verwirklichung des freien Geistes darstellen, aber re vera löst er alle schwierigen Kollisionen durch eine Naturnotwendigkeit, die im Gegensatz zur Freiheit steht. So ist auch der Übergang des Sonderinteresses in das Allgemeine kein bewußtes Staatsgesetz, sondern per Zufall vermittelt, *wider* das Bewußtsein sich vollziehend, und Hegel will überall im Staat die Realisation des freien Willens! (Hierin zeigt sich der *substantielle* Standpunkt Hegels.)

Die Beispiele, die Hegel über die *allmähliche* Veränderung der Verfassung anführt, sind unglücklich gewählt. So, daß das Vermögen der deutschen Fürsten und ihrer Familien aus Privatgut in Staatsdomäne, das persönliche Rechtsprechen der deutschen Kaiser in Rechtsprechen durch Abgeordnete sich verwandelt hat. Der erste Übergang hat sich nur so gemacht, daß alles Staatseigentum sich in fürstliches Privateigentum umsetzte.

Dabei sind diese Veränderungen partikular. Ganze Staatsverfassungen haben sich allerdings so verändert, daß nach und nach neue Bedürfnisse entstanden, daß das Alte zerfiel etc.; aber zu der *neuen* Verfassung hat es immer einer förmlichen Revolution bedurft.

„So ist also die Fortbildung eines Zustandes", schließt Hegel, „eine *scheinbar* ruhige und unbemerkte. Nach langer Zeit kommt auf diese Weise eine Verfassung zu einem *ganz anderen* Zustand als vorher."

Die Kategorie des *allmählichen* Überganges ist erstens historisch falsch, und zweitens erklärt sie nichts.

Damit der Verfassung nicht nur die Veränderung angetan wird, damit also dieser illusorische Schein nicht zuletzt gewaltsam zertrümmert wird, damit der Mensch mit Bewußtsein tut, was er sonst ohne Bewußtsein durch die Natur der Sache gezwungen wird zu tun, ist notwendig, daß die Bewegung der Verfassung, daß der *Fortschritt zum Prinzip der Verfassung* gemacht wird, daß also der wirkliche Träger der Verfassung, das Volk, zum Prinzip der Verfassung gemacht wird. Der Fortschritt selbst ist dann die Verfassung.

Soll also die „Verfassung" selbst in den Bereich der „gesetzgebenden Gewalt" gehören? Diese Frage kann nur aufgeworfen werden, 1. wenn der politische Staat als bloßer Formalismus des wirklichen Staats existiert, wenn der politische Staat eine aparte Domäne ist, wenn der politische Staat als „Verfassung" existiert; 2. wenn die gesetzgebende Gewalt anderen Ursprungs ist als die Regierungsgewalt etc.

Die gesetzgebende Gewalt hat die französische Revolution gemacht; sie hat überhaupt, wo sie in ihrer Besonderheit als das Herrschende auftrat, die großen organischen allgemeinen Revolutionen gemacht; sie hat nicht die Verfassung, sondern eine besondere antiquierte Verfassung bekämpft, eben weil die gesetzgebende Gewalt der Repräsentant des Volkes, des Gattungswillens war. Die Regierungsgewalt dagegen hat die kleinen Revolutionen, die retrograden Revolutionen, die Reaktionen gemacht; sie hat nicht für eine neue Verfassung gegen eine alte, sondern gegen die Verfassung revolutioniert, eben weil die Regierungsgewalt der Repräsentant des besonderen Willens, der subjektiven Willkür, des magischen Teils des Willens war.

Wird die Frage richtig gestellt, so heißt sie nur: Hat das Volk das Recht, sich eine neue Verfassung zu geben? Was unbedingt bejaht werden muß, indem die Verfassung, sobald sie aufgehört hat, wirklicher Ausdruck des Volkswillens zu sein, eine praktische Illusion geworden ist.

Die Kollision zwischen der Verfassung und der gesetzgebenden Gewalt ist nichts als ein *Konflikt der Verfassung mit sich selbst*, ein Widerspruch im Begriff der Verfassung.

Die Verfassung ist nichts als eine Akkommodation zwischen dem politischen und unpolitischen Staat; sie ist daher notwendig in sich selbst ein Traktat wesentlich heterogener Gewalten. Hier ist es also dem Gesetz unmöglich, auszusprechen, daß eine dieser Gewalten, ein Teil der Verfassung, das Recht haben soll, die Verfassung selbst, das Ganze, zu modifizieren.

Soll von der Verfassung als einem Besonderen gesprochen werden, so muß sie vielmehr als ein *Teil* des Ganzen betrachtet werden.

Wurden unter der Verfassung die allgemeinen Bestimmungen, die Fundamentalbestimmungen des vernünftigen Willens, verstanden, so versteht sich, daß jedes Volk (Staat) diese zu seiner Voraussetzung hat und daß sie sein politisches Credo bilden müssen. Das ist eigentlich Sache des Wissens und nicht des Willens. Der Wille eines Volkes kann ebenso wenig über die Gesetze der Vernunft hinaus als der Wille eines Individuums. Bei einem unvernünftigen Volk kann überhaupt nicht von einer vernünftigen Staatsorganisation die Rede sein. Hier in der Rechtsphilosophie ist überdem der Gattungswille unser Gegenstand.

Die gesetzgebende Gewalt macht das Gesetz nicht; sie entdeckt und formuliert es nur.

Man hat diese Kollision zu lösen gesucht durch die Unterscheidung zwischen assemblée constituante und assemblée constituée.

§ 299. „Diese Gegenstände (die Gegenstände der gesetzgebenden Gewalt) bestimmen sich in Beziehung auf die Individuen näher nach den zwei Seiten: α) was durch den Staat ihnen zugute kommt und sie zu genießen und β) was sie demselben zu leisten haben. Unter jenem sind die privatrechtlichen Gesetze überhaupt, die Rechte der Gemeinden und Korporationen und ganz allgemeine Veranstaltungen und indirekt (§ 298) das Ganze der Verfassung begriffen. Das zu Leistende aber kann nur, indem es auf *Geld*, als den existierenden allgemeinen *Wert* der Dinge und der Leistungen, reduziert wird, auf eine gerechte Weise und zugleich auf eine Art bestimmt werden, daß die *besonderen* Arbeiten und Dienste, die der Einzelne leisten kann, durch seine Willkür vermittelt werden."

Über diese Bestimmung der gesetzgebenden Gewalt bemerkt Hegel selbst in der Anmerkung zu diesem Paragraphen:

„Was Gegenstand der allgemeinen Gesetzgebung und was der Bestimmung der Administrativbehörden und der Regulierung der Regierung überhaupt anheimzustellen sei, läßt sich zwar im allgemeinen so unterscheiden, daß in jene nur das dem Inhalte nach *ganz Allgemeine*, die gesetzlichen Bestimmungen, in diese aber das *Besondere* und die Art und Weise der *Exekution* falle. Aber völlig bestimmt ist diese

Unterscheidung schon dadurch nicht, daß das Gesetz, damit es Gesetz, nicht ein bloßes Gebot überhaupt sei (wie: „du sollst nicht töten" ...), in sich *bestimmt* sein muß; je bestimmter es aber ist, desto mehr nähert sich sein Inhalt der Fähigkeit, so, wie es ist, ausgeführt zu werden. Zugleich aber würde die so weitgehende Bestimmung den Gesetzen eine empirische Seite geben, welche in der wirklichen Ausführung Abänderungen unterworfen werden müßte, was dem Charakter von Gesetzen Abbruch täte. In der *organischen Einheit* der Staatsgewalten liegt es selbst, daß es *ein* Geist ist, der das Allgemeine festsetzt, und der es zu seiner bestimmten Wirklichkeit bringt und ausführt."

Aber eben diese *organische* Einheit ist es, die Hegel nicht konstruiert hat. Die verschiedenen Gewalten haben ein verschiedenes Prinzip. Sie sind dabei feste Wirklichkeit. Von ihrem wirklichen Konflikt an die *imaginäre* „organische Einheit" sich flüchten, statt sie als Momente einer organischen Einheit entwickelt zu haben, ist daher nur leere mystische Ausflucht.

Die erste ungelöste Kollision war die zwischen der *ganzen Verfassung* und der *gesetzgebenden Gewalt.* Die zweite ist die zwischen der *gesetzgebenden* und der *Regierungsgewalt,* zwischen dem Gesetz und der Exekution.

Die zweite Bestimmung des Paragraphen ist, daß die einzige Leistung, die der Staat von den Individuen fordert, das *Geld* ist.

Die Gründe, die Hegel dafür anführt, sind:

1. das Geld ist der existierende allgemeine *Wert* der Dinge und der Leistungen;

2. das zu Leistende kann nur durch diese Reduktion auf eine *gerechte* Art bestimmt werden;

3. nur dadurch kann die Leistung auf eine solche Art bestimmt werden, daß die *besonderen* Arbeiten und Dienste, die der Einzelne leisten kann, durch seine Willkür vermittelt werden.

§ 300. „In der gesetzgebenden Gewalt als *Totalität* sind zunächst die zwei anderen Momente wirksam, das *monarchi-*

sche, als dem die höchste Entscheidung zukommt, — *die Regierungsgewalt* als das mit der konkreten Kenntnis und Übersicht des Ganzen in seinen vielfachen Seiten und den darin *festgewordenen* wirklichen Grundsätzen, sowie mit der Kenntnis der Bedürfnisse der Staatsgewalt insbesondere, beratende Moment, — endlich das *ständische* Element."

Die monarchische Gewalt und die Regierungsgewalt sind ... gesetzgebende Gewalt. Wenn aber die gesetzgebende Gewalt die Totalität ist, müßten vielmehr monarchische Gewalt und Regierungsgewalt Momente der gesetzgebenden Gewalt sein. Das hinzutretende *ständische* Element ist *nur* gesetzgebende Gewalt oder die gesetzgebende Gewalt im *Unterschied* zu der monarchischen und Regierungsgewalt.

§ 301. „Das *ständische* Element hat die Bestimmung, daß die allgemeine Angelegenheit nicht nur *an sich,* sondern auch *für sich,* d. i. daß das Moment der subjektiven *formellen Freiheit,* das öffentliche Bewußtsein als *empirische Allgemeinheit* der Ansichten und Gedanken der *Vielen,* darin zur Existenz komme."

Das ständische Element ist eine Deputation der bürgerlichen Gesellschaft an den Staat, dem sie als die „Vielen" gegenüberstehen. Die Vielen sollen einen Augenblick die allgemeinen Angelegenheiten mit *Bewußtsein* als ihre eigenen behandeln, als Gegenstände des *öffentlichen Bewußtseins,* welches nach Hegel nichts ist als die „*empirische Allgemeinheit* der Ansichten und Gedanken der *Vielen*" (und in Wahrheit ist es in den modernen, auch den konstitutionellen, Monarchien nichts anderes). Es ist bezeichnend, daß Hegel, der so großen Respekt vor dem Staatsgeist, dem sittlichen Geist, dem Staatsbewußtsein hat, es da, wo es ihm in wirklicher empirischer Gestalt gegenübertritt, förmlich verachtet.

Dies ist das Rätsel des Mystizismus. Dieselbe phantastische Abstraktion, die das *Staatsbewußtsein* in der unangemessenen Form der *Bürokratie,* einer Hierarchie des Wissens, wiederfindet und diese unangemessene Existenz unkritisch für die wirkliche Existenz hinnimmt als *vollgültig*, dieselbe mystische Abstraktion gesteht ebenso unbefangen, daß der wirkliche *empirische* Staatsgeist, das *öffentliche Bewußtsein*, ein bloßes Potpourri von „Gedanken und Ansichten der Vielen" sei. Wie sie der Bürokratie ein fremdes Wesen unterschiebt, so läßt sie dem wahren Wesen die unangemessene Form der Erscheinung. Hegel idealisiert die Bürokratie und empirisiert das öffentliche Bewußtsein. Hegel kann das wirkliche Bewußtsein sehr à part behandeln, eben weil er das à part Bewußtsein als das öffentliche behandelt hat. Er braucht sich um so weniger um die wirkliche Existenz des Staatsgeistes zu kümmern, als er schon in seinen soi-disant Existenzen ihn gehörig realisiert zu haben meint. Solange der Staatsgeist mystisch im Vorhof spukte, wurden ihm viel Reverenzen gemacht. Hier, wo wir ihn in persona gehascht, wird er kaum angesehen.

„Das ständische Element hat die Bestimmung, daß die allgemeine Angelegenheit nicht nur *an sich*, sondern auch *für sich* darin zur Existenz komme." Und zwar kommt sie für sich zur Existenz als das „öffentliche Bewußtsein", „als *empirische Allgemeinheit* der Ansichten und Gedanken der *Vielen*".

Das Subjektwerden der „allgemeinen Angelegenheit", die auf diese Weise verselbständigt wird, wird hier als ein Moment des Lebensprozesses der „allgemeinen Angelegenheit" dargestellt. Statt daß die Subjekte sich in der „allgemeinen Angelegenheit" vergegenständlichten, läßt Hegel die „allgemeine Angelegenheit" zum „Subjekt" kommen. Die Subjekte bedürfen nicht der „allgemeinen Angelegenheit" als ihrer wahren Angelegenheit, sondern die allgemeine Angelegenheit bedarf der Subjekte zu ihrer *formellen* Existenz. Es ist eine Angelegenheit der „allgemeinen Angelegenheit", daß sie auch als Subjekt existiere. Es ist hier besonders der Unterschied zwischen dem „*Ansichsein*" und dem „*Fürsichsein*" der allgemeinen Angelegenheit ins Auge zu fassen.

Die „*allgemeine Angelegenheit*" existiert schon „*an sich*" als das Geschäft der Regierung etc., sie existiert, ohne *wirklich* die *allgemeine* Angelegenheit zu sein, sie ist nichts weniger als dies, denn sie ist nicht die Angelegenheit der „*bürger-*

lichen Gesellschaft". Sie hat schon ihre *wesentliche* an sich
seiende Existenz gefunden. Daß sie nun auch wirklich „öffentliches Bewußtsein", „empirische Allgemeinheit" wird,
ist rein formell und kommt gleichsam nur *symbolisch* zur
Wirklichkeit. Die „formelle" Existenz oder die empirische
Existenz der allgemeinen Angelegenheit ist getrennt von
ihrer *substantiellen Existenz.* Die Wahrheit davon ist: die
an sich seiende „allgemeine Angelegenheit" ist nicht *wirklich allgemein,* und die wirkliche *empirische* allgemeine
Angelegenheit ist nur *formell.*

Hegel trennt *Inhalt* und *Form, Ansichsein* und *Fürsichsein*
und läßt das letztere als ein *formelles* Moment äußerlich
hinzutreten. Der Inhalt ist fertig und existiert in vielen
Formen, die nicht die Formen dieses Inhalts sind; wogegen
es sich von selbst versteht, daß die Form, die nun für die
wirkliche Form des Inhalts gelten soll, nicht den wirklichen
Inhalt zu ihrem Inhalt hat.

Die *allgemeine Angelegenheit* ist fertig, ohne daß sie wirkliche Angelegenheit des Volks wäre. Die wirkliche Volkssache ist ohne Tun des Volks zustande gekommen. Das ständische Element ist die *illusorische Existenz* der Staatsangelegenheiten als einer Volkssache. Die Illusion, daß die *allgemeine Angelegenheit* allgemeine Angelegenheit, öffentliche Angelegenheit sei, oder die *Illusion,* daß die Sache des
Volks allgemeine Angelegenheit sei. So weit ist es sowohl in
unseren Staaten als in der Hegelschen Rechtsphilosophie
gekommen, daß der tautologische Satz: „Die allgemeine
Angelegenheit ist die allgemeine Angelegenheit", nur als
eine *Illusion des praktischen Bewußtseins* erscheinen kann.
Das *ständische Element* ist die *politische Illusion der bürgerlichen Gesellschaft.* Die subjektive Freiheit erscheint bei
Hegel als *formelle* Freiheit (es ist allerdings wichtig, daß
das Freie auch frei getan werde, daß die Freiheit nicht als
bewußtloser Naturinstinkt der Gesellschaft herrsche), eben
weil er die objektive Freiheit nicht als Verwirklichung, als
Betätigung der subjektiven hingestellt hat. Weil er dem
präsumtiven oder wirklichen Inhalt der Freiheit einen mystischen Träger gegeben hat, so bekommt das wirkliche Subjekt der Freiheit eine formelle Bedeutung. Die Trennung

des *Ansichs* und des *Fürsichs,* der Substanz und des Subjekts, ist abstrakter Mystizismus.

Hegel setzt in der Anmerkung das „ständische Element" recht sehr als ein „Formelles", „Illusorisches" auseinander. Sowohl das *Wissen* als der *Wille* des „ständischen Elementes" sind teils unbedeutend, teils verdächtig, d. h. das ständische Element ist kein *inhaltsvolles Komplement.*

1. „Die Vorstellung, die das gewöhnliche Bewußtsein über die Notwendigkeit oder Nützlichkeit der Konkurrenz von Ständen zunächst vor sich zu haben pflegt, ist vornehmlich etwa, daß die Abgeordneten aus dem Volk oder gar das Volk *es am besten verstehen müsse,* was zu seinem Besten diene, und daß es den ungezweifelt besten Willen für dieses Beste habe. Was das erstere betrifft, so ist vielmehr der Fall, daß das Volk, insofern mit diesem Worte ein besonderer Teil der Mitglieder eines Staats bezeichnet ist, den Teil ausdrückt, der *nicht weiß, was er will. Zu wissen,* was man will, und noch mehr, was der an und für sich seiende Wille, die Vernunft, will, ist die Frucht tiefer Erkenntnis (die wohl in den Büros steckt) und Einsicht, welche eben nicht die Sache des Volks ist."

Mehr unten heißt es in bezug auf die Stände selbst: „Die höchsten Staatsbeamten haben notwendig tiefere und umfassendere Einsicht in die Natur der Einrichtungen und Bedürfnisse des Staats sowie die größere Geschicklichkeit und Gewohnheit dieser Geschäfte und *können* ohne Stände das Beste tun, wie sie auch fortwährend bei den ständischen Versammlungen das Beste tun müssen."

Und es versteht sich, daß bei der von Hegel beschriebenen Organisation dies vollständig wahr ist.

2. „Was aber den vorzüglich *guten Willen* der Stände für das allgemeine Beste betrifft, so ist schon oben … bemerkt worden, daß es zu der Ansicht des Pöbels, dem Standpunkte des Negativen überhaupt gehört, bei der Regierung einen bösen oder weniger guten Willen vorauszusetzen; — eine Voraussetzung, die zunächst, wenn in gleicher Form ge-

antwortet werden sollte, die Rekrimination zur Folge hätte,
daß die Stände, da sie von der Einzelnheit, dem Privatstandpunkt und den besonderen Interessen herkommen, für
diese auf Kosten des allgemeinen Interesses ihre Wirksamkeit zu gebrauchen geneigt seien, dahingegen die anderen
Momente der Staatsgewalt schon für sich auf den Standpunkt des Staats gestellt und dem allgemeinen Zwecke gewidmet sind."

Also *Wissen* und *Willen* der Stände sind teils überflüssig,
teils verdächtig. Das Volk weiß nicht, was es will. Die
Stände besitzen nicht die Staatswissenschaft im Maße der
Beamten, deren Monopol sie ist. Die Stände sind überflüssig zum Vollbringen der „allgemeinen Angelegenheit".
Die Beamten *können* sie ohne Stände vollbringen, ja sie
müssen trotz der Stände das Beste tun. Was also den Inhalt
betrifft, so sind die Stände reiner Luxus. Ihr Dasein ist daher im wörtlichsten Sinne eine bloße *Form*.
Was ferner die Gesinnung, den *Willen* der Stände betrifft,
so ist er verdächtig, denn sie kommen vom Privatstandpunkt
und den Privatinteressen her. In Wahrheit ist das Privatinteresse ihre allgemeine Angelegenheit und nicht die allgemeine Angelegenheit ihr Privatinteresse. Aber welche
Manier der „allgemeinen Angelegenheit", *Form* zu gewinnen als allgemeine Angelegenheit in einem Willen, der nicht
weiß, was er will, wenigstens nicht ein besonderes Wissen
des Allgemeinen besitzt, und in einem Willen, dessen eigent-
licher Inhalt ein entgegenstehendes Interesse ist!
In den modernen Staaten, wie in Hegels Rechtsphilosophie,
ist die *bewußte*, die *wahre Wirklichkeit* der *allgemeinen
Angelegenheiten nur formell*, oder *nur das Formelle ist
wirkliche allgemeine Angelegenheit.*
Hegel ist nicht zu tadeln, weil er das Wesen des modernen
Staats schildert, wie es ist, sondern weil er das, was ist, für
das *Wesen des Staats* ausgibt. Daß das Vernünftige wirklich
ist, bewegt sich eben im *Widerspruch* der *unvernünftigen
Wirklichkeit*, die an allen Ecken das Gegenteil von dem ist,
was sie aussagt, und das Gegenteil von dem aussagt, was
sie ist.

Statt daß Hegel zeigte, wie die „allgemeine Angelegenheit"
für sich „subjektiv, daher wirklich als solche existiere", daß
sie auch die Form der allgemeinen Angelegenheit hat, zeigt
er nur, daß die Formlosigkeit ihre Subjektivität ist, und
eine Form ohne Inhalt muß formlos sein. Die Form, welche
die allgemeine Angelegenheit in einem Staate gewinnt, der
nicht der Staat der allgemeinen Angelegenheit ist, kann nur
eine Unform, eine sich selbst täuschende, eine sich selbst
widersprechende Form sein, eine *Scheinform*, die sich als
dieser Schein ausweisen wird.

Hegel will den Luxus des ständischen Elements nur der
Logik zuliebe. Das *Fürsichsein* der allgemeinen Angelegenheit als empirische Allgemeinheit soll ein Dasein haben.
Hegel sucht nicht nach einer adäquaten Verwirklichung des
„Fürsichseins der allgemeinen Angelegenheit", er begnügt
sich, eine empirische Existenz zu finden, die in diese logische
Kategorie aufgelöst werden kann; das ist dann das stän-
dische Element: wobei er nicht verfehlt, selbst anzumerken,
wie erbärmlich und widerspruchsvoll diese Existenz ist.
Und dann wirft er noch dem gewöhnlichen Bewußtsein
vor, daß es sich mit dieser logischen Satisfaktion nicht be-
gnügt, daß es sich nicht die Wirklichkeit durch *willkürliche*
Abstraktion in Logik auflöst, sondern die Logik in wahre
Gegenständlichkeit verwandelt sehen will.

Ich sage: *willkürliche* Abstraktion. Denn da die Regierungsgewalt die *allgemeine Angelegenheit* will, weiß, verwirklicht, aus dem Volk hervorgeht und eine empirische Vielheit ist (daß es sich nicht um Allheit handelt, belehrt uns
Hegel ja selbst), warum sollte die Regierungsgewalt nicht als
das „Fürsichsein der allgemeinen Angelegenheit" bestimmt
werden können? oder warum nicht die „Stände" als ihr *Ansichsein*, da die Sache erst in der Regierung Licht und Bestimmtheit und Ausführung und Selbständigkeit gewinnt?

Aber der wahre Gegensatz ist: „Die allgemeine Angelegenheit" muß doch irgendwie im Staat als „wirkliche", also
„empirische allgemeine Angelegenheit" *repräsentiert* sein;
sie muß irgendwo in der Krone und dem Talar des Allgemeinen erscheinen, wodurch es von selbst zu einer Rolle,
einer Illusion wird.

Es handelt sich hier um den Gegensatz des „Allgemeinen"
als „*Form*", in der „Form der Allgemeinheit", „und des
Allgemeinen als Inhalt".

Z. B. in der Wissenschaft kann ein „Einzelner" die allgemeine Angelegenheit vollbringen, und es sind immer Einzelne, die sie vollbringen. Aber wirklich allgemein wird sie
erst, wenn sie nicht mehr die Sache des Einzelnen, sondern
die der Gesellschaft ist. Das verändert nicht nur die Form,
sondern auch den Inhalt. Hier aber handelt es sich um den
Staat, wo das Volk selbst die allgemeine Angelegenheit ist,
hier handelt es sich um den Willen, der sein wahres Dasein
als Gattungswille nur im selbstbewußten Willen des Volkes
hat. Und hier handelt es sich überdem von der Idee des
Staats.

Der moderne Staat, in dem die „allgemeine Angelegenheit"
wie die Beschäftigung mit derselben ein Monopol ist und
dagegen die Monopole die wirklichen allgemeinen Angelegenheiten sind, hat die sonderbare Erfindung gemacht,
die „allgemeine Angelegenheit" als eine *bloße Form* sich
anzueignen. (Das Wahre ist, daß nur die Form allgemeine
Angelegenheit ist.) Er hat damit die entsprechende Form
für seinen Inhalt gefunden, der nur scheinbar die wirkliche
allgemeine Angelegenheit ist.

Der konstitutionelle Staat ist der Staat, in dem das Staatsinteresse als wirkliches Interesse des Volkes *nur* formell,
aber als eine *bestimmte Form* neben dem wirklichen Staat
vorhanden ist; das Staatsinteresse hat hier *formell* wieder
Wirklichkeit erhalten als Volksinteresse, aber es soll auch
nur diese *formelle Wirklichkeit* haben. Es ist zu einer *For-
malität*, zu dem haut goût des Volkslebens geworden, eine
Zeremonie. Das *ständische* Element ist die *sanktionierte,
gesetzliche Lüge* der konstitutionellen Staaten, daß der *Staat*
das *Interesse des Volks* oder daß das *Volk* das *Staatsinteresse*
ist. Im *Inhalt* wird sich diese Lüge enthüllen. Als *gesetzgebende* Gewalt hat sie sich etabliert, eben weil die gesetzgebende Gewalt das Allgemeine zu ihrem Inhalt hat, mehr
Sache des Wissens als des Willens, die *metaphysische* Staats-
gewalt ist, während dieselbe Lüge als Regierungsgewalt etc.
entweder sich sofort auflösen oder in eine Wahrheit ver-

wandeln müßte. Die metaphysische Staatsgewalt war der geeignetste Sitz der metaphysischen, allgemeinen Staatsillusion.

„Die Gewährleistung, die für das allgemeine Beste und die öffentliche Freiheit in den Ständen liegt, findet sich bei einigem Nachdenken nicht in der besonderen Einsicht derselben . . ., sondern sie liegt teils wohl in einer *Zutat* (!!) von Einsicht der Abgeordneten, vornehmlich in das Treiben der den Augen der höheren Stellen ferner stehenden Beamten, und insbesondere in dringendere und speziellere Bedürfnisse und Mängel, die sie in konkreter Anschauung vor sich haben, teils aber in derjenigen Wirkung, welche die zu erwartende Zensur Vieler, und zwar eine öffentliche Zensur mit sich führt, schon im voraus die beste Einsicht auf die Geschäfte und vorzulegenden Entwürfe zu verwenden und sie nur den reinsten Motiven gemäß einzurichten — eine Nötigung, die ebenso für die Mitglieder der Stände selbst wirksam ist."
„Was hiermit die Garantie überhaupt betrifft, welche besonders in den Ständen liegen soll, so teilt auch *jede andere der Staatsinstitutionen* dies mit ihnen, eine Garantie des öffentlichen Wohls und der vernünftigen Freiheit zu sein, und es gibt darunter Institutionen, wie die Souveränität des Monarchen, die Erblichkeit der Thronfolge, Gerichtsverfassung usf., in welchen diese Garantie noch in viel stärkerem Grade liegt. Die *eigentümliche* Begriffsbestimmung der Stände ist deshalb darin zu suchen, daß in ihnen das subjektive Moment der allgemeinen Freiheit, die eigene Einsicht und der eigene Wille der Sphäre, die in dieser Darstellung bürgerliche Gesellschaft genannt worden ist, *in Beziehung auf den Staat zur Existenz* kommt. Daß dies Moment eine Bestimmung der zur Totalität entwickelten Idee ist, diese innere Notwendigkeit, welche nicht mit *äußeren Notwendigkeiten* und *Nützlichkeiten* zu verwechseln ist, folgt, wie überall, aus dem philosophischen Gesichtspunkte."
Die öffentliche allgemeine Freiheit *ist* in den anderen Staatsinstitutionen angeblich garantiert, die Stände sind ihre an-

gebliche Selbstgarantierung. Daß das Volk auf die Stände, in denen es selbst sich zu versichern glaubt, mehr Gewicht legt als auf die Institutionen, die ohne sein Tun die Assekuranzen seiner Freiheit sein sollen, Bestätigungen seiner Freiheit, ohne Betätigungen seiner Freiheit zu sein. Die Koordination, welche Hegel den Ständen neben den anderen Institutionen anweist, widerspricht ihrem Wesen.

Hegel löst das Rätsel, wenn er die „eigentümliche Begriffsbestimmung der Stände" darin findet, daß in ihnen „die eigene Einsicht und der eigene Wille ... der bürgerlichen Gesellschaft *in Beziehung auf den Staat zur Existenz* kommt." Es ist die *Reflexion der bürgerlichen Gesellschaft auf den Staat*. Wie die Bürokraten *Abgeordnete des Staats* an die bürgerliche Gesellschaft, so sind die Stände *Abgeordnete der bürgerlichen Gesellschaft* an den Staat. Es sind also immer *Transaktionen zweier gegensätzlicher Willen*.

§ 302. „Als *vermittelndes* Organ betrachtet, stehen die Stände zwischen der Regierung überhaupt einerseits, und dem in die besonderen Sphären und Individuen aufgelösten Volke andererseits. Ihre Bestimmung fordert an sie so sehr den *Sinn* und die *Gesinnung* des *Staats* und der *Regierung*, als der *Interessen* der *besonderen* Kreise und der *Einzelnen*. Zugleich hat diese Stellung die Bedeutung einer mit der organisierten Regierungsgewalt gemeinschaftlichen Vermittlung, daß weder die fürstliche Gewalt als *Extrem* isoliert und dadurch als bloße Herrschergewalt und Willkür erscheine, noch daß die besonderen Interessen der Gemeinden, Korporationen und der Individuen sich isolieren, oder noch mehr, daß die Einzelnen nicht zur Darstellung einer *Menge* und eines *Haufens*, zu einem somit unorganischen Meinen und Wollen und zur bloß massenhaften Gewalt *gegen* den organischen Staat kommen."

Staat und Regierung werden immer als identisch auf die eine Seite, das in die besonderen Sphären und Individuen aufgelöste Volk auf die andere Seite gesetzt. Die Stände stehen als *vermittelndes* Organ zwischen beiden. Die Stände

sind die Mitte, worin „Sinn und Gesinnung des Staats und
der Regierung" zusammentreffen, vereinigt sein sollen mit
„Sinn und Gesinnung der besonderen Kreise und der einzelnen". Die Identität dieser beiden entgegengesetzten Sinne
und Gesinnungen, in deren Identität eigentlich der Staat
liegen sollte, „erhält eine *symbolische* Darstellung in den
Ständen". Die Transaktion zwischen Staat und bürgerlicher
Gesellschaft erscheint als eine *besondere* Sphäre. Die Stände
sind die *Synthese zwischen Staat und bürgerlicher Gesellschaft*. Wie die Stände es aber anfangen sollen, zwei widersprechende Gesinnungen in sich zu vereinen, ist nicht angegeben. Die *Stände* sind der *gesetzte Widerspruch* des
Staates und der bürgerlichen Gesellschaft im Staate. Zugleich sind sie die *Forderungen der Auflösung* dieses Widerspruchs.

„Zugleich hat diese Stellung die Bedeutung einer mit der
organischen Regierungsgewalt gemeinschaftlichen Vermittlung" etc.

Die Stände *vermitteln* nicht nur Volk und Regierung. Sie
verhindern die „fürstliche Gewalt" als *Extrem*, die damit
als „bloße Herrschergewalt und Willkür" erscheinen würde,
ebenso die „Isolierung" der „besonderen" Interessen etc.,
ebenso die „Darstellung der Einzelnen als *Menge* und *Haufen*". Diese Vermittlung ist den Ständen mit der organisierten Regierungsgewalt gemeinschaftlich. In einem Staat,
worin die Stellung „der Stände" verhindert, „daß die Einzelnen nicht zur Darstellung einer *Menge* oder eines *Haufens*, zu einem somit unorganischen Meinen und Wollen,
zur bloß massenhaften Gewalt gegen den organischen Staat
kommen", existiert der *organische* Staat außer der „Menge"
und dem „Haufen", oder da gehört die „Menge" und der
„Haufen" zur Organisation des Staats; bloß soll sein „un-
organisches Meinen und Wollen" nicht zum „Meinen und
Wollen gegen den Staat" kommen, durch welche *bestimmte
Richtung* es „organisches" Meinen und Wollen würde.
Ebenso soll diese „massenhafte Gewalt" nur „massenhaft"
bleiben, so daß der Verstand außer der Masse ist und sie
daher nicht sich selbst in Bewegung setzen, sondern nur von
den Monopolisten des „organischen Staats" in Bewegung

gesetzt und als massenhafte Gewalt exploitiert werden kann. Wo nicht die „besonderen Interessen der Gemeinden, Korporationen und der einzelnen" sich gegen den Staat isolieren, sondern die „einzelnen zur Darstellung einer *Menge* und eines *Haufens,* zu einem somit unorganischen Meinen und Wollen und zur bloß massenhaften Gewalt gegen den Staat kommen", da zeigt es sich eben, daß kein „besonderes Interesse" dem Staate widerspricht, sondern daß der wirkliche organische allgemeine Gedanke der „Menge und des Haufens" nicht der „Gedanke des organischen Staats" ist, der nicht in ihm seine Realisation findet. Wodurch erscheinen nun die Stände als Vermittlung gegen dies Extrem? Nur dadurch, „daß die besonderen Interessen der Gemeinden, Korporationen und der Individuen sich isolieren", oder dadurch, daß ihre isolierten Interessen *ihre Rechnung mit dem Staat durch die Stände abschließen,* zugleich dadurch, das das „unorganische Meinen und Wollen der Menge und des Haufens" in der Schöpfung der Stände seinen Willen (seine Tätigkeit) und in der Beurteilung der Tätigkeit der Stände sein „Meinen" beschäftigt und die Täuschung seiner Vergegenständlichung genossen hat. Die „Stände" präservieren den Staat vor dem unorganischen Haufen nur durch die Desorganisation dieses Haufens.

Zugleich aber sollen die *Stände* dagegen vermitteln, „daß die besonderen Interessen der Gemeinden, Korporationen und der Individuen sich nicht isolieren". Sie vermitteln dagegen, 1. indem sie mit dem „Staatsinteresse" transigieren, 2. indem sie selbst die *„politische* Isolierung" dieser besonderen Interessen sind, diese *Isolierung als politischer Akt,* in dem durch die diese „isolierten Interessen" den Rang des „allgemeinen" erhalten.

Endlich sollen die Stände gegen die *„Isolierung"* der fürstlichen Gewalt als eines *„Extrems"* (die „dadurch als bloße Herrschergewalt und Willkür *erschiene"*) vermitteln. Dies ist insofern wichtig, als das *Prinzip* der *fürstlichen Gewalt* (die Willkür) durch sie begrenzt ist, wenigstens nur in Fesseln sich bewegen kann, und als sie selbst Teilnehmer, Mitschuldige der fürstlichen Gewalt werden.

Die fürstliche Gewalt hört entweder wirklich dadurch auf,

das Extrem der fürstlichen Gewalt zu sein (und die fürstliche Gewalt existiert nur als ein Extrem, als eine Einseitigkeit, weil sie kein organisches Prinzip ist), sie wird zu einer
Scheingewalt, einem Symbol, oder sie verliert nur den
Schein der Willkür und bloßer Herrschergewalt. Sie vermitteln gegen die „Isolierung" der Sonderinteressen, indem
sie diese Isolierung als *politischen* Akt vorstellen. Sie vermitteln gegen die Isolierung der fürstlichen Gewalt als eines
Extrems, teils indem sie selbst zu einem Teil der fürstlichen
Gewalt werden, teils indem sie die Regierungsgewalt zu
einem *Extrem* machen.

In den „Ständen" laufen alle Widersprüche der modernen
Staatsorganisationen zusammen. Sie sind die „Mittler" nach
allen Seiten hin, weil sie nach allen Seiten hin „Mittel-
dinge" sind.

Zu bemerken ist, daß Hegel weniger den Inhalt der ständischen Tätigkeit, die *gesetzgebende* Gewalt, als die *Stellung*
der Stände, ihren politischen Rang entwickelt.

Zu bemerken ist noch, daß, während nach Hegel zunächst
die *Stände* „zwischen der *Regierung überhaupt einerseits*
und dem in die besonderen Sphären und Individuen aufgelösten *Volke andererseits*" stehen, ihre Stellung, wie sie
oben entwickelt „die Bedeutung einer mit der organisierten
Regierungsgewalt *gemeinschaftlichen* Vermittlung hat".

Was die erste Stellung betrifft, so sind die *Stände* das Volk
gegen die Regierung, aber *das Volk en miniature*. Das ist
ihre oppositionelle Stellung.

Was die zweite betrifft, so sind sie die Regierung gegen das
Volk, aber die amplifizierte Regierung. Das ist ihre konservative Stellung. Sie sind selbst ein Teil der Regierungsgewalt gegen das Volk, aber so, daß sie zugleich die Bedeutung haben, das Volk gegen die Regierung zu sein.

Hegel hat oben die „gesetzgebende Gewalt als Totalität"
(§ 300) bezeichnet, die *Stände* sind wirklich diese *Totalität*,
der Staat im Staate, aber eben in ihnen *erscheint* es, daß
der Staat nicht die Totalität, sondern ein Dualismus ist.
Die Stände stellen den Staat in einer Gesellschaft vor, die
kein Staat *ist*. Der Staat ist eine *bloße Vorstellung*.

In der Anmerkung sagt Hegel:

„Es gehört zu den wichtigsten logischen Einsichten, daß
ein bestimmtes Moment, das als im Gegensatze stehend die
Stellung eines Extrems hat, es dadurch zu sein aufhört und
organisches Moment ist, daß es zugleich *Mitte* ist."

(So ist das ständische Element 1. das Extrem des Volks
gegen die Regierung, aber 2. zugleich Mitte zwischen Volk
und Regierung, oder es ist der *Gegensatz im Volke* selbst.
Der Gegensatz von Regierung und Volk vermittelt sich durch
den Gegensatz zwischen *Ständen* und *Volk*. Die Stände
haben nach der Seite der Regierung hin die Stellung des
Volks, aber nach der Seite des Volks hin die Stellung der
Regierung. Indem das Volk als *Vorstellung*, als Phantasie,
Illusion, Repräsentation zustande kommt — das *vorgestellte*
Volk oder die Stände, das sich als eine *besondere Gewalt*
sogleich in der Trennung vom wirklichen Volk befindet —
hebt es den wirklichen Gegensatz zwischen Volk und Regierung auf. Das Volk ist hier schon so zubereitet, wie es in
dem betrachteten Organismus zubereitet sein muß, um
keinen entschiedenen Charakter zu haben.)

„Bei dem hier betrachteten Gegenstand ist es um so wich-
tiger, diese Seite herauszuheben, weil es zu den häufigen,
aber höchst gefährlichen Vorurteilen gehört, Stände hauptsächlich im Gesichtspunkt des *Gegensatzes* gegen die Regierung, als ob dies ihre wesentliche Stellung wäre, vorzustellen. Organisch, d. i. in die Totalität aufgenommen,
beweist sich das *ständische Element nur durch die Funktion der Vermittlung*. Damit ist der *Gegensatz* selbst zu
einem *Schein* herabgesetzt. Wenn er, insofern er seine *Erscheinung* hat, nicht bloß die Oberfläche beträfe, sondern
wirklich ein *substantieller Gegensatz* würde, so wäre der
Staat in seinem Untergange begriffen. — Das Zeichen, daß
der Widerstreit nicht dieser Art ist, ergibt sich der Natur
der Sache nach dadurch, wenn die Gegenstände desselben
nicht die wesentlichen Elemente des Staatsorganismus, sondern speziellere und gleichgültigere Dinge betreffen, und
die Leidenschaft, die sich doch an diesen Inhalt knüpft, zur

Parteisucht um ein bloß subjektives Interesse, etwa um die
höheren Staatsstellen, wird."
Im *Zusatz* heißt es:

„Die Verfassung ist wesentlich ein System der Vermittlung."

§ 303. „Der *allgemeine*, näher dem *Dienste der Regierung*
sich widmende Stand hat unmittelbar in seiner Bestimmung,
das Allgemeine zum Zwecke seiner wesentlichen Tätigkeit
zu haben; in dem *ständischen* Elemente der gesetzgebenden
Gewalt kommt der *Privatstand* zu einer *politischen Bedeutung* und Wirksamkeit. Derselbe kann nun dabei weder als
bloße ungeschiedene Masse noch als eine in ihre Atome aufgelöste Menge erscheinen, sondern als das, *was er bereits
ist*, nämlich unterschieden in den auf das substantielle Verhältnis und in den auf die besonderen Bedürfnisse und die
sie vermittelnde Arbeit sich gründenden Stand . . . Nur so
knüpft sich in dieser Rücksicht wahrhaft das *im* Staate wirkliche *Besondere* an das Allgemeine an."

Hier haben wir die Lösung des Rätsels. „In dem ständischen
Elemente der gesetzgebenden Gewalt kommt der *Privatstand* zu einer *politischen Bedeutung*." Versteht sich, daß
der Privatstand nach dem, was er ist, nach seiner *Gliederung
in der bürgerlichen Gesellschaft* (den allgemeinen Stand hat
Hegel schon als den der Regierung sich widmenden bezeichnet; der allgemeine Stand ist also durch die Regierungsgewalt in der gesetzgebenden Gewalt vertreten) zu dieser
Bedeutung kommt.
Das ständische Element ist *die politische Bedeutung des
Privatstandes*, des unpolitischen Standes, eine contradictio
in adjecto, oder in dem von Hegel beschriebenen Stand hat
der *Privatstand* (weiter überhaupt der Unterschied des
Privatstandes) eine *politische* Bedeutung. Der *Privatstand*
gehört zum Wesen, zur Politik dieses Staates. Er gibt ihm
daher auch eine *politische Bedeutung*, d. h. eine andere Bedeutung als seine wirkliche Bedeutung.
In der Anmerkung heißt es:

„Dies geht gegen eine andere gangbare Vorstellung, daß,

indem der Privatstand zur *Teilnahme* an der allgemeinen
Sache in der gesetzgebenden Gewalt erhoben wird, er dabei
in Form der *Einzelnen* erscheinen müsse, sei es, daß sie
Stellvertreter für diese Funktion wählen, oder daß gar
selbst jeder eine Stimme dabei exerzieren solle. Diese atomistische, abstrakte Ansicht verschwindet schon in der Familie wie in der bürgerlichen Gesellschaft, wo der Einzelne
nur als Mitglied eines Allgemeinen zur Erscheinung kommt.
Der Staat aber ist wesentlich eine Organisation von solchen
Gliedern, die *für sich* Kreise sind, und in ihm soll sich kein
Moment als eine unorganische Menge zeigen. Die *Vielen*
als Einzelne, was man gerne unter Volk versteht, sind wohl
ein *Zusammen*, aber nur als die *Menge*, — eine formlose
Masse, deren Bewegung und Tun eben damit nur elementarisch, vernunftlos, wild und fürchterlich wäre."
„Die Vorstellung, welche die in jenen Kreisen schon vorhandenen Gemeinwesen, wo sie ins Politische, d. i. in den
Standpunkt der höchsten konkreten Allgemeinheit eintreten,
wieder in eine Menge von Individuen auflöst, hält eben
damit *das bürgerliche und das politische Leben voneinander
getrennt* und stellt dieses sozusagen in die Luft, da seine
Basis nur die abstrakte Einzelheit der Willkür und Meinung, somit das Zufällige, nicht eine an und für sich *feste*
und *berechtigte* Grundlage sein würde."
„Obgleich in den Vorstellungen sogenannter Theorien die
Stände der bürgerlichen Gesellschaft überhaupt und *die
Stände in politischer* Bedeutung weit auseinander liegen, so
hat doch die Sprache noch diese Vereinigung erhalten, die
früher ohnehin *vorhanden war*."
„Der *allgemeine* näher *dem Dienste der Regierung* sich
widmende Stand."

Hegel geht von der Voraussetzung aus, daß der *allgemeine*
Stand „im Dienst der Regierung" steht. Er unterstellt die
allgemeine Intelligenz als „ständisch und ständig".
„In dem *ständischen* Element etc." Die „politische Bedeutung und Wirksamkeit" des *Privatstandes* ist eine *besondere*
Bedeutung und Wirksamkeit desselben. Der *Privatstand*
verwandelt sich nicht in den *politischen Stand*, sondern als

Privatstand tritt er in seine politische Wirksamkeit und Bedeutung. Er hat nicht politische Wirksamkeit und Bedeutung schlechthin. Seine politische Wirksamkeit und Bedeutung ist die *politische Wirksamkeit und Bedeutung des Privatstandes als Privatstand.* Der Privatstand kann also *nur nach dem Ständeunterschied der bürgerlichen Gesellschaft* in die politische Sphäre treten. Der *Ständeunterschied* der bürgerlichen Gesellschaft wird zu einem politischen Unterschied.

Schon die *Sprache,* sagt Hegel, drückt die Identität *der Stände der bürgerlichen Gesellschaft* und der *Stände in politischer Bedeutung* aus, eine „Vereinigung", „die *früher* ohnehin *vorhanden war*", also, sollte man schließen, jetzt nicht mehr vorhanden ist.

Hegel findet, daß „sich in dieser Rücksicht wahrhaft das *im* Staate wirklich Besondere an das Allgemeine anknüpft". Die *Trennung des „bürgerlichen und des politischen Lebens" soll auf diese Weise aufgehoben und ihre „Identität" gesetzt sein.*

Hegel stützt sich darauf:

„In jenen Kreisen (Familie und bürgerliche Gesellschaft) sind schon *Gemeinwesen* vorhanden." Wie kann man diese da, „wo sie ins Politische, d. i. in den Standpunkt der *höchsten konkreten Allgemeinheit* eintreten", „wieder in eine Menge von Individuen auflösen" wollen?

Es ist wichtig, diese Entwicklung genau zu verfolgen.

Die Spitze der Hegelschen Identität war, wie er selbst gesteht, das *Mittelalter.* Hier waren die *Stände der bürgerlichen Gesellschaft* überhaupt und die *Stände in politischer Bedeutung* identisch. Man kann den Geist des Mittelalters so aussprechen: Die Stände der bürgerlichen Gesellschaft und die Stände in politischer Bedeutung waren identisch, weil die bürgerliche Gesellschaft die politische Gesellschaft war: weil das organische Prinzip der bürgerlichen Gesellschaft das Prinzip des Staates war.

Allein Hegel geht von der *Trennung* der *„bürgerlichen Gesellschaft* und des *„politischen Staats"* als zweier fester Gegensätze, zweier wirklich verschiedener Sphären aus. Diese Trennung ist allerdings *wirklich* im *modernen* Staat vor-

handen. Die Identität der bürgerlichen und politischen
Stände war der *Ausdruck* der *Identität* der bürgerlichen
und politischen Gesellschaft. Diese Identität ist verschwunden. Hegel setzt sie als verschwunden voraus. „Die Identität
der bürgerlichen und politischen Stände", wenn sie die
Wahrheit ausdrückte, *könnte* also nur mehr ein Ausdruck
der Trennung der bürgerlichen und politischen Gesellschaft
sein! oder vielmehr: nur die *Trennung* der bürgerlichen
und politischen Stände drückt das *wahre* Verhältnis der
bürgerlichen und politischen *modernen* Gesellschaft aus.

Zweitens: Hegel handelt hier von *politischen* Ständen in
einem ganz anderen Sinne, als jene *politischen* Stände des
Mittelalters waren, von denen die Identität *mit den Ständen
der bürgerlichen Gesellschaft* ausgesagt wird.

Ihr ganzes Dasein war politisch; ihr Dasein war das Dasein
des Staats. Ihre *gesetzgebende Tätigkeit,* ihre *Steuerbewilli-
gung für das Reich* war nur ein *besonderer* Ausfluß ihrer
allgemeinen politischen Bedeutung und Wirksamkeit. Ihr
Stand war ihr Staat. Das Verhältnis zum Reich war nur ein
Transaktionsverhältnis dieser verschiedenen Staaten mit der
Nationalität, denn der politische Staat im Unterschiede von
der bürgerlichen Gesellschaft war nichts anderes als die
Repräsentation der Nationalität. Die Nationalität war der
point d'honneur, der κατ᾽ ἐξοχὴν politische Sinn dieser
verschiedenen Korporationen etc., und nur auf sie bezogen
sich die Steuern etc. Das war das Verhältnis der gesetz-
gebenden Stände zum Reich. Ähnlich verhielten sich die
Stände *innerhalb der besonderen Fürstentümer.* Das *Fürstentum,* die *Souveränität* war hier ein *besonderer* Stand,
der gewisse Privilegien hatte, aber ebensosehr von den
Privilegien der anderen Stände geniert wurde. (Bei den
Griechen war die bürgerliche Gesellschaft *Sklave* der politischen). Die allgemeine *gesetzgebende Wirksamkeit* der
Stände der bürgerlichen Gesellschaft war keineswegs ein
Kommen des *Privatstandes* zu einer *politischen* Bedeutung
und Wirksamkeit, sondern vielmehr ein bloßer Ausfluß
ihrer wirklichen *und allgemeinen* politischen Bedeutung
und Wirksamkeit. Ihr Auftreten als gesetzgebende Macht
war bloß ein Komplement ihrer souveränen und regieren-

den (exekutiven) Macht; es war vielmehr ihr Kommen zu der ganz allgemeinen Angelegenheit als einer *Privatsache,* ihr Kommen zur Souveränität als einem *Privatstand.* Die Stände der bürgerlichen Gesellschaft waren im Mittelalter als *solche* Stände zugleich gesetzgebende, weil sie *keine* Privatstände oder weil die *Privatstände* politische Stände waren. Die mittelalterlichen Stände kommen als politisch-ständisches Element zu keiner neuen Bestimmung. Sie wurden nicht *politisch*-ständisch, weil sie teil an der Gesetzgebung hatten, sondern sie hatten teil an der Gesetzgebung, weil sie politisch-ständisch waren. Was hat das nun mit Hegels *Privatstand* gemein, der als *gesetzgebendes* Element zu einer politischen Bravourarie, zu einem ekstatischen Zustand, zu einer aparten, frappanten, ausnahmsweisen politischen Bedeutung und Wirksamkeit kommt?

In dieser Entwicklung findet man alle *Widersprüche* der Hegelschen Darstellung zusammen.

1. hat er die *Trennung* der bürgerlichen Gesellschaft und des politischen Staats (einen modernen Zustand) vorausgesetzt und als *notwendiges Moment* der Idee entwickelt, als absolute Vernunftwahrheit. Er hat den politischen Staat in seiner *modernen* Gestalt der *Trennung* der verschiedenen Gewalten dargestellt. Er hat dem wirklichen *handelnden* Staat die Bürokratie zu seinem Leib gegeben und sie als den wissenden Geist dem Materialismus der bürgerlichen Gesellschaft supraordiniert. Er hat das an und für sich seiende Allgemeine des Staats dem besonderen Interesse und dem Bedürfnis der bürgerlichen Gesellschaft gegenübergestellt. Mit einem Wort: Er stellt überall den *Konflikt* der bürgerlichen Gesellschaft und des Staats dar.

2. Hegel stellt die bürgerliche Gesellschaft als *Privatstand* dem politischen gegenüber.

3. Er bezeichnet das *ständische* Element der gesetzgebenden Gewalt als den bloßen *politischen Formalismus* der bürgerlichen Gesellschaft. Er bezeichnet es als ein *Reflexionsverhältnis der bürgerlichen Gesellschaft auf den Staat* und als ein Reflexionsverhältnis, was das *Wesen* des Staats nicht alteriert. Ein Reflexionsverhältnis ist auch die höchste Identität zwischen wesentlich Verschiedenen.

Andrerseits will Hegel:

1. die bürgerliche Gesellschaft bei ihrer Selbstkonstituie-
rung als gesetzgebendes Element weder als Masse, ungeschiedene Masse, noch als eine in ihre Atome aufgelöste Menge
erscheinen lassen. Er will *keine* Trennung des *bürgerlichen
und politischen Lebens*.

2. Er vergißt, daß es sich um ein Reflexionsverhältnis handelt, und macht die bürgerlichen Stände als solche zu politischen Ständen, aber wieder nur nach der Seite der gesetzgebenden Gewalt hin, so daß ihre Wirksamkeit selbst der
Beweis der Trennung ist.

Er macht das *ständische Element* zum Ausdruck der *Trennung*, aber zugleich soll es der Repräsentant einer Identität
sein, die nicht vorhanden ist. Hegel weiß die Trennung der
bürgerlichen Gesellschaft und des politischen Staats, aber
er will, daß innerhalb des Staats die Einheit desselben ausgedrückt sei, und zwar soll dies dergestalt bewerkstelligt
werden, daß die Stände der bürgerlichen Gesellschaft zugleich als solche das *ständische* Element der gesetzgebenden
Gesellschaft bilden. (S. 75 ff., 56 ff.)

§ 304. „Den in den früheren Sphären bereits vorhandenen
Unterschied der Stände enthält das politisch-ständische Element zugleich in seiner eigenen Bestimmung. Seine zunächst abstrakte Stellung, nämlich des *Extrems der empirischen Allgemeinheit* gegen das *fürstliche* oder *monarchische*
Prinzip überhaupt, — in der nur die *Möglichkeit der Übereinstimmung* und damit ebenso die *Möglichkeit feindlicher*
Entgegensetzung liegt — diese abstrakte Stellung wird nur
dadurch zum vernünftigen Verhältnis (zum *Schlusse*, cf.
Anm. zu § 302), daß ihre *Vermittlung* zur Existenz kommt.
Wie von seiten der fürstlichen Gewalt die Regierungsgewalt
(§ 300) schon diese Bestimmung hat, so muß auch von der
Seite der Stände aus ein Moment derselben nach der Bestimmung gekehrt sein, wesentlich als das Moment der Mitte
zu existieren."

§ 305. „Der eine der Stände der bürgerlichen Gesellschaft
enthält das Prinzip, das für sich fähig ist, zu dieser politischen Beziehung konstituiert zu werden, der Stand der

natürlichen Sittlichkeit nämlich, der das Familienleben und in Rücksicht der Subsistenz den Grundbesitz zu seiner Basis, somit in Rücksicht seiner Besonderheit ein auf sich beruhendes Wollen und die Naturbestimmung, welche das fürstliche Element in sich schließt, mit diesem gemein hat."

§ 306. „Für die politische Stellung und Bedeutung wird er näher konstituiert, insofern sein Vermögen ebenso unabhängig vom Staatsvermögen als von der Unsicherheit des Gewerbes, der Sucht des Gewinns und der Veränderlichkeit des Besitzes überhaupt — wie von der Gunst der Regierungsgewalt, so von der Gunst der Menge — und selbst *gegen die eigene Willkür* dadurch festgestellt ist, daß die für diese Bestimmung berufenen Mitglieder dieses Standes des Rechts der anderen Bürger, teils über ihr ganzes Eigentum frei zu disponieren, teils es nach der Gleichheit der Liebe zu den Kindern an sie übergehend zu wissen, entbehren; — das Vermögen wird so ein *unveräußerliches*, mit dem Majorate belastetes *Erbgut*."

Zusatz: „Dieser Stand hat ein mehr für sich bestehendes Wollen. Im Ganzen wird der Stand der Güterbesitzer sich in den gebildeten Teil desselben und in den Bauernstand unterscheiden. Indessen beiden Arten steht der Stand des Gewerbes, als der vom Bedürfnis abhängige und darauf hingewiesene, und der allgemeine Stand, als vom Staat wesentlich abhängig, gegenüber. Die Sicherheit und Festigkeit dieses Standes kann noch durch die Institution des Majorats vermehrt werden, welche jedoch nur in politischer Rücksicht wünschenswert ist, denn es ist damit ein Opfer für den politischen Zweck verbunden, daß der Erstgeborene unabhängig leben könne. Die Begründung des Majorats liegt darin, daß der Staat nicht auf bloße Möglichkeit der Gesinnung, sondern auf ein Notwendiges rechnen soll. Nun ist die Gesinnung freilich an ein Vermögen nicht gebunden, aber der relativ notwendige Zusammenhang ist, daß, wer ein selbständiges Vermögen hat, von äußeren Umständen nicht beschränkt ist und so ungehemmt auftreten und für den Staat handeln kann. Wo indessen politische Institutionen fehlen, ist die Gründung und Begünstigung von Majoraten nichts als eine Fessel, die der Freiheit des Privatrechts angelegt ist, zu welcher entweder der politische Sinn hinzutreten muß, oder die ihrer Auflösung entgegengeht."

§ 307. „Das Recht dieses Teils des substantiellen Standes ist auf diese Weise zwar einerseits auf das *Naturprinzip der Familie* gegründet, dieses aber zugleich durch harte Aufopferungen für den *politischen Zweck* verkehrt, womit dieser Stand wesentlich an die Tätigkeit für diesen Zweck angewiesen und gleichfalls infolge hiervon ohne die Zufälligkeit einer Wahl durch die *Geburt* dazu berufen und *berechtigt* ist. Damit hat er die feste, substantielle Stellung zwischen der subjektiven Willkür oder Zufälligkeit der beiden Extreme, und wie er ein Gleichnis des Moments der fürstlichen Gewalt in sich trägt, so teilt er auch mit dem anderen Extreme die im übrigen gleichen Bedürfnisse und gleichen Rechte, und wird so zugleich Stütze des Thrones und der Gesellschaft."

Hegel hat das Kunststück fertiggebracht, die geborenen Pairs, das Erbgut usw. usw., diese „Stütze des Throns und der Gesellschaft", aus der absoluten Idee entwickelt.

Das Tiefere bei Hegel liegt darin, daß er die Trennung der bürgerlichen Gesellschaft und der politischen als einen *Widerspruch* empfindet. Aber das Falsche ist, daß er sich mit dem *Schein dieser Auflösung* begnügt und ihn für die Sache selbst ausgibt, wogegen die von ihm verachteten *„sogenannten Theorien"* die *„Trennung"* der bürgerlichen und politischen Stände fordern, und mit Recht, denn sie sprechen eine *Konsequenz* der modernen Gesellschaft aus, indem hier das *politisch-ständische* Element eben nichts anderes ist als der faktische Ausdruck des wirklichen Verhältnisses von Staat und bürgerlicher Gesellschaft, ihre *Trennung*.

Hegel hat die Sache, worum es sich hier handelt, nicht bei ihrem bekannten Namen genannt. Es ist die Streitfrage zwischen *repräsentativer* und *ständischer* Verfassung. Die repräsentative Verfassung ist ein gewisser Fortschritt, weil sie der *offene, unverfälschte, konsequente* Ausdruck des *modernen Staatszustands* ist. Sie ist der *unverhohlene Widerspruch*.

Ehe wir auf die Sache selbst eingehen, werfen wir noch

einmal einen Blick auf die Hegelsche Darstellung. „In dem *ständischen* Element der gesetzgebenden Gewalt kommt der *Privatstand* zu einer *politischen* Bedeutung." Früher (§ 301 Anmerkung) hieß es: „Die *eigentümliche* Begriffsbestimmung der *Stände* ist deshalb darin zu suchen, daß in ihnen die eigene Einsicht und der eigene Wille der Sphäre, die in dieser Darstellung *bürgerliche Gesellschaft* genannt worden ist, in *Beziehung auf den Staat zur Existenz kommt.*"

Fassen wir diese Bedeutung zusammen, so folgt: „*Die bürgerliche Gesellschaft* ist der *Privatstand*", oder der *Privatstand* ist der unmittelbare, wesentliche, konkrete Stand der bürgerlichen Gesellschaft. Erst in dem ständischen Element der gesetzgebenden Gewalt erhält sie „politische Bedeutung und Wirksamkeit". Es ist dies etwas Neues, was zu ihr hinzukommt, eine *besondere* Funktion, denn eben ihr Charakter als *Privatstand* drückt ihren *Gegensatz* zur politischen Bedeutsamkeit und Wirksamkeit, die Privation des politischen Charakters aus, drückt aus, daß die bürgerliche Gesellschaft an und für sich *ohne* politische Bedeutung und Wirksamkeit ist. Der *Privatstand* ist der Stand der bürgerlichen Gesellschaft, oder die bürgerliche Gesellschaft ist der *Privatstand*. Hegel schließt daher auch konsequent den „allgemeinen Stand" von dem „ständischen Element der gesetzgebenden Gewalt" aus. „*Der allgemeine*, näher dem *Dienst der Regierung* sich widmende Stand hat unmittelbar in seiner Bestimmung, das Allgemeine zum Zweck seiner wesentlichen Tätigkeit zu haben." Die bürgerliche Gesellschaft oder der Privatstand hat dies nicht zu seiner Bestimmung; seine wesentliche Tätigkeit hat nicht die Bestimmung, das Allgemeine zum Zweck zu haben, oder seine wesentliche Tätigkeit ist keine Bestimmung des Allgemeinen, *keine allgemeine* Bestimmung. Der Privatstand ist der Stand der bürgerlichen Gesellschaft *gegen* den Stand. Der Stand der bürgerlichen Gesellschaft ist *kein* politischer Stand.

Indem Hegel die bürgerliche Gesellschaft als Privatstand bezeichnet, hat er die Ständeunterschiede der bürgerlichen Gesellschaft für *nicht*politische Unterschiede erklärt, hat er das bürgerliche Leben und das politische für heterogen, sogar für *Gegensätze* erklärt. Wie fährt er nun fort?

„Derselbe kann nun dabei weder als bloße ungeschiedene Masse noch als eine in ihre Atome aufgelöste Menge erscheinen, sondern als das, *was er bereits ist*, nämlich unterschieden in den auf das substantielle Verhältnis und in den auf die besonderen Bedürfnisse und die sie vermittelnde Arbeit sich gründenden *Stand* (§§ 201 ff.). Nur so knüpft sich in dieser Rücksicht wahrhaft das *im* Staate wirkliche Besondere an das Allgemeine an."

Als eine „bloße ungeschiedene Masse" kann die bürgerliche Gesellschaft *(der Privatstand)* in ihrer gesetzgeberisch-ständischen Tätigkeit allerdings nicht erscheinen, weil die bloße „ungeschiedene Masse" nur in der „Vorstellung" der „Phantasie", nicht aber in der *Wirklichkeit* existiert. Hier gibt es nur größere und kleinere zufällige Massen (Städte, Flecken etc.). Diese Massen oder diese Masse *erscheint* nicht nur, sondern *ist* überall realiter „eine in ihre Atome aufgelöste Menge", und als diese Atomistik *muß* sie in ihrer *politisch*-ständischen Tätigkeit erscheinen und auftreten. „Als das, *was er bereits ist*", kann der *Privatstand*, die bürgerliche Gesellschaft nicht hier erscheinen, denn was ist er bereits? *Privatstand*, d. h. Gegensatz und Trennung vom Staat. Um zur „politischen Bedeutung und Wirksamkeit" zu kommen, muß er sich vielmehr aufgeben als das, was er bereits ist, als *Privatstand*. Dadurch erhält er eben erst seine *„politische* Bedeutung und Wirksamkeit". Dieser politische Akt ist eine völlige Transsubstantiation. In ihm muß sich die bürgerliche Gesellschaft völlig von sich als bürgerlicher Gesellschaft, als Privatstand lossagen, eine Partie seines Wesens geltend machen, die mit der wirklichen bürgerlichen Existenz seines Wesens nicht nur keine Gemeinschaft hat, sondern ihr direkt gegenübersteht.

Am Einzelnen erscheint hier, was das *allgemeine Gesetz* ist. Bürgerliche Gesellschaft und Staat sind getrennt. Also ist auch der Staatsbürger und der Bürger, das Mitglied der bürgerlichen Gesellschaft, getrennt. Er muß also eine *wesentliche Diremtion* mit sich selbst vornehmen. Als *wirklicher Bürger* findet er sich in einer doppelten Organisation, der *bürokratischen* — die ist eine äußere formelle Bestimmung des jenseitigen Staats, der Regierungsgewalt, die ihn und seine selbständige Wirklichkeit nicht tangiert — der *sozialen*, der Organisation der bürgerlichen Gesellschaft. Aber in dieser steht er als *Privatmann* außer dem Staate; die tangiert den politischen Staat als solchen nicht. Die erste ist eine Staatsorganisation, zu der er immer die *Materie* abgibt. Die zweite ist eine *bürgerliche Organisation*, deren Materie nicht der Staat ist. In der ersten verhält sich der Staat als formeller Gegensatz zu ihm, in der zweiten verhält er sich selbst als materieller Gegensatz zum Staat. Um also als *wirklicher Staatsbürger* sich zu verhalten, politische Bedeutsamkeit und Wirksamkeit zu erhalten, muß er aus seiner bürgerlichen Wirklichkeit heraustreten, von ihr abstrahieren, von dieser ganzen Organisation in seine Individualität sich zurückziehen; denn die einzige Existenz, die er für sein Staatsbürgertum findet, ist seine pure blanke *Individualität*, denn die Existenz des Staats als Regierung ist ohne ihn fertig, und seine Existenz in der bürgerlichen Gesellschaft ist ohne den Staat fertig. Nur im Widerspruch mit diesen *einzig vorhandenen Gemeinschaften*, nur als *Individuum* kann er *Staatsbürger* sein. Seine Existenz als Staatsbürger ist eine Existenz, die außer seinen *gemeinschaftlichen* Existenzen liegt, die also rein *individuell* ist. Die „gesetzgebende Gewalt" als „Gewalt" ist ja erst die *Organisation*, der *gemeine Körper*, den sie erhalten *soll. Vor* der „gesetzgebenden Gewalt" existiert die bürgerliche Gesellschaft, der Privatstand, *nicht* als *Staatsorganisation*, und damit er als solche zur Existenz komme, muß seine *wirkliche Organisation*, das wirkliche bürgerliche Leben, als *nicht vorhanden* gesetzt werden, denn das ständische Element der gesetzgebenden Gewalt hat eben die Bestimmung, den *Privatstand*, die *bürgerliche Gesellschaft*, als *nicht vorhanden* zu setzen. Die Trennung der bürgerlichen Gesellschaft und des politischen Staates erscheint notwendig als eine Trennung des *politischen* Bürgers, des Staatsbürgers, von der bürgerlichen Gesellschaft, von seiner eigenen wirklichen empirischen Wirklichkeit, denn als Staatsidealist ist er ein *ganz anderes*, von seiner Wirklichkeit *verschiedenes*, unterschiedenes, entgegengesetztes *Wesen*. Die bürgerliche Gesellschaft bewerkstelligt hier innerhalb ihrer selbst das Verhältnis des Staats und der bürgerlichen Gesellschaft, welches andererseits schon als *Bürokratie* existiert. In dem ständischen Element wird das Allgemeine wirklich *für sich*, was es *an sich* ist, nämlich *Gegensatz* zum *Besonderen*. Der Bürger muß seinen Stand, die bürgerliche Gesellschaft, den *Privatstand*, von sich abtun, um zu politischer Bedeutung und Wirksamkeit zu kommen, denn eben dieser *Stand* steht zwischen dem *Individuum* und dem *politischen Staat.*

Wenn Hegel schon das Ganze der bürgerlichen Gesellschaft als *Privatstand* dem politischen Staat entgegenstellt, so versteht es sich von selbst, daß die Unterscheidungen *innerhalb* des Privatstandes, die verschiedenen bürgerlichen Stände, nur eine Privatbedeutung, in bezug auf den Staat keine politische Bedeutung haben. Denn die verschiedenen bürgerlichen Stände sind bloß die Verwirklichung, die Existenz des *Prinzips*, des Privatstandes als des Prinzips der bürgerlichen Gesellschaft. Wenn aber das Prinzip aufgegeben werden mußte, so versteht es sich von selbst, daß noch *mehr* die Diremtionen *innerhalb* dieses Prinzips nicht vorhanden sind für den politischen Staat.

„Nur so", schließt Hegel den Paragraphen, „knüpft sich in dieser Rücksicht das *im* Staate wirkliche *Besondere* an das Allgemeine an." Aber Hegel verwechselt hier den Staat als das Ganze des Daseins eines Volkes mit dem politischen Staat. Jenes Besondere ist nicht das *„Besondere im"*, sondern vielmehr *„außer* dem Staat", nämlich dem politischen Staat. Es ist nicht nur nicht, „das im Staate wirkliche Besondere", sondern auch die *„Unwirklichkeit* des Staates". Hegel will entwickeln, daß die Stände der bürgerlichen Gesellschaft die politischen Stände sind, und um dies zu beweisen, unterstellt er, daß die Stände der bürgerlichen Gesellschaft die „Besonderung des politischen Staats", d. i. daß die bürgerliche Gesellschaft die politische Gesellschaft ist. Der Ausdruck: „Das Besondere *im* Staate" kann hier nur Sinn haben als „die Besonderung des Staats". Hegel wählt aus einem bösen Gewissen den unbestimmten Ausdruck. Er selbst hat nicht nur das Gegenteil entwickelt, er bestätigt es noch selbst in diesem Paragraphen, indem er die bürgerliche Gesellschaft als „Privatstand" bezeichnet.

Sehr vorsichtig ist auch die Bestimmung, daß sich das Besondere an das Allgemeine *„anknüpft"*. Anknüpfen kann man die heterogensten Dinge. Es handelt sich hier aber nicht um einen allmählichen *Übergang*, sondern um eine *Transsubstantiation*, und es nützt nichts, diese Kluft, die übersprungen und durch den Sprung selbst demonstriert wird, nicht sehen zu wollen.

Hegel sagt in der Anmerkung:
„Dies geht gegen eine andere gangbare Vorstellung" etc. Wir haben eben gezeigt, wie diese gangbare Vorstellung konsequent, notwendig, eine „notwendige Vorstellung der jetzigen Volksentwicklung" und wie Hegels Vorstellung, obgleich sie auch in gewissen Kreisen sehr gangbar, nichtsdestoweniger eine Unwahrheit ist. Auf die gangbare Vorstellung zurückkommend, sagt Hegel:
„Diese atomistische, abstrakte Ansicht verschwindet schon in der Familie" etc. etc. „Der Staat aber ist" etc. Abstrakt ist diese Ansicht allerdings, aber sie ist „die Abstraktion" des politischen Staates, wie ihn Hegel selbst entwickelt. Atomistisch ist sie auch, aber sie ist die Atomistik der Gesellschaft selbst. Die „Ansicht" kann nicht konkret sein, wenn der *Gegenstand* der Ansicht „abstrakt" ist. Die Atomistik, in die sich die bürgerliche Gesellschaft in ihrem *politischen Akt* stürzt, geht notwendig daraus hervor, daß das Gemeinwesen, das kommunistische Wesen, worin der Einzelne existiert, die bürgerliche Gesellschaft getrennt vom Staat oder *der politische Staat eine Abstraktion* von ihr ist. Diese atomistische Ansicht, obschon sie bereits in der Familie und vielleicht (??)[1] auch in der bürgerlichen Gesellschaft verschwindet, kehrt im politischen Staat wieder, eben weil er eine Abstraktion von der Familie und der bürgerlichen Gesellschaft ist. Ebenso verhält es sich umgekehrt. Dadurch, daß Hegel das *Befremdliche* dieser Erscheinung ausspricht, hat er die *Entfremdung* nicht gehoben. „Die Vorstellung", heißt es weiter, „welche die in jenen Kreisen schon *vorhandenen Gemeinwesen*, wo sie in Poli-

---

[1] [Die beiden Fragezeichen stehen im Manuskript.]

tische, d. i. in den Standpunkt der *höchsten konkreten All-*
gemeinheit eintreten, wieder in eine Menge von Individuen
auflöst, *hält* eben damit das bürgerliche und das politische
Leben voneinander getrennt und stellt dieses sozusagen in
die Luft, da seine Basis nur die abstrakte Einzelnheit der
Willkür und Meinung, somit das Zufällige, nicht eine an
und für sich *feste* und *berechtigte* Grundlage sein würde".
Jene Vorstellung *hält* nicht das bürgerliche und politische
Leben getrennt; sie ist bloß die *Vorstellung einer wirklich*
vorhandenen Trennung.
Jene Vorstellung stellt nicht das politische Leben in die
Luft, sondern das politische Leben ist das *Luftleben*, die
ätherische Region der bürgerlichen Gesellschaft.
Wir betrachten nur das *ständische* und das *repräsentative*
System:
Es ist ein Fortschritt der Geschichte, der die *politischen*
Stände in *soziale* Stände verwandelt hat, so daß, wie die
Christen gleich im Himmel, ungleich auf der Erde, so die
einzelnen Volksglieder *gleich* in dem Himmel ihrer politischen Welt, ungleich in dem irdischen Dasein der *Sozietät*
sind. Die eigentliche Verwandlung der *politischen Stände*
in *bürgerliche* ging vor sich in der *absoluten Monarchie.*
Die Bürokratie machte die Idee der Einheit gegen die verschiedenen Staaten im Staate geltend. Indessen blieb selbst
neben der Bürokratie der absoluten Regierungsgewalt der
soziale Unterschied der Stände ein politischer, ein *politischer*
innerhalb und neben der Bürokratie der absoluten Regierungsgewalt. Erst die französische Revolution vollendete
die Verwandlung der *politischen* Stände in *soziale* oder
machte die *Ständeunterschiede* der bürgerlichen Gesellschaft
zu nur *sozialen* Unterschieden, zu Unterschieden des Privatlebens, welche in dem politischen Leben ohne Bedeutung
sind. Die Trennung des politischen Lebens und der bürgerlichen Gesellschaft war damit vollendet.
Die Stände der bürgerlichen Gesellschaft verwandelten sich
ebenfalls damit: die bürgerliche Gesellschaft war durch ihre
Trennung von der politischen eine andere geworden. *Stand*
im mittelaltrigen Sinne blieb nur mehr innerhalb der Bürokratie selbst, wo die bürgerliche und die politische Stellung

unmittelbar identisch sind. Demgegenüber steht die bürgerliche Gesellschaft als *Privatstand*. Der Ständeunterschied ist hier nicht mehr ein Unterschied des *Bedürfnisses* und der *Arbeit* als selbständiger Körper. Der einzige allgemeine *oberflächliche und formelle* Unterschied ist hier nur noch der von *Stadt* und *Land*. Innerhalb der Gesellschaft selbst aber bildete sich der Unterschied aus in beweglichen, nicht festen Kreisen, deren Prinzip die *Willkür* ist. *Geld* und *Bildung* sind die Hauptkriterien. Doch wir haben dies nicht hier, sondern in der Kritik von Hegels Darstellung der bürgerlichen Gesellschaft zu entwickeln. Genug. Der Stand der bürgerlichen Gesellschaft hat weder das Bedürfnis, also ein natürliches Moment, noch die Politik zu seinem Prinzip. Es ist eine Teilung von Massen, die sich flüchtig bilden, deren Bildung selbst eine willkürliche und *keine* Organisation ist.

Das Charakteristische ist nur, daß die *Besitzlosigkeit* und der *Stand der unmittelbaren Arbeit*, der konkreten Arbeit, weniger einen Stand der bürgerlichen Gesellschaft als den Boden bilden, auf dem ihre Kreise ruhen und sich bewegen. Der eigentliche Stand, wo politische und bürgerliche Stellung zusammenfallen, ist nur der der *Mitglieder der Regierungsgewalt*. Der jetzige Stand der Sozietät zeigt schon dadurch seinen Unterschied von dem ehemaligen Stand der bürgerlichen Gesellschaft, daß er nicht wie ehemals als ein Gemeinschaftliches, als ein Gemeinwesen das Individuum hält, sondern daß es teils Zufall, teils Arbeit etc. des Individuums ist, ob es sich in seinem Stande hält oder nicht, ein *Stand*, der selbst wieder nur eine *äußerliche* Bestimmung des Individuums, denn weder ist er seiner Arbeit inhärent, noch verhält er sich zu ihm als ein nach festen Gesetzen organisiertes und in festen Beziehungen zu ihm stehendes objektives Gemeinwesen. Er steht vielmehr in gar keiner *wirklichen* Beziehung zu seinem substantiellen Tun, zu seinem *wirklichen Stand*. Der Arzt bildet keinen besonderen Stand in der bürgerlichen Gesellschaft. Der eine Kaufmann gehört einem anderen Stand an als der andere, einer anderen *sozialen Stellung*. Wie nämlich die bürgerliche Gesellschaft sich von der politischen, so hat sich die bürgerliche Gesellschaft innerhalb ihrer selbst getrennt in den *Stand* und die *soziale Stellung*, so manche Relationen auch zwischen beiden stattfinden. Das Prinzip des bürgerlichen Standes oder der bürgerlichen Gesellschaft ist der *Genuß* und die *Fähigkeit zu genießen.* In seiner politischen Bedeutung macht sich das Glied der bürgerlichen Gesellschaft los von seinem Stande, seiner wirklichen Privatstellung; hier ist es allein, daß es als *Mensch* zur Bedeutung kommt, oder daß seine Bestimmung als Staatsglied, als soziales Wesen, als seine *menschliche* Bestimmung erscheint. Denn alle seine anderen Bestimmungen in der bürgerlichen Gesellschaft *erscheinen* als dem Menschen, dem Individuum *unwesentlich*, als *äußere* Bestimmungen, die zwar notwendig sind zu seiner Existenz im Ganzen, d. h. als ein Band mit dem Ganzen, ein Band, das es aber ebensosehr wieder fortwerfen kann. (Die jetzige bürgerliche Gesellschaft ist das durchgeführte Prinzip des *Individualismus;* die individuelle Existenz ist der letzte Zweck: Tätigkeit, Arbeit, Inhalt etc. sind *nur* Mittel.)

Die *ständische Verfassung*, wo sie nicht eine Tradition des Mittelalters ist, ist der Versuch, teils in der politischen Sphäre selbst den Menschen in die Beschränktheit seiner Privatsphäre zurückzustürzen, seine Besonderheit zu seinem substantiellen Bewußtsein zu machen und dadurch, daß politisch der Ständeunterschied existiert, ihn auch wieder zu einem sozialen zu machen.

Der *wirkliche Mensch* ist der *Privatmensch* der jetzigen Staatsverfassung.

Der *Stand* hat überhaupt die Bedeutung, daß der *Unterschied*, die *Trennung*, das *Bestehen* des Einzelnen ist. Die Weise seines Lebens, Tätigkeit etc., statt ihn zu einem Glied, zu einer Funktion der Gesellschaft zu machen, macht ihn zu einer *Ausnahme* von der Gesellschaft, ist sein Privilegium. Daß dieser *Unterschied* nicht nur ein *individueller* ist, sondern sich als *Gemeinwesen*, Stand, Korporation befestigt, hebt nicht nur nicht seine exklusive Natur auf, sondern ist vielmehr nur ihr Ausdruck. Statt daß die einzelne Funktion Funktion der Sozietät wäre, macht sie vielmehr die einzelne Funktion zu einer Sozietät für sich.

Nicht nur basiert der *Stand* auf der *Trennung* der Sozietät als dem herrschenden Gesetz, er trennt den Menschen von seinem allgemeinen Wesen, er macht ihn zu einem Tier, das unmittelbar mit seiner Bestimmtheit zusammenfällt. Das Mittelalter ist die Tiergeschichte der Menschheit, ihre Zoologie.

Die moderne Zeit, die *Zivilisation* begeht den umgekehrten Fehler. Sie trennt das *gegenständliche* Wesen des Menschen als ein nur äußerliches, materielles von ihm. Sie nimmt nicht den Inhalt des Menschen als seine wahre Wirklichkeit.

Das Weitere hierüber ist in dem Abschnitt: „bürgerliche Gesellschaft" zu entwickeln. Wir kommen zu

§ 304. „Den in den früheren Sphären bereits vorhandenen Unterschied der Stände enthält das politisch-ständische Element zugleich in seiner *eigenen* Bedeutung."

Wir haben bereits gezeigt, daß der in den früheren Sphären bereits vorhandene Unterschied der Stände gar keine Bedeutung für die politische Sphäre oder nur die Bedeutung eines privaten, also eines nicht politischen Unterschiedes hat. Allein er hat nach Hegel hier auch nicht seine „bereits vorhandene Bedeutung" (die Bedeutung, die er in der bürgerlichen Gesellschaft hat), sondern das „politisch-ständische Element" affirmiert, indem es ihn aufnimmt, sein Wesen, und, in die politische Sphäre eingetaucht, erhält er eine „eigene", *diesem Element* und *nicht ihm* angehörige Bedeutung.

Als noch die Gliederung der bürgerlichen Gesellschaft politisch und der politische Staat die bürgerliche Gesellschaft war, war diese *Trennung*, die *Verdoppelung* der Bedeutung der Stände, nicht vorhanden. Sie *bedeuteten* nicht *dieses* in der bürgerlichen und ein *anderes* in der politischen Welt. Sie erhielten keine *Bedeutung* in der politischen Welt, sondern sie *bedeuteten sich selbst*. Der Dualismus der bürgerlichen Gesellschaft und des politischen Staates, den die *ständische* Verfassung durch eine *Reminiszenz* zu lösen meint, tritt in ihr selbst so hervor, daß der *Unterschied der Stände* (das Unterschiedensein der bürgerlichen Gesellschaft in sich) in der *politischen* Sphäre eine andere Bedeutung erhält als in der bürgerlichen. Es ist hier anscheinend Identität, *dasselbe Subjekt*, aber in einer *wesentlich verschiedenen* Bestimmung, also in Wahrheit ein *doppeltes* Subjekt, und diese *illusorische Identität* (sie ist schon deshalb illusorisch, weil zwar das *wirkliche Subjekt*, der Mensch, in den verschiedenen Bestimmungen seines Wesens sich selbst gleichbleibt, seine Identität nicht verliert; aber hier ist nicht der Mensch Subjekt, sondern der Mensch ist mit einem Prädikat (dem Stand) identifiziert, und zugleich wird behauptet, daß er in dieser *bestimmten Bestimmtheit* und in einer *anderen* Bestimmtheit, daß er als dieses bestimmte ausschließende Beschränkte ein *anderes* als dieses Beschränkte ist) wird dadurch künstlich durch die Reflexion aufrechterhalten, daß einmal der bürgerliche Ständeunterschied als solcher eine Bestimmung erhält, die ihm erst aus der politischen Sphäre erwachsen soll, das andere Mal umgekehrt der Ständeunterschied in der politischen Sphäre eine Bestimmung erhält, die nicht aus der politischen Sphäre, sondern aus dem Subjekt der bürgerlichen hervorgeht. Um das eine beschränkte Subjekt, den bestimmten Stand (den Ständeunterschied) als das wesentliche Subjekt beider Prädikate darzustellen, oder um die Identität beider Prädikate zu beweisen, werden sie beide mystifiziert und in illusorischer unbestimmter Doppelgestalt entwickelt.

Es wird hier dasselbe Subjekt in verschiedenen *Bedeutungen* genommen, aber die Bedeutung ist nicht die Selbstbestimmung, sondern eine *allegorische*, untergeschobene Bestimmung. Man könnte für dieselbe Bedeutung ein anderes konkretes Subjekt, man könnte für dasselbe Subjekt eine andere Bedeutung nehmen. Die Bedeutung, die der bürgerliche Ständeunterschied in der politischen Sphäre erhält, geht nicht aus ihm, sondern aus der politischen Sphäre hervor, und er könnte hier auch eine andere Bedeutung haben, wie es denn auch historisch der Fall war. Ebenso umgekehrt. Es ist dies die *unkritische*, die *mystische* Weise, eine *alte Weltanschauung* im Sinne einer neuen zu *interpretieren*, wodurch sie nichts als ein unglückliches Zwitterding wird, worin die Gestalt die Bedeutung und die Bedeutung die Gestalt belügt und weder die Gestalt zu ihrer Bedeutung und zur wirklichen Gestalt, noch die Bedeutung zur Gestalt und zur wirklichen Bedeutung wird. Diese *Unkritik*, dieser *Mystizismus* ist sowohl das Rätsel der modernen Verfassungen (κατ᾽ ἐξοχὴν der ständischen) wie auch das Mysterium der Hegelschen Philosophie, vorzugsweise der *Rechts-* und *Religionsphilosophie.*

Am besten befreit man sich von dieser Illusion, wenn man die Bedeutung als das nimmt, was sie ist, als die *eigentliche Bestimmung,* und sie als solche zum Subjekt macht und nun vergleicht, ob das ihr *angeblich* zugehörige Subjekt ihr *wirkliches Prädikat* ist, ob es ihr Wesen und wahre Verwirklichung darstellt.

„Seine (des politisch-ständischen Elements) zunächst abstrakte Stellung, nämlich des *Extrems* der *empirischen Allgemeinheit* gegen das *fürstliche* oder *monarchische Prinzip* überhaupt — in der nur die *Möglichkeit* der *Übereinstimmung* und damit ebenso die *Möglichkeit feindlicher* Entgegensetzung liegt — diese abstrakte Stellung wird nur dadurch zum vernünftigen Verhältnis (zum *Schlusse,* vgl. Anm. zu § 302), daß ihre *Vermittlung* zur Existenz kommt“. Wir haben schon gesehen, daß die Stände gemeinschaftlich mit der Regierungsgewalt die Mitte zwischen dem monarchischen Prinzip und dem Volke bilden, zwischen dem Staatswillen, wie er als *ein* empirischer Wille und wie er als *viele* empirische Willen existiert, zwischen der *empirischen Einzelnheit* und der *empirischen Allgemeinheit.* Hegel mußte, wie er den Willen der bürgerlichen Gesellschaft als *empirische Allgemeinheit,* so den fürstlichen als *empirische Einzelnheit* bestimmen, aber er spricht den *Gegensatz* nicht in seiner ganzen Schärfe aus.

Zunächst bemerken wir über diese ganze Entwicklung, daß die „Vermittlung“, die Hegel hier zustande bringen will, seine Forderung ist, die er nicht aus dem *Wesen* der *gesetzgebenden Gewalt,* aus ihrer eigenen Bestimmung, sondern vielmehr aus *Rücksicht* auf eine außer ihrer wesentlichen Bestimmung liegende *Existenz* herleitet. Es ist eine *Konstruktion der Rücksicht.* Die gesetzgebende Gewalt vorzugsweise wird nur mit Rücksicht auf ein Drittes entwickelt. Es ist daher vorzugsweise die *Konstruktion* ihres *formellen*

Daseins, welche alle Aufmerksamkeit in Anspruch nimmt.
Die gesetzgebende Gewalt wird sehr *diplomatisch* konstruiert. Es folgt dies aus der falschen, illusorischen κατ᾽
ἐξοχὴν politischen Stellung, die die gesetzgebende Gewalt
im modernen Staat (dessen Interpret Hegel ist) hat. Es folgt
daraus von selbst, daß dieser Staat kein *wahrer* Staat ist,
weil in ihm die *staatlichen Bestimmungen*, wovon eine die
gesetzgebende Gewalt ist, nicht an und für sich, nicht theoretisch, sondern praktisch betrachtet werden müssen, nicht
als selbständige, sondern als mit einem Gegensatz behaftete
Mächte, nicht aus der Natur der Sache, sondern nach den
Regeln der Konvention.

Also das ständische Element sollte eigentlich, „gemeinschaft-
lich mit der Regierungsgewalt", die Mitte zwischen dem
Willen der empirischen Einzelnheit, dem Fürsten, und dem
Willen der empirischen Allgemeinheit, der bürgerlichen
Gesellschaft, sein, allein in *Wahrheit*, realiter ist „*seine*
Stellung" eine „zunächst abstrakte Stellung, nämlich *des
Extrems der empirischen Allgemeinheit* gegen das *fürst-
liche* oder *monarchische Prinzip* überhaupt, in der nur die
Möglichkeit der Übereinstimmung und damit ebenso die
Möglichkeit feindlicher Entgegensetzung liegt", eine, wie
Hegel richtig bemerkt, „abstrakte Stellung".

Zunächst scheint es nun, daß hier weder das „*Extrem der
empirischen Allgemeinheit*", noch das „fürstliche oder monarchische Prinzip", das Extrem der empirischen Einzelnheit, sich gegenüberstehen.

Denn von seiten der bürgerlichen Gesellschaft sind die
Stände, wie von seiten des Fürsten die Regierungsgewalt
deputiert. Wie das fürstliche Prinzip in der deputierten
Regierungsgewalt aufhört, das Extrem der empirischen
Einzelnheit zu sein, und vielmehr in ihr den „grundlosen"
Willen aufgibt, sich zu der „*Endlichkeit*" des Wissens und
der Verantwortlichkeit des Denkens herabläßt, so scheint in
dem ständischen Element die bürgerliche Gesellschaft nicht
mehr empirische Allgemeinheit, sondern ein sehr bestimmtes Ganzes zu sein, das ebensosehr den „Sinn und die Gesinnung des Staates und der Regierung, als der Interessen
der besonderen Kreise und der Einzelnen" hat (§ 302). Die

bürgerliche Gesellschaft hat in ihrer ständischen Miniatur-
ausgabe aufgehört, die „empirische Allgemeinheit" zu sein.
Sie ist vielmehr zu einem Ausschuß, zu einer sehr bestimmten Zahl herabgesunken, und wenn der Fürst in der Regierungsgewalt sich empirische Allgemeinheit, so hat sich die
bürgerliche Gesellschaft in den Ständen empirische Einzelnheit oder Besonderheit gegeben. Beide sind zu einer Besonderheit geworden.

Der einzige Gegensatz, der hier noch möglich ist, scheint
der zwischen den beiden Repräsentanten der beiden Staatswillen, zwischen den beiden Emanationen, zwischen dem
Regierungselement und dem *ständischen* Element der gesetzgebenden Gewalt, scheint also ein Gegensatz innerhalb
der gesetzgebenden Gewalt selbst zu sein. Die „*gemeinschaftliche*" Vermittlung scheint auch recht geeignet, sich wechselseitig in die Haare zu fallen. In dem Regierungselement der
gesetzgebenden Gewalt hat sich die empirische, unzugängliche Einzelnheit des Fürsten *verirdischt* in einer Zahl beschränkter, faßbarer, verantwortlicher Personalitäten, und
in dem ständischen Element hat sich die bürgerliche Gesellschaft *verhimmlischt* in einer Zahl politischer Männer. Beide
Seiten haben ihre Unfaßbarkeit verloren. Die fürstliche
Gewalt das unzugängliche, ausschließliche *empirische Eins*,
die bürgerliche Gesellschaft das unzugängliche, verschwimmende *empirische All*, die eine ihre Sprödigkeit, die andere
ihre Flüssigkeit. In dem ständischen Element einerseits, in
dem Regierungselement oder gesetzgebenden Gewalt andererseits, welche zusammen bürgerliche Gesellschaft und
Fürst vermitteln wollten, scheint also erst der *Gegensatz*
zu einem kampfgerechten Gegensatz, also auch zu einem
unversöhnlichen Widerspruch gekommen zu sein.

Diese „*Vermittlung*" hat es also auch erst recht nötig, wie
Hegel richtig entwickelt, „daß *ihre Vermittlung* zur *Existenz* kommt". Sie selbst ist vielmehr die Existenz des Widerspruches als der Vermittlung.

Daß diese Vermittlung von seiten des *ständischen Elements*
bewirkt werde, scheint Hegel ohne Grund zu behaupten.
Er sagt:

„Wie von seiten der fürstlichen Gewalt die Regierungs-

gewalt (§ 300) schon diese Bestimmung hat, so muß auch
von der Seite der Stände aus ein Moment derselben nach
der Bestimmung gekehrt sein, wesentlich als das Moment
der Mitte zu existieren."

Allein wir haben schon gesehen, Hegel stellt hier willkürlich und inkonsequent Fürst und Stände als Extreme gegenüber. Wie von seiten der fürstlichen Gewalt die Regierungsgewalt, so hat von seiten der bürgerlichen Gesellschaft das
ständische Element diese Bestimmung. Sie stehen nicht nur
mit der Regierungsgewalt gemeinschaftlich zwischen Fürst
und bürgerlicher Gesellschaft, sie stehen auch zwischen der
Regierung überhaupt und dem Volke (§ 302). Sie tun von
seiten der bürgerlichen Gesellschaft mehr, als die Regierungsgewalt von seiten der fürstlichen Gewalt tut, da diese
ja sogar selbst als Gegensatz dem Volke gegenübersteht. Sie
hat also das Maß der Vermittlung vollgemacht. Warum
also diese Esel mit noch mehr Säcken bepacken? Warum
soll denn das ständische Element überall die Eselsbrücken
bilden, sogar zwischen sich selbst und seinem Gegner? Warum ist es überall die Aufopferung selbst? Soll es sich selbst
eine Hand abhauen, damit es nicht *mit beiden* seinem Gegner, dem Regierungselement der gesetzgebenden Gewalt,
Widerpart halten kann?

Es kömmt noch hinzu, daß Hegel zuerst die Stände aus den
Korporationen, Standesunterschieden etc. hervorgehen ließ,
damit sie keine „bloße empirische Allgemeinheit" seien,
und daß er sie jetzt umgekehrt zur „bloßen empirischen
Allgemeinheit" macht, um den Standesunterschied aus ihnen
hervorgehen zu lassen! Wie der Fürst durch die Regierungsgewalt als ihren Christus mit der bürgerlichen Gesellschaft,
so vermittelt sich die Gesellschaft durch die Stände als ihre
Priester mit dem Fürsten.

Es scheint nun vielmehr die Rolle der Extreme, der fürstlichen Gewalt (empirische Einzelnheit) und der bürgerlichen Gesellschaft (empirischen Allgemeinheit) sein zu müssen, vermittelnd zwischen „ihre Vermittelungen zu treten",
um so mehr, da es „zu den wichtigsten logischen Einsichten
gehört, daß ein bestimmtes Moment, das als im Gegensatz
stehend die Stellung eines Extrems hat, es dadurch zu sein

aufhört und *organisches* Moment ist, daß es zugleich *Mitte* ist" (§ 302 Anm.). Die bürgerliche Gesellschaft scheint diese Rolle nicht übernehmen zu können, da sie in der „gesetzgebenden Gewalt" als *sie selbst*, als Extrem keinen Sitz hat. Das andere Extrem, das sich *als solches* inmitten der gesetzgebenden Gewalt befindet, das fürstliche Prinzip, scheint also den Mittler zwischen dem ständischen und dem Regierungselement bilden zu müssen. Es scheint auch dazu qualifiziert zu sein. Denn einerseits ist in ihm das Ganze des Staates, also auch die bürgerliche Gesellschaft, repräsentiert, und speziell hat es mit den Ständen die „empirische Einzelnheit" des Willens gemein, da die empirische Allgemeinheit nur wirklich ist als empirische Einzelnheit. Es steht ferner der bürgerlichen Gesellschaft nicht nur als *Formel*, als Staats*bewußtsein* gegenüber wie die Regierungsgewalt. Es *ist* selbst Staat, es hat das *materielle, natürliche* Moment mit der bürgerlichen Gesellschaft gemein. Andererseits ist der Fürst die Spitze und der Repräsentant der Regierungsgewalt. (Hegel, der alles umkehrt, macht die Regierungsgewalt zum Repräsentanten, zur Emanation des Fürsten. Weil er bei der Idee, deren Dasein der Fürst sein soll, nicht die wirkliche Idee der Regierungsgewalt, nicht die Regierungsgewalt als Idee, sondern das Subjekt der absoluten Idee vor Augen hat, die im Fürsten *körperlich* existiert, so wird die Regierungsgewalt zu einer *mystischen Fortsetzung* der in seinem Körper *(dem fürstlichen Körper) existierenden Seele.)*
Der Fürst mußte also in der gesetzgebenden Gewalt die Mitte zwischen der Regierungsgewalt und dem ständischen Element bilden, allein die Regierungsgewalt ist ja die Mitte zwischen ihm und der ständischen und die ständische zwischen ihm und der bürgerlichen Gesellschaft? Wie sollte er das untereinander vermitteln, dessen er zu seiner Mitte nötig hat, um kein einseitiges Extrem zu sein? Hier tritt das ganze Ungereimte dieser Extreme, die abwechselnd bald die Rolle des Extrems, bald die Mitte spielen, hervor. Es sind Janusköpfe, die sich bald von vorn, bald von hinten zeigen und vorn einen anderen Charakter haben als hinten. Das, was zuerst als Mitte zwischen zwei Extremen bestimmt, tritt nun selbst als Extrem auf, und das eine der zwei Ex-

treme, das durch es mit dem anderen vermittelt war, tritt nun wieder als Extrem (weil in *seiner Unterscheidung* von dem anderen Extrem) zwischen sein Extrem und seine Mitte. Es ist eine wechselseitige Bekomplimentierung. Wie wenn ein Mann zwischen zwei Streitende tritt und nun wieder einer der Streitenden zwischen den vermittelnden Mann und den Streitenden. Es ist die Geschichte von dem Mann und der Frau, die sich stritten, und von dem Arzt, der als Vermittler zwischen sie treten wollte, wo nun wieder die Frau den Arzt mit ihrem Mann und der Mann seine Frau mit dem Arzt vermitteln mußte. Es ist wie der Löwe im Sommernachtstraum, der ausruft: „Ich bin Löwe, und ich bin nicht Löwe, sondern Squanz." So ist hier jedes Extrem bald der Löwe des Gegensatzes, bald der Squanz der Vermittlung. Wenn das eine Extrem ruft: „jetzt bin ich Mitte", so dürfen es die beiden anderen nicht berühren, sondern nur nach dem anderen schlagen, das eben Extrem war. Man sieht, es ist eine Gesellschaft, die kampflustig im Herzen ist, aber zu sehr die blauen Flecke fürchtet, um sich wirklich zu prügeln, und die beiden, die sich schlagen wollen, richten es so ein, daß der Dritte, der dazwischentritt, die Prügel bekommen soll, aber nun tritt wieder einer der beiden als der Dritte auf, und so kommen sie vor lauter Behutsamkeit zu keiner Entscheidung. Dieses System der Vermittlung kommt auch so zustande, daß derselbe Mann, der seinen Gegner prügeln will, ihn nach den anderen Seiten gegen andere Gegner vor Prügeln beschützen muß und so in dieser doppelten Beschäftigung nicht zur Ausführung seines Geschäftes kommt. Es ist merkwürdig, daß Hegel, der diese Absurdität der Vermittlung auf ihren abstrakten, logischen, daher unverfälschten, untransigierbaren Ausdruck reduziert, sie zugleich als *spekulatives Mysterium* der Logik, als das vernünftige Verhältnis, als den Vernunftsschluß bezeichnet. Wirkliche Extreme können nicht miteinander vermittelt werden, eben weil sie wirkliche Extreme sind. Aber sie bedürfen auch keiner Vermittlung, denn sie sind entgegengesetzten Wesens. Sie haben nichts miteinander gemein, sie verlangen einander nicht, sie ergänzen einander nicht. Das eine hat nicht in seinem eigenen Schoß die Sehnsucht, das Bedürfnis, die Antizipation des anderen. (Wenn aber Hegel Allgemeinheit und Einzelnheit, die abstrakten Momente des Schlusses, als wirkliche Gegensätze behandelt, so ist das eben der Grunddualismus seiner Logik. Das Weitere hierüber gehört in die Kritik der Hegelschen Logik.)

Dem scheint entgegenzustehen: Les extrêmes se touchent. Nordpol und Südpol ziehen sich an: weibliches Geschlecht und männliches ziehen sich ebenfalls an, und erst durch die Vereinigung ihrer extremen Unterschiede wird der Mensch. Andererseits. Jedes Extrem *ist* sein anderes Extrem. Der abstrakte *Spiritualismus* ist *abstrakter Materialismus:* der *abstrakte Materialismus* ist der *abstrakte Spiritualismus* der Materie.

Was das erste betrifft, so sind Nordpol und Südpol beide *Pol;* ihr *Wesen* ist identisch; ebenso sind *weibliches* und *männliches* Geschlecht beide eine *Gattung*, ein *Wesen,* menschliches Wesen. Nord und Süd sind entgegengesetzte Bestimmungen *eines* Wesens; der Unterschied eines *Wesens* auf der *höchsten Entwicklung.* Sie sind das *differenzierte* Wesen. Sie sind, was sie sind, *nur* als eine *unterschiedene* Bestimmung, und *zwar* als *diese* unterschiedene Bestimmung des Wesens. *Wahre wirkliche* Extreme wären Pol und Nichtpol, menschliches und *un*menschliches Geschlecht. Der Unterschied ist hier ein *Unterschied der Existenz*, dort ein Unterschied der *Wesen, zweier Wesen.* Was das zweite betrifft, so liegt hier die Hauptbestimmung darin, daß ein *Begriff* (Dasein etc.) *abstrakt* gefaßt wird, daß er nicht als selbständig, sondern als eine *Abstraktion* von einem anderen und nur als diese *Abstraktion* Bedeutung hat; also z. B. der Geist nur die *Abstraktion* von der Materie ist. Es versteht sich dann von selbst, daß er eben, weil diese Form seinen Inhalt ausmachen soll, vielmehr das *abstrakte Gegenteil*, der Gegenstand, von dem er abstrahiert, in seiner Abstraktion, also hier der abstrakte Materialismus, sein reales Wesen ist. Wäre die *Differenz* innerhalb der Existenz *eines* Wesens nicht verwechselt worden teils mit der *verselbständigten Abstraktion* (versteht sich, nicht von einem anderen, sondern eigentlich von sich selbst), teils mit dem *wirklichen* Gegensatz sich wechselseitig ausschließender Wesen, so wäre ein dreifacher Irrtum verhindert worden: 1. daß, weil nur das Extrem wahr sei, jede Abstraktion und Einseitigkeit sich für wahr hält, wodurch ein Prinzip statt als Totalität in sich selbst nur als Abstraktion von einem anderen erscheint; 2. daß die *Entschiedenheit wirklicher* Gegensätze, ihre Bildung zu Extremen, die nichts anderes ist als sowohl ihre Selbsterkenntnis wie ihre Entzündung zur Entscheidung des Kampfes, als etwas möglicherweise zu Verhinderndes oder Schädliches gedacht wird; 3. daß man ihre Vermittlung versucht. Denn so sehr beide Extreme in ihrer Existenz als wirklich auftreten und als Extreme, so liegt es doch nur in dem *Wesen* des einen, Extrem zu sein, und es hat für das andere nicht die *Bedeutung* der *wahren Wirklichkeit*. Das eine greift über das andere über. Die Stellung ist keine gleiche, z. B. Christentum oder Religion überhaupt und Philosophie sind Extreme. Aber in Wahrheit bildet die Religion zur Philosophie keinen wahren Gegensatz. Denn die Philosophie begreift die *Religion* in ihrer *illusorischen* Wirklichkeit. Sie ist also für die Philosophie — sofern sie eine Wirklichkeit sein will — in sich selbst aufgelöst. Es gibt keinen wirklichen Dualismus des *Wesens*. Später mehr hierüber.

Es fragt sich, wie kömmt Hegel überhaupt zu dem Bedürfnis einer neuen *Vermittlung* von seiten des ständischen Elements? Oder teilt Hegel mit „das häufige, aber höchst gefährliche Vorurteil, Stände hauptsächlich im Gesichtspunkte des *Gegensatzes* gegen die Regierung, als ob dies ihre wesentliche Stellung wäre, vorzustellen"? (§ 302 Anm.).

Die Sache ist einfach die: einerseits haben wir gesehen, daß in der „gesetzgebenden Gewalt" die bürgerliche Gesellschaft als „ständisches" Element und die fürstliche Macht als „Regierungselement" sich erst zum wirklichen unmittelbar praktischen Gegensatz begeistert haben.

Andererseits: die gesetzgebende Gewalt ist Totalität. Wir finden in ihr die Deputation des fürstlichen Prinzips, „die Regierungsgewalt"; 2. die Deputation der bürgerlichen Gesellschaft, das „ständische" Element: aber außerdem befindet sich in ihr 3. das eine *Extrem als solches*, das fürstliche Prinzip, während das andere Extrem, die bürgerliche

Gesellschaft, als solches sich nicht in ihr befindet. Dadurch wird erst das „ständische" Element zu dem Extrem des „fürstlichen" Prinzips, das eigentlich die bürgerliche Gesellschaft sein sollte. Erst als ständisches Element organisiert sich, wie wir gesehen haben, die bürgerliche Gesellschaft zu einem *politischen* Dasein. Das „ständische" Element ist ihr *politisches* Dasein, ihre *Transsubstantiation* in den politischen Staat. Die „gesetzgebende Gewalt" ist daher, wie wir gesehen, erst der eigentliche *politische Staat* in seiner Totalität. Hier ist also 1. fürstliches Prinzip, 2. Regierungsgewalt, 3. bürgerliche Gesellschaft. Das „ständische" Element ist „*die bürgerliche Gesellschaft des politischen Staats*", der „gesetzgebenden Gewalt". Das Extrem, das die bürgerliche Gesellschaft zum Fürsten bilden sollte, ist daher das „*ständische*" Element. (Weil die bürgerliche Gesellschaft die Unwirklichkeit des politischen Daseins, so ist das politische Dasein der bürgerlichen Gesellschaft ihre eigene Auflösung, ihre Trennung von sich selbst.) Ebenso bildet es daher einen Gegensatz zur Regierungsgewalt.

Hegel bezeichnet daher auch das „ständische" Element wieder als das „Extrem der empirischen Allgemeinheit", das eigentlich die bürgerliche Gesellschaft selbst ist. (Hegel hat daher unnützerweise das politische ständische Element aus den Korporationen und unterschiedenen Ständen hervorgehen lassen. Dies hätte bloß Sinn, wenn nun die unterschiedenen Stände als solche die gesetzgebenden Stände wären, also der Unterschied der bürgerlichen Gesellschaft, die bürgerliche Bestimmung wäre die politische Bestimmung. Wir hätten dann nicht eine *gesetzgebende Gewalt* des Staatsganzen, sondern die *gesetzgebende Gewalt* der verschiedenen Stände und Korporationen und Klassen über das Staatsganze. Die Stände der bürgerlichen Gesellschaft empfingen keine politische Bestimmung, sondern sie bestimmten den politischen Staat. Sie machten ihre *Besonderheit* zur bestimmenden Gewalt des Ganzen. Sie wären die Macht des Besonderen über das Allgemeine. Wir hätten auch nicht eine gesetzgebende Gewalt, sondern mehrere gesetzgebende Gewalten, die unter sich und mit der Regierung transigierten. Allein Hegel hat die moderne Bedeutung des ständischen Elements, die Verwirklichung des Staatsbürgertums, des Bourgeois zu sein, vor Augen. Er will, daß das „an und für sich Allgemeine", der politische Staat, nicht von der bürgerlichen Gesellschaft bestimmt wird, sondern umgekehrt sie bestimmt. Während er also die Gestalt des mittelaltrigständischen Elements aufnimmt, gibt er ihm die entgegengesetzte Bedeutung, von dem Wesen des politischen Staates bestimmt zu werden. Die Stände als Repräsentanten der Korporation usw. wären nicht die „empirische Allgemeinheit", sondern die „empirische Besonderheit", die „Besonderheit der Empirie"!) Die „gesetzgebende Gewalt" bedarf daher in sich selbst der *Vermittlung*, d. h. einer Vertuschung des Gegensatzes, und diese Vermittlung muß vom „ständischen Element" ausgehen, weil das ständische Element innerhalb der gesetzgebenden Gewalt die Bedeutung der Repräsentation der bürgerlichen Gesellschaft verliert und zum *primären* Element wird, selbst die bürgerliche Gesellschaft der gesetzgebenden Gewalt ist. Die „gesetzgebende Gewalt" ist die Totalität des politischen Staates, eben daher der zur *Erscheinung getriebene Widerspruch* desselben. Sie ist daher ebensosehr seine *gesetzte* Auflösung. Ganz verschiedene Prinzipien karambolieren in ihr. Es *erscheint* dies allerdings als *Gegensatz* der Elemente des fürstlichen Prinzips und des Prinzips des ständischen Elementes usw. In *Wahrheit* aber ist es die Antinomie des *politischen Staates* und der *bürgerlichen Gesellschaft*, der *Widerspruch des abstrakten politischen Staates* mit sich selbst. Die gesetzgebende Gewalt ist die *gesetzte* Revolte. (Hegels Hauptfehler besteht darin, daß er den *Widerspruch der Erscheinung* als *Einheit im Wesen, in der Idee* faßt, während er allerdings ein Tieferes zu seinem Wesen hat, nämlich einen *wesentlichen Widerspruch*, wie z. B. hier der Widerspruch der gesetzgebenden Gewalt in sich selbst nur der Widerspruch des politischen Staats, also auch der bürgerlichen Gesellschaft mit sich selbst ist.

Die vulgäre Kritik verfällt in einen entgegengesetzten *dogmatischen* Irrtum. So kritisiert sie z. B. die Konstitution. Sie macht auf die Entgegensetzung der Gewalten aufmerksam etc. Sie findet überall Widersprüche. Das ist selbst noch dogmatische Kritik, die mit ihrem Gegenstand *kämpft*, so

wie man früher etwa das Dogma der heiligen Dreieinigkeit
durch den Widerspruch von 1 und 3 beseitigte. Die wahre
Kritik dagegen zeigt die innere Genesis der heiligen Dreieinigkeit im menschlichen Gehirn. Sie beschreibt ihren Geburtsakt. So weist die wahrhaft philosophische Kritik der
jetzigen Staatsverfassung nicht nur Widersprüche als be-
stehend auf, sie *erklärt* sie, sie begreift ihre Genesis, ihre
Notwendigkeit. Sie faßt sie in ihrer *eigentümlichen* Bedeutung. Dies *Begreifen* besteht aber nicht, wie Hegel meint,
darin, die Bestimmungen des logischen Begriffs überall wiederzuerkennen, sondern die eigentümliche Logik des eigentümlichen Gegenstandes zu fassen.)

„Der eine der Stände der bürgerlichen Gesellschaft enthält
das *Prinzip*, das für sich fähig ist, zu dieser *politischen Beziehung* konstituiert zu *werden*, der Stand der *natürlichen
Sittlichkeit* nämlich." (Der Bauernstand.)

Worin besteht nun diese *prinzipielle Fähigkeit* oder diese
Fähigkeit des Prinzips des Bauernstandes?

Er hat „das *Familienleben* und in Rücksicht der Subsistenz
den *Grundbesitz* zu seiner *Basis*, somit in *Rücksicht seiner
Besonderheit* ein *auf sich* beruhendes Wollen und die *Naturbestimmung*, welche das *fürstliche* Element in sich schließt,
mit diesem gemein."

Das „auf sich beruhende Wollen" bezieht sich auf die Subsistenz, den „Grundbesitz", die mit dem fürstlichen Element
gemeinschaftliche „Naturbestimmung" auf das „Familienleben" als Basis.

Die „Subsistenz des Grundbesitzes" und ein „auf sich beruhendes Wollen" sind zwei verschiedene Dinge. Es müßte
vielmehr von einem auf „Grund und Boden" *ruhenden*
Wollen die Rede sein. Es müßte aber vielmehr von einem
„auf der Staatsgesinnung", nicht von einem *auf sich*, sondern von einem *im Ganzen* ruhenden Willen die Rede sein.
An die Stelle der „Gesinnung", des „Besitzes des Staatsgeistes" tritt der „*Grund*besitz".

Was ferner das „*Familienleben*" als Basis angeht, so scheint
die „soziale" Sittlichkeit der bürgerlichen Gesellschaft höher
zu stehen als diese „natürliche Sittlichkeit". Ferner ist das

„Familienleben" die *„natürliche Sittlichkeit" der anderen Stände* oder des Bürgerstandes der bürgerlichen Gesellschaft ebensowohl als des Bauernstandes. Daß aber das „Familienleben" bei dem Bauernstande nicht nur Prinzip der Familie, sondern die Basis seines sozialen Daseins überhaupt ist, scheint ihn vielmehr für die höchste politische Aufgabe unfähig zu machen, indem er patriarchalische Gesetze auf eine nicht patriarchalische Sphäre anwenden wird und das Kind oder den Vater, den Herr und den Knecht da geltend macht, wo es sich um den *politischen* Staat, um das *Staatsbürgertum* handelt.

Was die *Naturbestimmung* des *fürstlichen* Elements betrifft, so hat Hegel keinen patriarchalischen, sondern einen *modern konstitutionellen* König entwickelt. Seine Naturbestimmung besteht darin, daß er der *körperliche Repräsentant* des Staates ist und als *König* geboren, oder das *Königtum* seine *Familienerbschaft* ist, aber was hat das mit dem Familienleben als der Basis des Bauernstandes, was hat die natürliche Sittlichkeit mit der Naturbestimmung der Geburt als solcher gemein? Der König teilt das mit dem Pferd, daß, wie dieses als Pferd, der König als König geboren wird.

Hätte Hegel den von ihm angenommenen Ständeunterschied als solchen zum politischen gemacht, so war ja schon der Bauernstand als solcher ein selbständiger Teil des ständischen Elements, und wenn er als solcher ein Moment der Vermittlung mit dem Fürstentum ist, was bedürfte es dann der Konstruktion einer *neuen* Vermittlung! Und warum ihn aus dem eigentlich ständischen Moment herausscheiden, da dieses ja nur durch die Scheidung von ihm in die „abstrakte" Stellung zum fürstlichen Element gerät! Nachdem Hegel aber eben das politisch-ständische Element als ein eigentümliches Element, als eine *Transsubstantiation des Privatstandes in das Staatsbürgertum* entwickelt hat und eben deswegen der Vermittlung bedürftig gefunden hat, wie darf Hegel nun diesen Organismus wieder auflösen in den Unterschied des Privatstandes, also in den Privatstand, und aus diesem die Vermittlung des politischen Staates mit sich selbst herholen!

Überhaupt welche Anomalie, daß die höchste *Synthese* des

politischen Staates nichts anderes ist als die Synthese von Grundbesitz und Familienleben!

Mit einem Wort:

Sobald die bürgerlichen Stände als solche politische Stände sind, bedarf es jener Vermittlung nicht, und sobald es jener Vermittlung bedarf, ist der bürgerliche Stand nicht politisch, also auch nicht jene Vermittlung. Der Bauer ist dann nicht als Bauer, sondern als Staatsbürger ein Teil des politisch-ständischen Elements, während umgekehrt (wo er als *Bauer* Staatsbürger oder als Staatsbürger Bauer ist) sein Staatsbürgertum das *Bauerntum*, er nicht als Bauer Staatsbürger, sondern als Staatsbürger Bauer ist!

Es ist hier also eine Inkonsequenz Hegels *innerhalb seiner eigenen* Anschauungsweise, und eine solche Inkonsequenz ist *Akkommodation*. Das politisch-ständische Element ist im modernen Sinne in dem von Hegel entwickelten Sinne die *vollzogene gesetzte Trennung der bürgerlichen Gesellschaft von ihrem Privatstand und seinen Unterschieden*. Wie kann Hegel den Privatstand zur *Lösung* der Antinomien der *gesetzgebenden* Gewalt in sich selbst machen? Hegel will das mittelalterliche ständische System, aber in dem modernen Sinn der gesetzgebenden Gewalt, und er will die moderne gesetzgebende Gewalt, aber in dem Körper des mittelalterlich-ständischen Systems: es ist schlechtester Synkretismus.

Anfang § 304 heißt es: „Den in den früheren Sphären bereits vorhandenen Unterschied der Stände enthält das politisch-ständische Element zugleich in seiner eigenen Bestimmung." Aber in seiner *eigenen* Bestimmung enthält das politisch-ständische Element diesen Unterschied nur dadurch, daß es ihn annulliert, daß es ihn in sich vernichtet, *von ihm abstrahiert*.

Wird der Bauernstand oder, wie wir weiter hören werden, der *potenzierte* Bauernstand, der adlige Grundbesitz, als solcher auf die beschriebene Weise zur Vermittlung des totalen *politischen* Staates, der gesetzgebenden Gewalt in sich selbst gemacht, so ist das allerdings die Vermittlung des ständisch-politischen Elements mit der fürstlichen Gewalt in dem Sinn, als es die *Auflösung* des politisch-ständi-

schen Elementes als eines wirklichen politischen Elementes
ist. Nicht der Bauernstand, sondern der *Stand*, der *Privatstand*, die *Analyse* (Reduktion) des politisch-ständischen
Elementes in den Privatstand ist hier die *wiederhergestellte
Einheit des politischen Staats mit sich selbst*. (Nicht der
Bauernstand als solcher ist hier die *Vermittlung*, sondern
seine Trennung von dem politisch-ständischen *Element* in
seiner Qualität als *bürgerlicher Privatstand;* das ist, daß sein
Privatstand ihm eine gesonderte Stellung in dem politisch-
ständischen Element gibt, also auch der andere Teil des politisch-ständischen Elements die Stellung eines *besonderen*
Privatstandes erhält, also *aufhört*, das Staatsbürgertum der
bürgerlichen Gesellschaft zu repräsentieren.) Es ist hier nun
nicht mehr der *politische* Staat als *zwei entgegengesetzte
Willen* vorhanden, sondern auf der einen Seite steht der
politische Staat (Regierung und Fürst) und auf der anderen
die bürgerliche Gesellschaft in ihrem Unterschied vom politischen Staat. (Die verschiedenen Stände.) Damit ist denn
auch der politische Staat als *Totalität* aufgehoben.
Der nächste Sinn der *Verdoppelung* des politisch-ständischen
Elementes in sich selbst als einer Vermittlung mit der fürstlichen Gewalt ist überhaupt, daß die *Trennung* dieses Elementes in sich selbst, sein eigener Gegensatz in sich selbst
seine *wiederhergestellte* Einheit mit der fürstlichen Gewalt
ist. Der Grunddualismus zwischen dem *fürstlichen* und dem
ständischen Element der gesetzgebenden Gewalt wird *neutralisiert* durch den Dualismus des ständischen Elementes
in sich selbst. Bei Hegel aber geschieht diese Neutralisation
dadurch, daß das politisch-ständische Element sich von seinem *politischen* Element selbst trennt.
Was den *Grundbesitz* als *Subsistenz*, welche der *Souveränität* des Willens, der *fürstlichen Souveränität*, und das *Familienleben* als Basis des Bauernstandes, welche der *Naturbestimmung* der fürstlichen Gewalt entsprechen soll, betrifft,
so kommen wir später darauf zurück. Hier im § 305 ist das
„*Prinzip*“ des Bauernstandes entwickelt, „das für sich fähig
ist, zu dieser politischen Beziehung konstituiert zu werden“.
Im § 306 wird die „Konstituierung“ „für die politische Stellung und Bedeutung“ vorgenommen. Sie reduziert sich dar-

auf: „das Vermögen wird" „ein *unveräußerliches*, mit dem *Majorat* belastetes *Erbgut*". „Das *Majorat*" wäre also die politische Konstituierung des Bauernstandes.

„Die Begründung des Majorats", heißt es im Zusatz, „liegt darin, daß der Staat nicht auf *bloße Möglichkeit* der Gesinnung, sondern auf ein *Notwendiges* rechnen soll. Nun ist die Gesinnung freilich an ein Vermögen nicht gebunden, aber der *relativ notwendige* Zusammenhang ist, daß, wer ein selbständiges Vermögen hat, von äußeren Umständen nicht beschränkt ist und so ungehemmt auftreten und für den Staat handeln *kann*."

Erster Satz. Dem Staat genügt nicht „die *bloße Möglichkeit der Gesinnung*", er soll auf ein „*Notwendiges*" rechnen.

Zweiter Satz. „Die Gesinnung ist an ein Vermögen nicht gebunden", d. h. die Gesinnung des Vermögens ist eine „*bloße Möglichkeit*".

Dritter Satz. Aber es findet ein „*relativ notwendiger Zusammenhang*" statt, nämlich, „daß, wer ein selbständiges Vermögen hat etc., für den Staat handeln *kann*", d. h. das *Vermögen* gibt die „*Möglichkeit*" der Staatsgesinnung, aber eben die „Möglichkeit" genügt nach dem ersten Satz nicht. Zudem hat Hegel nicht entwickelt, daß der *Grundbesitz* das einzige selbständige Vermögen ist.

Die *Konstituierung seines Vermögens zur Unabhängigkeit* ist die Konstituierung des Bauernstandes „für die politische Stellung und Bedeutung". Oder „die Unabhängigkeit des Vermögens" *ist* seine „politische Stellung und Bedeutung".

Diese Unabhängigkeit wird weiter so entwickelt:

Sein „*Vermögen*" ist „*unabhängig* vom *Staatsvermögen*". Unter Staatsvermögen wird hier offenbar die *Regierungskasse* verstanden. In dieser Beziehung steht „der *allgemeine* Stand" „*gegenüber*" „als vom *Staat* wesentlich abhängig". So heißt es in der Vorrede zu Hegels Rechtsphilosophie p. 13: „Ohnehin" wird „bei uns die *Philosophie* nicht wie etwa bei den Griechen als eine private Kunst exerziert", „sondern sie" hat „eine öffentliche, das Publikum berührende Existenz, vornehmlich oder *allein* im Staats*dienste*". Also auch die Philosophie „*wesentlich*" von der Regierungskasse abhängig.

Sein *Vermögen* ist *unabhängig* „von der Unsicherheit des Gewerbes, der Sucht des Gewinns und der Veränderlichkeit des Besitzes überhaupt". In dieser Hinsicht steht ihm der „Stand des Gewerbes" „als der vom Bedürfnis abhängige und darauf hingewiesene" gegenüber.

Dies Vermögen ist so „wie von der *Gunst* der *Regierungsgewalt*, so von der *Gunst* der *Menge*" unabhängig.

Er ist endlich selbst *gegen die eigene Willkür* dadurch festgestellt, daß die für diese Bestimmung berufenen Mitglieder dieses Standes „des Rechts der anderen Bürger, teils über ihr ganzes Eigentum frei zu disponieren, teils es nach der Gleichheit der Liebe zu den Kindern an sie übergehend zu wissen, entbehren".

Die Gegensätze haben hier eine ganz neue und sehr materielle Gestalt angenommen, wie wir sie in dem Himmel des politischen Staates kaum erwarten dürften.

Der Gegensatz, wie ihn Hegel entwickelt, ist in seiner Schärfe ausgesprochen der Gegensatz von *Privateigentum* und *Vermögen.*

Der *Grundbesitz* ist das *Privateigentum* κατ' ἐξοχὴν, das *eigentliche* Privateigentum. Seine exakte *Privat*natur tritt hervor 1. als „*Unabhängigkeit* vom *Staatsvermögen*", der „*Gunst der Regierungsgewalt*", dem Eigentum, wie es als „allgemeines Eigentum des politischen Staats" existiert, als ein nach der Konstruktion des politischen Staates *besonderes Vermögen* neben anderen Vermögen, 2. als „*Unabhängigkeit* vom Bedürfnis" der Sozietät oder dem „sozialen Vermögen", der „Gunst der Menge". (Ebenso bezeichnend ist, daß der Anteil am Staatsvermögen als „*Gunst der Regierungsgewalt*", wie der Anteil am sozialen Vermögen *als* „*Gunst der Menge*" gefaßt wird.) Das Vermögen des „allgemeinen Standes" und des „Gewerbestandes" ist kein *eigentliches Privateigentum*, weil es dort *direkt*, hier *indirekt* durch den Zusammenhang mit dem allgemeinen Vermögen oder dem Eigentum als sozialem Eigentum bedingt ist, eine *Partizipation* an demselben ist, darum allerdings auf beiden Seiten durch „Gunst" d. h. durch den „Zufall des Willens" vermittelt ist. Demgegenüber steht der *Grund-*

besitz als das *souveräne Privateigentum*, das noch nicht die
Gestalt des Vermögens, d. h. eines durch den *sozialen Willen*
gesetzten Eigentums, erreicht hat.

Die politische Verfassung in ihrer höchsten Spitze ist also
die *Verfassung des Privateigentums*. Die höchste *politische
Gesinnung* ist die *Gesinnung des Privateigentums*. Das *Majorat* ist bloß die *äußere* Erscheinung von der *inneren* Natur
des *Grundbesitzes*. Dadurch, daß er *unveräußerlich* ist, sind
ihm die *sozialen* Nerven abgeschnitten und *seine Isolierung
von der bürgerlichen Gesellschaft* gesichert. Dadurch, daß
er nicht nach der „Gleichheit der Liebe zu den Kindern"
übergeht, ist er sogar von der kleineren Sozietät, der natürlichen Sozietät der *Familie*, ihrem Willen und ihren Gesetzen losgesagt, unabhängig, bewahrt also die *schroffe* Natur
des *Privateigentums* noch vor dem Übergang in das *Fa-
milienvermögen*.

Hegel hatte § 305 den Stand des Grundbesitzes fähig erklärt, zu der „politischen Beziehung" konstituiert zu werden, weil das „Familienleben" seine „Basis" sei. Er hat aber
selbst die „Liebe" für die Basis, für das Prinzip, für den
Geist des Familienlebens erklärt. In dem Stand, der das
Familienleben zu seiner Basis hat, fehlt also die *Basis des
Familienlebens*, die Liebe als das wirkliche, also wirksame
und determinierende Prinzip. Es ist das *geistlose* Familienleben, die *Illusion* des Familienlebens. In seiner höchsten
Entwicklung *widerspricht* das *Prinzip des Privateigentums
dem Prinzip der Familie*. Es kommt also im Gegensatz zum
Stand der natürlichen Sittlichkeit, des Familienlebens, vielmehr erst in der bürgerlichen Gesellschaft das *Familienleben* zum Leben der Familie, zum *Leben der Liebe*. Jener
ist vielmehr die *Barbarei* des Privateigentums *gegen* das
Familienleben.

Das wäre also die *souveräne Herrlichkeit des Privateigentums des Grundbesitzes*, worüber in neueren Zeiten so viele
Sentimentalitäten stattgehabt haben und so viele buntfar-
bige Krokodilstränen vergossen worden sind.

Es nützt Hegel nichts zu sagen, daß das *Majorat* bloß eine
Forderung der Politik sei und in seiner *politischen* Stellung
und Bedeutung gefaßt werden müsse. Es nützt ihm nichts zu

sagen: „Die Sicherheit und Festigkeit dieses Standes kann noch durch die Institution des Majorats vermehrt werden, welche jedoch *nur in politischer Rücksicht* wünschenswert ist, denn es ist damit ein Opfer für den *politischen Zweck* verbunden, daß der Erstgeborene *unabhängig leben könne.*" Es ist bei Hegel eine gewisse Dezenz, der *Anstand des Verstandes.* Er will nicht das Majorat an und für sich, er will es nur in bezug auf ein anderes, nicht als Selbstbestimmung, sondern als Bestimmtheit eines anderen, nicht als Zweck, sondern als *Mittel* zu einem Zweck rechtfertigen und konstruieren. In Wahrheit ist das Majorat eine Konsequenz des *exakten* Grundbesitzes, das versteinerte Privateigentum, das Privateigentum (quand même) in der höchsten Selbständigkeit und Schärfe seiner Entwicklung, und was Hegel als den Zweck, als das Bestimmende, als die prima causa des Majorats darstellt, ist vielmehr ein Effekt desselben, eine Konsequenz, die Macht des *abstrakten Privateigentums* über *den politischen Staat,* während Hegel das Majorat als die *Macht des politischen Staates über das Privateigentum* darstellt. Er macht die Ursache zur Wirkung und die Wirkung zur Ursache, das Bestimmende zum Bestimmten und das Bestimmte zum Bestimmenden.

Allein was ist der *Inhalt* der politischen Konstituierung, des politischen Zwecks, was ist der Zweck dieses Zweckes? Was seine Substanz? Das *Majorat,* der *Superlativ des Privateigentums,* das *souveräne Privateigentum.* Welche Macht übt der politische Staat über das Privateigentum im Majorat aus? Daß er es *isoliert* von der Familie und der Sozietät, daß er es zu seiner *abstrakten Verselbständigung* bringt. Welches ist also die Macht des politischen Staates über das Privateigentum? Die *eigene Macht des Privateigentums,* sein zur Existenz gebrachtes Wesen. Was bleibt dem politischen Staat im Gegensatz zu diesem Wesen übrig? Die *Illusion,* daß er bestimmt, wo er bestimmt wird. Er bricht allerdings den *Willen der Familie und der Sozietät,* aber nur um dem *Willen des familien- und sozietätslosen Privateigentums* Dasein zu geben und dieses Dasein als das höchste Dasein des politischen Staates, als das höchste *sittliche* Dasein anzuerkennen.

Betrachten wir die verschiedenen Elemente, wie sie sich hier in der *gesetzgebenden Gewalt,* dem totalen, dem zur Wirklichkeit und zur Konsequenz, zum Bewußtsein gekommenen Staat, dem *wirklichen* politischen Staat verhalten mit der *ideellen* oder *sein sollenden,* mit der *logischen* Bestimmung und Gestalt dieser Elemente.

(Das Majorat ist nicht, wie Hegel sagt, „eine Fessel, die der Freiheit des Privatrechts angelegt ist", es ist vielmehr die „Freiheit des Privatrechts, die sich von allen sozialen und sittlichen Fesseln befreit hat".) („Die höchste politische Konstruktion ist hier die Konstruktion des abstrakten Privateigentums.")

Ehe wir diese Vergleichung anstellen, ist noch ein näherer Blick auf eine Bestimmung des Paragraphen zu werfen, nämlich darauf, daß durch das Majorat das Vermögen des Bauernstandes, der Grundbesitz, das Privateigentum „selbst *gegen die eigene Willkür* dadurch festgestellt ist, daß die für diese Bestimmung berufenen Mitglieder dieses Standes des Rechts der anderen Bürger, über ihr ganzes Eigentum frei zu disponieren, entbehren".

Wir haben schon hervorgehoben, wie durch die „Unveräußerlichkeit" des Grundbesitzes die sozialen Nerven des Privateigentums abgeschnitten werden. Das Privateigentum (der Grundbesitz) ist gegen die *eigene Willkür* des Besitzers dadurch festgestellt, daß die Sphäre seiner Willkür aus einer allgemein menschlichen zur *spezifischen Willkür des Privateigentums* umgeschlagen, das Privateigentum zum *Subjekt* des Willens geworden ist; der Wille bloß mehr das *Prädikat* des Privateigentums ist. Das Privateigentum ist nicht mehr ein *bestimmtes* Objekt der Willkür, sondern die Willkür ist das *bestimmte* Prädikat des Privateigentums. Doch vergleichen wir, was Hegel selbst innerhalb der Sphäre des Privatrechts sagt:

§ 65. „Meines Eigentums kann ich mich *entäußern,* da es das meinige nur ist, insofern ich meinen Willen darin lege . . ., aber nur insofern die Sache *ihrer Natur* nach ein *Äußerliches* ist."

§ 66. „*Unveräußerlich* sind daher diejenigen Güter oder

vielmehr substantiellen Bestimmungen, sowie das Recht an sie *unverjährbar*, welche meine eigenste Person und das allgemeine Wesen meines Selbstbewußtseins ausmachen, wie meine Persönlichkeit überhaupt, meine allgemeine Willensfreiheit, Sittlichkeit, Religion."

Im Majorat wird also der Grundbesitz, das exakte Privateigentum, ein *unveräußerliches* Gut, also eine *substantielle Bestimmung*, welche die „eigenste Person, das allgemeine Wesen des Selbstbewußtseins" des majoratsherrlichen Standes ausmachen, seine „Persönlichkeit überhaupt, seine allgemeine Willensfreiheit, Sittlichkeit, Religion". Es ist daher auch konsequent, daß, wo das Privateigentum, der Grundbesitz *unveräußerlich*, dagegen die „allgemeine Willensfreiheit" (wozu auch die freie Disposition über ein Äußerliches, wie der Grundbesitz ist, gehört) und die *Sittlichkeit* (wozu die *Liebe* als der wirkliche, auch als das wirkliche Gesetz der Familie sich ausweisende Geist gehört) veräußerlich sind. Die „*Unveräußerlichkeit*" des Privateigentums ist in einem die „*Veräußerlichkeit*" der allgemeinen *Willensfreiheit und Sittlichkeit*. Das Eigentum ist hier nicht mehr, „insofern ich meinen Willen darin lege", sondern mein Wille ist, „insofern er im Eigentum liegt". Mein Wille besitzt hier nicht, sondern ist besessen. Das ist eben der *romantische* Kitzel der Majoratsherrlichkeit, daß hier das Privateigentum, also die Privatwillkür in ihrer abstraktesten Gestalt, daß der *ganz bornierte*, unsittliche, rohe Willen als die höchste Synthese des politischen Staates, als die höchste Entäußerung der Willkür, als der härteste, aufopferndste Kampf mit der *menschlichen Schwäche* erscheint, denn als *menschliche* Schwäche erscheint hier die *Humanisierung*, die *Vermenschlichung* des Privateigentums. Das *Majorat* ist das sich selbst zur *Religion* gewordene, das in sich selbst versunkene, von seiner Selbständigkeit und Herrlichkeit *entzückte Privateigentum*. Wie das Majorat der direkten Veräußerung, so ist es auch dem *Vertrage* entnommen. Hegel stellt den Übergang vom Eigentum zum Vertrage folgendermaßen dar:

§ 71. „Das Dasein ist als bestimmtes Sein wesentlich Sein für anderes . . .; das Eigentum, nach der Seite, daß es ein

Dasein als äußerliche Sache ist, ist für andere Äußerlichkeiten und im Zusammenhange dieser Notwendigkeit und Zufälligkeit. Aber als Dasein des *Willens* ist es als für anderes nur *für den Willen* einer anderen Person. Diese Beziehung von Willen auf Willen ist der eigentümliche und wahrhafte Boden, in welchem die Freiheit *Dasein* hat. Diese Vermittlung, *Eigentum* nicht mehr nur vermittelst *einer Sache und meines subjektiven* Willens zu haben, sondern ebenso vermittelst eines anderen Willens und hiermit in einem *gemeinsamen* Willen zu haben, macht die Sphäre des *Vertrags* aus.“

(Im Majorat ist es zum Staatsgesetz gemacht, das Eigentum nicht in *einem gemeinsamen* Willen, sondern nur „vermittelst einer *Sache* und meines *subjektiven Willens* zu haben“.) Während Hegel hier im *Privatrecht* die *Veräußerlichkeit* und die Abhängigkeit des Privateigentums von einem *gemeinsamen* Willen als seinen *wahren Idealismus* auffaßt, wird umgekehrt im *Staatsrecht* die imaginäre Herrlichkeit eines unabhängigen Eigentums im Gegensatz zu der „Unsicherheit des Gewerbes, der Sucht des Gewinns, der Veränderlichkeit des Besitzes, der Abhängigkeit vom Staatsvermögen“ gepriesen. Welch ein Staat, der nicht einmal den Idealismus des Privatrechts ertragen kann? Welch eine Rechtsphilosophie, wo die Selbständigkeit des Privateigentums eine andere Bedeutung im Privatrecht als im Staatsrecht hat?

Gegen die *rohe Stupidität* des unabhängigen Privateigentums ist die Unsicherheit des Gewerbes elegisch, die Sucht des Gewinns pathetisch (dramatisch), die Veränderlichkeit des Besitzes ein ernstes Fatum (tragisch), die Abhängigkeit vom Staatsvermögen sittlich. Kurz, in allen diesen Qualitäten schlägt das *menschliche Herz* durch das Eigentum durch, es ist Abhängigkeit des Menschen vom Menschen. Wie sie immerhin an und für sich beschaffen sei, sie ist *menschlich* gegenüber dem Sklaven, **der sich frei dünkt,** weil die Sphäre, die ihn beschränkt, nicht die Sozietät, sondern die *Scholle* ist; die Freiheit dieses Willens ist seine Leerheit von anderem Inhalt als dem des *Privateigentums.*

Solche Mißgeburten wie das Majorat als eine Bestimmung

des Privateigentums durch den politischen Staat zu definieren, ist überhaupt unumgänglich, wenn man eine alte Weltanschauung im Sinn einer neuen interpretiert, wenn man einer Sache, wie hier dem Privateigentum, eine doppelte Bedeutung, eine andere im Gerichtshof des abstrakten Rechts, eine entgegengesetzte im Himmel des politischen Staats gibt.

Wir kommen zu der oben angedeuteten Vergleichung.

§ 257 heißt es:

„Der Staat ist die Wirklichkeit der sittlichen Idee — der sittliche Geist als der *offenbare*, sich selbst deutliche, substantielle Wille ... An der *Sitte* hat er seine unmittelbare und an dem *Selbstbewußtsein* des einzelnen ... seine vermittelte Existenz, so wie dieses durch die Gesinnung in ihm, als seinem Wesen, Zweck und Produkte seiner Tätigkeit, seine *substantielle Freiheit* hat."

§ 268 heißt es:

„Die politische *Gesinnung*, der *Patriotismus* überhaupt, als die in *Wahrheit* stehende Gewißheit ... und das zur *Gewohnheit* gewordene Wollen ist nur Resultat der im Staate bestehenden Institutionen, als in welchem die Vernünftigkeit *wirklich* vorhanden ist, so wie sie durch das ihnen gemäße Handeln ihre Betätigung erhält. — Diese Gesinnung ist überhaupt das *Zutrauen* (das zu mehr oder weniger gebildeter Einsicht übergehen kann), — das Bewußtsein, daß mein substantielles und besonderes Interesse im Interesse und Zwecke eines Anderen (hier des Staats) als im Verhältnis zu mir als Einzelnen bewahrt und enthalten ist, — womit eben dieser unmittelbar kein anderer für mich ist und Ich in diesem Bewußtsein frei bin."

Die *Wirklichkeit* der sittlichen Idee erscheint hier als die *Religion des Privateigentums* (weil sich im Majorat das Privateigentum zu sich selbst auf religiöse Weise verhält, so kommt es, daß in unseren modernen Zeiten die Religion überhaupt zu einer dem Grundbesitz inhärenten Qualität geworden ist und alle majoratsherrlichen Schriften voll religiöser Salbung sind. Die Religion ist die höchste Denkform dieser Brutalität). Der „*offenbare*, sich selbst deutliche, substantielle Wille" verwandelt sich in einen dunklen, an der Scholle gebrochenen Willen, der eben von der Undurchdringlichkeit des Elements, an dem er haftet, berauscht ist. „Die in Wahrheit stehende Gewißheit", welche die „politische Gesinnung ist", ist die auf „eigenem Boden" (im wörtlichen Sinne) stehende Gewißheit. Das zur „Gewohnheit gewordene" politische „Wollen" ist nicht mehr „nur Resultat" etc., sondern eine außer dem Staat bestehende Institution. Die politische Gesinnung ist nicht mehr das „*Zutrauen*", sondern vielmehr das „Vertrauen, das Bewußtsein, daß mein substantielles und besonderes Interesse *unabhängig* vom Interesse und Zwecke eines Anderen (hier des Staats) im Verhältnis zu mir als Einzelnen" ist. Das ist das Bewußtsein meiner *Freiheit vom Staate*.

Die „Festhaltung des *allgemeinen Staatsinteresses*" etc. war (§ 289) die Aufgabe der „Regierungsgewalt". In ihr residierte „die gebildete Intelligenz und das rechtliche Bewußtsein der Masse eines Volkes" (§ 297). Sie macht „eigentlich die Stände überflüssig", denn sie „können ohne Stände das Beste tun, wie sie auch fortwährend bei den ständischen Versammlungen das Beste tun müssen" (§ 301 Anmerk.). Der „allgemeine, näher dem Dienst der Regierung sich widmende Stand hat unmittelbar zu seiner Bestimmung, das Allgemeine zum Zwecke seiner wesentlichen Tätigkeit zu haben."

Und wie erscheint der allgemeine Stand, die Regierungsgewalt jetzt? „Als vom Staat wesentlich abhängig", als das „Vermögen, *abhängig von der Gunst der Regierungsgewalt*". Dieselbe Umwandlung ist mit der bürgerlichen Gesellschaft vorgegangen, die früher in der Korporation ihre Sittlichkeit erreicht hat. Sie ist ein Vermögen, abhängig „von der Unsicherheit des Gewerbes" etc., von „der Gunst der Menge".

Welches ist also die angeblich spezifische Qualität des Majoratsherren? Und worin kann überhaupt die *sittliche* Qualität eines *unveräußerlichen* Vermögens bestehen? In der *Unbestechlichkeit*. Die *Unbestechlichkeit* erscheint als die *höchste* politische Tugend, eine abstrakte Tugend. Dabei ist die Unbestechlichkeit in dem von Hegel konstruierten Staate etwas so Apartes, daß sie als eine *besondere* politische Gewalt konstruiert werden muß, also eben dadurch beweist, daß sie nicht der Geist des politischen Staates, nicht die Regel, sondern die *Ausnahme* ist, und als solche Ausnahme ist sie konstruiert. Man besticht die Majoratsherren durch ihr unabhängiges Eigentum, um sie vor der Bestechlichkeit zu konservieren. Während nach der Idee die *Abhängigkeit* vom Staate und das Gefühl dieser Abhängigkeit die höchste politische Freiheit sein sollte, weil sie die Empfindung der Privatperson als einer abstrakten abhängigen Person ist und diese vielmehr sich erst als Staatsbürger *unabhängig* fühlt und fühlen soll, wird hier die *unabhängige Privatperson* konstruiert. „Ihr Vermögen ist ebenso unabhängig vom Staatsvermögen als von der Unsicherheit des Gewerbes" etc. Ihr steht gegenüber „der Stand des Gewerbes, als der vom Bedürfnis abhängige und darauf hingewiesene, und der allgemeine Stand, als vom Staat wesentlich abhängig". Hier ist also *Unabhängigkeit* vom Staat und der bürgerlichen Gesellschaft, und diese verwirklichte Abstraktion von beiden, die realiter die rohste *Abhängigkeit von der Scholle* ist, bildet in der gesetzgebenden Gewalt die Vermittlung und die Einheit beider. Das *unabhängige Privatvermögen*, d. h. das abstrakte Privatvermögen und die ihm entsprechende *Privatperson*, sind die höchste Konstruktion des politischen Staates. Die politische „Unabhängigkeit" ist konstruiert als das „unabhängige Privateigentum" und die Person dieses unabhängigen Privateigentums. Wir werden im nächsten sehen, wie es mit der „Unabhängigkeit" und „Unbestechlichkeit" und der daraus hervorgehenden Staatsgesinnung re vera steht. Daß das *Majorat Erbgut* ist, spricht von selbst. Das Nähere hierüber später. Daß es, wie Hegel im Zusatz bemerkt, der *Erstgeborene* ist, ist rein historisch.

Inwiefern das Recht dieses substantiellen Standes auf das *Naturprinzip* der Familie gegründet ist, hat Hegel nicht entwickelt, es sei denn, daß er hierunter verstehe, daß der Grundbesitz als *Erbgut* existiert. Damit ist kein Recht dieses Standes im politischen Sinne entwickelt, sondern nur das Recht der Majoratsherren auf den Grundbesitz per Geburt.

„Dieses", das Naturprinzip der Familie, ist „aber zugleich durch harte Aufopferungen für den politischen Zweck verkehrt". Wir haben allerdings gesehen, wie hier „das Naturprinzip der Familie verkehrt" wird, wie dies aber keine „harte Aufopferung für den politischen Zweck", sondern nur die *verwirklichte Abstraktion des Privateigentums* ist. Vielmehr wird durch diese *Verkehrung des Naturprinzips der Familie* ebenso der politische Zweck verkehrt, „*womit* (!) dieser Stand wesentlich an die Tätigkeit für diesen Zweck angewiesen" — durch die Verselbständigung des Privateigentums? — „und gleichfalls infolge hiervon ohne die Zufälligkeit einer Wahl durch die Geburt dazu berufen und berechtigt".

Hier ist also die *Partizipation an der gesetzgebenden Gewalt* ein *angeborenes* Menschenrecht. Hier haben wir *geborene Gesetzgeber*, die *geborene Vermittlung des politischen Staates mit sich selbst.* Man hat sich, besonders von seiten der Majoratsherren, sehr moquiert über die *angeborenen Menschenrechte.* Ist es nicht komischer, daß einer besonderen Menschenrasse das Recht der höchsten Würde der gesetzgebenden Gewalt anvertraut ist? Nichts ist lächerlicher, als daß Hegel die Berufung zum Gesetzgeber, zum Repräsentant des Staatsbürgertums durch die Geburt „der Berufung durch die Zufälligkeit einer Wahl" entgegenstellt. Als wenn die *Wahl*, das bewußte Produkt des bürgerlichen Vertrauens, nicht in einem ganz anderen notwendigen Zusammenhang mit dem politischen Zweck stände, als der physische Zufall der Geburt. Hegel sinkt überall von seinem politischen Spiritualismus in den krassesten *Materialismus* herab. Auf den Spitzen des politischen Staates ist es überall die Geburt, welche bestimmte Individuen zu Inkorporationen der höchsten Staatsaufgaben macht. Die höchsten Staatstätigkeiten fallen mit dem Individuum durch die Geburt zusammen, wie die Stelle des Tiers, sein Charakter, Lebensweise etc. unmittelbar ihm angeboren wird. Der Staat in seinen höchsten Funktionen erhält eine *tierische* Wirklichkeit. Die Natur rächt sich an Hegel wegen der ihr bewiesenen Verachtung. Wenn die Materie nichts für sich mehr sein sollte gegen den menschlichen Willen, so behält hier der menschliche Wille nichts mehr für sich außer der Materie.

Die *falsche* Identität, die *fragmentarische, stellenweise* Identität zwischen Natur und Geist, Körper und Seele, erscheint als *Inkorporation.* Da die Geburt dem Menschen nur das *individuelle* Dasein gibt und ihn zunächst nur als *natürliches* Individuum setzt, die staatlichen Bestimmungen wie die *gesetzgebende* Gewalt etc. aber *soziale Produkte,* Geburten der Sozietät und nicht Zeugungen des natürlichen Individuums sind, so ist eben die unmittelbare Identität, das unvermittelte Zusammenfallen zwischen der *Geburt des Individuums* und dem Individuum als *Individuation einer bestimmten sozialen Stellung, Funktion* etc. das Frappante, das *Wunder.* Die Natur *macht* in diesem System unmittelbar Könige, sie macht unmittelbar *Pairs* etc., wie sie Augen und Nasen macht. Das Frappante ist, als unmittelbares Produkt der physischen Gattung zu sehen, was nur das Produkt der selbstbewußten Gattung ist. Mensch bin ich durch die Geburt ohne die Übereinstimmung der Gesellschaft, Pair oder König wird diese bestimmte Geburt erst durch die allgemeine Übereinstimmung. Die Übereinstimmung macht die Geburt dieses Menschen erst zur Geburt eines Königs: also ist es die Übereinstimmung und nicht die Geburt, die den König macht. Wenn die Geburt, im Unterschied von den anderen Bestimmungen, dem Menschen unmittelbar eine Stellung gibt, so macht ihn *sein Körper zu diesem bestimmten* sozialen Funktionär. *Sein Körper* ist sein *soziales* Recht. In diesem System erscheint die *körperliche Würde des Menschen* oder *die Würde des menschlichen Körpers* (was weiter ausgeführt lauten kann: die Würde des physischen Naturelements des Staats) so, daß bestimmte, und zwar die höchsten sozialen *Würden die Würden bestimmter* durch *die Geburt prädestinierter Körper sind.* Es ist daher bei dem Adel natürlich der Stolz auf das Blut, die Abstammung, kurz die *Lebensgeschichte ihres Körpers;* es ist natürlich diese *zoologische* Anschauungsweise, die in der *Heraldik* die ihr entsprechende Wissenschaft besitzt. Das Geheimnis des Adels ist die *Zoologie.*

Es sind zwei Momente bei dem erblichen Majorat hervorzuheben:

1. Das Bleibende ist das *Erbgut*, der *Grundbesitz*. Es ist das Beharrende in dem Verhältnis — die *Substanz*. Der Majoratsherr, der Besitzer, ist eigentlich nur *Akzidenz*. Der Grundbesitz *anthropomorphisiert* sich in den verschiedenen Geschlechtern. Der *Grundbesitz erbt* gleichsam immer den Erstgeborenen des Hauses als das an es gefesselte Attribut. Jeder Erstgeborene in der Reihe der Grundbesitzer ist das *Erbteil*, das *Eigentum* des *unveräußerlichen Grundbesitzes, die prädestinierte Substanz seines Willens und seiner Tätigkeit*. Das Subjekt ist die Sache und das Prädikat der Mensch. Der Wille wird zum Eigentum des Eigentums.

2. Die *politische Qualität* des Majoratsherren ist die *politische Qualität* seines Erbguts, eine diesem Erbgut inhärente *politische Qualität*. Die politische Qualität erscheint hier also ebenfalls als *Eigentum* des *Grundeigentums*, als eine Qualität, die unmittelbar der *rein physischen* Erde (Natur) zukommt.

Was das erste angeht, so folgt daraus, daß der Majoratsherr der *Leibeigene* des *Grundeigentums* ist und daß in den *Leibeigenen*, die ihm untertan sind, nur die *praktische* Konsequenz des *theoretischen* Verhältnisses erscheint, in welchem er selbst sich zu dem Grundbesitz befindet. Die Tiefe der germanischen Subjektivität erscheint überall als die Roheit einer geistlosen Objektivität.

Es ist hier auseinanderzusetzen das Verhältnis 1. zwischen *Privateigentum* und *Erbschaft*, 2. zwischen *Privateigentum*, Erbschaft und dadurch dem Privilegium gewisser Geschlechter auf Teilnahme an der politischen Souveränität, 3. das *wirkliche historische Verhältnis* oder das *germanische* Verhältnis.

Wir haben gesehen, daß das Majorat die Abstraktion des „*unabhängigen Privateigentums*" ist. Es schließt sich eine zweite Konsequenz hieran an. Die *Unabhängigkeit*, die *Selbständigkeit* in dem politischen Staat, dessen Konstruktion wir bisher verfolgt haben, ist das *Privateigentum*, was auf seiner Spitze als *unveräußerlicher Grundbesitz* erscheint. Die politische Unabhängigkeit fließt daher nicht ex proprio

sinu des politischen Staats, sie ist keine Gabe des politischen
Staats an seine Glieder, sie ist nicht der ihn beseelende Geist,
sondern die Glieder des politischen Staats empfangen ihre
Unabhängigkeit von einem Wesen, welches nicht das Wesen
des politischen Staats ist, von einem Wesen des abstrakten
Privatrechts, vom abstrakten *Privateigentum*. Die politische
Unabhängigkeit ist eine Akzidenz des Privateigentums, nicht
die Substanz des politischen Staats. Der politische Staat und
in ihm die *gesetzgebende Gewalt*, wie wir gesehen, ist das
enthüllte Mysterium von dem *wahren Wert und Wesen* der
Staatsmomente. Die Bedeutung, die das *Privateigentum* im
politischen Staate hat, ist seine *wesentliche*, seine *wahre*
Bedeutung; die Bedeutung, die der *Standesunterschied* im
politischen Staat hat, ist die *wesentliche Bedeutung* des
Standesunterschieds. Ebenso kommt das *Wesen* der fürstlichen Macht und der Regierung in der „*gesetzgebenden
Gewalt*" zur Erscheinung. Hier, in der Sphäre des politischen Staates, ist es, daß sich die einzelnen Staatsmomente
zu sich als dem *Wesen der Gattung*, als dem „Gattungswesen" verhalten; weil der politische Staat die Sphäre ihrer
allgemeinen Bestimmung, ihre *religiöse Sphäre* ist. Der
politische Staat ist der *Spiegel der Wahrheit* für die verschiedenen Momente des *konkreten* Staats.

Wenn also das „unabhängige Privateigentum" im politischen Staat, in der gesetzgebenden Gewalt, *die Bedeutung
der politischen Unabhängigkeit* hat, so *ist* es die *politische
Unabhängigkeit* des Staats. Das „unabhängige Privateigentum" oder das „*wirkliche* Privateigentum" ist dann nicht
nur die „Stütze der Verfassung", sondern die „*Verfassung
selbst*". Und die Stütze der Verfassung ist doch wohl die
Verfassung der Verfassungen, die primäre, die wirkliche
Verfassung?

Hegel machte bei Konstruierung des erblichen Monarchen,
gleichsam selbst überrascht über „die immanente Entwicklung einer Wissenschaft, die *Ableitung ihres ganzen Inhaltes* aus dem einfachen *Begriffe*" (§ 279 Anmerk.), die
Bemerkung:

„So ist es das Grundmoment der zuerst im unmittelbaren
Rechte *abstrakten Persönlichkeit*, welches sich durch seine

verschiedenen Formen von Subjektivität fortgebildet hat und hier im absoluten Rechte, dem Staate, der vollkommen konkreten Objektivität des Willens, die *Persönlichkeit des Staats* ist, seine *Gewißheit seiner selbst.*"

D. h. im politischen Staat kommt es zur *Erscheinung*, daß die *„abstrakte Persönlichkeit"* die *höchste politische* Persönlichkeit, die politische Basis des ganzen Staats ist. Ebenso kommt im Majorat das Recht dieser abstrakten Persönlichkeit, ihre *Objektivität*, das „abstrakte Privateigentum" als die höchste Objektivität des Staates, als sein *höchstes Recht* zum Dasein.

Der Staat ist erblicher Monarch, abstrakte Persönlichkeit heißt nichts als die Persönlichkeit des Staates ist abstrakt, oder es ist der Staat der abstrakten Persönlichkeit, wie denn auch die Römer das Recht des Monarchen rein innerhalb der Normen des Privatrechts oder das Privatrecht als die höchste Norm des Staatsrechts entwickelt haben.

Die *Römer* sind die Rationalisten, die Germanen die *Mystiker* des souveränen Privateigentums.

Hegel bezeichnet das Privatrecht als das *Recht der abstrakten Persönlichkeit* oder als das *abstrakte Recht*. Und in Wahrheit muß es als die *Abstraktion* des Rechts und damit als das *illusorische Recht der abstrakten Persönlichkeit* entwickelt werden, wie die von Hegel entwickelte Moral das *illusorische Dasein der abstrakten Subjektivität* ist. Hegel entwickelt das Privatrecht und die Moral als solche Abstraktionen, woraus bei ihm nicht folgt, daß der Staat, die Sittlichkeit, die sie zu Voraussetzungen hat, nichts als die *Sozietät* (das soziale Leben) dieser Illusionen sein kann, sondern umgekehrt geschlossen wird, daß sie subalterne Momente dieses sittlichen Lebens sind. Aber was ist das Privatrecht anderes als das Recht, und die Moral anderes als die Moral dieser Staatssubjekte? Oder vielmehr die Person des Privatrechts und das Subjekt der Moral sind die *Person* und das *Subjekt* des Staats. Man hat Hegel vielfach angegriffen über seine Entwicklung der Moral. Er hat nichts getan als die Moral des modernen Staats und des modernen Privatrechts entwickelt. Man hat die Moral mehr vom Staat trennen, sie mehr emanzipieren wollen. Was hat man damit bewiesen? Daß die Trennung des jetzigen Staats von der Moral moralisch ist, daß die Moral unstaatlich und der Staat unmoralisch ist. Es ist vielmehr ein großes, obgleich nach einer Seite hin (nämlich nach der Seite hin, daß Hegel den Staat, der eine solche Moral zur Voraussetzung hat, für die reale Idee der Sittlichkeit ausgibt) unbewußtes Verdienst Hegels, der modernen Moral ihre wahre Stellung angewiesen zu haben.

In der Verfassung, worin das *Majorat* eine Garantie ist, ist das *Privateigentum* die Garantie der politischen Verfassung. Im Majorat erscheint das so, daß eine *besondere* Art von Privateigentum diese Garantie ist. Das *Majorat* ist bloß eine besondere Existenz des allgemeinen Verhältnisses von *Privateigentum* und *politischem Staat*. Das Majorat ist der *politische* Sinn des Privateigentums, das Privateigentum in seiner politischen Bedeutung, d. h. in seiner allgemeinen Bedeutung. Die Verfassung ist also hier *Verfassung des Privateigentums.*

§ 308. „In den anderen Teilen des ständischen Elements fällt die *bewegliche* Seite der *bürgerlichen Gesellschaft,* die äußerlich wegen der Menge ihrer Glieder, wesentlich aber wegen der Natur ihrer Bestimmung und Beschäftigung, nur durch *Abgeordnete* eintreten kann. Insofern diese von der bürgerlichen Gesellschaft abgeordnet werden, liegt es unmittelbar nahe, daß dies diese tut *als das, was sie ist,* — somit nicht als in die Einzelnen atomistisch aufgelöst und nur für einen einzelnen und temporären Akt sich auf einen Augenblick ohne weitere Haltung versammelnd, sondern als in ihre ohnehin konstituierten Genossenschaften, Gemeinden und Korporationen gegliedert, welche auf diese Weise einen politischen Zusammenhang erhalten. In ihrer *Berechtigung* zu solcher von der fürstlichen Gewalt aufgerufenen Abordnung, wie in der Berechtigung des ersten Standes zur Erscheinung (§ 307) findet die Existenz der Stände und ihrer Versammlung eine konstituierte, eigentümliche Garantie."

Wir finden hier einen *neuen* Gegensatz der bürgerlichen Gesellschaft und der Stände, einen *beweglichen,* also auch

einen *unbeweglichen* Teil derselben (den des Grundbesitzes).
Man hat diesen Gegensatz auch als Gegensatz von *Raum* und
Zeit etc. konservativ und progressiv dargestellt. Darüber
siehe den vorigen Paragraphen. Übrigens hat Hegel den *beweglichen* Teil der Gesellschaft ebenfalls zu einem *stabilen*
durch die Korporationen etc. gemacht.

Der zweite Gegensatz ist, daß der erste, eben entwickelte
Teil des *ständischen Elements*, die *Majoratsherren* als solche
Gesetzgeber sind; daß die gesetzgebende Gewalt ein Attribut
ihrer empirischen Person ist; daß sie keine *Abgeordneten*,
sondern *sie selbst* sind; während bei dem zweiten Stand
Wahl und *Abordnung* stattfindet.

Hegel gibt zwei Gründe an, warum dieser *bewegliche* Teil
der bürgerlichen Gesellschaft nur durch *Abgeordnete* in den
politischen Staat, die gesetzgebende Gewalt eintreten kann.
Den ersten, ihre *Menge*, bezeichnet er selbst als *äußerlich*
und überhebt uns daher dieser Replik.

Der *wesentliche* Grund aber sei die „Natur ihrer Bestimmung und Beschäftigung". Die „politische Tätigkeit und
Beschäftigung" ist ein „der Natur ihrer Bestimmung und
Beschäftigung" Fremdes.

Hegel kommt nun wieder auf sein altes Lied, auf diese
Stände als *„Abgeordnete* der bürgerlichen Gesellschaft".
Diese müsse „dies tun *als das, was sie ist"*. Sie muß es vielmehr tun als das, was sie *nicht* ist, denn sie ist *unpolitische*
Gesellschaft, und sie soll hier einen *politischen* Akt als einen
ihr wesentlichen, aus ihr selbst hervorgehenden Akt vollziehen. Damit ist sie „in die Einzelnen atomistisch aufgelöst" „und nur für einen einzelnen und temporären Akt
sich auf einen Augenblick ohne weitere Haltung versammelnd". Erstens ist ihr *politischer* Akt ein *„einzelner und
temporärer"* und kann daher in seiner Verwirklichung nur
als solcher erscheinen. Er ist ein *eklat*machender Akt der
politischen Gesellschaft, eine *Ekstase* derselben, und als solcher muß er auch *erscheinen*. Zweitens. Hegel hat keinen
Anstoß daran genommen, es sogar als notwendig konstruiert,
daß die bürgerliche Gesellschaft *materiell* (nur als eine
zweite, von ihr abgeordnete Gesellschaft auftritt) sich von
ihrer bürgerlichen Wirklichkeit trennt und das, was sie

nicht ist, als sich setzt, wie kann er dies nun *formell* verwerfen wollen?

Hegel meint, dadurch, daß die Gesellschaft in ihren Korporationen etc. abordnet, erhalten ihre ohnehin konstituierten Genossenschaften etc. . . .[1] auf diese Weise einen „*politischen* Zusammenhang". Sie erhalten aber entweder eine Bedeutung, die *nicht* ihre Bedeutung ist, oder ihr Zusammenhang als solcher *ist* der politische und „*erhält*" nicht erst die politische Teinture, wie oben entwickelt, sondern die „Politik" erhält aus ihm ihren Zusammenhang. Dadurch, daß Hegel nur diesen Teil des ständischen Elements als das des „Abgeordneten" bezeichnet, hat er unbewußt das Wesen der beiden Kammern (da, wo sie wirklich das von ihm bezeichnete Verhältnis zueinander haben) bezeichnet. Abgeordnetenkammer und Pairskammer (oder wie sie sonst heißen) sind hier nicht verschiedene Existenzen desselben Prinzips, sondern *zwei* wesentlich *verschiedenen Prinzipien* und sozialen Zuständen angehörig. Die Abgeordnetenkammer ist hier die *politische Konstitution* der bürgerlichen Gesellschaft im modernen, die Pairskammer im ständischen Sinn. Pairskammer und Abgeordnetenkammer stehen sich hier gegenüber als *ständische* und als *politische* Repräsentation der bürgerlichen Gesellschaft. Die eine ist das *existierende* ständische Prinzip der bürgerlichen Gesellschaft, die andere ist die Verwirklichung ihres *abstrakten politischen* Daseins. Es versteht sich daher von selbst, daß die letztere nicht wieder als Repräsentation von Ständen, Korporationen etc. *da sein* kann, denn sie repräsentiert eben nicht das ständische, sondern das politische Dasein der bürgerlichen Gesellschaft. Es versteht sich dann von selbst, daß in der ersten Kammer nur der *ständische* Teil der bürgerlichen Gesellschaft, der souveräne Grundbesitz, der erbgesessene Adel Sitz hat, denn er ist nicht *ein* Stand unter anderen Ständen, sondern das ständische Prinzip der bürgerlichen Gesellschaft als wirkliches soziales, also politisches Prinzip, existiert *nur mehr* in ihm. Er ist *der* Stand. Die bürgerliche Gesellschaft hat dann in der *ständischen* Kam-

---

[1] [Punkte von Marx.]

mer den Repräsentant ihrer mittelaltrigen, in der Abgeordnetenkammer ihres *politischen* (modernen) Daseins. Der Fortschritt besteht hier gegen das Mittelalter nur darin, daß die *ständische Politik* zu einer besonderen politischen Existenz neben der *staatsbürgerlichen* Politik herabgesetzt ist. Die *empirische* politische Existenz, die Hegel vor Augen hat *(England)*, hat also einen ganz anderen Sinn, als er ihr unterschiebt.

Die französische Konstitution ist auch hierin ein Fortschritt. Sie hat zwar die Pairskammer zur reinen Nichtigkeit herabgesetzt, aber diese Kammer, *innerhalb des Prinzips* des konstitutionellen Königstums, wie es Hegel zu entwickeln vorgab, kann seiner Natur nach nur eine *Nichtigkeit* sein, die *Fiktion* der Harmonie zwischen Fürst und bürgerlicher Gesellschaft oder der *gesetzgebenden Gewalt* oder des *politischen Staats mit sich selbst* als eine besondere und dadurch eben wieder *gegensätzliche* Existenz.

Die Franzosen haben die *Lebenslänglichkeit* der Pairs bestehen lassen, um ihre gleiche Unabhängigkeit von der Wahl der Regierung und des Volks auszudrücken. Aber sie haben den *mittelaltrigen* Ausdruck — die *Erblichkeit* — abgeschafft. Ihr Fortschritt besteht darin, daß sie die *Pairskammer* ebenfalls nicht mehr aus der *wirklichen bürgerlichen* Gesellschaft hervorgehen lassen, sondern ebenfalls in der *Abstraktion* von ihr geschaffen haben. Ihre Wahl lassen sie von dem *existierenden* politischen Staat, vom *Fürsten*, ausgehen, ohne ihn an eine sonstige bürgerliche Qualität gebunden zu haben. Die *Pairs*würde ist in der *Konstitution* wirklich ein *Stand in der bürgerlichen Gesellschaft*, der rein politisch ist, vom Standpunkt der Abstraktion des *politischen Staates* aus geschaffen ist; er erscheint aber mehr als *politische Dekoration* wie als wirklicher, mit besonderen Rechten ausgestatteter *Stand*. Die Pairskammer unter der Restauration war eine Reminiszenz. Die Pairskammer der Julirevolution ist ein *wirkliches* Geschöpf der konstitutionellen Monarchie. Da in der modernen Zeit die Staatsidee nichts anders als in der *Abstraktion* des *„nur* politischen" Staates oder der *Abstraktion der bürgerlichen Gesellschaft von sich selbst*, von ihrem wirklichen Zustande, erscheinen konnte, so ist es ein

Verdienst der Franzosen, diese *abstrakte Wirklichkeit* festgehalten, produziert und damit das *politische* Prinzip selbst produziert zu haben. Was man ihnen als Abstraktion vorwirft, ist also wahrhafte Konsequenz und das Produkt der, wenn auch erst in einem Gegensatz, aber in einem notwendigen Gegensatz, *wiedergefundenen Staatsgesinnung*. Das Verdienst der Franzosen ist also hier, die Pairskammer als *eigentümliches* Produkt des politischen Staats gesetzt oder überhaupt das politische Prinzip in seiner *Eigentümlichkeit* zum Bestimmenden und Wirksamen gemacht zu haben.

Hegel bemerkt noch, daß bei der von ihm konstruierten Abordnung, in der „Berechtigung der Korporationen etc. zu solcher Abordnung" die *Existenz* der Stände und ihrer Versammlung eine „konstituierte, eigentümliche Garantie findet". Die *Garantie der Existenz* der ständischen Versammlung, ihre wahre *primitive* Existenz wird also das *Privilegium* der Korporationen etc. Hiermit ist Hegel ganz auf den mittelaltrigen Standpunkt herabgesunken und hat seine Abstraktion des politischen Staats als der Sphäre des Staats als Staats, das „an und für sich Allgemeine" gänzlich aufgegeben.

Im modernen Sinn ist die *Existenz* der *ständischen Versammlung* die *politische* Existenz der bürgerlichen Gesellschaft, die *Garantie* ihres politischen Daseins. Das In-Zweifelziehen ihrer Existenz ist also der *Zweifel am Dasein des Staats*. Wie vorhin bei Hegel die „Staatsgesinnung", das Wesen der gesetzgebenden Gewalt, ihre Garantie in dem „unabhängigen Privateigentum", so findet ihre *Existenz* die Garantie an den „Privilegien der Korporationen".

Aber das eine ständische Element ist vielmehr das *politische Privilegium* der bürgerlichen Gesellschaft, oder ihr *Privilegium, politisch* zu sein. Es kann also nirgends das Privilegium einer besonderen, bürgerlichen Weise ihres Daseins sein, noch weniger seine Garantie in ihm finden, da es vielmehr die allgemeine Garantie sein *soll*.

So sinkt Hegel überall dahin hinab, den „politischen Staat" nicht als die höchste, an und für sich seiende Wirklichkeit des sozialen Daseins zu schildern, sondern ihm eine prekäre, in *Beziehung auf anderes abhängige* Wirklichkeit zu geben:

ihn nicht als das wahre Dasein der anderen Sphäre zu
schildern, sondern ihn vielmehr in der anderen Sphäre *sein
wahres Dasein* finden zu lassen. Er bedarf überall der Garantie der Sphären, die vor ihm liegen. Er ist nicht die verwirklichte Macht. Er ist die *gestützte* Ohnmacht, er ist nicht
die Macht über diese Stützen, sondern die Macht der Stütze.
Die Stütze ist das Mächtige.

Was ist das für ein hohes Dasein, dessen Existenz einer
Garantie außer sich selbst bedarf, und dabei soll es das *allgemeine* Dasein dieser Garantie selbst sein; also ihre wirkliche Garantie. Hegel sinkt überhaupt überall in der Entwicklung der gesetzgebenden Gewalt von dem philosophischen Standpunkt auf den anderen Standpunkt zurück, der
die Sache nicht in *bezug auf sich selbst* betrachtet.

Wenn die Existenz der Stände einer Garantie bedarf, so
sind sie *keine wirkliche*, sondern nur eine *fiktive Staats-
existenz*. Die Garantie für die Existenz der Stände ist in
den konstitutionellen Staaten *das Gesetz*. Ihr Dasein ist
also *gesetzliches* Dasein, vom allgemeinen Wesen des Staats
und nicht von der Macht oder Ohnmacht einzelner Korporationen, Genossenschaften abhängig, sondern als Wirklichkeit der *Genossenschaft des Staats*. (Die Korporationen etc.,
die besonderen Kreise der bürgerlichen Gesellschaft, sollen
ja eben erst hier ihr allgemeines Dasein erhalten, und nun
antizipiert Hegel wieder dies allgemeine Dasein als Privilegium, als das Dasein dieser Besonderheiten.)

Das politische Recht als Recht von Korporationen etc. widerspricht ganz dem politischen Recht als *politischem*, als Recht
des Staats, des Staatsbürgertums, denn es soll ja eben nicht
das Recht dieses Daseins als besonderes Dasein sein, nicht
das Recht als dies besondere Dasein.

Ehe wir nun die Kategorie der *Wahl* als des politischen
Akts, wodurch sich die bürgerliche Gesellschaft in einen
politischen Ausschuß summiert, übergehen, nehmen wir
noch einige Bestimmungen aus der Anmerkung zu diesem
Paragraphen hinzu.

„Daß Alle einzeln an der Beratung und Beschließung über
die allgemeinen Angelegenheiten des Staats Anteil haben

sollen, weil diese alle Mitglieder des Staats und dessen Angelegenheiten die Angelegenheiten *Aller* sind, bei denen sie
mit ihrem Wissen und Willen zu sein ein *Recht* haben, —
diese Vorstellung, welche das *demokratische* Element *ohne
alle vernünftige Form* in den Staatsorganismus, der nur
durch solche Form es ist, setzen wollte, liegt darum so nahe,
weil sie bei der *abstrakten* Bestimmung, Mitglied des Staats
zu sein, stehen bleibt, und das oberflächliche Denken sich an
Abstraktionen hält."

Zunächst nennt es Hegel eine „*abstrakte* Bestimmung, Mitglied des Staats zu sein", obgleich es selbst nach der *Idee*,
der *Meinung* seiner eigenen Entwicklung, die höchste *kon-
kreteste* soziale Bestimmung der Rechtsperson, des Staatsmitgliedes ist. Bei der „Bestimmung, Mitglied des Staats
zu sein", stehen bleiben und den Einzelnen in dieser Bestimmung fassen, das scheint daher nicht eben das „oberflächliche Denken zu sein, das sich an Abstraktionen hält".
Daß aber die „Bestimmung, Mitglied des Staats zu sein",
eine „*abstrakte*" Bestimmung ist, das ist nicht die Schuld
dieses Denkens, sondern der Hegelschen Entwicklung und
der wirklichen modernen Verhältnisse, welche die Trennung des wirklichen Lebens vom Staatsleben voraussetzen
und die Staatsqualität zu einer „abstrakten Bestimmung"
des wirklichen Staatsmitgliedes machen.

Die unmittelbare Teilnahme *Aller* an der Beratung und
Beschließung über die allgemeinen Staatsangelegenheiten
nimmt nach Hegel „das *demokratische* Element *ohne alle
vernünftige Form* in den Staatsorganismus, der *nur* durch
solche Form ist", auf; d. h. das demokratische Element kann
nur als *formelles* Element in einen Staatsorganismus aufgenommen werden, der nur der Formalismus des Staats ist.
Das demokratische Element muß vielmehr das wirkliche
Element sein, das sich in dem *ganzen* Staatsorganismus seine
vernünftige Form gibt. Tritt es dagegen als ein „*besonderes*"
Element in den Staatsorganismus oder -formalismus, so ist
unter der „vernünftigen Form" seines Daseins die Dressur,
die Akkommodation, eine Form verstanden, in der es nicht

die Eigentümlichkeit seines Wesens herauskehrt, oder daß es nur als *formelles* Prinzip hereintritt.

Wir haben schon angedeutet, Hegel entwickelt nur einen *Staatsformalismus*. Das eigentliche *materielle* Prinzip ist ihm die *Idee*, die abstrakte Gedanken*form* des Staats als ein Subjekt, die absolute Idee, die kein passives, kein *materielles* Moment in sich hat. Gegen die Abstraktion dieser Idee erscheinen die Bestimmungen des wirklichen empirischen Staatsformalismus als *Inhalt* und daher der *wirkliche* Inhalt als formloser, unorganischer Stoff; (hier der wirkliche Mensch, die wirkliche Sozietät etc.).

Hegel hatte das Wesen des ständischen Elements darin gelegt, daß hierin die „empirische Allgemeinheit" zum Subjekt des an und für sich seienden Allgemeinen wird. Heißt das nun was anderes, als daß die Angelegenheiten des Staats „Angelegenheiten *Aller* sind, bei denen sie mit ihrem Wissen und Willen zu sein das *Recht* haben", und sollen nicht eben die Stände dies ihr verwirklichtes Recht sein! Und es ist nun wunderbar, daß die Allen nun auch die „Wirklichkeit" dieses ihres Rechts wollen!

„Daß *Alle* einzeln an der Beratung und Beschließung über die allgemeinen Angelegenheiten des Staats Anteil haben sollen."

In einem wirklich vernünftigen Staat könnte man antworten: „Es *sollen* nicht *Alle einzeln* an der Beratung und Beschließung über die allgemeinen Angelegenheiten des Staats Anteil haben", denn die „Einzelnen" haben als „Alle", d. h. innerhalb der Sozietät und als Glieder der Sozietät, Anteil an der Beratung und Beschließung über die *allgemeinen Angelegenheiten*. Nicht Alle einzeln, sondern die Einzelnen als Alle.

Hegel stellt sich selbst das Dilemma. Entweder die bürgerliche Gesellschaft (die Vielen, die Menge) nimmt durch Abgeordnete teil an der Beratung und Beschließung über die allgemeinen Staatsangelegenheiten, oder *Alle* tun dies als die *Einzelnen*. Es ist dies kein Gegensatz des *Wesens*, als welchen ihn Hegel später darzustellen sucht, sondern der *Existenz*, und zwar der äußerlichsten Existenz, der *Zahl*,

womit immer der Grund, den Hegel selbst als „*äußerlich*"
bezeichnet hat — die *Menge der Glieder* —, der beste Grund
gegen die unmittelbare Teilnahme Aller bleibt. Die *Frage*,
ob die bürgerliche Gesellschaft so teil an der gesetzgebenden
Gewalt nehmen soll, daß sie *entweder* durch *Abgeordnete*
eintritt oder so, daß „Alle einzeln" unmittelbar teilnehmen,
ist selbst eine Frage innerhalb der *Abstraktion des politischen Staats* oder innerhalb des *abstrakten politischen Staats;*
es ist eine *abstrakte* politische Frage. Es ist in beiden Fällen,
wie Hegel dies selbst entwickelt hat, die politische Bedeutung der „empirischen Allgemeinheit".

Der Gegensatz in seiner einheitlichen Form ist: die *Einzelnen tun es Alle*, oder die *Einzelnen* tun es als *Wenige*, als
Nicht-Alle. In beiden Fällen bleibt die Allheit nur als
äußerlichste Vielheit oder Totalität der Einzelnen. Die Allheit ist keine wesentliche, geistige, wirkliche Qualität des
Einzelnen. Die Allheit ist nicht etwas, wodurch er die Bestimmung der abstrakten Einzelnheit verlöre; sondern die
Allheit ist nur die volle *Zahl der Einzelnheit. Eine* Einzelnheit, *viele* Einzelnheiten, *alle* Einzelnheiten. Das Eins,
Viele, Alle — keine dieser Bestimmungen verwandelt das
Wesen des Subjekts, der Einzelnheit.

„Alle" sollen „einzeln" an der „Beratung und Beschließung
über die allgemeinen Angelegenheiten des Staats Anteil
nehmen", d. h. also: *Alle* sollen nicht als Alle, sondern
als „einzeln" diesen Anteil nehmen.

Die Frage scheint in doppelter Hinsicht in Widerspruch mit
sich zu stehen.

Die allgemeinen Angelegenheiten des Staates sind die Staats-
angelegenheit, der Staat als *wirkliche Angelegenheit*. Die
Beratung und Beschließung ist die *Effektuierung* des Staates als *wirklicher Angelegenheit*. Daß also alle Staatsglieder
ein *Verhältnis* zum Staat als ihrer *wirklichen Angelegenheit*
haben, scheint sich von selbst zu verstehen. Schon in dem
Begriff *Staatsglied* liegt, daß sie ein *Glied* des Staats, ein
Teil desselben sind, daß er sie als *seinen Teil* nimmt. Wenn
sie als ein *Anteil* des Staats, so ist, wie sich von selbst versteht, ihr soziales *Dasein* schon *ihre wirkliche Teilnahme* an
demselben. Sie *sind* nicht nur Anteil des Staates, sondern

der Staat ist *ihr* Anteil. Bewußter Anteil von etwas sein, ist, sich mit Bewußtsein einen Teil von ihm nehmen, bewußten Anteil an ihm nehmen. Ohne dies Bewußtsein wäre das Staatsglied ein *Tier*.

Wenn man sagt: „die allgemeinen Angelegenheiten des Staats", so wird der Schein hervorgebracht, daß die „allgemeinen Angelegenheiten" und der „Staat" etwas *Verschiedenes* sind. Aber der *Staat* ist die „allgemeine Angelegenheit", also realiter die „allgemeinen Angelegenheiten".

Teil an den allgemeinen Angelegenheiten des Staats und teil am Staat nehmen, ist also identisch. Daß also ein Staatsglied, ein Staatsteil teil am Staat nimmt und daß dieses Teilnehmen nur als *Beratung* oder *Beschließung* oder in ähnlichen Formen erscheinen kann, daß also jedes Staatsglied an der *Beratung oder Beschließung* (wenn diese Funktionen als die Funktionen der *wirklichen* Teilnahme des Staats gefaßt werden) der allgemeinen Angelegenheiten des Staats teilnimmt, ist eine *Tautologie*. Wenn also von *wirklichen* Staatsgliedern die Rede ist, so kann von dieser Teilnahme nichts als einem *Sollen* die Rede sein. Es wäre sonst vielmehr von solchen Subjekten die Rede, die *Staatsglieder* sein *sollen* und sein *wollen*, aber es nicht wirklich *sind*.

Andrerseits: wenn von *bestimmten* Angelegenheiten die Rede ist, von einem einzelnen Staatsakt, so versteht es sich wieder von selbst, daß nicht *Alle einzeln* ihn vollbringen. Der Einzelne wäre sonst die *wahre* Sozietät und machte die Sozietät überflüssig. Der Einzelne müßte alles auf einmal tun, während die Sozietät wie ihn für die anderen so auch die anderen für ihn tun läßt.

Die Frage, ob *Alle einzeln* an der „Beratung und Beschließung der allgemeinen Angelegenheiten des Staats teilnehmen sollen", ist eine Frage, welche aus der Trennung des politischen Staats und der bürgerlichen Gesellschaft hervorgeht.

Wir haben gesehen. Der Staat existiert *nur* als *politischer Staat*. Die Totalität des politischen Staats ist die *gesetzgebende Gewalt*. Teil an der gesetzgebenden Gewalt nehmen ist daher teil am politischen Staat nehmen, ist sein *Dasein* als *Glied* des *politischen Staats*, als *Staatsglied* beweisen und verwirklichen. Daß also *Alle einzeln* Anteil an der gesetz-

gebenden Gewalt nehmen wollen, ist nichts als der Wille
Aller, wirkliche (aktive) *Staatsglieder* zu sein oder sich ein
politisches Dasein zu geben oder ihr Dasein als ein *politisches* zu beweisen und zu effektuieren. Wir haben ferner
gesehen, das ständische Element ist die *bürgerliche Gesellschaft* als gesetzgebende Gewalt, ihr *politisches Dasein*. Daß
also die bürgerliche Gesellschaft *massenweise*, womöglich
ganz in die *gesetzgebende* Gewalt eindringe, daß sich die
wirkliche bürgerliche Gesellschaft der *fiktiven* bürgerlichen
Gesellschaft der gesetzgebenden Gewalt substituieren will,
das ist nichts als das Streben der bürgerlichen Gesellschaft,
sich *politisches* Dasein zu geben oder das *politische Dasein*
zu ihrem wirklichen Dasein zu machen. Das Streben der
bürgerlichen Gesellschaft, sich in die *politische* Gesellschaft
zu verwandeln oder die *politische* Gesellschaft zur *wirklichen* Gesellschaft zu machen, zeigt sich als das Streben der
möglichst *allgemeinen* Teilnahme an der *gesetzgebenden
Gewalt*.
Die *Zahl* ist hier nicht ohne Bedeutung. Wenn schon die
Vermehrung des *ständischen Elements* eine physische und
intellektuelle Vermehrung einer der *feindlichen* Streitkräfte
ist (und wir haben gesehen, die verschiedenen Elemente der
gesetzgebenden Gewalt stehen sich als feindliche Streitkräfte
gegenüber), so ist dagegen die Frage, ob Alle einzeln Glieder
der gesetzgebenden Gewalt sein oder ob sie durch Abgeordnete eintreten sollen, die In-Frage-Stellung des *repräsentativen* Prinzips innerhalb des repräsentativen Prinzips, innerhalb der Grundvorstellung des politischen Staats, der seine
Existenz in der konstitutionellen Monarchie findet. 1. Ist
es eine Vorstellung der Abstraktion des politischen Staats,
daß die *gesetzgebende Gewalt* die *Totalität* des politischen
Staates ist. Weil dieser *eine* Akt der einzige *politische* Akt
der bürgerlichen Gesellschaft ist, so sollen und wollen *Alle*
auf einmal an ihm teilnehmen. 2. *Alle* als *Einzelne*. Im
ständischen Element ist die gesetzgebende Tätigkeit nicht als
soziale, als eine Funktion der *Sozialität* betrachtet, sondern
vielmehr als der Akt, wo die Einzelnen erst in wirklich und
bewußt soziale Funktion, d. h. in eine politische Funktion
treten. Die *gesetzgebende Gewalt* ist hier kein Ausfluß, keine

Funktion der Sozietät, sondern erst ihre *Bildung*. Die Bildung zur gesetzgebenden Gewalt erheischt, daß *alle* Mitglieder der bürgerlichen Gesellschaft als *einzelne* sich betrachten, sie stehen wirklich als *einzeln* gegenüber. Die Bestimmung, „Mitglieder des Staats zu sein", ist ihre „abstrakte Bestimmung", eine Bestimmung, die in ihrer lebendigen Wirklichkeit nicht verwirklicht ist.

Entweder findet Trennung des politischen Staats und der bürgerlichen Gesellschaft statt, dann können nicht *Alle einzeln* an der gesetzgebenden Gewalt teilnehmen: der politische Staat ist eine von der bürgerlichen Gesellschaft *getrennte* Existenz. Die bürgerliche Gesellschaft würde einerseits sich selbst aufgeben, wenn alle Gesetzgeber wären, andererseits kann der ihr gegenüberstehende politische Staat sie nur in einer Form ertragen, die seinem *Maßstabe* angemessen ist. Oder eben die Teilnahme der bürgerlichen Gesellschaft durch *Abgeordnete* am politischen Staate ist eben der *Ausdruck* ihrer Trennung und nur dualistischen Einheit.

Oder umgekehrt. Die bürgerliche Gesellschaft ist *wirkliche* politische Gesellschaft. Dann ist es Unsinn, eine Forderung zu stellen, die nur aus der Vorstellung des politischen Staates als der von der bürgerlichen Gesellschaft getrennten Existenz, die nur aus der *theologischen* Vorstellung des politischen Staates hervorgegangen ist. In diesem Zustand verschwindet die Bedeutung der *gesetzgebenden* Gewalt als einer *repräsentativen* Gewalt gänzlich. Die gesetzgebende Gewalt ist hier Repräsentation in dem Sinne, wie *jede* Funktion repräsentativ ist, wie z. B. der Schuster, insofern er ein soziales Bedürfnis verrichtet, mein Repräsentant ist, wie jede bestimmte soziale Tätigkeit als Gattungstätigkeit nur die Gattung, d. h. eine Bestimmung meines eigenen Wesens repräsentiert, wie jeder Mensch der Repräsentant des anderen ist. Er ist hier Repräsentant nicht durch ein anderes, was er vorstellt, sondern durch das, was er *ist* und *tut*.

Die „gesetzgebende" Gewalt wird nicht wegen ihres *Inhaltes*, sondern wegen ihrer *formellen* politischen Bedeutung angestrebt. An und für sich mußte z. B. die *Regierungsgewalt* viel mehr das Ziel der Volkswünsche sein als die gesetzgebende, die *metaphysische* Staatsfunktion. Die *gesetz-*

gebende Funktion ist der Wille nicht in seiner praktischen, sondern in seiner theoretischen Energie. Der *Wille* soll hier nicht *statt* des *Gesetzes* gelten: sondern es gilt das wirkliche Gesetz zu *entdecken* und zu *formulieren*.

Aus dieser zwiespältigen Natur der gesetzgebenden Gewalt, als wirklicher, *gesetzgebender* Funktion und als *repräsentativer, abstrakt-politischer* Funktion, geht eine Eigentümlichkeit hervor, die sich vorzugsweise in Frankreich, dem Land der politischen Bildung, geltend macht.

(Wir haben in der *Regierungsgewalt* immer *zwei*, das wirkliche Tun und die Staatsräson dieses Tuns, als ein anderes wirkliches Bewußtsein, das in einer totalen Gliederung die Bürokratie ist.)

Der eigentliche Inhalt der gesetzgebenden Gewalt wird (soweit nicht die herrschenden Sonder*interessen* in einen bedeutenden Konflikt mit dem objectum quaestionis geraten) sehr à part, als Nebensache behandelt. Besondere Aufmerksamkeit erregt eine Frage erst, sobald sie *politisch* wird, d. h. entweder sobald eine Ministerfrage, also die Macht der gesetzgebenden Gewalt über die Regierungsgewalt, daran angeknüpft werden kann, oder sobald es sich überhaupt um Rechte handelt, die mit dem politischen Formalismus in Verbindung stehen. Woher diese Erscheinung? Weil die gesetzgebende Gewalt zugleich die Repräsentation des politischen Daseins der bürgerlichen Gesellschaft ist; weil das politische Wesen einer Frage überhaupt in ihrem Verhältnis zu den verschiedenen Gewalten des politischen Staats besteht; weil die gesetzgebende Gewalt das politische Bewußtsein repräsentiert und dies sich nur im Konflikt mit der Regierungsgewalt als *politisch* beweisen kann. Diese wesentliche Forderung, daß jedes soziale Bedürfnis, Gesetz etc. als *politisch*, d. h. als *bestimmt durch das Staatsganze*, in seinem *sozialen* Sinn eruiert werde, nimmt im Staat der politischen Abstraktion die Wendung, daß ihr eine *formelle* Wendung gegen eine andere Macht (Inhalt) außer ihrem wirklichen Inhalt gegeben werde. Das ist keine Abstraktion der Franzosen, sondern das ist die notwendige Konsequenz, weil der wirkliche Staat nur als der betrachtete *politische Staatsformalismus* existiert. Die *Opposition* innerhalb der repräsentativen Gewalt ist das *κατ' ἐξοχὴν politische* Dasein der repräsentativen Gewalt. Innerhalb dieser repräsentativen Verfassung nimmt indessen die eruierte Frage eine andere Wendung, als in welcher Hegel sie betrachtet hat. Es handelt sich hier nicht, ob die bürgerliche Gesellschaft durch Abgeordnete oder Alle einzeln die gesetzgebende Gewalt ausüben sollen, sondern es handelt sich um die *Ausdehnung* und möglichste *Verallgemeinerung* der *Wahl*, sowohl des *aktiven*, als des *passiven* Wahlrechts. Das ist der eigentliche Streitpunkt der politischen *Reform*, sowohl in Frankreich als in England.

Man betrachtet die *Wahl* nicht philosophisch, d. h. nicht in ihrem eigentümlichen Wesen, wenn man sie sogleich in Beziehung auf die *fürstliche* oder *Regierungsgewalt* faßt. Die *Wahl* ist das *wirkliche Verhältnis* der *wirklichen bürgerlichen Gesellschaft* zur *bürgerlichen Gesellschaft* der *gesetzgebenden Gewalt*, zu dem *repräsentativen Element*. Oder die *Wahl* ist *das unmittelbare*, das *direkte*, das nicht *bloß vorstellende, sondern seiende* Verhältnis der bürgerlichen Gesellschaft zum politischen Staat. Es versteht sich daher von selbst, daß die *Wahl* das hauptsächliche politische Interesse der wirklichen bürgerlichen Gesellschaft bildet. In der *unbeschränkten*, sowohl aktiven als passiven *Wahl* hat die bürgerliche Gesellschaft sich erst *wirklich* zu der Abstraktion von sich selbst, zu dem *politischen* Dasein als ihrem wahren allgemeinen wesentlichen Dasein erhoben. Aber die Vollendung dieser Abstraktion ist zugleich die Aufhebung der Abstraktion. Indem die bürgerliche Gesellschaft ihr *politisches Dasein* wirklich als ihr *wahres* gesetzt hat, hat sie zugleich ihr bürgerliches Dasein, in seinem Unterschied von ihrem politischen, als *unwesentlich* gesetzt; und mit dem einen Getrennten fällt sein Anderes, sein Gegenteil. Die *Wahlreform* ist also innerhalb des *abstrakten politischen Staats* die Forderung seiner *Auflösung* als ebenso der *Auflösung der bürgerlichen Gesellschaft*.

Wir werden der Frage der Wahlreform später unter einer anderen Gestalt begegnen, nämlich von der Seite der *Interessen*. Ebenso werden wir später die anderen Konflikte erörtern, die aus der doppelten Bestimmung der *gesetzgeben-*

den Gewalt (einmal *Abgeordneter*, Mandatar der bürgerlichen Gesellschaft, das andere Mal vielmehr erst ihr *politisches* Dasein und *ein eigentümliches Dasein* innerhalb des
politischen Staatsformalismus zu sein) hervorgehen.

§ 309. „Da die Abordnung zur Beratung und Beschließung
über die *allgemeinen* Angelegenheiten geschieht, hat sie den
Sinn, daß durch das Zutrauen solche Individuen dazu bestimmt werden, die sich besser auf diese Angelegenheiten
verstehen als die Abordnenden, wie auch, daß sie nicht das
besondere Interesse einer Gemeinde, Korporation gegen das
allgemeine, sondern wesentlich dieses geltend machen. Sie
haben damit nicht das Verhältnis, kommittierte oder Instruktionen überbringende Mandatarien zu sein, um so weniger als die Zusammenkunft die Bestimmung hat, eine
lebendige, sich gegenseitig unterrichtende und überzeugende,
gemeinsam beratende Versammlung zu sein.“

Die Abgeordneten sollen 1. keine „kommittierte oder Instruktionen überbringende Mandatarien sein“, weil „sie nicht
das besondere Interesse einer Gemeinde, Korporation gegen
das allgemeine, sondern wesentlich dies geltend machen“
sollen. Hegel hat die Repräsentanten erst als Repräsentanten
der Korporationen etc. konstruiert, um dann wieder die
andere politische Bestimmung hereinzubringen, daß sie
nicht das *besondere Interesse* der Korporation etc. geltend
zu machen haben. Er hebt damit seine eigene Bestimmung
auf, denn er trennt sie in ihrer *wesentlichen* Bestimmung
als Repräsentanten gänzlich von ihrem *Korporationsdasein*.
Er trennt damit auch die Korporation von sich als ihrem
wirklichen Inhalt, denn sie soll nicht aus *ihrem Gesichtspunkt*, sondern aus dem *Staatsgesichtspunkt* wählen, d. h. sie
soll in ihrem *Nicht-Dasein* als Korporationen wählen. In der
materiellen Bestimmung erkennt er also an, was er in ihrer
formellen verkehrte, die Abstraktion der bürgerlichen Gesellschaft von sich selbst in ihrem politischen Akt, und ihr
politisches Dasein ist nichts als diese *Abstraktion*. Hegel gibt
als Grund an, weil sie eben zur Betätigung der „allgemeinen
Angelegenheiten“ gewählt werden; aber die Korporationen
sind keine Existenzen der allgemeinen Angelegenheiten.

2. soll die „Abordnung den Sinn" haben, „daß durch das
Zutrauen solche Individuen dazu bestimmt werden, die sich
besser auf diese Angelegenheiten verstehen als die Abordnenden", woraus abermals folgen soll, daß die Deputierten
also nicht das Verhältnis der „Mandatarien" haben.

Daß sie dieses „besser" verstehen und nicht „einfach" verstehen, kann Hegel nur durch ein Sophisma herausbringen.
Es könnte dies nur dann geschlossen werden, wenn die Abordnenden die Wahl hätten, die allgemeinen Angelegenheiten *selbst* zu beraten und zu beschließen *oder* bestimmte
Individuen zu ihrer Vollziehung abzuordnen; d. h. eben
wenn die *Abordnung*, die *Repräsentation*, nicht wesentlich
zum Charakter der *gesetzgebenden Gewalt* der bürgerlichen
Gesellschaft gehörte, was eben ihr *eigentümliches* Wesen,
wie eben ausgeführt, in dem von Hegel konstruierten Staate
ausmacht.

Es ist dies Beispiel sehr bezeichnend dafür, wie Hegel die
Sache innerhalb ihrer Eigentümlichkeit halb absichtlich
aufgibt und ihr in ihrer bornierten Gestalt den entgegengesetzten Sinn dieser Borniertheit unterschiebt.

Den eigentlichen Grund gibt Hegel zuletzt. Die Deputierten
der bürgerlichen Gesellschaft konstituieren sich zu einer
„Versammlung", und diese Versammlung ist erst das *wirkliche politische Dasein und Wollen* der bürgerlichen Gesellschaft. Die Trennung des politischen Staats von der bürgerlichen Gesellschaft erscheint als die Trennung der Deputierten von ihren Mandataren. Die Gesellschaft ordnet bloß
die Elemente zu ihrem politischen Dasein von sich ab.

Der Widerspruch erscheint doppelt: 1. *formell*. Die Abgeordneten der bürgerlichen Gesellschaft sind eine Gesellschaft, die nicht durch die Form der „Instruktion", des Auf-
trages mit ihren Kommittenten in Verbindung stehen. Sie
sind formell kommittiert, aber sobald sie *wirklich* sind, sind
sie *nicht* mehr *Kommittierte*. Sie sollen *Abgeordnete sein*
und sind es *nicht*.

2. *materiell*. In bezug auf die Interessen. Darüber hernach.
Hier findet das Umgekehrte statt. Sie sind als Repräsentanten der *allgemeinen* Angelegenheiten kommittiert, aber
sie repräsentieren wirklich *besondere* Angelegenheiten.

Bezeichnend ist, daß *Hegel* hier das Zutrauen als die Substanz der *Abordnung* bezeichnet, als das substantielle Verhältnis zwischen Abordnenden und Abgeordneten. *Zutrauen* ist ein persönliches Verhältnis. Es heißt darüber weiter in dem Zusatz:

„Repräsentation gründet sich auf Zutrauen, Zutrauen aber ist etwas anderes, als ob ich als dieser meine Stimme gebe. Die Majorität der Stimmen ist ebenso dem Grundsatze zuwider, daß bei dem, was mich verpflichten muß, ich als dieser zugegen sein soll. Man hat Zutrauen zu einem Menschen, indem man seine Einsicht dafür ansieht, daß er meine Sache als seine Sache, nach seinem besten Wissen und Gewissen, behandeln wird."

§ 310. „Die *Garantie* der diesem Zweck entsprechenden Eigenschaften und der Gesinnung, — da das unabhängige Vermögen schon in dem ersten Teile der Stände sein Recht verlangt, — zeigt sich bei dem zweiten Teile, der aus dem beweglichen und veränderlichen Elemente der bürgerlichen Gesellschaft hervorgeht, vornehmlich in der durch *wirkliche* Geschäftsführung in *obrigkeitlichen* oder *Staatsämtern* erworbenen und *durch die Tat* bewährten Gesinnung, Geschicklichkeit und Kenntnis der Einrichtungen und Interessen des Staats und der bürgerlichen Gesellschaft und dem dadurch gebildeten und erprobten *obrigkeitlichen Sinn* und *Sinn des Staats*."

Erst wurde die erste Kammer, die *Kammer des unabhängigen Privateigentums* für den Fürsten und die Regierungsgewalt als *Garantie* gegen die Gesinnung der zweiten Kammer als dem *politischen Dasein* der empirischen Allgemeinheit konstruiert, und jetzt verlangt Hegel wieder eine *neue Garantie*, welche die *Gesinnung* etc. der zweiten Kammer selbst garantieren soll.

Erst war das Zutrauen, die Garantie der Abordner, die Garantie der Abgeordneten. Jetzt bedarf dies Zutrauen selbst wieder der Garantie seiner Tüchtigkeit.

Hegel hätte nicht übel Lust, die zweite Kammer zur Kammer der *pensionierten* Staatsbeamten zu machen. Er ver-

langt nicht nur „den Sinn des Staats", sondern auch „obrigkeitlichen", bürokratischen Sinn.

Was er hier wirklich verlangt, ist, daß die *gesetzgebende*
Gewalt die *wirkliche regierende* Gewalt sein soll. Er drückt
dies so aus, daß er die Bürokratie *zweimal* verlangt, einmal
als Repräsentation der Fürsten und das andere Mal als Repräsentantin des Volkes.

Wenn in konstitutionellen Staaten auch Beamte zulässig
sind als Deputierte, so ist dies nur, weil überhaupt vom
Stand, von der *bürgerlichen* Qualität abstrahiert und die
Abstraktion des *Staatsbürgertums* das Herrschende ist.

Hegel vergißt dabei, daß er die Repräsentation von den
Korporationen ausgehen ließ und daß diesen direkt die Regierungsgewalt gegenübersteht. Er geht in diesem Vergessen, was er gleich in dem folgenden Paragraphen wieder
vergißt, so weit, daß er einen *wesentlichen* Unterschied
zwischen den Abgeordneten der Korporation und den ständischen Abgeordneten kreierte.

In der Anmerkung zu diesem Paragraphen heißt es:

„Die subjektive Meinung von sich findet leicht die Forderung solcher Garantien, wenn sie in Rücksicht auf das sogenannte Volk gemacht wird, überflüssig, ja selbst etwa beleidigend. Der Staat hat aber das Objektive, nicht eine subjektive Meinung und deren *Selbstzutrauen* zu seiner Bestimmung; die Individuen können nur das für ihn sein, was an
ihnen objektiv erkennbar und erprobt ist, und er hat hierauf
bei diesem Teile des ständischen Elements um so mehr zu
sehen, als derselbe seine Wurzel in den auf das Besondere
gerichteten Interessen und Beschäftigungen hat, wo die Zufälligkeit, Veränderlichkeit und Willkür ihr Recht sich zu
ergehen hat."

Hier wird die gedankenlose Inkonsequenz und der „*obrig-
keitliche*" Sinn Hegels wirklich *ekelhaft.* Am Schluß des
Zusatzes zum früheren Paragraphen heißt es:

„Daß dieses (sc. ihre oben beschriebene Aufgabe) der Abgeordnete vollbringe und befördere, dazu bedarf es *für die
Wählenden* der Garantie."

Diese Garantie *für die Wählenden* hat sich unter der Hand in eine *Garantie gegen* die Wählenden, gegen ihr „*Selbstzutrauen*" entwickelt. In dem ständischen Element sollte die „empirische Allgemeinheit zum Moment" der „subjektiven formellen Freiheit" kommen. „Das öffentliche Bewußtsein" sollte in ihm als *empirische Allgemeinheit* der Ansichten und Gedanken der *Vielen* zur Existenz kommen. (§ 301.)

Jetzt sollen diese „Ansichten und Gedanken" *zuvor* der *Regierung* eine Probe ablegen, daß sie „*ihre*" Ansichten und Gedanken sind. Hegel spricht hier nämlich dummerweise vom Staat als einer *fertigen* Existenz, obgleich er eben erst daran ist, im ständischen Element den Staat fertig zu konstruieren. Er spricht vom Staat als konkretem Subjekt, das „sich nicht an die subjektive Meinung und deren Selbstzutrauen stößt", für den die Individuen erst sich „erkennbar" gemacht und „erprobt" haben. Es fehlt nur noch, daß Hegel ein *Examen* der *Stände* abzulegen bei der Wohllöblichen Regierung verlangt. Hegel geht hier fast bis zur Servilität. Man sieht ihn durch und durch angesteckt von dem elenden Hochmut der *preußischen* Beamtenwelt, die vornehm in ihrer Büroborniertheit auf das „Selbstzutrauen" der „subjektiven" Meinung des Volks zu sich herabsieht. Der „Staat" ist hier überall für Hegel identisch mit der „Regierung".

Allerdings kann in einem wirklichen Staate das „bloße Zutrauen", die „subjektive Meinung" nicht genügen. Aber in dem von Hegel konstruierten Staate ist die *politische Gesinnung* der bürgerlichen Gesellschaft eine bloße *Meinung*, eben weil ihr politisches Dasein eine *Abstraktion* von ihrem wirklichen Dasein ist; eben weil das Ganze des Staats nicht *die Objektivierung der politischen Gesinnung* ist. Wollte Hegel konsequent sein, so müßte er vielmehr alles aufbieten, um das ständische Element seiner *wesentlichen Bestimmung* gemäß (§ 301) als das *Fürsichsein* der allgemeinen Angelegenheit in den Gedanken etc. der *Vielen*, also eben ganz unabhängig von den anderen Voraussetzungen des politischen Staats zu konstruieren.

Ebenso wie Hegel es früher als die Ansicht des Pöbels bezeichnete, den schlechten Willen bei der Regierung etc. vorauszusetzen, ebensosehr und noch mehr ist es die Ansicht des Pöbels, den schlechten Willen beim Volke vorauszusetzen. Hegel darf es dann auch bei den von ihm verachteten Theoretikern weder „überflüssig" noch „beleidigend" finden, wenn Garantien „in Rücksicht auf den *sogenannten*" Staat, den soi-disant Staat, die Regierung verlangt, Garantien verlangt werden, daß die Gesinnung der Bürokratie die Staatsgesinnung sei.

IV

AUS DER RHEINISCHEN ZEITUNG
(1842/43)

Der Kommunismus und die Augsburger Allgemeine Zeitung

[Rheinische Zeitung, 16. Okt. 1842, Nr. 289]

⁎*⁎ Köln, 15. Oktober. Die Nr. 284 der *Augsburger Zeitung* ist so ungeschickt, in der *Rheinischen Zeitung* eine preußische *Kommunistin* zu entdecken, zwar keine wirkliche Kommunistin, aber doch immer eine Person, die mit dem Kommunismus phantastisch kokettiert und platonisch liebäugelt.

Ob diese unartige Phantasterei der Augsburgerin uneigennützig, ob diese müßige Gaukelei ihrer aufgeregten Einbildungskraft mit Spekulationen und diplomatischen Geschäften zusammenhängt, mag der Leser entscheiden — nachdem wir das angebliche corpus delicti vorgeführt haben.

Die Rheinische Zeitung, erzählt man, habe einen kommunistischen Aufsatz über die Berliner Familienhäuser in ihr Feuilleton aufgenommen und mit folgender Bemerkung begleitet: Diese *Mitteilungen „dürften für die Geschichte dieser wichtigen Zeitfrage nicht ohne Interesse sein"*; folgt daher nach der Augsburger Logik, daß die Rheinische Zeitung *„dergleichen ungewaschenes Zeug empfehlend aufgetischt"*. Also wenn ich z. B. sage: „folgende Mitteilungen des »Mefistofeles« über den inneren Haushalt der Augsburger Zeitung dürften *nicht ohne Interesse* für die Geschichte dieser wichtigtuenden Dame sein", so empfehle ich die *schmutzigen „Zeuge"*, aus denen die Augsburgerin ihre bunte Garderobe zusammenschneidet? Oder sollten wir den Kommunismus schon deshalb für keine wichtige Zeitfrage halten, weil er keine courfähige Zeitfrage ist, weil er schmutzige Wäsche trägt und nicht nach Rosenwasser duftet?

Allein mit Recht grollt die Augsburgerin unserem Mißverstand. Die Wichtigkeit des Kommunismus besteht nicht darin, daß er eine Zeitfrage von höchstem Ernst für Frankreich und England bildet. Der Kommunismus besitzt die *europäische Wichtigkeit*, von der Augsburger Zeitung zu einer Phrase benutzt worden zu sein. Einer ihrer Pariser Korrespondenten, ein Konvertit, der die Geschichte behandelt wie ein Konditor die Botanik, hat jüngst einmal den Einfall gehabt: die Monarchie müsse die sozialistisch-kommunistischen Ideen in ihrer Weise sich anzueignen suchen. Versteht ihr nun den Unmut der Augsburgerin, die uns nie verzeihen wird, daß wir den Kommunismus in seiner *ungewaschenen* Nacktheit dem Publikum bloßgestellt; versteht ihr die verbissene *Ironie*, die uns zuruft: so *empfehlt* ihr den Kommunismus, der schon einmal die glückliche Eleganz besaß, eine Phrase der Augsburger Zeitung zu bilden!

Der zweite Vorwurf, der die Rheinische Zeitung trifft, ist der Schluß eines Referats aus Straßburg über die bei dem dortigen Kongreß gehaltenen kommunistischen Reden, denn die beiden Stiefschwestern hatten sich in die Beute so geteilt, daß der *Rheinländerin* die *Verhandlungen* und der *Bayerin die Mahlzeiten* der Straßburger Gelehrten zufielen. Die inkriminierte Stelle lautet wörtlich also:

Es ist heute mit dem Mittelstande so wie mit dem Adel im Jahre 1789; damals nahm der Mittelstand die Privilegien des Adels in Anspruch und erhielt sie, *heute verlangt der Stand, der nichts besitzt, teilzunehmen am Reichtume der Mittelklassen, die jetzt am Ruder sind.* Der Mittelstand hat sich nun heute gegen eine Überrumpelung besser vorgesehen als der Adel im Jahre 1789, und es steht zu erwarten, daß das Problem auf friedlichem Wege wird gelöst werden.

Daß Sieyès' Prophezeiung eingetroffen und daß der tiers état Alles geworden ist und Alles sein will — Bülow-Cummerow, das ehemalige Berliner politische Wochenblatt, Dr. Kosegarten, sämtliche feudalistische Schriftsteller bekennen es mit wehmütigster Entrüstung. Daß der Stand, der heute nichts besitzt, am Reichtum der Mittelklassen teilzunehmen *verlangt*, das ist ein Faktum, welches ohne das Straßburger Reden und trotz dem Augsburger Schweigen in Manchester, Paris und Lyon auf den Straßen jedem sichtbar umherläuft. Glaubt etwa die Augsburgerin, ihr Unwillen und ihr Schweigen widerlegten die Tatsachen der Zeit? Die Augsburgerin ist *impertinent im Fliehen*. Sie reißt aus vor verfänglichen Zeiterscheinungen und glaubt, der Staub, den sie beim Ausreißen hinter sich aufwirbelt, sowie die ängstlichen Schmähworte, welche sie auf der Flucht zwischen den Zähnen hinmurmelt, blendeten und verwirrten die unbequeme Zeiterscheinung wie den bequemen Leser.

Oder grollt die Augsburgerin der Erwartung unseres Korrespondenten, die unleugbare Kollision werde sich „auf *friedlichem* Wege" lösen? Oder wirft sie uns vor, daß wir nicht sofort ein probates Rezept verschrieben und einen sonnenklaren Bericht über die unmaßgebliche Lösung des Problems dem überraschten Leser in die Tasche spielten? Wir besitzen nicht die Kunst, mit *einer* Phrase Probleme zu bändigen, an deren Bezwingung *zwei* Völker arbeiten.

Aber liebste, beste Augsburgerin, Sie geben uns bei Gelegenheit des Kommunismus zu verstehen, daß Deutschland jetzt arm ist an unabhängigen Existenzen, daß neun Zehntel der gebildeteren Jugend den Staat anbetteln um Brot für ihre Zukunft, daß unsere Ströme vernachlässigt, daß die Schiffahrt daniederliegt, daß unseren ehemals blühenden Handelsstädten der alte Flor fehlt, daß die freien Institutionen erst auf langsamem Wege in Preußen erstrebt werden, daß der Überfluß unserer Bevölkerung hilflos umherirrt, um in fremden Nationalitäten als Deutsche unterzugehen, und für alle diese Probleme kein einziges Rezept, kein Versuch, „*klarer über die Mittel zur Ausführung*" der großen Tat zu werden, die uns von all diesen Sünden erlösen soll! Oder erwarten Sie keine friedliche Lösung? Fast scheint ein anderer Artikel derselben Nummer, von Karlsruhe datiert, dahin zu deuten, wo selbst in bezug auf den Zollverein die verfängliche Frage an Preußen gerichtet wird: „*Glaubt man, eine solche Krisis würde vorübergehen wie eine Rauferei um das Tabakrauchen im Tiergarten?*"

Der Grund, den Sie für Ihren Unglauben debütieren, ist ein *kommunistischer*. „*Nun lasse man eine Krisis über die Industrie* losbrechen, *lasse Millionen an Kapital verloren gehen, Tausende von Arbeitern brotlos werden.*“ Wie ungelegen kam unsere „*friedliche Erwartung*“, da Sie einmal beschlossen hatten, eine blutige Krisis *losbrechen zu lassen*, weshalb wohl in Ihrem Artikel Großbritannien auf den demagogischen Arzt Dr. M'Douall, der nach Amerika ausgewandert, weil „*mit diesem königschen Geschlecht doch nichts anzufangen sei*“, nach Ihrer eigenen Logik *empfehlend* nachgewiesen wird.

Eh' wir uns von Ihnen trennen, möchten wir Sie noch vorübergehend auf ihre eigene Weisheit aufmerksam machen, da es bei Ihrer Methode der Phrasen nicht wohl zu umgehen ist, harmloserweise hie und da einen Gedanken zwar nicht zu *haben*, aber eben deshalb *auszusprechen*. Sie finden, daß die Polemik des Herrn Hennequin aus Paris gegen die Parzellierung des Grundbesitzes denselben mit den Autonomen in eine überraschende Harmonie bringt! Die Überraschung, sagt Aristoteles, ist der Anfang des Philosophierens. Sie haben beim Anfang geendet. Würde Ihnen sonst die überraschende Tatsache entgangen sein, daß kommunistische Grundsätze in Deutschland nicht von den Liberalen, sondern von Ihren *reaktionären* Freunden verbreitet werden?

Wer spricht von *Handwerkerkorporationen?* Die Reaktionäre. Der Handwerkerstand soll einen Staat im Staate bilden. Finden Sie es auffallend, daß solche Gedanken, modern ausgedrückt, also lauten: „Der Staat soll sich in den Handwerkerstand verwandeln?“ Wenn dem Handwerker sein Stand der Staat sein soll, wenn aber der moderne Handwerker, wie jeder moderne Mensch, den Staat nur als die all seinen Mitbürgern gemeinsame Sphäre versteht und verstehen kann, wie wollen Sie anders beide Gedanken synthesieren als in einen *Handwerkerstaat?*

Wer polemisiert gegen die *Parzellierung des Grundbesitzes?* Die Reaktionäre. Man ist in einer ganz kurz erschienenen feudalistischen Schrift (Kosegarten über Parzellierung) so weit gegangen, das *Privateigentum* ein *Vorrecht* zu nennen. Das ist *Fouriers* Grundsatz. Sobald man über die Grund-

sätze einig ist, läßt sich nicht über die Konsequenzen und
die Anwendung streiten?

Die „Rheinische Zeitung", die den kommunistischen Ideen
in ihrer jetzigen Gestalt nicht einmal *theoretische Wirklichkeit* zugestehen, also noch weniger ihre *praktische Verwirklichung* wünschen oder auch nur für möglich halten
kann, wird diese Ideen einer gründlichen Kritik unterwerfen. Daß aber Schriften, wie die von Leroux, Consi-
dérant und vor allen das scharfsinnige Werk Proudhons,
nicht durch oberflächliche Einfälle des Augenblicks, sondern nur nach lang anhaltendem und tief eingehendem
Studium kritisiert werden können, würde die Augsburgerin
einsehen, wenn sie mehr verlangte und mehr vermöchte als
Glacéphrasen. Um so ernster haben wir solche *theoretischen*
Arbeiten zu nehmen, als wir nicht mit der Augsburger über-
einstimmen, welche die „*Wirklichkeit*" der kommunistischen *Gedanken* nicht bei *Plato*, sondern bei ihrem *ob-
skuren Bekannten* findet, der nicht ohne Verdienst in einigen Richtungen wissenschaftlicher Forschung sein ganzes
ihm damals zur Verfügung stehendes Vermögen hingab und
seinen Verbündeten Teller und Stiefel nach dem Willen des
Vaters Enfantin putzte. Wir haben die feste Überzeugung,
daß nicht der *praktische Versuch*, sondern die *theoretische
Ausführung* der kommunistischen Ideen die eigentliche *Gefahr* bildet, denn auf praktische Versuche, und seien es
Versuche in Masse, kann man durch *Kanonen* antworten,
sobald sie gefährlich werden, aber *Ideen*, die unsere Intelligenz besiegt, die unsere Gesinnung erobert, an die der Verstand unser Gewissen geschmiedet hat, das sind Ketten,
denen man sich nicht entreißt, ohne sein Herz zu zerreißen,
das sind Dämonen, welche der Mensch nur besiegen kann,
indem er sich ihnen unterwirft. Doch die Augsburger Zeitung hat die *Gewissensangst*, welche eine Rebellion der
subjektiven Wünsche des Menschen gegen die objektiven
Einsichten seines eigenen Verstandes hervorruft, wohl nie
kennen gelernt, *da sie weder eigenen Verstand noch eigene
Einsichten noch auch ein eigenes Gewissen besitzt.*

V

AUS DEN DEUTSCH-FRANZÖSISCHEN JAHRBÜCHERN (1843/44)

a. Ein Briefwechsel von 1843[1]

Marx an Ruge

Auf der Treckschuit nach D. im März 1843.

Ich reise jetzt in Holland. Soviel ich aus den hiesigen und französischen Zeitungen sehe, ist Deutschland tief in den Dreck hineingeritten und wird es noch immer mehr. Ich versichere Sie, wenn man auch nichts weniger als Nationalstolz fühlt, so fühlt man doch Nationalscham, sogar in Holland. Der kleinste Holländer ist noch ein Staatsbürger gegen den größten Deutschen. Und die Urteile der Ausländer über die preußische Regierung! Es herrscht eine erschreckende Übereinstimmung, niemand täuscht sich mehr über dies System und seine einfache Natur. Etwas hat also doch die neue Schule genützt. Der Prunkmantel des Liberalismus ist gefallen, und der widerwärtigste Despotismus steht in seiner ganzen Nacktheit vor aller Welt Augen.

Das ist auch eine Offenbarung, wenngleich eine umgekehrte. Es ist eine Wahrheit, die uns zum wenigsten die Hohlheit unseres Patriotismus, die Unnatur unseres Staatswesens kennen und unser Angesicht verhüllen lehrt. Sie sehen mich lächelnd an und fragen: was ist damit gewonnen? Aus Scham macht man keine Revolution. Ich antworte: die Scham ist schon eine Revolution; sie ist wirklich der Sieg

---

[1] [Marx war gemeinsam mit Arnold Ruge, mit dem er sich jedoch bald verfeindete, Herausgeber der „Deutsch-Französischen Jahrbücher". Unter ihren Mitarbeitern sind vor allem Heinrich Heine und Friedrich Engels zu nennen; letzterer veröffentlichte in den Jahrbüchern seine „geniale Skizze": „Umrisse zu einer Kritik der Nationalökonomie", die auf Marx einen starken Einfluß ausübte.

der französischen Revolution über den deutschen Patriotismus, durch den sie 1813 besiegt wurde. Scham ist eine Art Zorn, der in sich gekehrte. Und wenn eine ganze Nation sich wirklich schämte, so wäre sie der Löwe, der sich zum Sprunge in sich zurückzieht. Ich gebe zu, sogar die Scham ist in Deutschland noch nicht vorhanden; im Gegenteil, diese Elenden sind noch Patrioten. Welches System sollte ihnen aber den Patriotismus austreiben, wenn nicht dieses lächerliche des neuen Ritters? Die Komödie des Despotismus, die mit uns aufgeführt wird, ist für ihn ebenso gefährlich, als es einst den Stuarts und Bourbonen die Tragödie war. Und selbst, wenn man diese Komödie lange Zeit nicht für das halten sollte, was sie ist, so wäre sie doch schon eine Revolution. Der Staat ist ein zu ernstes Ding, um zu einer Harlekinade gemacht zu werden. Man könnte vielleicht ein Schiff voll Narren eine gute Weile vor dem Winde treiben lassen; aber seinem Schicksal trieb' es entgegen eben darum, weil die Narren dies nicht glaubten. Dieses Schicksal ist die Revolution, die uns bevorsteht.

Ruge an Marx

Berlin, im März 1843.

„Es ist ein hartes Wort, und dennoch sag ich's, weil es Wahrheit ist: ich kann kein Volk mir denken, das zerrissener wäre wie die Deutschen. Handwerker siehst du, aber keine Menschen, Denker, aber keine Menschen, Herren und Knechte, Jungen und gesetzte Leute, aber keine Menschen. — Ist das nicht ein Schlachtfeld, wo Hände und Arme und alle Glieder zerstückelt untereinander liegen, indes das vergossene Lebensblut im Sande zerrinnt?" Hölderlin im Hyperion. — Dies das Motto meiner Stimmung, und leider ist sie nicht neu; derselbe Gegenstand wirkt von Zeit zu Zeit ähnlich auf die Menschen. Ihr Brief ist eine Illusion. Ihr Mut entmutigt mich nur noch mehr.
Wir werden eine politische Revolution erleben? *wir*, die Zeitgenossen dieser Deutschen? Mein Freund, Sie glauben, was Sie wünschen. O, ich kenne das! Es ist sehr süß, zu hoffen, und sehr bitter, alle Täuschungen abzutun. Es gehört mehr Mut zur Verzweiflung als zur Hoffnung. Aber es ist der Mut der Vernunft, und wir sind auf dem Punkte angekommen, wo wir uns nicht mehr täuschen dürfen. Was erleben wir in diesem Augenblick?

Eine zweite Auflage der Karlsbader Beschlüsse, eine durch das
Weglassen der versprochenen Preßfreiheit vermehrte und durch
das Versprechen der Zensur verbesserte — ein zweites Mißlingen
der politischen Freiheitsversuche, und diesmal ohne Leipzig und
Bellealliance, ohne Anstrengungen, von denen auszuruhen wir
Ursache hätten. Jetzt ruhen wir aus vom Ausruhen; und zur
Ruhe bringt uns die einfache Wiederholung der alten despoti-
schen Maxime, das Abschreiben ihrer Urkunden. Wir fallen aus
einer Schmach in die andere. Ich habe vollkommen dasselbe Gefühl des Drucks und der Entwürdigung wie zur Zeit der napo-
leonischen Eroberung, wenn Rußland der deutschen Presse eine
strengere Zensur verordnet; und wenn Sie darin einen Trost finden, daß wir jetzt dieselbe Offenherzigkeit wie damals genießen,
so tröstet mich das durchaus nicht. Als Napoleon in Erfurt zu
den deutschen Gratulanten, die ihn mit *notre prince* anredeten,
sagte: *je ne suis pas votre prince, je suis votre maître,* wurde er
mit rauschendem Beifall aufgenommen. Und hätte ihm der rus-
sische Schnee nicht darauf geantwortet, die deutsche Entrüstung
schliefe noch. Sagen Sie mir nicht, dieses unverschämte Wort
sei blutig gerächt worden, reden Sie mir nicht ein, die zufällige
Rache wäre notwendig erfolgt, alle Völker seien abgefallen von
dem nackten und bloßen Despotismus, sobald er sich ganz enthüllt hätte. Ich will ein Volk sehen, das ohne alle andere Völker
seine Schmach fühlt; ich nenne Revolution die Umkehr aller
Herzen und die Erhebung aller Hände für die Ehre des freien
Menschen, für den freien Staat, der keinem Herrn gehört, sondern das öffentliche Wesen selbst ist, das nur sich angehört. So
weit bringen es die Deutschen nie. Sie sind längst historisch zugrunde gegangen. Daß sie überall mit zu Felde gelegen, beweist
nichts. Es wird den eroberten und beherrschten Völkern nicht
erspart, sich zu schlagen, aber sie sind nur Gladiatoren, die sich
für einen fremden Zweck schlagen und, wenn ihre Herren den
Daumen niederdrücken, sich erwürgen. „Seht, wie das Volk sich
für uns schlägt!" sagte 1813 der König von Preußen. Deutschland ist nicht der überlebende Erbe, sondern die anzutretende
Erbschaft. Die Deutschen zählen nie nach kämpfenden Parteien,
sondern nach der Seelenzahl, die dort zu verkaufen ist.

Sie sagen, die liberale Heuchelei ist entlarvt. Es ist wahr, es ist
sogar noch mehr geschehen. Die Menschen fühlen sich verstimmt
und beleidigt, man hört Freunde und Bekannte untereinander
räsonnieren, überall redet man hier von dem Schicksal der
Stuarts, und wer sich fürchtet, unvorsichtige Worte zu sagen, der
schüttelt wenigstens den Kopf, um anzuzeigen, daß eine gewisse

Bewegung in ihm vorgeht. Aber alles redet und redet nur: ist auch nur *einer* da, der seinem Unwillen zutraute, daß er allgemein sei? Ist ein *einziger* so töricht, unsere Spießbürger und ihre unvergängliche Schafsgeduld zu verkennen? — Fünfzig Jahre nach der französischen Revolution und die Erneuerung aller Unverschämtheiten des alten Despotismus, das haben wir erlebt. Sagen Sie nicht, das neunzehnte Jahrhundert erträgt ihn nicht. Die Deutschen haben dies Problem gelöst. Sie ertragen ihn nicht nur, sie ertragen ihn mit Patriotismus, und wir, die wir darüber erröten, gerade wir wissen, daß sie ihn verdienen. Wer hätte nicht gedacht, dieser schneidende Rückfall vom Reden ins Schweigen, vom Hoffen in die Hoffnungslosigkeit, von einem menschenähnlichen in einen völlig sklavischen Zustand würde alle Lebensgeister aufregen, jedem das Blut zum Herzen treiben und einen allgemeinen Schrei der Entrüstung hervorrufen! Der Deutsche hatte nichts als die Geisterfreiheit, die der Mensch, der einem anderen leibeigen ist, immer noch haben kann, und auch diese ist ihm nun entrissen; die deutschen Philosophen waren schon früher Diener der Menschen, sie redeten und schwiegen auf Befehl, Kant hat uns die Dokumente mitgeteilt; aber man duldete die Kühnheit, daß sie in abstracto den Menschen für frei erklärten. Jetzt ist auch diese Freiheit, die sogenannte wissenschaftliche oder die prinzipielle, die sich bescheidet, nicht realisiert zu werden, aufgehoben, und es haben sich natürlich Leute genug gefunden, die Tassos Glauben predigen:

> Glaubt nicht, daß mir
> Der Freiheit wilder Trieb den Busen blähe.
> Der Mensch ist nicht geboren *frei zu sein.*
> Und für den Edlen ist kein schöner Glück,
> Als einem Fürsten, den er ehrt, *zu dienen.*

Wollten wir einwenden: und wenn er ihn nicht ehrt? so wiederholen sie: frei zu sein, ist er nicht geboren. Es handelt sich um seinen Begriff, nicht um sein Glück. Ja, Tasso hat recht, ein Mensch, der einem Menschen dient und den man einen Sklaven nennt, kann sich glücklich fühlen, er kann sich sogar adelig fühlen, die Geschichte und die Türkei bewiesen es. Zugegeben also, daß nicht Mensch und freies Wesen, sondern Mensch und Diener ein Begriff ist, so ist die alte Welt gerechtfertigt.
Gegen das Faktum, daß die Menschen zum Dienen geboren und ein Besitztum ihrer angeborenen Herren seien, hatten die Deutschen 25 Jahre nach der Revolution nichts einzuwenden. Im

Deutschen Bunde sind die deutschen Fürsten zusammengetreten, um ihren Privatbesitz von Land und Leuten wieder herzustellen und die „Menschenrechte" wieder abzuschaffen. Das war antifranzösisch, man jauchzte ihnen zu. Nun kommt die Theorie dieses Faktums hinterher, und warum sollte Deutschland sie nicht ohne Unwillen anhören! Warum sich nicht über sein Schicksal mit dem Gedanken trösten: es muß so sein, *der Mensch ist nicht geboren, frei zu sein?* Und so ist es, dies Geschlecht ist wirklich nicht geboren, frei zu sein. Dreißig Jahre, politisch verödet und unter einem so entwürdigenden Druck, daß selbst die Gedanken und die Gefühle der Menschen von der geheimen Polizei der Zensur beaufsichtigt und geregelt wurden, haben Deutschland politisch nichtiger hinterlassen, als es je gewesen. Sie sagen: das Narrenschiff, welches ein Spiel von Wind und Wellen ist, wird seinem Schicksal nicht entgehen, und dieses Schicksal ist die Revolution. Aber Sie setzen nicht hinzu: diese Revolution ist die Genesung der Narren, im Gegenteil, Ihr Bild führt nur auf den Gedanken des Unterganges. Aber ich gebe Ihnen auch den Untergang nicht zu, der noch erst zu erwarten wäre. Physisch geht dies brauchbare Volk nicht unter, und geistig oder mit seiner Existenz als freies Volk ist es längst am Ende.

Wenn ich Deutschland nach seiner bisherigen und nach seiner gegenwärtigen Geschichte beurteile, so werden Sie mir nicht einwerfen, seine ganze Geschichte sei verfälscht, und seine ganze jetzige Öffentlichkeit stelle nicht den eigentlichen Zustand des Volkes dar. Lesen Sie die Zeitungen, welche Sie wollen, überzeugen Sie sich, daß man nicht aufhört — und Sie werden zugeben, daß die Zensur niemanden hindert aufzuhören —, die Freiheit und das Nationalglück zu loben, welches wir besitzen; und dann sagen Sie einem Engländer, einem Franzosen oder auch nur einem Holländer, daß dies nicht unsere Sache und unser Charakter wäre.

Der deutsche Geist, soweit er zum Vorschein kommt, ist niederträchtig, und ich trage kein Bedenken zu behaupten: wenn er nicht anders zum Vorschein kommt, so ist dies lediglich die Schuld seiner niederträchtigen Natur. Oder wollen Sie seine Privatexistenz, seine stillen Verdienste, seine ungedruckten Tischgespräche, seine Faust in der Tasche so hoch anschlagen, daß ihm die Schmach seiner gegenwärtigen Erscheinung durch die Ehre seiner Zukunft noch einmal abgewaschen werden könnte? O, diese deutsche Zukunft! Wo ist ihr Same gesät? Etwa in der schmachvollen Geschichte, die wir bisher durchlebt? Oder in der Verzweiflung derer, die von Freiheit und geschichtlichen Ehren

einen Begriff haben? Oder gar in dem Hohn, den fremde Völker
über uns ausschütten und gerade dann aufs empfindlichste uns
zu fühlen geben, wenn sie es am besten mit uns meinen? Denn
den Grad politischer Fühllosigkeit und Verkommenheit, zu dem
wir wirklich herabgesunken sind, können jene sich gar nicht
vorstellen. Lesen Sie nur die Times über die Unterdrückung der
Presse in Preußen. Lesen Sie, wie freie Männer reden, lesen Sie,
wie viel Selbstgefühl sie uns noch zutrauen, uns, die wir gar
keins besitzen, und bedauern Sie Preußen, bedauern Sie Deutschland. Ich weiß, daß ich dazu gehöre; glauben Sie nicht, daß ich
mich der allgemeinen Schmach entziehen will. Werfen Sie mir
vor, daß ich es nicht besser mache als die anderen, fordern Sie
mich auf, mit dem neuen Prinzip eine neue Zeit heraufzuführen
und ein Schriftsteller zu sein, dem ein freies Jahrhundert folgt,
sagen Sie mir jede Bitterkeit, ich bin darauf gefaßt. Unser Volk
hat keine Zukunft, was liegt an unserem Ruf?

Marx an Ruge

Köln, im Mai 1843.

Ihr Brief, mein teurer Freund, ist eine gute Elegie, ein
atemversetzender Grabgesang; aber politisch ist er ganz und
gar nicht. Kein Volk verzweifelt, und sollt' es auch lange
Zeit nur aus Dummheit hoffen, so erfüllt es sich doch nach
vielen Jahren einmal aus plötzlicher Klugheit alle seine
frommen Wünsche.

Doch, Sie haben mich angesteckt, Ihr Thema ist noch nicht
erschöpft, ich will das Finale hinzufügen, und wenn alles
zu Ende ist, dann reichen Sie mir die Hand, damit wir von
vorn wieder anfangen. Laßt die Toten ihre Toten begraben
und beklagen. Dagegen ist es beneidenswert, die ersten zu
sein, die lebendig ins neue Leben eingehen; dies soll unser
Los sein.

Es ist wahr, die alte Welt gehört dem Philister. Aber wir
dürfen ihn nicht wie einen Popanz behandeln, von dem man
sich ängstlich wegwendet. Wir müssen ihn vielmehr genau
ins Auge fassen. Es lohnt sich, diesen Herrn der Welt zu
studieren.

Herr der Welt ist er freilich nur, indem er sie, wie die
Würmer einen Leichnam, mit seiner Gesellschaft ausfüllt.

Die Gesellschaft dieser Herren braucht darum nichts weiter als eine Anzahl Sklaven, und die Eigentümer der Sklaven brauchen nicht frei zu sein. Wenn sie wegen ihres Eigentums an Land und Leuten Herren im eminenten Sinne genannt werden, sind sie darum nicht weniger Philister als ihre Leute.

Menschen, das wären geistige Wesen, freie Männer Republikaner. Beides wollen die Spießbürger nicht sein. Was bleibt ihnen übrig, zu sein und zu wollen?

Was sie wollen, leben und sich fortpflanzen (und weiter, sagt Goethe, bringt es doch keiner), das will auch das Tier, höchstens würde ein deutscher Politiker noch hinzuzusetzen haben, der Mensch *wisse* aber, daß er es wolle, und der Deutsche sei so besonnen, nichts weiter zu wollen.

Das Selbstgefühl des Menschen, die Freiheit, wäre in der Brust dieser Menschen erst wieder zu erwecken. Nur dies Gefühl, welches mit den Griechen aus der Welt und mit dem Christentum in den blauen Dunst des Himmels verschwindet, kann aus der Gesellschaft wieder eine Gemeinschaft der Menschen für ihre höchsten Zwecke, einen demokratischen Staat machen.

Die Menschen dagegen, welche sich nicht als Menschen fühlen, wachsen ihren Herren zu, wie eine Zucht von Sklaven oder Pferden. Die angestammten Herren sind der Zweck dieser ganzen Gesellschaft. Diese Welt gehört ihnen. Sie nehmen sie, wie sie ist und sich fühlt. Sie nehmen sich selbst, wie sie sich vorfinden, und stellen sich hin, wo ihre Füße gewachsen sind, auf die Nacken dieser politischen Tiere, die keine andere Bestimmung kennen, als ihnen „untertan, hold und gewärtig" zu sein.

Die Philisterwelt ist *die politische Tierwelt*, und wenn wir ihre Existenz anerkennen müssen, so bleibt uns nichts übrig, als dem status quo einfacherweise recht zu geben. Barbarische Jahrhunderte haben ihn erzeugt und ausgebildet, und nun steht er da als ein konsequentes System, dessen Prinzip die *entmenschte Welt* ist. Die vollkommenste Philisterwelt, unser Deutschland, mußte also natürlich weit hinter der französischen Revolution, die den Menschen wieder her-

stellte, zurückbleiben; und der deutsche Aristoteles, der seine
Politik aus unseren Zuständen abnehmen wollte, würde an
ihre Spitze schreiben: „Der Mensch ist ein geselliges, jedoch
völlig unpolitisches Tier", den Staat aber könnte er nicht
richtiger erklären, als dies Herr Zöpfl, der Verfasser des
„Konstitutionellen Staatsrechts in Deutschland", bereits getan hat. Er ist nach ihm ein „Verein von Familien", welcher, fahren wir fort, einer allerhöchsten Familie, die man
Dynastie nennt, erb- und eigentümlich zugehört. Je frucht-
barer die Familien sich zeigen, desto glücklicher die Leute,
desto größer der Staat, desto mächtiger die Dynastie, weswegen denn auch in dem normaldespotischen Preußen auf
den siebenten Jungen eine Prämie von fünfzig Reichstalern
gesetzt ist.

Die Deutschen sind so besonnene Realisten, daß alle ihre
Wünsche und ihre hochfliegendsten Gedanken nicht über
das kahle Leben hinausreichen. Und diese Wirklichkeit,
nichts weiter, akzeptieren die, welche sie beherrschen. Auch
diese Leute sind Realisten, sie sind sehr weit von allem
Denken und von aller menschlichen Größe entfernt, gewöhnliche Offiziere und Landjunker, aber sie irren sich
nicht, sie haben recht, sie, so wie sie sind, reichen vollkommen aus, dieses Tierreich zu benutzen und zu beherrschen,
denn Herrschaft und Benutzung ist *ein* Begriff, hier wie
überall. Und wenn sie sich huldigen lassen und über die
wimmelnden Köpfe dieser hirnlosen Wesen hinsehen, was
liegt ihnen näher als der Gedanke Napoleons an der Bere-
sina? Man sagt ihm nach, er habe hinuntergewiesen auf das
Gewimmel der Ertrinkenden und seinem Begleiter zuge-
rufen: *Voyez ces crapauds!* Diese Nachrede ist wahrscheinlich eine Lüge, aber wahr ist sie nichtsdestoweniger. Der
einzige Gedanke des Despotismus ist die Menschenverachtung, der entmenschte Mensch, und dieser Gedanke hat vor
vielen anderen den Vorzug, zugleich Tatsache zu sein. Der
Despot sieht die Menschen immer entwürdigt. Sie ersaufen
vor seinen Augen und für ihn im Schlamm des gemeinen
Lebens, aus dem sie auch, gleich den Fröschen, immer wieder hervorgehen. Drängt sich nun selbst Menschen, die großer Zwecke fähig waren, wie Napoleon vor seiner Dynastie-

tollheit, diese Ansicht auf, wie sollte ein ganz gewöhnlicher König in einer solchen Realität Idealist sein?

Das Prinzip der Monarchie überhaupt ist der verachtete, der verächtliche, *der entmenschte Mensch;* und Montesquieu hat sehr unrecht, die Ehre dafür auszugeben. Er hilft sich mit der Unterscheidung von Monarchie, Despotie und Tyrannei. Aber das sind Namen *eines* Begriffs, höchstens eine Sittenverschiedenheit bei demselben Prinzip. Wo das monarchische Prinzip in der Majorität ist, da sind die Menschen in der Minorität, wo es nicht bezweifelt wird, da gibt es keine Menschen. Warum soll nun ein Mann wie der König von Preußen, der keine Proben davon hat, daß er problematisch wäre, nicht lediglich seiner Laune folgen? Und nun er es tut, was kommt dabei heraus? Widersprechende Absichten? Gut, so wird nichts daraus. Ohnmächtige Tendenzen? Sie sind immer noch die einzige politische Wirklichkeit. Blamagen und Verlegenheiten? Es gibt nur *eine* Blamage und nur *eine* Verlegenheit, das Heruntersteigen vom Thron. Solange die Laune an ihrem Platze bleibt, hat sie recht. Sie mag dort so unbeständig, so kopflos, so verächtlich sein, wie sie will; sie ist immer noch gut genug, ein Volk zu regieren, welches nie ein anderes Gesetz gekannt hat als die Willkür seiner Könige. Ich sage nicht, ein kopfloses System und der Verlust der Achtung im Inneren und nach Außen werde ohne Folgen bleiben, ich nehme die Assekuranz des Narrenschiffes nicht auf mich; aber ich behaupte: der König von Preußen wird so lange ein Mann seiner Zeit sein, als die verkehrte Welt die wirkliche ist.

Sie wissen, ich beschäftige mich viel mit diesem Manne. Schon damals, als er nur noch das Berliner politische Wochenblatt zu seinem Organe hatte, erkannte ich seinen Wert und seine Bestimmung. Er rechtfertigte schon bei der Huldigung in Königsberg meine Vermutung, daß nun die Frage rein persönlich werden würde. Er erklärte sein Herz und sein Gemüt für das künftige Staatsgrundgesetz der Domäne Preußen, *seines* Staates; und in der Tat, der König ist in Preußen das System. Er ist die einzige politische Person. Seine Persönlichkeit bestimmt das System so oder so. Was er tut oder was man ihn tun läßt, was er denkt oder was man ihm in den Mund legt, das ist es, was in Preußen der Staat denkt oder tut. Es ist also wirklich ein Verdienst, daß der jetzige König dies so unumwunden erklärt hat.

Nur darin irrte man sich eine Zeitlang, daß man es für erheblich hielt, welche Wünsche und Gedanken der König nun zum Vorschein brächte. Dies konnte in der Sache nichts ändern, der Philister ist das Material der Monarchie und der Monarch immer nur der König der Philister; er kann weder sich noch seine Leute zu freien, wirklichen Menschen machen, wenn beide Teile bleiben, was sie sind.

Der König von Preußen hat es versucht, mit einer Theorie, die wirklich sein Vater so nicht hatte, das System zu ändern. Das Schicksal dieses Versuchs ist bekannt. Er ist vollkommen gescheitert. Ganz natürlich. Ist man einmal bei der politischen Tierwelt angelangt, so gibt es keine weitere Reaktion, als bis zu ihr, und kein anderes Vordringen, als das Verlassen ihrer Basis und den Übergang zur Menschenwelt der Demokratie.

Der alte König wollte nichts Extravagantes, er war ein Philister und machte keinen Anspruch auf Geist. Er wußte, daß der Dienerstaat und sein Besitz nur der prosaischen, ruhigen Existenz bedurfte. Der junge König war munterer und aufgeweckter, von der Allmacht des Monarchen, der nur durch sein Herz und seinen Verstand beschränkt ist, dachte er viel größer. Der alte verknöcherte Diener- und Sklavenstaat widerte ihn an. Er wollte ihn lebendig machen und ganz und gar mit seinen Wünschen, Gefühlen und Gedanken durchdringen; und er konnte das verlangen, er in *seinem* Staate, wenn es nur gelingen wollte. Daher seine liberalen Reden und Herzensergießungen. Nicht das tote Gesetz, das volle lebendige Herz des Königs sollte alle seine Untertanen regieren. Er wollte alle Herzen und Geister für seine Herzenswünsche und langgenährten Pläne in Bewegung setzen. Eine Bewegung ist erfolgt; aber die übrigen Herzen schlugen nicht wie das seinige, und die Beherrschten konnten den Mund nicht auftun, ohne von der Aufhebung der alten Herrschaft zu reden. Die Idealisten, welche die Unverschämtheit haben, den Menschen zum Menschen machen zu wollen, ergriffen das Wort, und während der König

altdeutsch phantasierte, meinten sie, neudeutsch philosophieren zu dürfen. Allerdings war dies unerhört in Preußen. Einen Augenblick schien die alte Ordnung der Dinge auf den Kopf gestellt zu sein, ja, die Dinge fingen an, sich in Menschen zu verwandeln, es gab sogar namhafte Menschen, obgleich die Namensnennung auf den Landtagen nicht erlaubt ist; aber die Diener des alten Despotismus machten diesem undeutschen Treiben bald ein Ende. Es war nicht schwer, die Wünsche des Königs, der für eine große Vergangenheit von Pfaffen, Ritter und Hörige schwärmt, mit den Absichten der Idealisten, welche lediglich die Folgen der französischen Revolution, also zuletzt doch immer Republik und eine Ordnung der freien Menschheit statt der Ordnung der toten Dinge wollen, in fühlbaren Konflikt zu bringen. Als dieser Konflikt schneidend und unbequem genug geworden und der jähzornige König hinlänglich aufgeregt war, da traten die Diener zu ihm, die früher den Gang der Dinge so leicht geleitet hatten, und erklärten: der König täte nicht wohl, seine Untertanen zu unnützen Reden zu verleiten, sie würden das Geschlecht der redenden Menschen nicht regieren können. Auch der Herr aller Hinterrussen war über die Bewegung in den Köpfen der Vorderrussen unruhig geworden und verlangte Wiederherstellung des alten ruhigen Zustandes. Und es erfolgte eine neue Auflage der alten Ächtung aller Wünsche und Gedanken der Menschen über menschliche Rechte und Pflichten, das heißt die Rückkehr zu dem alten verknöcherten Dienerstaat, in welchem der Sklave schweigend dient und der Besitzer des Landes und der Leute lediglich durch eine wohlgezogene, stillfolgsame Dienerschaft möglichst schweigsam herrscht. Beide können, was sie wollen, nicht sagen, weder die einen, daß sie Menschen werden wollen, noch der andere, daß er keine Menschen in seinem Lande brauchen könne. Schweigen ist daher das einzige Auskunftsmittel. *Muta pecora, prona et ventri oboedientia.*
Dies ist der verunglückte Versuch, den Philisterstaat auf seiner eigenen Basis aufzuheben: er ist dazu ausgeschlagen, daß er die Notwendigkeit der Brutalität und die Unmöglichkeit der Humanität für den Despotismus aller Welt an-

schaulich gemacht hat. Ein brutales Verhältnis kann nur mit Brutalität aufrechterhalten werden. Und hier bin ich nun mit unserer gemeinsamen Aufgabe, den Philister und seinen Staat ins Auge zu fassen, fertig. Sie werden nicht sagen, ich hielte die Gegenwart zu hoch, und wenn ich dennoch nicht an ihr verzweifle, so ist es nur ihre eigene verzweifelte Lage, die mich mit Hoffnung erfüllt. Ich rede gar nicht von der Unfähigkeit der Herren und von der Indolenz der Diener und Untertanen, die alles gehen lassen, wie es Gott gefällt; und doch reichte beides zusammen schon hin, um eine Katastrophe herbeizuführen. Ich mache Sie nur darauf aufmerksam, daß die Feinde des Philistertums, mit einem Wort alle denkenden und alle leidenden Menschen zu einer Verständigung gelangt sind, wozu ihnen früher durchaus die Mittel fehlten, und daß selbst das passive Fortpflanzungssystem der alten Untertanen jeden Tag Rekruten für den Dienst der neuen Menschheit wirbt. Das System des Erwerbs und Handels, des Besitzes und der Ausbeutung des Menschen führt aber noch viel schneller als die Vermehrung der Bevölkerung zu einem Bruch innerhalb der jetzigen Gesellschaft, den das alte System nicht zu heilen vermag, weil es überhaupt nicht heilt und schafft, sondern nur existiert und genießt. Die Existenz der leidenden Menschheit, die denkt, und der denkenden Menschheit, die unterdrückt wird, muß aber notwendig für die passive und gedankenlos genießende Tierwelt der Philisterei ungenießbar und unverdaulich werden.

Von unserer Seite muß die alte Welt vollkommen ans Tageslicht gezogen und die neue positiv ausgebildet werden. Je länger die Ereignisse der denkenden Menschheit Zeit lassen, sich zu besinnen, und der leidenden, sich zu sammeln, um so vollendeter wird das Produkt in die Welt treten, welches die Gegenwart in ihrem Schoße trägt.

Ruge an Marx

Paris, im August 1843.

Der neue Anacharsis und der neue Philosoph haben mich überzeugt. Es ist wahr: Polen ist untergegangen, aber noch ist Polen nicht verloren, so klingt es fortdauernd aus den Ruinen hervor,

und wollte Polen sein Schicksal sich zur Lehre dienen lassen und
sich der Vernunft und der Demokratie in die Arme werfen, das
hieße freilich aufhören, Polen zu sein, es wäre wohl zu retten.
„Neue Lehre, neues Leben", ja! wie Polen der katholische Glaube
und die adelige Freiheit nicht rettet, so konnte uns die theologische Philosophie und die vornehme Wissenschaft nicht befreien.
Wir können unsere Vergangenheit nicht anders fortführen als
durch den entschiedensten Bruch mit ihr. Die Jahrbücher sind
untergegangen, die Hegelsche Philosophie hört der Vergangenheit an. Wir wollen hier in Paris ein Organ gründen, in dem
wir uns selbst und ganz Deutschland völlig frei und mit unerbitt-
licher Aufrichtigkeit beurteilen. Nur das ist eine wirkliche Ver-
jüngung, es ist ein neues Prinzip, eine neue Stellung, eine Befreiung von dem engherzigen Wesen des Nationalismus und ein
scharfer Gegenstoß gegen die brutale Reaktion der wüsten Volks-
ungetüme, welche mit dem Tyrannen Napoleon auch den Humanismus der Revolution verschlangen. Philosophie und nationale
Beschränktheit, wie war es möglich, auch nur im Namen und im
Titel eines Journals beide zusammenzubringen? Noch einmal, der
deutsche Bund hat die Wiederherstellung der *deutschen* Jahrbücher mit Recht verboten, er ruft uns zu: keine Restauration!
Wie vernünftig! Wir müssen etwas Neues unternehmen, wenn
wir überhaupt etwas tun wollen. Ich bemühe mich um das Mer-
kantilische bei der Sache. Wir zählen auf Sie. Schreiben Sie mir
über den Plan der neuen Zeitschrift, den ich Ihnen beilege.

Marx an Ruge

Kreuznach, im September 1843.

Es freut mich, daß Sie entschlossen sind und von den Rück-
blicken auf das Vergangene Ihre Gedanken zu einem neuen
Unternehmen vorwärts wenden. Also in Paris, der alten
Hochschule der Philosophie, *absit omen!* und der neuen
Hauptstadt der neuen Welt. Was notwendig ist, das fügt
sich. Ich zweifle daher nicht, daß sich alle Hindernisse,
deren Gewicht ich nicht verkenne, beseitigen lassen.

Das Unternehmen mag aber zustande kommen oder nicht;
jedenfalls werde ich Ende dieses Monats in Paris sein, da
die hiesige Luft leibeigen macht und ich in Deutschland
durchaus keinen Spielraum für eine freie Tätigkeit sehe.

In Deutschland wird alles gewaltsam unterdrückt, eine
wahre Anarchie des Geistes, das Regiment der Dummheit
selbst ist hereingebrochen, und Zürich gehorcht den Befeh-
len aus Berlin; es wird daher immer klarer, daß ein neuer
Sammelpunkt für die wirklich denkenden und unabhängigen Köpfe gesucht werden muß. Ich bin überzeugt, durch
unseren Plan würde einem wirklichen Bedürfnisse entspro-
chen werden, und die wirklichen Bedürfnisse müssen sich
doch auch wirklich erfüllen lassen. Ich zweifle also nicht an
dem Unternehmen, sobald ernst damit gemacht wird.

Größer noch als die äußeren Hindernisse scheinen beinahe
die inneren Schwierigkeiten zu sein. Denn wenn auch kein
Zweifel über das „Woher", so herrscht desto mehr Konfusion über das „Wohin". Nicht nur, daß eine allgemeine
Anarchie unter den Reformern ausgebrochen ist, so wird
jeder sich selbst gestehen müssen, daß er keine exakte Anschauung von dem hat, was werden soll. Indessen ist das
gerade wieder der Vorzug der neuen Richtung, daß wir
nicht dogmatisch die Welt antizipieren, sondern erst aus
der Kritik der alten Welt die neue finden wollen. Bisher
hatten die Philosophen die Auflösung aller Rätsel in ihrem
Pulte liegen, und die dumme exoterische Welt hatte nur das
Maul aufzusperren, damit ihr die gebratenen Tauben der
absoluten Wissenschaft in den Mund flogen. Die Philosophie hat sich verweltlicht, und der schlagendste Beweis
dafür ist, daß das philosophische Bewußtsein selbst in die
Qual des Kampfes nicht nur äußerlich, sondern auch innerlich hineingezogen ist. Ist die Konstruktion der Zukunft
und das Fertigwerden für alle Zeiten nicht unsere Sache,
so ist desto gewisser, was wir gegenwärtig zu vollbringen
haben, ich meine *die rücksichtslose Kritik alles Bestehenden*,
rücksichtslos sowohl in dem Sinne, daß die Kritik sich nicht
vor ihren Resultaten fürchtet und ebensowenig vor dem
Konflikte mit den vorhandenen Mächten.

Ich bin daher nicht dafür, daß wir eine dogmatische Fahne
aufpflanzen, im Gegenteil. Wir müssen den Dogmatikern
nachzuhelfen suchen, daß sie ihre Sätze sich klarmachen. So
ist namentlich der *Kommunismus* eine dogmatische Abstraktion, wobei ich aber nicht irgendeinen eingebildeten und

möglichen, sondern den wirklich existierenden Kommunismus, wie ihn Cabet, Dezamy, Weitling etc. lehren, im Sinn habe. Dieser Kommunismus ist selbst nur eine aparte, von seinem Gegensatz, dem Privatwesen, infizierte Erscheinung des humanistischen Prinzips. Aufhebung des Privateigentums und Kommunismus sind daher keineswegs identisch, und der Kommunismus hat andere sozialistische Lehren, wie die von Fourier, Proudhon etc., nicht zufällig, sondern notwendig sich gegenüber entstehen sehen, weil er selbst nur eine besondere, einseitige Verwirklichung des sozialistischen Prinzips ist.

Und das ganze sozialistische Prinzip ist wieder nur die eine Seite, welche die *Realität* des wahren menschlichen Wesens betrifft. Wir haben uns ebensowohl um die andere Seite, um die theoretische Existenz des Menschen zu kümmern, also Religion, Wissenschaft etc. zum Gegenstande unserer Kritik zu machen. Außerdem wollen wir auf unsere Zeitgenossen wirken, und zwar auf unsere deutschen Zeitgenossen. Es fragt sich, wie ist das anzustellen? Zweierlei Fakta lassen sich nicht ableugnen. Einmal die Religion, dann die Politik sind Gegenstände, welche das Hauptinteresse des jetzigen Deutschlands bilden. An diese, wie sie auch sind, ist anzuknüpfen, nicht irgendein System wie etwa die *Voyage en Icarie* ihnen fertig entgegenzusetzen.

Die Vernunft hat immer existiert, nur nicht immer in der vernünftigen Form. Der Kritiker kann also an jede Form des theoretischen und praktischen Bewußtseins anknüpfen und aus den *eigenen* Formen der existierenden Wirklichkeit die wahre Wirklichkeit als ihr Sollen und ihren Endzweck entwickeln. Was nun das wirkliche Leben betrifft, so enthält gerade der *politische Staat*, auch wo er von den sozialistischen Forderungen noch nicht bewußterweise erfüllt ist, in allen seinen *modernen* Formen die Forderungen der Vernunft. Und er bleibt dabei nicht stehen. Er unterstellt überall die Vernunft als realisiert. Er gerät aber ebenso überall in den Widerspruch seiner ideellen Bestimmung mit seinen realen Voraussetzungen.

Aus diesem Konflikt des politischen Staates mit sich selbst läßt sich daher überall die soziale Wahrheit entwickeln. Wie

die *Religion* das Inhaltsverzeichnis von den theoretischen
Kämpfen der Menschheit, so ist es der *politische Staat* von
ihren praktischen. Der politische Staat drückt also innerhalb seiner Form *sub specie rei publicae* alle sozialen Kämpfe,
Bedürfnisse, Wahrheiten aus. Es ist also durchaus nicht
unter der *hauteur des principes*, die speziellste politische
Frage — etwa den Unterschied von ständischem und reprä-
sentativem System — zum Gegenstande der Kritik zu machen.
Denn diese Frage drückt nur auf *politische* Weise den Unterschied von der Herrschaft des Menschen und der Herrschaft des Privateigentums aus. Der Kritiker kann also nicht
nur, er muß in diese politischen Fragen (die nach der Ansicht der krassen Sozialisten unter aller Würde sind) eingehen. Indem er den Vorzug des repräsentativen Systems
vor dem ständischen entwickelt, *interessiert* er *praktisch*
eine große Partei. Indem er das repräsentative System aus
seiner politischen Form zu der allgemeinen Form erhebt
und die wahre Bedeutung, die ihm zugrunde liegt, geltend
macht, zwingt er zugleich diese Partei, über sich selbst hinauszugehen, denn ihr Sieg ist zugleich ihr Verlust.
Es hindert uns also nichts, unsere Kritik an die Kritik der
Politik, an die Parteinahme in der Politik, also an *wirkliche*
Kämpfe anzuknüpfen und mit ihnen zu identifizieren. Wir
treten dann nicht der Welt doktrinär mit einem neuen Prinzip entgegen: hier ist die Wahrheit, hier kniee nieder! Wir
entwickeln der Welt aus den Prinzipien der Welt neue
Prinzipien. Wir sagen ihr nicht: laß ab von deinen Kämpfen, sie sind dummes Zeug; wir wollen dir die wahre Parole
des Kampfes zuschreien. Wir zeigen ihr nur, warum sie
eigentlich kämpft, und das Bewußtsein ist eine Sache, die
sie sich aneignen *muß*, wenn sie auch nicht will.
Die Reform des Bewußtseins besteht *nur* darin, daß man
die Welt ihr Bewußtsein inne werden läßt, daß man sie
aus dem Traume über sich selbst aufweckt, daß man ihre
eigenen Aktionen ihr *erklärt*. Unser ganzer Zweck kann
in nichts anderem bestehen, wie dies auch bei Feuerbachs
Kritik der Religion der Fall ist, als daß die religiösen und
politischen Fragen in die selbstbewußte menschliche Form
gebracht werden.

Unser Wahlspruch muß also sein: Reform des Bewußtseins nicht durch Dogmen, sondern durch Analysierung des mystischen, sich selbst unklaren Bewußtseins, trete es nun religiös oder politisch auf. Es wird sich dann zeigen, daß die Welt längst den Traum von einer Sache besitzt, von der sie nur das Bewußtsein besitzen muß, um sie wirklich zu besitzen. Es wird sich zeigen, daß es sich nicht um einen großen Gedankenstrich zwischen Vergangenheit und Zukunft handelt, sondern um die *Vollziehung* der Gedanken der Vergangenheit. Es wird sich endlich zeigen, daß die Menschheit keine *neue* Arbeit beginnt, sondern mit Bewußtsein ihre alte Arbeit zustande bringt.

Wir können also die Tendenz unseres Blattes in *ein* Wort fassen: Selbstverständigung (kritische Philosophie) der Zeit über ihre Kämpfe und Wünsche. Dies ist eine Arbeit für die Welt und für uns. Sie kann nur das Werk vereinter Kräfte sein. Es handelt sich um eine *Beichte*, um weiter nichts. Um sich ihre Sünden vergeben zu lassen, braucht die Menschheit sie nur für das zu erklären, was sie sind.

b. Zur Judenfrage

I.

Bruno Bauer: Die Judenfrage. Braunschweig 1843.

Die deutschen Juden begehren die Emanzipation. Welche Emanzipation begehren sie? Die *staatsbürgerliche*, die *politische* Emanzipation.

Bruno Bauer antwortet ihnen: Niemand in Deutschland ist politisch emanzipiert. Wir selbst sind unfrei. Wie sollen wir euch befreien? Ihr Juden seid *Egoisten*, wenn ihr eine besondere Emanzipation für euch als Juden verlangt. Ihr müßtet als Deutsche an der politischen Emanzipation Deutschlands, als Menschen an der menschlichen Emanzipation arbeiten und die besondere Art eures Druckes und eurer Schmach nicht als Ausnahme von der Regel, sondern vielmehr als Bestätigung der Regel empfinden.

Oder verlangen die Juden Gleichstellung mit den *christ-lichen Untertanen?* So erkennen sie den *christlichen Staat* als berechtigt an, so erkennen sie das Regiment der allge-meinen Unterjochung an. Warum mißfällt ihnen ihr spe-zielles Joch, wenn ihnen das allgemeine Joch gefällt! War-um soll der Deutsche sich für die Befreiung des Juden interessieren, wenn der Jude sich nicht für die Befreiung des Deutschen interessiert?

Der *christliche* Staat kennt nur *Privilegien.* Der Jude besitzt in ihm das Privilegium, Jude zu sein. Er hat als Jude Rechte, welche die Christen nicht haben. Warum begehrt er Rechte, welche er nicht hat und welche die Christen genießen!

Wenn der Jude vom christlichen Staat emanzipiert sein will, so verlangt er, daß der christliche Staat sein *religiöses* Vorurteil aufgebe. Gibt er, der Jude, *sein* religiöses Vor-urteil auf? Hat er also das Recht, von einem anderen diese Abdankung der Religion zu verlangen?

Der christliche Staat kann *seinem Wesen* nach den Juden nicht emanzipieren; aber, setzt Bauer hinzu, der Jude kann seinem Wesen nach nicht emanzipiert werden. Solange der Staat christlich und der Jude jüdisch ist, sind beide ebenso-wenig fähig, die Emanzipation zu verleihen als zu emp-fangen.

Der christliche Staat kann sich nur in der Weise des christ-lichen Staats zu dem Juden verhalten, das heißt auf privi-legierende Weise, indem er die Absonderung des Juden von den übrigen Untertanen gestattet, ihn aber den Druck der anderen abgesonderten Sphären empfinden und um so nach-drücklicher empfinden läßt, als der Jude im *religiösen* Gegensatz zu der herrschenden Religion steht. Aber auch der Jude kann sich nur jüdisch zum Staat verhalten, das heißt zu dem Staate als einem Fremdling, indem er der wirklichen Nationalität seine chimärische Nationalität, indem er dem wirklichen Gesetz sein illusorisches Gesetz gegenüberstellt, indem er zur Absonderung von der Mensch-heit sich berechtigt wähnt, indem er prinzipiell keinen An-teil an der geschichtlichen Bewegung nimmt, indem er einer Zukunft harrt, welche mit der allgemeinen Zukunft des Menschen nichts gemein hat, indem er sich für ein Glied des jüdischen Volkes und das jüdische Volk für das auserwählte Volk hält.

Auf welchen Titel hin begehrt ihr Juden also die Emanzipation? Eurer Religion wegen? Sie ist die Todfeindin der Staatsreligion. Als Staatsbürger? Es gibt in Deutschland keine Staatsbürger. Als Menschen? Ihr seid keine Menschen, so wenig als die, an welche ihr appelliert.

Bauer hat die Frage der Juden-Emanzipation neu gestellt, nachdem er eine Kritik der bisherigen Stellungen und Lösungen der Frage gegeben. Wie, fragt er, sind sie *beschaffen*, der Jude, der emanzipiert werden, der christliche Staat, der emanzipieren soll? Er antwortet durch eine Kritik der jüdischen Religion, er analysiert den *religiösen* Gegensatz zwischen Judentum und Christentum, er verständigt über das Wesen des christlichen Staates, alles dies mit Kühnheit, Schärfe, Geist, Gründlichkeit in einer ebenso präzisen als kernigen und energievollen Schreibweise.

Wie also löst Bauer die Judenfrage? Welches das Resultat? Die Formulierung einer Frage ist ihre Lösung. Die Kritik der Judenfrage ist die Antwort auf die Judenfrage. Das Resumé also folgendes:

Wir müssen uns selbst emanzipieren, ehe wir andere emanzipieren können.

Die starrste Form des Gegensatzes zwischen dem Juden und dem Christen ist der *religiöse* Gegensatz. Wie löst man einen Gegensatz? Dadurch, daß man ihn unmöglich macht. Wie macht man einen *religiösen* Gegensatz unmöglich? Dadurch, daß man die *Religion aufhebt*. Sobald Jude und Christ ihre gegenseitigen Religionen nur mehr als *verschiedene Entwicklungsstufen des menschlichen Geistes*, als verschiedene von der *Geschichte* abgelegte Schlangenhäute und den *Menschen* als die Schlange erkennen, die sich in ihnen gehäutet, stehen sie nicht mehr in einem religiösen, sondern nur noch in einem kritischen, *wissenschaftlichen*, in einem menschlichen Verhältnis. Die *Wissenschaft* ist dann ihre Einheit. Gegensätze in der Wissenschaft lösen sich aber durch die Wissenschaft selbst.

Dem *deutschen* Juden namentlich stellt sich der Mangel der politischen Emanzipation überhaupt und die prononcierte

Christlichkeit des Staats gegenüber. In Bauers Sinn hat
jedoch die Judenfrage eine allgemeine, von den spezifisch
deutschen Verhältnissen unabhängige Bedeutung. Sie ist die
Frage von dem Verhältnis der Religion zum Staat, von dem
*Widerspruch der religiösen Befangenheit und der politi-
schen Emanzipation*. Die Emanzipation von der Religion
wird als Bedingung gestellt, sowohl an den Juden, der politisch emanzipiert sein will, als an den Staat, der emanzipieren und selbst emanzipiert sein soll.

„Gut! sagt man, und der Jude sagt es selbst, der Jude soll
auch nicht als Jude, nicht weil er Jude ist, nicht weil er ein
so treffliches allgemein menschliches Prinzip der Sittlichkeit
hat, emanzipiert werden, der *Jude* wird vielmehr selbst
hinter den *Staatsbürger* zurücktreten und *Staatsbürger* sein,
trotzdem daß er Jude ist und Jude bleiben soll; d. h. er ist
und bleibt *Jude*, trotzdem daß er *Staatsbürger* ist und in
allgemein menschlichen Verhältnissen lebt; sein jüdisches
und beschränktes Wesen trägt immer und zuletzt über seine
menschlichen und politischen Verpflichtungen den Sieg davon. Das *Vorurteil* bleibt, trotzdem daß es von *allgemeinen*
Grundsätzen überflügelt ist. Wenn es aber bleibt, so überflügelt es vielmehr alles Andere." „Nur sophistisch, dem
Scheine nach, würde der Jude im Staatsleben Jude bleiben
können; der bloße Schein würde also, wenn er Jude bleiben
wollte, das Wesentliche sein und den Sieg davontragen,
d. h. sein *Leben im Staat* würde nur Schein oder eine momentane Ausnahme gegen das Wesen und die Regel sein."
(Die Fähigkeit der heutigen Juden und Christen, frei zu
werden. Einundzwanzig Bogen, p. 57.)
Hören wir andererseits, wie Bauer die Aufgabe des Staats
stellt:
„Frankreich", heißt es, „hat uns neuerlich (Verhandlungen
der Deputiertenkammer vom 26. Dezember 1840) in bezug
auf die Judenfrage — so wie in allen anderen *politischen*
Fragen seit der Julirevolution beständig — den Anblick eines
Lebens gegeben, welches frei ist, aber seine Freiheit im
Gesetz revoziert, also auch für einen Schein erklärt und
auf der anderen Seite sein freies Gesetz durch die Tat
widerlegt." (Judenfrage, p. 64.)

„Die allgemeine Freiheit ist in Frankreich noch nicht Gesetz, die *Judenfrage auch* noch *nicht* gelöst, weil die gesetzliche Freiheit — daß alle Bürger gleich sind — im Leben, welches von den religiösen Privilegien noch beherrscht und zerteilt ist, beschränkt wird und diese Unfreiheit des Lebens auf das Gesetz zurückwirkt und dieses zwingt, die Unterscheidung der an sich freien Bürger in Unterdrückte und Unterdrücker zu sanktionieren." (p. 65.)

Wann also wäre die Judenfrage für Frankreich gelöst?

„Der Jude z. B. müßte aufgehört haben, Jude zu sein, wenn er sich durch sein Gesetz nicht verhindern läßt, seine Pflichten gegen den Staat und seine Mitbürger zu erfüllen, also z. B. am Sabbath in die Deputiertenkammer geht und an den öffentlichen Verhandlungen teilnimmt. Jedes *religiöse Privilegium* überhaupt, also auch das Monopol einer bevorrechteten Kirche, müßte aufgehoben, und wenn einige oder mehrere oder *auch die überwiegende Mehrzahl noch religiöse Pflichten glaubten erfüllen zu müssen,* so müßte diese Erfüllung als eine *reine Privatsache ihnen selbst* überlassen sein." (p. 65.) „Es gibt keine Religion mehr, wenn es keine privilegierte Religion mehr gibt. Nehmt der Religion ihre ausschließende Kraft, und sie existiert nicht mehr." (p. 66.) „So gut, wie Herr Martin du Nord in dem Vorschlag, die Erwähnung des Sonntags im Gesetze zu unterlassen, den Antrag auf die Erklärung sah, daß das Christentum aufgehört habe, zu existieren, mit demselben Rechte (und dies Recht ist vollkommen begründet) würde die Erklärung, daß das Sabbathgesetz für den Juden keine Verbindlichkeit mehr habe, die Proklamation der Auflösung des Judentums sein." (p. 71.)

Bauer verlangt also einerseits, daß der Jude das Judentum, überhaupt der Mensch die Religion aufgebe, um *staatsbürgerlich* emanzipiert zu werden. Andererseits gilt ihm konsequenterweise die *politische* Aufhebung der Religion für die Aufhebung der Religion schlechthin. Der Staat, welcher die Religion voraussetzt, ist noch kein wahrer, kein wirklicher Staat. „Allerdings gibt die religiöse Vorstellung dem Staat Garantien. Aber welchem Staat? *Welcher Art des Staates?*" (p. 97.)

An diesem Punkt tritt die *einseitige* Fassung der Judenfrage
hervor.

Es genügte keineswegs zu untersuchen: Wer soll emanzipieren? Wer soll emanzipiert werden? Die Kritik hatte ein
Drittes zu tun. Sie mußte fragen: *Von welcher Art der
Emanzipation* handelt es sich? Welche Bedingungen sind
im Wesen der verlangten Emanzipation begründet? Die
Kritik der *politischen Emanzipation* selbst war erst die
schließliche Kritik der Judenfrage und ihre wahre Auflösung in die *„allgemeine Frage der Zeit"*.

Weil Bauer die Frage nicht auf diese Höhe erhebt, verfällt
er in Widersprüche. Er stellt Bedingungen, die nicht im
Wesen der *politischen* Emanzipation selbst begründet sind.
Er wirft Fragen auf, welche seine Aufgabe nicht enthält,
und er löste Aufgaben, welche seine Frage unerledigt lassen.
Wenn Bauer von den Gegnern der Judenemanzipation sagt:
„Ihr Fehler war nur der, daß sie den christlichen Staat als
den einzig wahren voraussetzen und nicht derselben Kritik
unterwarfen, mit der sie das Judentum betrachteten" (p. 3),
so finden wir Bauers Fehler darin, daß er *nur* den „christlichen Staat", nicht den „Staat schlechthin" der Kritik unterwirft, daß er *das Verhältnis der politischen Emanzipation
zur menschlichen Emanzipation* nicht untersucht und daher
Bedingungen stellt, welche nur aus einer unkritischen Verwechslung der politischen Emanzipation mit der allgemein
menschlichen erklärlich sind. Wenn Bauer die Juden fragt:
Habt ihr von eurem Standpunkt aus das Recht, die *politische
Emanzipation* zu begehren? so fragen wir umgekehrt: Hat
der Standpunkt der *politischen* Emanzipation das Recht, vom
Juden die Aufhebung des Judentums, vom Menschen überhaupt die Aufhebung der Religion zu verlangen?

Die Judenfrage erhält eine veränderte Fassung, je nach dem
Staate, in welchem der Jude sich befindet. In Deutschland,
wo kein politischer Staat, kein Staat als Staat existiert, ist
die Judenfrage eine rein *theologische* Frage. Der Jude befindet sich im *religiösen* Gegensatz zum Staat, der das
Christentum als seine Grundlage bekennt. Dieser Staat ist
Theologe *ex professo*. Die Kritik ist hier Kritik der Theologie, zweischneidige Kritik, Kritik der christlichen, Kritik

der jüdischen Theologie. Aber so bewegen wir uns immer noch in der Theologie, so sehr wir uns auch *kritisch* in ihr bewegen mögen.

In Frankreich, in dem *konstitutionellen* Staat, ist die Judenfrage die Frage des Konstitutionalismus, die Frage von der *Halbheit der politischen Emanzipation.* Da hier der *Schein* einer Staatsreligion, wenn auch in einer nichtssagenden und sich selbst widersprechenden Formel, in der Formel einer *Religion der Mehrheit* beibehalten ist, so behält das Verhältnis der Juden zum Staat den *Schein* eines religiösen, theologischen Gegensatzes.

Erst in den nordamerikanischen Freistaaten — wenigstens in einem Teil derselben — verliert die Judenfrage ihre *theologische* Bedeutung und wird zu einer wirklich *weltlichen* Frage. Nur wo der politische Staat in seiner vollständigen Ausbildung existiert, kann das Verhältnis des Juden, überhaupt des religiösen Menschen, zum politischen Staat, also das Verhältnis der Religion zum Staat, in seiner Eigentümlichkeit, in seiner Reinheit heraustreten. Die Kritik dieses Verhältnisses hört auf, theologische Kritik zu sein, sobald der Staat aufhört, auf *theologische* Weise sich zur Religion zu verhalten, sobald er sich als Staat, d. h. *politisch,* zur Religion verhält. Die Kritik wird dann zur *Kritik des politischen Staats.* An diesem Punkt, wo die Frage aufhört, *theologisch* zu sein, hört Bauers Kritik auf, kritisch zu sein. *„Il n'existe aux Etats-Unis ni religion de l'Etat, ni religion déclarée celle de la majorité ni prééminence d'un culte sur un autre. L'Etat est étranger à tous les cultes.“ (Marie ou l'esclavage aux Etats-Unis etc., par. G. de Beaumont. Paris 1835, p. 214.)* Ja es gibt einige nordamerikanische Staaten, wo *„la constitution n'impose pas les croyances religieuses et la pratique d'un culte comme condition des privilèges politiques“* (l. c. p. 225). Dennoch *„on ne croit pas aux Etats-Unis qu'un homme sans religion puisse être un honnête homme“* (l. c. p. 224). Dennoch ist Nordamerika vorzugsweise das Land der Religiosität, wie Beaumont, Tocqueville und der Engländer Hamilton aus einem Munde versichern. Die nordamerikanischen Staaten gelten uns indes nur als Beispiel. Die Frage ist: Wie verhält sich die *vollendete*

politische Emanzipation zur Religion? Finden wir selbst
im Lande der vollendeten politischen Emanzipation nicht
nur die *Existenz*, sondern die *lebensfrische*, die *lebenskräf-
tige* Existenz der Religion, so ist der Beweis geführt, daß
das Dasein der Religion der Vollendung des Staats nicht
widerspricht. Da aber das Dasein der Religion das Dasein
eines Mangels ist, so kann die Quelle dieses Mangels nur
noch im *Wesen* des Staates selbst gesucht werden. Die Religion gilt uns nicht mehr als der *Grund*, sondern nur noch
als das *Phänomen* der weltlichen Beschränktheit. Wir erklären daher die religiöse Befangenheit der freien Staatsbürger aus ihrer weltlichen Befangenheit. Wir behaupten
nicht, daß sie ihre religiöse Beschränktheit aufheben müssen,
um ihre weltlichen Schranken aufzuheben. Wir behaupten,
daß sie ihre religiöse Beschränktheit aufheben, sobald sie
ihre weltliche Schranke aufheben. Wir verwandeln nicht
die weltlichen Fragen in theologische. Wir verwandeln die
theologischen Fragen in weltliche. Nachdem die Geschichte
lange genug in Aberglauben aufgelöst worden ist, lösen wir
den Aberglauben in Geschichte auf. Die Frage von dem
Verhältnisse der politischen Emanzipation zur Religion wird
für uns die Frage von dem *Verhältnis der politischen Emanzipation zur menschlichen Emanzipation.* Wir kritisieren
die religiöse Schwäche des politischen Staats, indem wir den
politischen Staat, *abgesehen* von den religiösen Schwächen,
in seiner weltlichen Konstruktion kritisieren. Den Widerspruch des Staats mit einer *bestimmten Religion*, etwa dem
Judentum, vermenschlichen wir in den Widerspruch des
Staats mit *bestimmten weltlichen* Elementen, den Widerspruch des Staats mit der *Religion überhaupt*, in den Widerspruch des Staats mit seinen *Voraussetzungen* überhaupt.
Die *politische* Emanzipation des Juden, des Christen, überhaupt des *religiösen* Menschen, ist die *Emanzipation des
Staats* vom Judentum, vom Christentum, überhaupt von der
Religion. In seiner Form, in der seinem Wesen eigentümlichen Weise, als *Staat* emanzipiert sich der Staat von der
Religion, indem er sich von der *Staatsreligion* emanzipiert,
d. h. indem der Staat als Staat keine Religion bekennt, indem der Staat sich vielmehr als Staat bekennt. Die *politische*

Emanzipation von der Religion ist nicht die durchgeführte, die widerspruchslose Emanzipation von der Religion, weil die politische Emanzipation nicht die durchgeführte, die widerspruchslose Weise der *menschlichen* Emanzipation ist.

Die Grenze der politischen Emanzipation erscheint sogleich darin, daß der *Staat* sich von einer Schranke befreien kann, ohne daß der Mensch *wirklich* von ihr frei wäre, daß der Staat ein *Freistaat* sein kann, ohne daß der Mensch *ein freier Mensch* wäre. Bauer selbst gibt dies stillschweigend zu, wenn er folgende Bedingung der politischen Emanzipation setzt: „Jedes religiöse Privilegium überhaupt, also auch das Monopol einer bevorrechteten Kirche, müßte aufgehoben, und wenn einige oder mehrere oder auch die *überwiegende Mehrzahl noch religiöse Pflichten glaubten erfüllen zu müssen,* so müßte diese Erfüllung als eine *reine Privatsache* ihnen selbst überlassen sein." Der *Staat* kann sich also von der Religion emanzipiert haben, sogar wenn die *überwiegende Mehrzahl* noch religiös ist. Und die überwiegende Mehrzahl hört dadurch nicht auf, religiös zu sein, daß sie *privatim* religiös ist.

Aber das Verhalten des Staats zur Religion, namentlich *des Freistaats,* ist doch nur das Verhalten der *Menschen,* die den Staat bilden, zur Religion. Es folgt hieraus, daß der Mensch durch das *Medium des Staats,* daß er *politisch* von einer Schranke sich befreit, indem er sich im Widerspruch mit sich selbst, indem er sich auf eine *abstrakte* und *beschränkte,* auf partielle Weise über diese Schranke erhebt. Es folgt ferner, daß der Mensch auf einem *Umweg,* durch ein *Medium,* wenn auch durch ein *notwendiges Medium* sich befreit, indem er sich *politisch* befreit. Es folgt endlich, daß der Mensch, selbst wenn er durch die Vermittlung des Staats sich als Atheisten proklamiert, d. h. wenn er den Staat zum Atheisten proklamiert, immer noch religiös befangen bleibt, eben weil er sich nur auf einem Umweg, weil er nur durch ein Medium sich selbst anerkennt. Die Religion ist eben die Anerkennung des Menschen auf einem Umweg. Durch einen *Mittler.* Der Staat ist der Mittler zwischen dem Menschen und der Freiheit des Menschen. Wie Christus der Mittler ist, dem der Mensch seine ganze Göttlichkeit,

seine ganze *religiöse Befangenheit* aufbürdet, so ist der
Staat der Mittler, in den er seine ganze Ungöttlichkeit, seine
ganze *menschliche Unbefangenheit* verlegt.

Die *politische* Erhebung des Menschen über die Religion
teilt alle Mängel und alle Vorzüge der politischen Erhebung
überhaupt. Der Staat als Staat annulliert z. B. das *Privateigentum*, der Mensch erklärt auf *politische* Weise das Privateigentum für *aufgehoben*, sobald er den *Zensus* für aktive
und passive Wählbarkeit aufhebt, wie dies in vielen nordamerikanischen Staaten geschehen ist. *Hamilton* interpretiert dies Faktum von politischem Standpunkte ganz richtig
dahin: *„Der große Haufen hat den Sieg über die Eigentümer und den Geldreichtum davongetragen.“* Ist das Privateigentum nicht ideell aufgehoben, wenn der Nichtbesit-
zende zum Gesetzgeber des Besitzenden geworden ist? Der
Zensus ist die letzte *politische* Form, das Privateigentum
anzuerkennen.

Dennoch ist mit der politischen Annullation des Privateigentums das Privateigentum nicht nur nicht aufgehoben,
sondern sogar vorausgesetzt. Der Staat hebt den Unterschied
der *Geburt*, des *Standes*, der *Bildung*, der *Beschäftigung* in
seiner Weise auf, wenn er Geburt, Stand, Bildung, Beschäftigung für *unpolitische* Unterschiede erklärt, wenn er ohne
Rücksicht auf diese Unterschiede jedes Glied des Volkes
zum *gleichmäßigen* Teilnehmer der Volkssouveränität ausruft, wenn er alle Elemente des wirklichen Volkslebens von
dem Staatsgesichtspunkt aus behandelt. Nichtsdestoweniger
läßt der Staat das Privateigentum, die Bildung, die Beschäftigung auf *ihre* Weise, d. h. als Privateigentum, als Bildung,
als Beschäftigung *wirken* und ihr *besonderes* Wesen geltend
machen. Weit entfernt, diese *faktischen* Unterschiede aufzuheben, existiert er vielmehr nur unter ihrer Voraussetzung, empfindet er sich als *politischer Staat* und macht
er seine *Allgemeinheit* geltend nur im Gegensatz zu diesen
seinen Elementen. *Hegel* bestimmt das Verhältnis des *politischen Staats* zur Religion daher ganz richtig, wenn er sagt:
„Damit der Staat als die *sich wissende sittliche Wirklichkeit*
des Geistes zum Dasein komme, ist seine *Unterscheidung*
von der Form der Autorität und des Glaubens notwendig;

diese Unterscheidung tritt aber nur hervor, insofern die kirchliche Seite in sich selbst zur *Trennung* kommt; *nur so über* den *besonderen* Kirchen hat der Staat die *Allgemeinheit* des Gedankens, das Prinzip seiner Form gewonnen und bringt sie zur Existenz" (Hegels Rechtsphil., 1. Ausg., p. 346). Allerdings! Nur so *über* den *besonderen* Elementen konstituiert sich der Staat als Allgemeinheit.

Der vollendete politische Staat ist seinem Wesen nach das *Gattungsleben* des Menschen im *Gegensatz* zu seinem materiellen Leben. Alle Voraussetzungen dieses egoistischen Lebens bleiben *außerhalb* der Staatssphäre in der *bürgerlichen Gesellschaft* bestehen, aber als Eigenschaften der bürgerlichen Gesellschaft. Wo der politische Staat seine wahre Ausbildung erreicht hat, führt der Mensch nicht nur im Gedanken, im Bewußtsein, sondern in der *Wirklichkeit*, im *Leben* ein doppeltes, ein himmlisches und ein irdisches Leben, das Leben im *politischen Gemeinwesen*, worin er sich als *Gemeinwesen* gilt, und das Leben in der *bürgerlichen Gesellschaft*, worin er als *Privatmensch* tätig ist, die anderen Menschen als Mittel betrachtet, sich selbst zum Mittel herabwürdigt und zum Spielball fremder Mächte wird. Der politische Staat verhält sich ebenso spiritualistisch zur bürgerlichen Gesellschaft wie der Himmel zur Erde. Er steht in demselben Gegensatz zu ihr, er überwindet sie in derselben Weise wie die Religion die Beschränktheit der profanen Welt, d. h., indem er sie ebenfalls wieder anerkennen, herstellen, sich selbst von ihr beherrschen lassen muß. Der Mensch in seiner *nächsten* Wirklichkeit, in der bürgerlichen Gesellschaft, ist ein profanes Wesen. Hier, wo er als wirkliches Individuum sich selbst und anderen gilt, ist er eine *unwahre* Erscheinung. In dem Staat dagegen, wo der Mensch als Gattungswesen gilt, ist er das imaginäre Glied einer eingebildeten Souveränität, ist er seines wirklichen individuellen Lebens beraubt und mit einer unwirklichen Allgemeinheit erfüllt.

Der Konflikt, in welchem sich der Mensch als Bekenner einer *besonderen* Religion mit seinem Staatsbürgertum, mit den anderen Menschen als Gliedern des Gemeinwesens befindet, reduziert sich auf die *weltliche* Spaltung zwischen

dem *politischen* Staat und der *bürgerlichen Gesellschaft*.
Für den Menschen als *Bourgeois* ist das „Leben im Staate
nur Schein oder eine momentane Ausnahme gegen das Wesen und die Regel". Allerdings bleibt der *Bourgeois*, wie der
Jude, nur sophistisch im Staatsleben, wie der *Citoyen* nur
sophistisch Jude oder *Bourgeois* bleibt; aber diese Sophistik
ist nicht persönlich. Sie ist die *Sophistik des politischen
Staates* selbst. Die Differenz zwischen dem religiösen Menschen und dem Staatsbürger ist die Defferenz zwischen dem
Kaufmann und dem Staatsbürger, zwischen dem Taglöhner
und dem Staatsbürger, zwischen dem Grundbesitzer und
dem Staatsbürger, zwischen dem *lebendigen Individuum*
und dem *Staatsbürger*. Der Widerspruch, in dem sich der
religiöse Mensch mit dem politischen Menschen befindet, ist
derselbe Widerspruch, in welchem sich der *Bourgeois* mit
dem *Citoyen*, in welchem sich das Mitglied der bürgerlichen
Gesellschaft mit seiner *politischen Löwenhaut* befindet.
Diesen weltlichen Widerstreit, auf welchen sich die Judenfrage schließlich reduziert, das Verhältnis des politischen
Staates zu seinen Voraussetzungen, mögen dies nun materielle Elemente sein, wie das Privateigentum etc., oder
geistige, wie Bildung, Religion, den Widerstreit zwischen
dem *allgemeinen* Interesse und dem *Privatinteresse*, die
Spaltung zwischen dem *politischen Staate* und der *bürgerlichen Gesellschaft*, diese weltlichen Gegensätze läßt Bauer
bestehen, während er gegen ihren *religiösen* Ausdruck polemisiert. „Gerade ihre Grundlage, das Bedürfnis, welches
der *bürgerlichen Gesellschaft* ihr Bestehen sichert und *ihre
Notwendigkeit* garantiert, setzt ihr Bestehen beständigen
Gefahren aus, unterhält in ihr ein unsicheres Element und
bringt jene in beständigem Wechsel begriffene Mischung
von Armut und Reichtum, Not und Gedeihen, überhaupt
den Wechsel hervor." (p. 8.)
Man vergleiche den ganzen Abschnitt: „Die bürgerliche Gesellschaft" (p. 8—9), der nach den Grundzügen der Hegelschen Rechtsphilosophie entworfen ist. Die bürgerliche Gesellschaft in ihrem Gegensatz zum politischen Staate wird
als notwendig anerkannt, weil der politische Staat als notwendig anerkannt wird.

Die *politische* Emanzipation ist allerdings ein großer Fortschritt, sie ist zwar nicht die letzte Form der menschlichen Emanzipation überhaupt, aber sie ist die letzte Form der menschlichen Emanzipation *innerhalb* der bisherigen Weltordnung. Es versteht sich: wir sprechen hier von wirklicher, von praktischer Emanzipation.

Der Mensch emanzipiert sich *politisch* von der Religion, indem er sie aus dem öffentlichen Recht in das Privatrecht verbannt. Sie ist nicht mehr der Geist des *Staates*, wo der Mensch – wenn auch in beschränkter Weise, unter besonderer Form und in einer besonderen Sphäre – sich als Gattungswesen verhält, in Gemeinschaft mit anderen Menschen, sie ist zum Geist der *bürgerlichen Gesellschaft* geworden, der Sphäre des Egoismus, des *bellum omnium contra omnes*. Sie ist nicht mehr das Wesen der *Gemeinschaft*, sondern das Wesen des *Unterschieds*. Sie ist zum Ausdruck der *Trennung* des Menschen von seinem *Gemeinwesen*, von sich und den anderen Menschen geworden – was sie *ursprünglich* war. Sie ist nur noch das abstrakte Bekenntnis der besonderen Verkehrtheit, der *Privatschrulle*, der Willkür. Die unendliche Zersplitterung der Religion in Nordamerika z. B. gibt ihr schon äußerlich die Form einer rein individuellen Angelegenheit. Sie ist unter die Zahl der Privatinteressen hinabgestoßen und aus dem Gemeinwesen als Gemeinwesen exiliert. Aber man täusche sich nicht über die Grenze der politischen Emanzipation. Die Spaltung des Menschen in den *öffentlichen* und in den *Privatmenschen*, die *Dislokation* der Religion aus dem Staate in die bürgerliche Gesellschaft, sie ist nicht eine Stufe, sie ist die *Vollendung* der politischen Emanzipation, die also die *wirkliche* Religiosität des Menschen ebensowenig aufhebt, als aufzuheben strebt.

Die *Zersetzung* des Menschen in den Juden und in den Staatsbürger, in den Protestanten und in den Staatsbürger, in den religiösen Menschen und in den Staatsbürger, diese Zersetzung ist keine Lüge *gegen* das Staatsbürgertum, sie ist keine Umgehung der politischen Emanzipation, sie *ist die politische Emanzipation selbst*, sie ist die *politische* Weise, sich von der Religion zu emanzipieren. Allerdings: in Zeiten, wo der politische Staat als politischer Staat gewaltsam

aus der bürgerlichen Gesellschaft heraus geboren wird, wo
die menschliche Selbstbefreiung unter der Form der politischen Selbstbefreiung sich zu vollziehen strebt, kann und
muß der Staat bis zur *Aufhebung der Religion*, bis zur *Vernichtung* der Religion fortgehen, aber nur so, wie er zur
Aufhebung des Privateigentums, zum Maximum, zur Konfiskation, zur progressiven Steuer, wie er zur Aufhebung
des Lebens, zur *Guillotine* fortgeht. In den Momenten seines
besonderen Selbstgefühls sucht das politische Leben seine
Voraussetzung, die bürgerliche Gesellschaft und ihre Elemente, zu erdrücken und sich als das wirkliche, widerspruchslose Gattungsleben des Menschen zu konstituieren.
Es vermag dies indes nur durch *gewaltsamen* Widerspruch
gegen seine eigenen Lebensbedingungen, nur indem es die
Revolution für *permanent* erklärt, und das politische Drama
endet daher ebenso notwendig mit der Wiederherstellung
der Religion, des Privateigentums, aller Elemente der bürgerlichen Gesellschaft, wie der Krieg mit dem Frieden
endet.

Ja, nicht der sogenannte *christliche* Staat, der das Christentum als seine Grundlage, als Staatsreligion bekennt und
sich daher ausschließend zu anderen Religionen verhält, ist
der vollendete christliche Staat, sondern vielmehr der *atheistische* Staat, der *demokratische* Staat, der Staat, der die
Religion unter die übrigen Elemente der bürgerlichen Gesellschaft verweist. Dem Staat, der noch Theologe ist, der
noch das Glaubensbekenntnis des Christentums auf offizielle Weise ablegt, der sich noch nicht *als Staat* zu proklamieren wagt, ihm ist es noch nicht gelungen, in *weltlicher*,
menschlicher Form, in seiner *Wirklichkeit* als Staat die
menschliche Grundlage auszudrücken, deren überschwäng-
licher Ausdruck das Christentum ist. Der sogenannte christliche Staat ist nur einfach der *Nichtstaat*, weil nicht das
Christentum als Religion, sondern nur der *menschliche
Hintergrund* der christlichen Religion in wirklich menschlichen Schöpfungen sich ausführen kann.

Der sogenannte christliche Staat ist die christliche Verneinung des Staats, aber keineswegs die staatliche Verwirklichung des Christentums. Der Staat, der das Christentum

noch in der Form der Religion bekennt, bekennt es noch nicht in der Form des Staats, denn er verhält sich noch religiös zu der Religion, d. h. er ist nicht die *wirkliche Ausführung* des menschlichen Grundes der Religion, weil er noch auf die *Unwirklichkeit,* auf die *imaginäre* Gestalt dieses menschlichen Kernes provoziert. Der sogenannte christliche Staat ist der *unvollkommene* Staat, und die christliche Religion gilt ihm als *Ergänzung* und als *Heiligung* seiner Unvollkommenheit. Die Religion wird ihm daher notwendig zum *Mittel,* und er ist der Staat der *Heuchelei.* Es ist ein großer Unterschied, ob der *vollendete* Staat wegen des Mangels, der im allgemeinen *Wesen* des Staats liegt, die Religion unter seine *Voraussetzungen* zählt, oder ob der *unvollendete* Staat wegen des Mangels, der in seiner *besonderen Existenz* liegt, als mangelhafter Staat, die Religion für seine *Grundlage* erklärt. Im letzteren Falle wird die Religion zur *unvollkommenen Politik.* Im ersten Falle zeigt sich die Unvollkommenheit selbst der vollendeten *Politik* in der Religion. Der sogenannte christliche Staat bedarf der christlichen Religion, um sich *als Staat* zu vervollständigen. Der demokratische Staat, der wirkliche Staat, bedarf nicht der Religion zu seiner politischen Vervollständigung. Er kann vielmehr von der Religion abstrahieren, weil in ihm die menschliche Grundlage der Religion auf weltliche Weise ausgeführt ist. Der sogenannte christliche Staat verhält sich dagegen politisch zur Religion und religiös zur Politik. Wenn er die Staatsformen zum Schein herabsetzt, so setzt er ebensosehr die Religion zum Schein herab.

Um diesen Gegensatz zu verdeutlichen, betrachten wir Bauers Konstruktion des christlichen Staats, eine Konstruktion, welche aus der Anschauung des christlich-germanischen Staats hervorgegangen ist.

„Man hat neuerlich", sagt Bauer, „um die *Unmöglichkeit* oder *Nichtexistenz* eines christlichen Staates zu beweisen, öfter auf diejenigen Aussprüche in den Evangelien hingewiesen, die der jetzige *Staat nicht nur nicht* befolgt, sondern *auch nicht einmal befolgen kann, wenn er sich nicht* als Staat *vollständig auflösen will."* „So leicht aber ist die Sache nicht abgemacht. Was verlangen denn jene evangelischen

Sprüche? Die übernatürliche Selbstverleugnung, die Unter-
werfung unter die Autorität der Offenbarung, die Abwen-
dung vom Staat, die Aufhebung der weltlichen Verhältnisse.
Nun, alles das verlangt und leistet der christliche Staat. Er
hat den *Geist des Evangeliums* sich angeeignet, und wenn
er ihn nicht mit denselben Buchstaben wiedergibt, mit denen
ihn das Evangelium ausdrückt, so kommt das nur daher,
weil er diesen Geist in Staatsformen, d. h. in Formen ausdrückt, die zwar dem Staatswesen und dieser Welt entlehnt
sind, aber in der religiösen Wiedergeburt, die sie erfahren
müssen, zum Schein herabgesetzt werden. Er ist die Ab-
wendung vom Staate, die sich zu ihrer Ausführung der
Staatsformen bedient." (p. 55.)
Bauer entwickelt nun weiter, wie das Volk des christlichen
Staats nur ein Nichtvolk ist, keinen eigenen Willen mehr
hat, sein wahres Dasein aber in dem Haupte besitzt, dem
es untertan, welches ihm jedoch ursprünglich und seiner
Natur nach fremd, d. h. von Gott gegeben und ohne sein
eigenes Zutun zu ihm gekommen ist, wie die Gesetze dieses
Volkes nicht sein Werk, sondern positive Offenbarungen
sind, wie sein Oberhaupt privilegierter Vermittler mit dem
eigentlichen Volke, mit der Masse bedarf, wie diese Masse
selbst in eine Menge besonderer Kreise zerfällt, welche der
Zufall bildet und bestimmt, die sich durch ihre Interessen,
besonderen Leidenschaften und Vorurteile unterscheiden
und als Privilegium die Erlaubnis bekommen, sich gegenseitig voneinander abzuschließen, etc. (p. 56.)
Allein Bauer sagt selbst: „Die Politik, wenn sie nichts als
Religion sein soll, darf nicht Politik sein, sowenig, wie das
Reinigen der Kochtöpfe, wenn es als Religionsangelegen-
heit gelten soll, als eine Wirtschaftssache betrachtet werden
darf." (p. 108.) Im christlich-germanischen Staat ist aber
die Religion eine „Wirtschaftssache", wie die „Wirtschaftssache" Religion ist. Im christlich-germanischen Staat ist die
Herrschaft der Religion die Religion der Herrschaft.
Die Trennung des „Geistes des Evangeliums" von den „Buchstaben des Evangeliums" ist ein *irreligiöser* Akt. Der Sinn,
der das Evangelium in den Buchstaben der Politik sprechen
läßt, in anderen Buchstaben als den Buchstaben des Heiligen

Geistes, begeht ein Sakrilegium, wenn nicht vor menschlichen Augen, so doch vor seinen eigenen religiösen Augen. Dem Staate, der das Christentum als seine höchste Norm, der die *Bibel* als seine *Charte* bekennt, muß man die *Worte* der Heiligen Schrift entgegenstellen, denn die Schrift ist heilig bis auf das Wort. Dieser Staat sowohl als das *Menschenkehricht*, worauf er basiert, gerät in einen schmerzlichen, vom Standpunkte des religiösen Bewußtseins aus unüberwindlichen Widerspruch, wenn man ihn auf diejenigen Aussprüche des Evangeliums verweist, die er „nicht nur nicht befolgt, sondern *auch nicht einmal befolgen kann, wenn er sich nicht als Staat vollständig auflösen will*". Und warum will er sich nicht vollständig auflösen? Er selbst kann darauf weder sich noch andern antworten. Vor seinem *eigenen Bewußtsein* ist der offizielle christliche Staat ein *Sollen*, dessen Verwirklichung unerreichbar ist, der die *Wirklichkeit* seiner Existenz nur durch Lügen vor sich selbst zu konstatieren weiß und sich selbst daher stets ein Gegenstand des Zweifels, ein unzuverlässiger, problematischer Gegenstand bleibt. Die Kritik befindet sich *also* in vollem Rechte, wenn sie den Staat, der auf die Bibel provoziert, zur Verrücktheit des Bewußtseins zwingt, wo er selbst nicht mehr weiß, ob er eine *Einbildung* oder eine *Realität* ist, wo die Infamie seiner *weltlichen* Zwecke, denen die Religion zum Deckmantel dient, mit der Ehrlichkeit seines *religiösen* Bewußtseins, dem die Religion als Zweck der Welt erscheint, in unauflöslichen Konflikt gerät. Dieser Staat kann sich nur aus seiner inneren Qual erlösen, wenn er zum *Schergen* der katholischen Kirche wird. Ihr gegenüber, welche die weltliche Macht für ihren dienenden Körper erklärt, ist der Staat ohnmächtig, ohnmächtig die *weltliche* Macht, welche die Herrschaft des religiösen Geistes zu sein behauptet.

In dem sogenannten christlichen Staate gilt zwar die *Entfremdung*, aber nicht der *Mensch*. Der einzige Mensch, der gilt, der *König*, ist ein von den anderen Menschen spezifisch unterschiedenes, dabei selbst noch religiös, mit dem Himmel, mit Gott direkt zusammenhängendes Wesen. Die Beziehungen, die hier herrschen, sind noch *gläubige* Beziehungen.

Der religiöse Geist ist also noch nicht wirklich verweltlicht. Aber der religiöse Geist kann auch nicht *wirklich* verweltlicht werden, denn was ist er selbst, als die *unweltliche* Form einer Entwicklungsstufe des menschlichen Geistes? Der religiöse Geist kann nur verwirklicht werden, insofern die Entwicklungsstufe des menschlichen Geistes, deren religiöser Ausdruck er ist, in ihrer *weltlichen* Form heraustritt und sich konstituiert. Dies geschieht im *demokratischen* Staat. Nicht das Christentum, sondern der *menschliche Grund* des Christentums ist der Grund dieses Staates. Die Religion bleibt das ideale, unweltliche Bewußtsein seiner Glieder, weil sie die ideale Form der *menschlichen Entwicklungsstufe* ist, die in ihm durchgeführt wird.

Religiös sind die Glieder des politischen Staats durch den Dualismus zwischen dem individuellen und dem Gattungsleben, zwischen dem Leben der bürgerlichen Gesellschaft und dem politischen Leben, religiös, indem der Mensch sich zu dem seiner wirklichen Individualität jenseitigen Staatsleben als seinem wahren Leben verhält, religiös, insofern die Religion hier der Geist der bürgerlichen Gesellschaft, der Ausdruck der Trennung und der Entfernung des Menschen vom Menschen ist. Christlich ist die politische Demokratie, indem in ihr der Mensch, nicht nur ein Mensch, sondern jeder Mensch, als *souveränes*, als höchstes Wesen gilt, aber der Mensch in seiner unkultivierten, unsozialen Erscheinung, der Mensch in seiner zufälligen Existenz, der Mensch, wie er geht und steht, der Mensch, wie er durch die ganze Organisation unserer Gesellschaft verdorben, sich selbst verloren, veräußert, unter die Herrschaft unmenschlicher Verhältnisse und Elemente gegeben ist, mit einem Wort, der Mensch, der noch kein *wirkliches* Gattungswesen ist. Das Phantasiegebild, der Traum, das Postulat des Christentums, die Souveränität des Menschen, aber als eines fremden, von dem wirklichen Menschen unterschiedenen Wesens, ist in der Demokratie sinnliche Wirklichkeit, Gegenwart, weltliche Maxime.

Das religiöse und theologische Bewußtsein selbst gilt sich in der vollendeten Demokratie um so religiöser, um so theologischer, als es scheinbar ohne politische Bedeutung, ohne irdische Zwecke, Angelegenheit des weltscheuen Gemütes, Ausdruck der Verstandes-Borniertheit, Produkt der Willkür und der Phantasie, als es ein wirklich jenseitiges Leben ist. Das Christentum erreicht hier den *praktischen* Ausdruck seiner universalreligiösen Bedeutung, indem die verschiedenartigste Weltanschauung in der Form des Christentums sich nebeneinander gruppiert, noch mehr dadurch, daß es an andere nicht einmal die Forderung des Christentums, sondern nur noch der Religion überhaupt, irgendeiner Religion stellt (vgl. die angeführte Schrift von Beaumont). Das religiöse Bewußtsein schwelgt in dem Reichtum des religiösen Gegensatzes und der religiösen Mannigfaltigkeit.

Wir haben also gezeigt: Die politische Emanzipation von der Religion läßt die Religion bestehen, wenn auch keine privilegierte Religion. Der Widerspruch, in welchem sich der Anhänger einer besonderen Religion mit seinem Staatsbürgertum befindet, ist nur *ein Teil* des allgemeinen *weltlichen Widerspruchs zwischen dem politischen Staat und der bürgerlichen Gesellschaft.* Die Vollendung des christlichen Staats ist der Staat, der sich als Staat bekennt und von der Religion seiner Glieder abstrahiert. Die Emanzipation des Staats von der Religion ist nicht die Emanzipation des wirklichen Menschen von der Religion.

Wir sagen also nicht mit Bauer den Juden: Ihr könnt nicht politisch emanzipiert werden, ohne euch radikal vom Judentum zu emanzipieren. Wir sagen ihnen vielmehr: Weil ihr politisch emanzipiert werden könnt, ohne euch vollständig und widerspruchslos vom Judentum loszusagen, darum ist die *politische Emanzipation* selbst nicht die *menschliche* Emanzipation. Wenn ihr Juden politisch emanzipiert werden wollt, ohne euch selbst menschlich zu emanzipieren, so liegt die Halbheit und der Widerspruch nicht nur in euch, sie liegt in dem *Wesen* und der *Kategorie* der politischen Emanzipation. Wenn ihr in dieser Kategorie befangen seid, so teilt ihr eine allgemeine Befangenheit. Wie der Staat *evangelisiert*, wenn er, obschon Staat, sich christlich zu dem Juden verhält, so *politisiert* der Jude, wenn er, obschon Jude, Staatsbürgerrechte verlangt.

Aber wenn der Mensch, obgleich Jude, politisch emanzipiert

werden, Staatsbürgerrechte empfangen kann, kann er die sogenannten *Menschenrechte* in Anspruch nehmen und empfangen? Bauer *leugnet* es. „Die Frage ist, ob der Jude als solcher, d. h. der Jude, der selber eingesteht, daß er durch sein wahres Wesen gezwungen ist, in ewiger Absonderung von anderen zu leben, fähig sei, die *allgemeinen Menschenrechte* zu empfangen und anderen zuzugestehen."

„Der Gedanke der Menschenrechte ist für die christliche Welt erst im vorigen Jahrhundert entdeckt worden. Er ist dem Menschen nicht angeboren, er wird vielmehr nur erobert im Kampfe gegen die geschichtlichen Traditionen, in denen der Mensch bisher erzogen wurde. So sind die Menschenrechte nicht ein Geschenk der Natur, keine Mitgift der bisherigen Geschichte, sondern der Preis des Kampfes gegen den Zufall der Geburt und gegen die Privilegien, welche die Geschichte von Generation auf Generation bis jetzt vererbt hat. Sie sind das Resultat der Bildung, und derjenige kann sie nur besitzen, der sie sich erworben und verdient hat."

„Kann sie nun der Jude wirklich in Besitz nehmen? Solange er Jude ist, muß über das menschliche Wesen, welches ihn als Menschen mit Menschen verbinden sollte, das beschränkte Wesen, das ihn zum Juden macht, den Sieg davontragen und ihn von den Nichtjuden absondern. Er erklärt durch diese Absonderung, daß das besondere Wesen, das ihn zum Juden macht, sein wahres höchstes Wesen ist, vor welchem das Wesen des Menschen zurücktreten muß."

„In derselben Weise kann der Christ als Christ keine Menschenrechte gewähren." (p. 19, 20.)

Der Mensch muß nach Bauer das „*Privilegium des Glaubens*" aufopfern, um die allgemeinen Menschenrechte empfangen zu können. Betrachten wir einen Augenblick die sogenannten Menschenrechte, und zwar die Menschenrechte unter ihrer authentischen Gestalt, unter der Gestalt, welche sie bei ihren *Entdeckern*, den Nordamerikanern und Franzosen, besitzen! Zum Teil sind diese Menschenrechte *politische* Rechte, Rechte, die nur in der Gemeinschaft mit anderen ausgeübt werden. Die *Teilnahme* am *Gemeinwesen*, und zwar am *politischen* Gemeinwesen, am *Staatswesen*, bildet ihren Inhalt. Sie fallen unter die Kategorie der *politi-*

schen Freiheit, unter die Kategorie der *Staatsbürgerrechte,* welche keineswegs, wie wir gesehen, die widerspruchslose und positive Aufhebung der Religion, also etwa auch des Judentums, voraussetzen. Es bleibt der andere Teil der Menschenrechte zu betrachten, die *droits de l'homme,* insofern sie unterschieden sind von den *droits du citoyen.*

In ihrer Reihe findet sich die Gewissensfreiheit, das Recht, einen beliebigen Kultus auszuüben. Das *Privilegium des Glaubens* wird ausdrücklich anerkannt, entweder als ein *Menschenrecht* oder als Konsequenz eines Menschenrechtes, der Freiheit.

Déclaration des droits de l'homme et du citoyen, 1791, art. 10: „Nul ne doit être inquiété pour ses opinions même religieuses." Im titre I der Const. von 1791 wird als Menschenrecht garantiert: „La liberté à tout homme d'exercer le *culte religieux* auquel il est attaché."

Déclaration des droits de l'homme, usw., 1793, zählt unter die Menschenrechte, art. 7: „Le libre exercice des cultes." Ja, in bezug auf das Recht, seine Gedanken und Meinungen zu veröffentlichen, sich zu versammeln, seinen Kultus auszuüben, heißt es sogar: „La nécessité d'énoncer ces *droits* suppose ou la présence ou le souvenir récent du despotisme." Man vergleiche die Const. von 1795, titre XIV. art. 345.

Constitution de Pennsylvanie, art. 9. § 3: „Tous les hommes ont reçu de la nature le *droit* imprescriptible d'adorer le Tout-Puissant selon les inspirations de leur conscience, et nul ne peut légalement être contrait de suivre, instituer ou soutenir contre son gré aucun culte ou ministère religieux. Nulle autorité humaine ne peut, dans aucun cas, intervenir dans les questions de conscience et contrôler les pouvoirs de l'âme."

Constitution de New-Hampshire, art. 5 et 6: „Au nombre des droits naturels, quelques-uns sont inaliénables de leur nature, parce que rien n'en peut être l'équivalent. De ce nombre sont les *droits* de conscience." (Beaumont l. c. p. 213, 214.)

Die Unvereinbarkeit der Religion mit den Menschenrechten liegt so wenig im Begriff der Menschenrechte, daß das *Recht, religiös zu sein,* auf beliebige Weise religiös zu sein, den Kultus seiner besonderen Religion auszuüben, vielmehr ausdrücklich unter die Menschenrechte gezählt wird. Das *Privilegium des Glaubens* ist ein *allgemeines Menschenrecht.*

Die *droits de l'homme,* die Menschenrechte werden als *solche* unterschieden von den *droits du citoyen,* von den Staatsbürgerrechten. Wer ist der vom *citoyen* unterschiedene *homme?* Niemand anders als das *Mitglied der bürgerlichen Gesellschaft.* Warum wird das Mitglied der bürgerlichen Gesellschaft „Mensch", Mensch schlechthin, warum werden seine Rechte *Menschenrechte* genannt? Woraus erklären wir dies Faktum? Aus dem Verhältnis des politischen Staats zur bürgerlichen Gesellschaft, aus dem Wesen der politischen Emanzipation.

Vor allem konstatieren wir die Tatsache, daß die sogenannten *Menschenrechte,* die *droits de l'homme* im Unterschied von den *droits du citoyen,* nichts anderes sind als die Rechte des *Mitglieds der bürgerlichen Gesellschaft,* d. h. des egoistischen Menschen, des vom Menschen und vom Gemeinwesen getrennten Menschen. Die radikalste Konstitution, die Konstitution von 1793, mag sprechen:

Déclar. des droits de l'homme et du citoyen.

Art. 2. Ces droits etc. (les droits naturels et imprescriptibles) sont: *l'égalité,* la *liberté,* la *sûreté,* la *propriété.*

Worin besteht die *liberté?*

Art. 6. „La liberté est le pouvoir qui appartient à l'homme de faire tout ce qui ne nuit pas aux droits d'autrui", oder nach der Deklaration der Menschenrechte von 1791: „La liberté consiste à pouvoir faire tout ce qui ne nuit pas à autrui."

Die Freiheit ist also das Recht, alles zu tun und zu treiben, was keinem anderen schadet. Die Grenze, in welcher sich jeder dem anderen *unschädlich* bewegen kann, ist durch das Gesetz bestimmt, wie die Grenze zweier Felder durch den Zaunpfahl bestimmt ist. Es handelt sich um die Freiheit des Menschen als isolierter auf sich zurückgezogener Monade. Warum ist der Jude nach Bauer unfähig, die Menschenrechte zu empfangen? „Solange er Jude ist, muß über das menschliche Wesen, welches ihn als Menschen mit Menschen verbinden sollte, das beschränkte Wesen, das ihn zum Juden macht, den Sieg davontragen und ihn von den Nichtjuden absondern." Aber das Menschenrecht der Freiheit basiert nicht auf der Verbindung des Menschen mit dem Menschen, sondern vielmehr auf der Absonderung des Menschen von dem Menschen. Es ist das *Recht* dieser Absonderung, das Recht des *beschränkten*, auf sich beschränkten Individuums.

Die praktische Nutzanwendung des Menschenrechts der Freiheit ist das Menschenrecht des *Privateigentums.*

Worin besteht das Menschenrecht des Privateigentums?

Art. 16. (Const. de 1793): „Le droit de *propriété* est celui qui appartient à tout citoyen de jouir et de disposer *à son gré* de ses biens, de ses revenus, du fruit de son travail et de son industrie."

Das Menschenrecht des Privateigentums ist also das Recht, willkürlich (à son gré), ohne Beziehung auf andere Menschen, unabhängig von der Gesellschaft, sein Vermögen zu genießen und über dasselbe zu disponieren, das Recht des Eigennutzes. Jene individuelle Freiheit, wie diese Nutzanwendung derselben, bilden die Grundlage der bürgerlichen Gesellschaft. Sie läßt jeden Menschen im anderen Menschen nicht die *Verwirklichung*, sondern vielmehr die *Schranke* seiner Freiheit finden. Sie proklamiert vor allem aber das Menschenrecht, „de jouir et de disposer *à son gré* de ses biens, de ses revenus, du fruit de son travail et de son industrie."

Es bleiben noch die anderen Menschenrechte, die égalité und die sûreté.

Die égalité, hier in ihrer nichtpolitischen Bedeutung, ist nichts als die Gleichheit der oben beschriebenen *liberté*, nämlich: daß jeder Mensch gleichmäßig als solche auf sich ruhende Monade betrachtet wird. Die Const. von 1795 bestimmt den Begriff dieser Gleichheit, ihrer Bedeutung angemessen, dahin:

Art. 3. (Const. de 1795): „L'égalité consiste en ce que la loi est la même pour tous, soit qu'elle protège, soit qu'elle punisse."

Und die sûreté?

Art. 8. (Const. de 1793): „La sûreté consiste dans la protection accordée par la société à chacun de ses membres pour la conservation de sa personne, de ses droits et de ses propriétés."

Die *Sicherheit* ist der höchste soziale Begriff der bürgerlichen Gesellschaft, der Begriff der *Polizei*, daß die ganze Gesellschaft nur da ist, um jedem ihrer Glieder die Erhaltung seiner Person, seiner Rechte und seines Eigentums zu garantieren. Hegel nennt in diesem Sinn die bürgerliche Gesellschaft „den Not- und Verstandesstaat".

Durch den Begriff der Sicherheit erhebt sich die bürgerliche Gesellschaft nicht über ihren Egoismus. Die Sicherheit ist vielmehr die *Versicherung* des Egoismus.

Keines der sogenannten Menschenrechte geht also über den egoistischen Menschen hinaus, über den Menschen, wie er Mitglied der bürgerlichen Gesellschaft, nämlich auf sich, auf sein Privatinteresse und seine Privatwillkür zurückgezogenes und vom Gemeinwesen abgesondertes Individuum ist. Weit entfernt, daß der Mensch in ihnen als Gattungswesen aufgefaßt wurde, erscheint vielmehr das Gattungsleben selbst, die Gesellschaft, als ein den Individuen äußerlicher Rahmen, als Beschränkung ihrer ursprünglichen Selbständigkeit. Das einzige Band, das sie zusammenhält, ist die Naturnotwendigkeit, das Bedürfnis und das Privatinteresse, die Konservation ihres Eigentums und ihrer egoistischen Person.

Es ist schon rätselhaft, daß ein Volk, welches eben beginnt, sich zu befreien, alle Barrieren zwischen den verschiedenen Volksgliedern niederzureißen, ein politisches Gemeinwesen zu gründen, daß ein solches Volk die Berechtigung des egoistischen, vom Mitmenschen und vom Gemeinwesen abgesonderten Menschen feierlich proklamiert (Décl. de 1791), ja diese Proklamation in einem Augenblicke wiederholt, wo die heroischeste Hingebung allein die Nation retten kann und daher gebieterisch verlangt wird, in einem Augenblicke, wo die Aufopferung aller Interessen der bürgerlichen Gesellschaft zur Tagesordnung erhoben und der Egoismus als ein Verbrechen bestraft werden muß. (Décl. des droits de l'homme etc., de 1793.) Noch rätselhafter wird diese Tatsache, wenn wir sehen, daß das Staatsbürgertum, das *poli-*

tische Gemeinwesen von den politischen Emanzipatoren sogar zum bloßen *Mittel* für die Erhaltung dieser sogenannten Menschenrechte herabgesetzt, daß also der citoyen zum
Diener des egoistischen homme erklärt, die Sphäre, in welcher der Mensch sich als Gemeinwesen verhält, unter die
Sphäre, in welcher er sich als Teilwesen verhält, degradiert,
endlich nicht der Mensch als citoyen, sondern der Mensch
als bourgeois für den *eigentlichen* und *wahren* Menschen
genommen wird.

„Le *but* de toute *association politique* est la *conservation*
des droits naturels et imprescriptibles de l'homme." (Décl.
des droits etc. de 1791 art. 2.) „Le *gouvernement* est in-
stitué pour garantir à l'homme la jouissance de ses droits
naturels et imprescriptibles." (Décl. etc. de 1793 art. 1.)
Also selbst in den Momenten seines noch jugendfrischen und
durch den Drang der Umstände auf die Spitze getriebenen
Enthusiasmus, erklärt sich das politische Leben für ein
bloßes *Mittel*, dessen Zweck das Leben der bürgerlichen
Gesellschaft ist. Zwar steht seine revolutionäre Praxis in
flagrantem Widerspruch mit seiner Theorie. Während z. B.
die Sicherheit als ein Menschenrecht erklärt wird, wird die
Verletzung des Briefgeheimnisses öffentlich auf die Tagesordnung gesetzt. Während die „liberté *indéfinie* de la presse"
(Const. de 1793 art. 122) als Konsequenz des Menschenrechts, der individuellen Freiheit, garantiert wird, wird die
Preßfreiheit vollständig vernichtet, denn „la liberté de la
presse ne doit pas être permise lorsqu'elle compromet la
liberté publique" (Robespierre jeune, hist. parlem. de la
rev. franç. par Buchez et Roux, T. 28 p. 159), d. h. also: das
Menschenrecht der Freiheit hört auf, ein Recht zu sein,
sobald es mit dem *politischen* Leben in Konflikt tritt, während der Theorie nach das politische Leben nur die Garantie
der Menschenrechte, der Rechte des individuellen Menschen
ist, also aufgegeben werden muß, sobald es seinem *Zwecke*,
diesen Menschenrechten widerspricht. Aber die Praxis ist
nur die Ausnahme, und die Theorie ist die Regel. Will man
aber selbst die revolutionäre Praxis als die richtige Stellung
des Verhältnisses betrachten, so bleibt immer noch das Rätsel zu lösen, warum im Bewußtsein der politischen Emanzi-

patoren das Verhältnis auf den Kopf gestellt ist und der
Zweck als Mittel, das Mittel als Zweck erscheint. Diese op-
tische Täuschung ihres Bewußtseins wäre immer noch dasselbe Rätsel, obgleich dann ein psychologisches, ein theoretisches Rätsel.

Das Rätsel löst sich einfach.

Die politische Emanzipation ist zugleich die *Auflösung* der
alten Gesellschaft, auf welcher das dem Volk entfremdete
Staatswesen, die Herrschermacht, ruht. Die politische Revolution ist die Revolution der bürgerlichen Gesellschaft.
Welches war der Charakter der alten Gesellschaft? Ein Wort
charakterisiert sie. Die *Feudalität.* Die alte bürgerliche Gesellschaft hatte *unmittelbar* einen *politischen* Charakter,
d. h. die Elemente des bürgerlichen Lebens, wie z. B. der
Besitz oder die Familie oder die Art und Weise der Arbeit,
waren in der Form der Grundherrlichkeit, des Standes und
der Korporation zu Elementen des Staatslebens erhoben. Sie
bestimmten in dieser Form das Verhältnis des einzelnen
Individuums zum *Staatsganzen,* d. h. sein *politisches* Verhältnis, d. h. sein Verhältnis der Trennung und Ausschließung von den anderen Bestandteilen der Gesellschaft. Denn
jene Organisation des Volkslebens erhob den Besitz oder die
Arbeit nicht zu sozialen Elementen, sondern vollendete vielmehr ihre *Trennung* von dem Staatsganzen und konstituierte sie zu *besonderen* Gesellschaften in der Gesellschaft.
So waren indes immer noch die Lebensfunktionen und Lebensbedingungen der bürgerlichen Gesellschaft politisch,
wenn auch politisch im Sinne der Feudalität, d. h. sie schlossen das Individuum vom Staatsganzen ab, sie verwandelten
das *besondere* Verhältnis seiner Korporation zum Staatsganzen in sein eigenes allgemeines Verhältnis zum Volksleben, wie seine bestimmte bürgerliche Tätigkeit und Situation in seine allgemeine Tätigkeit und Situation. Als Konsequenz dieser Organisation erscheint notwendig die Staatseinheit, wie das Bewußtsein, der Wille und die Tätigkeit
der Staatseinheit, die allgemeine Staatsmacht, ebenfalls als
besondere Angelegenheit eines von dem Volke abgeschiede-
nen Herrschers und seiner Diener.

Die politische Revolution, welche diese Herrschermacht

stürzte und die Staatsangelegenheiten zu Volksangelegen-
heiten erhob, welche den politischen Staat als *allgemeine
Angelegenheit*, d. h. als wirklichen Staat konstituierte, zerschlug notwendig alle Stände, Korporationen, Innungen,
Privilegien, die ebenso viele Ausdrücke der Trennung des
Volkes von seinem Gemeinwesen waren. Die politische Revolution *hob* damit den *politischen Charakter der bürgerlichen Gesellschaft auf.* Sie zerschlug die bürgerliche Gesellschaft in ihre einfachen Bestandteile, einerseits in die *Individuen*, andererseits in die *materiellen* und *geistigen Elemente*, welche den Lebensinhalt, die bürgerliche Situation
dieser Individuen bilden. Sie entfesselte den politischen
Geist, der gleichsam in die verschiedenen Sackgassen der
feudalen Gesellschaft zerteilt, zerlegt, zerlaufen war; sie
sammelte ihn aus dieser Zerstreuung, sie befreite ihn von
seiner Vermischung mit dem bürgerlichen Leben und konstituierte ihn als die Sphäre des Gemeinwesens, der *allgemeinen* Volksangelegenheit in idealer Unabhängigkeit von
jenen *besonderen* Elementen des bürgerlichen Lebens. Die
bestimmte Lebenstätigkeit und die bestimmte Lebenssituation sanken zu einer nur individuellen Bedeutung herab. Sie
bildeten nicht mehr das allgemeine Verhältnis des Individuums zum Staatsganzen. Die öffentliche Angelegenheit als
solche ward vielmehr zur allgemeinen Angelegenheit jedes
Individuums und die politische Funktion zu seiner allgemeinen Funktion.
Allein die Vollendung des Idealismus des Staats war zugleich die Vollendung des Materialismus der bürgerlichen
Gesellschaft. Die Abschüttlung des politischen Jochs war zugleich die Abschüttlung der Bande, welche den egoistischen
Geist der bürgerlichen Gesellschaft gefesselt hielten. Die
politische Emanzipation war zugleich die Emanzipation der
bürgerlichen Gesellschaft von der Politik, von dem *Schein*
selbst eines allgemeinen Inhalts.
Die feudale Gesellschaft war aufgelöst in ihren Grund, in
den *Menschen*. Aber in den Menschen, wie er wirklich ihr
Grund war, in den *egoistischen* Menschen.
Dieser *Mensch*, das Mitglied der bürgerlichen Gesellschaft,
ist nun die Basis, die Voraussetzung des *politischen* Staats.

Er ist von ihm als solche anerkannt in den Menschenrechten.

Die Freiheit des egoistischen Menschen und die Anerkennung dieser Freiheit ist aber vielmehr die Anerkennung der
zügellosen Bewegung der geistigen und materiellen Elemente, welche seinen Lebensinhalt bilden.

Der Mensch wurde daher nicht von der Religion befreit, er
erhielt die Religionsfreiheit. Er wurde nicht vom Eigentum
befreit. Er erhielt die Freiheit des Eigentums. Er wurde
nicht von dem Egoismus des Gewerbes befreit, er erhielt
die Gewerbefreiheit.

Die *Konstitution des politischen Staats* und die Auflösung
der bürgerlichen Gesellschaft in die unabhängigen *Individuen* — deren Verhältnis das *Recht* ist, wie das Verhältnis
der Standes- und Innungsmenschen das *Privilegium* war —
vollzieht sich in *einem und demselben Akte*. Der Mensch,
wie er Mitglied der bürgerlichen Gesellschaft ist, der *unpolitische* Mensch, erscheint aber notwendig als der *natürliche* Mensch. Die *droits de l'homme* erscheinen als *droits
naturels*, denn die *selbstbewußte Tätigkeit* konzentriert sich
auf den *politischen Akt*. Der *egoistische* Mensch ist das
passive, nur *vorgefundene* Resultat der aufgelösten Gesellschaft, Gegenstand der *unmittelbaren Gewißheit*, also *natürlicher* Gegenstand. Die *politische Revolution* löst das bürgerliche Leben in seine Bestandteile auf, ohne diese Bestandteile selbst zu *revolutionieren* und der Kritik zu unterwerfen. Sie verhält sich zur bürgerlichen Gesellschaft, zur Welt
der Bedürfnisse, der Arbeit, der Privatinteressen, des Privatrechts, als zur *Grundlage ihres Bestehens*, als zu einer nicht
weiter begründeten *Voraussetzung*, daher als zu ihrer *Natur-
basis*. Endlich gilt der Mensch, wie er Mitglied der bürgerlichen Gesellschaft ist, für den *eigentlichen* Menschen, für
den *homme* im Unterschied von dem *citoyen*, weil er der
Mensch in seiner sinnlichen individuellen *nächsten* Existenz
ist, während der *politische* Mensch nur der abstrahierte,
künstliche Mensch ist, der Mensch als eine *allegorische*,
moralische Person. Der wirkliche Mensch ist erst in der
Gestalt des *egoistischen* Individuums, der *wahre* Mensch
erst in der Gestalt des *abstrakten citoyen* anerkannt.

Die Abstraktion des politischen Menschen schildert Rousseau richtig also:

„Celui qui ose entreprendre d'instituer un peuple doit se sentir en état de *changer* pour ainsi dire la *nature humaine*, de *transformer* chaque individu, qui par lui-même est un tout parfait et solitaire, en *partie* d'un plus grand tout dont cet individu reçoive en quelque sorte sa vie et son être, de substituer une *existence partielle* et *morale* à l'existence physique et indépendante. Il faut qu'il ôte à *l'homme ses forces propres* pour lui en donner qui lui soient étrangères et dont il ne puisse faire usage sans le secours d'autrui." (Cont. Soc. liv. II, Londr. 1782, p. 67.)

Alle Emanzipation ist *Zurückführung* der menschlichen Welt, der Verhältnisse, auf den *Menschen selbst*.

Die politische Emanzipation ist die Reduktion des Menschen, einerseits auf das Mitglied der bürgerlichen Gesellschaft, auf das *egoistische unabhängige* Individuum, andererseits auf den *Staatsbürger*, auf die moralische Person.

Erst wenn der wirkliche individuelle Mensch den abstrakten Staatsbürger in sich zurücknimmt und als individueller Mensch in seinem empirischen Leben, in seiner individuellen Arbeit, in seinen individuellen Verhältnissen, *Gattungswesen* geworden ist, erst wenn der Mensch seine „forces propres" als *gesellschaftliche* Kräfte erkannt und organisiert hat und daher die gesellschaftliche Kraft nicht mehr in der Gestalt der *politischen* Kraft von sich trennt, erst dann ist die menschliche Emanzipation vollbracht.

II

Die Fähigkeit der heutigen Juden und Christen, frei zu werden
Von Bruno Bauer

Unter dieser Form behandelt Bauer das Verhältnis der *jüdischen und christlichen Religion*, wie das Verhältnis derselben zur Kritik. Ihr Verhältnis zur Kritik ist ihr Verhältnis „zur Fähigkeit frei zu werden".

Es ergibt sich: „Der Christ hat nur eine Stufe, nämlich seine Religion zu übersteigen, um die Religion überhaupt aufzugeben", also frei zu werden, „der Jude dagegen hat

nicht nur mit seinem jüdischen Wesen, sondern auch mit
der Entwicklung, der Vollendung seiner Religion zu brechen, mit einer Entwicklung, die ihm fremd geblieben ist."
(p. 71.)
Bauer verwandelt also hier die Frage von der Judenemanzipation in eine rein religiöse Frage. Der theologische Skrupel,
wer eher Aussicht hat, selig zu werden, Jude oder Christ,
wiederholt sich in der aufgeklärten Form: wer von beiden
ist *emanzipationsfähiger?* Es fragt sich zwar nicht mehr:
macht Judentum oder Christentum frei? sondern vielmehr
umgekehrt: was macht freier, die Negation des Judentums
oder die Negation des Christentums?
„Wenn sie frei werden wollen, so dürfen sich die Juden
nicht zum Christentum bekennen, sondern zum aufgelösten
Christentum, zur aufgelösten Religion überhaupt, d. h. zur
Aufklärung, Kritik und ihrem Resultate, der freien Menschlichkeit." (p. 70.)
Es handelt sich immer noch um ein *Bekenntnis* für den
Juden, aber nicht mehr um das Bekenntnis zum Christentum, sondern zum aufgelösten Christentum.
Bauer stellt an den Juden die Forderung, mit dem Wesen
der christlichen Religion zu brechen, eine Forderung, welche,
wie er selbst sagt, nicht aus der Entwicklung des jüdischen
Wesens hervorgeht.
Nachdem Bauer am Schluß der Judenfrage das Judentum
nur als die rohe religiöse Kritik des Christentums begriffen,
ihm also eine „nur" religiöse Bedeutung abgewonnen hatte,
war vorherzusehen, daß auch die Emanzipation der Juden
in einen philosophisch-theologischen Akt sich verwandeln
werde.
Bauer faßt das *ideale* abstrakte Wesen des Juden, seine
Religion als sein *ganzes* Wesen. Er schließt daher mit Recht:
„Der Jude gibt der Menschheit nichts, wenn er sein beschränktes Gesetz für sich mißachtet", wenn er sein ganzes
Judentum aufhebt. (p. 65.)
Das Verhältnis der Juden und Christen wird demnach folgendes: das einzige Interesse des Christen an der Emanzipation des Juden ist ein allgemein menschliches, ein *theoretisches* Interesse. Das Judentum ist eine beleidigende Tat-

sache für das religiöse Auge des Christen. Sobald sein Auge
aufhört, religiös zu sein, hört diese Tatsache auf, beleidigend zu sein. Die Emanzipation des Juden ist an und für
sich keine Arbeit für den Christen.

Der Jude dagegen, um sich zu befreien, hat nicht nur seine
eigene Arbeit, sondern zugleich die Arbeit des Christen, die
Kritik der Synoptiker und das Leben Jesu etc. durchzu-
machen.

„Sie mögen selber zusehen: sie werden sich selber ihr Geschick bestimmen; die Geschichte aber läßt mit sich nicht
spotten." (p. 71.)

Wir versuchen, die theologische Fassung der Frage zu brechen. Die Frage nach der Emanzipationsfähigkeit des Juden
verwandelt sich uns in die Frage, welches besondere *gesellschaftliche* Element zu überwinden sei, um das Judentum
aufzuheben? Denn die Emanzipationsfähigkeit des heutigen
Juden ist das Verhältnis des Judentums zur Emanzipation
der heutigen Welt. Dies Verhältnis ergibt sich notwendig
aus der besonderen Stellung des Judentums in der heutigen
geknechteten Welt.

Betrachten wir den wirklichen weltlichen Juden, nicht den
Sabbatjuden, wie Bauer es tut, sondern den *Alltagsjuden*.

Suchen wir das Geheimnis des Juden nicht in seiner Religion, sondern suchen wir das Geheimnis der Religion im
wirklichen Juden.

Welches ist der weltliche Grund des Judentums? Das *praktische* Bedürfnis, der *Eigennutz*.

Welches ist der weltliche Kultus des Juden? Der *Schacher*.
Welches ist sein weltlicher Gott? Das *Geld*.

Nun wohl! Die Emanzipation vom *Schacher* und vom *Geld*
also vom praktischen, realen Judentum wäre die Selbst-
emanzipation unserer Zeit.

Eine Organisation der Gesellschaft, welche die Voraussetzungen des Schachers, also die Möglichkeit des Schachers
aufhöbe, hätte den Juden unmöglich gemacht. Sein religiöses Bewußtsein würde wie ein fader Dunst in der wirklichen Lebensluft der Gesellschaft sich auflösen. Andererseits: wenn der Jude dies sein *praktisches* Wesen als nichtig
erkennt und an seiner Aufhebung arbeitet, arbeitet er aus

seiner bisherigen Entwicklung heraus, an *der menschlichen Emanzipation* schlechthin und kehrt sich gegen den *höchsten praktischen* Ausdruck der menschlichen Selbstentfremdung.

Wir erkennen also im Judentum ein allgemeines *gegenwärtiges antisoziales* Element, welches durch die geschichtliche Entwicklung, an welcher die Juden in dieser schlechten Beziehung eifrig mitgearbeitet, auf seine jetzige Höhe getrieben wurde, auf eine Höhe, auf welcher es sich notwendig auflösen muß.

Die *Judenemanzipation* in ihrer letzten Bedeutung ist die Emanzipation der Menschheit vom *Judentum.*

Der Jude hat sich bereits auf jüdische Weise emanzipiert.

„Der Jude, der in Wien z. B. nur toleriert ist, bestimmt durch seine Geldmacht das Geschick des ganzen Reichs. Der Jude, der in dem kleinsten deutschen Staate rechtlos sein kann, entscheidet über das Schicksal Europas.

Während die Korporationen und Zünfte dem Juden sich verschließen oder ihm noch nicht geneigt sind, spottet die Kühnheit der Industrie des Eigensinns der mittelalterlichen Institute." (B. Bauer, Judenfrage, p. 114.)

Es ist dies kein vereinzeltes Faktum. Der Jude hat sich auf jüdische Weise emanzipiert, nicht nur, indem er sich die Geldmacht angeeignet, sondern indem durch ihn und ohne ihn *das Geld* zur Weltmacht und der praktische Judengeist zum praktischen Geist der christlichen Völker geworden ist. Die Juden haben sich insoweit emanzipiert, als die Christen zu Juden geworden sind.

Der fromme und politisch freie Bewohner von Neuengland, berichtet z. B. Oberst Hamilton, „ist eine Art von *Laokoon,* der auch nicht die geringste Anstrengung macht, um sich von den Schlangen zu befreien, die ihn zusammenschnüren. *Mammon* ist ihr Götze, sie beten ihn nicht nur allein mit ihren Lippen, sondern mit allen Kräften ihres Körpers und ihres Gemüts an. Die Erde ist in ihren Augen nichts anderes als eine Börse, und sie sind überzeugt, daß sie hienieden keine andere Bestimmung haben, als reicher zu werden denn ihre Nachbarn. Der Schacher hat sich aller ihrer Gedanken bemächtigt, die Abwechslung in den Gegenständen bildet ihre einzige Erholung. Wenn sie reisen, tragen sie, sozusagen, ihren Kram oder ihr Kontor auf dem Rücken mit sich herum und sprechen von nichts als von Zinsen und Gewinn. Wenn sie einen Augenblick ihre Geschäfte aus den Augen verlieren, so geschieht dieses bloß, um jene von anderen zu beschnüffeln."

Ja, die praktische Herrschaft des Judentums über die christliche Welt hat in Nordamerika den unzweideutigen, normalen Ausdruck erreicht, daß die *Verkündigung des Evangeliums* selbst, daß das christliche Lehramt zu einem Handelsartikel geworden ist, und der bankerotte Kaufmann im Evangelium macht wie der reichgewordene Evangelist in Geschäftchen. *„Tel que vous voyez à la tête d'une congrégation respectable a commencé par être marchand; son commerce étant tombé, il s'est fait ministre; cet autre a débuté par le sacerdoce, mais dès qu'il a eu quelque somme d'argent à sa disposition, il a laissé la chaire pour le négoce. Aux yeux d'un grand nombre, le ministère religieux est une véritable carrière industrielle."* (Beaumont, l. c. p. 185, 186.)

Nach Bauer ist es ein lügenhafter Zustand, wenn in der Theorie dem Juden die politischen Rechte vorenthalten werden, während er in der Praxis eine ungeheure Gewalt besitzt und seinen politischen Einfluß, wenn er ihm im *détail* verkürzt wird, *en gros* ausübt. (Judenfrage, p. 114.)

Der Widerspruch, in welchem die praktische politische Macht des Juden zu seinen politischen Rechten steht, ist der Widerspruch der Politik und Geldmacht überhaupt. Während die erste ideal über der zweiten steht, ist sie in der Tat zu ihrem Leibeigenen geworden.

Das Judentum hat sich *neben* dem Christentum gehalten, nicht nur als religiöse Kritik des Christentums, nicht nur als inkorporierter Zweifel an der religiösen Abkunft des Christentums, sondern ebensosehr, weil der praktisch-jüdische Geist, weil das Judentum in der christlichen Gesellschaft selbst sich gehalten und sogar seine höchste Ausbildung erhalten hat. Der Jude, der als ein besonderes Glied in der bürgerlichen Gesellschaft steht, ist nur die besondere Erscheinung von dem Judentum der bürgerlichen Gesellschaft.

Das Judentum hat sich nicht trotz der Geschichte, sondern durch die Geschichte erhalten.

Aus ihren eigenen Eingeweiden erzeugt die bürgerliche Gesellschaft fortwährend den Juden.

Welches war an und für sich die Grundlage der jüdischen Religion? Das praktische Bedürfnis, der Egoismus.

Der Monotheismus des Juden ist daher in der Wirklichkeit der Polytheismus der vielen Bedürfnisse, ein Polytheismus, der auch den Abtritt zu einem Gegenstand des göttlichen Gesetzes macht. Das *praktische Bedürfnis, der Egoismus* ist das Prinzip der *bürgerlichen Gesellschaft* und tritt rein als solches hervor, sobald die bürgerliche Gesellschaft den politischen Staat vollständig aus sich herausgeboren. Der Gott des *praktischen Bedürfnisses und Eigennutzes* ist das Geld.

Das Geld ist der eifrige Gott Israels, vor welchem kein anderer Gott bestehen darf. Das Geld erniedrigt alle Götter des Menschen — und verwandelt sie in eine Ware. Das Geld ist der allgemeine, für sich selbst konstituierte *Wert* aller Dinge. Es hat daher die ganze Welt, die Menschenwelt wie die Natur, ihres eigentümlichen Wertes beraubt. Das Geld ist das dem Menschen entfremdete Wesen seiner Arbeit und seines Daseins, und dies fremde Wesen beherrscht ihn, und er betet es an.

Der Gott der Juden hat sich verweltlicht, er ist zum Weltgott geworden. Der Wechsel ist der wirkliche Gott des Juden. Sein Gott ist nur der illusorische Wechsel.

Die Anschauung, welche unter der Herrschaft des Privateigentums und des Geldes von der Natur gewonnen wird, ist die wirkliche Verachtung, die praktische Herabwürdigung der Natur, welche in der jüdischen Religion zwar existiert, aber nur in der Einbildung existiert.

In diesem Sinn erklärt es Thomas Münzer für unerträglich, „daß alle Kreatur zum Eigentum gemacht worden sei, die Fische im Wasser, die Vögel in der Luft, das Gewächs auf Erden — auch die Kreatur müsse frei werden".

Was in der jüdischen Religion abstrakt liegt, die Verachtung der Theorie, der Kunst, der Geschichte, des Menschen als Selbstzweck, das ist der *wirkliche bewußte* Standpunkt, die Tugend des Geldmenschen. Das Gattungsverhältnis selbst, das Verhältnis von Mann und Weib etc. wird zu einem Handelsgegenstand! Das Weib wird verschachert.

Die *schimärische* Nationalität des Juden ist die Nationalität des Kaufmanns, überhaupt des Geldmenschen.

Das grund- und bodenlose Gesetz des Juden ist nur die religiöse Karikatur der grund- und bodenlosen Moralität und des Rechts überhaupt, der nur *formellen* Riten, mit welchen sich die Welt des Eigennutzes umgibt.

Auch hier ist das höchste Verhältnis des Menschen das *gesetzliche* Verhältnis, das Verhältnis zu Gesetzen, die ihm nicht gelten, weil sie die Gesetze seines eigenen Willens und Wesens sind, sondern weil sie *herrschen* und weil der Abfall von ihnen *gerächt* wird.

Der jüdische Jesuitismus, derselbe praktische Jesuitismus, den Bauer im Talmud nachweist, ist das Verhältnis der Welt des Eigennutzes zu den sie beherrschenden Gesetzen, deren schlaue Umgehung die Hauptkunst dieser Welt bildet.

Ja die Bewegung dieser Welt innerhalb ihrer Gesetze ist notwendig eine stete Aufhebung des Gesetzes.

Das *Judentum* konnte sich als *Religion*, es konnte sich theoretisch nicht weiter entwickeln, weil die Weltanschauung des praktischen Bedürfnisses ihrer Natur nach borniert und in wenigen Zügen erschöpft ist.

Die Religion des praktischen Bedürfnisses konnte ihrem Wesen nach die Vollendung nicht in der Theorie, sondern nur in der *Praxis* finden, eben weil ihre Wahrheit die Praxis ist.

Das Judentum konnte keine neue Welt schaffen; es konnte nur die neuen Weltschöpfungen und Weltverhältnisse in den Bereich seiner Betriebsamkeit ziehen, weil das praktische Bedürfnis, dessen Verstand der Eigennutz ist, sich passiv verhält und sich nicht beliebig erweitert, sondern sich erweitert *findet* mit der Fortentwicklung der gesellschaftlichen Zustände.

Das Judentum erreicht seinen Höhepunkt mit der Vollendung der bürgerlichen Gesellschaft; aber die bürgerliche Gesellschaft vollendet sich erst in der *christlichen* Welt. Nur unter der Herrschaft des Christentums, welches *alle* nationalen, natürlichen, sittlichen, theoretischen Verhältnisse dem Menschen *äußerlich* macht, konnte die bürgerliche Gesellschaft sich vollständig vom Staatsleben trennen, alle

Gattungsbande des Menschen zerreißen, den Egoismus, das eigennützige Bedürfnis an die Stelle dieser Gattungsbande setzen, die Menschenwelt in eine Welt atomistischer, feindlich sich gegenüberstehender Individuen auflösen.

Das Christentum ist aus dem Judentum entsprungen. Es hat sich wieder in das Judentum aufgelöst.

Der Christ war von vornherein der theoretisierende Jude, der Jude ist daher der praktische Christ, und der praktische Christ ist wieder Jude geworden.

Das Christentum hatte das reale Judentum nur zum Schein überwunden. Es war zu *vornehm*, zu spiritualistisch, um die Roheit des praktischen Bedürfnisses anders als durch die Erhebung in die blaue Luft zu beseitigen.

Das Christentum ist der sublime Gedanke des Judentums, das Judentum ist die gemeine Nutzanwendung des Christentums, aber diese Nutzanwendung konnte erst zu einer allgemeinen werden, nachdem das Christentum als die fertige Religion der Selbstentfremdung des Menschen von sich und der Natur *theoretisch* vollendet hatte.

Nun erst konnte das Judentum zur allgemeinen Herrschaft gelangen und den entäußerten Menschen, die entäußerte Natur zu *veräußerlichen*, verkäuflichen, der Knechtschaft des egoistischen Bedürfnisses, dem Schacher anheimgefallenen Gegenständen machen.

Die Veräußerung ist die Praxis der Entäußerung. Wie der Mensch, solange er religiös befangen ist, sein Wesen nur zu vergegenständlichen weiß, indem er es zu einem *fremden* phantastischen Wesen macht, so kann er sich unter der Herrschaft des egoistischen Bedürfnisses nur praktisch betätigen, nur praktisch Gegenstände erzeugen, indem er seine Produkte, wie seine Tätigkeit, unter die Herrschaft eines fremden Wesens stellt und ihnen die Bedeutung eines fremden Wesens — des Geldes — verleiht.

Der christliche Seligkeitsegoismus schlägt in seiner vollendeten Praxis notwendig um in den Leibesegoismus des Juden, das himmlische Bedürfnis in das irdische, der Subjektivismus in den Eigennutz. Wir erklären die Zähigkeit des Juden nicht aus seiner Religion, sondern vielmehr aus dem menschlichen Grunde seiner Religion, dem praktischen Bedürfnis, dem Egoismus.

Weil das reale Wesen des Juden in der bürgerlichen Gesellschaft sich allgemein verwirklicht, verweltlicht hat, darum konnte die bürgerliche Gesellschaft den Juden nicht von der *Unwirklichkeit* seines *religiösen* Wesens, welches eben nur die ideale Anschauung des praktischen Bedürfnisses ist, überzeugen. Also nicht nur im Pentateuch oder im Talmud, in der jetzigen Gesellschaft finden wir das Wesen des heutigen Juden, nicht als ein abstraktes, sondern als ein höchst empirisches Wesen, nicht nur als Beschränktheit des Juden, sondern als die jüdische Beschränktheit der Gesellschaft.

Sobald es der Gesellschaft gelingt, das *empirische* Wesen des Judentums, den Schacher und seine Voraussetzungen aufzuheben, ist der Jude *unmöglich* geworden, weil sein Bewußtsein keinen Gegenstand mehr hat, weil die subjektive Basis des Judentums, das praktische Bedürfnis vermenschlicht, weil der Konflikt der individuell-sinnlichen Existenz mit der Gattungsexistenz des Menschen aufgehoben ist.

Die *gesellschaftliche* Emanzipation des Juden ist die *Emanzipation der Gesellschaft vom Judentum.*

c. Zur Kritik der Hegelschen Rechtsphilosophie

Einleitung

Für Deutschland ist die *Kritik der Religion* im wesentlichen beendigt, und die Kritik der Religion ist die Voraussetzung aller Kritik.

Die *profane* Existenz des Irrtums ist kompromittiert, nachdem seine *himmlische Oratio pro aris et focis* widerlegt ist. Der Mensch, der in der phantastischen Wirklichkeit des Himmels, wo er einen Übermenschen suchte, nur den *Widerschein* seiner selbst gefunden hat, wird nicht mehr geneigt sein, nur den *Schein* seiner selbst, nur den Unmenschen zu finden, wo er seine wahre Wirklichkeit sucht und suchen muß.

Das Fundament der irreligiösen Kritik ist: *Der Mensch macht die Religion,* die Religion macht nicht den Menschen.

Und zwar ist die Religion das Selbstbewußtsein und das
Selbstgefühl des Menschen, der sich selbst entweder noch
nicht erworben und schon wieder verloren hat. Aber *der
Mensch*, das ist kein abstraktes, außer der Welt hockendes
Wesen. Der Mensch, das ist *die Welt des Menschen*, Staat,
Sozietät. Dieser Staat, diese Sozietät produzieren die Religion, ein *verkehrtes Weltbewußtsein*, weil sie eine *verkehrte Welt* sind. Die Religion ist die allgemeine Theorie
dieser Welt, ihr enzyklopädisches Kompendium, ihre Logik
in populärer Form, ihr spiritualistischer Point-d'honneur,
ihr Enthusiasmus, ihre moralische Sanktion, ihre feierliche
Ergänzung, ihr allgemeiner Trost- und Rechtfertigungs-
grund. Sie ist die *phantastische Verwirklichung* des menschlichen Wesens, weil das *menschliche Wesen* keine wahre
Wirklichkeit besitzt. Der Kampf gegen die Religion ist also
mittelbar der Kampf gegen *jene Welt*, deren geistiges *Aroma*
die Religion ist.

Das *religiöse* Elend ist in einem der *Ausdruck* des wirklichen Elendes und in einem die *Protestation* gegen das
wirkliche Elend. Die Religion ist der Seufzer der bedräng-
ten Kreatur, das Gemüt einer herzlosen Welt, wie sie der
Geist geistloser Zustände ist. Sie ist das *Opium* des Volks.

Die Aufhebung der Religion als des *illusorischen* Glücks des
Volkes ist die Forderung seines *wirklichen* Glücks. Die Forderung, die Illusionen über seinen Zustand aufzugeben, ist
die *Forderung, einen Zustand aufzugeben, der der Illusionen
bedarf*. Die Kritik der Religion ist also im *Keim* die *Kritik
des Jammertales*, dessen *Heiligenschein* die Religion ist.

Die Kritik hat die imaginären Blumen an der Kette zerpflückt, nicht damit der Mensch die phantasielose, trostlose
Kette trage, sondern damit er die Kette abwerfe und die
lebendige Blume breche. Die Kritik der Religion enttäuscht
den Menschen, damit er denke, handle, seine Wirklichkeit
gestalte wie ein enttäuschter, zu Verstand gekommener
Mensch, damit er sich um sich selbst und damit um seine
wirkliche Sonne bewege. Die Religion ist nur die illusorische Sonne, die sich um den Menschen bewegt, solange er
sich nicht um sich selbst bewegt.

Es ist also die *Aufgabe der Geschichte*, nachdem das *Jenseits der Wahrheit* verschwunden ist, die *Wahrheit des Diesseits* zu etablieren. Es ist zunächst die *Aufgabe der Philosophie*, die im Dienste der Geschichte steht, nachdem die *Heiligengestalt* der menschlichen Selbstentfremdung entlarvt ist, die Selbstentfremdung in ihren *unheiligen Gestalten* zu entlarven. Die Kritik des Himmels verwandelt sich damit in die Kritik der Erde, die *Kritik der Religion* in die *Kritik des Rechts*, die *Kritik der Theologie* in die *Kritik der Politik*.

Die nachfolgende Ausführung — ein Beitrag zu dieser Arbeit — schließt sich zunächst nicht an das Original, sondern an eine Kopie, an die deutsche Staats- und Rechts*philosophie* an, aus keinem anderen Grunde, als weil sie sich an *Deutschland* anschließt.

Wollte man an den deutschen *status quo* selbst anknüpfen, wenn auch in einzig angemessener Weise, d. h. negativ, immer bliebe das Resultat ein *Anachronismus*. Selbst die Verneinung unserer politischen Gegenwart findet sich schon als bestaubte Tatsache in der historischen Rumpelkammer der modernen Völker. Wenn ich die gepuderten Zöpfe verneine, habe ich immer noch die ungepuderten Zöpfe. Wenn ich die deutschen Zustände von 1843 verneine, stehe ich, nach französischer Zeitrechnung, kaum im Jahre 1789, noch weniger im Brennpunkt der Gegenwart.

Ja, die deutsche Geschichte schmeichelt sich einer Bewegung, welche ihr kein Volk am historischen Himmel weder vorgemacht hat noch nachmachen wird. Wir haben nämlich die Restaurationen der modernen Völker geteilt, ohne ihre Revolutionen zu teilen. Wir wurden restauriert, erstens, weil andere Völker eine Revolution wagten, und zweitens, weil andere Völker eine Konterrevolution litten, das eine Mal, weil unsere Herren Furcht hatten, und das andere Mal, weil unsere Herren keine Furcht hatten. Wir, unsere Hirten an der Spitze, befanden uns immer nur einmal in der Gesellschaft der Freiheit, am *Tag ihrer Beerdigung*.

Eine Schule, welche die Niederträchtigkeit von heute durch die Niederträchtigkeit von gestern legitimiert, eine Schule, die jeden Schrei des Leibeigenen gegen die Knute für rebellisch erklärt, sobald die Knute eine bejahrte, eine angestammte, eine historische Knute ist, eine Schule, der die

Geschichte, wie der Gott Israels seinem Diener Moses, nur ihr *a posteriori* zeigt, die *historische Rechtsschule*, sie hätte daher die deutsche Geschichte erfunden, wäre sie nicht eine Erfindung der deutschen Geschichte. Shylock, aber Shylock der Bediente, schwört sie für jedes Pfund Fleisch, welches aus dem Volksherzen geschnitten wird, auf ihren Schein, auf ihren historischen Schein, auf ihren christlich-germanischen Schein.

Gutmütige Enthusiasten dagegen, Deutschtümler von Blut und Freisinnige von Reflexion, suchen unsere Geschichte der Freiheit jenseits unserer Geschichte in den teutonischen Urwäldern. Wodurch unterscheidet sich aber unsere Freiheitsgeschichte von der Freiheitsgeschichte des Ebers, wenn sie nur in den Wäldern zu finden ist? Zudem ist es bekannt: Wie man hineinschreit in den Wald, schallt es heraus aus dem Wald. Also Friede den teutonischen Urwäldern!

Krieg den deutschen Zuständen! Allerdings! Sie stehen *unter dem Niveau der Geschichte*, sie sind *unter aller Kritik*, aber sie bleiben ein Gegenstand der Kritik, wie der Verbrecher, der unter dem Niveau der Humanität steht, ein Gegenstand des *Scharfrichters* bleibt. Mit ihnen im Kampf ist die Kritik keine Leidenschaft des Kopfs, sie ist der Kopf der Leidenschaft. Sie ist kein anatomisches Messer, sie ist eine Waffe. Ihr Gegenstand ist ihr *Feind*, den sie nicht widerlegen, sondern *vernichten* will. Denn der Geist jener Zustände ist widerlegt. An und für sich sind sie keine *denkwürdigen* Objekte, sondern ebenso verächtliche, als verachtete *Existenzen*. Die Kritik für sich bedarf nicht der Selbstverständigung mit diesem Gegenstand, denn sie ist mit ihm im reinen. Sie gibt sich nicht mehr als *Selbstzweck*, sondern nur noch als *Mittel*. Ihr wesentliches Pathos ist die *Indignation*, ihre wesentliche Arbeit die Denunziation.

Es gilt die Schilderung eines wechselseitigen dumpfen Drucks aller sozialen Sphären aufeinander, einer allgemeinen, tatlosen Verstimmung, einer sich ebensosehr anerkennenden als verkennenden Beschränktheit, eingefaßt in den Rahmen eines Regierungssystems, welches, von der Konservation aller Erbärmlichkeiten lebend, selbst nichts ist als die *Erbärmlichkeit an der Regierung.*

Welch ein Schauspiel! Die ins unendliche fortgehende Teilung der Gesellschaft in die mannigfaltigsten Rassen, welche mit kleinen Antipathien, schlechten Gewissen und brutaler Mittelmäßigkeit sich gegenüberstehen, welche eben um ihrer wechselseitigen zweideutigen und argwöhnischen Stellung willen alle ohne Unterschied, wenn auch mit verschiedenen Formalitäten, als *konzessionierte Existenzen* von ihren *Herren* behandelt werden. Und selbst dies, daß sie *beherrscht, regiert, besessen* sind, müssen sie als eine *Konzession des Himmels* anerkennen und bekennen! Andererseits jene Herrscher selbst, deren Größe in umgekehrtem Verhältnisse zu ihrer Zahl steht!

Die Kritik, die sich mit diesem Inhalt befaßt, ist die Kritik im *Handgemenge*, und im Handgemenge handelt es sich nicht darum, ob der Gegner ein edler, ebenbürtiger, ein *interessanter* Gegner ist, es handelt sich darum, ihn zu *treffen*. Es handelt sich darum, den Deutschen keinen Augenblick der Selbsttäuschung und Resignation zu gönnen. Man muß den wirklichen Druck noch drückender machen, indem man ihm das Bewußtsein des Drucks hinzufügt, die Schmach noch schmachvoller, indem man sie publiziert. Man muß jede Sphäre der deutschen Gesellschaft als die *Partie honteuse* der deutschen Gesellschaft schildern, man muß diese versteinerten Verhältnisse dadurch zum Tanzen zwingen, daß man ihnen ihre eigene Melodie vorsingt! Man muß das Volk vor sich selbst *erschrecken* lehren, um ihm *Courage* zu machen. Man erfüllt damit ein unabweisbares Bedürfnis des deutschen Volkes, und die Bedürfnisse der Völker sind in eigener Person die letzten Gründe ihrer Befriedigung.

Und selbst für die *modernen* Völker kann dieser Kampf gegen den bornierten Inhalt des deutschen *status quo* nicht ohne Interesse sein, denn der deutsche *status quo* ist die *offenherzige Vollendung des ancien régime,* und *das ancien régime* ist der *versteckte Mangel des modernen Staates.* Der Kampf gegen die deutsche politische Gegenwart ist der Kampf gegen die Vergangenheit der modernen Völker, und von den Reminiszenzen dieser Vergangenheit werden sie noch immer belästigt. Es ist lehrreich für sie, das *ancien régime,* das bei ihnen seine *Tragödie* erlebte, als deutschen Revenant seine *Komödie* spielen zu sehen. *Tragisch* war seine Geschichte, solange es die präexistierende Gewalt der Welt, die Freiheit dagegen ein persönlicher Einfall war, mit einem Wort, solange es selbst an seine Berechtigung glaubte und glauben mußte. Solange das *ancien régime* als vorhandene Weltordnung mit einer erst werdenden Welt kämpfte, stand auf seiner Seite ein weltgeschichtlicher Irrtum, aber kein persönlicher. Sein Untergang war daher tragisch.

Das jetzige deutsche Regime dagegen, ein Anachronismus, ein flagranter Widerspruch gegen allgemein anerkannte Axiome, die zur Weltschau ausgestellte Nichtigkeit des *ancien régime,* bildet sich nur noch ein, an sich selbst zu glauben, und verlangt von der Welt dieselbe Einbildung. Wenn es an sein eigenes *Wesen* glaubte, würde es dasselbe unter dem *Schein* eines fremden Wesens zu verstecken und seine Rettung in der Heuchelei und dem Sophisma suchen? Das moderne *ancien régime* ist nur mehr der *Komödiant* einer Weltordnung, deren *wirkliche Helden* gestorben sind. Die Geschichte ist gründlich und macht viele Phasen durch, wenn sie eine alte Gestalt zu Grabe trägt. Die letzte Phase einer weltgeschichtlichen Gestalt ist ihre *Komödie.* Die Götter Griechenlands, die schon einmal tragisch zu Tode verwundet waren im gefesselten Prometheus des Äschylus, mußten noch einmal komisch sterben in den Gesprächen Lucians. Warum dieser Gang der Geschichte? Damit die Menschheit *heiter* von ihrer Vergangenheit scheide. Diese *heitere* geschichtliche Bestimmung vindizieren wir den politischen Mächten Deutschlands.

Sobald indes die *moderne* politisch-soziale Wirklichkeit selbst der Kritik unterworfen wird, sobald also die Kritik zu wahrhaft menschlichen Problemen sich erhebt, befindet sie sich außerhalb des deutschen *status quo,* oder sie würde ihren Gegenstand *unter* ihrem Gegenstand greifen. Ein Beispiel! Das Verhältnis der Industrie, überhaupt der Welt des Reichtums, zur politischen Welt ist ein Hauptproblem der modernen Zeit. Unter welcher Form fängt dies Problem an, die Deutschen zu beschäftigen? Unter der Form der

Schutzzölle, des *Prohibitivsystems*, der *Nationalökonomie*. Die Deutschtümelei ist aus dem Menschen in die Materie gefahren, und so sahen sich eines Morgens unsere Baumwollritter und Eisenhelden in Patrioten verwandelt. Man beginnt also in Deutschland die Souveränität des Monopols nach innen anzuerkennen, dadurch daß man ihm die *Souveränität nach außen* verleiht. Man beginnt also jetzt in Deutschland anzufangen, womit man in Frankreich und England zu enden beginnt. Der alte faule Zustand, gegen den diese Länder theoretisch im Aufruhr sind und den sie nur noch ertragen, wie man die Ketten erträgt, wird in Deutschland als die aufgehende Morgenröte einer schönen Zukunft begrüßt, die kaum noch wagt, aus der *listigen* Theorie in die schonungsloseste Praxis überzugehen. Während das Problem in Frankreich und England lautet: *Politische Ökonomie* oder *Herrschaft der Sozietät über den Reichtum*, lautet es in Deutschland: *Nationalökonomie* oder *Herrschaft des Privateigentums über die Nationalität*. Es gilt also in Frankreich und England, das Monopol, das bis zu seinen letzten Konsequenzen fortgegangen ist, aufzuheben; es gilt in Deutschland, bis zu den letzten Konsequenzen des Monopols fortzugehen. Dort handelt es sich um die Lösung, und hier handelt es sich erst um die Kollision. Ein zureichendes Beispiel von der *deutschen* Form der modernen Probleme, ein Beispiel, wie unsere Geschichte, gleich einem ungeschickten Rekruten, bisher nur die Aufgabe hatte, abgedroschene Geschichten nachzuexerzieren.

Ginge also die *gesamte* deutsche Entwicklung nicht über die *politische* deutsche Entwicklung hinaus, ein Deutscher könnte sich höchstens an den Problemen der Gegenwart beteiligen, wie sich ein *Russe* daran beteiligen kann. Allein wenn das einzelne Individuum nicht gebunden ist durch die Schranken der Nation, ist die gesamte Nation noch weniger befreit durch die Befreiung eines Individuums. Die Skythen haben keinen Schritt zur griechischen Kultur vorwärts getan, weil Griechenland einen Skythen unter seine Philosophen zählt.

Zum Glück sind wir Deutsche keine Skythen.

Wie die alten Völker ihre Vorgeschichte in der Imagination

erlebten, in der *Mythologie,* so haben wir Deutschen unsere
Nachgeschichte im Gedanken erlebt, in der *Philosophie.* Wir
sind *philosophische* Zeitgenossen der Gegenwart, ohne ihre
historischen Zeitgenossen zu sein. Die deutsche Philosophie
ist die *ideale Verlängerung* der deutschen Geschichte. Wenn
wir also statt die *œuvres incomplètes* unserer reellen Geschichte die *œuvres posthumes* unserer ideellen Geschichte,
die *Philosophie,* kritisieren, so steht unsere Kritik mitten
unter den Fragen, von denen die Gegenwart sagt: *that is
the question.* Was bei den fortgeschrittenen Völkern *praktischer* Zerfall mit den modernen Staatszuständen ist, das
ist in Deutschland, wo diese Zustände selbst noch nicht einmal existieren, zunächst *kritischer* Zerfall mit der philosophischen Spiegelung dieser Zustände.

Die *deutsche Rechts- und Staatsphilosophie* ist die einzige
mit der *offiziellen* modernen Gegenwart *al pari* stehende
deutsche Geschichte. Das deutsche Volk muß daher diese
seine Traumgeschichte mit zu seinen bestehenden Zuständen schlagen und nicht nur diese bestehenden Zustände,
sondern zugleich ihre abstrakte Fortsetzung der Kritik
unterwerfen. Seine Zukunft kann sich weder auf die unmittelbare Verneinung seiner reellen, noch auf die unmittelbare Vollziehung seiner ideellen Staats- und Rechtszustände
beschränken, denn die unmittelbare Verneinung seiner reellen Zustände besitzt es in seinen ideellen Zuständen, und die
unmittelbare Vollziehung seiner ideellen Zustände hat es in
der Anschauung der Nachbarvölker beinahe schon wieder
überlebt. Mit Recht fordert daher die *praktische* politische
Partei in Deutschland die *Negation der Philosophie.* Ihr
Unrecht besteht nicht in der Forderung, sondern in dem
Stehenbleiben bei der Forderung, die sie ernstlich weder
vollzieht noch vollziehen kann. Sie glaubt, jene Negation
dadurch zu vollbringen, daß sie der Philosophie den Rücken
kehrt und abgewandten Hauptes — einige ärgerliche und
banale Phrasen über sie hermurmelt. Die Beschränktheit
ihres Gesichtskreises zählt die Philosophie nicht ebenfalls in
den Bering der *deutschen* Wirklichkeit oder wähnt sie gar
unter der deutschen Praxis und den ihr dienenden Theorien.
Ihr verlangt, daß man an *wirkliche Lebenskeime* anknüpfen

soll, aber ihr vergeßt, daß der wirkliche Lebenskeim des deutschen Volkes bisher nur unter seinem *Hirnschädel* gewuchert hat. Mit einem Worte: *Ihr könnt die Philosophie nicht aufheben, ohne sie zu verwirklichen.*

Dasselbe Unrecht, nur mit *umgekehrten* Faktoren, beging die *theoretische*, von der Philosophie her datierende politische Partei.

Sie erblickte in dem jetzigen Kampf *nur* den *kritischen Kampf der Philosophie mit der deutschen Welt*, sie bedachte nicht, daß die *seitherige Philosophie* selbst zu dieser Welt gehört und ihre, wenn auch ideelle, *Ergänzung* ist. Kritisch gegen ihren Widerpart verhielt sie sich unkritisch zu sich selbst, indem sie von den *Voraussetzungen* der Philosophie ausging und bei ihren gegebenen Resultaten entweder stehen blieb oder anderweitig hergeholte Forderungen und Resultate für unmittelbare Forderungen und Resultate der Philosophie ausgab, obgleich dieselben — ihre Berechtigung vorausgesetzt — im Gegenteil nur durch die *Negation der seitherigen Philosophie*, der Philosophie als Philosophie, zu erhalten sind. Eine näher eingehende Schilderung dieser Partei behalten wir uns vor. Ihr Grundmangel läßt sich dahin reduzieren: *Sie glaubte, die Philosophie verwirklichen zu können, ohne sie aufzuheben.*

Die Kritik der *deutschen Staats- und Rechtsphilosophie*, welche durch *Hegel* ihre konsequenteste, reichste und letzte Fassung erhalten hat, ist beides, sowohl die kritische Analyse des modernen Staats und der mit ihm zusammenhängenden Wirklichkeit als auch die entschiedene Verneinung der ganzen bisherigen *Weise* des *deutschen politischen und rechtlichen Bewußtseins*, dessen vornehmster, universellster zur *Wissenschaft* erhobener Ausdruck eben die *spekulative Rechtsphilosophie* selbst ist. War nur in Deutschland die spekulative Rechtsphilosophie möglich, dies abstrakte überschwängliche *Denken* des modernen Staats, dessen Wirklichkeit ein Jenseits bleibt, mag dies Jenseits auch nur jenseits des Rheins liegen: so war ebensosehr umgekehrt das *deutsche*, vom *wirklichen Menschen* abstrahierende Gedankenbild des modernen Staates nur möglich, weil und in-

sofern der moderne Staat selbst vom *wirklichen Menschen*
abstrahiert oder den *ganzen* Menschen auf eine nur imaginäre Weise befriedigt. Die Deutschen haben in der Politik
gedacht, was die anderen Völker *getan* haben. Deutschland
war ihr *theoretisches Gewissen.* Die Abstraktion und Über-
hebung seines Denkens hielt immer gleichen Schritt mit der
Einseitigkeit und Untersetztheit ihrer Wirklichkeit. Wenn
also der *status quo* des *deutschen Staatswesens* die *Vollendung des ancien régime* ausdrückt, die Vollendung des
Pfahls im Fleische des modernen Staats, so drückt der *status
quo des deutschen Staatswissens* die *Unvollendung des
modernen Staats* aus, die Schadhaftigkeit seines Fleisches
selbst.

Schon als entschiedener Widerpart der bisherigen Weise des
deutschen politischen Bewußtseins verläuft sich die Kritik
der spekulativen Rechtsphilosophie nicht in sich selbst, sondern in *Aufgaben,* für deren Lösung es nur ein Mittel gibt:
die *Praxis.*

Es fragt sich: kann Deutschland zu einer Praxis *à la hauteur des principes* gelangen, d. h. zu einer *Revolution,* die es
nicht nur auf das *offizielle Niveau* der modernen Völker
erhebt, sondern auf die *menschliche Höhe,* welche die
nächste Zukunft dieser Völker sein wird.

Die Waffe der Kritik kann allerdings die Kritik der Waffen
nicht ersetzen, die materielle Gewalt muß gestürzt werden
durch materielle Gewalt, allein auch die Theorie wird zur
materiellen Gewalt, sobald sie die Massen ergreift. Die
Theorie ist fähig, die Massen zu ergreifen, sobald sie *ad hominem* demonstriert, und sie demonstriert *ad hominem,* sobald sie radikal wird. Radikal sein ist die Sache an der
Wurzel fassen. Die Wurzel für den Menschen ist aber der
Mensch selbst. Der evidente Beweis für den Radikalismus
der deutschen Theorie, also für ihre praktische Energie, ist
ihr Ausgang von der entschiedenen *positiven* Aufhebung der
Religion. Die Kritik der Religion endet mit der Lehre, daß
der *Mensch das höchste Wesen für den Menschen* sei, also
mit dem *kategorischen Imperativ, alle Verhältnisse umzuwerfen,* in denen der Mensch ein erniedrigtes, ein geknech-
tetes, ein verlassenes, ein verächtliches Wesen ist, Verhält-

nisse, die man nicht besser schildern kann als durch den Ausruf eines Franzosen bei einer projektierten Hundesteuer: Arme Hunde! Man will euch wie Menschen behandeln!

Selbst historisch hat die theoretische Emanzipation eine spezifisch praktische Bedeutung für Deutschland. Deutschlands *revolutionäre* Vergangenheit ist nämlich theoretisch, es ist die *Reformation*. Wie damals der *Mönch*, so ist es jetzt der *Philosoph*, in dessen Hirn die Revolution beginnt.

Luther hat allerdings die Knechtschaft aus *Devotion* besiegt, weil er die Knechtschaft aus *Überzeugung* an ihre Stelle gesetzt hat. Er hat den Glauben an die Autorität gebrochen, weil er die Autorität des Glaubens restauriert hat. Er hat die Pfaffen in Laien verwandelt, weil er die Laien in Pfaffen verwandelt hat. Er hat den Menschen von der äußeren Religiosität befreit, weil er die Religiosität zum inneren Menschen gemacht hat. Er hat den Leib von der Kette emanzipiert, weil er das Herz in Ketten gelegt.

Aber, wenn der Protestantismus nicht die wahre Lösung, so war er die wahre Stellung der Aufgabe. Es galt nun nicht mehr den Kampf des Laien mit dem *Pfaffen außer ihm*, es galt den Kampf mit seinem *eigenen inneren Pfaffen*, seiner *pfäffischen Natur*. Und wenn die protestantische Verwandlung der deutschen Laien in Pfaffen die Laienpäpste, die *Fürsten* samt ihrer Klerisei, den Privilegierten und den Philistern, emanzipierte, so wird die philosophische Verwandlung der pfäffischen Deutschen in Menschen das *Volk* emanzipieren. So wenig aber die Emanzipation bei den Fürsten, so wenig wird die *Säkularisation* der Güter bei dem *Kirchenraub* stehenbleiben, den vor allen das heuchlerische Preußen ins Werk setzte. Damals scheiterte der Bauernkrieg, die radikalste Tatsache der deutschen Geschichte, an der Theologie. Heute, wo die Theologie selbst gescheitert ist, wird die unfreieste Tatsache der deutschen Geschichte, unser *status quo*, an der Philosophie zerschellen. Den Tag vor der Reformation war das offizielle Deutschland der unbedingteste Knecht von Rom. Den Tag vor seiner Revolution ist es der unbedingte Knecht von weniger als Rom, von Preußen und Österreich, von Krautjunkern und Philistern.

Einer *radikalen* deutschen Revolution scheint indessen eine Hauptschwierigkeit entgegenzustehen.

Die Revolutionen bedürfen nämlich eines *passiven* Elementes, einer *materiellen* Grundlage. Die Theorie wird in einem Volke immer nur so weit verwirklicht, als sie die Verwirklichung seiner Bedürfnisse ist. Wird nun dem ungeheuren Zwiespalt zwischen den Forderungen des deutschen Gedankens und den Antworten der deutschen Wirklichkeit derselbe Zwiespalt der bürgerlichen Gesellschaft mit dem Staate und mit sich selbst entsprechen? Werden die theoretischen Bedürfnisse unmittelbar praktische Bedürfnisse sein? Es genügt nicht, daß der Gedanke zur Verwirklichung drängt, die Wirklichkeit muß sich selbst zum Gedanken drängen.

Aber Deutschland hat die Mittelstufen der politischen Emanzipation nicht gleichzeitig mit den modernen Völkern erklettert. Selbst die Stufen, die es theoretisch überwunden, hat es praktisch noch nicht erreicht. Wie sollte es mit einem *Salto mortale* nicht nur über seine eigenen Schranken hinwegsetzen, sondern zugleich über die Schranken der modernen Völker, über Schranken, die es in der Wirklichkeit als Befreiung von seinen wirklichen Schranken empfinden und erstreben muß? Eine radikale Revolution kann nur die Revolution radikaler Bedürfnisse sein, deren Voraussetzungen und Geburtsstätten eben zu fehlen scheinen.

Allein wenn Deutschland nur mit der abstrakten Tätigkeit des Denkens die Entwicklung der modernen Völker begleitet hat, ohne werktätige Partei an den wirklichen Kämpfen dieser Entwicklung zu ergreifen, so hat es andererseits die *Leiden* dieser Entwicklung geteilt, ohne ihre Genüsse, ohne ihre partielle Befriedigung zu teilen. Der abstrakten Tätigkeit einerseits entspricht das abstrakte Leiden andererseits. Deutschland wird sich daher eines Morgens auf dem Niveau des europäischen Verfalls befinden, bevor es jemals auf dem Niveau der europäischen Emanzipation gestanden hat. Man wird es einem *Fetischdiener* vergleichen können, der an den Krankheiten des Christentums siecht.

Betrachtet man zunächst die *deutschen Regierungen*, und man findet sie durch die Zeitverhältnisse, durch die Lage Deutschlands, durch den Standpunkt der deutschen Bildung, endlich durch eigenen glücklichen Instinkt getrieben, die *zivilisierten Mängel* der *modernen Staatswelt*, deren Vorteile wir nicht besitzen, zu kombinieren mit den *barbarischen Mängeln* des *ancien régime*, dessen wir uns in vollem Maße erfreuen, so daß Deutschland, wenn nicht am Verstand, wenigstens am Unverstand auch der über seinen *status quo* hinausliegenden Staatsbildungen immer mehr partizipieren muß. Gibt es z. B. ein Land in der Welt, welches so naiv alle Illusionen des konstitutionellen Staatswesens teilt, ohne seine Realitäten zu teilen, als das sogenannte konstitutionelle Deutschland? Oder war es nicht notwendig ein deutscher Regierungseinfall, die Qualen der Zensur mit den Qualen der französischen Septembergesetze, welche die Preßfreiheit voraussetzen, zu verbinden! Wie man im römischen Pantheon die *Götter* aller Nationen fand, so wird man im Heiligen Römischen Deutschen Reich die *Sünden* aller Staatsformen finden. Daß dieser Eklektizismus eine bisher nicht geahnte Höhe erreichen wird, dafür bürgt namentlich die *politisch-ästhetische Gourmanderie* eines deutschen Königs, der alle Rollen des Königtums, des feudalen wie des bürokratischen, des absoluten wie des konstitutionellen, des autokratischen wie des demokratischen, wenn nicht durch die Person des Volkes, so doch in *eigener* Person, wenn nicht für das Volk, so doch für *sich selbst* zu spielen gedenkt. *Deutschland als der zu einer eigenen Welt konstituierte Mangel der politischen Gegenwart* wird die spezifisch deutschen Schranken nicht niederwerfen können, ohne die allgemeine Schranke der politischen Gegenwart niederzuwerfen.

Nicht die *radikale* Revolution ist utopischer Traum für Deutschland, nicht die *allgemein menschliche* Emanzipation, sondern vielmehr die teilweise, die *nur* politische Revolution, die Revolution, welche die Pfeiler des Hauses stehen läßt. Worauf beruht eine teilweise, eine nur politische Revolution? Darauf, daß ein *Teil der bürgerlichen Gesellschaft* sich emanzipiert und zur *allgemeinen* Herrschaft gelangt, darauf, daß eine bestimmte Klasse von ihrer *besonderen Situation* aus die allgemeine Emanzipation der Gesellschaft unternimmt. Diese Klasse befreit die ganze Gesellschaft,

aber nur unter der Voraussetzung, daß die ganze Gesellschaft
sich in der Situation dieser Klasse befindet, also z. B. Geld
und Bildung besitzt oder beliebig erwerben kann.

Keine Klasse der bürgerlichen Gesellschaft kann diese Rolle
spielen, ohne ein Moment des Enthusiasmus in sich und in
der Masse hervorzurufen, ein Moment, worin sie mit der
Gesellschaft im allgemeinen fraternisiert und zusammen-
fließt, mit ihr verwechselt und als deren *allgemeiner Repräsentant* empfunden und anerkannt wird, ein Moment,
worin ihre Ansprüche und Rechte in Wahrheit die Rechte
und Ansprüche der Gesellschaft selbst sind, worin sie wirklich der soziale Kopf und das soziale Herz ist. Nur im Namen der allgemeinen Rechte der Gesellschaft kann eine besondere Klasse sich die allgemeine Herrschaft vindizieren.
Zur Erstürmung dieser emanzipatorischen Stellung und damit zur politischen Ausbeutung aller Sphären der Gesellschaft im Interesse der eigenen Sphäre reichen revolutionäre Energie und geistiges Selbstgefühl allein nicht aus. Damit die *Revolution eines Volkes* und die *Emanzipation einer
besonderen Klasse* der bürgerlichen Gesellschaft zusammenfallen, damit *ein* Stand für den Stand der ganzen Gesellschaft gelte, dazu müssen umgekehrt alle Mängel der Gesellschaft in einer anderen Klasse konzentriert, dazu muß
ein bestimmter Stand der Stand des allgemeinen Anstoßes,
die Inkorporation der allgemeinen Schranke sein, dazu muß
eine besondere soziale Sphäre für das *notorische Verbrechen*
der ganzen Sozietät gelten, so daß die Befreiung von dieser
Sphäre als die allgemeine Selbstbefreiung erscheint. Damit
ein Stand *par excellence* der Stand der Befreiung, dazu muß
umgekehrt ein anderer Stand der offenbare Stand der Unterjochung sein. Die negativ-allgemeine Bedeutung des französischen Adels und der französischen Klerisei bedingte die
positiv-allgemeine Bedeutung der zunächst angrenzenden
und entgegengesetzten Klasse der *Bourgeoisie*.

Es fehlt aber jeder besonderen Klasse in Deutschland nicht
nur die Konsequenz, die Schärfe, der Mut, die Rücksichtslosigkeit, die sie zum negativen Repräsentanten der Gesellschaft stempeln könnte. Es fehlt ebensosehr jedem Stande
jene Breite der Seele, die sich mit der Volksseele, wenn auch

nur momentan, identifiziert, jene Genialität, welche die materielle Macht zur politischen Gewalt begeistert, jene revolutionäre Kühnheit, welche dem Gegner die trotzige Parole zuschleudert: *Ich bin nichts, und ich müßte alles sein.* Den Hauptstock deutscher Moral und Ehrlichkeit, nicht nur der Individuen, sondern auch der Klassen, bildet vielmehr jener *bescheidene Egoismus*, welcher seine Beschränktheit geltend macht und gegen sich geltend machen läßt. Das Verhältnis der verschiedenen Sphären der deutschen Gesellschaft ist daher nicht dramatisch, sondern episch. Jede derselben beginnt sich zu empfinden und neben die anderen mit ihren besonderen Ansprüchen hinzulagern, nicht sobald sie gedrückt wird, sondern sobald ohne ihr Zutun die Zeitverhältnisse eine gesellige Unterlage schaffen, auf die sie ihrerseits den Druck ausüben kann. Sogar das *moralische Selbstgefühl der deutschen Mittelklasse* beruht nur auf dem Bewußtsein, die allgemeine Repräsentantin von der philisterhaften Mittelmäßigkeit aller übrigen Klassen zu sein. Es sind daher nicht nur die deutschen Könige, die *mal-à-propos* auf den Thron gelangen, es ist jede Sphäre der bürgerlichen Gesellschaft, die ihre Niederlage erlebt, bevor sie ihren Sieg gefeiert, ihre eigene Schranke entwickelt, bevor sie die ihr gegenüberstehende Schranke überwunden, ihr engherziges Wesen geltend macht, bevor sie ihr großmütiges Wesen geltend machen konnte, so daß selbst die Gelegenheit einer großen Rolle immer vorüber ist, bevor sie vorhanden war, so daß jede Klasse, sobald sie den Kampf mit der über ihr stehenden Klasse beginnt, in den Kampf mit der unter ihr stehenden verwickelt ist. Daher befindet sich das Fürstentum im Kampf gegen das Königtum, der Bürokrat im Kampf gegen den Adel, der Bourgeois im Kampf gegen sie alle, während der Proletarier schon beginnt, sich im Kampf gegen den Bourgeois zu befinden. Die Mittelklasse wagt kaum von ihrem Standpunkt aus den Gedanken der Emanzipation zu fassen, und schon erklärt die Entwicklung der sozialen Zustände wie der Fortschritt der politischen Theorie diesen Standpunkt selbst für antiquiert oder wenigstens für problematisch.

In Frankreich genügt es, daß einer etwas sei, damit er alles

sein wolle. In Deutschland darf einer nichts sein, wenn er
nicht auf alles verzichten soll. In Frankreich ist die partielle
Emanzipation der Grund der universellen. In Deutschland
ist die universelle Emanzipation *conditio sine qua non* jeder
partiellen. In Frankreich muß die Wirklichkeit, in Deutschland muß die Unmöglichkeit der stufenweisen Befreiung
die ganze Freiheit gebären. In Frankreich ist jede Volksklasse *politischer Idealist* und empfindet sich zunächst nicht
als besondere Klasse, sondern als Repräsentant der sozialen
Bedürfnisse überhaupt. Die Rolle des *Emanzipators* geht
also der Reihe nach in dramatischer Bewegung an die verschiedenen Klassen des französischen Volkes über, bis sie
endlich bei der Klasse anlangt, welche die soziale Freiheit
nicht mehr unter der Voraussetzung gewisser, außerhalb des
Menschen liegender und doch von der menschlichen Gesellschaft geschaffener Bedingungen verwirklicht, sondern vielmehr alle Bedingungen der menschlichen Existenz unter der
Voraussetzung der sozialen Freiheit organisiert. In Deutschland dagegen, wo das praktische Leben ebenso geistlos, als
das geistige Leben unpraktisch ist, hat keine Klasse der bürgerlichen Gesellschaft das Bedürfnis und die Fähigkeit der
allgemeinen Emanzipation, bis sie nicht durch ihre *unmittelbare* Lage, durch die *materielle* Notwendigkeit, durch
ihre *Ketten selbst* dazu gezwungen wird.
Wo also die *positive* Möglichkeit der deutschen Emanzipation?
Antwort: In der Bildung einer Klasse mit *radikalen Ketten*,
einer Klasse der bürgerlichen Gesellschaft, welche keine
Klasse der bürgerlichen Gesellschaft ist, eines Standes, welcher die Auflösung aller Stände ist, einer Sphäre, welche
einen universellen Charakter durch ihre universellen Leiden
besitzt und kein *besonderes Recht* in Anspruch nimmt, weil
kein *besonderes Unrecht*, sondern das *Unrecht schlechthin*
an ihr verübt wird, welche nicht mehr auf einen *historischen*, sondern nur noch auf den *menschlichen* Titel provozieren kann, welche in keinem einseitigen Gegensatz zu den
Konsequenzen, sondern in einem allseitigen Gegensatz zu
den Voraussetzungen des deutschen Staatswesens steht, einer
Sphäre endlich, welche sich nicht emanzipieren kann, ohne

sich von allen übrigen Sphären der Gesellschaft und damit alle übrigen Sphären der Gesellschaft zu emanzipieren, welche mit einem Wort der *völlige Verlust* des Menschen ist, also nur durch die *völlige Wiedergewinnung des Menschen* sich selbst gewinnen kann. Diese Auflösung der Gesellschaft als ein besonderer Stand ist das *Proletariat.*

Das Proletariat beginnt erst durch die hereinbrechende *industrielle* Bewegung für Deutschland zu werden, denn nicht die *naturwüchsig entstandene,* sondern *die künstlich produzierte* Armut, nicht die mechanisch durch die Schwere der Gesellschaft niedergedrückte, sondern die aus ihrer *akuten Auflösung,* vorzugsweise aus der Auflösung des Mittelstandes hervorgehende Menschenmasse bildet das Proletariat, obgleich allmählich, wie sich von selbst versteht, auch die naturwüchsige Armut und die christlich-germanische Leibeigenschaft in seine Reihen treten.

Wenn das Proletariat die *Auflösung der bisherigen Weltordnung* verkündet, so spricht es nur das *Geheimnis seines eigenen Daseins aus,* denn es *ist* die *faktische* Auflösung dieser Weltordnung. Wenn das Proletariat die *Negation des Privateigentums* verlangt, so erhebt es nur zum *Prinzip der Gesellschaft,* was die Gesellschaft zu *seinem* Prinzip erhoben hat, was in *ihm* als negatives Resultat der Gesellschaft schon ohne sein Zutun verkörpert ist. Der Proletarier befindet sich dann in bezug auf die werdende Welt in demselben Recht, in welchem der *deutsche König* in bezug auf die gewordene Welt sich befindet, wenn er das Volk *sein* Volk, wie das Pferd *sein* Pferd nennt. Der König, indem er das Volk für sein Privateigentum erklärt, spricht es nur aus, daß der Privateigentümer König ist.

Wie die Philosophie im Proletariat ihre *materiellen,* so findet das Proletariat in der Philosophie seine *geistigen* Waffen, und sobald der Blitz des Gedankens gründlich in diesen naiven Volksboden eingeschlagen ist, wird sich die Emanzipation der *Deutschen* zu *Menschen* vollziehen.

Resumieren wir das Resultat:

Die einzig *praktisch* mögliche Befreiung Deutschlands ist die Befreiung auf dem Standpunkt *der* Theorie, welche den Menschen für das höchste Wesen des Menschen erklärt. In

Deutschland ist die Emanzipation von dem *Mittelalter* nur möglich als die Emanzipation zugleich von den *teilweisen* Überwindungen des Mittelalters. In Deutschland kann *keine* Art der Knechtschaft gebrochen werden, ohne *jede* Art der Knechtschaft zu brechen. Das *gründliche* Deutschland kann nicht revolutionieren, ohne *von Grund aus* zu revolutionieren. Die *Emanzipation des Deutschen* ist die *Emanzipation des Menschen*. Der *Kopf* dieser Emanzipation ist die *Philosophie*, ihr *Herz* das *Proletariat*. Die Philosophie kann sich nicht verwirklichen ohne die Aufhebung des Proletariats, das Proletariat kann sich nicht aufheben ohne die Verwirklichung der Philosophie.

Wenn alle inneren Bedingungen erfüllt sind, wird der *deutsche Auferstehungstag* verkündet werden durch das *Schmettern des gallischen Hahns.*

VI

NATIONALÖKONOMIE UND PHILOSOPHIE

ÜBER DEN ZUSAMMENHANG DER NATIONAL-ÖKONOMIE MIT STAAT, RECHT, MORAL UND BÜRGERLICHEM LEBEN (1844)

Vorbemerkung zur Nationalökonomie und Philosophie.

Seit der ersten Herausgabe im Jahre 1932 ist das Manuskript in der Moskauer Marx-Engels-Gesamtausgabe (Bd. 3, I. Abtl.) und einige Teile des Manuskripts in einer von Dr. E. Thier besorgten Ausgabe bei Kiepenheuer 1950 erschienen. Da die außergewöhnlichen Schwierigkeiten der Entzifferung des Originals alle Herausgeber vor manche Rätsel stellten, so ergaben sich verschiedene Lesarten bei den drei herausgegebenen Texten. Der hier wiedergegebene Text ist vollständig revidiert und nach sorgfältigem Vergleich sowohl mit dem Moskauer Text wie mit dem von Dr. Thier besorgten nun in diejenige Form gebracht, die vom Herausgeber als die im Augenblick bestmögliche angesehen wird. Gegenüber den verschiedenen Versuchen, die ökonomischen, anthropologischen, soziologischen und philosophischen Erörterungen des Manuskripts aus der willkürlichen Reihenfolge im Marxschen Manuskript herauszunehmen und sie unter bestimmten Titeln neu anzuordnen, hält unsere Ausgabe an der Reihenfolge fest, wie sie aus der Paginierung hervorgeht, die Marx selbst vorgenommen hat.

Bei der Herausgabe wurden durchgehend folgende Zeichen angewandt:

> *für eine Ergänzung des Herausgebers* [ ]
> *für ein unleserliches Wort* [?]
> *für ein nicht sicher entziffertes Wort* (?).

Die Paginierung in römischen Zahlen (in runden Klammern) gibt die Marxsche Paginierung wieder, soweit die vorgefundene Anordnung des Manuskriptes die Paginierung zweifelsfrei erkennen läßt.

VORREDE[1]

Ich habe schon in den Deutsch-Französischen Jahrbüchern
eine Kritik der Rechts- und Staatswissenschaft unter der
Form einer Kritik der *Hegelschen* Rechtsphilosophie ange-
kündigt. Bei der Ausarbeitung zum Druck zeigte sich die
Vermengung der nur gegen die Spekulation gerichteten
Kritik mit der Kritik der verschiedenen Materien selbst
durchaus unangemessen; die Entwicklung(?), das Verständnis erschwerend. Überdem hätte der Reichtum und die Verschiedenartigkeit der zu behandelnden Gegenstände nur auf
eine ganz aphoristische Weise die Zusammendrängung in
eine Schrift erlaubt, wie ihrerseits eine solche aphoristische
Darstellung den *Schein* eines willkürlichen Systematisierens
erzeugt hätte. Ich werde daher in verschiedenen selbständigen Broschüren die Kritik des Rechts, der Moral, Politik
etc. aufeinander folgen lassen und schließlich in einer besonderen Arbeit wieder den Zusammenhang des Ganzen,
das Verhältnis der einzelnen Teile, wie endlich die Kritik
der spekulativen Bearbeitung jenes Materials zu geben
suchen. Man findet aus diesem Grunde in der vorliegenden
Schrift den Zusammenhang der Nationalökonomie mit Staat,
Recht, Moral, bürgerlichem Leben etc. gerade nur so weit
berührt, als die Nationalökonomie selbst ex professo diese
Gegenstände berührt. Dem mit der Nationalökonomie ver-
trauten Leser habe ich nicht zu versichern, daß meine Resultate, durch eine ganz empirische, auf ein gewissenhaftes
kritisches Studium der Nationalökonomie gegründete Analyse gewonnen worden sind. Es versteht sich von selbst, daß
ich außer den französischen und englischen Sozialisten auch
deutsche sozialistische Arbeiten benutzt habe. Die inhalts-
vollen und originalen deutschen Arbeiten für diese Wissenschaft reduzieren sich indes — außer Weitlings Schriften —
auf die in den „21 Bogen"[2] gelieferten Aufsätze von *Heß*
und auf *Engels* „Umrisse zur Kritik der Nationalökonomie"

---

[1] [(XXXIX)].
[2] [Marx bezieht sich hier auf die von Georg Herwegh herausgegebene Zeitschrift „Einundzwanzig Bogen aus der Schweiz",
Zürich 1843.]

in den Deutsch-Französischen Jahrbüchern, wo ich ebenfalls die ersten Elemente der vorliegenden Arbeit in ganz allgemeiner Weise angedeutet habe. Die positive Kritik überhaupt (verdankt) ihre wahre Begründung den Entdeckungen *Feuerbachs*. Von Feuerbach datiert erst die *positive* humanistische und naturalistische Kritik. Je geräuschloser, desto sicherer, tiefer, umfangreicher und nachhaltiger ist die Wirkung der *Feuerbachschen* Schriften, die einzigen Schriften, seit Hegels Phänomenologie und Logik, worin eine wirkliche theoretische Revolution enthalten ist. Das Schlußkapitel der vorliegenden Schrift, die Auseinandersetzung mit der *Hegelschen Dialektik* und Philosophie überhaupt hielt ich für durchaus notwendig, im Gegensatz zu den *kritischen Theologen* unserer Zeit, (XL) [die] eine solche Arbeit, nicht nur nicht vollbracht, sondern deren Notwendigkeit erst einmal absolut zu fördern ist[1] — eine notwendige *Ungründlichkeit*, da selbst der *kritische* Theologe *Theologe* bleibt, also entweder von bestimmten Voraussetzungen der Philosophie als einer Autorität ausgehen muß, oder wenn ihm im Prozeß der Kritik und durch fremde Entdeckungen Zweifel an den philosophischen Voraussetzungen entstanden sind, sie feiger- und ungerechtfertigterweise verläßt, von ihnen *abstrahiert*, seine Knechtschaft unter dieselben und den Ärger über diese Knechtschaft nur mehr in negativer und bewußtloser und sophistischer Weise kundtut. Genau angesehen ist die *theologische Kritik* — so sehr sie im Beginn der Bewegung ein wirkliches Moment des Fortschritts war — in letzter Instanz — nichts anderes als die zur *theologischen Karikatur* verzerrte Spitze und Konsequenz der alten philosophischen und namentlich *Hegelschen* Transzendenz. Diese interessante Gerechtigkeit der Geschichte, welche die Theologie, von jeher der faule Fleck der Philosophie, dazu bestimmt, die negative Auflösung der Philosophie — d. h. ihren Verfaulungsprozeß — an sich darzustellen — diese historische Nemesis werde ich bei anderer Gelegenheit ausführlich nachweisen. —

[1] [Im Text: „sondern erst einmal ihre Notwendigkeit absolut [zu] fordern ist".]

(I) ad pag. XXXVI.[1] Das *subjektive Wesen* des Privateigentums, das *Privateigentum* als für sich seiende Tätigkeit, als
Subjekt, als *Person* ist die Arbeit. Es versteht sich also, daß
erst die Nationalökonomie, welche die *Arbeit* als ihr Prinzip erkannte, — *Adam Smith* — also nicht mehr das Privateigentum nur mehr als einen *Zustand* außer dem Menschen
wußte, — daß diese Nationalökonomie sowohl als ein Produkt der wirklichen *Energie* und *Bewegung* des Privateigentums zu betrachten ist, als ein Produkt der modernen
Industrie, wie sie andererseits die Energie und Entwicklung
dieser *Industrie* beschleunigt, verherrlicht, zu einer Macht
des *Bewußtseins* gemacht hat. Als Fetischdiener, als Katho-
liken erscheinen daher dieser aufgeklärten Nationalökonomie, die das *subjektive Wesen* des Reichtums — innerhalb des
Privateigentums — entdeckt hat, die Anhänger des Geld-
und Merkantilsystems, (Sie ist die für sich im Bewußtsein
gewordene selbständige Bewegung des Privateigentums, die
moderne Industrie als Selbst) welche das Privateigentum
als ein *nur gegenständliches* Wesen für den Menschen wissen. *Engels* hat daher mit Recht *Adam Smith* den *nationalökonomischen Luther* genannt. Wie Luther als das Wesen
der wirklichen *Welt* die Religion, den *Glauben* erkannte
und daher dem katholischen Heidentum gegenüber trat, wie
er die *äußere* Religiosität aufhob, indem er die Religiosität
zum *inneren* Wesen des Menschen machte, wie er die außer
dem Laien vorhandenen Pfaffen negierte, weil er den Pfaffen in das Herz der Laien versetzte, so wird der außer den
Menschen befindliche und von ihm unabhängige — also nur
auf eine äußerliche Weise zu erhaltende und zu behaup-
tende — Reichtum aufgehoben, d. h. diese seine *äußerliche
gedankenlose Gegenständlichkeit* wird aufgehoben, indem
sich das Privateigentum inkorporiert im Menschen selbst
und [sich] der Mensch selbst als sein Wesen erkennt — aber
darum der Mensch selbst in der Bestimmung des Privateigentums wie bei Luther der Religion gesetzt wird. Unter
dem Schein einer Anerkennung des Menschen, ist also die
Nationalökonomie, deren Prinzip die Arbeit, viel mehr nur

---

[1][„ad pag. XXXVI" bezieht sich auf Seite XXXVI des Manuskripts]

die konsequente Durchführung der Verleugnung des Menschen, indem er selbst nicht mehr in einer äußerlichen Spannung zu dem äußerlichen Wesen des Privateigentums steht, sondern er selbst dies gespannte Wesen des Privateigentums geworden ist. Was früher *Sich-Äußerlichsein,* reale Entäußerung des Menschen, ist nun zur Tat der Entäußerung, zur Veräußerung geworden. Wenn also jene Nationalökonomie unter dem Schein der Anerkennung des Menschen, seiner Selbständigkeit, Selbsttätigkeit etc. beginnt und, wie sie in das Wesen des Menschen selbst das Privateigentum verlegt nicht mehr durch die lokalen, nationalen etc. *Bestimmungen des Privateigentums* als eines außer ihr existierenden *Wesens* bedingt sein kann, also eine kosmopolitische, allgemeine, jede Schranke, jedes Band umwerfende Energie entwickelt, um sich als die *einzige* Politik, Allgemeinheit, Schranke im Band an die Stelle zu setzen — so muß sie bei weiterer Entwicklung diese *Scheinheiligkeit* abwerfen, in ihrem *ganzen Zynismus* hervortreten und sie tut dies, indem sie — unbekümmert um alle scheinbaren Widersprüche, worin diese Lehre sie verwickelt — viel *einseitiger,* darum *schärfer* und *konsequenter* die *Arbeit* als das einzige *Wesen des Reichtums* entwickelt, die Konsequenzen dieser Lehre im Gegensatz zu jener ursprünglichen Auffassung vielmehr als *menschenfeindliche* nachweist und endlich dem letzten, individuellen „natürlichen", unabhängig von der Bewegung der Arbeit existierenden Dasein des Privateigentums und [der] Quelle des Reichtums — der *Grundrente,* diesem schon ganz nationalökonomisch gewordenen und daher gegen die Nationalökonomie widerstandsunfähigen Ausdruck des Feudaleigentums — den Todesstoß gibt. (Schule des Ricardo.) Nicht nur wächst der *Zynismus* der Nationalökonomie relativ von Smith über Say bis zu Ricardo, Mill etc. insofern die Konsequenzen der *Industrie* den letzteren entwickelter und widerspruchsvoller vor die Augen treten; sondern auch positiv gehen sie immer und mit Bewußtsein weiter in der Entfremdung gegen den Menschen als ihr Vorgänger, aber *nur,* weil ihre Wissenschaft sich konsequenter und wahrer entwickelt. Indem sie das Privateigentum in seiner tätigen Gestalt zum Subjekt machen, also zugleich den Menschen zum Wesen und zugleich den Menschen als ein Unwesen zum Wesen machen, so entspricht der Widerspruch der Wirklichkeit vollständig dem widerspruchsvollen Wesen, das sie als Prinzip erkannt haben. Die zerrissene (II) *Wirklichkeit* der *Industrie* bestätigt ihr *in sich zerrissenes* Prinzip, weit entfernt, es zu widerlegen. Ihr Prinzip ist ja das Prinzip dieser Zerrissenheit. —

Die physiokratische Lehre von Dr. Quesnay bildet den Übergang von dem Merkantilsystem zu Adam Smith. Die *Physiokratie* ist unmittelbar die *nationalökonomische* Auflösung des Feudaleigentums, aber darum ebenso unmittelbar die *nationalökonomische Umwandlung*, Wiederherstellung desselben, nur daß seine Sprache nun nicht mehr feudal, sondern ökonomisch wird. Aller Reichtum wird aufgelöst in die *Erde* und den *Landbau;* (Agrikultur) die Erde ist noch nicht Kapital, sie ist noch eine *besondere* Daseinsweise desselben, die in ihrer und um ihrer natürlichen Besonderheit *willen* gelten soll, aber die Erde ist doch ein allgemeines, natürliches *Element*, während das Merkantilsystem nur das *edle Metall* als Existenz des Reichtums kannte. Der *Gegenstand* des Reichtums, seine Materie, hat also sogleich die höchste Allgemeinheit innerhalb der *Naturgrenze,* — insofern er auch als *Natur* unmittelbar gegenständlicher Reichtum ist — erhalten. Und die Erde ist nur durch die Arbeit, die Agrikultur für den *Menschen*. Also wird schon das subjektive Wesen des Reichtums in die Arbeit versetzt. Aber zugleich ist die Agrikultur die *einzig produktive* Arbeit. Also ist die Arbeit noch nicht in ihrer Allgemeinheit und Abstraktion gefaßt, sie ist noch an ein besonderes *Naturelement als ihre Materie* gebunden, sie ist daher auch nur noch in einer besonderen *naturbestimmten Daseinsweise* erkannt. Sie ist daher erst eine *bestimmte, besondere* Entäußerung des Menschen, wie ihr Produkt noch als bestimmter, — mehr noch der Natur als ihr selbst anheimfallender Reichtum — gefaßt ist. Die Erde wird hier noch als von Menschen unabhängiges Naturdasein anerkannt, noch nicht als Kapital, d. h. als ein Moment der Arbeit selbst. Vielmehr erscheint die Arbeit als *ihr* Moment. Indem aber der Fetischismus des alten äußerlichen, nur als Gegenstand verstandenen Reichtums auf ein sehr einfaches Naturelement reduziert und sein Wesen schon, wenn auch erst teilweise, auf eine besondere Weise in seiner subjektiven Existenz anerkannt ist, ist der notwendige Fortschritt, daß das *allgemeine Wesen* des Reichtums erkannt und daher die *Arbeit* in ihrer vollständigen Absolutheit, d. h. Abstraktion, zum *Prinzip* erhoben wird. Es wird der Physiokratie bewiesen, daß die *Agrikultur* in ökonomischer Hinsicht, also der einzig berechtigten von keiner anderen Industrie verschieden sei, also nicht eine *bestimmte* Arbeit, eine an ein besonderes Element gebundene, eine besondere Arbeitsäußerung, sondern die *Arbeit überhaupt* das *Wesen* des Reichtums sei. Die Physiokratie leugnet den *besonderen* äußerlichen, nur gegenständlichen Reichtum, indem sie die Arbeit für sein *Wesen* erklärt. Aber zunächst ist die Arbeit für sie nur das *subjektive Wesen* des Grundeigentums (sie geht von der Art des Eigentums aus, welche historisch als die herrschende und anerkannt erscheint): sie läßt nur das Grundeigentum zum *entäußerten Menschen* werden. Sie hebt seinen Feudalcharakter auf, indem sie die *Industrie* (Agrikultur) für sein *Wesen* erklärt; aber sie verhält sich leugnend zur Welt der Industrie, sie erkennt das Feudalwesen an, indem sie die *Agrikultur* für die *einzige* Industrie erklärt.

Es versteht sich, daß sobald nur das *subjektive Wesen* der im Gegensatz zum Grundeigentum, d. h. als Industrie sich konstituierenden Industrie —, gefaßt wird, dieses Wesen jenen seinen Gegensatz in sich einschließt, Denn wie die Industrie das aufgehobene Grundeigentum, so umfaßt ihr *subjektives* Wesen zugleich *sein* subjektives Wesen.

Wie das Grundeigentum die erste Form des Privateigentums ist, wie die Industrie ihr bloß als eine besondere Art des Eigentums zunächst historisch entgegentritt — oder vielmehr der freigelassene Sklave des Grundeigentums ist —, so wiederholt sich bei der wissenschaftlichen Erforschung des *subjektiven* Wesens des Privateigentums, der *Arbeit*, dieser Prozeß und die Arbeit erscheint zuerst nur als *Landbauarbeit*, macht sich dann aber als *Arbeit* überhaupt geltend.

(III) Aller Reichtum ist zum *industriellen* Reichtum, zum

Reichtum der Arbeit geworden und die *Industrie* ist die
vollendete Arbeit, wie das *Fabrikwesen* das ausgebildete
Wesen der *Industrie*, d. h. der Arbeit ist und das *industrielle
Kapital* die vollendete objektive Gestalt des Privateigentums ist. —

Wir sehen wie auch nun erst das Privateigentum seine
Herrschaft über den Menschen vollenden und in allgemein-
ster Form zur weltgeschichtlichen Macht werden kann.

ad pag. XXXIX.[1] Aber der Gegensatz von *Eigentumslosigkeit* und *Eigentum* ist ein noch indifferenter, nicht in seiner
tätigen Beziehung und in seinem *inneren* Verhältnis noch
nicht als Widerspruch gefaßter Gegensatz, so lange er nicht
als der Gegensatz der *Arbeit* und des *Kapitals* begriffen wird.
Auch ohne die fortgeschrittene Bewegung des Privateigentums, im alten Rom, in der Türkei etc. kann dieser Gegensatz in der *ersten* Gestalt sich aussprechen. So *erscheint* er
noch nicht als das Privateigentum selbst gesetzt. Aber die
Arbeit, das subjektive Wesen des Privateigentums, als Ausschließung des Eigentums und das Kapital, die objektive
Arbeit als Ausschließung der Arbeit ist das *Privateigentum*
als sein entwickeltes Verhältnis des Widerspruchs, darum
ein energisches, zur Auflösung treibendes Verhältnis.

ad ibidem. Die Aufhebung der Selbstentfremdung macht
denselben Weg, wie die Selbstentfremdung.

Erst wird das *Privateigentum* nur in seiner objektiven Seite,
— aber doch die Arbeit als sein Wesen — betrachtet. Seine
Daseinsform ist daher das *Kapital*, „das als solches" aufzuheben ist (Proudhon). Oder die besondere Weise der Arbeit
— als nivellierte, parcellierte und darum unfreie Arbeit
wird als Quelle der *Schädlichkeit* des Privateigentums und
seines Menschen entfremdeten Daseins gefaßt — *Fourier*,
der den Physiokraten entsprechend auch wieder die *Landbauarbeit* wenigstens als die *ausgezeichnete* faßt, während
St. Simon im Gegensatz die *Industriearbeit als* solche für das
Wesen erklärt und nun auch die alleinige Herrschaft der
Industriellen und die Verbesserung der Lage der Arbeiter
begehrt. Der *Kommunismus* endlich ist der *positive* Aus-

---

[1] [Bezieht sich ebenfalls auf Seite (XXXIX) des Originals.]

druck des aufgehobenen Privateigentums, zunächst das *all-gemeine* Privateigentum. Indem er dies Verhältnis in seiner *Allgemeinheit* faßt, ist er 1. in seiner ersten Gestalt nur eine *Verallgemeinerung* und Vollendung desselben: als solche zeigt er sich in doppelter Gestalt: einmal ist die Herrschaft des *sachlichen* Eigentums so groß ihm gegenüber, daß er alles vernichten will, was nicht fähig ist als *Privateigentum* von allen besessen [zu] werden. Der physische unmittelbare *Besitz* gilt ihm als einziger Zweck des Lebens und Daseins; die Bestimmung des *Arbeiters* wird nicht aufgehoben, son-dern auf alle Menschen ausgedehnt; er will auf *gewaltsame* Weise von Talent etc. abstrahieren.

Das Verhältnis des Privateigentums bleibt das Verhältnis der Gemeinschaft zur Sachenwelt; endlich spricht sich diese Bewegung, dem Privateigentum das allgemeine Privateigen-tum entgegenzustellen, in der tierischen Form aus, daß der *Ehe* (welche allerdings eine *Form* des *exklusiven Privat-eigentums* ist) die *Weibergemeinschaft,* wo also das Weib zu einem *gemeinschaftlichen* und gemeinen Eigentum wird, entgegen gestellt wird. Man darf sagen, daß dieser Gedanke der *Weibergemeinschaft* das *ausgesprochene Geheimnis* die-ses noch ganz rohen und gedankenlosen Kommunismus ist. Wie das Weib aus der Ehe in die allgemeine Prostitution so tritt die ganze Welt des Reichtums (?), d. h. des gegen-ständlichen Wesens des Menschen, aus dem Verhältnis der exclusiven Ehe mit dem Privateigentümer in das Verhältnis der universellen Prostitution mit der Gemeinschaft. Dieser Kommunismus — indem er die *Persönlichkeit* des Menschen überall negiert — ist aber nur der konsequente Ausdruck des Privateigentums, welches diese Negation ist. Der allge-meine und als Macht sich konstituierende *Neid* ist nur die versteckte Form, in welcher die *Habsucht* sich herstellt und nur auf eine *andere* Weise sich befriedigt. Der Gedanke jedes Privateigentums als eines solchen ist *wenigstens* gegen das *reichere* Privateigentum als Neid und Nivellierungs-sucht gekehrt, so daß diese sogar das Wesen der Konkurrenz ausmachen. Der rohe Kommunist ist nur die Vollendung dieses Neides und dieser Nivellierung von dem *vorgestell-ten* Minimum aus. Er hat ein *bestimmtes begrenztes* Maß.

Wie wenig diese Aufhebung des Privateigentums eine wirkliche Aneignung ist, beweist eben die abstrakte Negation der ganzen Welt, der Bildung und der Zivilisation; die Rückkehr zur *unnatürlichen* (IV) Einfachheit des *armen* und bedürfnislosen Menschen, der nicht über das Privateigentum hinaus, sondern noch nicht einmal bei demselben angelangt ist.

Gemeinschaft ist nur eine Gemeinschaft der *Arbeit* und der Gleichheit des Salairs, den das gemeinschaftliche Kapital, die *Gemeinschaft* als der allgemeine Kapitalist auszahlt. Beide Seiten des Verhältnisses sind in eine *vorgestellte* Allgemeinheit erhoben, die *Arbeit*, als die Bestimmung, in welcher jeder gesetzt ist, das *Kapital*, als die anerkannte Allgemeinheit und Macht der Gemeinschaft. In dem Verhältnis zum *Weib* als dem Raub und der Magd der gemeinschaftlichen Wollust ist die unendliche Degradation ausgesprochen, in welcher der Mensch für sich selbst existiert, denn das Geheimnis dieses Verhältnisses hat seinen *unzweideutigen*, entschiedenen, *offenbaren* enthüllten Ausdruck in dem Verhältnis des *Mannes* zum *Weibe* und in der Weise, wie das *unmittelbare*, natürliche Gattungsverhältnis gefaßt wird. Das unmittelbare, natürliche, notwendige Verhältnis des Menschen zum Menschen ist das *Verhältnis* des *Mannes* zum Weibe. In diesem *natürlichen* Gattungsverhältnis ist das Verhältnis des Menschen zur Natur unmittelbar sein Verhältnis zum Menschen, wie das Verhältnis zum Menschen unmittelbar sein Verhältnis zum Anfang seiner eigenen *natürlichen* Bestimmung ist. In diesem Verhältnis *erscheint* also *sinnlich*, auf ein anschauliches *Faktum* reduziert, inwieweit dem Menschen das menschliche Wesen zur Natur oder die Natur zum menschlichen Wesen des Menschen geworden ist. Aus diesem Verhältnis kann man also die ganzen Bildungsstufen des Menschen beurteilen. Aus dem Charakter dieses Verhältnisses folgt, inwieweit der Mensch als *Gattungswesen*, als *Mensch* sich geworden (?) ist und erfaßt hat; das Verhältnis des Mannes zum Weibe ist das *natürlichste* Verhältnis des Menschen zum Menschen. In ihm zeigt sich also inwieweit das *natürliche* Verhalten des Menschen *menschlich* oder inwieweit das *menschliche*

Wesen ihm zum *natürlichen* Wesen, inwieweit seine *menschliche Natur* ihm zur *Natur* geworden ist. In diesem Verhältnis zeigt sich auch, inwieweit das *Bedürfnis* des Menschen zum *menschlichen* Bedürfnis, inwieweit ihm also der *andere* Mensch als Mensch zum Bedürfnis geworden ist, inwieweit er in seinem individuellsten Dasein zugleich Gemeinwesen ist.

Die erste positive Aufhebung des Privateigentums, der *rohe* Kommunismus, ist also nur eine *Erscheinungsform* von der Niedertracht des Privateigentums, das sich als das *positive Gemeinwesen* setzen will.

2. Der Kommunismus α) noch politischer Natur, demokratisch oder despotisch; β) mit Aufhebung des Staats, aber zugleich noch unvollendetem und immer noch mit dem Privateigentum, d. h. der Entfremdung des Menschen affiziertem Wesen. In beiden Formen weiß sich der Kommunismus schon als Reïntegration oder Rückkehr des Menschen in sich als Aufhebung der menschlichen Selbstentfremdung, aber indem er das positive Wesen des Privateigentums noch nicht erfaßt hat und ebenso wenig die *menschliche* Natur des Bedürfnisses verstanden hat, ist er auch noch von demselben befangen und infiziert. Er hat zwar seinen Begriff erfaßt, aber noch nicht sein Wesen.

3. Der *Kommunismus* als *positive* Aufhebung des *Privateigentums* als *menschlicher Selbstentfremdung* und darum als wirkliche *Aneignung des menschlichen* Wesens durch und für den Menschen; darum als vollständige, bewußte und innerhalb des ganzen Reichtums der bisherigen Entwicklung gewordene Rückkehr des Menschen für sich als eines *gesellschaftlichen*, d. h. menschlichen Menschen. Dieser Kommunismus ist als vollendeter Naturalismus = Humanismus als vollendeter Humanismus = Naturalismus; er ist die *wahrhafte* Auflösung des Widerstreits zwischen dem Menschen mit der Natur, und mit dem Menschen, die wahre Auflösung des Streits zwischen Existenz und Wesen, zwischen Vergegenständlichung und Selbstbestätigung, zwischen Freiheit und Notwendigkeit, zwischen Individuum und Gattung. Er ist das aufgelöste Rätsel der Geschichte und weiß sich als diese Lösung.

(V) Die ganze Bewegung der Geschichte ist daher, wie sein
wirklicher Zeugungsakt — der Geburtsakt seines empirischen Daseins — so auch für sein denkendes Bewußtsein die
begriffene und *gewußte* Bewegung seines *Werdens*, während jener noch unvollendete Kommunismus aus einzelnen,
dem Privateigentum entgegenstehenden Geschichtsgestalten
einen *historischen* Beweis, einen Beweis in dem Bestehenden für sich sucht, indem er einzelne Momente aus dieser
Bewegung (Cabet, Villegardel, etc. reiten besonders auf diesem Roß) herausreißt und als Beweise seiner historischen
Vollblütigkeit fixiert, womit er eben dartut, daß die unverhältnismäßig größere Partie dieser Bewegung seinem Lehr-
system widerspricht und daß, wenn er einmal gewesen ist,
eben sein vergangenes Sein die Prätention des *Wesens* widerlegt.

Daß in der Bewegung des *Privateigentums* eben der Ökonomie, die gegenrevolutionäre Bewegung nicht sowohl ihre
empirische, als theoretische Basis findet, davon ist die Notwendigkeit leicht einzusehen.

Dies *materielle*, unmittelbar *sinnliche* Privateigentum, ist
der materielle sinnliche Ausdruck des *entfremdeten menschlichen* Lebens. Seine Bewegung — die Produktion und Konsumtion — ist die *sinnliche* Offenbarung von der Bewegung
aller bisheriger Produktion, d. h. Verwirklichung oder
Wirklichkeit des Menschen. Religion, Familie, Staat, Recht
Moral, Wissenschaft, Kunst etc. sind nur *besondere* Weisen
der Produktion und fallen unter ihr allgemeines Gesetz.
Die positive Aufhebung des *Privateigentums* als die Aneignung des *menschlichen* Lebens, *ist daher die positive*
Aufhebung aller Entfremdung, also die Rückkehr des Menschen aus (?) Religion, Familie, Staat etc. in sein *menschliches*, d. h. *gesellschaftliches* Dasein. Die religiöse Entfremdung als solche geht nur in dem Gebiet des *Bewußtseins*,
dem menschlichen Inneren vor, aber die ökonomische Entfremdung ist die des *wirklichen Lebens*, — ihre Aufhebung
umfaßt daher beide Seiten. Es versteht sich, daß die Bewegung bei den verschiedenen Völkern ihren *ersten* Beginn
danach nimmt, ob das wahre *anerkannte* (?) Leben des Volkes mehr im Bewußtsein oder in der äußeren Welt vor sich

geht, mehr das ideelle oder reelle Leben ist. Der Kommunismus beginnt sogleich *(Owen)* mit dem Atheismus, der Atheismus ist zunächst noch weit entfernt *Kommunismus* zu sein, wie jener Atheismus mehr noch eine Abstraktion ist. — Die Philantropie des Atheismus ist daher zuerst nur eine *philosophische* abstrakte Philantropie, die des Kommunismus sogleich *reell* und unmittelbar zur Wirkung gespannt. —

Wir haben gesehen, wie unter Voraussetzung des positiv aufgehobenen Privateigentums der Mensch den Menschen produziert, sich selbst und den anderen Menschen; wie der Gegenstand, welcher die unmittelbare Betätigung seiner Individualität, zugleich sein eigenes Dasein für den anderen Menschen, dessen Dasein und dessen Dasein für ihn ist. Ebenso sind aber sowohl das Material der Arbeit, als der Mensch als Subjekt, wie Resultat so Ausgangspunkt der Bewegung (und daß die dieser *Ausgangspunkt* sein müssen, eben darin liegt die geschichtliche *Notwendigkeit* des Privateigentums). Also ist dieser *gesellschaftliche* Charakter der allgemeine Charakter der ganzen Bewegung; *wie* die Gesellschaft selbst den *Menschen* als *Menschen* produziert, so ist sie durch ihn *produziert.* Die Tätigkeit und der Geist, wie ihrem Inhalt, sind auch der Entstehungsweise nach *gesellschaftlich; gesellschaftliche* Tätigkeit und *gesellschaftlicher* Geist. Das *menschliche* Wesen der Natur ist erst da für den *gesellschaftlichen* Menschen; denn erst hier ist sie für ihn da als *Band* mit dem *Menschen,* als Dasein seiner für den anderen und des anderen für ihn, wie als Lebenselement der menschlichen Wirklichkeit; erst hier ist sie da als *Grundlage* seines eigenen *menschlichen* Daseins. Erst hier ist ihm sein *natürliches* Dasein sein *menschliches* Dasein und die Natur für ihn zum Menschen geworden. Also die *Gesellschaft* ist die vollendete Wesenseinheit des Menschen mit der Natur, die wahre Resurrektion der Natur, der durchgeführte Naturalismus des Menschen und der durchgeführte Humanismus der Natur.[1]

---

[1] [Der folgende Satz ist im Text ohne Einfügungszeichen.]
Die Prostitution nur ein *besonderer* Ausdruck der *allgemeinen*

(VI) Die gesellschaftliche Tätigkeit und der gesellschaftliche Geist existieren keineswegs *allein* in der Form einer *unmittelbar* gemeinschaftlichen Tätigkeit und unmittelbar *gemeinschaftlichen* Geistes, obgleich die *gemeinschaftliche* Tätigkeit und der *gemeinschaftliche* Geist, d. h. die Tätigkeit und der Geist, die unmittelbar in *wirklicher Gesellschaft* mit anderen Menschen sich äußert und bestätigt, überall da stattfinden werden, wo jener unmittelbare Ausdruck der Gesellschaftlichkeit im Wesen der Tätigkeit und ihres Inhalts begründet: seiner Natur angemessen ist.

Allein auch wenn ich *wissenschaftlich* etc. tätig bin, eine Tätigkeit, die ich selber in unmittelbarer Gemeinschaft mit anderen ausführen kann, so bin ich *gesellschaftlich*, weil als *Mensch* tätig. Nicht nur das Material meiner Tätigkeit ist mir – wie selbst die Sprache, in der der Denker tätig ist – als gesellschaftliches Produkt gegeben, mein *eigenes* Dasein *ist* gesellschaftliche Tätigkeit; darum, das was ich aus mir mache, ich aus mir für die Gesellschaft mache und mit dem Bewußtsein meiner als eines gesellschaftlichen Wesens. Mein *allgemeines* Bewußtsein ist nur die *theoretische* Gestalt dessen, wovon das *reelle* Gemeinwesen, gesellschaftliche Wesen die *lebendige* Gestalt ist, während heutzutage das *allgemeine* Bewußtsein eine Abstraktion vom wirklichen Leben ist und als solche ihm feindlich gegenüber tritt. Daher ist auch die *Tätigkeit* meines allgemeinen Bewußtseins – als eine solche – mein *theoretisches* Dasein als gesellschaftliches Wesen.

Es ist vor allem zu vermeiden, die „Gesellschaft" wieder als Abstraktion dem Individuum gegenüber zu fixieren. Das Individuum *ist* das *gesellschaftliche Wesen*. Seine Lebensäußerung – erscheint sie auch nicht in der unmittelbaren Form einer *gemeinschaftlichen*, mit anderen zugleich vollbrachten Lebensäußerung – *ist* daher eine Äußerung und Bestätigung des *gesellschaftlichen Lebens*. Das individuelle

Prostitution des *Arbeiters,* und da die Prostitution ein Verhältnis ist, worin nicht nur die Prostituierte, sondern auch der Prostituierende fällt – dessen Niedertracht auch größer ist –, so fällt auch der Kapitalist etc. in diese Kategorie.

und das Gattungsleben des Menschen sind nicht *verschieden*, so sehr auch — und dies notwendig — die Daseinsweise
des individuellen Lebens eine mehr *besondere* oder mehr
allgemeine Weise des Gattungslebens ist, oder je mehr das
Gattungsleben ein mehr *besonderes* oder *allgemeines* individuelles Leben ist.

Als *Gattungsbewußtsein* bestätigt der Mensch sein reelles
Gesellschaftsleben und wiederholt nur sein wirkliches Dasein im Denken, wie umgekehrt das Gattungssein sich im
Gattungsbewußtsein bestätigt und in seiner Allgemeinheit,
als denkendes Wesen für sich ist.

Der Mensch — so sehr er daher ein *besonderes* Individuum
ist und gerade seine Besonderheit macht ihn zu einem Individuum und zum wirklichen *individuellen* Gemeinwesen
[macht] — ebensosehr ist er die *Totalität*, die ideelle Totalität, das subjektive Dasein der gedachten und empfundenen
Gesellschaft für sich, wie er auch in der Wirklichkeit, sowohl als Anschauung und wirklicher Geist des gesellschaftlichen Daseins wie als eine Totalität menschlicher Lebensäußerung da ist.

Denken und Sein sind also zwar *unterschieden* aber zugleich
in *Einheit* miteinander.

Der *Tod* scheint als ein harter Sieg der Gattung über das
Individuum und ihrer Einheit zu widersprechen; aber das
bestimmte Individuum ist nur ein *bestimmtes Gattungswesen*, als solches sterblich.

5.[1] Wie das *Privateigentum* nur der sinnliche Ausdruck davon ist, daß der Mensch zugleich *gegenständlich* für sich
wird und zugleich vielmehr sich als ein fremder und unmenschlicher Gegenstand wird, daß seine Lebensäußerung
seine Lebensentäußerung ist, seine Verwirklichung seine
Entwirklichung, eine *fremde* Wirklichkeit ist, so ist die positive Aufhebung des Privateigentums, d. h. die *sinnliche*
Aneignung des menschlichen Wesens und Lebens, des gegenständlichen Menschen, der menschlichen *Werke* für und
durch den Menschen nicht nur im Sinne des *unmittelbaren*,

---

[1] [Die Bezeichnung dieses Absatzes mit „5“ ist offenbar ein
Versehen von Marx.]

einseitigen *Genusses* zu fassen, nicht nur im Sinne des *Besitzens*, im Sinne des *Habens*. Der Mensch eignet sich sein allseitiges Wesen auf eine allseitige Art an, also als ein totaler Mensch. Jedes seiner *menschlichen* Verhältnisse zur Welt, Sehen, Hören, Riechen, Schmecken, Fühlen, Denken, Anschauen, Empfinden, Wollen, Tätigsein, Lieben, kurz alle Organe seiner Individualität, wie die Organe, welche unmittelbar in ihrer Form als gemeinschaftliche Organe (VII) sind in ihrem *gegenständlichen* Verhalten oder in ihrem *Verhalten zum Gegenstand* die Aneignung desselben, die Aneignung der *menschlichen* Wirklichkeit; ihr Verhalten zum Gegenstand ist die *Betätigung der menschlichen Wirklichkeit*. Sie ist daher eben so vielfach, wie die menschlichen *Wesensbestimmungen* und *Tätigkeiten* vielfach sind; menschliche *Wirksamkeit* und menschliches *Leiden*, denn das Leiden, menschlich gefaßt, ist ein Selbstgenuß des Menschen.

Das Privateigentum hat uns so dumm und einseitig gemacht, daß ein Gegenstand erst der *unsrige* ist, wenn wir ihn haben, (er) also als Kapital für uns existiert, oder von uns unmittelbar besessen, gegessen, getrunken, an unserem Leib getragen, von uns bewohnt etc., kurz *gebraucht* wird. Obgleich das Privateigentum alle diese unmittelbaren Verwirklichungen des Besitzes selbst wieder nur als *Lebens-Mittel* faßt und das Leben, zu dessen Mittel sie dienen, ist das *Leben des Privateigentums*, Arbeit und Kapitalisierung.

An die Stelle *aller* physischen und geistigen Sinne ist daher die einfache Entfremdung *aller* dieser Sinne, der Sinn des *Habens* getreten. Auf diese absolute Armut mußte das menschliche Wesen reduziert werden, damit es seinen inneren Reichtum aus sich heraus gebäre. (Über die Kategorie des *Habens* siehe *Heß* in den „21 Bogen".)

Die Aufhebung des Privateigentums ist daher die vollständige Emanzipation aller menschlichen Sinne und Eigenschaften; aber sie ist diese Emanzipation gerade dadurch, daß diese Sinne und Eigenschaften *menschlich*, sowohl subjektiv als objektiv geworden sind. Das Auge ist zum *menschlichen* Auge geworden, wie sein *Gegenstand* zu einem gesellschaftlichen *menschlichen*, vom Menschen für den Menschen herrührenden Gegenstand geworden ist. Die *Sinne* sind daher unmittelbar in ihrer Praxis Theoretiker geworden. Sie verhalten sich zu der *Sache* um der Sache willen, aber die Sache selbst ist ein *gegenständliches menschliches* Verhalten zu sich selbst und zum Menschen und umgekehrt[1]. Das Bedürfnis oder der Genuß haben darum ihre *egoistische* Natur und die Natur ihre bloße *Nützlichkeit* verloren, indem der Nutzen zum *menschlichen* Nutzen geworden ist.

Ebenso sind die Sinne und der Geist der anderen Menschen meine *eigene* Aneignung geworden. Außer diesen unmittelbaren Organen bilden sich daher *gesellschaftliche* Organe, in der *Form* der Gesellschaft, also z. B. die Tätigkeit unmittelbar in Gesellschaft mit anderen etc. ist ein Organ einer *Lebensäußerung* geworden und eine Weise der Aneignung des *menschlichen* Lebens.

Es versteht sich, daß das *menschliche* Auge anders genießt als das rohe, unmenschliche Auge, das menschliche Ohr anders als das rohe Ohr etc.

Wir haben gesehen. Der Mensch verliert sich nur dann nicht in seinem Gegenstand, wenn dieser ihm als *menschlicher* Gegenstand oder gegenständlicher Mensch wird. Dies ist nur möglich, indem er ihm als *gesellschaftlicher* Gegenstand und er selbst sich als gesellschaftliches Wesen, wie die Gesellschaft als Wesen für ihn in diesem Gegenstand wird.

Indem daher überall einerseits dem Menschen in der Gesellschaft, die gegenständliche Wirklichkeit als Wirklichkeit der menschlichen Wesenskräfte, als menschliche Wirklichkeit und darum als Wirklichkeit seiner *eigenen* Wesenskräfte wird, werden ihm alle *Gegenstände* als die *Vergegenständlichung* seiner selbst, als die seiner Individualität bestätigenden und verwirklichenden Gegenstände, als *seine* Gegenstände; d. h. Gegenstand seiner *selbst*. Wie sie ihm als seine werden, das hängt von der *Natur* des *Gegenstandes*

---

[1] [Im Text ohne Einfügungszeichen.] Ich kann mich praktisch nur menschlich zu der Sache verhalten, wenn die Sache sich zum Menschen menschlich verhält.

und der der Natur daher entsprechenden *Wesenskraft* ab;
denn eben die *Bestimmtheit* dieses Verhältnisses bildet die
besondere, *wirkliche* Weise der Bejahung. Dem *Auge* wird
ein Gegenstand anders als dem *Ohr* und der Gegenstand
des Auges *ist* ein anderer als der des *Ohres.* Die Eigentümlichkeit jeder Wesenskraft ist gerade ihr *eigentümliches
Wesen,* also auch die eigentümliche Weise ihrer Vergegenständlichung, ihres *gegenständlichen wirklichen* lebendigen
Seins. Nicht nur im Denken (VIII), sondern mit *allen* Sinnen wird daher der Mensch in der gegenständlichen Welt
bejaht.

Andererseits: Subjektiv gefaßt: Wie erst die Musik den
musikalischen Sinn des Menschen erweckt, wie für das un-
musikalische Ohr die schönste Musik *keinen* Sinn hat, [kein]
Gegenstand ist, weil mein Gegenstand nur die Bestätigung
einer meiner Wesenskräfte sein kann, also nur so für mich
sein kann, wie meine Wesenskraft als subjektive Fähigkeit
für sich ist, weil der Sinn eines Gegenstandes für mich, nur
Sinn für einen ihm entsprechenden Sinn hat, gerade so weit
geht als *mein* Sinn geht; darum sind die *Sinne* des gesellschaftlichen Menschen *andere* Sinne, wie die des ungesell-
schaftlichen; erst durch den gegenständlich entfalteten
Reichtum des menschlichen Wesens wird der Reichtum der
subjektiven *menschlichen* Sinnlichkeit, wird ein musikali-
sches Ohr, ein Auge für die Schönheit der Form, kurz, werden erst menschlicher Genüsse und fähige *Sinne,* Sinne,
welche als *menschliche* Wesenskräfte sich bestätigen, teils
erst ausgebildet, teils erst erzeugt. Denn nicht nur die fünf
Sinne, sondern auch die sogenannten geistigen Sinne, die
praktischen Sinne (Wollen, Lieben etc.), mit einem Wort
der *menschliche* Sinn, die Menschlichkeit der Sinne wird
erst durch das Dasein *seines* Gegenstandes, durch die *ver-
menschlichte* Natur. Die *Bildung* der fünf Sinne ist eine
Arbeit der ganzen bisherigen Weltgeschichte. Der unter
dem rohen praktischen Bedürfnis befangene *Sinn* hat auch
nur einen *bornierten* Sinn. Für den ausgehungerten Menschen existiert nicht die menschliche Form der Speise, sondern nur ihr abstraktes Dasein als Speise; ebensogut könnte
sie in rohester Form vorliegen, und es ist nicht zu sagen,

wodurch sich diese Nahrungstätigkeit von der *tierischen* Nahrungstätigkeit unterscheide. Der sorgenvolle, bedürftige Mensch hat keinen Sinn für das schönste Schauspiel; der Mineralienkrämer sieht nur den merkantilischen Wert, aber nicht die Schönheit und eigentümliche Natur des Minerals; er hat keinen mineralogischen Sinn; also die Vergegenständlichung des menschlichen Wesens, sowohl in theoretischer als praktischer Hinsicht, gehört dazu: sowohl um die *Sinne* des Menschen *menschlich* zu machen, als um für den ganzen Reichtum des menschlichen und natürlichen Wesens entsprechenden *menschlichen Sinn* zu schaffen.

Wie durch die Bewegung des *Privateigentums* und seines Reichtums wie Elends, — oder materiellen und geistigen Reichtums und Elends, — die werdende Gesellschaft zu dieser *Bildung* alles Material vorfindet, *so* produziert die gewordene Gesellschaft den Menschen in diesem ganzen Reichtum seines Wesens, den *reichen all- und tiefsinnigen* Menschen als ihre stete Wirklichkeit. — Man sieht, wie Subjektivismus und Objektivismus, Spiritualismus und Materialismus, Tätigkeit und Leiden erst im gesellschaftlichen Zustand ihren Gegensatz, und damit ihr Dasein als solche Gegensätze verlieren; man sieht, wie die Lösung der *theoretischen* Gegensätze selbst *nur* auf eine *praktische* Art, nur durch die praktische Energie des Menschen möglich ist und ihre Lösung daher keineswegs nur eine Aufgabe der Erkenntnis, sondern eine *wirkliche* Lebensaufgabe ist, welche die *Philosophie* nicht lösen konnte, eben weil sie dieselbe als *nur* theoretische Aufgabe faßt. —

Man sieht, wie die Geschichte der *Industrie* und das gewordene *gegenständliche* Dasein der Industrie, das aufgeschlagene Buch der *menschlichen Wesenskräfte*, die sinnlich vorliegende menschliche *Psychologie* ist, die bisher nicht in ihrem Zusammenhang mit dem *Wesen* des Menschen, sondern immer nur in einer äußeren Nützlichkeitsbeziehung gefaßt wurden, weil man — innerhalb der Entfremdung sich bewegend — nur das allgemeine Dasein des Menschen, die Religion oder die Geschichte in ihrem abstrakt-allgemeinen Wesen, als Politik, Kunst, Literatur etc., (IX), als Wirklichkeit der menschlichen Wesenskräfte und als *mensch-*

liche Gattungsakte zu fassen wußte.[1] In der *gewöhnlichen, materiellen Industrie* (— die man ebensowohl als einen Teil einer allgemeinen Bewegung fassen, wie man sie selbst als einen *besonderen* Teil der Industrie fassen kann, da alle menschliche Tätigkeit bisher Arbeit, also Industrie, sich selbst entfremdete Tätigkeit war —) haben wir unter der Form *sinnlicher, fremder, nützlicher Gegenstände,* unter der Form der Entfremdung die *vergegenständlichten Wesenskräfte* des Menschen vor uns. Eine *Psychologie,* für welche dies Buch, also gerade der sinnlich gegenwärtigste, zugänglichste Teil der Geschichte zugeschlagen ist, kann nicht zur wirklichen inhaltvollen und *reellen* Wissenschaft werden. *Was* soll man überhaupt zu einer Wissenschaft denken, die von diesem großen Teil der menschlichen Arbeit *vornehm* abstrahiert und nicht in sich selbst ihre Unvollständigkeit fühlt, so lange ein so ausgebreiteter Reichtum des menschlichen Wirkens ihr nichts sagt, als etwa, was man in einem Wort sagen kann: *„Bedürfnis", „gemeines Bedürfnis".* — Die *Naturwissenschaften* haben eine enorme Tätigkeit entwickelt und sich ein stets wachsendes Material angeeignet. Die Philosophie ist ihnen indessen ebenso fremd geblieben, wie sie der Philosophie fremd blieben. Die momentane Vereinigung war nur eine *phantastische Illusion.* Der Wille war da, aber das Vermögen fehlte. Die Geschichtsschreibung selbst nimmt auf die Naturwissenschaft nur beiläufig Rücksicht, als Moment der Aufklärung, Nützlichkeit einzelner großer Entdeckungen. Aber desto *praktischer* hat die Naturwissenschaft vermittelst der Industrie in das menschliche Leben eingegriffen und es umgestaltet und die menschliche Emanzipation vorbereitet, so sehr sie unmittelbar die Entmenschung vervollständigen mußte. Die *Industrie* ist das *wirkliche* geschichtliche Verhältnis der Natur und daher der Naturwissenschaft zum Menschen: wird sie daher als *exoterische* Enthüllung der menschlichen *Wesenskräfte* gefaßt, so wird auch das *menschliche* Wesen der Natur oder das *natürliche* Wesen des Menschen verstanden, daher die Naturwissenschaft ihre abstrakt

---

[1] [Im Text steht: „zu fassen (?) wurde".]

materielle oder vielmehr idealistische Richtung verlieren
und die Basis der *menschlichen* Wissenschaft werden, wie
sie jetzt schon — obgleich in entfremdeter Gestalt — zur
Basis des wirklichen menschlichen Lebens geworden ist, und
eine *andere* Basis für das Leben, eine andere für die Wissenschaft, ist von vornherein eine Lüge. Die in der menschlichen Geschichte — dem Entstehungsakt der menschlichen
Gesellschaft — werdende Natur ist die *wirkliche* Natur des
Menschen, darum die Natur, wie sie durch die Industrie, —
wenn auch in *entfremdeter* Gestalt wird, die wahre anthropologische Natur ist. — Die *Sinnlichkeit* (siehe Feuerbach)
muß die Basis aller Wissenschaft sein. Nur, wenn sie von
ihr, in der doppelten Gestalt, sowohl des *sinnlichen* Bewußtseins als des *sinnlichen* Bedürfnisses ausgeht — also nur
wenn die Wissenschaft von der Natur ausgeht — ist sie
wirkliche Wissenschaft. Damit der „*Mensch*" zum Gegenstand des *sinnlichen* Bewußtseins und das Bedürfnis des
„Menschen als Menschen" zum Bedürfnis werde, dazu ist
die ganze Geschichte die *Entwicklungsgeschichte*. Die Geschichte selbst ist ein wirklicher Teil der *Naturgeschichte*,
des Werdens der Natur zum Menschen. Die Naturwissenschaft wird später aber ebensowohl die Wissenschaft vom
Menschen, wie die Wissenschaft von dem Menschen die
Naturwissenschaft unter sich subsumieren: es wird *eine*
Wissenschaft sein.

(X) Der *Mensch* ist der unmittelbare Gegenstand der Naturwissenschaft; denn die unmittelbare *sinnliche Natur* für
den Menschen ist unmittelbar die menschliche Sinnlichkeit
(ein identischer Ausdruck), unmittelbarer als der *andere*
sinnlich für ihn vorhandene Mensch; denn seine eigene
Sinnlichkeit ist erst durch den *anderen* Menschen als menschliche Sinnlichkeit für ihn selbst. Aber die *Natur* ist der unmittelbare Gegenstand der *Wissenschaft vom Menschen*.
Der erste Gegenstand des Menschen — der Mensch — ist
Natur, Sinnlichkeit und die besonderen menschlich sinnlichen Wesenskräfte, wie sie nur in *natürlichen* Gegenständen ihre gegenständliche Verwirklichung, können nur in
der Wissenschaft der Naturwissenschaft ihre Selbsterkenntnis finden. Das Element des Denkens selbst, das Element

der Lebensäußerung des Gedankens, die *Sprache* ist sinnlicher Natur. Die *gesellschaftliche* Wirklichkeit der Natur und die *menschliche* Naturwissenschaft oder die *natürliche Wissenschaft vom Menschen* sind identische Ausdrücke. — Man sieht, wie an die Stelle des nationalökonomischen *Reichtums* und *Elends* der *reiche Mensch* und das reiche *menschliche* Bedürfnis tritt. Der reiche Mensch ist zugleich der einer Totalität der menschlichen Lebensäußerung *bedürftige* Mensch. Der Mensch, in dem seine eigene Verwirklichung, als innere Notwendigkeit, als Not existiert. Nicht nur der *Reichtum*, auch die *Armut* des Menschen erhält gleichmäßig — unter Voraussetzung des Sozialismus — eine menschliche und daher gesellschaftliche Bedeutung. Sie ist das positive Band, welches dem Menschen den größten Reichtum, den *anderen* Menschen als Bedürfnis empfinden läßt. Die Herrschaft des gegenständlichen Wesens in mir, der sinnliche Ausbruch meiner Wesenstätigkeit ist die *Leidenschaft:* welche hier damit die *Tätigkeit* meines Wesens wird. —

5. Ein *Wesen* gibt sich erst als selbständiges, sobald es auf eigenen Füßen steht und es steht erst auf eigenen Füßen, sobald es sein *Dasein* sich selbst verdankt. Ein Mensch, der von der Gnade eines anderen lebt, betrachtet sich als ein abhängiges Wesen. Ich lebe aber vollständig von der Gnade eines anderen, wenn ich ihm nicht nur die Unterhaltung meines Lebens verdanke, sondern wenn er noch außerdem mein *Leben geschaffen* hat; wenn er der *Quell* meines Lebens ist und mein Leben hat notwendig einen solchen Grund außer sich, wenn es nicht meine eigene Schöpfung ist. Die *Schöpfung* ist daher eine sehr schwer aus dem Volksbewußtsein zu verdrängende Vorstellung. Das Durchsichselbstsein der Natur und des Menschen ist ihm *unbegreiflich*, weil es allen *Handgreiflichkeiten* des praktischen Lebens widerspricht.

Die *Erd*schöpfung hat einen gewaltigen Stoß erhalten durch die *Geognosie*, d. h. durch die Wissenschaft, welche die Erdbildung, das Werden der Erde als einen Prozeß, als Selbsterzeugung darstellte. Die generatio aequivoca ist die einzige praktische Widerlegung der Schöpfungstheorie.

Nun ist es zwar leicht, dem einzelnen Individuum zu sagen, was Aristoteles schon gesagt hat: Du bist gezeugt von deinem Vater und deiner Mutter, also hat an dir die Begattung zweier Menschen, also ein Gattungsakt der Menschen den Menschen produziert. Du siehst also, daß der Mensch auch physisch sein Dasein dem Menschen verdankt. Du mußt also nicht nur die *eine* Seite im Auge behalten, den *unendlichen* Progreß, wonach du weiter fragst: Wer hat meinen Vater, wer seinen Großvater etc. gezeugt. Du mußt auch die *Kreisbewegung*, welche in jenem Progreß sinnlich anschaubar ist, festhalten, wonach der Mensch in der Zeugung sich selbst wiederholt, also der *Mensch* immer Subjekt bleibt. Aber du wirst mir antworten: Diese Kreisbewegung dir zugestanden, so gestehe du mir den Progreß zu, der mich immer weiter treibt, bis ich frage, wer hat den ersten Menschen und die Natur überhaupt gezeugt? Ich kann dir nur antworten: Deine Frage ist selbst ein Produkt der Abstraktion. Frage dich, wie du auf jene Frage kömmst, frage dich, ob deine Frage nicht von einem Gesichtspunkt aus geschieht, den ich nicht beantworten kann, weil er ein verkehrter ist? Frage dich, ob jener Progreß als solcher für ein vernünftiges Denken existiert? Wenn du nach der Schöpfung der Natur und des Menschen fragst, so abstrahierst du also vom Menschen und der Natur. Du setzest sie als *nichtseiend* und willst doch, daß ich sie als *seiend* dir beweise. Ich sage dir nun: Gib deine Abstraktion auf, so gibst du auch deine Frage auf oder willst du an deiner Abstraktion festhalten, so sei konsequent, und wenn du den Menschen und die Natur als *nichtseiend* denkend, (XI) denkst, so denke dich selbst als nichtseiend, der du doch auch Natur und Mensch bist. Denke nicht, frage mich nicht, denn sobald du denkst und fragst, hat deine *Abstraktion* von dem Sein der Natur und des Menschen keinen Sinn. Oder bist du ein solcher Egoist, daß du alles als Nichts setzt und selbst sein willst? Du kannst mir erwidern: Ich will nicht das Nichts der Natur etc. setzen; ich frage dich nach ihrem *Entstehungsakt*, wie ich den Anatom nach den Knochenbildungen frage, etc. Indem aber für den sozialistischen Menschen die *ganze sogenannte Weltgeschichte* nichts anderes ist als die Erzeugung des Menschen durch die menschliche Arbeit, als das Werden der Natur für den Menschen, so hat er also den anschaulichen, unwiderstehlichen Beweis von seiner *Geburt: Durch sich selbst*, von seinem *Entstehungsprozeß*. Indem die *Wesenhaftigkeit* des Menschen in der Natur, indem der Mensch für den Menschen als Dasein der Natur, in der Natur für den Menschen als Dasein des Menschen praktisch, sinnlich anschaubar geworden ist, ist die Frage nach einem *fremden* Wesen, nach einem Wesen über der Natur und dem Menschen — eine Frage, welche das Geständnis von der Unwesentlichkeit der Natur und des Menschen einschließt — praktisch unmöglich geworden. Der *Atheismus*, als Leugnung dieser Unwesentlichkeit, hat keinen Sinn mehr, denn der Atheismus ist eine *Negation des Gottes* und setzt durch diese Negation das *Dasein des Menschen;* aber der Sozialismus als Sozialismus bedarf einer solchen Vermittlung nicht mehr: er beginnt von dem *theoretisch und praktisch sinnlichen Bewußtsein* des Menschen und der Natur als des *Wesens*. Er ist *positives*, nicht mehr durch die Aufhebung der Religion vermitteltes *Selbstbewußtsein* des Menschen, wie das *wirkliche Leben* positive, nicht mehr durch die Aufhebung des Privateigentums, den *Kommunismus* vermittelte Wirklichkeit des Menschen ist. Der Kommunismus ist die Position als Negation der Negation, darum das *wirkliche*, für die nächste geschichtliche Entwicklung notwendige Moment der menschlichen Emanzipation und Wiedergewinnung. Der *Kommunismus* ist die notwendige Gestalt und das energische Prinzip der nächsten Zukunft, aber der Kommunismus ist nicht als solcher das Ziel der menschlichen Entwicklung, — die Gestalt der menschlichen Gesellschaft. —

6. An diesem Punkte ist vielleicht der Ort, sowohl zur Verständigung und Berechtigung über die Hegelsche Dialektik überhaupt, als namentlich über ihre Ausführung in der Phänomenologie und Logik endlich über das Verhältnis der neueren kritischen Bewegung einige Andeutungen zu geben. —

Die Beschäftigung mit dem Inhalt der alten Welt, die von dem Stoff befangene Entwicklung der modernen deutschen

Kritik war so gewaltsam, daß ein völlig kritikloses Verhalten zur Methode des Kritisierens, und eine völlige Bewußtlosigkeit über die *scheinbar formelle*, aber wirklich *wesentliche* Frage stattfand, wie halten wir es nun mit der Hegelschen *Dialektik?* Die Bewußtlosigkeit — über das Verhältnis der modernen Kritik zur Hegelschen Philosophie überhaupt und zur Dialektik namentlich, war so groß, daß Kritiker wie *Strauß* und *Bruno Bauer*, der erstere vollständig, der zweite in seinen „Synoptikern" (wo er dem Strauß gegenüber das „Selbstbewußtsein" des abstrakten Menschen an die Stelle der Substanz der „abstrakten Natur" stellt) und selbst noch im „Entdeckten Christentum" wenigstens der Potenz nach noch vollständig innerhalb der Hegelschen Logik befangen sind. So heißt es z. B. in dem „Entdeckten Christentum": „Als ob nicht das Selbstbewußtsein, indem es die Welt, sich und den Unterschied setzt, und in dem, was es hervorbringt, sich selbst hervorbringt, da es den Unterschied des Hervorgebrachten von ihm selbst wieder aufhebt, da es nur im Hervorbringen und in der Bewegung es selber ist — als ob es nicht in dieser Bewegung seinen Zweck hätte" etc. oder: „Sie (die französischen Materialisten) haben auch nicht sehen können, daß die Bewegung des Universums erst als die Bewegung des Selbstbewußtseins wirklich für sich geworden und zur Einheit mit ihr selbst zusammengeschweißt ist", Ausdrücke, die auch nicht einmal in der Sprache einen Unterschied von der Hegelschen Auffassung zeigen, sondern sie vielmehr wörtlich wiederholen.

(XII) Wie wenig während des Aktes der Kritik (Bauer in den „Synoptikern") ein Bewußtsein vorhanden war über das Verhältnis zur Hegelschen Dialektik, wie wenig dieses Bewußtsein auch nach dem Akt der stofflichen Kritik entstand, beweist Bauer, wenn er in seiner „guten Sache der Freiheit", die vorlaute Frage des Herrn Gruppe, „was nun mit der Logik" dadurch abweist, daß er ihn auf kommende Kritiker verweist.

Aber auch nun, nachdem *Feuerbach* — sowohl in seinen „Thesen" in den Anekdotis, als ausführlich in der „Philosophie der Zukunft" die alte Dialektik und Philosophie,

dem Keime nach umgeworfen hat — nachdem dagegen jene
Kritik, welche diese Tat nicht [zu] vollbringen wußte, dagegen die Tat vollbracht sah, als reine, entschiedene, absolute, mit sich ins Klare gekommene Kritik ausgerufen, nachdem sie in ihrem spiritualistischen Hochmut die ganze geschichtliche Bewegung auf das Verhältnis der übrigen Welt
— die ihr gegenüber unter die Kategorie der „Maße" fällt —
zu ihr selbst reduziert und alle dogmatischen Gegensätze
in den *einen* dogmatischen Gegensatz ihrer eigenen Klugheit und der Dummheit der Welt, des kritischen Christus in
der Menschheit, als den „Haufen", aufgelöst hat, nachdem
sie ihre eigene Vortrefflichkeit täglich und stündlich an der
Geistlosigkeit der Masse bewiesen hat, nachdem sie endlich
das kritische *jüngste Gericht* unter der Gestalt verkündigt
hat, daß der Tag herannahe, wo die ganze verfallende
Menschheit ihr gegenüber sich scharen werde — von ihr in
Gruppen sondiert und jeder besondere Haufen sein testimonium paupertatis erhalten werde, — nachdem sie ihre
Erhabenheit über menschliche Empfindungen wie über die
Welt, über welche sie in erhabener Einsamkeit thronend,
nur von Zeit zu Zeit das Gelächter der olympischen Götter
von ihren sarkastischen Lippen schallen läßt, hat drucken
lassen, nach allen diesen ergötzlichen Gebarungen des, unter
der Form der Kritik verscheidenden Idealismus (des Jung-
hegeltums) hat er auch nicht einmal die Ahnung ausgesprochen, daß man sich nun kritisch mit seiner Mutter, der
Hegelschen Dialektik auseinanderzusetzen habe, ja selbst
also kein kritisches Verhältnis zur Feuerbachschen Dialektik anzugeben gewußt. Ein völliges unkritisches Verhalten
zu sich selbst.

Feuerbach ist der einzige, der ein *ernsthaftes* und *kritisches*
Verhältnis zur Hegelschen Dialektik hat und wahrhafte
Entdeckungen auf diesem Gebiete gemacht hat, überhaupt
der wahre Überwinder der alten Philosophie ist. Die Größe
der Leistung und die geräuschlose Einfachheit, womit Feuerbach sie der Welt gibt, stehen in einem wunderlichen Gegensatz zu dem umgekehrten Verhältnis.

Feuerbachs große Tat ist: 1. Der Beweis, daß die Philosophie nichts anderes ist als die in Gedanken gebrachte und

denkend ausgeführte Religion; also ebenfalls zu verurteilen
ist, eine andere Form und Daseinsweise der Entfremdung
des menschlichen Wesens.

2. Die Gründung des *wahren Materialismus* und der *reellen
Wissenschaft,* indem Feuerbach das gesellschaftliche Verhältnis des „Menschen zum Menschen" — ebenso zum Grundprinzip der Theorie macht.

3. Indem er der Negation der Negation, die das absolut Positive zu sein behauptete, das auf sich selbst ruhende und
positiv auf sich selbst begründete Positive entgegenstellt.

Feuerbach erklärt die Hegelsche Dialektik — (und begründet dadurch den Ausgang vom Positiven, vom Sinnlich-
Gewissen) — folgendermaßen: Hegel geht aus von der Entfremdung (logisch: dem Unendlichen, abstrakt Allgemeinen), der Substanz, der absoluten und fixierten Abstraktion.
— D. h. populär ausgedrückt: er geht von der Religion und
Theologie aus.

Zweitens: Er hebt das Unendliche auf, setzt das Wirkliche,
Sinnliche, Reale, Endliche, Besondere. (Philosophie, Aufhebung der Religion und Theologie.)

Drittens: Er hebt das Positive wieder auf, stellt die Abstraktion, das Unendliche wieder her. Wiederherstellung
der Religion und Theologie.

Feuerbach faßt also die Negation der Negation *nur* als
Widerspruch der Philosophie mit sich selbst auf, als die
Philosophie, welche die Theologie (Transzendenz etc.) bejaht, nachdem sie dieselbe verneint hat, also im Gegensatz
zu sich selbst bejaht.

Die Position und Selbstbejahung und Selbstbestätigung, die
in der Negation der Negation liegt, wird für eine ihrer
selbst noch nicht sichere, darum mit ihrem Gegensatz behaftete, an sich selbst zweifelnde und darum des Beweises
bedürftige also nicht durch ihr Dasein sich beweisende, als
nicht eingestandene (XIII) Position gefaßt und darin ihr
direkt und unvermittelt die sinnlich gewisse auf sich selbst
gegründete Position entgegengestellt.

Aber indem Hegel die Negation der Negation — der positiven Beziehung nach, die in ihr liegt, als das wahrhaft und
einzig Positive — der negativen Beziehung nach, die in ihr

liegt, als den einzig wahren Akt und Selbstbetätigungsakt
alles Seins — aufgefaßt hat, hat er nur den *abstrakten,
logischen, spekulativen* Ausdruck für die Bewegung der Ge-
schichte gefunden, die noch nicht *wirkliche* Geschichte des
Menschen als eines vorausgesetzten Subjekts, sondern erst
Erzeugungsakt, Entstehungsgeschichte des Menschen ist. —
Sowohl die abstrakte Form werden wir erklären, als den
Unterschied, den diese Bewegung bei Hegel im Gegensatz
zur modernen Kritik, zu demselben Prozeß in Feuerbachs
„Wesen des Christentums" hat oder vielmehr die *kritische*
Gestalt dieser bei Hegel noch unkritischen Bewegung. —
Ein Blick auf das Hegelsche System. Man muß beginnen
mit der Hegelschen *Phänomenologie,* der wahren Geburts-
stätte und dem Geheimnis der Hegelschen Philosophie. —

Phänomenologie

A. *Das Selbstbewußtsein*

I. *Bewußtsein.* a) Sinnliche Gewißheit oder das Dieses
und das *Meinen.* b) Die *Wahrnehmung* oder das Ding
mit seinen Eigenschaften und die *Täuschung.* c) Kraft
und Verstand, Erscheinung und übersinnliche Welt.

II. *Selbstbewußtsein.* Die Wahrheit der Gewißheit seiner
selbst. a) Selbständigkeit und Unselbständigkeit des
Selbstbewußtseins, Herrschaft und Knechtschaft. b) Freiheit des Selbstbewußtseins. Stoizismus, Skeptizismus,
das unglückliche Bewußtsein.

III. *Vernunft.* Gewißheit und Wahrheit der Vernunft.
a) Beobachtende Vernunft: Beobachtung der Natur
und des Selbstbewußtseins. b) Verwirklichung des
vernünftigen Selbstbewußtseins durch sich selbst. Die
Lust und die Notwendigkeit. Das Gesetz des Herzens
und der Wahnsinn des Eigendünkels. c) Die Individualität, welche sich an und für sich reell ist. Das geistige Tierreich und der Betrug oder die Sache selbst.
Die gesetzgebende Vernunft. Die gesetzprüfende Vernunft.

B. *Der Geist*

I. Der *wahre* Geist: die Sittlichkeit.
II. Der sich entfremdete Geist, die Bildung.
III. Der seiner selbst gewisse Geist, die Moralität.

C. *Die Religion:*
Natürliche, Kunstreligion, offenbare Religion.

D. *Das absolute Wissen.*

Wie die „*Enzyklopädie*" Hegels mit der Logik beginnt, mit
dem *reinen spekulativen Gedanken* und mit dem *absoluten
Wissen*, dem selbstbewußten, sich selbst erfassenden philosophischen oder absoluten, d. h. übermenschlichen abstrakten Geist aufhört, so ist die ganze Enzyklopädie nichts als
das *ausgebreitete Wesen* des philosophischen Geistes, seine
Selbstvergegenständlichung. Feuerbach faßt noch die Negation der Negation, den konkreten Begriff als das sich im
Denken überbietende und als Denken unmittelbar Anschauung, Natur, Wirklichkeit sein wollende Denken; wie der
philosophische Geist nichts ist als der innerhalb seiner Selbstentfremdung denkend, d. h. abstrakt sich erfassende entfremdete Geist der Welt. — Die *Logik* — das *Geld* des Geistes, der spekulative, der *Gedankenwert* des Menschen und
der Natur — ihr gegen alle wirkliche Bestimmtheit vollständig gleichgültig gewordenes und darum unwirkliches
Wesen — das *entäußerte*, daher von der Natur und dem
wirklichen Menschen abstrahierende *Denken: das abstrakte*
Denken. — Die *Äußerlichkeit dieses abstrakten Denkens* . . .[1]
die Natur, wie sie für dies abstrakte Denken ist. Sie ist ihm
äußerlich, sein Selbstverlust; und erfaßt sie auch äußerlich,
als abstrakten Gedanken, aber als entäußertes abstraktes
Denken. — Endlich der Geist, dies in seine eigene Geburtsstätte heimkehrende Denken, welches sich als anthropologi-
scher, phänomenologischer, psychologischer, sittlicher, künst-
lerischer, religiöser Geist immer noch erst für sich selbst
gilt, bis es sich endlich als *absolutes* Wissen in dem nun absoluten, i. e. abstrakten Geist vorfindet und selbst bejaht,

---

[1] [Die 3 Punkte von Marx.]

sein bewußtes und ihm entsprechendes Dasein erhält. Denn
sein wirkliches Dasein ist die *Abstraktion.* —
Ein doppelter Fehler bei Hegel.

Der erste tritt in der Phänomenologie als der Geburtsstätte
der Hegelschen Philosophie am klarsten hervor. Wenn er
z. B. Reichtum, Staatsmacht etc. als dem *menschlichen*
Wesen entfremdete Wesen gefaßt, so geschieht dies nur in
ihrer Gedankenform . . .[1] Sie sind Gedankenwesen — daher
bloß eine Entfremdung des *reinen,* das ist abstrakten philosophischen Denkens. Die ganze Bewegung endet daher mit
dem absoluten Wissen. Wovon diese Gegenstände entfremdet sind und wem sie mit der Anmaßung der Wirklichkeit
entgegentreten, das ist eben das abstrakte Denken. Der
Philosoph legt sich — also selbst eine abstrakte Gestalt des
entfremdeten Menschen — als den *Maßstab* der entfremdeten Welt an. Die ganze *Entäußerungsgeschichte* und die
ganze *Zurücknahme* der Entäußerung ist daher nichts als
die *Produktionsgeschichte* des abstrakten i. e. absoluten Denkens, des logischen, spekulativen Denkens.

(XIV) 7. Wir haben gesehen, welche Bedeutung unter der
Voraussetzung des Sozialismus die *Reichheit* der menschlichen Bedürfnisse, und daher sowohl eine *neue Weise der
Produktion* als auch ein neuer *Gegenstand* der Produktion
hat. Neue Bestätigung der *menschlichen* Wesenskraft und
neue Bereicherung des *menschlichen Wesens.* Innerhalb des
Privateigentums die umgekehrte Bedeutung. Jeder Mensch
spekuliert darauf, dem *anderen* ein neues Bedürfnis zu
schaffen um ihn zu einem neuen Opfer zu zwingen, um ihn
in eine neue Abhängigkeit zu versetzen und ihn zu einer
neuen Weise des *Genusses* und damit des ökonomischen
Ruins zu verleiten. Jeder sucht eine *fremde* Wesenskraft
über dem anderen zu schaffen, um darin die Befriedigung
seines eigennützigen Bedürfnisses zu finden. Mit der Masse
der Gegenstände wächst daher das Reich der fremden Wesen, denen der Mensch unterjocht ist und jedes neue Produkt ist eine neue *Potenz* des wechselseitigen Betrugs und
der wechselseitigen Ausplünderung. Der Mensch wird um

[1] [Punkte von Marx.]

so ärmer als Mensch, er bedarf um so mehr des *Geldes*, um sich des feindlichen Wesens zu bemächtigen und die Macht seines *Geldes* fällt gerade im umgekehrten Verhältnis als die Masse der Produktion, d. h. seine Bedürftigkeit wächst, wie die *Macht* des Geldes zunimmt. — Das Bedürfnis des Geldes ist daher das wahre, von der Nationalökonomie produzierte Bedürfnis und das einzige Bedürfnis, das sie produziert. — Die *Quantität* des Geldes wird immer mehr seine einzige *mächtige* Eigenschaft; wie es alles Wesen auf seine Abstraktion reduziert, so reduziert es sich in seiner eigenen Bewegung als *quantitatives* Wesen. Die *Maßlosigkeit* und *Unmäßigkeit* wird sein wahres Maß. — Subjektiv selbst erscheint dies so, teils daß die Ausdehnung der Produkte und der Bedürfnisse zum *erfinderischen* und stets *kalkulierenden* Sklaven unmenschlicher, raffinierter, unnatürlicher und *eingebildeter* Gelüste wird — das Privateigentum weiß das Ruhebedürfnis nicht zum *menschlichen* Bedürfnis zu machen; sein *Idealismus* ist die *Einbildung*, die *Willkür*, die *Laune* und ein Eunuche schmeichelt nicht niederträchtiger seinem Despoten und sucht durch keine infameren Mittel seine abgestumpfte Genußfähigkeit zu irritieren, um sich selbst eine Gunst zu erschleichen, wie der Industrieeunuche, der Produzent, um sich Silberpfennige zu erschleichen, aus der Tasche des christlich geliebten Nachbarn die Goldvögel herauszulocken — (jedes Produkt ist ein Köder, womit man das Wesen des anderen, sein Geld, an sich locken will, jedes wirkliche oder mögliche Bedürfnis ist eine Schwachheit, die die Fliege an die Leimstange heranführen wird — allgemeine Ausbeutung des gemeinschaftlichen menschlichen Wesens, wie jede Unvollkommenheit des Menschen ein Band mit dem Himmel ist, eine Seite, wo sein Herz dem Priester zugänglich; jede Not ist eine Gelegenheit, um unter dem liebenswürdigsten Schein zum Nachbarn zu treten und ihm zu sagen: Lieber Freund, ich gebe dir, was dir nötig ist; aber du kennst die conditio sine qua non: Du weißt, mit welcher Tinte du dich mir zu verschreiben hast; ich prelle dich, indem ich dir einen Genuß verschaffe) — sich seinen verworfensten Einfällen fügt, den Kuppler zwischen ihm und seinem Bedürfnis spielt, krank-

hafte Gelüste in ihm erregt, jede Schwachheit ihm ablauert
— um dann das Handgeld für diesen Liebesdienst zu verlangen. — Teils zeigt sich diese Entfremdung, indem die
Raffinierung der Bedürfnisse und ihrer Mittel auf der
einen Seite die viehische Verwilderung, vollständige rohe
abstrakte Einfachheit des Bedürfnisses auf der anderen
Seite produziert; oder vielmehr nur sich selbst in seiner
gegenteiligen Bedeutung wiedergebiert. Selbst das Bedürfnis der freien Luft hört bei dem Arbeiter auf, ein Bedürfnis zu sein, der Mensch kehrt in die Höhlenwohnung zurück, die aber nun von dem mephystischen[1] Pesthauch der
Zivilisation vergiftet ist und die er nur mehr *prekär*, als
eine fremde Macht, die sich ihm täglich entzieht, aus der er
täglich, wenn er (XV) nicht zahlt, herausgeworfen werden
kann, bewohnt. Dies Totenhaus muß er *bezahlen*. Die
*Licht*wohnung, welche Prometheus bei Aeschylus als eines
der großen Geschenke, wodurch er den Wilden zum Menschen gemacht, bezeichnet, hört auf für den Arbeiter zu
sein. Licht, Luft, etc. die einfachste *tierische* Reinlichkeit
hört auf, ein Bedürfnis für den Menschen zu sein. Der
Schmutz, diese Versumpfung, Verfaulung des Menschen,
der *Gossenablauf* (ist wörtlich zu verstehen) der Zivilisation
wird ihm ein *Lebenselement*. Die völlige *unnatürliche* Ver-
wahrlosung, die verfaulte Natur wird zu seinem *Lebenselement*. Keiner seiner Sinne existiert mehr, nicht nur nicht
in seiner menschlichen Weise, sondern in einer *unmenschlichen*, darum selbst nicht einmal tierischen Weise. Die
rohesten *Weisen (Instrumente)* der menschlichen Arbeit
kehren wieder, wie die *Tretmühle* der römischen Sklaven
zur Produktionsweise, Daseinsweise vieler englischen Arbeiter geworden ist. Nicht nur daß der Mensch keine
menschlichen Bedürfnisse hat, selbst die *tierischen* Bedürfnisse hören auf. Der Irländer kennt nur mehr das Bedürfnis des *Essens* und zwar nur mehr des Kartoffelessens und
zwar nur der *Lumpenkartoffeln*, der schlechtesten Art von
Kartoffeln. Aber England und Frankreich haben schon in
jeder Industriestadt ein *kleines* Irland. Der Wilde, das Tier

---

[1] [Zweifelhafte Lesart.]

hat doch das Bedürfnis der Jagd, der Bewegung etc., der Geselligkeit. Die Vereinfachung der Maschine, die Arbeit wird dazu benutzt, um den erst werdenden Menschen, den ganz unausgebildeten Menschen — das *Kind* — zum Arbeiter zu machen, wie der Arbeiter ein verwahrlostes Kind geworden ist. Die Maschine bequemt sich der *Schwäche* des Menschen, um den *schwachen* Menschen zur Maschine zu machen. — Wie die Vermehrung der Bedürfnisse und ihrer Mittel die Bedürfnislosigkeit und die Mittellosigkeit erzeugt, beweist der Nationalökonom (und der Kapitalist, überhaupt reden wir immer von den *empirischen* Geschäftsleuten, wenn wir uns an den Nationalökonomen — ihr *wissenschaftliches* Geständnis und Dasein adressieren) 1. indem er das Bedürfnis des Arbeiters auf den notwendigsten und jämmerlichsten Unterhalt des physischen Lebens und seine Tätigkeit auf die abstrakteste mechanische Bewegung reduziert, also, sagt er: Der Mensch hat kein anderes Bedürfnis weder der Tätigkeit noch des Genusses; denn *auch* dies Leben erklärt er [als] *menschliches* Leben und Dasein; indem 2. er das möglichst *dürftige* Leben (Existenz) als Maßstab und zwar als allgemeinen Maßstab *ausrechnet:* allgemein, weil für die Masse der Menschen geltend; er macht den Arbeiter zu einem unsinnlichen und bedürfnislosen Wesen, wie er seine Tätigkeit zu einer reinen Abstraktion von aller Tätigkeit macht; jeder *Luxus* des Arbeiters scheint ihm daher als verwerflich und alles, was über das allerabstrakteste Bedürfnis hinausgeht — sei es als passiver Geist — oder Tätigkeitsäußerung — erscheint ihm als Luxus. Die Nationalökonomie, diese Wissenschaft des *Reichtums*, ist daher zugleich die Wissenschaft des Entsagens, des Darbens, der *Ersparung* und sie kömmt wirklich dazu, dem Menschen sogar das *Bedürfnis* einer reinen *Luft* oder der physischen *Bewegung* zu *ersparen*. Diese Wissenschaft der wunderbaren Industrie ist zugleich die Wissenschaft der Askese und ihr wahres Ideal ist der *asketische* aber *wuchernde* Geizhals und der *asketische* aber *produzierende* Sklave. Ihr moralisches Ideal ist der *Arbeiter*, der in die Sparkasse einen Teil seines Salairs bringt, und sie hat für diesen ihren Lieblingseinfall sogar eine knechtische *Kunst*

vorgefunden. Man hat das sentimental aufs Theater gebracht. Sie ist daher — trotz ihres weltlichen und wollüsti-
gen Aussehens — eine wirklich moralische Wissenschaft,
die allermoralischste Wissenschaft. Die Selbstentsagung, die
Entsagung des Lebens und aller menschlichen Bedürfnisse
ist ihr Hauptlehrsatz. Je weniger du ißt, trinkst, Bücher
kaufst, in das Theater, auf den Ball, zum Wirtshaus gehst,
denkst, liebst, theoretisierst, singst, machst, fühlst etc. um
so mehr *sparst* du, um so *größer* wird dein Schatz, den
weder Motten noch Staub fressen, dein *Kapital*. Je weniger
du *bist*, je weniger du dein Leben äußerst, um so mehr
hast du, um so größer ist dein *entäußertes* Leben, um so
mehr speicherst du auf von deinem entfremdeten Wesen.
Alles (XVI) was dir der Nationalökonom an Leben nimmt
und an Menschheit, das alles ersetzt er dir in *Geld* und
Reichtum und alles das, was du nicht kannst, das kann dein
Geld: es kann essen, trinken, auf den Ball, ins Theater
gehen, es macht sich die Kunst, die Gelehrsamkeit, die
historischen Seltenheiten, die politische Macht, es kann
reisen, es kann dir das alles aneignen: es kann das alles
kaufen; es ist das wahre *Vermögen*. Aber es, was all dies
ist, es *mag* nichts als sich selbst schaffen, sich selbst kaufen,
denn alles andere ist ja sein Knecht und wenn ich den Herrn
habe, habe ich den Knecht und brauche ich seinen Knecht
nicht. Alle Leidenschaften und alle Tätigkeit muß also
untergehen in der *Habsucht*. Der Arbeiter darf nur so viel
haben, daß er leben will, und darf nur leben wollen, um
zu haben.

Allerdings erhebt sich nun auf nationalökonomischem Boden eine Kontroverse. Die eine Seite (Lauderdale, Malthus
etc.) empfiehlt den *Luxus* und verwünscht die Sparsamkeit;
die andere (Say, Ricardo etc.) empfiehlt die Sparsamkeit
und verwünscht den Luxus. Aber jene gesteht, daß sie den
Luxus will, um die *Arbeit*, d. h. die absolute Sparsamkeit
zu produzieren; die andere Seite gesteht, daß sie die Sparsamkeit empfiehlt um den *Reichtum*, d. h. den Luxus zu
produzieren. Die erstere Seite hat die *romantische* Einbildung, die Habsucht dürfe nicht allein die Konsumtion der
Reichen bestimmen, und sie widerspricht ihren eigenen Ge-

setzen, wenn sie die Verschwendung unmittelbar für ein Mittel der Bereicherung ausgibt und von der anderen Seite wird ihr daher sehr ernstlich und umständlich bewiesen, daß sich durch die Verschwendung mein *Haben* verringere und nicht vermehre; die andere Seite begeht die Heuchelei, nicht zu gestehen, daß gerade die Laune und der Einfall die Produktion bestimmt; sie vergißt die „verfeinerten Bedürfnisse", sie vergißt, daß ohne Konsumtion nicht produziert würde; sie vergißt, daß die Produktion durch die Konkurrenz nur allseitiger, luxuriöser werden muß; sie vergißt, daß der Gebrauch ihr den Wert der Sache bestimmt und daß die Mode den Gebrauch bestimmt, sie wünscht nur „Nützliches" produziert zu sehen, aber sie vergißt, daß die Produktion von zu viel Nützlichem zu viel *unnütze* Population produziert. Beide Seiten vergessen, daß Verschwendung und Ersparung, Luxus und Entblößung, Reichtum und Armut gleich sind. Und nicht nur deine unmittelbaren Sinne, wie Essen etc., mußt du absparen, auch Teilnahme mit allgemeinen Interessen, Mitleiden, Vertrauen etc., das alles mußt du dir ersparen, wenn du ökonomisch sein willst, wenn du nicht an Illusionen zu Grunde gehen willst. Du mußt alles, was dein ist, *feil*, d. h. nützlich machen. Wenn ich den Nationalökonomen frage: Gehorche ich den ökonomischen Gesetzen, wenn ich aus der Feilbietung, Preisgebung meines Körpers an fremde Wollust Geld ziehe, (die Fabrikarbeiter in Frankreich nennen die Prostitution ihrer Frauen und Töchter die xte Arbeitsstunde, was wörtlich wahr ist) oder handle ich nicht nationalökonomisch, wenn ich meinen Freund an die Marokkaner verkaufe (und der unmittelbare Menschenverkauf als Handel der Konskribierten etc. findet in allen Kulturländern statt), so antwortet mir der Nationalökonom: Meinen Gesetzen handelst du nicht zuwider; aber sieh dich um, was Frau Base Moral und Base Religion sagt: meine *nationalökonomische* Moral und Religion hat nichts gegen dich einzuwenden, aber —. Aber wem soll ich nun mehr glauben, der Nationalökonomie oder der Moral? — Die Moral der Nationalökonomie ist der *Erwerb*, die Arbeit und die Sparsamkeit, die Nüchternheit — aber die Nationalökonomie verspricht mir meine Bedürf-

nisse zu befriedigen. — Die Nationalökonomie der Moral
ist der Reichtum an gutem Gewissen, an Tugend etc., aber
wie kann ich tugendhaft sein, wenn ich nicht bin, wie ein
gutes Gewissen haben, wenn ich nichts weiß? — Es ist dies
im Wesen der Entfremdung begründet, daß jede Sphäre
einen anderen und entgegengesetzten Maßstab an mich
legt, ein anderer die Moral, ein anderer die Nationalökonomie, weil jede eine bestimmte Entfremdung des Menschen ist und jede [XVII] einen besonderen Kreis der entfremdeten Wesenstätigkeit fixiert, jede sich entfremdet zu
der anderen Entfremdung verhält...[1]. So wirft Herr
Michel Chevalier dem Ricardo vor, daß er von der Moral
abstrahiert. Aber Ricardo läßt die Nationalökonomie ihre
eigene Sprache sprechen; wenn diese nicht moralisch spricht,
so ist es nicht die Schuld von Ricardo. Michel Chevalier abstrahiert von der Nationalökonomie, so weit er moralisiert,
aber er abstrahiert notwendig und wirklich von der Moral,
so weit er Nationalökonomie treibt. Die Beziehung der Nationalökonomie auf die Moral, wenn sie anders nicht willkürlich, zufällig und daher unbegründet und unwissen-
schaftlich ist, wenn sie nicht zum *Schein* vorgemacht, sondern als *wesentlich* gemeint wird, kann doch nur die Beziehung der nationalökonomischen Gesetze auf die Moral
sein; wenn diese nicht oder vielmehr das Gegenteil stattfindet, was kann Ricardo dafür? Übrigens ist auch der Gegensatz der Nationalökonomie und der Moral nur ein *Schein*
und wie er ein Gegensatz ist, wieder kein Gegensatz. Die
Nationalökonomie drückt nur in ihrer Weise die moralischen Gesetze aus. —
Die Bedürfnislosigkeit als das Prinzip der Nationalökonomie
zeigt sich am *glänzendsten* in ihrer *Bevölkerungstheorie*.
Es gibt zu *viel* Menschen. Sogar das Dasein der Menschen
ist ein purer Luxus und wenn der Arbeiter „*moralisch*“ ist,
(Mill schlägt öffentliche Belobung für die vor, die sich enthaltsam in geschlechtlicher Beziehung zeigen und öffentlichen Tadel für die, die sich versündigen **an dieser Unfruchtbarkeit der Ehe ...[1]** Ist das nicht Morallehre von der

---

[1] [Punkte von Marx.]

Askese?) wird er *sparsam* sein an Zeugung. Die Produktion des Menschen erscheint als öffentliches Elend. — Der Sinn, den die Produktion in bezug auf die Reichen hat, zeigt sich *offenbar* in dem Sinne, den sie für die Armen hat, nach oben ist die Äußerung immer fein, versteckt, zweideutig, Schein, nach unten hin grob, gerade heraus, offenherzig, Wesen. Das *rohe* Bedürfnis des Arbeiters ist eine viel größere Quelle des Gewinns als das *feine* des Reichen. Die Kellerwohnungen in London bringen ihren Vermietern mehr ein als die Paläste, d. h. sie sind in bezug auf ihn ein *größerer Reichtum,* also um nationalökonomisch zu sprechen, ein größerer *gesellschaftlicher* Reichtum. — Und wie die Industrie auf die Verfeinerung der Bedürfnisse, ebenso sehr spekuliert sie auf ihre *Roheit,* aber auf ihre künstlich hervorgebrachte Roheit, deren wahrer Geist daher die *Selbstbetäubung* ist, diese *scheinbare* Befriedigung des Bedürfnisses, diese Zivilisation *innerhalb* der rohen Barbarei des Bedürfnisses. — Die englischen Schnapsbuden sind darum *sinnbildliche* Darstellungen des Privateigentums. Ihr *Luxus* zeigt das wahre Verhältnis des industriellen Luxus und Reichtums zum Menschen. *Sie* sind daher mit Recht auch die einzigsten wenigstens mild von der englischen Polizei behandelten Sonntagsvergnügungen des Volkes. —

— —[1]

Die *Entfremdung,* welche daher das eigentliche Interesse dieser Entäußerung und Aufhebung dieser Entäußerung bildet, ist der Gegensatz von *an sich* und *für sich,* von *Bewußtsein und Selbstbewußtsein,* von *Objekt und Subjekt,* d. h. der Gegensatz des abstrakten Denkens in der sinnlichen Wirklichkeit oder der wirklichen Sinnlichkeit innerhalb des Gedankens selbst. Alle anderen Gegensätze und Bewegungen dieser Gegensätze sind nur der *Schein,* die *Hülle,* die *exoterische* Gestalt dieser einzig interessanten Gegensätze, welche den *Sinn* der anderen profanen Gestalt bilden. Nicht daß das menschliche Wesen sich *unmenschlich,* im Gegensatz zu sich selbst sich *vergegenständlicht,*

[1] [Strich von Marx.]

sondern, daß es im *Unterschied* worin und im *Gegensatz*
zum abstrakten Denken sich *vergegenständlicht*, gilt als das
gesetzte und aufzuhebende Wesen der Entfremdung.
(XVIII) Die Aneignung der zu Gegenständen und zu fremden Gegenständen gewordenen Wesenskräfte des Menschen
ist also erstens nur eine *Aneignung*, die im *Bewußtsein*, im
reinen Denken, und in der *Abstraktion* vor sich geht, die
Aneignung dieser Gegenstände als *Gedanken* und *Gedan-
kenbewegungen*, weshalb schon in der Phänomenologie —
trotz ihres durchaus negativen und kritischen Aussehens
und trotz der wirklich in ihr enthaltenen, oft weit der späteren Entwicklung vorgreifenden Kritik — schon der unkritische Positivismus und der ebenso unkritische Idealismus der späteren Hegelschen Werke — diese philosophische
Auflösung und Wiederherstellung der vorhandenen Empirie — latent liegt, als Keim, als Potenz, als ein Geheimnis
vorhanden ist. *Zweitens*. Die Vindizierung der gegenständlichen Welt für den Menschen — z. B. die Erkenntnis, daß
das *sinnliche* Bewußtsein kein *abstrakt* sinnliches Bewußtsein, sondern ein *menschlich* sinnliches Bewußtsein, daß die
Religion, der Reichtum etc. nur die entfremdete Wirklichkeit der *menschlichen* Vergegenständlichung, der zum Werk
herausgeborenen menschlichen Wesenskräfte und darum
nur der *Weg* zur wahren *menschlichen* Wirklichkeit sind, —
diese Aneignung oder die Einsicht in diesen Prozeß erscheint daher bei Hegel so, daß *Sinnlichkeit, Religion,* Staatsmacht etc. *geistige* Wesen sind — denn nur der *Geist* ist das
wahre Wesen des Menschen und die wahre Form des Geistes ist der denkende Geist, der logische, spekulative Geist.
Die *Menschlichkeit* der Natur und die von der Geschichte
erzeugte Natur, die Produkte des Menschen erscheint darin,
daß sie Produkte des abstrakten Geistes sind und insofern
also *geistige* Momente, *Gedankenwesen*. Die Phänomenologie ist daher die verborgene, sich selbst noch unklare und
mystizierende Kritik; aber insofern sie die *Entfremdung*
des Menschen — wenn auch der Mensch nur in der Gestalt
des Geistes erscheint — festhält, liegen in ihr alle Elemente
der Kritik verborgen und oft schon in einer weit den Hegelschen Standpunkt überragenden Weise *vorbereitet* und *aus-*

gearbeitet. Das „unglückliche Bewußtsein", das „ehrliche Bewußtsein", der Kampf des „edelmütigen und niederträchtigen Bewußtseins" etc. etc. Diese einzelnen Abschnitte enthalten die *kritischen* Elemente — aber noch in einer entfremdeten Form — ganzer Sphären, wie der Religion, des Staats, des bürgerlichen Lebens etc. Wie also das *Wesen,* der *Gegenstand* als Gedankenwesen, so ist das *Subjekt* immer *Bewußtsein* oder *Selbstbewußtsein* oder vielmehr der Gegenstand erscheint nur als *abstraktes* Bewußtsein, der Mensch nur als *Selbstbewußtsein.* Die unterschiedenen Gestalten der Entfremdung, die auftreten, sind daher nur verschiedene Gestalten des Bewußtseins und Selbstbewußtseins. Wie *an sich* das abstrakte Bewußtsein — als welches der Gegenstand gefaßt wird — bloß ein Unterscheidungsmoment des Selbstbewußtseins ist, — so tritt auch als Resultat der Bewegung die Identität des Selbstbewußtseins mit dem Bewußtsein, das absolute Wissen, die nicht mehr nach außen hin, sondern nur noch in sich selbt vorgehende Bewegung des abstrakten Denkens als Resultat auf, d. h. die Dialektik des reinen Gedankens ist das Resultat[1].

Wir haben schon gesehen, wie der Nationalökonom Einheit von Arbeit und Kapital auf vielfache Art setzt. 1. Das Kapital ist *aufgehäufte Arbeit;* 2. die Bestimmung des Kapitals innerhalb der Produktion, teils die Reproduktion des Kapitals mit Gewinn, teils das Kapital als Rohstoff (Material der Arbeit) — teils als *selbstarbeitendes Instrument* — die Maschine ist das unmittelbar mit der Arbeit identisch gesetzte Kapital — ist *produktive Arbeit;* 3. der Arbeiter ist ein Kapital; 4. der Arbeitslohn gehört zu den Kosten des Kapitals; 5. in bezug auf den Arbeiter ist die Arbeit die Reproduktion seines Lebenskapitals; 6. in bezug auf den Kapitalisten ein Moment der Tätigkeit seines Kapitals.

Endlich 7. unterstellt der Nationalökonom die ursprüngliche Einheit beider als die Einheit von Kapitalist und Arbeiter, dies ist der paradiesische Urzustand. Wie diese beiden (XIX) Momente als Personen sich entgegenspringen, ist für den Nationalökonomen ein *zufälliges* und darum

[1] [Siehe Fortsetzung p. XXII.]

nur äußerlich zu erklärendes Ereignis. (Siehe Mill.) — Die
Nationen, welche noch von dem sinnlichen Glanz der edlen
Metalle geblendet und darum noch Fetischdiener des Me-
tallgeldes sind — sind noch nicht die vollendeten Geldnatio-
nen. Gegensatz von Frankreich und England. — Wie sehr
die Lösung der theoretischen Rätsel eine Aufgabe der Praxis
und praktisch vermittelt ist, wie die wahre Praxis die Bedingungen einer wirklichen und positiven Theorie ist, zeigt
sich z. B. am *Fetischismus*. Das sinnliche Bewußtsein des
Fetischdieners ist ein anderes, wie das des Griechen, weil
sein sinnliches Dasein noch ein anderes ist. Die abstrakte
Feindschaft zwischen Sinn und Geist ist notwendig, so lang
der menschliche Sinn für die Natur, der menschliche Sinn
der Natur, also auch der *natürliche* Sinn des *Menschen*
noch nicht durch die eigene Arbeit des Menschen produziert
ist. — Die *Gleichheit* ist nichts anderes als das deutsche Ich
= Ich, in französische, d. h. politische Form übersetzt. Die
Gleichheit als *Grund* des Kommunismus ist eine *politische*
Begründung und ist dasselbe, als wenn der Deutsche ihn
sich dadurch begründet, daß er den Menschen als *allgemeines Selbstbewußtsein* faßt. Es versteht sich, daß die
Aufhebung der Entfremdung immer von der Form der
Entfremdung aus geschieht, welche die *herrschende* Macht
ist, in Deutschland das *Selbstbewußtsein*, in Frankreich die
Gleichheit, weil die Politik, in England das wirkliche, materielle, sich nur an sich selbst messende *praktische Bedürfnis*. Von diesem Punkt aus ist Proudhon zu kritisieren und
anzuerkennen. — Wenn wir den Kommunismus selbst noch
— weil als Negation der Negation, als die Aneignung des
menschlichen Wesens, die sich mit sich durch Negation des
Privateigentums vermi[ttelt], daher noch nicht als die
wahre, von sich selbst, sondern vielmehr vom Privateigentum aus beginnende Position — bezeichnen, — — altdeutsche
Weise — nach Weise der Hegelschen Phänomenologie — —
als ein *überwundenes Moment* nun abgemacht sei und man
— —[1] könne und sich dabei beruhigen könne ihn in seinem
Bewußtsein — — menschlichen Wesens aus durch die *wirk-*

---

[1] [Seite XIX stark eingerissen, unleserlich.]

liche — — seines Gedankens nach wie vor — — da also mit
ihm die wirkliche Entfremdung des menschlichen Lebens
bleibt und eine um so größere Entfremdung bleibt, je mehr
man ein Bewußtsein über sie als eine solche hat — vollbracht werden kann, so ist sie also nur durch den ins Werk
gesetzten Kommunismus zu vollbringen. Um den *Gedanken*
des Privateigentums aufzuheben, dazu reicht der *gedachte*
Kommunismus vollständig aus. Um das wirkliche Privateigentum aufzuheben, dazu gehört eine *wirkliche* kommunistische Aktion. Die Geschichte wird sie bringen und jene
Bewegung, die wir *in Gedanken* schon als eine sich selbst
aufhebende wissen, wird in der Wirklichkeit einen sehr
rauhen und weitläufigen Prozeß durchmachen. Als einen
wirklichen Fortschritt müssen wir es aber betrachten, daß
wir von vorn herein sowohl von der Beschränktheit als
dem Ziel der geschichtlichen Bewegung, und ein sie über-
bietendes Bewußtsein erworben haben. —
Wenn die kommunistischen *Handwerker* sich vereinen, so
gilt ihnen zunächst die Lehre, die Propaganda etc. als Zweck.
Aber zugleich eignen sie sich dadurch ein neues Bedürfnis,
das Bedürfnis der Gesellschaft an, und was als Mittel erscheint, ist zum Zweck geworden. Diese praktische Bewegung kann man in ihren glänzendsten Resultaten anschauen,
wenn man sozialistische französische ouvriers vereinigt sieht.
Rauchen, Trinken, Essen etc. sind nicht mehr da als Mittel
der Verbindung oder als verbindende Mittel. Die Gesellschaft, der Verein, die Unterhaltung, die wieder die Gesellschaft zum Zweck hat, reicht ihnen hin —, die Brüderlichkeit der Menschen ist keine Phrase, sondern Wahrheit
bei ihnen und der Adel der Menschheit leuchtet uns aus
den von der Arbeit verhärteten Gestalten entgegen. —
(XX) Wenn die Nationalökonomie behauptet, daß Nachfrage und Zufuhr sich immer decken, so vergißt sie sogleich,
daß nach ihrer eigenen Behauptung die Zufuhr von *Menschen* (Bevölkerungstheorie) immer die Nachfrage übersteigt, daß also bei dem wesentlichen Resultate der ganzen
Produktion — der Existenz des Menschen — das Mißver-
hältnis zwischen Nachfrage und Zufuhr seinen entschiedensten Ausdruck erhält. —

Wie sehr das Geld, das als Mittel erscheint, die wahre
Macht und der einzige *Zweck* ist — wie sehr überhaupt *das*
Mittel, das mich zum Wesen macht, das mir das fremde
gegenständliche Wesen aneignet, *Selbstzweck* ist, . . .[1], das
kann man daraus ersehen, wie Grundeigentum, da wo der
Boden die Lebensquelle, *Pferd und Schwert,* da wo sie das
wahre Lebensmittel sind — auch als die wahren politischen
Lebensmächte anerkannt sind. Im Mittelalter ist ein Stand
emanzipiert, sobald er das *Schwert* tragen darf. Bei noma-
dischen Bevölkerungen ist das *Roß* das, was mich zum
Freien, zum Teilnehmer am Gemeinwesen macht. —

Wir haben oben gesagt, daß der Mensch zu der *Höhlenwohnung* etc. aber zu ihr unter einer entfremdeten, feindseligen Gestalt zurückkehrt. Der Wilde in seiner Höhle —
diesem unbefangen sich zum Genuß und Schutz darbieten-
den Naturelement — fühlt sich nicht fremder, oder fühlt
sich vielmehr so heimisch, als der *Fisch* im Wasser. Aber
die Kellerwohnung des Armen ist eine feindliche, als fremde
Macht an sich haltende Wohnung, die sich ihm nur hingibt,
sofern er seinen Blutschweiß ihr hingibt, die er nicht als
seine Heimat, — wo er endlich sagen könnte, hier bin ich
zu Hause — betrachten darf, wo er sich vielmehr in dem
Haus eines anderen, in einem *fremden* Hause befindet, der
täglich auf der Lauer steht und ihn hinauswirft, wenn er
nicht die Miete zahlt. Ebenso weiß er der Qualität nach
seine Wohnung im Gegensatz zur *jenseitigen,* im Himmel
des Reichtums, residierenden menschlichen Wohnung.

Die Entfremdung erscheint sowohl darin, daß *mein* Lebensmittel eines *anderen* ist, daß das, was *mein* Wunsch,
der unzugängliche Besitz eines *anderen* ist, als daß jede
Sache selbst ein *anderes* als sie selbst als daß meine Tätigkeit ein *anderes,* als endliche — und das gilt auch für den
Kapitalisten, — daß überhaupt die *unmenschliche* Macht
her[rscht].

Die Bestimmung des sich nur zum Genuß preisgebenden,
untätigen und verschwendenden Reichtums — worin der
Genießende zwar *einerseits* sich als ein nur *vergängliches,*

---

[1] [Punkte von Marx.]

wesenlos sich austobendes Individuum betätigt und ebenso
die fremde Sklavenarbeit, den menschlichen *Blutschweiß*
als die Beute seiner Begierde, und darin den Menschen
selbst also auch sich selbst als ein aufgeopfertes nichtiges
Wesen weiß, wobei die Menschenverachtung als Übermut,
als ein Wegwerfen dessen, was hundert menschliche Leben
fristen kann, teils als die infame Illusion erscheint, daß
seine zügellose Verschwendung und haltlose, unproduktive
Konsumtion die *Arbeit* und damit die Subsistenz des anderen bedingt, — der die Verwirklichung der menschlichen
Wesenskräfte nur als Verwirklichung seines Unwesens, seiner Laune und willkürlich bizarren Einfälle weiß. Dieser
Reichtum, der aber andererseits den Reichtum als ein bloßes
Mittel und nur der Vernichtung wertes Ding weiß, der also
zugleich sein Sklave und sein Herr, zugleich großmütig und
niederträchtig, launenhaft, dünkelhaft, eingebildet, fein,
gebildet, geistreich ist, — dieser Reichtum hat noch nicht
den *Reichtum* als eine gänzlich *fremde Macht* über sich
selbst erfahren; er sieht in ihm vielmehr nur seine eigene
Macht, — —[1] (XXI) und der glänzenden, durch den sinnlichen Schein geblendeten Illusion über das Wesen des
Reichtums, tritt der *arbeitende, nüchterne, ökonomische,
prosaische,* — über das Wesen des Reichtums aufgeklärte
Industrielle *gegenüber* — und wie er seiner Genußsucht
einen größeren Umkreis verschafft, ihr schöne Schmeicheleien in seinen Produktionen sagt, — seine Produkte sind
eben so viel niedrige Komplimente an die Gelüste des Ver-
schwenders — so weiß er, die jenen verschwindende Macht
auf die einzig *nützliche* Weise sich selbst anzueignen. Wenn
dennoch der industrielle Reichtum zunächst als Resultat des
verschwenderischen, phantastischen Reichtums erscheint, —
so verdrängt die Bewegung des ersteren auch auf tätige
Weise, durch ihm eigene Bewegung den letzteren. Das
Fallen des *Geldzinses* ist nämlich eine notwendige Konsequenz und Resultat der industriellen Bewegung. Die Mittel
des verschwenderischen Rentiers verändern sich also täglich, gerade im *umgekehrten* Verhältnis zur Vermehrung

[1] [Seite XX stark eingerissen.]

der Mittel und Fallstricke des Genusses. Er muß also entweder sein Kapital selbst verzehren, also zugrunde gehen
oder selbst zum industriellen Kapitalisten werden . . .[1] Andererseits steigt zwar die *Grundrente* unmittelbar beständig
durch den Lauf der industriellen Bewegung, aber — wir
haben es schon gesehen — es kömmt notwendig ein Zeitpunkt, wo das Grundeigentum in die Kategorie des mit
Gewinn sich reproduzierenden Kapitals, wie jedes andere
Eigentum fallen muß — und zwar ist dies das Resultat derselben industriellen Bewegung. Also muß auch der ver-
schwenderische Grundherr entweder sein Kapital verzehren,
also zugrunde gehen — oder selbst der Pächter seines eigenen Grundstücks — ackerbauender Industrieller werden.
Die Verminderung des Geldzinses — welche Proudhon als
die Aufhebung des Kapitals und als Tendenz auch der So-
zialisierung des Kapitals betrachtet — ist daher vielmehr
unmittelbar nur ein Symptom von dem vollständigen Sieg
des arbeitenden Kapitals über den verschwenderischen
Reichtum, d. h. die Verwandlung alles Privateigentums in
industrielles Kapital — der vollständige Sieg des Privateigentums über alle dem *Schein* nach noch menschlichen
Qualitäten desselben und die völlige Unterjochung des Pri-
vateigentümers unter das Wesen des Privateigentums, —
die *Arbeit*. Allerdings genießt auch der industrielle Kapitalist. Er kehrt keineswegs zur unnatürlichen Einfachheit
des Bedürfnisses zurück, aber sein Genuß ist nur Nebensache, Erholung, untergeordnet der Produktion, dabei *be-
rechneter*, also selbst *ökonomischer* Genuß, denn er schlägt
seinen Genuß zu den Kosten des Kapitals, und sein Genuß
darf ihm daher nur so viel kosten, daß das von ihm ver-
schwendete durch die Reproduktion des Kapitals mit Gewinn wieder ersetzt wird. Der Genuß ist also unter das
Kapital, das genießende Individuum unter das kapitalisie-
rende subsumiert, während früher das Gegenteil stattfand.
Die Abnehmung der Zinsen ist daher nur insofern ein
Symptom der Aufhebung des Kapitals, als sie ein Symptom
seiner sich vollendeten Herrschaft, der sich vollendenden

----

[1] [Drei Punkte von Marx.]

und daher ihrer Aufhebung zueilenden Entfremdung ist.
Dies ist überhaupt die einzige Weise, wie das Bestehende
sein Gegenteil bestätigt. — Der Zank der Nationalökonomen
über Luxus und Ersparung ist daher nur der Zank der
über das Wesen des Reichtums ins Klare gekommenen Nationalökonomie mit derjenigen, die noch mit romantischen,
antiindustriellen Erinnerungen behaftet ist. Beide Teile
wissen sich aber den Gegenstand des Streits nicht auf seinen
einfachen Ausdruck zu bringen und werden daher nicht
miteinander fertig. —

(XXII) [Siehe p. XVIII.] Das Große an der Hegelschen
Phänomenologie und ihrem Endresultate — der Dialektik,
der Negativität als dem bewegenden und erzeugenden Prinzip — ist also, einmal daß Hegel die Selbsterzeugung des
Menschen als einen Prozeß faßt, die Vergegenständlichung
als Entgegenständlichung, als Entäußerung, und als Aufhebung dieser Entäußerung; daß er also das Wesen der
Arbeit faßt und den gegenständlichen Menschen, wahren,
weil wirklichen Menschen, als Resultat seiner *eigenen Arbeit begreift*. Das *wirkliche, tätige* Verhalten des Menschen
zu sich als Gattungswesen, als der Betätigung seiner als
eines wirklichen Gattungswesens — d. h. als menschlichen
Wesens —, ist nur möglich dadurch, daß er wirklich alle
seine *Gattungskräfte*, — was wieder nur durch das Gesamt-
wirken der Menschen möglich ist, nur als Resultat der Geschichte — herausschafft, sich zu ihnen als Gegenständen
verhält, was zunächst wieder nur in der Form der Entfremdung möglich ist.

Die Einseitigkeit und die Grenze Hegels werden wir nun
ausführlich an dem Schlußkapitel der Phänomenologie —
dem absoluten Wissen — ein Kapitel, welches sowohl den
zusammengefaßten Geist der Phänomenologie, ihr Verhältnis zur spekulativen Dialektik als auch das Bewußtsein
Hegels über beide und ihr wechselseitiges Verhältnis enthält — darstellen.

Vorläufig nehmen wir nur noch das vorweg: Hegel steht
auf dem Standpunkt der modernen Nationalökonomie. Er
faßt die *Arbeit* als das *Wesen*, als das sich bewährende Wesen des Menschen; er sieht nur die positive Seite der Arbeit,

nicht ihre negative. Die Arbeit ist das *Fürsichwerden* des *Menschen* innerhalb der *Entäußerung* oder als *entäußerter* Mensch. Die Arbeit, welche Hegel allein kennt und anerkennt, ist die *abstrakt geistige*. Was also überhaupt das *Wesen* der Philosophie bildet, die *Entäußerung des sich wissenden Menschen* oder die sich *denkende entäußerte* Wissenschaft, dies erfaßt Hegel als ihr Wesen, er kann daher der vorhergehenden Philosophie gegenüber ihre einzelnen Momente zusammenfassen und seine Philosophie als *die* Philosophie darstellen. Was die anderen Philosophen taten — daß sie einzelne Momente der Natur und des menschlichen Lebens als Momente des Selbstbewußtseins und zwar des abstrakten Selbstbewußtseins fassen — das *weiß* Hegel nur als das *Tun* der Philosophie. Darum ist seine Wissenschaft absolut.

Gehen wir nun zu unserem Gegenstand über.

Das absolute Wissen. Letztes Kapitel der Phänomenologie.

Die Hauptsache ist, daß der *Gegenstand* des *Bewußtseins* nichts anderes als das *Selbstbewußtsein,* oder daß der Gegenstand nur das *vergegenständlichte Selbstbewußtsein,* das Selbstbewußtsein als Gegenstand ist. (Setzen des Menschen = Selbstbewußtsein.)

Es gilt daher den *Gegenstand des Bewußtseins* zu überwinden. Die *Gegenständlichkeit* als solche gilt für ein *entfremdetes,* dem *menschlichen* Wesen, dem Selbstbewußtsein nicht entsprechendes Verhältnis des Menschen. Die Wiederaneignung des als fremd, unter der Bestimmung der Entfremdung erzeugten gegenständlichen Wesens des Menschen hat also nicht nur die Bedeutung, die *Entfremdung,* sondern die *Gegenständlichkeit* aufzuheben, d. h. also der Mensch gilt als ein nicht-gegenständliches, spiritualistisches Wesen.

Die Bewegung der *Überwindung des Gegenstandes des Bewußtseins* beschreibt Hegel nun wie folgt:

Der *Gegenstand* zeigt sich nicht nur (das ist nach Hegel die *einseitige* — also die die eine Seite erfassende — Auffassung jener Bewegung) als zurückkehrend in das *Selbst.* Der Mensch wird = Selbst gesetzt. Das Selbst ist aber nur — der *abstrakt* gefaßte und durch Abstraktion erzeugte Mensch.

Der Mensch *ist selbstisch.* Sein Auge, sein Ohr etc. ist selbstisch; jede seiner Wesenskräfte hat ihm die Eigenschaft der *Selbstigkeit.* Aber deswegen ist es nun ganz falsch zu sagen: Das *Selbstbewußtsein* hat Aug', Ohr, Wesenskraft. Das Selbstbewußtsein ist vielmehr von Qualität der menschlichen Ratio, des menschlichen Auges etc., nicht die menschliche Natur ist eine Qualität des (XXIV)[1] *Selbstbewußtseins.*

Das für sich abstrahierte und fixierte Selbst ist der Mensch als *abstrakter Egoist,* der in seine reine Abstraktion zum Denken erhobene *Egoismus.* (Wir kommen später hierauf zurück.)

Das *menschliche Wesen,* der *Mensch* gilt für Hegel = *Selbstbewußtsein.* Alle Entfremdung des menschlichen Wesens ist daher *nichts* als *Entfremdung des Selbstbewußtseins.* Die Entfremdung des Selbstbewußtseins gilt nicht als *Ausdruck,* im Wissen und Denken sich abspiegelnder Ausdruck der wirklichen *Entfremdung* des menschlichen Wesens. Die *wirkliche,* als real erscheinende Entfremdung vielmehr ist ihrem *innersten* verborgenen — und erst durch die Philosophie ans Licht gebrachten — Wesen nach nichts anderes als die *Erscheinung* von der Entfremdung des wirklichen menschlichen Wesens, des *Selbstbewußtseins.* Die Wissenschaft, welche dies begreift, heißt daher *Phänomenologie.* Alle Wiederaneignung des entfremdeten gegenständlichen Wesens erscheint daher als eine Einverleibung in das Selbstbewußtsein: der sich seines Wesens bemächtigende Mensch *ist* nur das der gegenständlichen Wesen sich bemächtigende Selbstbewußtsein, die Rückkehr des Gegenstandes in das Selbst ist daher die Wiederaneignung des Gegenstandes. — *Allseitig* ausgedrückt ist die *Überwindung des Gegenstandes des Bewußtseins;*

1. daß der Gegenstand als solcher sich das Bewußtsein als verschwindend darstellt; 2. daß die Entäußerung des Selbstbewußtseins es ist, welche die Dingheit setzt; 3. daß diese Entäußerung nicht nur *negative,* sondern *positive* Bedeutung hat, 4. sie nicht nur *für* uns oder an sich, sondern *für*

---

[1] [Irrtümliche Paginierung für (XXIII).]

es selbst hat, 5. *für es* hat das Negative des Gegenstandes oder dessen Sich-selbst-Aufheben dadurch die *positive* Bedeutung oder es *weiß* diese Nichtigkeit desselben, dadurch daß es sich selbst entäußert, denn in dieser Entäußerung setzt es *sich* als Gegenstand oder in den Gegenstand um der untrennbaren Einheit des *Für*sichseins willen als sich selbst. 6. Andererseits liegt hierin zugleich dies andere Moment, daß es diese Entäußerung und Gegenständlichkeit ebenso sehr auch aufgehoben und in sich zurückgenommen hat, also in *seinem* Anderssein *als solchem bei sich* ist. 7. Dies ist die Bewegung des Bewußtseins und dies ist darum die Totalität seiner Momente. 8. Es muß sich ebenso zu dem Gegenstand nach der Totalität seiner Bestimmungen verhalten und ihn nach jeder derselben so erfaßt haben. Diese Totalität seiner Bestimmungen macht ihn *an sich* zum *geistigen Wesen* und für das Bewußtsein wird dies in Wahrheit durch das Auffassen einer jeden einzelnen derselben als des *Selbsts* oder durch das oben genannte geistige Verhalten zu ihnen.

ad 1. Daß der Gegenstand als solcher sich das Bewußtsein als verschwindend darstellt, ist die oben erwähnte *Rückkehr des Gegenstands* in das Selbst.

ad 2. Die *Entäußerung des Selbstbewußtseins* setzt die *Dingheit*. Weil der Mensch = Selbstbewußtsein, so ist sein entäußertes gegenständliches Wesen oder die *Dingheit* — (das *was für ihn Gegenstand ist*, und Gegenstand ist wahrhaft nur für ihn, was ihm wesentlicher Gegenstand, was also sein *gegenständliches* Wesen ist. Da nun nicht der *wirkliche Mensch*, darum auch nicht die *Natur* — der Mensch ist die *menschliche Natur* — als solcher zum Subjekt gemacht wird, sondern nur die Abstraktion des Menschen, das Selbstbewußtsein, so kann die Dingheit nur das entäußerte Selbstbewußtsein sein) = dem *entäußerten Selbstbewußtsein* und die *Dingheit* ist durch diese Entäußerung gesetzt. Daß ein lebendiges, natürliches, mit gegenständlichen id est materiellen Wesenskräften ausgerüstetes und begabtes Wesen auch sowohl *wirkliche natürliche Gegenstände* seines Wesens hat, als daß seine Selbst-

entäußerung die Setzung einer *wirklichen,* aber unter der
Form der *Äußerlichkeit,* also zu seinem Wesen nicht gehörigen und übermächtigen gegenständlichen Welt ist, ist
ganz natürlich. Es ist nichts Unbegreifliches und Rätsel-
haftes dabei. Vielmehr wäre das Gegenteil rätselhaft. Aber
daß ein *Selbstbewußtsein* durch seine Entäußerung nur die
Dingheit, d. h. selbst nur ein abstraktes Ding, ein Ding der
Abstraktion und kein *wirkliches* Ding setzen kann, ist
ebenso klar. Es ist (XXVI)[1] ferner klar, daß die Dingheit
daher durchaus nichts *Selbständiges, Wesentliches* gegen das
Selbstbewußtsein, sondern ein bloßes Geschöpf, ein von
ihm *Gesetztes* ist, und das Gesetzte, statt sich selbst zu bestätigen, ist nur eine Bestätigung des Aktes des Setzens, der
einen Augenblick seine Energie als Produkt fixiert und zum
Schein ihm die Rolle — aber nur für einen Augenblick —
eines selbständigen, wirklichen Wesens erteilt.

Wenn der wirkliche, leibliche, auf der festen wohlgegrün-
deten Erde stehende, alle Naturkräfte aus- und einatmende
Mensch seine — wirklichen, gegenständlichen *Wesenskräfte*
durch seine Entäußerung als fremde Gegenstände *setzt,* so
ist nicht das *Setzen* Subjekt: es ist die Subjektivität gegenständlicher Wesenskräfte, deren Aktion daher auch eine
gegenständliche sein muß. Das gegenständliche Wesen wirkt
gegenständlich und es würde nicht gegenständlich wirken,
wenn nicht das Gegenständliche in seiner Wesensbestimmung
läge. Es schafft, setzt nur Gegenstände, weil es durch Gegenstände gesetzt ist, weil es von Haus aus *Natur* ist. In
dem Akt des Setzens fällt es also nicht aus seiner „reinen
Tätigkeit" in ein *Schaffen* des *Gegenstandes,* sondern sein
gegenständliches Produkt bestätigt nur seine *gegenständliche* Tätigkeit, seine Tätigkeit als die Tätigkeit eines gegenständlichen natürlichen Wesens. Wir sehen hier, wie
der durchgeführte Naturalismus oder Humanismus sich sowohl von dem Idealismus, als dem Materialismus unterscheidet, und zugleich ihre beide vereinigende Wahrheit
ist. Wir sehen zugleich, wie nur der Naturalismus fähig
ist, den Akt der Weltgeschichte zu begreifen.

---

[1] [Offenbar irrtümlich paginiert, schließt an XXIV an.]

Der *Mensch* ist unmittelbar *Naturwesen*. Als Naturwesen und als lebendiges Naturwesen ist er, teils mit *natürlichen Kräften*, mit *Lebenskräften* ausgerüstet, ein *tätiges* Naturwesen; diese Kräfte existieren in ihm als Anlagen und Fähigkeiten, als *Triebe;* teils ist er als natürliches, leibliches, sinnliches, gegenständliches Wesen ein *leidendes*, bedingtes und beschränktes Wesen, wie es auch das Tier und die Pflanze ist, d. h. die *Gegenstände* seiner Triebe existieren außer ihm, als von ihm unabhängige *Gegenstände*, aber diese Gegenstände sind *Gegenstände* seines *Bedürfnisses*, zur Betätigung und Bestätigung seiner Wesenskräfte und unentbehrliche, wesentliche *Gegenstände*. Daß der Mensch ein *leibliches*, naturkräftiges, lebendiges, wirkliches, sinnliches gegenständliches Wesen ist, heißt, daß er *wirkliche, sinnliche Gegenstände* zum Gegenstand seines Wesens, seiner Lebensäußerung hat oder daß er nur an wirklichen sinnlichen Gegenständen sein Leben *äußern* kann. Gegenständlich, natürlich, sinnlich *sein* und sowohl Gegenstand, Natur, Sinn außer sich haben oder selbst Gegenstand, Natur, Sinn für ein Drittes sein ist identisch. Der *Hunger* ist ein natürliches *Bedürfnis:* er bedarf also einer *Natur* außer sich, eines *Gegenstandes* außer sich, um sich zu befriedigen, um sich zu stillen. Der Hunger ist das gegenständliche Bedürfnis eines Leibes nach einem außer ihm seienden, zu seiner Integrierung und Wesensäußerung unentbehrlichen *Gegenstande*. Die Sonne ist der *Gegenstand* der Pflanze, ein ihr unentbehrlicher, ihr Leben bestätigender Gegenstand, wie die Pflanze Gegenstand der Sonne ist, als *Äußerung* von der lebenserweckenden Kraft der Sonne, von der *gegenständlichen* Wesenskraft der Sonne.

Ein Wesen, welches seine Natur nicht außer sich hat, ist kein *natürliches* Wesen, nimmt nicht teil am Wesen der Natur. Ein Wesen, welches keinen Gegenstand außer sich hat, ist kein gegenständliches Wesen. Ein Wesen, welches nicht selbst Gegenstand für ein drittes Wesen ist, hat kein Wesen zu seinem *Gegenstand*, d. h. verhält sich nicht gegenständlich, sein Sein ist kein gegenständliches.

(XXVII) Ein ungegenständliches Wesen ist ein *Unwesen*.

Setzt ein Wesen, welches weder selbst Gegenstand ist noch

einen Gegenstand hat. Ein solches Wesen wäre erstens (?) das *einzige* Wesen, es existierte kein Wesen außer ihm, es existierte einsam und allein. Denn sobald es Gegenstände außer mir gibt, sobald ich nicht *allein* bin, bin ich ein *anderes*, eine *andere Wirklichkeit* als der Gegenstand außer mir. Für diesen dritten Gegenstand bin ich also eine *andere Wirklichkeit* als er, d. h. *sein* Gegenstand. Ein Wesen, welches nicht Gegenstand eines anderen Wesens ist, unterstellt also, daß *kein* gegenständliches Wesen existiert. Sobald ich einen Gegenstand habe, hat dieser Gegenstand mich zum Gegenstand. Aber ein *ungegenständliches* Wesen ist ein unwirkliches, unsinnliches, nur gedachtes, d. h. nur eingebildetes Wesen, ein Wesen der Abstraktion. *Sinnlich* sein, d. h. wirklich sein, ist Gegenstand des Sinns sein, *sinnlicher* Gegenstand sein, also sinnliche Gegenstände außer sich haben, Gegenstände seiner Sinnlichkeit haben. Sinnlich sein ist *leidend* sein.

Der Mensch als ein gegenständliches sinnliches Wesen ist daher ein *leidendes* und weil sein Leiden empfindendes Wesen ein *leidenschaftliches* Wesen. Die Leidenschaft, die Passion ist die nach seinem Gegenstand energisch strebende Wesenskraft des Menschen. Aber der Mensch ist nicht nur Naturwesen, sondern auch *menschliches* Naturwesen: d. h. für sich selbst seiendes Wesen, darum *Gattungswesen,* als welches er sich sowohl in seinem Sein als in seinem Wissen bestätigen und betätigen muß. Weder sind also die *menschlichen* Gegenstände die Naturgegenstände, wie sie sich unmittelbar bieten, noch ist der *menschliche Sinn,* wie er unmittelbar *ist,* gegenständlich ist, *menschliche* Sinnlichkeit, menschliche Gegenständlichkeit. Weder die Natur — objektiv — noch die Natur subjektiv ist unmittelbar dem *menschlichen* Wesen adäquat vorhanden. Und wie alles Natürliche *entstehen* muß, so hat auch der *Mensch* seinen Entstehungsakt, die *Geschichte,* die aber für ihn eine gewußte und darum als Entstehungsakt mit Bewußtsein sich aufhebender Entstehungsakt ist. Die Geschichte ist die wahre Naturgeschichte des Menschen. — (Darauf zurückzukommen.) Drittens, weil dies Setzen der Dingheit selbst nur ein Schein, ein dem Wesen der reinen Tätigkeit widersprechender Akt ist, muß er auch wieder aufgehoben, die Dingheit geleugnet werden.

ad 3, 4, 5, 6. 3.) Diese Entäußerung des Bewußtseins hat nicht nur *negative*, sondern auch *positive* Bedeutung und 4. diese positive Bedeutung nicht nur *für uns* oder an sich, sondern für es, das Bewußtsein selbst. 5. *Für es* hat das Negative des Gegenstands oder dessen sich selbst Aufheben dadurch die *positive* Bedeutung oder es *weiß* diese Nichtigkeit desselben dadurch, daß es *sich* selbst entäußert, denn in dieser Entäußerung weiß es als Gegenstand oder der Gegenstand um der untrennbaren Einheit des *Fürsichseins* willen als sich selbst. 6. Andererseits liegt hierin zugleich das andere Moment, daß es diese Entäußerung und Gegenständlichkeit ebenso sehr auch aufgehoben und in sich zurückgenommen hat, also in seinem *Anderssein als solchen bei sich* ist.

Wir haben schon gesehen: Die Aneignung des entfremdeten gegenständlichen Wesens oder die Aufhebung der Gegenständlichkeit unter der Bestimmung der *Entfremdung*, — die von der gleichgültigen Fremdheit bis zur wirklichen feindseligen Entfremdung fortgehen muß — hat für Hegel zugleich und sogar hauptsächlich die Bedeutung, die *Gegenständlichkeit* aufzuheben, weil nicht der *bestimmte* Charakter des Gegenstandes, sondern sein *gegenständlicher* Charakter für das Selbstbewußtsein das Anstößige in der Entfremdung ist. Der Gegenstand ist daher ein Negatives, ein sich selbst Aufhebendes, eine Nichtigkeit. Diese Nichtigkeit desselben hat für das Bewußtsein nicht nur eine negative, sondern eine *positive* Bedeutung, denn jene *Nichtigkeit* des Gegenstandes ist eben die *Selbstbestätigung* der Ungegenständlichkeit, der (XXVIII) *Abstraktion*, seiner selbst. Für *das Bewußtsein selbst* hat die Nichtigkeit des Gegenstandes darum eine positive Bedeutung, daß es diese Nichtigkeit, das gegenständliche Wesen, als seine *Selbstentäußerung weiß;* daß es weiß, daß sie nur ist durch seine Selbstentäußerung.

— —[1]. Die Art, wie das Bewußtsein ist, und wie etwas für

----

[1] [Striche von Marx.]

es ist, ist das *Wissen*. Das Wissen ist sein einziger Akt. Etwas wird daher für dasselbe, insofern es dies *etwas weiß*. Wissen ist sein einziges gegenständliches Verhalten. — Es weiß nun die Nichtigkeit des Gegenstandes, d. h. das Nicht-unterschiedensein des Gegenstandes von ihm, das Nichtsein des Gegenstandes für es — dadurch, daß es den Gegenstand als seine *Selbstentäußerung* weiß, d. h. sich — das Wissen als Gegenstand — dadurch weiß, daß der Gegenstand nur der *Schein* eines Gegenstandes, ein vorgemachter Dunst ist, seinem Wesen nach aber nichts anderes als das Wissen selbst, welches sich sich selbst entgegenstellt und daher sich eine *Nichtigkeit*, ein etwas entgegengestellt hat, was *keine* Gegenständlichkeit außer dem Wissen hat; aber das Wissen weiß, daß es, indem es sich zu einem Gegenstand verhält, nur *außer* sich ist, sich entäußert: daß *es selbst* sich nur als Gegenstand *erscheint* oder daß das, was ihm als Gegenstand erscheint, nur es selbst ist.

Andererseits, sagt Hegel, liegt hierin zugleich dies andere Moment, daß es diese Entäußerung und Gegenständlichkeit ebenso sehr aufgehoben und in sich zurückgenommen hat, also in seinem *Anderssein als solchem bei sich* ist.

Wir haben in dieser Auseinandersetzung alle Illusionen der Spekulation zusammen.

Einmal: Das Bewußtsein, das Selbstbewußtsein ist in *seinem Anderssein als solchem bei sich*. Es ist daher — oder wenn wir hier von der Hegelschen Abstraktion abstrahieren und statt das Selbstbewußtsein das Selbstbewußtsein des Menschen setzen — es ist in seinem *Anderssein als solchem bei sich*. Darin liegt einmal, daß das Bewußtsein — das Wissen — als Wissen — das Denken — als Denken — unmittelbar das *andere* seiner selbst [zu] sein, Sinnlichkeit, Wirklichkeit, Leben zu sein vorgibt. Das im Denken sich überbietende Denken. (Feuerbach.) Diese Seite ist hierin enthalten, insofern das Bewußtsein als nur Bewußtsein nicht an der entfremdeten Gegenständlichkeit, sondern an der *Gegenständlichkeit* als *solcher* seinen Anstoß hat. Weiter liegt hierin, daß der selbstbewußte Mensch, insofern er die geistige Welt — oder das geistige allgemeine Dasein seiner Welt als Selbstentäußerung erkannt und aufgehoben hat, er dieselbe dennoch wieder in dieser entäußerten Gestalt bestätigt und als sein wahres Dasein ausgibt, sie wiederherstellt, in *seinem Anderssein als solchem bei sich* zu sein vorgibt, also nach Aufhebung z. B. der Religion, nach der Erkennung der Religion als eines Produkts der Selbstentäußerung dennoch in der *Religion als Religion* sich bestätigt findet. Hier *ist* die Wurzel des *falschen* Positivismus Hegels oder seines nur *scheinbaren* Kritizismus: was Feuerbach als setzen, negieren und wiederherstellen der Religion und Theologie bezeichnet, was aber allgemeiner zu fassen ist. Also die Vernunft ist bei sich in der Unvernunft als Unvernunft. Der Mensch, der in Recht, Politik etc. ein entäußertes Leben zu führen erkannt hat, führt in diesem entäußerten Leben als solchem sein wahres menschliches ist.[1] Die Selbstbejahung, Selbstbestätigung im *Widerspruch* mit sich selbst, sowohl mit dem Wissen, als mit dem Wesen des Gegenstandes ist also das wahre *Wissen* und *Leben.*

Von einer Akkomodation Hegels gegen Religion, Staat etc. kann also keine Rede mehr sein, da diese Lüge die Lüge seines Prinzips ist.

(XXIX) Wenn ich die Religion als *entäußertes* menschliches Selbstbewußtsein *weiß*, so weiß ich also in ihr als Religion nicht mein Selbstbewußtsein, sondern mein entäußertes Selbstbewußtsein in ihr bestätigt. Mein sich selbst, seinem Wesen angehöriges Selbstbewußtsein weiß ich also dann nicht in der *Religion,* sondern vielmehr in der *vernichteten, aufgehobenen* Religion bestätigt.

Bei Hegel ist die Negation der Negation daher nicht die Bestätigung des wahren Wesens, eben durch Negation des Scheinwesens, sondern die Bestätigung des Scheinwesens oder des sich entfremdeten Wesens in seiner Verneinung oder die Verneinung dieses Scheinwesens als eines gegenständlichen, außer dem Menschen hausenden und von ihm unabhängigen Wesens und seine Verwandlung in das Subjekt. Eine eigentümliche Rolle spielt daher das *Aufheben,* worin die Verneinung und die Aufbewahrung, die Bejahung verknüpft sind.

---

[1] [„ist": Offenbar ein Schreibversehen von Marx.]

So z. B. ist in Hegels Rechtsphilosophie das aufgehobene *Privatrecht = Moral*, die aufgehobene Moral = *Familie*, die aufgehobene Familie = *bürgerlicher Gesellschaft*, die aufgehobene bürgerliche Gesellschaft gleich *Staat*, der aufgehobene Staat = *Weltgeschichte*. In der *Wirklichkeit* bleiben Privatrecht, Moral, Familie, bürgerliche Gesellschaft, Staat, etc. bestehen, nur sind sie zu *Momenten* geworden, zu Existenzen und Daseinsweisen des Menschen, die nicht isoliert gelten, sich wechselseitig auflösen und erzeugen etc., *Momente der Bewegung*.

$\times$[1] Ebenso ist die aufgehobene *Qualität* = *Quantität*, die aufgehobene Quantität = *Maß*, das aufgehobene Maß = *Wesen*, das aufgehobene Wesen = *Erscheinung*, die aufgehobene Erscheinung = *Wirklichkeit*, die aufgehobene Wirklichkeit = *Begriff*, der aufgehobene Begriff = *Objektivität*, die aufgehobene Objektivität = *absolute Idee*, die aufgehobene absolute Idee = *Natur*, die aufgehobene Natur = *subjektivem* Geist, der aufgehobene subjektive Geist = *sittlichem*, objektivem Geist, der aufgehobene sittliche Geist = Kunst, die aufgehobene Kunst = *Religion*, die aufgehobene Religion = *absolutem Wissen*.

Einerseits ist das Aufheben ein Aufheben des gedachten Wesens, also das *gedachte* Privateigentum hebt sich auf in den *Gedanken* der Moral. Und weil das Denken sich einbildet, unmittelbar das andere seiner selbst zu sein, *sinnliche Wirklichkeit*, also ihm seine Aktion auch für *sinnliche wirkliche* Aktion gilt, so glaubt das denkende Aufheben, welches seinen Gegenstand in der Wirklichkeit stehen läßt, ihn wirklich überwunden zu haben, und andererseits, weil er ihm nun als Gedankenmoment geworden ist, darum gilt er ihm auch in seiner Wirklichkeit als Selbstbestätigung seiner selbst, des Selbstbewußtseins, der Abstraktion.

$\times$[2] In ihrer wirklichen Existenz ist dies ihr *bewegliches* Wesen verborgen. Zum Vorschein, zur Offenbarung kömmt es erst im Denken und in der Philosophie und darum ist

---

[1] [Verweisungszeichen von Marx, auf welche Textstelle es sich bezieht, ist unklar.]
[2] [Zeichen von Marx.]

mein wahres religiöses Dasein mein *religionsphilosophisches*
Dasein, mein wahres politisches Dasein, mein *rechtsphilosophisches* Dasein, mein wahres natürliches Dasein das *naturphilosophische* Dasein, mein wahres künstlerisches Dasein das *kunstphilosophische* Dasein, mein wahres *menschliches* Dasein mein *philosophisches* Dasein. Ebenso ist die
wahre Existenz von Religion, Staat, Natur, Kunst, die Religions-, Natur-, Staats-, *Kunstphilosophie*. Wenn aber mir
die Religionsphilosophie etc. nur das wahre Dasein der
Religion ist, so bin ich auch nur als *Religionsphilosoph*
wahrhaft religiös und so verleugne ich die *wirkliche* Religiosität und den wirklich *religiösen* Menschen. Aber zugleich *bestätige* ich sie, teils innerhalb meines eigenen Daseins, oder innerhalb des fremden Daseins, das ich ihnen
entgegensetze, denn dieses *ist* nur ihr philosophischer Ausdruck; teils in ihrer eigentümlichen ursprünglichen Gestalt,
denn sie gelten mir als das nur *scheinbare* Anderssein, als
Alegorien, unter sinnlichen Hüllen verborgene Gestalten
ihres eigenen wahren, id est meines *philosophischen* Daseins.

(XXX) Nach der einen Seite hin ist das Dasein, welches
Hegel in der Philosophie *aufhebt*, daher nicht die *wirkliche* Religion, Staat, Natur, sondern die Religion selbst
schon als ein Gegenstand des Wissens, die *Dogmatik*, so die
Jurisprudenz, Staatswissenschaft, Naturwissenschaft. Nach
der einen Seite steht er also im Gegensatz sowohl zu dem
wirklichen Wesen als zu der unmittelbaren unphilosophischen *Wissenschaft* oder zu den unphilosophischen *Begriffen*
dieses Wesens. Er widerspricht daher ihren gangbaren Begriffen.

Andererseits kann sich der religiöse etc. Mensch in Hegel
seine letzte Bestätigung finden.

Es sind nun die *positiven* Momente der Hegelschen Dialektik innerhalb der Bestimmung der Entfremdung — zu
fassen.

a. Das *Aufheben*, als gegenständliche, die Entäußerung in
sich *zurücknehmende* Bewegung. — Es ist dies die innerhalb
der Entfremdung ausgedrückte Einsicht von der *Aneignung*
des gegenständlichen Wesens durch die Aufhebung seiner

Entfremdung, die entfremdete Einsicht in die *wirkliche Vergegenständlichung* des Menschen, in die wirkliche Aneignung seines gegenständlichen Wesens durch die Vernichtung der *entfremdeten* Bestimmung der gegenständlichen Welt, durch ihre Aufhebung, in ihrem entfremdeten Dasein, wie der Atheismus als Aufhebung Gottes das Werden des theoretischen Humanismus, der Kommunismus als Aufhebung des Privateigentums die Vindikation des wirklichen menschlichen Lebens als seines Eigentums ist, die dies (?) Werden des praktischen Humanismus ist, oder der Atheismus ist der durch Aufhebung der Religion, der Kommunismus der durch Aufhebung des Privateigentums mit sich vermittelte Humanismus. Erst durch die Aufhebung dieser Vermittlung — die aber eine notwendige Voraussetzung ist — wird der positiv von sich selbst beginnende, der *positive* Humanismus.

Aber Atheismus, Kommunismus sind keine Flucht, keine Abstraktion, kein Verlieren der von den Menschen erzeugten **gegenständlichen** Welt, seiner zur Gegenständlichkeit herausgeborenen Wesenskräfte, keine zur unnatürlichen, unentwickelten Einfachheit zurückkehrende Armut. Sie sind vielmehr erst das wirkliche Werden, die wirklich für den Menschen gewordene Verwirklichung seines Wesens und seines Wesens als eines wirklichen.

Hegel faßt also, indem er den *positiven* Sinn der auf sich selbst bezogenen Negation — wenn auch wieder in entfremdeter Weise — faßt, die Selbstentfremdung, Wesensentäußerung, Entgegenständlichung und Entwirklichung des Menschen als Selbstgewinnung, Wesensäußerung, Vergegenständlichung, Verwirklichung. Kurz er faßt — innerhalb der Abstraktion — die Arbeit als den *Selbsterzeugungsakt* des Menschen, das Verhalten zu sich als fremdem Wesen und das Betätigen seiner als eines fremden Wesens als das werdende *Gattungsbewußtsein* und *Gattungsleben.*

b. Bei Hegel — abgesehen oder vielmehr als Konsequenz der schon geschilderten Verkehrtheit — erscheint dieser Akt aber einmal als ein *nur formeller,* weil als ein abstrakter, weil das menschliche Wesen selbst nur als *abstraktes denkendes Wesen,* als Selbstbewußtsein gilt; und

zweitens, weil die Fassung *formell* und *abstrakt* ist, darum
wird die Aufhebung der Entäußerung zu einer Bestätigung
der Entäußerung oder für Hegel ist jene Bewegung des
Selbsterzeugens, des *Selbstvergegenständlichens* als *Selbstentäußerung und Selbstentfremdung die absolute* und darum die letzte sich selbst bezweckende und in sich beruhigte,
bei ihrem Wesen angelangte *menschliche Lebensäußerung*. — —[1]

(XXXI) Diese Bewegung in ihrer abstrakten Form als Dialektik gilt daher als das *wahrhaft menschliche Leben* und
weil es doch eine Abstraktion, eine Entfremdung des
menschlichen Lebens ist, gilt es als *göttlicher Prozeß*, aber
als der göttliche Prozeß des Menschen, — ein Prozeß, den
sein von ihm unterschiedenes abstraktes, reines, absolutes
Wesen selbst durchmacht.

Drittens: Dieser Prozeß muß einen Träger haben, ein Subjekt; aber das Subjekt wird erst als Resultat: dies Resultat,
das sich als absolutes Selbstbewußtsein wissende Subjekt,
ist daher der *Gott, absoluter Geist, die sich wissende und
betätigende Idee*. Der wirkliche Mensch und die wirkliche
Natur werden bloß zu Prädikaten, zu Symbolen dieses verborgenen unwirklichen Menschen und dieser unwirklichen
Natur. Subjekt und Prädikat haben daher das Verhältnis
einer absoluten Verkehrung zueinander; *mystisches Subjekt — Objekt* oder über das *Objekt übergreifende Subjektivität; das absolute Subjekt* als ein *Prozeß*, als sich *ent-
äußerndes* und aus der Entäußerung in sich zurückkehren-
des, aber sie zugleich in sich zurücknehmendes Subjekt, und
das Subjekt als dieser Prozeß; das reine, rastlose (?) Kreisen
in sich. *Einmal. Formelle* und *abstrakte* Fassung des Selbst-
erzeugungs- oder Selbstvergegenständlichungsakts des Menschen. Der entfremdete Gegenstand, die entfremdete We-
senswirklichkeit des Menschen ist — da Hegel den Menschen
= Selbstbewußtsein setzt — nichts als *Bewußtsein*, nur der
Gedanke der Entfremdung, ihr *abstrakter* und darum in-
haltsloser und unwirklicher Ausdruck, die *Negation*. Die
Aufhebung der Entäußerung ist daher ebenfalls nichts als

---

[1] [Seite XXX, letzte Zeile beschädigt.]

eine abstrakte, inhaltslose Aufhebung jener inhaltslosen Abstraktion, die *Negation der Negation*. Die inhaltsvolle, lebendige, sinnliche, konkrete Tätigkeit der Selbstvergegenständlichung wird daher zu ihrer bloßen Abstraktion, der *absoluten Negativität*, einer Abstraktion, die wieder als solche fixiert und als eine selbständige Tätigkeit, als die Tätigkeit schlechthin gedacht wird. Weil diese sogenannte Negativität nichts anderes ist als die *abstrakte, inhaltslose* Form jenes wirklichen lebendigen Aktes, darum kann auch ihr Inhalt bloß ein *formeller*, durch die Abstraktion von allem Inhalt erzeugter Inhalt sein. Es sind daher die allgemeinen abstrakten jedem Inhalt angehörigen, darum auch sowohl gegen allen Inhalt gleichgültigen als eben darum für jeden Inhalt gültigen *Abstraktionsformen*, die Denkformen, die logischen Kategorien, losgerissen vom *wirklichen* Geiste und von der *wirklichen* Natur. (Wir werden den *logischen* Inhalt der absoluten Negativität weiter unten entwickeln.) Das Positive, was Hegel hier vollbracht hat — in seiner spekulativen Logik — ist, daß die *bestimmten Begriffe*, die allgemeinen *fixen Denkformen* in ihrer Selbständigkeit gegen Natur und Geist ein notwendiges Resultat der allgemeinen Entfremdung des menschlichen Wesens, also auch des menschlichen Denkens sind und daß Hegel sie daher als Momente des Abstraktionsprozesses dargestellt und zusammengefaßt hat. Z. B. das aufgehobene Sein ist Wesen, das aufgehobene Wesen Begriff, der aufgehobene Begriff die absolute Idee. Aber was ist nun die absolute Idee? Sie hebt sich selbst wieder auf. Wenn sie nicht wieder von vorn den ganzen Abstraktionsakt durchmachen und sich damit begnügen will, eine Totalität von Abstraktionen oder die sich erfassende Abstraktion zu sein. Aber die sich als Abstraktion erfassende Abstraktion weiß sich als nichts: sie muß sich als Abstraktion aufgeben und so kömmt sie bei einem Wesen an, welches gerade ihr Gegenteil ist, bei der *Natur*. Die ganze Logik ist also der Beweis, daß das abstrakte Denken für sich nichts ist, daß die absolute Idee für sich nichts ist, daß erst die *Natur* etwas ist.

(XXXII) Die absolute Idee, die abstrakte Idee, welche „nach ihrer Einheit mit sich *betrachtet Anschauen* ist", (Hegels

Encyclopädie 3. Ausgabe, p. 222[1]) welche (l. c.) „in der absoluten Wahrheit ihrer selbst sich *entschließt*, das Moment ihrer Besonderheit oder des ersten Bestimmens und Andersseins, die *unmittelbare Idee* als ihren Widerschein, sich als *Natur* frei *aus sich zu entlassen*" (l. c.), diese ganze so sonderbar und barock sich gebärende Idee, welche den Hegelianern ungeheure Kopfschmerzen verursacht hat, ist durchaus nichts anderes als die *Abstraktion*, id est (?) der abstrakten Denker, die durch Erfahrung gewitzigt und über ihre Wahrheit aufgeklärt, sich unter mancherlei — falschen und selbst noch abstrakten Bedingungen dazu entschließt, *sich aufzugeben* und ihr Anderssein, das Besondere, Bestimmte an die Stelle ihres Beisichseins, Nichtseins, ihrer Allgemeinheit und ihrer Unbestimmtheit zu setzen, die *Natur*, die sie nur als Abstraktion, als Gedankending in sich verbarg, *frei aus sich zu entlassen*, d. h. die Abstraktion zu verlassen und sich einmal die von ihr *freie* Natur anzusehen. Die abstrakte Idee, die unmittelbar *Anschauen* wird, ist durchaus nichts anderes als das abstrakte Denken, das sich aufgibt und zur *Anschauung* entschließt. Dieser ganze Übergang der Logik in der Naturphilosophie ist nichts anderes als der — dem abstrakten Denker so schwer zu bewerkstelligende und daher so abenteuerlich von ihm beschriebene Übergang aus dem *Abstrahieren* in das *Anschauen*. Das *mystische* Gefühl; was die Philosophen aus dem abstrakten Denken in das Anschauen treibt, ist die *Langeweile*, die Sehnsucht nach einem Inhalt. Der sich selbstentfremdete Mensch ist auch seinem *Wesen*, d. h. dem natürlichen und menschlichen Wesen entfremdeter Denker. Seine Gedanken sind daher außer der Natur und dem Menschen hausende fixe Geister. Hegel hat in seiner Logik alle diese fixen Geister zusammengesperrt, jeden derselben einmal als Negation, d. h. als Entäußerung des *menschlichen* Denkens, dann als Negation der Negation, d. h. als Aufhebung dieser Entäußerung, als *wirkliche* Äußerung des menschlichen Denkens gefaßt; aber dann als selbst noch in

---

[1] [Marx zitiert hier ungenau. Siehe Hegel, Enzyklopädie, dritte Aufl., Paragraph 244.]

der Entfremdung befangen — ist diese Negation der Negation teils das Wiederherstellen derselben in ihrer Entfremdung, teils das Stehenbleiben bei dem letzten Akt, das Sichaufsichbeziehen in der Entäußerung, als dem wahren Dasein dieser fixen Geister (d. h. Hegel setzt den in sich kreisenden Akt der Abstraktion an die Stelle jener fixen Abstraktion: damit hat er einmal das Verdienst, die Geburtsstätte aller dieser ihrem ursprünglichen Datum nach einzelnen Philosophen zugehörigen ungehörigen Begriffe nachgewiesen, sie zusammengefaßt, statt einer bestimmten Abstraktion die in ihrem ganzen Umkreis erschöpfte Abstraktion als Gegenstand der Kritik geschaffen zu haben) (warum Hegel das Denken vom *Subjekt* trennte, werden wir später sehen, es ist aber jetzt schon klar, daß, wenn der Mensch nicht ist, auch seine Wesensäußerung nicht menschlich sein kann, also auch das Denken nicht als Wesensäußerung des Menschen als eines menschlichen und natürlichen, mit Augen, Ohren etc. in der Gesellschaft und Welt und Natur lebenden Subjekts gefaßt werden konnten), teils insofern diese Abstraktion sich selbst erfaßt und über sich selbst eine unendliche Langeweile empfindet, erscheint bei Hegel das Aufgeben des abstrakten nur im Denken sich bewegenden Denkens, das ohn' Aug', ohn' Zahn, ohn' Ohr, ohn' alles ist, als Entschließung, die *Natur* als Wesen anzuerkennen und sich auf die Anschauung zu verlegen.

(XXXIII) Aber auch die *Natur*, abstrakt genommen, für sich, in der Trennung vom Menschen fixiert, ist für den Menschen *nichts*. Daß der abstrakte Denker, der sich zum Anschauen entschlossen hat, sie abstrakt anschaut, versteht sich von selbst. Wie die Natur von dem Denker in seiner ihm selbst verborgenen und rätselhaften Gestalt als absolute Idee, als Gedankending eingeschlossen lag, so hat er in Wahrheit, indem er sie aus sich entlassen hat, nur diese (?) *abstrakte Natur* — aber nun mit der Bedeutung, daß sie das Anderssein des Gedankens ist, daß sie die wirkliche, angeschaute, vom abstrakten Denken unterschiedene Natur ist — nur das *Gedankending* der Natur aus sich entlassen. Oder, um eine menschliche Sprache zu reden, bei seiner Naturanschauung erfährt der abstrakte Denker, daß die Wesen, welche er in der göttlichen Dialektik als reine Produkte der in sich selbst webenden und nirgends in die Wirklichkeit hinausschauenden Arbeit des Denkens aus dem Nichts, aus der puren Abstraktion zu schaffen meinte, nichts anderes sind als *Abstraktionen* von *Naturbestimmungen*. Die ganze Natur wiederholt ihm also nur in einer sinnlichen, äußerlichen Form die logische Abstraktion. Er *analysiert* sie in diese Abstraktion wieder. Seine Naturanschauung ist also nur der Bestätigungsakt seiner Abstraktion von der Naturanschauung, der von ihm nur mit Bewußtsein wiederholte Zeugungsgang seiner Abstraktion. So ist z. B. die Zeit = Negativität, die sich auf sich bezieht: (p. 238 l. c.) Dem nun aufgehobenen Werden als Dasein — entspricht in natürlicher Form — die aufgehobene Bewegung als Materie. Das Licht ist — die *natürliche* Form — die Reflexion in sich. Der Körper als *Mond* und *Komet* — ist die *natürliche* Form des — *Gegensatzes*, der nach der Logik einerseits das *auf sich selbst ruhende Positive*, andererseits das auf sich selbst ruhende *Negative* ist. Die Erde ist die *natürliche* Form des logischen *Grundes*, als negative Einheit des Gegensatzes etc.

Die *Natur als Natur*, d. h. insofern sie sich sinnlich noch unterscheidet von jenem geheimen, in ihr verborgenen Sinn, die Natur getrennt, unterschieden von diesen Abstraktionen ist *nichts*, ein sich als *Nichts bewährendes Nichts*, ist *sinnlos* oder hat nur den Sinn einer Äußerlichkeit, die aufgehoben worden ist.

„In dem endlich-teleologischen Standpunkt findet sich die richtige Voraussetzung, daß die Natur den absoluten Endzweck nicht in ihr selbst enthält." p. 223 [1]. Ihr Zweck ist die Bestätigung der Abstraktion. „Die Natur hat sich als die Idee in der *Form* des *Andersseins* ergeben. Da die *Idee* so als das Negative ihrer selbst oder *sich äußerlich ist*, so ist die Natur nicht äußerlich nur relativ *gegen diese Idee ...*, sondern die *Äußerlichkeit* macht die Bestimmung aus, in welcher sie als Natur ist." p. 227.

[1] [Marx zitiert hier ungenau. Vgl. Hegel, Enzyklopädie, 3. Auflage, Paragraph 245.]

Die *Äußerlichkeit* ist hier nicht als die sich *äußernde* und dem Licht, dem sinnlichen Menschen erschlossene *Sinnlichkeit* zu verstehen, diese Äußerlichkeit ist hier im Sinne der Entäußerung, eines Fehlers, eines Gebrechens, das nicht sein soll, zu nehmen. Denn das Wahre ist immer noch die Idee. Die Natur ist nur die *Form* ihres *Andersseins*. Und da das abstrakte Denken das *Wesen* ist, so ist das, was ihm äußerlich ist, seinem Wesen nach nur ein *Äußerliches*. Der abstrakte Denker erkennt zugleich an, daß die *Sinnlichkeit* das Wesen der Natur ist, die *Äußerlichkeit* im Gegensatz zu dem *in sich* webenden Denken. Aber zugleich spricht er diesen Gegensatz aus, daß diese *Äußerlichkeit der Natur* ihr *Gegensatz* zum Denken, ihr *Mangel* ist, daß sie, insofern sie sich von der Abstraktion unterscheidet, ein mangelhaftes Wesen ist.

(XXXIV) Ein nicht nur für mich, in meinen Augen mangelhaftes, ein an sich selbst mangelhaftes Wesen, hat etwas außer sich, was ihm mangelt. D. h. sein Wesen ist ein anderes als es selbst. Die Natur muß sich daher selbst aufheben für den abstrakten Denker, weil sie schon von ihm als ein der Potenz nach *aufgehobenes* Wesen gesetzt ist.

„Der Geist hat *für uns* die *Natur* zu seiner *Voraussetzung*, deren *Wahrheit* und damit deren *absolutes Erstes* er ist. In dieser Wahrheit ist die Natur *verschwunden* und der Geist hat sich als die zu ihrem Fürsichsein gelangte Idee ergeben, deren *Objekt* ebenso wohl als das *Subjekt der Begriff* ist. Diese Identität ist *absolute Negativität*, weil in der Natur der Begriff seine vollkommen äußerliche Objektivität hat, diese seine Entäußerung aber aufgehoben, und er in dieser sich identisch mit sich geworden ist. Er ist diese Identität somit nur als Zurückkommen aus der Natur.“ p. 392[1].

„Das Offenbaren, welches als die *abstrakte* Idee unmittelbarer Übergang, *Werden* der Natur ist, ist als Offenbaren des Geistes, der frei ist, *Setzen* der Natur als *seiner* Welt; ein Setzen, das als Reflexion zugleich *Voraussetzen* der Welt als selbständiger Natur ist. Das Offenbaren im Begriff ist *Erschaffen* desselben als seines Seins, in welchem er die

---

[1] [vgl. Hegel, Enzyklopädie, 3. Aufl., Paragraph 381.]

Affirmation und *Wahrheit* seiner Freiheit sich gibt." „Das *Absolute ist der Geist:* dies ist die höchste Definition des Absoluten." [1]

— [2]

Die *Grundrente* wurde ferner qua Grundrente gestürzt — indem von der neueren Nationalökonomie im Gegensatz zu dem Argument der Physiokraten, der Grundeigentümer sei der einzig wahre Produzent, vielmehr bewiesen wurde, daß der Grundeigentümer als solcher vielmehr der einzige ganz unproduktive Rentier sei. Die Agrikultur sei Sache des Kapitalisten, der seinem Kapital diese Anwendung gebe, wenn er von ihr den gewöhnlichen Gewinn zu erwarten habe. Die Aufstellung der Physiokraten — daß das Grundeigentum als das einzig produktive Eigentum allein die Staatssteuer zu zahlen, also auch allein sie zu bewilligen und Teil an dem Staatswesen zu nehmen habe — verkehrt sich daher in die umgekehrte Bestimmung, daß die Steuer auf Grundrente die einzige Steuer auf ein unproduktives Einkommen sei, daher die einzige Steuer, welche der nationalen Produktion nicht schädlich sei. Es versteht sich, daß so gefaßt, auch das politische Vorrecht der Grundeigentümer nicht mehr aus ihrer hauptsächlichen Besteuerung folgt. —

Alles was Proudhon als Bewegung der Arbeit gegen das Kapital faßt, ist nur die Bewegung der Arbeit in der Bestimmung des Kapitals, des *industriellen Kapitals* gegen das nicht *als* Kapital, d. h. nicht industriell sich konsumierende Kapital. Und diese Bewegung geht ihren siegreichen Weg, d. h. den Weg des Sieges, des *industriellen* Kapitals. — Man sieht also, daß erst, indem die *Arbeit* als Wesen des Privateigentums gefaßt wird, auch die nationalökonomische Bewegung als solche in ihrer wirklichen Bestimmtheit durchschaut werden kann. —

Die *Gesellschaft* — wie sie für den Nationalökonomen erscheint — ist die *bürgerliche Gesellschaft,* worin jedes Indi-

---

[1] [vgl. a.a.O., Paragraph 384.]
[2] [Trennungsstrich von Marx.]

viduum ein Ganzes von Bedürfnissen ist und es nur[1] (XXXV) für das Andere, wie das Andere nur für es da ist, insofern sie sich wechselseitig zum Mittel werden. Der Nationalökonom — so gut, wie die Politik in ihren *Menschenrechten* — reduziert alles auf den Menschen, d. h. auf das Individuum, von welchem er alle Bestimmtheit abstreift, um es als Kapitalist oder Arbeiter zu fixieren. — Die *Teilung der Arbeit* ist der nationalökonomische Ausdruck von der *Gesellschaftlichkeit der Arbeit* innerhalb der Entfremdung. Oder, da die *Arbeit* nur ein Ausdruck der menschlichen Tätigkeit innerhalb der Entäußerung, der Lebensäußerung als Lebensentäußerung ist, so ist auch die *Teilung der Arbeit* nichts anderes als das *entfremdete, entäußerte* Setzen der menschlichen Tätigkeit als einer *realen Gattungstätigkeit* oder als *Tätigkeit des Menschen als Gattungswesen.*

Über das *Wesen* der *Teilung der Arbeit* — welche natürlich als ein Hauptmotor der Produktion des Reichtums gefaßt werden mußte, sobald die *Arbeit* als das *Wesen* des *Privateigentums* erkannt war, — d. h. über diese *entfremdete und entäußerte Gestalt der menschlichen Tätigkeit als Gattungstätigkeit* sind die Nationalökonomen sehr unklar und sich widersprechend.

Adam Smith: „Die Teilung der Arbeit verdankt nicht der menschlichen Weisheit ihren Ursprung. Sie ist die notwendige, langsame und stufenweise Konsequenz des Hanges zum Austausch und des wechselseitigen Verschacherns der Produkte. Dieser Hang zum Handel ist wahrscheinlich eine notwendige Folge des Gebrauchs der Vernunft und des Wortes. Er ist allen Menschen gemeinschaftlich, findet sich bei keinem Tier. Das Tier, sobald es erwachsen ist, lebt auf seine Faust. Der Mensch hat beständig die Unterstützung von anderen nötig und vergeblich würde er sie bloß von ihrem Wohlwollen erwarten. Er wird viel sicherer sein, sich an ihr persönliches Interesse zu wenden und sie zu

---

[1] [Hier folgen im Manuskript vier unnumerierte Folioseiten, die sich wiederum mit der Hegelschen Philosophie auseinandersetzen. Wir teilen jedoch zunächst die unmittelbar anschließende Seite mit.]

überreden, ihr eigener Vorteil erheische das zu tun, was er
von ihnen wünscht. Wir adressieren uns bei anderen Menschen nicht an ihre *Menschheit*, sondern an ihren *Egoismus*:
wir sprechen ihnen niemals von *unseren Bedürfnissen*, sondern immer von *ihrem Vorteil*. Da wir also durch Tausch,
Handel, Schacher, die Mehrzahl der guten Dienste, die uns
wechselseitig nötig sind, erhalten, so ist es diese Disposition
zum *Schacher*, welche der *Teilung der Arbeit* ihren Ursprung gegeben hat. Z. B. in einem Tribus von Jägern oder
Hirten macht der Privatmann Bogen und Sehnen mit mehr
Geschwindigkeit und Geschicklichkeit als ein anderer. Er
vertauscht oft mit seinen Genüssen diese Arten von Tag-
werk gegen Vieh und Wild, er bemerkt bald, daß er letz-
teres durch dieses Mittel sich leichter verschaffen kann, als
wenn er selbst auf die Jagd ginge. Aus interessierter Berechnung macht er also aus der Fabrikation der Bogen etc.
seine Hauptbeschäftigung. Die Differenz der *natürlichen
Talente* unter den Individuen ist nicht sowohl die *Ursache*
als der *Effekt* der Teilung der Arbeit . . .[1] Ohne die Disposition der Menschen zu handeln und [zu] tauschen, wäre jeder
verpflichtet gewesen, sich selbst alle Notwendigkeiten und
Bequemlichkeiten des Lebens zu verschaffen. Jeder hätte
dasselbe Tagewerk zu erfüllen gehabt und *jene große Differenz der Beschäftigungen*, welche allein eine große Differenz der Talente erzeugen kann, hätte nicht stattgefunden.
Wie nun dieser Hang zum Tauschen die Verschiedenheit
der Talente erzeugt unter den Menschen, so ist es auch
derselbe Hang, der diese Verschiedenheit nützlich macht —
Viele Tierrassen, obgleich von derselben Spezies, haben von
der Natur unterschiedene Charaktere erhalten, die in bezug
auf ihre Anlagen augenfälliger sind, als man bei den ungebildeten Menschen beobachten könnte. Von Natur ist ein
Philosoph nicht halb so verschieden von einem Sackträger
an Talent und Intelligenz als ein Haushund von einem
Windhund, ein Windhund von einem Wachtelhund und
dieser von einem Schäferhund. Dennoch sind diese verschiedenen Tierrassen, obgleich von derselben Spezies, fast von

---

[1] [Punkte von Marx.]

gar keiner Nützlichkeit für einander. Der Hofhund kann
den Vorteilen seiner Stärke (XXXVI) nichts hinzufügen,
dadurch, daß er sich etwa der Leichtigkeit des Windhundes
etc. bediente. Die Wirkungen dieser verschiedenen Talente
oder Stufen der Intelligenz können aus Mangel der Fähigkeit oder des Hangs zum Handeln und Austausch nicht zusammen, in Gemeinschaft geworfen werden und können
durchaus nicht zum *Vorteil* oder zur *gemeinschaftlichen Bequemlichkeit* der *species* beitragen . . .[1] Jedes Tier muß sich
selbst unterhalten und beschützen, unabhängig von den
anderen — es kann nicht den geringsten Nutzen von der
Verschiedenheit der Talente beziehen, welche die Natur
unter seinesgleichen verteilt hat. Unter den Menschen dagegen sind die disparatesten Talente einander nützlich, weil
die *verschiedenen Produkte* jeder ihrer respektiven Indu-
striezweige, vermittelst dieses allgemeinen Hanges zum
Handel und Austausch, sich sozusagen in eine gemeinschaftliche Masse geworfen finden, wo jeder Mensch nach seinen
Bedürfnissen kaufen gehen kann irgendeinen Teil des Produkts der Industrie des anderen. — Weil dieser Hang zum
Austausch der *Teilung der Arbeit* ihren Ursprung gibt, so
ist folglich das *Wachstum dieser Teilung* immer beschränkt,
durch die *Ausdehnung* der *Fähigkeit auszutauschen* oder
in anderen Worten durch die *Ausdehnung des Marktes*. Ist
der Markt sehr klein, so wird niemand ermutigt sein, sich
gänzlich einer einzigen Beschäftigung zu ergeben, aus Mangel, das Mehr des Produkts seiner Arbeit, welches seine
eigene Konsumtion übersteigt, gegen ein gleiches Mehr des
Produkts der Arbeit eines anderen, daß er sich zu verschaffen wünschte, austauschen zu können . . .[1] Im *fortgeschrittenen* Zustand: „Jeder Mensch besteht von *échanges*,
vom Austausch und wird eine Art von *Handelsmann*, und
die *Gesellschaft selbst* ist eigentlich eine *handelstreibende*
Gesellschaft." (siehe Destutt de Tracy: Die Gesellschaft ist
eine Reihe von wechselseitigem Austausch, in dem *Commerce* liegt das ganze Wesen der Gesellschaft.) „Die Akkumulation der Kapitalien steigt mit der Teilung der Arbeit

[1] [Punkte von Marx.]

und wechselseitig. —" Soweit *Adam Smith.* „Wenn jede
Familie die Totalität der Gegenstände ihrer Konsumtion
erzeugte, könnte die Gesellschaft in Gang bleiben, obgleich
sich keine Art von Austausch bewerkstelligte — *ohne fundamental* zu sein, ist der Austausch unentbehrlich in dem
avancierten Zustand unserer Gesellschaft. — Die Teilung
der Arbeit ist eine geschickte Anwendung der Kräfte des
Menschen — sie vermehrt also die Produkte der Gesellschaft,
ihre Macht und ihre Genüsse, aber sie beraubt, vermindert
die Fähigkeit jedes Menschen individuell genommen. —
Die Produktion kann ohne den Austausch nicht stattfinden."
So J. B. *Say.*

„Die dem Menschen inhärenten Kräfte sind seine Intelligenz
und seine physische Anlage zur Arbeit; diejenigen, welche
von dem gesellschaftlichen Zustand ihren Ursprung ableiten, bestehen: in der Fähigkeit die *Arbeit* zu *teilen* und die
*verschiedenen Arbeiten unter die verschiedenen Menschen
auszuteilen . . .*[1] und in dem Vermögen *die wechselseitigen
Dienste* auszutauschen und die Produkte, welche diese Mittel konstituieren . . .[1] Das Motiv, warum ein Mensch dem
anderen seine Dienste widmet, ist der Eigennutz — der
Mensch verlangt eine Rekompens für die einem anderen
geleisteten Dienste. — Das Recht des exklusiven Privateigentums ist unentbehrlich, damit sich der Austausch unter
den Menschen etabliere." „Austausch und Teilung der Arbeit bedingen sich wechselseitig." So *Skarbek.*

Mill stellt den entwickelten Austausch, den *Handel,* als
Folge der *Teilung der Arbeit* dar.

„Die Tätigkeit des Menschen kann auf sehr einfache Elemente reduziert werden. Er kann in Wahrheit nichts mehr
tun, als Bewegung produzieren; er kann die Sachen bewegen, um sie von einander zu entfernen (XXXVII) oder
einander zu nähern; die Eigenschaften der Materie tun das
übrige. Bei der Anwendung der Arbeit und der Maschinen
findet man oft, daß die Wirkungen durch eine geschickte
Verteilung vermehrt werden können, durch Trennung der
Operationen, die sich entgegenstehen, und durch Vereini-

[1] [Punkte von Marx.]

gung aller derjenigen, welche auf irgend eine Weise sich wechselseitig fördern können. Da im allgemeinen die Menschen nicht viele verschiedene Operationen mit gleicher Geschwindigkeit und Geschicklichkeit exekutieren können, wie die Gewohnheit ihnen diese Fähigkeit für die Ausübung einer kleinen Zahl verschafft — so ist es immer vorteilhaft, so viel als möglich die Zahl der jedem Individuum anvertrauten Operationen zu beschränken. — Zur Teilung der Arbeit und Verteilung der Kräfte des Menschen und der Maschine auf die vorteilhafteste Art ist es notwendig in einer Menge von Fällen, auf einer großen Stufenleiter zu operieren oder in anderen Worten, die Reichtümer der großen Massen zu produzieren. Dieser Vorteil ist der Entstehungsgrund der großen Manufakturen, von denen oft eine kleine, unter günstigen Verhältnissen gegründete Anzahl, manchmal nicht nur ein einziges, sondern mehrere Länder approvisioniert[1] mit der hier verlangten Qualität von den durch sie produzierten Objekten." So *Mill*. Die ganze moderne Nationalökonomie aber stimmt darin überein, daß Teilung der Arbeit und Reichtum der Produktion, Teilung der Arbeit und Akkumulation des Kapitals sich wechselseitig bedingen, wie daß das *freigelassene* sich selbst überlassene Privateigentum allein die nützlichste und umfassendste Teilung der Arbeit hervorbringen kann.

Adam Smiths Entwicklung läßt sich dahin resümieren: Die Teilung der Arbeit gibt der Arbeit die unendliche Produktionsfähigkeit. Sie ist begründet in dem *Hang* zum *Austausch und Schacher*, einem spezifisch menschlichen Hang, der wahrscheinlich nicht zufällig, sondern durch den Gebrauch der Vernunft und der Sprache bedingt ist. Das Motiv des Austauschenden ist nicht *die Menschheit*, sondern der *Egoismus*. Die Verschiedenartigkeit der menschlichen Talente ist mehr die Wirkung als die Ursache der Teilung der Arbeit, id est des Austauschs. Auch macht letzterer erst diese Verschiedenheit nützlich. Die besonderen Eigenschaften der verschiedenen Rassen einer Tierart sind von Natur schärfer als die Verschiedenheit menschlicher Anlage und

---

[1] [Verprovisioniert (approvisioniert)]

Tätigkeit. Weil die Tiere aber nicht *auszutauschen* vermögen, nützt keinem Tierindividuum die unterschiedene Eigenschaft eines Tieres von derselben Art, aber von verschiedener Rasse. Die Tiere vermögen nicht die unterschiedenen Eigenschaften ihrer Spezies zusammenzulegen; sie vermögen nichts zum *gemeinschaftlichen* Vorteil und Bequemlichkeit ihrer Spezies beizutragen. Anders der *Mensch*, wo die disparatesten Talente und Tätigkeitsweisen sich wechselseitig nützen, *weil* sie ihre *verschiedenen* Produkte zusammenwerfen können in eine gemeinschaftliche Masse, wovon jeder kaufen kann. Wie die Teilung der Arbeit aus dem Hang des *Austauschs* entspringt, so wächst sie und ist begrenzt durch die *Ausdehnung* des *Austausches, des Marktes*. Im fortgeschrittenen Zustand [ist] jeder Mensch *Handelsmann*, die Gesellschaft eine *Handelsgesellschaft. Say* betrachtet den *Austausch* als zufällig und nicht fundamental. Die Gesellschaft könnte ohne ihn bestehen. Er wird unentbehrlich in avanciertem Zustand der Gesellschaft. Dennoch kann die *Produktion ohne ihn* nicht stattfinden. Die Teilung der Arbeit ist ein *bequemes, nützliches* Mittel, eine geschickte Anwendung der menschlichen Kräfte für den gesellschaftlichen Reichtum, aber sie vermindert die *Fähigkeit jedes Menschen individuell* genommen. Die letztere Bemerkung ist ein Fortschritt von Say.

Skarbek unterscheidet die *individuellen*, dem *Menschen inhärenten* Kräfte, Intelligenz und physische Disposition zur Arbeit, von den von der Gesellschaft *hergeleiteten* Kräften, *Austausch* und *Teilung der Arbeit*, die sich wechselseitig bedingen. Aber die notwendige Voraussetzung des Austausches ist das *Privateigentum*. Skarbek drückt hier unter objektiver Form aus, was Smith, Say, Ricardo etc. sagen, wenn sie den *Egoismus*, das *Privatinteresse* als Grund des Austausches oder den *Schacher* als die *wesentliche* und *adäquate* Form des Austausches bezeichnen.

Mill stellt den *Handel* als Folge der *Teilung der Arbeit* dar. Die *menschliche* Tätigkeit reduziert sich ihm auf eine *mechanische Bewegung*. Teilung der Arbeit und Anwendung von Maschinen befördern den Reichtum der Produktion. Man muß jedem Menschen einen möglichst kleinen

Kreis von Operationen anvertrauen. Ihrerseits bedingen Teilung der Arbeit und Anwendung von Maschinen die Produktion des Reichtums in Masse, also der Produkte. Dies der Grund der großen Manufakturen. —

(XXXVIII) Die Betrachtung der *Teilung der Arbeit* und des *Austausches* sind von höchstem Interesse, weil sie die *sinnfällig entäußerten* Ausdrücke der menschlichen *Tätigkeit* und *Wesenskraft*, als einer *gattungsmäßigen* Tätigkeit und Wesenskraft sind.

Daß die *Teilung der Arbeit* und der *Austausch* auf dem *Privateigentum* beruhen, ist nichts anderes als die Behauptung, daß die *Arbeit* das Wesen des Privateigentums ist, eine Behauptung, die der Nationalökonom nicht beweisen kann, und die wir für ihn beweisen wollen. Eben darin, daß *Teilung der Arbeit* und *Austausch* Gestaltungen des Privateigentums sind, eben darin liegt der doppelte Beweis, sowohl daß das *menschliche* Leben zu seiner Verwirklichung des *Privateigentums* bedürfte, wie andererseits, daß es jetzt der Aufhebung des Privateigentums bedarf.

Teilung der Arbeit und *Austausch* sind die beiden *Erscheinungen,* bei denen der Nationalökonom auf die Gesellschaftlichkeit seiner Wissenschaft pocht und den Widerspruch seiner Wissenschaft, die Begründung der Gesellschaft durch das ungesellschaftliche Sonderinteresse, in einem Atemzug bewußtlos ausspricht.

Die Momente, die wir zu betrachten haben, sind: Einmal wird der *Hang* des *Austauschs* — dessen Grund im Egoismus gefunden wird — als Grund der Wechselwirkung der Teilung der Arbeit betrachtet. Say betrachtet den Austausch als nicht *fundamental* für das Wesen der Gesellschaft. Der Reichtum, die Produktion wird durch die Teilung der Arbeit und den Austausch erklärt. Die Verarmung und Entwesung der individuellen Tätigkeit durch die Teilung der Arbeit wird zugestanden. Austausch und Teilung der Arbeit werden als Produzenten der großen *Verschiedenheit der menschlichen Talente* anerkannt, eine Verschiedenheit, welche durch ersteren auch wieder *nützlich* wird. Skarbek teilte die Produktions- und produktiven Wesenskräfte des Menschen in zwei Teile, 1. die individuellen und ihm in-

härenten, seine Intelligenz und spezielle Arbeitsdisposition
oder Fähigkeit, 2. die von der Gesellschaft — nicht vom
wirklichen Individuum — *abgeleiteten*, die Teilung der Arbeit und den Austausch. — Ferner: Die Teilung der Arbeit
ist durch den *Markt* beschränkt. — Die menschliche Arbeit
ist nicht *mechanische Bewegung;* die Hauptsache tun die
materiellen Eigenschaften der Gegenstände — *einem* Individuum müssen wenigstens mögliche Operationen zugeteilt
werden — Spaltung der Arbeit und Konzentrierung des
Kapitals, die Nichtigkeit der individuellen Produktion und
die Produktion des Reichtums in Masse — Verstand des
freien Privateigentums in der Teilung der Arbeit (XXXIX).

(XLI) Wenn die *Empfindungen,* Leidenschaften etc. des
Menschen nicht nur anthropologische Bestimmungen im...[1]
Sinn, sondern wahrhaft *ontologische* Wesens-(Natur-)Be-
jahungen sind — und wenn sie nur dadurch wirklich sich
bejahen, daß ihr *Gegenstand sinnlich* für sie ist, so versteht
sich 1. daß die Weise ihrer Bejahung durchaus nicht ein
und dieselbe ist, sondern vielmehr die unterschiedene Weise
der Bejahung die Eigentümlichkeit ihres Daseins, ihres
Lebens bildet; die Weise, wie der Gegenstand für sie, ist
die eigentümliche Weise ihres *Genusses;* 2. da, wo die sinnliche Bejahung unmittelbares Aufheben des Gegenstandes
in seiner selbständigen Form ist (Essen, Trinken, Bearbei-
ten des Gegenstandes etc.), ist dies die Bejahung des Gegenstandes; 3. insofern der Mensch *menschlich,* also auch seine
Empfindung etc. *menschlich* ist, ist die Bejahung des Gegenstandes durch einen anderen ebenfalls sein eigener Genuß; 4. erst durch die entwickelte Industrie, id est durch
die Vermittlung des Privateigentums wird das ontologische
Wesen der menschlichen Leidenschaft sowohl in seiner
Totalität als in seiner Menschlichkeit; die Wissenschaft
vom Menschen ist also selbst ein Produkt der praktischen
Selbstbetätigung des Menschen; 5. Der Sinn des Privateigentums — losgelöst von seiner Entfremdung — ist das
Dasein der wesentlichen Gegenstände für den Menschen,
sowohl als Gegenstand des Genusses, wie der Tätigkeit. —

[1] [Seite eingerissen.]

Das *Geld*, indem es die *Eigenschaft* besitzt, alles zu kaufen, indem es die Eigenschaft besitzt, alle Gegenstände sich anzueignen, ist also der *Gegenstand* in eminentem Besitz. Die Universalität seiner *Eigenschaft* ist die Allmacht seines Wesens; es gilt daher als allmächtiges Wesen . . .[1] Das Geld ist der *Kuppler* zwischen dem Bedürfnis und dem Gegenstand, zwischen dem Leben und dem Lebensmittel des Menschen. *Was* mir aber *mein* Leben vermittelt, das *vermittelt mir* auch das Dasein des anderen Menschen für mich. Das ist für mich der *andere* Mensch.

> „Was Henker? Freilich Hand und Füße
> Und Kopf und Hintern, die sind dein!
> Doch alles was ich frisch genieße,
> Ist das darum weniger mein?
> Wenn ich sechs Hengste zahlen kann,
> Sind ihre Kräfte nicht dann meine?
> Ich renne zu und bin ein rechter Mann,
> Als hätt' ich vierundzwanzig Beine."

Goethe, Faust (Mephisto).

Shakespeare im *Timon* von Athen:

> „Gold? kostbar, flimmernd, rotes Gold? Nein, Götter,
> Nicht eitel fleht' ich.
> So viel hievon macht schwarz weiß, häßlich schön;
> schlecht gut, alt jung, feig tapfer, niedrig edel.
> Dies lockt . . den Priester vom Altar;
> Reißt Halbgenes'nen weg das Schlummerkissen:
> Ja dieser rote Sklave löst und bindet
> Geweihte Bande: segnet den Verfluchten;
> Er macht den Aussatz lieblich, ehrt den Dieb,
> Und gibt ihm Rang, gebeugtes Knie und Einfluß,
> Im Rat der Senatoren: dieser führt
> Der überjährgen Witwe Freier zu;
> Sie, von Spital und Wunden giftig eiternd
> Mit Ekel fortgeschickt, verjüngt balsamisch
> Zu Maienjugend dies. Verdammt Metall,

---

[1] [Punkte von Marx.]

Gemeine Hure du der Menschen, die
Die Völker tört."

Und weiter unten:

„Du süßer Königsmörder, edle Scheidung
Des Sohns und Vaters! glänzender Besudler
Von Hymens reinstem Lager! tapfrer Mars!
Du ewig blüh'nder zartgeliebter Freier,
Des roter Schein den heil'gen Schnee zerschmelzt
Auf Dianens reinem Schoß! *Sichtbare Gottheit,*
Die du *Unmöglichkeiten* eng verbrüderst,
Zum Kuß sie zwingst! Du sprichst in jeder Sprache, (XLII)
Zu jedem Zweck! O du der Herzen Prüfstein!
Denk, es empört dein Sklave sich, der Mensch!
Vernichte deine Kraft, sie all verwirrend,
Daß Tieren wird die Herrschaft dieser Welt!"

Shakespeare schildert das Wesen des *Geldes* trefflich. Um
ihn zu verstehen, beginnen wir zunächst mit der Auslegung
der Goetheschen Stelle.

Was durch das *Geld* für mich ist, was ich zahlen, d. h., was
das Geld kaufen kann, das *bin ich,* der Besitzer des Geldes
selbst. So groß die Kraft des Geldes, so groß meine Kraft.
Die Eigenschaften des Geldes sind meine — seines Besitzers
— Eigenschaften und Wesenskräfte. Das was ich *bin* und
vermag, ist also keineswegs durch meine Individualität bestimmt. Ich *bin* häßlich, aber ich kann mir die *schönste*
Frau kaufen. Also bin ich nicht *häßlich,* denn die Wirkung
der *Häßlichkeit,* ihre abschreckende Kraft, ist durch Geld
vernichtet. Ich — meiner Individualität nach — bin *lahm*
aber das Geld verschafft mir 24 Füße: ich bin also nicht
lahm; ich bin ein schlechter, unehrlicher, gewissenloser,
geistloser Mensch, aber das Geld ist geehrt, also auch sein
Besitzer, das Geld ist das höchste Gut, also ist sein Besitzer
gut, das Geld überhebt mich über dem der Mühe, unehrlich
zu sein, ich werde also als ehrlich präsumiert; ich bin *geistlos,* aber das Geld ist der *wirkliche Geist* aller Dinge, wie
sollte sein Besitzer geistlos sein? Zudem kann er sich die
geistreichen Leute kaufen, und wer die Macht über die

Geistreichen hat[1], ist der nicht geistreicher als der Geistreiche! Ich, der durch das Geld *alles*, wonach ein menschliches Herz sich sehnt, vermag, besitze ich nicht alle menschlichen Vermögen! Verwandelt also mein Geld nicht alle
meine Unvermögen in ihr Gegenteil?

Wenn das *Geld* das Band ist, das mich an das *menschliche*
Leben, das mir die Gesellschaft, das mich mit der Natur
und den Menschen verbindet, ist das Geld nicht das Band
aller *Bande!* Kann es nicht alle Bande lösen und binden!
Ist es darum nicht auch das allgemeine Scheidungsmittel!
Es ist die wahre *Scheidemünze*, wie das wahre *Bindungs-
mittel*, die galvano*chemische* Kraft der Gesellschaft.

Shakespeare hebt an dem Geld besonders zwei Eigenschaften heraus.

1. Es ist die sichtbare Gottheit, die Verwandlung aller
menschlichen und natürlichen Eigenschaften in ihr Gegenteil, die allgemeine Verwechslung und Verkehrung der
Dinge; es verbrüdert Unmöglichkeiten.

2. Es ist die allgemeine Hure, der allgemeine Kuppler der
Menschen und Völker.

Die Verkehrung und Verwechslung aller menschlichen und
natürlichen Qualitäten, die Verbrüderung der Unmöglichkeiten — die *göttliche* Kraft — des Geldes liegt in seinem
Wesen als dem entfremdeten, entäußernden und sich ver-
äußernden *Gattungswesen* der Menschen. Es ist das entäußerte *Vermögen* der *Menschheit*.

Was ich qua [als] *Mensch* nicht vermag, was also alle meine
individuellen Wesenskräfte nicht vermögen, das vermag ich
durch das *Geld*. Das Geld macht also jede dieser Wesenskräfte zu etwas, was sie an sich nicht ist; d. h. zu ihrem
Gegenteil.

Wenn ich mich nach einer Speise sehne oder den Postwagen
benutzen will, weil ich nicht stark genug bin, den Weg zu
Fuß zu machen, so verschafft mir das Geld die Speise und
den Postwagen, d. h. es verwandelt meine Wünsche aus
Wesen der Vorstellung, es übersetzt sie aus ihrem gedachten, vorgestellten, gewollten Dasein in ihr *sinnliches, wirk-*

---

[1] [Im Manuskript steht, offenbar versehentlich: ist.]

liches Dasein, aus der Vorstellung in das Leben, aus dem vorgestellten Sein in das wirkliche Sein. Als diese Vermittlung ist es die *wahrhaft schöpferische* Kraft.

Die *demande*[1] existiert wohl auch für den, der kein Geld hat, aber seine demande ist ein bloßes Wesen der Vorstellung, das auf mich, auf den Dritten, auf ihn (?) (XLIII) keine Wirkung, keine Existenz hat, also für mich selbst *unwirklich, gegenstandslos* bleibt. Der Unterschied der effektiven, auf das Geld basierten und der effektlosen, auf mein Bedürfnis, meine Leidenschaft, meinen Wunsch etc. basierten demande ist der Unterschied zwischen *Sein* und *Denken*, zwischen der bloßen in mir *existierenden* Vorstellung und der Vorstellung, wie sie als *wirklicher Gegenstand* außer mir für mich ist.

Ich, wenn ich kein Geld zum Reisen habe, habe kein *Bedürfnis*, d. h. kein wirkliches und sich verwirklichendes Bedürfnis zum Reisen. Ich, wenn ich *Beruf* zum Studieren, aber kein Geld dazu habe, habe keinen *Beruf* zum Studieren, d. h. keinen *wirksamen*, keinen wahren Beruf. Dagegen ich, wenn ich wirklich *keinen* Beruf zum Studieren habe, aber den Willen *und* das Geld, habe einen *wirksamen* Beruf dazu. Das *Geld* — als das äußere, nicht aus dem Menschen als Menschen und nicht von der menschlichen Gesellschaft als Gesellschaft herkommende allgemeine — *Mittel* und *Vermögen*, die *Vorstellung in die Wirklichkeit*, und die *Wirklichkeit zu einer bloßen Vorstellung* zu machen, verwandelt ebensosehr die *wirklichen menschlichen und natürlichen Wesenskräfte* in bloß abstrakte Vorstellungen und darum *Unvollkommenheiten*, qualvolle Hirngespinste, wie es andererseits die *wirklichen Unvollkommenheiten und Hirngespinste*, die wirklich ohnmächtigen, nur in der Einbildung des Individuums existierenden Wesenskräfte dieselben zu *wirklichen Wesenskräften* und *Vermögen* verwandelt. Schon dieser Bestimmung nach ist es also schon die allgemeine Vorkehrung der *Individualitäten*, die sie in ihr Gegenteil umkehrt und ihren Eigenschaften widersprechende Eigenschaften beibringt.

---

[1] [Nachfrage.]

Als diese *verkehrende* Macht erscheint es dann auch gegen das Individuum und gegen die gesellschaftlichen etc. Bande, die für sich *Wesen* zu sein behaupten. Es verwandelt die Treue in Untreue, die Liebe in Haß, den Haß in Liebe, die Tugend in Laster, die Laster in Tugend, den Knecht in den Herrn, den Herrn in den Knecht, den Blödsinn in Verstand, den Verstand in Blödsinn.

Da das Geld, als der existierende und sich betätigende Begriff des Wertes, alle Dinge verwechselt, vertauscht, so ist es die allgemeine *Verwechslung* und *Vertauschung* aller Dinge, also die verkehrte Welt, die Verwechslung und Vertauschung aller natürlichen und menschlichen Qualitäten.

Wer die Tapferkeit kaufen kann, der ist tapfer, wenn er auch feig ist. Da das Geld nicht gegen eine bestimmte Qualität, gegen ein bestimmtes Ding, menschliche Wesenskräfte, sondern gegen die ganze menschliche und natürliche gegenständliche Welt sich austauscht, so tauscht es also — vom Standpunkt seines Besitzers angesehen — jede Eigenschaft gegen jede — auch ihr widersprechende Eigenschaft und Gegenstände aus; es ist die Verbrüderung der Unmöglichkeiten, es zwingt das sich Widersprechende zum Kuß. Setze den *Menschen* als *Menschen* und sein Verhältnis zur Welt als ein menschliches voraus, so kannst du Liebe nur gegen Liebe austauschen, Vertrauen nur gegen Vertrauen etc. Wenn du die Kunst genießen willst, mußt du ein künstlerisch gebildeter Mensch sein; wenn du Einfluß auf andere Menschen ausüben willst, mußt du ein wirklich anregend und fördernd auf andere Menschen wirkender Mensch sein. Jedes deiner Verhältnisse zum Menschen und zu der Natur — muß eine *bestimmte*, dem Gegenstand deines Willens entsprechende *Äußerung* deines *wirklichen individuellen* Lebens sein. Wenn du liebst, ohne Gegenliebe hervorzurufen, d. h. wenn dein Lieben als Liebe nicht Gegenliebe produziert, wenn du durch eine *Lebensäußerung* als liebender Mensch dich nicht *zum geliebten Menschen* machst, so ist deine Liebe ohnmächtig, ein Unglück.

— —[1] Zinsen seines Kapitals bildet. An dem Arbeiter existiert es also subjektiv, daß das Kapital der sich ganz abhanden gekommene Mensch ist, wie es im Kapital objektiv existiert, daß die Arbeit der sich abhanden gekommene Mensch ist. Der *Arbeiter* hat aber das Unglück, ein *lebendiges* und daher *bedürftiges* Kapital zu sein, das jeden Augenblick, wo es nicht arbeitet, seine Zinsen und damit seine Existenz verliert. Als Kapital steigt [der] *Wert* des Arbeiters nach Nachfrage und Zufuhr und auch *physisch* wurde und wird gewußt sein *Dasein*, sein *Leben* eine Zufuhr von *Ware*, wie jede andere Ware. Der Arbeiter produziert das Kapital, das Kapital produziert ihn, er also sich selbst, und der Mensch als *Arbeiter*, als *Ware*, ist das Produkt der ganzen Bewegung. Der Mensch, der nichts mehr ist als *Arbeiter*, und als Arbeiter sind seine menschlichen Eigenschaften nur da, insofern sie für das ihm *fremde* Kapital da sind. Weil sich aber beide fremd sind, daher in einem gleichgültigen, äußerlichen und zufälligen Verhältnisse stehen, so muß diese Fremdheit auch als *wirklich* erscheinen. Sobald es also dem Kapital einfällt — notwendiger oder willkürlicher Einfall — nicht mehr für den Arbeiter zu sein, ist er selbst nicht mehr für sich, er hat *keine* Arbeit, darum *keinen* Lohn und da er nicht *als Mensch*, sondern *als Arbeiter* Dasein hat, so kann er sich begraben lassen, verhungern etc. Der Arbeiter ist nur als Arbeiter da, sobald er *für sich* als Kapital da ist und er ist nur als Kapital da, sobald ein *Kapital für ihn* da ist. Das Dasein des Kapitals ist *sein* Dasein, sein *Leben*, wie es den Inhalt seines Lebens auf eine ihm gleichgültige Weise bestimmt. Die Nationalökonomie kennt daher nicht den unbeschäftigten Arbeiter, den Arbeitsmenschen, so weit er sich außer diesem Arbeitsverhältnis befindet. Die Spitzbuben, Gauner, Bettler, der Unbeschäftigte, der Elende, der verhungernde und verbrecherische Arbeitsmensch sind *Gestalten*, die nicht *für sie*, sondern nur für andere Augen, für die des Arztes, des Richters, des Totengräbers und Bettelvogts existieren, Gespenster außerhalb ihres Reiches. Die Bedürfnisse des Arbeiters sind daher für sie nur das *Bedürf-*

---

[1] [neue Seite, Numerierung nicht feststellbar, da eingerissen.]

nis, ihn während der Arbeit zu unterhalten und so weit, daß das Arbeitergeschlecht nicht aussterbe. Der Arbeitslohn hat daher ganz denselben Sinn wie die *Unterhaltung, Instandhaltung* jedes anderen produktiven Instruments, wie die *Konsumtion des Kapitals* überhaupt, deren es bedarf, um sich mit Zinsen zu reproduzieren, wie das Öl, welches an die Räder verwandt wird, um sie in Bewegung zu halten. Der Arbeitslohn gehört daher zu den nötigen *Kosten* des Kapitals und des Kapitalisten und darf das Bedürfnis dieser Not nicht überschreiten. Es war daher ganz konsequent, wenn englische Fabrikherrn vor der Amendment bill von 1834 die öffentlichen Almosen, die der Arbeiter vermittels der Armentaxe empfing, von seinem Arbeitslohn abgezogen und als einen integrierenden Teil desselben betrachteten. — Die Produktion produziert den Menschen nicht nur als eine *Ware,* die *Menschenware,* den Menschen in der Bestimmung der *Ware,* sie produziert ihn, dieser Bestimmung entsprechend, als ein ebenso geistig wie körperlich *entmenschtes* Wesen. — Immoralität, Mißgeburt, Helotismus der Arbeiter und des Kapitalisten — Ihr Produkt ist die *selbstbewußte* und *selbsttätige Ware,* . . .[1] die *Menschen*ware . . .[1] Großer Fortschritt von Ricardo, Mill etc. gegen Smith und Say, das *Dasein* des Menschen — die größere und kleinere Menschenproduktivität der Ware als *gleichgültig* und sogar *schädlich* zu erklären. Nicht wieviel Arbeiter ein Kapital unterhalte, sondern wieviel Zinsen es bringe, die Summe der jährlichen *Ersparungen* sei der wahre Zweck der Produktion. Es war ebenfalls ein großer und konsequenter Fortschritt der neueren (XLI) englischen Nationalökonomie, daß sie, — welche die *Arbeit* zum *einzigen* Prinzip der Nationalökonomie erhebt — zugleich mit völliger Klarheit das *umgekehrte* Verhältnis zwischen dem Arbeitslohn und den Zinsen des Kapitals auseinandersetzte und daß der Kapitalist in der Regel *nur* durch die Herabdrückung des Arbeitslohns wie umgekehrt gewinnen könne. Nicht die Übervorteilung des Konsumenten, sondern die wechselseitige Übervorteilung von Kapitalist und Arbeiter sind das *normale*

---

[1] [Die drei Punkte von Marx.]

Verhältnis. — Das Verhältnis des Privateigentums enthält in sich latent das Verhältnis des Privateigentums als *Arbeit* wie das Verhältnis desselben als *Kapital* und die *Beziehung* dieser beiden Ausdrücke aufeinander. Die Produktion der menschlichen Tätigkeit als *Arbeit*, also als einer sich ganz fremden, dem Menschen und der Natur, daher dem Bewußtsein und der Lebensäußerung gleich fremden Tätigkeit, die *abstrakte* Existenz des Menschen als eines bloßen *Arbeitsmenschen*, der daher täglich aus seinem erfüllten Nichts in das absolute Nichts, sein gesellschaftliches und darum sein wirkliches Nichtdasein hinabstürzen kann — wie andererseits die Produktion des Gegenstandes der menschlichen Tätigkeit als *Kapital*, worin alle natürliche und gesellschaftliche Bestimmtheit des Gegenstandes ausgelöscht ist, das Privateigentum seine natürlichen und gesellschaftlichen Qualitäten (also alle politischen und gesellschaftlichen Illusionen verloren hat und mit keinen scheinbar menschlichen Verhältnissen vermischt ist) verloren hat — worin auch dasselbe Kapital in dem verschiedenartigsten natürlichen und gesellschaftlichen Dasein *dasselbe* bleibt, vollkommen gleichgültig gegen seinen *wirklichen* Inhalt ist — dieser Gegensatz auf die Spitze getrieben, ist notwendig die Spitze, die Höhe und der Untergang des ganzen Verhältnisses. Es ist daher wieder eine große Tat der neueren englischen Nationalökonomie die Grundrente als den Unterschied der Zinsen des schlechtesten der Kultur angehörigen Bodens und des besten Kulturbodens anzugeben, die romantischen Einbildungen des Grundeigentümers — seine angeblich soziale Wichtigkeit und die Identität seines Interesses mit dem Interesse der Gesellschaft, die noch nach den Physiokraten *Adam Smith* behauptet —, nach[gewiesen] [1] und die Bewegung der Wirklichkeit antizipiert und vorbereitet zu [haben] [1] die den Grundeigentümer in einen ganz gewöhnlichen, prosaischen Kapitalisten verwandelt, dadurch den Gegensatz vereinfachen, zuspitzen und damit seine Auflösung beschleunigen wird. Die *Erde* als *Erde*, die *Grundrente* als *Grundrente* haben damit ihren *Standesunterschied*

---

[1] [Seite eingerissen.]

verloren und sind zum nichtssagenden oder vielmehr nur geldsagenden *Kapital* und Interesse geworden. — Der *Unterschied* von Kapital und Erde, von Gewinn und Grundrente, von beidem, vom Arbeitslohn, von der *Industrie*, von der Agrikultur, von dem *unbeweglichen* und *beweglichen* Privateigentum, ist ein noch *historischer* nicht im Wesen der Sache begründeter Unterschied, ein *fixiertes* Bildungs- und Entstehungsmoment des Gegensatzes von Kapital und Arbeit. In der Industrie etc. im Gegensatz zum unbeweglichen Grundeigentum ist nur die Entstehungsweise und der Gegensatz, in den sich die Industrie zur Agrikultur ausgebildet hat, ausgedrückt. Als eine *besondere* Art der Arbeit, Unterschied besteht dieser Unterschied nur, so lange die Industrie (das Stadtleben) *gegenüber* dem Landbesitz (dem Adligen, Feudalleben) sich bildet und noch den feudalen Charakter ihres Gegensatzes an sich selbst in der Form des Monopols, Zunft, Gilde, Korporation etc. trägt, innerhalb als ein *wesentlicher, gewichtiger*, das *Leben umfassender* welcher Bestimmungen die Arbeit noch eine scheinbar gesellschaftliche Bedeutung, noch die Bedeutung des *wirklichen* Gemeinwesens hat, noch nicht zur *Gleichgültigkeit* gegen ihren Inhalt und zum völligen Sein für sich selbst d. h. zur Abstraktion von allem anderen Sein und darum auch noch nicht zum *freigelassenen* Kapital fortgegangen ist.

————————————————————————————————[1]

Aber die notwendige *Entwicklung* der Arbeit ist die freigelassene, als solche für sich konstituierte *Industrie* und das *freigelassene Kapital*. Die Macht der Industrie über ihren Gegensatz zeigt sich sogleich in der Entstehung der *Agrikultur* als einer wirklichen Industrie, während sie früher die Hauptarbeit dem Boden überließ und den Sklaven dieses Bodens, durch welchen dieser sich selbst baute. Mit der Verwandlung des Sklaven in einen freien Arbeiter, d. h. in einen *Söldling*, ist der Grundherr an sich in einen Industrie-

———

[1] [Neue Seite; Numerierung nicht feststellbar, da die Seite eingerissen und beschädigt ist. Dadurch sind auch einige Worte nicht zu entziffern.]

herrn, einen Kapitalisten verwandelt, eine Verwandlung, die zunächst durch das Mittelglied des *Pächters* geschieht. Aber der *Pächter* ist der Repräsentant, das offenbarte *Geheimnis* des Grundeigentümers, nur durch ihn ist *sein nationalökonomisches* Dasein, sein Dasein als Privateigentümer — denn die Grundrente seiner Erde ist nur durch die Konkurrenz — der Pächter. Also *ist* der Grundherr wesentlich schon im *Pächter* ein *gemeiner* Kapitalist geworden. Und dies muß sich noch an der Wirklichkeit vollziehen, der Agrikultur treibende Kapitalist — der Pächter — muß Grundherr werden oder umgekehrt. Der *Industrieschacher* des Pächters ist der des *Grundeigentümers,* denn das Sein des ersten setzt das Sein des zweiten. —

Aber ihrer gegensätzlichen Entstehung sich erinnernd, ihrer Herkunft — der Grundeigentümer weiß den Kapitalisten als seinen übermütigen, freigelassenen, bereicherten Sklaven von gestern und sieht sich selbst als *Kapitalist* durch jenen bedroht — der Kapitalist weiß den Grundeigentümer als den nichtstuenden und grausamen egoistischen Herrn von gestern, er weiß, daß er ihn als Kapitalist beeinträchtigt, — doch der Industrie seine ganze jetzige gesellschaftliche Bedeutung, seine Habe und seinen Genuß verdankt, er sieht in ihm einen Gegensatz der *freien* Industrie und des *freien*, von jeder Naturbestimmung unabhängigen Kapitals — dieser Gegensatz ist höchst bitter und sagt sich wechselseitig die Wahrheit. Man braucht nur die Angriffe des unbeweglichen Eigentums auf das bewegliche und umgekehrt zu lesen, um sich von ihrer wechselseitigen Nichtswürdigkeit ein anschauliches Bild zu verschaffen. Der Grundeigentümer macht den Geburtsadel seines Eigentums, die feudalen souvenirs, Reminiszenzen, die Poesie der Erinnerung, sein schwärmerisches Wesen, seine politische Wichtigkeit etc. geltend und wenn sie nationalökonomisch sprechen: der Landbau sei *allein* produktiv. Er schildert zugleich seinen Gegner als einen schlauen, feilbietenden, mäkelnden, betrügerischen, habsüchtigen, verkäuflichen, empörungssüchtigen, herz- und geistlosen, dem Gemeinwesen entfremdeten, frei es verschachernden, wuchernden, kuppelnden, sklavischen, geschmeidigen, schöntuenden, prellenden, trok-

kenen, die Konkurrenz und daher den Pauperismus und
den verbrechenden, die Auflösung aller sozialen Bande erzeugenden, nährenden, hätschelnden *Geldschurken* ohne
Ehre, ohne Grundsätze, ohne Poesie, ohne alles. (Siehe unter anderen den Physiokraten *Bergaße*, den schon in seinem
Journal: Revolutions de France et de Brabant Camille Des-
moulins geißelt, siehe von Vincke, Lanzizolle, Haller, Leo,
Kosegarten, den gespreizten althegelschen Theologen Funke,
der mit Tränen in den Augen auch Herrn Leo erzählt, wie
ein Sklave bei der Aufhebung der Leibeigenschaft sich ge-
weigert habe, aufzuhören, ein adliges Eigentum zu sein,
siehe auch *Justus Mösers patriotische Phantasien,* die sich
dadurch auszeichnen, daß sie nicht einen Augenblick den
Gesichtskreis der biederen, kleinbürgerlichen [?] [?] und
siehe Sismondi.) Das bewegliche Eigentum seinerseits zeigt
auf die Wunder der Industrie und der Bewegung, es ist das
Kind der modernen Zeit und ihr berechtigter, eingeborener
Sohn: es bedauert seinen Gegner als einen über sein Wesen
unaufgeklärten (und das ist vollkommen richtig) Schwach-
kopf, der an die Stelle des moralischen Kapitals und der
freien Arbeit die rohe unmoralische Gewalt und die Leibeigenschaft setzen wolle; er schildert ihn als ein Don Quichotte, der unter dem Schein der *Gradheit, Biederkeit,* des
allgemeinen Interesses, des *Bestandes* die Bewegungsunfä-
higkeit, die habsüchtige Genußsucht, die Selbstsucht, das
Sonderinterese, die schlechte Absicht wittert (?); es erklärt
ihn für einen durchtriebenen *Monopolisten;* seine Reminiszenzen, seine Poesie, seine Schwärmerei dämpft es durch
eine historische und sarkastische Aufzählung der Niederträchtigkeit, Grausamkeit, Wegwerfung, Prostitution, Infamie, Anarchie, Empörung [?] Werkstatt in den romantischen Schlössern waren.
Es[1] habe dem Volk die politische Freiheit verschafft, die
Fessel der bürgerlichen Gesellschaft gelöst, die Welten miteinander verbunden, den menschenfreundlichen Handel,
die reine Moral, die gefällige Bildung geschaffen; es habe
dem Volk statt seiner rohen zivilisierten Bedürfnisse und

---

[1] [Neue Seite ohne Numerierung, da eingerissen.]

die Mittel ihrer Befriedigung gegeben, während der Grundeigentümer — dieser untätige und ignorante Kornwucherer — dem Volk die ersten Lebensmittel verteure, dadurch den Kapitalisten zwinge den Arbeitslohn zu erhöhen, ohne die Produktionskraft erhöhen zu können, so daß jährliche Einkommen der Nation, die Akkumulation der Kapitalien, also die Möglichkeit, dem Volke Arbeit und dem Lande Reichtum zu verschaffen, verhindere, endlich ganz aufhebe, einen allgemeinen Untergang herbeiführe und *alle* Vorteile der modernen Zivilisation wucherisch ausbeute, ohne das Geringste für sie zu tun und gar ohne von seinen Feudalvorurteilen abzulassen. Endlich solle er nur auf seinen *Pächter* sehen — er, bei dem der Landbau und der Boden selbst nur als eine ihm geschenkte Geldquelle existiert — und er solle sagen, ob er nicht ein *biederer, phantastischer, schlauer* Schurke sei, der dem Herzen und der Wirklichkeit nach der *freien* Industrie und dem *lieblichen* Handel schon längst angehöre, so sehr er sich auch dagegen sträube und von so vielen historischen Erinnerungen und sittlichen oder politischen Zwecken plaudere. Alles, was er wirklich zu seinen Gunsten vorbringe, sei nur wahr für den *Landbauer* (den Kapitalisten und die Arbeitsknechte), deren *Feind* vielmehr der *Grundeigentümer* sei; er beweise also gegen sich selbst. *Ohne* Kapital sei das Grundeigentum tote, wertlose Materie. — Aus dem *wirklichen* Lauf der Entwicklung (siehe Paul Louis Courrier, St. Simon, Ganilh, Ricardo, Mill, MacCulloch und Destutt de Tracy und Michel Chevalier) folgt der notwendige Sieg des *Kapitalisten*, d. h. des ausgebildeten Privateigentums, über das unausgebildete, halbe des *Grundeigentümers*, wie überhaupt schon die Bewegung über die Unbeweglichkeit, die offene selbstbewußte Gemeinheit über die versteckte und bewußtlose, die Habsucht über die *Genußsucht*, der eingestandene, rastlose, vielgewandte Eigennutz der *Aufklärung* über den lokalen, weltklugen, biederen, trägen und phantastischen Eigennutz des Aberglaubens, wie das *Geld* über die andere Form des Privateigentums siegen muß — sein zivilisierter Sieg sei es aber, an die Stelle des toten Dings die menschliche Arbeit als Quelle des Reichtums entdeckt und geschaffen zu haben.

Die Staaten, welche etwas von der Gefahr der vollendeten freien Industrie der vollendeten freien Moral und dem vollendeten menschenfreundlichen Handel ahnen, suchen die Kapitalisierung des Grundeigentums — aber ganz vergeblich — aufzuhalten. — — Das *Grundeigentum*, in seinem Unterschied von dem Kapital, ist das Privateigentum, das Kapital noch von *lokalen*, und politischen Vorurteilen behaftet, das noch nicht ganz aus seiner Verstrickung mit der Welt zu sich selbst gekommene, das noch *unvollendete* Kapital. Es muß im Laufe seiner *Weltbildung* zu seinem abstrakten, d. h. *reinen* Ausdruck gelangen. —

Das Verhältnis des *Privateigentums* ist Arbeit, Kapital und die Beziehung beider. Die Bewegung, die diese Glieder zu durchlaufen haben, sind:

Erstens. Unmittelbare und vermittelte Einheit beider.
Kapital und Arbeit erst noch vereint: dann zwar getrennt und entfremdet, aber sich wechselseitig als *positive* Bedingungen hebend und fördernd.

Gegensatz beider: Schließen sich wechselseitig aus. Der Arbeiter weiß den Kapitalisten und umgekehrt als sein Nichtdasein: jeder sucht dem anderen sein Dasein zu entreißen.

Gegensatz jedes *gegen* sich selbst. Kapital = aufgehäufte Arbeit = Arbeit. Als solche zerfallend in *sich* und seine *Zinsen*, wie diese wieder in *Zinsen und Gewinn*. Restlose Aufhebung des Kapitalisten. Er fällt in die Arbeiterklasse, wie der Arbeiter — aber nur ausnahmsweise — Kapitalist wird. Arbeit als Moment des Kapitals, seine *Kosten*. Also der Arbeitslohn ein Opfer des Kapitals.

Arbeiter zerfallen in *sich* und den *Arbeitslohn*. Arbeiter selbst ein Kapital, eine Ware.

Folge wechselseitiger Gegensätze.

In [1] der Phänomenologie wird das gewordene *absolute Wissen* also geschildert:

1. In der offenbaren Religion ist das *wirkliche* Selbstbewußtsein des Geistes noch nicht der *Gegenstand* seines *Bewußtseins;* er und seine Momente fallen in das Vorstellen und

---

[1] [Die folgenden vier Manuskriptseiten sind nicht numeriert und schließen im Original an Seite XXXIV an.]

in die Form der Gegenständlichkeit. Der Inhalt des Vorstellens ist der absolute Geist: es handelt sich noch um das Aufheben dieser *bloßen* Form.

2. Diese *Überwindung des Gegenstands* des Bewußtseins...[1] ist nicht nur das Einseitige, daß der Gegenstand sich als in das Selbst zurückkehrend zeigt, sondern *bestimmter* so . .[1], daß er sowohl als solcher sich ihm verschwindend darstellt, als noch vielmehr, daß die Entäußerung des Selbstbewußtseins es ist, welche die Dingheit setzt, und daß diese *Entäußerung* nicht nur *negative*, sondern *positive* Bedeutung, sie nicht nur *für uns* oder an sich, sondern *für es selbst* hat. *Für es* hat das Negative des Gegenstandes oder dessen sichselbst-Aufheben dadurch die positive Bedeutung, oder es *weiß* diese *Nichtigkeit* desselben dadurch einerseits, daß es sich selbst entäußert; — denn in dieser Entäußerung setzt es *sich* als Gegenstand oder den Gegenstand um der untrennbaren Einheit des *Fürsichseins* willen als sich selbst...[1] Andererseits liegt hierin zugleich dies andere Moment, daß es diese Entäußerung und Gegenständlichkeit ebenso sehr auch aufgehoben und in sich zurückgenommen hat, also in *seinem* Anderssein als solchem bei sich ist . . .[1]

3. Dies ist die Bewegung seines Bewußtseins und dieses ist darin die Totalität seiner Momente . .[1] Es muß sich ebenso zu dem Gegenstande nach der Totalität seiner Bestimmungen verhalten und ihn nach jeder derselben so erfaßt haben. Diese Totalität seiner Bestimmungen macht *ihn an sich* zum *geistigen* Wesen, und für das Bewußtsein wird er dies in Wahrheit durch das Auffassen einer jeden einzelnen derselben als Selbsts oder durch das eben genannte *geistige Verhalten* zu ihnen.

4. Der *Gegenstand* also teils *unmittelbares* Sein oder ein *Ding* überhaupt — was dem unmittelbaren Bewußtsein entspricht: Teils ein Anderswerden seiner, sein *Verhältnis* und *Sein für Andres und Fürsichsein*, die Bestimmtheit — was der *Wahrnehmung* — teils *Wesen* oder als Allgemeines, was dem Verstand entspricht. (Sein, Wesen, Begriff, Allgemeinheit, Besonderheit, Einzelnheit. Position, Negation, Nega-

---

[1] [Punkte von Marx.]

tion der Negation. Unmittelbarkeit, Vermittlung, Sich aufhebende Vermittlung. Beisichsein, Entäußerung, Rückkehr aus der Entäußerung in sich. An sich, für sich, an und für sich. Einfacher Gegensatz, entschiedener, aufgehobener. Einheit, Unterschied, Selbstunterscheidung. Identität, Negation, Negativität. Logik, Natur, Geist. Reines Bewußtsein, Bewußtsein, Selbstbewußtsein. Begriff, Urteil, Schluß.) Er ist als Ganzes der Schluß oder die Bewegung des Allgemeinen durch die Bestimmung zur Einzelnheit, wie die umgekehrte, von der Einzelnheit durch sie als aufgehobene oder die Bestimmung zum Allgemeinen. — Nach diesen drei Bestimmungen also muß das Bewußtsein ihn *als sich selbst* wissen. Es ist dies jedoch nicht das *Wissen*, als *reines Begreifen* des Gegenstandes, von dem die Rede ist, sondern dies Wissen soll nur in seinem Werden oder in seinen Momenten nach der Seite aufgezeigt werden, die dem Bewußtsein als solchem angehört und die Momente des eigentlichen Begriffes oder reinen Wissens in der Form von Gestaltungen des Bewußtseins. Darum erscheint der Gegenstand im Bewußtsein noch nicht als die geistige Wesenheit, wie sie von uns ausgesprochen worden, und sein Verhalten zu ihm ist nicht die Betrachtung desselben in dieser Totalität als solcher noch in ihrer *reinen* Begriffsform, sondern teils *Gestalt* des Bewußtseins überhaupt, teils eine Anzahl solcher Gestalten, die wir zusammennehmen und in welcher die Totalität der Momente des Gegenstandes und des Verhaltens des Bewußtseins nur aufgelöst in ihre Momente aufgezeigt werden können.

5. In Ansehung des *Gegenstandes*, insofern er unmittelbar, ein *gleichgültiges* (sic) Sein ist, sahen wir die beobachtende Vernunft in diesem gleichgültigen Dinge sich selbst *suchen* und *finden*, d. h. ihres Tuns als eines ebenso *äußerlichen* sich bewußt sein, als sie des Gegenstandes nur als eines unmittelbaren bewußt ist . . .[1] auf ihrer Spitze spricht sie ihre Bestimmung in dem unendlichen Urteil aus, daß das *Sein des Ich ein Ding ist*. Und zwar ein sinnliches und unmittelbares Ding; wenn Ich *Seele* genannt wird, ist es zwar auch

---

[1] [Die Punkte von Marx.]

als Ding vorgestellt, aber als ein unsichtbares, unfühlbares; in der Tat also nicht als unmittelbares Sein, was man mit einem *Ding* meint. Jenes geistlose Urteil dagegen ist seinem[1] Begriffe nach das geistreichste; nun zu sehen, wie sein *Inneres* ausgesprochen wird. Das *Ding ist Ich:* d. h. das Ding aufgehoben: es ist nichts an sich: es hat nur Bedeutung im Verhältnisse, nur durch *Ich* und seine *Beziehung* auf dasselbe. — Dies Moment hat sich für das Bewußtsein der reinen Einsicht und Aufklärung ergeben. Die Dinge sind schlechthin *nützlich* und nur nach ihrer *Nützlichkeit* zu betrachten . . .[2] Das *gebildete* Selbstbewußtsein, das die Welt des sich entfremdeten Geistes durchlaufen, hat durch seine Entäußerung das Ding als sich selbst erzeugt, behält daher in ihm noch sich selbst, und weiß die Unselbständigkeit desselben, oder daß das Ding *wesentlich* nur *Sein für andres* ist; oder vollständig das *Verhältnis,* d. h. das, was die Natur des Gegenstandes hier allein ausmacht, ausgedrückt, so gilt ihm das Ding als ein für sich *Seiendes,* es spricht die sinnliche Gewißheit als absolute Wahrheit aus, aber dies *Fürsichsein* selbst als Moment, das nur verschwindet, und in sein Gegenteil, in das preisgegebene Sein für andres, übergeht. — Hierin ist aber das Wissen des Dinges noch nicht vollendet: es muß nicht nur noch die Unmittelbarkeit des Seins und noch die Bestimmtheit, sondern auch als *Wesen* oder *Inneres,* als das *Selbst* gewußt werden. Dies ist in dem *moralischen Selbstbewußtsein* vorhanden. Dies weiß sein Wissen als die *absolute Wesenheit* oder das *Sein* schlechthin als das reine Wollen oder Wissen; *es ist nichts,* als nur dieses Wollen oder Wissen: anderem kommt nur unwesentliches Sein, d. h. nicht *ansichseiendes,* nur seine leere Hülse zu. Insofern das moralische Bewußtsein das *Dasein* in seiner Weltvorstellung aus dem Selbst entläßt, nimmt es dasselbe ebensosehr wieder in sich zurück. Als *Gewissen* ist es nicht mehr das sich abwechselnde Stellen und Vorstellen des Daseins und des Selbsts, sondern es weiß, daß sein *Dasein* als solches diese reine Gewißheit seiner selbst ist; das gegen-

---

[1] [Neue Seite, unnumeriert.]
[2] [Punkte von Marx.]

ständliche Element, in welches es sich als handelnd heraus-
stellt, ist nichts anderes, als das reine *Wissen des Selbsts
von sich.*

6. Dies sind die Momente, aus denen sich die Versöhnung
des Geistes mit seinem eigentlichen Bewußtsein zusammen-
setzt: sie für sich sind einzeln und ihre geistige Einheit
allein ist es, welche die Kraft dieser Versöhnung ausmacht.
Das letzte dieser Momente ist diese Einheit selbst und verbindet sie in der Tat alle in sich. Der seiner selbst in seinem
Dasein gewisse *Geist* hat im Elemente des *Daseins* nichts
anderes als dies Wissen von sich: das Aussprechen, das, was
er tut, er nach Überzeugung von Pflicht tut, diese seine
Sprache ist das *Gelten* (Geld) seines Handelns. — Das Handeln ist das erst *ansichseiende* Trennen der Einfachheit des
Begriffs und die Rückkehr aus dieser Trennung. Diese erste
Bewegung schlägt in die zweite um, indem das Element des
Anerkennens sich als *einfaches* Wissen von der Pflicht gegen den *Unterschied* und die *Entzweiung* setzt, die im Handeln als solchem liegt, und auf diese Weise die äußere Wirklichkeit gegen das Handeln bildet. In der *Verzeihung* sehen
wir, wie diese Härte von sich selbst abläßt und sich entäußert. Die Wirklichkeit hat also hier für das Selbstbewußtsein sowohl als *unmittelbares Dasein* keine andere Bedeutung als das reine Wissen zu sein; — ebenso als *bestimmtes* Dasein oder als Verhältnis ist das sich Gegenüberstehende ein Wissen teils von diesem rein einzelnen Selbst,
teils von dem Wissen, als Allgemeinem. Hierin ist zugleich
dies gesetzt, daß das *dritte* Moment, die *Allgemeinheit* oder
das *Wesen*, jedem der beiden Gegenüberstehenden nur als
Wissen gilt; und in dem leeren noch übrigen Gegensatz
heben sie [sich] endlich ebenso auf und sind das Wissen des
Ich = Ich, dieses *einzelne* Selbst, das unmittelbar reines
Wissen und Allgemeines ist.[1]

Versöhnung des Bewußtseins mit dem Selbstbewußtsein
darum auf doppelte Weise zustandegekommen: 1.) im religiösen Geist, 2.) im Bewußtsein selbst als solchem. 1.) Versöhnung in der Form des Ansichseins; 2.) In der Form des

---

[1] [Neue Seite, unpaginiert.]

Fürsichseins. Wie schon (?) betrachtet worden, fallen sie auseinander. Die Vereinigung beider Seiten ist nun aufzuzeigen: 1.) Geist *an sich*, absoluter Inhalt. 2.) für sich, inhaltslose Form oder nach der Seite des Selbstbewußtseins: 3.) der Geist an und für sich.

7. Diese Vereinigung in der Religion, als die Rückkehr der Vorstellung in das Selbstbewußtsein vorhandenen (?), aber nicht in der eigentlichen Form, denn die religiöse Seite ist die Seite des *Ansich*, welche der Bewegung des Selbstbewußtseins gegenübersteht. Die Vereinigung gehört der andern Seite an, die im Gegensatz der Seite der Reflexion in sich, also die, die sich selbst und ihr Gegenteil für sich entwickelt und unterschieden enthält. Der Inhalt sowie die andere Seite des Geistes als *andre* ist in ihrer Vollständigkeit vorhanden und aufgezeigt worden; die Vereinigung, welche noch fehlt, ist die einfache Einheit des Begriffs. — Er ist als besondere Gestalt des Bewußtseins die *schöne Seele*, die Gestalt des seiner selbst gewissen Geistes, der bei seinem Begriff stehen bleibt. Als sich seiner Realisierung entgegengesetzt, festhaltend, ist er die einseitige Gestalt, Verschwinden in leeren Dunst; aber auch positive Entäußerung und Fortbewegung. Durch diese Realisierung hebt sich die *Bestimmtheit* des Begriffs gegen seine *Erfüllung* auf: sein Selbstbewußtsein gewinnt die Form der Allgemeinheit. Der wahrhafte Begriff, das *Wissen* von dem reinen *Wissen* als Wesen, das *dieses* Wissen, *dieses* reine Selbstbewußtsein, das also zugleich *wahrhafter Gegenstand* ist, denn er ist das fürsichseiende Selbst.

Die Erfüllung dieses Begriffs teils im *handelnden* Geist, teils in der *Religion* . . .[1] In jener ersten Gestalt ist die Form das Selbst selber, denn sie enthält den *handelnden*, seiner selbst gewissen Geist, das *Selbst führt das Leben des absoluten Geistes durch*. Diese Gestalt ist jener einfache Begriff, der aber sein *ewiges Wesen* aufgibt, *da ist* oder *handelt*. Das *Entzweien* oder Hervortreten hat er in der Reinheit des Begriffs, denn sie ist die *absolute Abstraktion* oder Negativität. Ebenso das Element des Seins und seiner Wirklichkeit

---

[1] [Punkte von Marx.]

an ihm selbst, denn es ist die einfache *Unmittelbarkeit*, die ebenso *Sein* und *Dasein* als Wesen ist, jenes das negative, dies das positive Denken selbst. Hegel entwickelt nun weiter den langweiligen Prozeß der schönen Seele, deren Resultat *reine Allgemeinheit des Wissens*, welche[s] Selbstbewußtsein ist. — Der Begriff verbindet es, daß der *Inhalt* eignes *Tun des Selbst* ist; denn dieser Begriff ist das Wissen des Tuns des Selbsts in sich als aller Wesenheit und alles Daseins, das Wissen von *diesem Subjekt* als der *Substanz* und von der Substanz als diesem Wissen seines Tuns.

8. Der sich in seiner *Geistesgestalt* wissende *Geist*, das *begreifende Wissen*. Die *Wahrheit* nicht nur *an sich* gleicht der *Gewißheit*, sondern hat auch die *Gestalt* der Gewißheit seiner selbst oder sie ist in ihrem Dasein, d. h. für den wissenden Geist in der *Form* des Wissens seiner selbst. Die Wahrheit ist der *Inhalt*, der in der Religion seiner Gewißheit nach ungleich ist. Diese Gleichheit aber ist darin, daß der Inhalt die Gestalt des Selbst erhalten. Dadurch ist dasjenige zum Elemente des Daseins oder zur *Form der Gegenständlichkeit* für das Bewußtsein geworden, was das Wesen selbst ist — der Begriff. Der Geist in diesem Element dem Bewußtsein *erscheinend* oder darin von ihm hervorgebracht, ist die *Wissenschaft*. Es ist das reine *Fürsichsein* des Selbstbewußtseins: es ist *Ich*, als *dieses* und kein anderes Ich und das ebenso unmittelbar *vermittelt* oder aufgehobenes *allgemeines* Ich ist. Es hat einen *Inhalt*, den es von sich *unterscheidet;* denn es ist die reine Negativität oder das sich Entzweien: es ist *Bewußtsein*. Dieser Inhalt ist in seinem Unterschiede selbst das Ich, denn er ist die Bewegung des sich selbst Aufhebens oder dieselbe reine Negativität, die Ich ist. Ich ist in ihm als unterschiedenem in sich reflektiert: der Inhalt ist allein dadurch *begriffen*, daß Ich in seinem *Anderssein* bei sich selbst ist.

4.)[1] Dieser Inhalt, *bestimmter* angegeben, ist nichts anderes, als *die soeben ausgesprochene Bewegung* selbst: denn er ist der Geist, der sich selbst, und zwar *für sich* als Geist durchläuft, dadurch daß er die Gestalt des Begriffes in seiner Ge-

---

[1] [Neue Seite, unnumeriert.]

genständlichkeit hat. Was das *Dasein* dieses Begriffes betrifft, so erscheint in der Zeit und Wirklichkeit die *Wissenschaft* nicht eher, als bis der Geist zu diesem Bewußtsein über sich gekommen ist. Als der Geist, der weiß, was er ist, existiert er früher nicht und sonst nirgends als nach Vollendung der Arbeit, seine unvollkommene Gestalt zu bezwingen, sich für sein Bewußtsein die Gestalt seines Wesens zu verschaffen und auf diese Weise sein *Selbstbewußtsein* mit seinem *Bewußtsein* auszugleichen. Siehe die Fortsetzung p. 583 sqq. Selbstloses Sein verborgen, *offenbar ist sich nur die Gewißheit seiner selbst.* Das Verhältnis der Zeit zur Geschichte. Der begreifende Geist *tilgt* die Zeit. *Erfahrung und Wissen,* Verwandlung der Substanz in Subjekt, des Gegenstandes des Bewußtseins in den Gegenstand des Selbstbewußtseins, d. h. in *ebensosehr aufgehobenen Gegenstand* oder *Begriff.* Erst als dies sich in sich reflektierende Werden ist es in Wahrheit der Geist. Insofern der Geist also notwendig dieses Unterscheiden in sich ist, tritt sein Ganzes angeschaut seinem einfachen Selbstbewußtsein gegenüber, und da also jenes das Unterschiedene ist, so ist es unterschieden in seinem angeschauten reinen Begriff, in der *Zeit,* und in dem Inhalt, dem *Ansich:* die Substanz hat als Subjekt, die erst *innere Notwendigkeit* an ihr, sich an ihr selbst als das darzustellen, was sie *an sich* ist, *als Geist. Die vollendete gegenständliche Darstellung* ist erst zugleich die *Reflexion derselben* oder das *Werden derselben* zum Selbst. Ehe daher der Geist nicht *an sich,* nicht als Weltgeist *sich vollendet,* kann er nicht als *selbstbewußter* Geist seine Vollendung erreichen. Der Inhalt der Religion spricht darum früher in der Zeit als die Wissenschaft es aus, was der *Geist ist,* aber diese ist allein sein wahres Wissen von ihm selbst ...[1] Die *Bewegung, die Form seines Wissens von sich.*

---

[1] [Punkte von Marx.]

VII

DIE HEILIGE FAMILIE (1844/45)

a. Der dialektische Gegensatz von Proletariat und Reichtum

Proletariat und Reichtum sind Gegensätze. Sie bilden als solche ein Ganzes. Sie sind beide Gestaltungen der Welt des Privateigentums. Es handelt sich um die bestimmte Stellung, die beide in dem Gegensatz einnehmen. Es reicht nicht aus, sie für zwei Seiten eines Ganzen zu erklären.

Das Privateigentum als Privateigentum, als Reichtum, ist gezwungen, sich selbst und damit seinen Gegensatz, das Proletariat, im Bestehen zu erhalten. Es ist die positive Seite des Gegensatzes, das in sich selbst befriedigte Privateigentum.

Das Proletariat ist umgekehrt als Proletariat gezwungen, sich selbst und damit seinen bedingenden Gegensatz, der es zum Proletariat macht, das Privateigentum, aufzuheben. Es ist die negative Seite des Gegensatzes, seine Unruhe in sich, das aufgelöste und sich auflösende Privateigentum.

Die besitzende Klasse und die Klasse des Proletariats stellen dieselbe menschliche Selbstentfremdung dar. Aber die erste Klasse fühlt sich in dieser Selbstentfremdung wohl und bestätigt, weiß die Entfremdung als ihre eigene Macht, und besitzt in ihr den Schein einer menschlichen Existenz; die Zweite fühlt sich in der Entfremdung vernichtet, erblickt in ihr ihre Ohnmacht und die Wirklichkeit einer unmenschlichen Existenz. Sie ist, um einen Ausdruck von Hegel zu gebrauchen, in der Verworfenheit die Empörung über diese Verworfenheit, eine Empörung, zu der sie notwendig durch den Widerspruch ihrer menschlichen Natur mit ihrer Lebenssituation, welche die offenherzige, entschiedene, umfassende Verneinung dieser Natur ist, getrieben wird.

Innerhalb des Gegensatzes ist der Privateigentümer also die konservative, der Proletarier die destruktive Partei. Von

Jenem geht die Aktion des Erhaltens des Gegensatzes, von Diesem die Aktion seiner Vernichtung aus.

Das Privateigentum treibt allerdings sich selbst in seiner nationalökonomischen Bewegung zu seiner eigenen Auflösung fort, aber nur durch eine von ihm unabhängige, bewußtlose, wider seinen Willen stattfindende, durch die Natur der Sache bedingte Entwicklung, nur indem es das Proletariat *als* Proletariat erzeugt, das seines geistigen und physischen Elends bewußte Elend, die ihrer Entmenschung bewußte und darum sich selbst aufhebende Entmenschung. Das Proletariat vollzieht das Urteil, welches das Privateigentum durch die Erzeugung des Proletariats über sich selbst verhängt, wie es das Urteil vollzieht, welches die Lohnarbeit über sich selbst verhängt, indem sie den fremden Reichtum und das eigene Elend erzeugt. Wenn das Proletariat siegt, so ist es dadurch keineswegs zur absoluten Seite der Gesellschaft geworden, denn es siegt nur, indem es sich selbst und sein Gegenteil aufhebt. Alsdann ist ebensowohl das Proletariat wie sein bedingender Gegensatz, das Privateigentum, verschwunden.

Wenn die sozialistischen Schriftsteller dem Proletariat diese weltgeschichtliche Rolle zuschreiben, so geschieht dies keineswegs, wie die kritische Kritik zu glauben vorgibt, weil sie die Proletarier für Götter halten. Vielmehr umgekehrt. Weil die Abstraktion von aller Menschlichkeit, selbst von dem Schein der Menschlichkeit im ausgebildeten Proletariat praktisch vollendet ist, weil in den Lebensbedingungen des Proletariats alle Lebensbedingungen der heutigen Gesellschaft in ihrer unmenschlichsten Spitze zusammengefaßt sind, weil der Mensch in ihm sich selbst verloren, aber zugleich nicht nur das theoretische Bewußtsein dieses Verlustes gewonnen hat, sondern auch unmittelbar durch die nicht mehr abzuweisende, nicht mehr zu beschönigende, absolut gebieterische Not — dem praktischen Ausdruck der Notwendigkeit — zur Empörung gegen diese Unmenschlichkeit gezwungen ist, darum kann und muß das Proletariat sich selbst befreien. Es kann sich aber nicht selbst befreien, ohne seine eigenen Lebensbedingungen aufzuheben. Es kann seine eigenen Lebensbedingungen nicht aufheben, ohne *alle* unmenschlichen Lebensbedingungen der heutigen Gesellschaft, die sich in seiner Situation zusammenfassen, aufzuheben. Es macht nicht vergebens die harte, aber stählende Schule der Arbeit durch. Es handelt sich nicht darum, was dieser oder jener Proletarier oder selbst das ganze Proletariat als Ziel sich einstweilen *vorstellt*. Es handelt sich darum, *was es ist*, und was es diesem *Sein* gemäß geschichtlich zu tun gezwungen sein wird. Sein Ziel und seine geschichtliche Aktion ist in seiner eigenen Lebenssituation, wie in der ganzen Organisation der heutigen bürgerlichen Gesellschaft sinnfällig, unwiderruflich vorgezeichnet. Es bedarf hier nicht der Ausführung, daß ein großer Teil des englischen und französischen Proletariats sich seiner geschichtlichen Aufgabe schon bewußt ist und beständig daran arbeitet, dies Bewußtsein zur vollständigen Klarheit herauszubilden.

b. Idee und Interesse

„Alle großen Aktionen der bisherigen Geschichte", erfahren wir, „waren deshalb von vornherein verfehlt und ohne eingreifenden Erfolg, weil die Masse sich für sie interessiert und enthusiasmiert hatte, — oder sie mußten ein klägliches Ende nehmen, weil die Idee, um die es sich in ihnen handelte, von der Art war, daß sie sich mit einer oberflächlichen Auffassung begnügen, also auch auf den Beifall der Masse rechnen mußte." Es scheint, daß eine Auffassung, welche für eine Idee genügt, also einer Idee entspricht, aufhört oberflächlich zu sein. Herr Bruno[1] bringt nur zum Schein ein Verhältnis zwischen der Idee und ihrer Auffassung hervor, wie er nur zum Schein ein Verhältnis der verfehlten geschichtlichen Aktion zur Masse hervorbringt. Wenn die absolute Kritik daher irgend etwas als „oberflächlich" verdammt, so ist es die bisherige Geschichte schlechthin, deren Aktionen und Ideen die Ideen und Aktionen von „Massen" waren. Sie verwirft die massenhafte Geschichte, an deren Stelle (man sehe Herrn Jules Faucher über die englischen Tagesfragen) sie die kritische Geschichte setzen wird. Nach der bisherigen unkritischen, also nicht im Sinn der absoluten Kritik verfaßten Geschichte ist ferner genau

---

[1] [Bruno Bauer.]

zu unterscheiden, inwieweit die Masse sich für Zwecke „interessierte", und inwieweit sie sich für dieselben „enthusiasmierte". Die „Idee" blamierte sich immer, soweit sie von dem „Interesse" unterschieden war. Andererseits ist es leicht zu begreifen, daß jedes massenhafte, geschichtlich sich durchsetzende „Interesse", wenn es zuerst die Weltbühne betritt, in der „Idee" oder „Vorstellung" weit über seine wirklichen Schranken hinausgeht, und sich mit dem menschlichen Interesse schlechthin verwechselt. Diese Illusion bildet das, was Fourrier den Ton einer jeden Geschichtsepoche nennt. Das Interesse der Bourgeoisie in der Revolution von 1789, weit entfernt „verfehlt" zu sein, hat alles „gewonnen" und hat „den eingreifendsten Erfolg" gehabt, so sehr der „Pathos" verrauchte und so sehr die „enthusiastischen" Blumen, womit dieses Interesse seine Wiege bekränzte, verwelkt sind. Dieses Interesse war so mächtig, daß es die Feder eines Marat, die Guillotine der Terroristen, den Degen Napoleons wie das Kruzifix und das Vollblut der Bourbonen siegreich überwand. „Verfehlt" ist die Revolution nur für *die* Masse, die in der politischen „Idee" nicht die Idee ihres wirklichen „Interesses" besaß, deren wahres Lebensprinzip also mit dem Lebensprinzip der Revolution nicht zusammenfiel, deren reale Bedingungen der Emanzipation wesentlich verschieden sind von den Bedingungen, innerhalb deren die Bourgeoisie sich und die Gesellschaft emanzipieren konnte. Ist also die Revolution, die alle großen geschichtlichen „Aktionen" repräsentieren kann, verfehlt, so ist sie verfehlt, weil die Masse, innerhalb deren Lebensbedingungen sie wesentlich stehen blieb, eine exklusive, nicht die Gesamtheit umfassende, eine beschränkte Masse war. Nicht weil die Masse sich für die Revolution „enthusiasmierte" und „interessierte", sondern weil der zahlreichste, der von der Bourgeoisie unterschiedene Teil der Masse, in dem Prinzip der Revolution nicht sein wirkliches Interesse, nicht sein eigentümliches revolutionäres Prinzip, sondern nur eine „Idee", also nur einen Gegenstand des momentanen Enthusiasmus und einer nur scheinbaren Erhebung besaß.

Mit der Gründlichkeit der geschichtlichen Aktion wird also der Umfang der Masse zunehmen, deren Aktion sie ist. In

der kritischen Geschichte, nach welcher es sich bei geschichtlichen Aktionen nicht um die agierenden Massen, nicht um
die empirische Handlung, noch um das empirische Interesse
dieser Handlung, sondern „in ihnen" vielmehr nur „um
eine Idee handelt", muß sich die Sache allerdings anders
zutragen.

„In der Masse", belehrt sie uns, „nicht anderwärts, wie ihre
früheren liberalen Wortführer meinen, ist der wahre Feind
des Geistes zu suchen."

Die Feinde des Fortschritts außer der Masse sind eben die
verselbständigten, mit eigenem Leben begabten Produkte
der Selbsterniedrigung, der Selbstverwerfung, der Selbstentäußerung der Masse. Die Masse richtet sich daher gegen
ihren eigenen Mangel, indem sie sich gegen die selbständig
existierenden Produkte ihrer Selbsterniedrigung richtet, wie
der Mensch, indem er sich gegen das Dasein Gottes kehrt,
sich gegen seine eigene Religiosität kehrt. Weil aber jene
praktischen Selbstentäußerungen der Masse in der wirklichen Welt auf eine äußerliche Weise existieren, so muß sie
dieselben zugleich auf eine äußerliche Weise bekämpfen.
Sie darf diese Produkte ihrer Selbstentäußerung keineswegs
für nur ideale Phantasmagorien, für bloße Entäußerungen
des Selbstbewußtseins halten, und die materielle Entfremdung durch eine rein innerliche spiritualistische Aktion vernichten wollen. Schon die Zeitschrift Loustalots vom Jahre
1789 führt das Motto:

> Les grands ne nous paraissent grands
> Que parceque nous sommes à genoux
> — — Levons nous! — —

Aber um sich zu heben, genügt es nicht, sich in Gedanken
zu heben, und über dem wirklichen, sinnlichen Kopf das
wirkliche, sinnliche Joch, das nicht mit Ideen wegzuspintisieren ist, schweben zu lassen. Die absolute Kritik jedoch
hat von der Hegelschen Phänomenologie wenigstens *die*
Kunst erlernt, reale, objektive, außer mir existierende Ketten in bloß ideelle, bloß subjektive, bloß in mir existierende
Ketten, und daher alle äußerlichen, sinnlichen Kämpfe in
reine Gedankenkämpfe zu verwandeln.

c. Geschichte und Spekulation

Hegels Geschichtsauffassung setzt einen abstrakten oder absoluten Geist voraus, der sich so entwickelt, daß die Menschheit nur eine Masse ist, die ihn unbewußter oder bewußter trägt. Innerhalb der empirischen, exoterischen Geschichte läßt er daher eine spekulative, esoterische Geschichte vorgehen. Die Geschichte der Menschheit verwandelt sich in die Geschichte des abstrakten, daher dem wirklichen Menschen jenseitigen Geistes der Menschheit.

Parallel mit dieser Hegelschen Doktrin entwickelte sich in Frankreich die Lehre der Doktrinäre, welche die Souveränität der Vernunft im Gegensatz zur Souveränität des Volkes proklamierten, um die Massen auszuschließen und allein zu herrschen. Es ist dies konsequent. Wenn die Tätigkeit der wirklichen Menschheit Nichts als die Tätigkeit einer Masse von menschlichen Individuen ist, so muß dagegen die abstrakte Allgemeinheit, *die* Vernunft, *der* Geist im Gegenteil einen abstrakten, in wenigen Individuen erschöpften Ausdruck besitzen. Es hängt dann von der Position und der Einbildungskraft eines jeden Individuums ab, ob es sich für diesen Repräsentanten „*des* Geistes" ausgeben will.

Schon bei Hegel hat der absolute Geist der Geschichte an der Masse sein Material und seinen entsprechenden Ausdruck erst in der Philosophie. *Der* Philosoph erscheint indessen nur als das Organ, in dem sich der absolute Geist, der die Geschichte macht, nach Ablauf der Bewegung nachträglich zum Bewußtsein kömmt. Auf dieses nachträgliche Bewußtsein des Philosophen reduziert sich sein Anteil an der Geschichte, denn die wirkliche Bewegung vollbringt der absolute Geist unbewußt. Der Philosoph kommt also post festum.

Hegel macht sich einer doppelten Halbheit schuldig, einmal indem er die Philosophie für das Dasein des absoluten Geistes erklärt, und sich zugleich dagegen verwehrt, das wirkliche philosophische Individuum für den absoluten Geist zu erklären; dann aber, indem er den absoluten Geist als absoluten Geist nur zum Schein die Geschichte machen läßt. Da der absolute Geist nämlich erst post festum im Philosophen als schöpferischer Weltgeist zum Bewußtsein kommt, so existiert seine Fabrikation der Geschichte nur im Bewußtsein, in der Meinung und Vorstellung des Philosophen, nur in der spekulativen Einbildung. Herr Bruno hebt Hegels Halbheit auf.

Einmal erklärt er *die* Kritik für den absoluten Geist, und sich selbst für *die* Kritik. Wie das Element der Kritik aus der Masse verbannt ist, so ist das Element der Masse aus der Kritik verbannt. *Die* Kritik weiß sich daher nicht in einer Masse, sondern in einem geringen Häuflein auserwählter Männer, in Herrn Bauer und seinen Jüngern ausschließlich inkarniert.

Herr Bruno hebt ferner die andere Halbheit Hegels auf, indem er nicht mehr wie der Hegelsche Geist post festum in der Phantasie die Geschichte macht, sondern mit Bewußtsein im Gegensatz zu der Masse der übrigen Menschheit die Rolle des Weltgeistes spielt, in ein gegenwärtiges dramatisches Verhältnis zu ihr tritt, und die Geschichte mit Absicht und nach reiflicher Überlegung erfindet und vollzieht.

Auf der einen Seite steht die Masse als das passive, geistlose, geschichtslose, materielle Element der Geschichte; auf der anderen Seite steht: *der* Geist, *die* Kritik, Herr Bruno und Kompanie als das aktive Element, von welchem alle geschichtliche Handlung ausgeht. Der Umgestaltungsakt der Gesellschaft reduziert sich auf die Hirntätigkeit der kritischen Kritik.

Ja, das Verhältnis der Kritik, also auch der inkarnierten Kritik Herrn Brunos und Kompanie zur Masse, ist in Wahrheit das einzige geschichtliche Verhältnis der Gegenwart. Auf die Bewegung dieser beiden Seiten gegeneinander reduziert sich die ganze jetzige Geschichte. Alle Gegensätze haben sich in diesem kritischen Gegensatz aufgelöst.

d. Staat und bürgerliche Gesellschaft

Die Aufschlüsse *der* Kritik über das allgemeine Staatswesen sind nicht minder unterrichtend. Sie beschränken sich darauf, daß das allgemeine Staatswesen die einzelnen selbstsüchtigen Atome zusammenhalten muß. —

Genau und im prosaischen Sinne zu reden, sind die Mitglieder der bürgerlichen Gesellschaft keine Atome. Die charakteristische Eigenschaft des Atoms besteht darin, keine Eigenschaften und darum keine durch seine eigene Naturnotwendigkeit bedingte Beziehung zu anderen Wesen außer ihm zu haben. Das Atom ist bedürfnislos, selbstgenügsam; die Welt außer ihm ist die absolute Leere, das heißt, sie ist inhaltslos, sinnlos, nichtssagend, eben weil es alle Fülle in sich selbst besitzt. Das egoistische Individuum der bürgerlichen Gesellschaft mag sich in seiner unsinnlichen Vorstellung und unlebendigen Abstraktion zum Atom aufblähen, das heißt zu einem beziehungslosen, selbstgenügsamen, bedürfnislosen, absolut vollen, seligen Wesen. Die unselige sinnliche Wirklichkeit kümmert sich nicht um seine Einbildung, jeder seiner Sinne zwingt es, an den Sinn der Welt und der Individuen außer ihm zu glauben, und selbst sein profaner Magen erinnert es täglich daran, daß die Welt außer ihm nicht leer, sondern das eigentlich Erfüllende ist. Jede seiner Wesenstätigkeiten und Eigenschaften, jeder seiner Lebenstriebe wird zum Bedürfnis, zur Not, die seine Selbstsucht zur Sucht nach anderen Dingen und Menschen außer ihm macht. Da aber das Bedürfnis des einen Individuums keinen sich von selbst verstehenden Sinn für das andere egoistische Individuum, das die Mittel, jenes Bedürfnis zu befriedigen, besitzt, also keinen unmittelbaren Zusammenhang mit der Befriedigung hat, so muß jedes Individuum diesen Zusammenhang schaffen, indem es gleichfalls zum Kuppler zwischen dem fremden Bedürfnis und den Gegenständen dieses Bedürfnisses wird. Die Naturnotwendigkeit also, die menschlichen Wesenseigenschaften, so entfremdet sie auch erscheinen mögen, das Interesse, halten die Mitglieder der bürgerlichen Gesellschaft zusammen, das bürgerliche und nicht das politische Leben ist ihr reales Band. Nicht also der Staat hält die Atome der bürgerlichen Gesellschaft zusammen, sondern dies, daß sie Atome nur in der Vorstellung sind, im Himmel ihrer Einbildung — in der Wirklichkeit aber gewaltig von den Atomen unterschiedene Wesen, nämlich keine göttlichen Egoisten, sondern egoistische Menschen. Nur der politische Aberglaube bildet sich noch heutzutage ein, daß das bürgerliche Leben vom Staat zusammengehalten werden müsse, während umgekehrt in der Wirklichkeit der Staat von dem bürgerlichen Leben zusammengehalten wird.

e. Kritische Schlacht gegen den französischen Materialismus[1]

„Der Spinozismus hatte das 18. Jahrhundert beherrscht, sowohl in seiner französischen Weiterbildung, die die Materie zur Substanz machte, wie im Theismus, der die Materie mit einem geistigeren Namen belegte. ... Spinozas französische Schule und die Anhänger des Theismus waren nur zwei Sekten, die sich über den wahren Sinn seines Systems stritten. ... Das einfache Schicksal dieser Aufklärung war ihr Untergang in der Romantik, nachdem sie sich der Reaktion, die seit der französischen Bewegung begann, hatte gefangen geben müssen."

So weit *die* Kritik.

Wir werden der kritischen Geschichte des französischen Materialismus seine profane, massenhafte Geschichte in einer kurzen Skizze gegenüber stellen. Wir werden die Kluft zwischen der Geschichte, wie sie sich wirklich zugetragen hat, und zwischen der Geschichte, wie sie sich zuträgt nach dem Dekret *der* absoluten Kritik, der gleichmäßigen Schöpferin des Alten wie des Neuen, ehrfurchtsvoll anerkennen. Wir werden endlich, den Vorschriften *der* Kritik gehorchend, das „Warum?" „Woher?" und „Wohin?" der kritischen Geschichte zum „Gegenstand eines anhaltenden Studiums machen".

„Genau und im prosaischen Sinne zu reden", war die französische Aufklärung des 18. Jahrhunderts und namentlich der französische Materialismus nicht nur ein Kampf gegen die bestehenden politischen Institutionen, wie gegen die bestehende Religion und Theologie, sondern ebensosehr ein offener, ein ausgesprochener Kampf gegen die Metaphysik des 17. Jahrhunderts und gegen alle Metaphysik, namentlich

---

[1] [Titel von Marx.]

gegen die des Descartes, Malebranche, Spinoza und Leibniz.
Man stellte die Philosophie der Metaphysik gegenüber, wie
Feuerbach bei seinem ersten entschiedenen Auftreten wider
Hegel, der trunkenen Spekulation die nüchterne Philosophie gegenüberstellte. Die Metaphysik des 17. Jahrhunderts,
welche von der französischen Aufklärung und namentlich
von dem französischen Materialismus des 18. Jahrhunderts
aus dem Felde geschlagen war, erlebte ihre siegreiche und
gehaltvolle Restauration in der deutschen Philosophie und
namentlich in der spekulativen deutschen Philosophie des
19. Jahrhunderts. Nachdem Hegel sie auf eine geniale Weise
mit aller seitherigen Metaphysik und dem deutschen Idealismus vereint und ein metaphysisches Universalreich gegründet hatte, entsprach wieder, wie im 18. Jahrhundert,
dem Angriff auf die Theologie der Angriff auf die spekulative Metaphysik und auf alle Metaphysik. Sie wird für
immer dem nun durch die Arbeit der Spekulation selbst
vollendeten und mit dem Humanismus zusammenfallenden
Materialismus erliegen. Wie aber Feuerbach auf theoreti-
schem Gebiete, stellte der französische und englische Sozialismus und Kommunismus auf praktischem Gebiete den mit
dem Humanismus zusammenfallenden Materialismus dar.
„Genau und im prosaischen Sinne zu reden", gibt es zwei
Richtungen des französischen Materialismus, wovon die eine
ihren Ursprung von Descartes, die andere ihren Ursprung
von Locke herleitet. Der letztere ist vorzugsweise ein fran-
zösisches Bildungselement und mündet direkt in den Sozialismus. Der erstere, der mechanische Materialismus, verläuft sich in die eigentliche französische Naturwissenschaft.
Beide Richtungen durchkreuzen sich im Lauf der Entwicklung. Auf den direkt von Descartes herdatierenden französischen Materialismus haben wir nicht näher einzugehen,
so wenig als auf die französische Schule des Newton und
auf die Entwicklung der französischen Naturwissenschaft
überhaupt.
Daher nur so viel:
In seiner Physik hatte Descartes der Materie selbstschöpfe-
rische Kraft verliehen und die mechanische Bewegung als
ihren Lebensakt gefaßt. Er hatte seine Physik vollständig

von seiner Metaphysik getrennt. Innerhalb seiner Physik ist die Materie die einzige Substanz, der einzige Grund des Seins und des Erkennens.

Der mechanische französische Materialismus schloß sich der Physik des Descartes im Gegensatz zu seiner Metaphysik an. Seine Schüler waren Antimetaphysiker von Profession, nämlich Physiker.

Mit dem Arzte Leroy beginnt diese Schule, mit dem Arzte Cabanis erreicht sie ihren Höhepunkt, der Arzt Lamettrie ist ihr Zentrum. Descartes lebte noch, als Leroy die kartesische Konstruktion des Tieres — wie ähnlich im 18. Jahrhundert Lamettrie — auf die menschliche Seele übertrug, die Seele für einen Modus des Körpers, und die Ideen für mechanische Bewegungen erklärte. Leroy glaubte sogar, Descartes habe seine wahre Meinung verheimlicht. Descartes protestierte. Am Ende des 18. Jahrhunderts vollendete Cabanis den kartesischen Materialismus in seiner Schrift: „Rapport du physique et du moral de l'homme".

Der kartesische Materialismus existiert bis auf den heutigen Tag in Frankreich. Er hat seine großen Erfolge in der mechanischen Naturwissenschaft, der man die Romantik, genau und im prosaischen Sinn zu reden, am allerwenigsten vorwerfen wird.

Die Metaphysik des 17. Jahrhunderts, für Frankreich namentlich durch Descartes repräsentiert, hatte von ihrer Geburtsstunde an den Materialismus zum Antagonisten. Persönlich trat er dem Descartes in der Gestalt des Gassendi, dem Wiederhersteller des epikureischen Materialismus, gegenüber. Der französische und englische Materialismus blieb immer in einem innigen Verhältnis zu Demokrit und Epikur. Einen anderen Gegensatz hatte die kartesische Metaphysik an dem englischen Materialisten Hobbes. Gassendi und Hobbes besiegten lange nach ihrem Tode ihren Gegner in demselben Augenblicke, wo dieser als die offizielle Macht schon in allen französischen Schulen herrschte.

Voltaire hat bemerkt, daß die Indifferenz der Franzosen des 18. Jahrhunderts gegen die jesuitischen und jansenistischen Streitigkeiten weniger durch die Philosophie, als durch die Lawschen Finanzspekulationen herbeigeführt wurde. So kann man den Sturz der Metaphysik des 17. Jahrhunderts nur insofern aus der materialistischen Theorie des 18. Jahrhunderts erklären, als man diese theoretische Bewegung selbst aus der praktischen Gestaltung des damaligen französischen Lebens erklärt. Dieses Leben war auf die unmittelbare Gegenwart, auf den weltlichen Genuß und die weltlichen Interessen, auf die irdische Welt gerichtet. Seiner antitheologischen, antimetaphysischen, seiner materialistischen Praxis mußten antitheologische, antimetaphysische, materialistische Theorien entsprechen. Die Metaphysik hatte praktisch allen Kredit verloren. Wir haben hier nur den theoretischen Verlauf kurz anzudeuten.

Die Metaphysik war im 17. Jahrhundert (man denke an Descartes, Leibniz etc.) noch versetzt mit positivem, profanem Gehalte. Sie machte Entdeckungen in der Mathematik, Physik und anderen bestimmten Wissenschaften, die ihr anzugehören schienen. Schon im Anfang des 18. Jahrhunderts war dieser Schein vernichtet. Die positiven Wissenschaften hatten sich von ihr getrennt und selbständige Kreise gezogen. Der ganze metaphysische Reichtum bestand nur noch in Gedankenwesen und himmlischen Dingen, gerade als die realen Wesen und die irdischen Dinge alles Interesse in sich zu konzentrieren begannen. Die Metaphysik war fad geworden. In demselben Jahre, wo die letzten großen französischen Metaphysiker des 17. Jahrhunderts, Malebranche und Arnauld starben, wurden Helvetius und Condillac geboren.

Der Mann, der die Metaphysik des 17. Jahrhunderts und alle Metaphysik theoretisch um ihren Kredit brachte, war Pierre Bayle. Seine Waffe war der Skeptizismus, geschmiedet aus den metaphysischen Zauberformeln selber. Er selbst ging zunächst aus von der kartesischen Metaphysik. Wie Feuerbach durch die Bekämpfung der spekulativen Theologie zur Bekämpfung der spekulativen Philosophie fortgetrieben wurde, eben weil er die Spekulation als die letzte Stütze der Theologie erkannte, weil er die Theologie zwingen mußte, von der Scheinwissenschaft zu dem rohen, widerlichen Glauben zurückzuflüchten, so trieb der religiöse Zweifel den Bayle zum Zweifel an der Metaphysik, welche

diesen Glauben stützte. Er unterwarf daher die Metaphysik
in ihrem ganzen geschichtlichen Verlauf der Kritik. Er
wurde ihr Geschichtsschreiber, um die Geschichte ihres
Todes zu schreiben. Er widerlegte vorzugsweise den Spinoza
und Leibniz.

Pierre Bayle bereitete nicht nur dem Materialismus und
der Philosophie des gesunden Menschenverstandes ihre Auf-
nahme in Frankreich durch die skeptische Auflösung der
Metaphysik vor. Er kündete die atheistische Gesellschaft,
welche bald zu existieren beginnen sollte, durch den Beweis
an, daß eine Gesellschaft von lauter Atheisten existieren,
daß ein Atheist ein ehrbarer Mensch sein könne, daß sich
der Mensch nicht durch den Atheismus, sondern durch den
Aberglauben und den Götzendienst herabwürdige.

Pierre Bayle war nach dem Ausdruck eines französischen
Schriftstellers „der letzte der Metaphysiker im Sinne des
17., und der erste der Philosophen im Sinne des 18. Jahrhunderts".

Außer der negativen Widerlegung der Theologie und der
Metaphysik des 17. Jahrhunderts bedurfte man eines positiven, antimetaphysischen Systems. Man bedurfte eines
Buches, welches die damalige Lebenspraxis in ein System
brachte und theoretisch begründete. Lockes Schrift über den
„Ursprung des menschlichen Verstandes" kam wie gerufen
von jenseits des Kanals. Es wurde enthusiastisch als ein
sehnlichst erwarteter Gast empfangen.

Es fragt sich: Ist Locke etwa ein Schüler des Spinoza? Die
„profane" Geschichte mag antworten: Der Materialismus ist
der eingeborene Sohn Großbritanniens. Schon sein Scho-
lastiker Duns Scotus fragte sich, „ob die Materie nicht
denken könne".

Um dies Wunder zu bewerkstelligen, nahm er zu Gottes
Allmacht seine Zuflucht, das heißt, er zwang die Theologie
selbst, den Materialismus zu predigen. Er war überdem
Nominalist. Der Nominalismus findet sich als ein Haupt-
element bei den englischen Materialisten, wie er überhaupt
der erste Ausdruck des Materialismus ist.

Der wahre Stammvater des englischen Materialismus und
aller modernen experimentierenden Wissenschaft ist Bako.

Die Naturwissenschaft gilt ihm als die wahre Wissenschaft, und die sinnliche Physik als der vornehmste Teil der Naturwissenschaft. Anaxagoras mit seinen Homoiomerien und Demokrit mit seinen Atomen sind häufig seine Autoritäten. Nach seiner Lehre sind die Sinne untrüglich und die Quelle aller Kenntnisse. Die Wissenschaft ist Erfahrungswissenschaft, und besteht darin, eine rationelle Methode auf das sinnlich Gegebene anzuwenden. Induktion, Analyse, Vergleichung, Beobachtung, Experimentieren sind die Hauptbedingungen einer rationellen Methode. Unter den der Materie eingeborenen Eigenschaften ist die Bewegung die erste und vorzüglichste, nicht nur als mechanische und mathematische Bewegung, sondern mehr noch als Trieb, Lebensgeist, Spannkraft, als Qual — um den Ausdruck Jacob Böhmes zu gebrauchen — der Materie. Die primitiven Formen der letzteren sind lebendige, individualisierende, ihr inhärente, die spezifischen Unterschiede produzierende Wesenskräfte.

In Bako, als seinem ersten Schöpfer, birgt der Materialismus noch auf eine naive Weise die Keime einer allseitigen Entwicklung in sich. Die Materie lacht in poetisch-sinnlichem Glanze den ganzen Menschen an. Die aphoristische Doktrin selbst wimmelt dagegen noch von theologischen Inkonsequenzen.

In seiner Fortentwicklung wird der Materialismus einseitig. Hobbes ist der Systematiker des bakonischen Materialismus. Die Sinnlichkeit verliert ihre Blume und wird zur abstrakten Sinnlichkeit des Geometers. Die physische Bewegung wird der mechanischen oder mathematischen geopfert; die Geometrie wird als die Hauptwissenschaft proklamiert. Der Materialismus wird menschenfeindlich. Um den menschenfeindlichen, fleischlosen Geist auf seinem eigenen Gebiet überwinden zu können, muß der Materialismus selbst sein Fleisch abtöten und zum Asketen werden. Er tritt auf als ein Verstandeswesen, aber er entwickelt auch die rücksichtslose Konsequenz des Verstandes.

Wenn die Sinnlichkeit alle Kenntnisse den Menschen liefert, demonstriert Hobbes, von Bako ausgehend, so sind Anschauung, Gedanke, Vorstellung etc. nichts als Phantome der mehr oder minder von ihrer sinnlichen Form entkleideten

Körperwelt. Die Wissenschaft kann diese Phantome nur benennen. *Ein* Name kann auf mehrere Phantome angewandt werden. Es kann sogar Namen von Namen geben. Es wäre aber ein Widerspruch, einerseits alle Ideen ihren Ursprung in der Sinnenwelt finden zu lassen und andererseits zu behaupten, daß ein Wort mehr als ein Wort sei, daß es außer den vorgestellten, immer einzelnen Wesen noch allgemeine Wesen gebe. Eine unkörperliche Substanz ist vielmehr derselbe Widerspruch wie ein unkörperlicher Körper. Körper, Sein, Substanz ist eine und dieselbe reelle Idee. Man kann den Gedanken nicht von einer Materie trennen, *die* denkt. Sie ist das Subjekt aller Veränderungen. Das Wort unendlich ist sinnlos, wenn es nicht die Fähigkeit unseres Geistes bedeutet, ohne Ende hinzuzufügen. Weil nur das Materielle wahrnehmbar, wißbar ist, so weiß man Nichts von Gottes Existenz. Nur meine eigene Existenz ist sicher. Jede menschliche Leidenschaft ist eine mechanische Bewegung, die endet oder anfängt. Die Objekte der Triebe sind das Gute. Der Mensch ist denselben Gesetzen unterworfen wie die Natur. Macht und Freiheit sind identisch.

Hobbes hatte den Bako systematisiert, aber sein Grundprinzip, den Ursprung der Kenntnisse und Ideen aus der Sinnenwelt, nicht näher begründet.

Locke begründet das Prinzip des Bako und Hobbes in seinem Versuch über den Ursprung des menschlichen Verstandes.

Wie Hobbes die theistischen Vorurteile des bakonischen Materialismus vernichtete: so Collins, Dodwall, Coward, Hartley, Priestley etc. die letzte theologische Schranke des Lockeschen Sensualismus. Mehr als eine bequeme und nachlässige Weise, die Religion los zu werden, ist der Theismus wenigstens für den Materialisten nicht.

Wir haben schon erwähnt, wie gelegen Lockes Werk den Franzosen kam. Locke hatte die Philosophie des bon sens, des gesunden Menschenverstandes begründet, das heißt auf einem Umweg gesagt, daß es keine von den gesunden menschlichen Sinnen und dem auf ihnen basierenden Verstand unterschiedenen Philosophen gebe.

Der unmittelbare Schüler und französische Dolmetscher

Lockes, Condillac, richtete den Lockeschen Sensualismus sogleich gegen die Metaphysik des 17. Jahrhunderts. Er bewies, daß die Franzosen dieselbe mit Recht als ein bloßes Machwerk der Einbildungskraft und theologischer Vorurteile verworfen hätten. Er publizierte eine Widerlegung der Systeme von Descartes, Spinoza, Leibniz und Malebranche. In seiner Schrift „L'essai sur l'origine des connaissances humaines" führte er Lockes Gedanken aus und bewies, daß nicht nur die Seele, sondern auch die Sinne, nicht nur die Kunst Ideen zu machen, sondern auch die Kunst der sinnlichen Empfindung, Sache der Erfahrung und Gewohnheit sei. Von der Erziehung und den äußeren Umständen hängt daher die ganze Entwicklung des Menschen ab. Condillac ist erst durch die eklektische Philosophie aus den französischen Schulen verdrängt worden.

Der Unterschied des französischen und englischen Materialismus ist der Unterschied beider Nationalitäten. Die Franzogen begaben den englischen Materialismus mit Esprit, mit Fleisch und Blut, mit Beredsamkeit. Sie verleihen ihm das noch fehlende Temperament und die Grazie. Sie zivilisieren ihn.

In Helvetius, der ebenfalls von Locke ausgeht, empfängt der Materialismus den eigentlich französischen Charakter. Er faßt ihn sogleich in bezug auf das gesellschaftliche Leben. (Helvetius, de l'homme.) Die sinnlichen Eigenschaften und die Selbstliebe, der Genuß und das wohlverstandene persönliche Interesse sind die Grundlage aller Moral. Die natürliche Gleichheit der menschlichen Intelligenz, die Einheit zwischen dem Fortschritt der Vernunft und dem Fortschritt der Industrie, die natürliche Güte des Menschen, die Allmacht der Erziehung sind Hauptmomente seines Systems.

Eine Vereinigung zwischen dem kartesischen und dem englischen Materialismus findet sich in den Schriften Lamettries. Er benutzt die Physik des Descartes bis ins Einzelne. Sein „l'homme machine" ist eine Ausführung nach dem Muster der Tier-Maschine des Descartes. In dem Système de la nature von Holbach besteht der physische Teil ebenfalls aus der Verbindung des französischen und englischen Materialismus, wie der moralische Teil wesentlich auf der

Moral des Helvetius beruht. Der französische Materialist, der noch am meisten mit der Metaphysik in Verbindung steht, und dafür auch von Hegel belobt wird, Robinet (de la nature), bezieht sich ausdrücklich auf Leibniz.

Von Volney, Dupuis, Diderot etc. brauchen wir nicht zu reden, so wenig wie von den Physiokraten, nachdem wir die doppelte Abstammung des französischen Materialismus von der Physik des Descartes und von dem englischen Materialismus, wie den Gegensatz des französischen Materialismus gegen die Metaphysik des 17. Jahrhunderts, gegen die Metaphysik des Descartes, Spinoza, Malebranche und Leibniz bewiesen haben. Dieser Gegensatz konnte den Deutschen erst sichtbar werden, seitdem sie selber im Gegensatz zur spekulativen Metaphysik stehen.

Wie der kartesische Materialismus in die eigentliche Naturwissenschaft verläuft, so mündet die andere Richtung des französischen Materialismus direkt in den Sozialismus und Kommunismus.

Es bedarf keines großen Scharfsinnes, um aus den Lehren des Materialismus von der ursprünglichen Güte und gleichen intelligenten Begabung der Menschen, der Allmacht, die Erfahrung, Gewohnheit, Erziehung, dem Einflusse der äußeren Umstände auf den Menschen, der hohen Bedeutung der Industrie, der Berechtigung des Genusses etc., seinen notwendigen Zusammenhang mit dem Kommunismus und Sozialismus einzusehen. Wenn der Mensch aus der Sinnenwelt und der Erfahrung in der Sinnenwelt alle Kenntnis, Empfindung etc. sich bildet, so kommt es also darauf an, die empirische Welt so einzurichten, daß er das wahrhaft Menschliche in ihr erfährt, sich angewöhnt, daß er sich als Mensch erfährt. Wenn das wohlverstandene Interesse das Prinzip aller Moral ist, so kommt es darauf an, daß das Privatinteresse des Menschen mit dem menschlichen Interesse zusammenfällt. Wenn der Mensch unfrei im materialistischen Sinne, das heißt frei ist, nicht durch die negative Kraft, Dies und Jenes zu meiden, sondern durch die positive Macht, seine wahre Individualität geltend zu machen, so muß man nicht das Verbrechen am Einzelnen strafen, sondern die antisozialen Geburtsstätten des Verbrechens zer-

stören, und Jedem den sozialen Raum für seine wesentliche
Lebensäußerung geben. Wenn der Mensch von den Umständen gebildet wird, so muß man die Umstände menschlich bilden. Wenn der Mensch von Natur gesellschaftlich ist,
so entwickelt er seine wahre Natur erst in der Gesellschaft,
und man muß die Macht seiner Natur nicht an der Macht
des einzelnen Individuums, sondern an der Macht der Gesellschaft messen.

Diese und ähnliche Sätze findet man fast wörtlich selbst in
den ältesten französischen Materialisten. Es ist hier nicht
der Ort, sie zu beurteilen. Bezeichnend für die sozialistische
Tendenz des Materialismus ist Mandevilles, eines älteren
englischen Schülers von Locke, Apologie der Laster. Er beweist, daß die Laster in der heutigen Gesellschaft unentbehrlich und nützlich sind. Es war dies keine Apologie der
heutigen Gesellschaft.

Fourrier geht unmittelbar von der Lehre der französischen
Materialisten aus. Die Babouvisten waren rohe, unzivilisierte Materialisten, aber auch der entwickelte Kommunismus datiert direkt von dem französischen Materialismus.
Dieser wandert nämlich in der Gestalt, die ihm Helvetius
gegeben hat, nach seinem Mutterlande, nach England zurück. Bentham gründet auf die Moral des Helvetius sein
System des wohlverstandenen Interesses, wie Owen, von
dem System Benthams ausgehend, den englischen Kommunismus begründet. Nach England verbannt, wird der Fran-
zose Cabet von den dortigen kommunistischen Ideen ange-
regt, und kehrt nach Frankreich zurück, um hier der populärste, wenn auch flachste Repräsentant des Kommunismus
zu werden. Die wissenschaftlicheren französischen Kommunisten, Dezamy, Gay etc. entwickeln, wie Owen, die Lehre
des Materialismus als die Lehre des realen Humanismus
und als die logische Basis des Kommunismus. —

Wo hat nun Herr Bauer oder *die* Kritik die Aktenstücke
zur kritischen Geschichte des französischen Materialismus
sich zu verschaffen gewußt?

1. Hegels Geschichte der Philosophie stellt den französischen
Materialismus als Realisierung der spinozistischen Substanz

dar, was jedenfalls ungleich verständiger ist, als die „französische Schule des Spinoza".

2. Herr Bauer hatte aus der Hegelschen Geschichte der Philosophie sich den französischen Materialismus als Schule des Spinoza herausgelesen. Fand er nun in einem anderen Werke Hegels, daß Theismus und Materialismus zwei Parteien eines und desselben Grundprinzips seien, so hatte Spinoza zwei Schulen, die sich über den Sinn seines Systems stritten. Herr Bauer konnte den gedachten Aufschluß finden in Hegels Phänomenologie. Hier heißt es wörtlich: „Über jenes absolute Wesen gerät die Aufklärung selbst mit sich in Streit ... und teilt sich in zwei Parteien, ... die eine ... nennt jenes prädikatlose Absolute ... das höchste absolute Wesen, ... die andere nennt es Materie, ... beides ist derselbe Begriff, der Unterschied liegt nicht in der Sache, sondern rein nur in dem verschiedenen Ausgangspunkt der beiden Bildungen." (Hegels Phänomenologie, p. 420, 421, 422.)

3. Endlich konnte Herr Bauer wieder in Hegel finden, daß die Substanz, wenn sie nicht zum Begriff und Selbstbewußtsein fortgeht, sich in die „Romantik" verläuft. Ähnliches haben zu ihrer Zeit die Hallischen Jahrbücher entwickelt. Um jeden Preis aber mußte *der* „Geist" über seinen „Widersacher", den Materialismus, ein „einfältiges Schicksal" verhängen.

Anmerkung. Der Zusammenhang des französischen Materialismus mit Descartes und Locke, und der Gegensatz der Philosophie des 18. Jahrhunderts gegen die Metaphysik des 17. Jahrhunderts sind in den meisten neueren französischen Geschichten der Philosophie ausführlich dargestellt. Wir hatten hier, der kritischen Kritik gegenüber, nur Bekanntes zu wiederholen. Dagegen bedarf der Zusammenhang des Materialismus des 18. Jahrhunderts mit dem englischen und französischen Kommunismus des 19. Jahrhunderts noch einer ausführlichen Darstellung. Wir beschränken uns hier darauf, aus Helvetius, Holbach und Bentham einige wenige prägnante Stellen zu zitieren.

1. *Helvetius:* „Die Menschen sind nicht bös, aber ihren Interessen unterworfen. Man muß also nicht über die Bösartigkeit der

Menschen klagen, sondern über die Unwissenheit der Gesetzgeber, welche das besondere Interesse immer in Gegensatz gegen
das allgemeine Interesse gestellt haben." — „Die Moralisten haben bisher keinen Erfolg gehabt, weil man in der Gesetzgebung
wühlen muß, um die schöpferische Wurzel der Laster auszurei-
ßen. In Neu-Orleans dürfen die Frauen ihre Männer verstoßen,
sobald sie ihrer müde sind. In solchen Ländern findet man keine
falschen Frauen, weil sie kein Interesse haben es zu sein." —
„Die Moral ist eine nur frivole Wissenschaft, wenn man sie
nicht mit der Politik und Gesetzgebung vereint." — „Die heuchlerischen Moralisten erkennt man einerseits an der Gleichgültigkeit, womit sie die Laster betrachten, welche die Reiche auflösen, und andererseits an dem Jähzorn, womit sie gegen Privat-
laster toben." — „Die Menschen sind weder gut noch böse geboren, aber bereit, das eine oder das andere zu sein, je nachdem
ein gemeinschaftliches Interesse sie vereinigt oder scheidet." —
„Wie die Staatsbürger ihr besonderes Wohl nicht bewirken könnten, ohne das allgemeine Wohl zu bewirken, so gäbe es keine
Lasterhaften als die Narren." — (De l'esprit, Paris 1822, I, p.
117, 240, 291, 299, 351, 369 u. 339.) — Wie nach Helvetius die
Erziehung, worunter er (cf. l. c. p. 390) nicht nur die Erziehung
im gewöhnlichen Sinn, sondern die Gesamtheit der Lebensverhältnisse eines Individuums versteht, den Menschen bildet, wenn
eine Reform nötig ist, welche den Widerspruch zwischen dem
besonderen Interesse und dem gemeinschaftlichen Interesse aufhebt, so bedarf er andererseits zur Durchführung solcher Reform einer Umwandlung des Bewußtseins: „Man kann die großen Reformen nur dadurch bewerkstelligen, daß man die stupide
Verehrung der Völker für die alten Gesetze und Gewohnheiten
schwächt" (p. 260, l. c.), oder, wie er anderwärts sagt, die Unwissenheit aufhebt. —

2. *Holbach.* „Ce n'est que lui-même que l'homme peut aimer
dans les objets qu'il aime: ce n'est que lui-même qu'il peut af-
fectionner dans les êtres de son espèce." „L'homme ne peut jamais se séparer de lui-même dans aucun instant de sa vie: il ne
peut se perdre de vue." „C'est toujours notre utilité, notre intérêt ... qui nous fait haïr ou aimer les objets" (Système social,
t. I, Paris 1822, p. 80, 112), aber: „l'homme pour son propre intérêt doit aimer les autres hommes puisqu'ils sont nécessaires à son
bien-être ... La morale lui prouve, que de tous les êtres le plus
nécessaire à l'homme c'est l'homme." (p. 76.) „La vraie morale,
ainsi que la vraie politique est celle qui cherche à approcher les

hommes, afin de les faire travailler par des efforts réunis à leur bonheur mutuel. Toute morale, qui sépare nos intérêts de ceux de nos associés est fausse, insensée, contraire à la nature." (p. 116.) „Aimer les autres ... c'est confondre nos intérêts avec ceux de nos associés, afin de travailler à l'utilité commune ... La vertu n'est que l'utilité des hommes réunis en société." (p. 77.) „Un homme sans passions ou sans désirs cesserait d'être un homme ... Parfaitement détaché de lui-même, comment pourrait-on le déterminer à s'attacher à d'autres? Un homme, indifférent pour tout, privé de passions, qui se suffirait à lui-même, ne serait plus un être sociable ... La vertu n'est que la communication du bien." l. c. p. 118. „La morale religieuse ne servit jamais à rendre les mortels plus sociables." p. 36, l. c.

3. Bentham. Wir zitieren aus Bentham nur eine Stelle, worin er das „intérêt général im politischen Sinn" bekämpft. „L'intérêt des individus ... doit céder à l'intérêt public. Mais ... qu'est-ce que cela signifie? Chaque individu n'est-il pas partie du public autant que chaque autre? Cet intérêt public, que vous personnifiez, n'est qu'un terme abstrait: il ne représente que la masse des intérêts individuels ... S'il était bon de sacrifier la fortune d'un individu pour augmenter celle des autres, il serait encore mieux d'en sacrifier un second, un troisième, sans qu'on puisse assigner aucune limite ... Les intérêts individuels sont les seuls intérêts réels." (Bentham, théorie des peines et des récompenses, etc. Paris 1835, 3e éd. II, p. 230.)

f. Natur und Geschichte

„Die Natur ist nicht die einzige Wirklichkeit, weil wir sie in ihren einzelnen Produkten essen und trinken." Die kritische Kritik weiß von den einzelnen Produkten der Natur so viel, „daß wir sie essen und trinken". Allen Respekt vor der Naturwissenschaft der kritischen Kritik!
Konsequenterweise stellt sie der unbequem zudringlichen Zumutung, „Natur" und „Industrie" zu studieren, folgende unstreitig geistreiche, rhetorische Ausrufung gegenüber: „Oder (!) meinen Sie, mit der Erkenntnis der geschichtlichen Wirklichkeit sei es schon zu Ende? Oder (!) wissen Sie eine einzige Periode der Geschichte, die in der Tat schon erkannt ist?"

Oder glaubt die kritische Kritik in der Erkenntnis der geschichtlichen Wirklichkeit auch nur zum Anfang gekommen
zu sein, so lange sie das theoretische und praktische Verhalten des Menschen zur Natur, die Naturwissenschaft und die
Industrie, aus der geschichtlichen Bewegung ausschließt?
Oder meint sie, irgendeine Periode in der Tat schon erkannt
zu haben, ohne zum Beispiel die Industrie dieser Periode,
die unmittelbare Produktionsweise des Lebens selbst, erkannt zu haben? Allerdings die spiritualistische, die theologische kritische Kritik kennt nur — kennt wenigstens in
ihrer Einbildung — die politischen, literarischen und theologischen Haupt- und Staatsaktionen der Geschichte. Wie
sie das Denken von den Sinnen, die Seele vom Leibe, sich
selbst von der Welt trennt, so trennt sie die Geschichte von
der Naturwissenschaft und Industrie, so sieht sie nicht in
der grobmateriellen Produktion auf der Erde, sondern in
der dunstigen Wolkenbildung am Himmel die Geburtsstätte
der Geschichte.

VIII

DIE DEUTSCHE IDEOLOGIE (1845/46)

A. Thesen über Feuerbach
ad Feuerbach

1.

Der Hauptmangel alles bisherigen Materialismus (den Feuerbachschen mit eingerechnet) ist, daß der Gegenstand, die Wirklichkeit, Sinnlichkeit nur unter der Form des *Objekts oder der Anschauung* gefaßt wird; nicht aber als *sinnlich-menschliche Tätigkeit, Praxis,* nicht subjektiv. Daher die *tätige* Seite abstrakt im Gegensatz zu dem Materialismus von dem Idealismus — der natürlich die wirkliche, sinnliche Tätigkeit als solche nicht kennt — entwickelt. Feuerbach will sinnliche — von den Gedankenobjekten wirklich unterschiedene Objekte: aber er faßt die menschliche Tätigkeit selbst nicht als *gegenständliche* Tätigkeit. Er betrachtet daher im Wesen des Christentums nur das theoretische Verhalten als das echt menschliche, während die Praxis nur in ihrer schmutzig-jüdischen Erscheinungsform gefaßt und fixiert wird. Er begreift daher nicht die Bedeutung der „revolutionären", der praktisch-kritischen Tätigkeit.

2.

Die Frage, ob dem menschlichen Denken gegenständliche Wahrheit zukomme, ist keine Frage der Theorie, sondern eine *praktische* Frage. In der Praxis muß der Mensch die Wahrheit, i. e. Wirklichkeit und Macht, Diesseitigkeit seines Denkens beweisen. Der Streit über die Wirklichkeit oder Nichtwirklichkeit des Denkens, — das von der Praxis isoliert ist —, ist eine rein *scholastische* Frage.

3.

Die materialistische Lehre von der Veränderung der Umstände und der Erziehung vergißt, daß die Umstände von

den Menschen verändert und der Erzieher selbst erzogen werden muß. Sie muß daher die Gesellschaft in zwei Teile — von denen der eine über ihn erhaben ist — sondieren.
Das Zusammenfallen des Änderns der Umstände und der menschlichen Tätigkeit oder Selbstveränderung kann nur als *revolutionäre Praxis* gefaßt und rationell verstanden werden.

4.

Feuerbach geht von dem Faktum der religiösen Selbstentfremdung, der Verdoppelung der Welt in eine religiöse und eine weltliche, aus. Seine Arbeit besteht darin, die religiöse Welt in ihre weltliche Grundlage aufzulösen. Aber daß die weltliche Grundlage sich von sich selbst abhebt und sich ein selbständiges Reich in den Wolken fixiert, ist nur aus der Selbstzerrissenheit und Sichselbstwidersprechen dieser weltlichen Grundlage zu erklären. Diese selbst muß also in sich selbst sowohl in ihrem Widerspruch verstanden als praktisch revolutioniert werden. Also nachdem z. B. die irdische Familie als das Geheimnis der heiligen Familie entdeckt ist, muß nun erstere selbst theoretisch und praktisch vernichtet werden.

5.

Feuerbach mit dem *abstrakten Denken* nicht zufrieden, will die Anschauung; aber er faßt die Sinnlichkeit nicht als *praktische* menschlich-sinnliche Tätigkeit.

6.

Feuerbach löst das religiöse Wesen in das menschliche Wesen auf. Aber das menschliche Wesen ist kein dem einzelnen Individuum innewohnendes Abstraktum. In seiner Wirklichkeit ist es das Ensemble der gesellschaftlichen Verhältnisse.
Feuerbach, der auf die Kritik dieses wirklichen Wesens nicht eingeht, ist daher gezwungen:
1. Von dem geschichtlichen Verlauf zu abstrahieren und das religiöse Gemüt für sich zu fixieren und ein abstrakt-*isoliert*-menschliches Individuum vorauszusetzen.
2. Das Wesen kann daher nur als „Gattung", als innere, stumme, die vielen Individuen *natürlich* verbindende Allgemeinheit gefaßt werden.

7.

Feuerbach sieht daher nicht, daß das „religiöse Gemüt" selbst ein gesellschaftliches Produkt ist und daß das abstrakte Individuum, das er analysiert, einer bestimmten Gesellschaftsform angehört.

8.

Alles gesellschaftliche Leben ist wesentlich *praktisch*. Alle Mysterien, welche die Theorie zum Mystizismus veranlassen, finden ihre rationelle Lösung in der menschlichen Praxis und in dem Begreifen dieser Praxis.

9.

Das Höchste, wozu der anschauende Materialismus kommt, d. h. der Materialismus, der die Sinnlichkeit nicht als praktische Tätigkeit begreift, ist die Anschauung der einzelnen Individuen und der bürgerlichen Gesellschaft.

10.

Der Standpunkt des alten Materialismus ist die bürgerliche Gesellschaft, der Standpunkt des neuen die menschliche Gesellschaft oder die gesellschaftliche Menschheit.

11.

Die Philosophen haben die Welt nur verschieden *interpretiert;* es kömmt darauf an, sie zu *verändern.*

B. I. Teil der „Deutschen Ideologie"

Vorrede

Die Menschen haben sich bisher stets falsche Vorstellungen über sich selbst gemacht, von dem, was sie sind oder sein sollen. Nach ihren Vorstellungen von Gott, von dem Normalmenschen usw., haben sie ihre Verhältnisse eingerichtet. Die Ausgeburten ihres Kopfes sind ihnen über den Kopf gewachsen. Vor ihren Geschöpfen haben sie, die Schöpfer, sich gebeugt. Befreien wir sie von den Hirngespinsten, den Ideen, den Dogmen, dem eingebildeten Wahn, unter deren Joch sie verkümmern. Rebellieren wir gegen diese Herrschaft der Gedanken. Lehren wir sie, diese Einbildungen mit Gedanken vertauschen, die dem Wesen der Menschen entsprechen, sagt der eine, sich kritisch zu ihnen verhalten, sagt der andere, sie sich aus dem Kopf schlagen, sagt der dritte, und — die bestehende Wirklichkeit wird zusammenbrechen.

Diese unschuldigen und kindlichen Phantasien bilden den Kern der neueren junghegelschen Philosophie, die in Deutschland nicht nur von dem Publikum mit Entsetzen und Ehrfurcht empfangen, sondern auch von den *philosophischen Heroen* selbst mit dem feierlichen Bewußtsein der weltumstürzenden Gefährlichkeit und der verbrecherischen Rücksichtslosigkeit ausgegeben wird. Der erste Band dieser Publikation hat den Zweck, diese Schafe, die sich für Wölfe halten und dafür gehalten werden, zu entlarven, zu zeigen, wie sie die Vorstellungen der deutschen Bürger nur philosophisch nachblöken, wie die Prahlereien dieser philosophischen Ausleger nur die Erbärmlichkeit der wirklichen deutschen Zustände widerspiegeln. Sie hat den Zweck, den philosophischen Kampf mit dem Schatten der Wirklichkeit, der dem träumerischen und duseligen deutschen Volk zusagt, zu blamieren und um den Kredit zu bringen.

Ein wackrer Mann bildete sich einmal ein, die Menschen ertränken nur im Wasser, weil sie vom Gedanken der Schwere besessen wären. Schlügen sie sich diese Vorstellung aus dem Kopf, etwa indem sie dieselbe für eine abergläubige, für eine religiöse Vorstellung erklärten, so seien sie über alle Wassergefahr erhaben. Sein Leben lang bekämpfte er die Illusion der Schwere, von deren schädlichen Folgen jede Statistik ihm neue und zahlreiche Beweise lieferte. Der wackere Mann war der Typus der neuen deutschen revolutionären Philosophen . . .

Feuerbach.
Gegensatz von materialistischer und idealistischer Anschauung

Wie deutsche Ideologen melden, hat Deutschland in den letzten Jahren eine Umwälzung ohne Gleichen durchgemacht. Der Verwesungsprozeß des Hegelschen Systems, der mit Strauß begann, hat sich zu einer Weltgärung entwickelt, in welche alle „Mächte der Vergangenheit" hineingerissen sind. In dem allgemeinen Chaos haben sich gewaltige Reiche gebildet, um alsbald wieder unterzugehen, sind Heroen momentan aufgetaucht, um von kühneren und mächtigeren Nebenbuhlern wieder in die Finsternis zurückgeschleudert zu werden. Es war eine Revolution, wogegen die französische ein Kinderspiel ist, ein Weltkampf, vor dem die Kämpfe der Diadochen kleinlich erscheinen. Die Prinzipien verdrängten, die Gedankenhelden überstürzten einander mit unerhörter Hast, und in den wenigen Jahren 1842–1845 wurde in Deutschland mehr aufgeräumt als sonst in drei Jahrhunderten.

Alles dies soll sich im reinen Gedanken zugetragen haben.

Es handelt sich allerdings um ein interessantes Ereignis, um den Verfaulungsprozeß des absoluten Geistes. Die Hochzeits- und Leichenbitter durften nicht fehlen als Residuum der großen Befreiungskriege. Die verschiedenen Bestandteile dieses Caput mortuums traten nach Erlöschen des letzten Lebensfunkens in Dekomposition, gingen neue Verbindungen ein und bildeten neue Substanzen. Die verschiedenen philosophischen Industriellen, die bisher von der Exploitation des absoluten Geistes gelebt hatten, warfen sich jetzt auf die neuen Verbindungen. Jeder betrieb den Verschleiß des ihm zugefallenen Teiles mit möglichst großer Geschäftigkeit. Es konnte dies nicht ohne Konkurrenz abgehen. Sie wurde anfangs ziemlich bürgerlich und solide geführt, später, als der deutsche Markt überfüllt war und trotz aller Mühe auf dem Weltmarkt keinen Anklang fand, wurde das Geschäft nach gewöhnlicher deutscher Manier durch fabrikmäßige und Scheinproduktion, Verschlechterung der Qualität, Sophistikation des Rohstoffs, Scheinkäufe, Wechselreiterei und ein aller reellen Grundlage entbehrendes Kreditsystem nach gewöhnlicher deutscher Manier unsolide gemacht. Die Konkurrenz lief in einen Kampf aus, der uns jetzt als welthistorischer Umschwung, als Erzeuger der gewaltigsten Resultate und Errungenschaften geschildert und konstruiert wird.

Um diese philosophische Marktschreierei, die selbst in der

Brust des ehrsamen deutschen Bürgers ein wohltätiges Na-
tionalgefühl erweckt, richtig zu würdigen, um die Klein-
lichkeit, die lokale Borniertheit dieser ganzen junghegelschen Bewegung, um namentlich den tragikomischen Kontrast zwischen den wirklichen Leistungen dieser Helden und
den Illusionen über diese Leistungen anschaulich zu machen,
ist es nötig, sich den ganzen Spektakel einmal von einem
Standpunkt anzusehn, der außerhalb Deutschlands liegt ...

A. Die Ideologie überhaupt, namentlich die deutsche

Die deutsche Kritik hat bis auf ihre neuesten Efforts den
Boden der Philosophie nicht verlassen. Weit davon entfernt,
ihre allgemein-philosophischen Voraussetzungen zu untersuchen, sind ihre sämtlichen Fragen sogar auf dem Boden
eines bestimmten philosophischen Systems, des Hegelschen,
gewachsen. Nicht nur in ihren Antworten, schon in den
Fragen selbst lag eine Mystifikation. Diese Abhängigkeit von
Hegel ist der Grund, warum keiner dieser neueren Kritiker
eine umfassende Kritik des Hegelschen Systems auch nur
versuchte, so sehr jeder von ihnen behauptet, über Hegel
hinaus zu sein. Ihre Polemik gegen Hegel und gegeneinander beschränkt sich darauf, daß jeder eine Seite des
Hegelschen Systems herausnimmt und diese sowohl gegen
das ganze System, wie gegen die von den andern heraus-
genommenen Seiten wendet. Im Anfang nahm man reine,
unverfälschte Hegelsche Kategorien heraus, wie Substanz
und Selbstbewußtsein, später profanierte man diese Kategorien durch weltlichere Namen, wie Gattung, der Einzige,
der Mensch etc.

Die gesamte deutsche philosophische Kritik von Strauß bis
Stirner beschränkt sich auf die Kritik der *religiösen* Vorstellungen. Man ging aus von der wirklichen Religion und
eigentlichen Theologie. Was religiöses Bewußtsein, religiöse
Vorstellung sei, wurde im weiteren Verlauf verschieden bestimmt. Der Fortschritt bestand darin, die angeblich herrschenden metaphysischen, politischen, rechtlichen, moralischen und anderen Vorstellungen auch unter die Sphäre der
religiösen oder theologischen Vorstellungen zu subsumieren,
ebenso das politische, rechtliche, moralische Bewußtsein für

religiöses oder theologisches Bewußtsein, und den politischen, rechtlichen, moralischen Menschen, in letzter Instanz „*den* Menschen", für religiös zu erklären. Die Herrschaft der Religion wurde vorausgesetzt. Nach und nach wurde jedes herrschende Verhältnis für ein Verhältnis der Religion erklärt und in Kultus verwandelt, Kultus des Rechts, Kultus des Staats. Überall hatte man es nur mit Dogmen und dem Glauben an Dogmen zu tun. Die Welt wurde in immer größerer Ausdehnung kanonisiert, bis endlich der ehrwürdige Sankt Max sie en bloc heilig sprechen und damit ein für allemal abfertigen konnte.

Die Althegelianer hatten alles *begriffen*, sobald es auf eine Hegelsche logische Kategorie zurückgeführt war. Die Junghegelianer *kritisierten* alles, indem sie ihm religiöse Vorstellungen unterschoben oder es für theologisch erklärten. Die Junghegelianer stimmen mit den Althegelianern überein in dem Glauben an die Herrschaft der Religion, der Begriffe, des Allgemeinen in der bestehenden Welt. Nur bekämpfen die einen die Herrschaft als Usurpation, welche die anderen als legitim feiern.

Da bei diesen Junghegelianern die Vorstellungen, Gedanken, Begriffe, überhaupt die Produkte des von ihnen verselbständigten Bewußtseins für die eigentlichen Fesseln der Menschen gelten, gerade wie sie bei den Althegelianern für die wahren Bande der menschlichen Gesellschaft erklärt werden, so versteht es sich, daß die Junghegelianer auch nur gegen diese Illusionen des Bewußtseins zu kämpfen haben. Da nach ihrer Phantasie die Verhältnisse der Menschen, ihr ganzes Tun und Treiben, ihre Fesseln und Schranken Produkte ihres Bewußtseins sind, so stellen die Junghegelianer konsequenterweise das moralische Postulat an sie, ihr gegenwärtiges Bewußtsein mit dem menschlichen kritischen oder egoistischen Bewußtsein zu vertauschen und dadurch ihre Schranken zu beseitigen. Diese Forderung, das Bewußtsein zu verändern, läuft auf die Forderung hinaus, das Bestehende anders zu interpretieren, d. h., es vermittels einer andern Interpretation anzuerkennen. Die junghegelschen Ideologen sind trotz ihrer angeblich „welterschütternden" Phrasen die größten Konservativen. Die jüngsten von ihnen haben den richtigen Ausdruck für ihre Tätigkeit gefunden, wenn sie behaupten, nur gegen „*Phrasen*" zu kämpfen. Sie vergesesn nur, daß sie diesen Phrasen selbst nichts als Phrasen entgegensetzen und daß sie die wirklich bestehende Welt keineswegs bekämpfen, wenn sie nur die Phrasen dieser Welt bekämpfen. Die einzigen Resultate, wozu diese philosophische Kritik es bringen konnte, waren einige und noch dazu einseitige, religionsgeschichtliche Aufklärungen über das Christentum; ihre sämtlichen sonstigen Behauptungen sind nur weitere Ausschmückungen ihres Anspruchs, mit diesen unbedeutenden Aufklärungen welthistorische Entdeckungen geliefert zu haben.

Keinem von diesen Philosophen ist es eingefallen, nach dem Zusammenhange der deutschen Philosophie mit der deutschen Wirklichkeit, nach dem Zusammenhange ihrer Kritik mit ihrer eigenen materiellen Umgebung zu fragen. . . .

1. *Die Ideologie überhaupt, speziell die deutsche Philosophie*

Wir kennen nur eine einzige Wissenschaft, die Wissenschaft der Geschichte. Die Geschichte kann von zwei Seiten aus betrachtet in die Geschichte der Natur und die Geschichte der Menschen abgeteilt werden. Beide Seiten sind indes von der Zeit nicht zu trennen; solange Menschen existieren, bedingen sich Geschichte der Natur und Geschichte der Menschen gegenseitig. Die Geschichte der Natur, die sogenannte Naturwissenschaft, geht uns hier nichts an; auf die Geschichte der Menschen werden wir indes einzugehen haben, da fast die ganze Ideologie sich entweder auf eine verdrehte Auffassung dieser Geschichte oder auf eine gänzliche Abstraktion von ihr reduziert. Die Ideologie selbst ist nur eine der Seiten dieser Geschichte [1].

Die Voraussetzungen, mit denen wir beginnen, sind keine willkürlichen, keine Dogmen, es sind wirkliche Voraussetzungen, von denen man nur in der Einbildung abstrahieren kann. Es sind die wirklichen Individuen, ihre Aktion und ihre materiellen Lebensbedingungen, sowohl die vorgefundenen wie die durch ihre eigene Aktion erzeugten.

[1] [Dieser Absatz ist in der Handschrift gestrichen.]

Diese Voraussetzungen sind also auf rein empirischem Wege konstatierbar.

Die erste Voraussetzung aller Menschengeschichte ist natürlich die Existenz lebendiger menschlicher Individuen. Der erste zu konstatierende Tatbestand ist also die körperliche Organisation dieser Individuen und ihr dadurch gegebenes Verhältnis zur übrigen Natur. Wir können hier natürlich weder auf die physische Beschaffenheit der Menschen selbst noch auf die von den Menschen vorgefundenen Naturbedingungen, die geologischen, oro-hydrographischen, klimatischen und anderen Verhältnisse eingehen. Alle Geschichtsschreibung muß von diesen natürlichen Grundlagen und ihrer Modifikation im Lauf der Geschichte durch die Aktion der Menschen ausgehen.

Man kann die Menschen durch das Bewußtsein, durch die Religion, durch, was man sonst will, von den Tieren unterscheiden. Sie selbst fangen an, sich von den Tieren zu unterscheiden, sobald sie anfangen, ihre Lebensmittel zu *produzieren*, ein Schritt, der durch ihre körperliche Organisation bedingt ist. Indem die Menschen ihre Lebensmittel produzieren, produzieren sie indirekt ihr materielles Leben selbst.

Die Weise, in der die Menschen ihre Lebensmittel produzieren, hängt zunächst von der Beschaffenheit der vorgefundenen und zu reproduzierenden Lebensmittel selbst ab.

Diese Weise der Produktion ist nicht bloß nach der Seite hin zu betrachten, daß sie die Reproduktion der physischen Existenz der Individuen ist. Sie ist vielmehr schon eine bestimmte Art der Tätigkeit dieser Individuen, eine bestimmte Art, ihr Leben zu äußern, eine bestimmte *Lebensweise* derselben. Wie die Individuen ihr Leben äußern, so sind sie. Was sie sind, fällt also zusammen mit ihrer Produktion, sowohl damit, *was* sie produzieren, als auch damit, *wie* sie produzieren. Was die Individuen also sind, das hängt ab von den materiellen Bedingungen ihrer Produktion.

Diese Produktion tritt erst ein mit der *Vermehrung der Bevölkerung*. Sie setzt selbst wieder einen *Verkehr* der Individuen untereinander voraus. Die Form dieses Verkehrs ist wieder durch die Produktion bedingt.

Die Tatsache ist also die: Bestimmte Individuen, die auf be-

stimmte Weise produktiv tätig sind, gehen diese bestimmten
gesellschaftlichen und politischen Verhältnisse ein. Die empirische Beobachtung muß in jedem einzelnen Fall den Zusammenhang der gesellschaftlichen und politischen Gliederung mit der Produktion empirisch und ohne alle Mystifikation und Spekulation aufweisen. Die gesellschaftliche
Gliederung und der Staat gehen beständig aus dem Lebensprozeß bestimmter Individuen hervor, aber dieser Invidi-
duen nicht, wie sie in der eigenen oder fremden Vorstellung
erscheinen mögen, sondern wie sie *wirklich* sind, d. h. wie
sie wirken, materiell produzieren, also wie sie unter bestimmten materiellen und von ihrer Willkür unabhängigen
Schranken, Voraussetzungen und Bedingungen tätig sind.
Die Vorstellungen, die sich diese Individuen machen, sind
Vorstellungen entweder über ihr Verhältnis zur Natur oder
über ihr Verhältnis untereinander oder über ihre eigene Beschaffenheit. Es ist einleuchtend, daß in allen diesen Fällen diese Vorstellungen der — wirkliche oder illusorische —
bewußte Ausdruck ihrer wirklichen Verhältnisse und Betätigung, ihrer Produktion, ihres Verkehrs, ihres gesellschaftlichen und politischen — Verhaltens sind. Die entgegengesetzte Annahme ist nur dann möglich, wann man außer dem
Geist der wirklichen, materiell bedingten Individuen noch
einen aparten Geist voraussetzt. Ist der bewußte Ausdruck
der wirklichen Verhältnisse dieser Individuen illusorisch,
stellen sie in ihren Vorstellungen ihre Wirklichkeit auf den
Kopf, so ist dies wiederum eine Folge ihrer bornierten Be-
tätigungsweise und ihrer daraus entspringenden bornierten
gesellschaftlichen Verhältnisse [1].
Die Produktion der Ideen, Vorstellungen, des Bewußtseins
ist zunächst unmittelbar verflochten in die materielle Tätigkeit und den materiellen Verkehr der Menschen, Sprache
des wirklichen Lebens. Das Vorstellen, Denken, der geistige
Verkehr der Menschen erscheinen hier noch als direkter Ausfluß ihres materiellen Verhaltens. Von der geistigen Produktion, wie sie in der Sprache der Politik, der Gesetze, der
Moral, der Religion, Metaphysik usw. eines Volkes sich dar-

---

[1] [Der letzte Absatz ist im Original durchgestrichen.]

stellt, gilt dasselbe. Die Menschen sind die Produzenten ihrer
Vorstellungen, Ideen etc. etc., aber die wirklichen, wirken-
den Menschen, wie sie bedingt sind durch eine bestimmte
Entwicklung ihrer Produktivkräfte und des denselben entsprechenden Verkehrs bis zu seinen weitesten Formationen
hinauf. Das Bewußtsein kann nie etwas anderes sein als das
bewußte Sein, und das Sein der Menschen ist ihr wirklicher
Lebensprozeß. Wenn in der ganzen Ideologie die Menschen
und ihre Verhältnisse wie in einer camera obscura auf den
Kopf gestellt erscheinen, so geht dies Phänomen ebensosehr
aus ihrem historischen Lebensprozeß hervor, wie die Um-
drehung der Gegenstände auf der Netzhaut aus ihrem unmittelbar physischen.
Ganz im Gegensatz zur deutschen Philosophie, welche vom
Himmel auf die Erde herabsteigt, wird hier von der Erde
zum Himmel gestiegen. D. h. es wird nicht ausgegangen von
dem, was die Menschen sagen, sich einbilden, sich vorstellen,
auch nicht von den gesagten, gedachten, eingebildeten, vorgestellten Menschen, um davon aus und bei den leibhaftigen
Menschen anzukommen; es wird von den wirklich tätigen
Menschen ausgegangen und aus ihrem wirklichen Lebensprozeß auch die Entwicklung der ideologischen Reflexe und
Echos dieses Lebensprozesses dargestellt. Auch die Nebel-
bildungen im Gehirn der Menschen sind notwendig Supple-
mente ihres materiellen, empirisch konstatierbaren und an
materielle Voraussetzungen geknüpften Lebensprozesses.
Die Moral, Religion, Metaphysik und sonstige Ideologie und
ihnen entsprechenden Bewußtseinsformen behalten hiermit
nicht länger den Schein der Selbständigkeit. Sie haben keine
Geschichte, sie haben keine Entwicklung, sondern die ihre
materielle Produktion und ihren materiellen Verkehr entwickelnden Menschen ändern mit dieser ihrer Wirklichkeit
auch ihr Denken und die Produkte ihres Denkens. Nicht das
Bewußtsein bestimmt das Leben, sondern das Leben bestimmt das Bewußtsein. In der ersten Betrachtungsweise geht
man von dem Bewußtsein als dem lebendigen Individuum
aus, in der zweiten, dem wirklichen Leben entsprechenden,
von den wirklichen lebendigen Individuen selbst und betrachtet das Bewußtsein nur als *ihr* Bewußtsein.

Diese Betrachtungsweise ist nicht voraussetzungslos. Sie geht von den wirklichen Voraussetzungen aus, sie verläßt sie keinen Augenblick. Ihre Voraussetzungen sind die Menschen nicht in irgendeiner phantastischen Abgeschlossenheit und Fixierung, sondern in ihrem wirklichen empirisch anschaulichen Entwicklungsprozeß unter bestimmten Bedingungen. Sobald dieser tätige Lebensprozeß dargestellt wird, hört die Geschichte auf, eine Sammlung toter Fakta zu sein, wie bei den selbst noch abstrakten Empirikern, oder eine eingebildete Aktion eingebildeter Subjekte, wie bei den Idealisten.

Da wo die Spekulation aufhört, beim wirklichen Leben, beginnt also die wirkliche, positive Wissenschaft, die Darstellung der praktischen Betätigung, des praktischen Entwicklungsprozesses der Menschen. Die Phrasen vom Bewußtsein hören auf, wirkliches Wissen muß an ihre Stelle treten. Die selbständige Philosophie verliert mit der Darstellung der Wirklichkeit ihr Existenzmedium. An ihre Stelle kann höchstens eine Zusammenfassung der allgemeinsten Resultate treten, die sich aus der Betrachtung der historischen Entwicklung der Menschen abstrahieren lassen. Diese Abstraktionen haben für sich, getrennt von der wirklichen Geschichte, durchaus keinen Wert. Sie können nur dazu dienen, die Ordnung des geschichtlichen Materials zu erleichtern, die Reihenfolge seiner einzelnen Schichten anzudeuten. Sie geben aber keineswegs wie die Philosophie ein Rezept oder Schema, wonach die geschichtlichen Epochen zurecht gestutzt werden können. Die Schwierigkeit beginnt im Gegenteil erst da, wo man sich an die Betrachtung und Ordnung des Materials, sei es einer vergangenen Epoche oder der Gegenwart, an die wirkliche Darstellung gibt. Die Beseitigung dieser Schwierigkeiten ist durch Voraussetzungen bedingt, die keineswegs hier gegeben werden können, sondern die erst aus dem Studium des wirklichen Lebensprozesses und der Aktion der Individuen jeder Epoche sich ergeben. Wir nehmen hier einige dieser Abstraktionen heraus, die wir gegenüber der Ideologie gebrauchen und werden sie an historischen Beispielen erläutern [1] . . .

---

[1] [Lücke im Manuskript.]

... sich in Wirklichkeit und für den *praktischen* Materialisten, d. h. *Kommunisten,* darum handelt, die bestehende Welt zu revolutionieren, die vorgefundenen Dinge praktisch anzugreifen und zu verändern. Wenn bei Feuerbach sich zuweilen derartige Anschauungen finden, so gehen sie doch nie über vereinzelte Ahnungen hinaus und haben auf seine allgemeine Anschauungsweise viel zu wenig Einfluß, als daß sie hier anders denn als entwicklungsfähige Keime in Betracht kommen könnten. Feuerbachs Auffassung der sinnlichen Welt beschränkt sich einerseits auf die bloße Anschauung derselben und andererseits auf die bloße Empfindung, setzt „den Menschen" statt den „wirklichen historischen Menschen". „*Der* Mensch" ist realiter „der Deutsche". Im ersten Falle, in der *Anschauung* der sinnlichen Welt, stößt er notwendig auf Dinge, die seinem Bewußtsein und seinem Gefühl widersprechen, die die von ihm vorausgesetzte Harmonie aller Teile der sinnlichen Welt und namentlich des Menschen mit der Natur stören. (N. B. Nicht, daß Feuerbach das auf platter Hand Liegende, den sinnlichen *Schein,* der durch genauere Untersuchung des sinnlichen Tatbestandes konstatierten sinnlichen Wirklichkeit unterordnet, ist der Fehler, sondern, daß er in letzter Instanz nicht mit der Sinnlichkeit fertig werden kann, ohne sie mit den „Augen", d. h. durch die „Brille" des *Philosophen,* zu betrachten.)

Um diese zu beseitigen, muß er dann zu einer doppelten Anschauung seine Zuflucht nehmen zwischen einer profanen, die nur das „auf platter Hand Liegende" und einer höheren philosophischen, die das „wahre Wesen" der Dinge erschaut. Er sieht nicht, wie die ihn umgebende sinnliche Welt nicht ein unmittelbar von Ewigkeit her gegebenes, sich stets gleiches Ding ist, sondern das Produkt der Industrie und des Gesellschaftszustandes, und zwar in dem Sinne, daß sie in jeder geschichtlichen Epoche das Resultat, Produkt der Tätigkeit einer ganzen Reihe von Generationen ist, deren jede auf den Schultern der vorhergehenden stand, ihre Industrie und ihren Verkehr weiter ausbildete, ihre soziale Ordnung nach den veränderten Bedürfnissen modifizierte. Selbst die Gegenstände der einfachsten „sinnlichen Gewißheit" sind ihm nur durch die gesellschaftliche Entwicklung, die Industrie und den kommerziellen Verkehr gegeben. Der Kirschbaum ist, wie fast alle Obstbäume, bekanntlich erst vor wenig Jahrhunderten durch den *Handel* in unsere Zone verpflanzt worden und wurde deshalb erst *durch* diese Aktion einer bestimmten Gesellschaft in einer bestimmten Zeit der „sinnlichen Gewißheit" Feuerbachs gegeben. Übrigens löst sich in dieser Auffassung der Dinge, wie sie wirklich sind und geschehen sind, wie sich weiter unten noch deutlicher zeigen wird, jedes tiefsinnige philosophische Problem ganz einfach in ein empirisches Faktum auf, z. B. die wichtige Frage über das Verhältnis der Menschen zur Natur oder gar, wie Bruno sagt (p. 110), die „Gegensätze in Natur und Geschichte", als ob dies zwei voneinander getrennte „Dinge" seien, (als ob) der Mensch nicht immer eine geschichtliche Natur und eine natürliche Geschichte vor sich habe, aus der alle die „unergründlich hohen Werke" über „Substanz" und „Weltbewußtsein" hervorgegangen sind, zerfällt von selbst in der Einsicht, daß die vielberühmte „Einheit des Menschen mit der Natur" in der Industrie von jeher bestanden und in jeder Epoche je nach der geringeren oder größeren Entwicklung der Industrie anders bestanden hat, ebenso, wie der „Kampf" des Menschen mit der Natur, bis zur Entwicklung seiner Produktivkräfte auf einer entsprechenden Basis. Die Industrie und der Handel, die Produktion und der Austausch der Lebensbedürfnisse bedingen ihrerseits und werden wiederum in der Art ihres Betriebes bedingt durch die Distribution, die Gliederung der verschiedenen gesellschaftlichen Klassen — und so kommt es denn, daß Feuerbach in Manchester z. B. nur Fabriken und Maschinen sieht, wo vor hundert Jahren nur Spinnräder und Webstühle zu sehen waren, oder in der Campagna di Roma nur Viehweiden und Sümpfe entdeckt, wo er zur Zeit des Augustus nichts als Weingärten und Villen römischer Kapitalisten gefunden hätte. Feuerbach spricht namentlich von der Anschauung der Naturwissenschaft, er erwähnt Geheimnisse, die nur dem Auge des Physikers und Chemikers offenbar werden; aber wo wäre ohne Industrie und Handel die Naturwissenschaft? Selbst diese „reine" Naturwissenschaft erhält ja ihren Zweck sowohl wie ihr Material erst durch Handel und Industrie, durch sinnliche Tätigkeit der Menschen.

So sehr ist diese Tätigkeit, dieses fortwährende sinnliche Arbeiten und Schaffen, diese Produktion die Grundlage der ganzen sinnlichen Welt, wie sie jetzt existiert, daß, wenn sie auch nur für ein Jahr unterbrochen würde, Feuerbach eine ungeheure Veränderung nicht nur in der natürlichen Welt vorfinden, sondern auch die ganze Menschenwelt und sein eigenes Anschauungsvermögen, ja seine eigene Existenz sehr bald vermissen würde. Allerdings bleibt dabei die Priorität der äußeren Natur bestehen, und allerdings hat dies alles keine Anwendung auf die ursprünglichen, durch generatio aequivoca erzeugten Menschen; aber diese Unterscheidung hat nur insofern Sinn, als man den Menschen als von der Natur unterschieden betrachtet. Übrigens ist diese, der menschlichen Geschichte vorhergehende Natur, in der Feuerbach lebt, nicht die Natur, die heutzutage, ausgenommen etwa auf einzelnen australischen Koralleninseln neueren Ursprungs, nirgends mehr existiert, also auch für Feuerbach nicht existiert.

Feuerbach hat allerdings den großen Vorzug vor den „reinen Materialisten", daß er einsieht, wie auch der Mensch „sinnlicher Gegenstand" ist; aber abgesehen davon, daß er ihn nur als „sinnlichen Gegenstand", nicht als „sinnliche Tätigkeit" faßt, da er sich auch hierbei in der Theorie hält, so die Menschen nicht in ihrem gegebenen gesellschaftlichen Zusammenhange, nicht unter ihren vorliegenden Lebensbedingungen, die sie zu dem gemacht haben, was sie sind, auffaßt, so kommt er nie zu den wirklich existierenden, tätigen Menschen, sondern bleibt bei dem Abstraktum „der Mensch" stehen und bringt es nur dahin, den „wirklichen, individuellen, leibhaftigen Menschen" in der Empfindung anzuerkennen, d. h. er kennt keine andern „menschlichen Verhältnisse" „des Menschen zum Menschen", als Liebe und Freundschaft, und zwar idealisiert. Gibt keine Kritik der jetzigen Lebensverhältnisse. Er kommt also nie dazu, die sinnliche Welt als die gesamte, lebendige, sinnliche *Tätigkeit* der sie ausmachenden Individuen aufzufassen und ist daher gezwungen, wenn er z. B. statt gesunder Menschen

einen Haufen skrophulöser, überarbeiteter und schwind-
süchtiger Hungerleider sieht, da zu der „höheren Anschauung" und zur „ideellen Ausgleichung in der Gattung" seine
Zuflucht zu nehmen, also gerade da in den Idealismus zu-
rückzufallen, wo der kommunistische Materialist die Notwendigkeit und zugleich die Bedingung einer Umgestaltung sowohl der Industrie wie der gesellschaftlichen Gliederung sieht.

Soweit Feuerbach Materialist ist, kommt die Geschichte bei
ihm nicht vor, und soweit er die Geschichte in Betracht
zieht, ist er kein Materialist. Bei ihm fallen Materialismus
und Geschichte ganz auseinander, was sich übrigens schon
aus dem Gesagten erklärt.

Wir müssen bei den voraussetzungslosen Deutschen damit
anfangen, daß wir die erste Voraussetzung aller menschlichen Existenz, also auch aller Geschichte konstatieren,
nämlich die Voraussetzung, daß die Menschen imstande sein
müssen zu leben, um „Geschichte machen" zu können [1].
Zum Leben aber gehört vor allem Essen und Trinken, Wohnung, Kleidung und noch einiges andere. Die erste geschichtliche Tat ist also die Erzeugung der Mittel zur Befriedigung dieser Bedürfnisse, die Produktion des materiellen Lebens selbst, und zwar ist dies eine geschichtliche
Tat, eine Grundbedingung aller Geschichte, die noch heute,
wie vor Jahrtausenden, täglich und stündlich erfüllt werden muß, um die Menschen nur am Leben zu erhalten.
Selbst wenn die Sinnlichkeit wie beim heiligen Bruno, auf
einen Stock, auf das Minimum reduziert ist, setzt sie die
Tätigkeit der Produktion dieses Stockes voraus. Das Erste
also bei aller geschichtlichen Auffassung ist, daß man diese
Grundtatsache in ihrer ganzen Bedeutung und ihrer ganzen
Ausdehnung beobachtet und zu ihrem Recht kommen läßt.
Dies haben die Deutschen bekanntlich nie getan, daher nie
eine *irdische* Basis für die Geschichte und folglich nie einen
Historiker gehabt. Die Franzosen und Engländer, wenn sie
auch den Zusammenhang dieser Tatsache mit der sogenann-
ten Geschichte nur höchst einseitig auffaßten, namentlich

[1] [Hier steht am Rande: Hegel.]

solange sie in der politischen Ideologie befangen waren, so haben sie doch immerhin die ersten Versuche gemacht, der Geschichtsschreibung eine materialistische Basis zu geben, indem sie zuerst Geschichten der bürgerlichen Gesellschaft, des Handels und der Industrie schrieben. Das Zweite ist, daß das befriedigte erste Bedürfnis selbst, die Aktion der Befriedigung und das schon erworbene Instrument der Befriedigung zu neuen Bedürfnissen führt, — und diese Erzeugung neuer Bedürfnisse ist die erste geschichtliche Tat. Hieran zeigt sich sogleich, wes Geistes Kind die große historische Weisheit der Deutschen ist, die da, wo ihnen das positive Material ausgeht und wo weder theologischer noch politischer, noch literarischer Unsinn verhandelt wird, gar keine Geschichte, sondern die „vorgeschichtliche Zeit" sich ereignen läßt, ohne uns indes darüber aufzuklären, wie man aus diesem Unsinn der „Vorgeschichte" in die eigentliche Geschichte kommt — obwohl auf der anderen Seite ihre historische Spekulation sich ganz besonders auf diese „Vorgeschichte" wirft, weil sie da sicher zu sein glaubt vor den Eingriffen des „rohen Faktums" und zugleich, weil sie hier ihrem spekulierenden Triebe alle Zügel schießen lassen und Hypothesen zu Tausenden erzeugen und umstoßen kann. — Das dritte Verhältnis, was hier gleich von vornherein in die geschichtliche Entwicklung eintritt, ist das, daß die Menschen, die ihr eigenes Leben täglich neu machen, anfangen, andere Menschen zu machen, sich fortzupflanzen — das Verhältnis zwischen Mann und Weib, Eltern und Kindern, die *Familie*. Diese Familie, die im Anfange das einzige soziale Verhältnis ist, wird späterhin, wo die vermehrten Bedürfnisse neue gesellschaftliche Verhältnisse und die vermehrte Menschenzahl neue Bedürfnisse erzeugen, zu einem untergeordneten (ausgenommen in Deutschland), und muß alsdann nach den existierenden empirischen Daten, nicht nach dem „Begriff der Familie", wie man in Deutschland zu tun pflegt, behandelt und entwickelt werden. Übrigens sind diese drei Seiten der sozialen Tätigkeit nicht als drei verschiedene Stufen zu fassen, sondern eben nur als drei Seiten, oder um für die Deutschen klar zu schreiben, die „Momente", die vom Anbeginn der Geschichte an und seit den ersten Menschen zugleich existiert haben und sich noch heute in der Geschichte geltend machen. — Die Produktion des Lebens, sowohl des eignen in der Arbeit wie des fremden in der Zeugung, erscheint nun schon sogleich als ein doppeltes Verhältnis — einerseits als ein natürliches, andrerseits als gesellschaftliches Verhältnis — gesellschaftlich in dem Sinne, als hierunter das Zusammenwirken mehrerer Individuen, gleichviel unter welchen Bedingungen, auf welche Weise und zu welchem Zweck verstanden wird. Hieraus geht hervor, daß eine bestimmte Produktionsweise oder industrielle Stufe stets mit einer bestimmten Weise des Zusammenwirkens oder gesellschaftlichen Stufe vereinigt ist, und diese Weise des Zusammenwirkens ist selbst eine „Produktivkraft", daß die Menge der den Menschen zugänglichen Produktivkräfte den gesellschaftlichen Zustand bedingt und also die „Geschichte der Menschheit" stets im Zusammenhange mit der Geschichte der Industrie und des Austausches studiert und bearbeitet werden muß. Es ist aber auch klar, wie es in Deutschland unmöglich ist, solche Geschichte zu schreiben, da den Deutschen dazu nicht nur die Auffassungsfähigkeit und das Material, sondern auch die „sinnliche Gewißheit" abgeht und man jenseits des Rheins über diese Dinge keine Erfahrungen machen kann, weil dort keine Geschichte mehr vorgeht. Es zeigt sich also schon von vornherein ein materialistischer Zusammenhang der Menschen untereinander, der durch die Bedürfnisse und die Weise der Produktion bedingt und so alt ist wie die Menschen selbst — ein Zusammenhang, der stets neue Formen und also eine „Geschichte" darbietet, auch ohne daß irgendein politischer oder religiöser Nonsens existiert, der die Menschen noch extra zusammenhalte. — Jetzt erst, nachdem wir bereits vier Momente, vier Seiten der ursprünglichen, geschichtlichen Verhältnisse betrachtet haben, finden wir, daß der Mensch auch „Bewußtsein" hat[1]. Aber auch dies nicht von vornherein, als „reines" Bewußtsein. Der „Geist" hat von vornherein den Fluch an

[1] An dieser Stelle Zusatz von *Marx* am Rande: „Die Menschen haben Geschichte, weil sie ihr Leben *produzieren* müssen, und zwar auf *bestimmte...* Weise: dies ist durch ihre physische Organisation gegeben, ebenso wie ihr Bewußtsein."

sich, mit der Materie „behaftet" zu sein, die hier in der Form von bewegten Luftschichten, Tönen, kurz der Sprache auftritt. Die Sprache ist so alt wie das Bewußtsein, — die Sprache *ist* das praktische, auch für andere Menschen existierende, also auch für mich selbst existierende, wirkliche Bewußtsein, und die Sprache entsteht, wie das Bewußtsein, erst aus dem Bedürfnis, der Notdurft des Verkehrs mit anderen Menschen. Wo ein Verhältnis existiert, da existiert es für mich, das Tier verhält sich zu nichts und überhaupt nicht. Für das Tier existiert sein Verhältnis zu anderen nicht als Verhältnis. Das Bewußtsein ist also von vornherein schon ein gesellschaftliches Produkt und bleibt es, so lange überhaupt Menschen existieren. Das Bewußtsein ist natürlich zuerst bloß sinnliches Bewußtsein über die nächste sinnliche Umgebung und Bewußtsein des bornierten Zusammenhanges mit anderen Personen und Dingen außer dem sich bewußt werdenden Individuum. Es ist zu gleicher Zeit Bewußtsein der Natur, die den Menschen anfangs als eine durchaus fremde, allmächtige und unangreifbare Macht gegenübertritt, zu der sich die Menschen rein tierisch verhalten, von der sie sich imponieren lassen wie das Vieh, und also ein rein tierisches Bewußtsein der Natur (Naturreligion) — eben weil die Natur noch kaum geschichtlich modifiziert ist, und andererseits Bewußtsein der Notwendigkeit, mit den umgebenden Individuen in Verbindung zu treten, der Anfang des Bewußtseins darüber, daß er überhaupt in einer Gesellschaft lebt. Dieser Anfang ist so tierisch wie das gesellschaftliche Leben dieser Stufe selbst, er ist bloßes Herdenbewußtsein, der Mensch unterscheidet sich hier vom Hammel nur dadurch, daß sein Bewußtsein ihm die Stelle des Instinkts vertritt, oder daß sein Instinkt ein bewußter ist. Man sieht hier sogleich — diese Naturreligion oder dieses bestimmte Verhalten zur Natur ist bedingt durch die Gesellschaftsform und umgekehrt. Hier wie überall tritt die Identität von Natur und Mensch noch so hervor, daß das bornierte Verhalten der Menschen zur Natur ihr borniertes Verhalten zueinander, und ihr borniertes Verhalten zueinander ihr borniertes Verhältnis zur Natur bedingt. Dieses Hammel- oder Stammbewußtsein erhält seine weitere Entwick-

lung und Ausbildung durch die gesteigerte Produktivität, die
Vermehrung der Bedürfnisse und die beiden zugrunde liegende Vermehrung der Bevölkerung. Damit entwickelt sich
die Teilung der Arbeit, die ursprünglich nichts war als die
Teilung der Arbeit im Geschlechtsakt, dann Teilung der Arbeit, die sich vermöge der natürlichen Anlage (zum Beispiel
Körperkraft), Bedürfnisse, Zufälle etc. etc. von selbst oder
„naturwüchsig“ macht. Die Teilung der Arbeit wird erst
wirklich Teilung von dem Augenblick an, wo eine Teilung
der materiellen und geistigen Arbeit eintritt. Von diesem
Augenblicke an *kann* sich das Bewußtsein wirklich einbilden, etwas anderes als das Bewußtsein der bestehenden Praxis zu sein, wirklich etwas vorzustellen, ohne etwas Wirkliches vorzustellen — von diesem Augenblicke an ist das Bewußtsein imstande, sich von der Welt zu emanzipieren und
zur Bildung der „reinen Theorie“, Theologie, Philosophie,
Moral etc. überzugehen. Aber selbst wenn diese Theorie,
Theologie, Philosophie, Moral etc. in Widerspruch mit den
bestehenden Verhältnissen treten, so kann dies nur dadurch
geschehen, daß die bestehenden gesellschaftlichen Verhältnisse mit der bestehenden Produktionskraft in Widerspruch
getreten sind — was übrigens in einem bestimmten nationalen Kreise von Verhältnissen auch dadurch geschehen
kann, daß der Widerspruch nicht in diesem nationalen Umkreis, sondern zwischen diesem nationalen Bewußtsein und
der Praxis der anderen Nationen, d. h. zwischen dem nationalen und allgemeinen Bewußtsein einer Nation (wie jetzt
in Deutschland) sich einstellt — wo dieser Nation dann, weil
dieser Widerspruch scheinbar nur als ein Widerspruch innerhalb des nationalen Bewußtseins erscheint, auch der
Kampf sich auf diese ...
Übrigens ist es ganz einerlei, was das Bewußtsein alleene (!)
anfängt. Wir erhalten aus diesem ganzen Dreck nur das eine
Resultat, daß diese drei Momente, die Produktionskraft, der
gesellschaftliche Zustand und das Bewußtsein in Widerspruch miteinander geraten können und müssen, weil mit
der *Teilung der Arbeit* die Möglichkeit, ja die Wirklichkeit
gegeben ist, daß die geistige und materielle Tätigkeit, daß
der Genuß und die Arbeit, Produktion und Konsumtion,

verschiedenen Individuen zufallen und die Möglichkeit, daß sie nicht in Widerspruch geraten, nur darin liegt, daß die Teilung der Arbeit wieder aufgehoben wird. Es versteht sich übrigens von selbst, daß die „Gespenster", „Bande", „höheres Wesen", „Begriff", „Bedenklichkeit", bloß der idealistische geistliche Ausdruck, die Vorstellung scheinbar des vereinzelten Individuums sind, die Vorstellung von sehr empirischen Fesseln und Schranken, innerhalb deren sich die Produktionsweise des Lebens und die damit zusammenhängende Verkehrsform bewegt[1].

Mit der Teilung der Arbeit, in welcher alle diese Widersprüche gegeben sind und welche ihrerseits wieder auf der naturwüchsigen Teilung der Arbeit in der Familie und der Trennung der Gesellschaft in einzelne, einander entgegengesetzte Familien beruht, ist zu gleicher Zeit auch die *Verteilung*, und zwar die ungleiche sowohl quantitative wie qualitative Verteilung der Arbeit und ihrer Produkte gegeben, also das Eigentum, das in der Familie, wo die Frau und die Kinder die Sklaven des Mannes sind, schon seinen Kern, seine erste Form hat. Die freilich noch sehr rohe und latente Sklaverei in der Familie ist das erste Eigentum, das übrigens hier schon vollkommen der Definition der modernen Ökonomen entspricht, nach der es die Verfügung über fremde Arbeitskraft ist. Übrigens sind Teilung der Arbeit und Privateigentum identische Ausdrücke — in dem einen wird in Beziehung auf die Tätigkeit dasselbe ausgesagt, was in dem andern in Beziehung auf das Produkt der Tätigkeit ausgesagt wird. — Ferner ist mit der Teilung der Arbeit zugleich der Widerspruch zwischen dem Interesse des einzelnen Individuums oder der einzelnen Familie und dem gemeinschaftlichen Interesse aller Individuen, die miteinander verkehren, gegeben; und zwar existiert dies gemeinschaftliche Interesse nicht etwa bloß in der Vorstellung, als „All-

---

[1] Hier folgte der durchgestrichene Satz: „Dieser idealistische Ausdruck bestehender ökonomischer Schranken ist nicht allein rein theoretisch, sondern auch im praktischen Bewußtsein vorhanden, d. h. das sich emanzipierende und mit der bestehenden Produktionsweise in Widerspruch geratene Bewußtsein bildet nicht allein Religionen und Philosophien, sondern auch Staaten."

gemeines", sondern zuerst in der Wirklichkeit als gegenseitige Abhängigkeit der Individuen, unter denen die Arbeit geteilt ist.

Eben aus diesem Widerspruch des besonderen und gemeinschaftlichen Interesses nimmt das gemeinschaftliche Interesse als *Staat* eine selbständige Gestaltung, getrennt von den wirklichen Einzel- und Gesamtinteressen, an, und zugleich als illusorische Gemeinschaftlichkeit, aber stets auf der realen Basis der in jedem Familien- und Stamm- Konglomerat vorhandenen Bande, von Fleisch und Blut, Sprache, Teilung der Arbeit in größerem Maßstabe und sonstigen Interessen — und besonders, wie wir später entwickeln werden, der durch die Teilung der Arbeit bereits bedingten Klassen, die in jedem derartigen Menschenhaufen sich absondern und von denen eine alle anderen beherrscht. Hieraus folgt, daß alle Kämpfe innerhalb des Staats, der Kampf zwischen Demokratie, Aristokratie und Monarchie, der Kampf um das Wahlrecht etc. etc., überhaupt das Allgemeine illusorische Form des Gemeinschaftlichen, nichts als die illusorischen Formen sind, in denen die wirklichen Kämpfe der verschiedenen Klassen untereinander geführt werden (wovon die deutschen Theoretiker nicht eine Silbe ahnen, trotzdem daß man ihnen in den Deutsch-Französischen Jahrbüchern und der Heiligen Familie dazu Anleitung genug gegeben hatte), und ferner, daß jede nach der Herrschaft strebende Klasse, wenn ihre Herrschaft auch, wie dies beim Proletariat der Fall ist, die Aufhebung der ganzen alten Gesellschaftsform *und der Herrschaft überhaupt* bedingt, sich zuerst die politische Macht erobern muß, um ihr Interesse wieder als das allgemeine, wozu sie im ersten Augenblick gezwungen ist, darzustellen. Eben weil die Individuen nur ihr besonderes, für sie nicht mit ihren gemeinschaftlichen Interessen zusammenfallendes suchen, wird dies als ein ihnen „fremdes" und von ihnen „unabhängiges", als ein selbst wieder besonderes und eigentümliches „Allgemein"-Interesse geltend gemacht, oder sie selbst müssen sich in diesem Zwiespalt begegnen wie in der Demokratie. Andererseits macht denn auch der *praktische* Kampf dieser beständig *wirklich* den gemeinschaftlichen oder illusorischen gemeinschaftlichen

Interessen entgegentretenden Sonderinteressen, die *praktische* Dazwischenkunft und Zügelung durch das illusorische „Allgemein"-Interesse als Staat nötig.

Und endlich bietet uns die Teilung der Arbeit gleich das erste Beispiel davon dar, daß, solange die Menschen sich in der naturwüchsigen Gesellschaft befinden, solange also die Spaltung zwischen den besonderen und gemeinsamen Interessen existiert, solange die Tätigkeit also nicht freiwillig, sondern naturwüchsig geteilt ist, die eigene Tat des Menschen ihm zu einer fremden gegenüberstehenden Macht wird, die ihn unterjocht, statt daß er sie beherrscht. Sowie nämlich die Arbeit verteilt zu werden anfängt, hat jeder einen bestimmten, ausschließlichen Kreis der Tätigkeit, der ihm aufgedrängt wird, aus dem er nicht heraus kann; er ist Jäger, Fischer oder Hirt oder kritischer Kritiker, und muß es bleiben, wenn er nicht die Mittel zum Leben verlieren will — während in der kommunistischen Gesellschaft, wo jeder nicht einen ausschließlichen Kreis der Tätigkeit hat, sondern sich in jedem beliebigen Zweige ausbilden kann, die Gesellschaft die allgemeine Produktion regelt und mir eben dadurch möglich macht, heute dies, morgen jenes zu tun, morgens zu jagen, nachmittags zu fischen, abends Viehzucht zu treiben, auch das Essen zu kritisieren, ohne je Jäger, Fischer oder Hirt oder Kritiker zu werden, wie ich gerade Lust habe. Dieses Sichfestsetzen der sozialen Tätigkeit, diese Konsolidation unseres eigenen Produkts zu einer sachlichen Gewalt über uns, die unserer Kontrolle entwächst, unsere Erwartungen durchkreuzt, unsere Berechnungen zunichte macht, ist eines der Hauptmomente in der bisherigen geschichtlichen Entwicklung.

Der Kommunismus ist für uns nicht ein *Zustand*, der hergestellt werden soll, ein *Ideal*, wonach die Wirklichkeit sich zu richten habe. Wir nennen Kommunismus die *wirkliche* Bewegung, welche den jetzigen Zustand aufhebt. Die Bedingungen dieser Bewegung ergeben sich aus der jetzt bestehenden Voraussetzung.

Die soziale Macht, d. h. die vervielfachte Produktionskraft, die durch das in der Teilung der Arbeit bedingte Zusammenwirken der verschiedenen Individuen entsteht, erscheint

diesen Individuen, weil das Zusammenwirken selbst nicht
freiwillig, sondern naturwüchsig ist, nicht als ihre eigene,
vereinte Macht, sondern als eine fremde, außer ihnen stehende Gewalt, von der sie nicht wissen, woher und wohin,
die sie also nicht mehr beherrschen können, die im Gegenteil nun eine eigentümliche, vom Wollen und Laufen der
Menschen unabhängige, ja dies Wollen und Laufen erst
dirigierende Reihenfolge von Phasen und Entwicklungsstufen durchlaufen.

Diese „*Entfremdung*", um den Philosophen verständlich zu
bleiben, kann natürlich nur unter zwei *praktischen* Voraussetzungen aufgehoben werden. Damit sie eine „unerträgliche" Macht werde, d. h. eine Macht, gegen die man revolutioniert, dazu gehört, daß sie die Masse der Menschheit
als durchaus „eigentumslos" erzeugt hat und zugleich im
Widerspruch zu einer vorhandenen Welt des Reichtums
und der Bildung, was beides eine große Steigerung der Produktivkraft — einen hohen Grad ihrer Entwicklung voraussetzt —, und andererseits ist diese Entwicklung der Produktivkraft (womit zugleich schon die in weltgeschichtlichem,
statt der in lokalem Dasein des Menschen vorhandenen empirischen Existenz gegeben ist) auch deswegen eine absolut
notwendige praktische Voraussetzung, weil ohne sie nur der
Mangel verallgemeinert, also mit der *Notdurft* auch der
Streit um das Notwendige wieder beginnen und die ganze
alte Scheiße sich herstellen müßte, weil ferner nur mit
dieser universellen Entwicklung der Produktivkräfte ein
universeller Verkehr der Menschen gesetzt ist, daher einerseits das Phänomen der „eigentumslosen" Masse, in allen
Völkern gleichzeitig erzeugt (die allgemeine Konkurrenz),
jedes derselben von den Umwälzungen abhängig macht und
endlich *weltgeschichtliche* und empirisch universelle Individuen an die Stelle der lokalen gesetzt hat. Ohne dies
könnte erstens der Kommunismus nur als eine Lokalität existieren, zweitens die *Mächte* des Verkehrs selbst hätten sich
als *universelle*, drum unerträgliche Mächte nicht entwickeln
können, sie wären heimisch-abergläubige „Umstände" geblieben, und drittens würde jede Erweiterung des Verkehrs
den lokalen Kommunismus aufheben. Der Kommunismus

ist empirisch nur als die Tat der herrschenden Völker auf
einmal und gleichzeitig möglich, was die universelle Entwicklung der Produktivkraft und den mit ihr zusammenhängenden Weltverkehr voraussetzt. Übrigens setzt die
Masse von besitzlosen Arbeitern — massenhaft vom Kapital
oder von irgendeiner bornierten Befriedigung abgeschnit-
tene Arbeitskraft — und darum auch nicht mehr der tem-
poräre Verlust dieser Arbeit die rein prekäre Lage selbst als
einer gesicherten Lebensquelle durch die Konkurrenz den
Weltmarkt voraus. Das Proletariat kann also nur weltge-
schichtlich existieren, wie der Kommunismus, seine Aktion,
nur als „weltgeschichtliche" Existenz überhaupt vorhanden
sein kann. Weltgeschichtliche Existenz der Individuen, d. h.
Existenz der Individuen, die unmittelbar mit der Geschichte
verknüpft ist.
Wie hätte sonst z. B. das Eigentum überhaupt eine Geschichte haben, verschiedene Gestalten annehmen, und etwa
das Grundeigentum je nach den verschiedenen vorliegenden
Voraussetzungen in Frankreich aus der Parzellierung zur
Zentralisation in wenigen Händen, in England aus der Zentralisation in wenigen Händen zur Parzellierung drängen
können, wie dies heute wirklich der Fall ist? Oder wie
kommt es, daß der Handel, der doch weiter nichts ist, als
der Austausch der Produkte verschiedener Individuen und
Länder, durch das Verhältnis von Nachfrage und Zufuhr
die ganze Welt beherrscht — ein Verhältnis, das, wie ein
englischer Ökonom sagt, gleich dem antiken Schicksal über
der Erde schwebt und mit unsichtbarer Hand Glück und
Unglück an die Menschen verteilt, Reiche stiftet und Reiche
zertrümmert, Völker entstehen und verschwinden macht —
während mit der Aufhebung der Basis, des Privateigentums,
mit der kommunistischen Regelung der Produktion und der
darin liegenden Vernichtung der Fremdheit, mit der sich
die Menschen zu ihrem eigenen Produkt verhalten, die
Macht des Verhältnisses von Nachfrage und Zufuhr sich in
nichts auflöst und die Menschen den Austausch, die Produktion, die Weise ihres gegenseitigen Verhaltens wieder in
ihre Gewalt bekommen?
Die durch die auf allen bisherigen geschichtlichen Stufen

vorhandenen Produktionskräfte bedingte und sie wiederum
bedingende Verkehrsform ist die *bürgerliche Gesellschaft*,
die, wie schon aus dem vorhergehenden hervorgeht, die einfache Familie und die zusammengesetzte Familie, das sogenannte Stammwesen zu ihrer Voraussetzung und Grundlage hat und deren nähere Bestimmungen im Vorhergehenden enthalten sind. Es zeigt sich schon hier, daß diese bürgerliche Gesellschaft der wahre Herd und Schauplatz aller
Geschichte ist, und wie widersinnig die bisherige, die wirklichen Verhältnisse vernachlässigende Geschichtsauffassung
mit ihrer Beschränkung auf hochtönende Haupt- und Staatsaktionen ist.

Bisher haben wir hauptsächlich nur die eine Seite der
menschlichen Tätigkeit, die *Bearbeitung der Natur* durch
die Menschen, betrachtet. Die andere Seite, die *Bearbeitung
der Menschen durch die Menschen* ...[1] Ursprung des Staats
und Verhältnis des Staats zur bürgerlichen Gesellschaft ...[1]

Die Geschichte ist nichts als die Aufeinanderfolge der einzelnen Generationen, von denen jede die ihr von allen vorhergegangenen übermachten Materiale, Kapitalien, Produktionskräfte exploitiert, daher also einerseits unter ganz veränderten Umständen die überkommene Tätigkeit fortsetzt
und andererseits mit einer ganz veränderten Tätigkeit die
alten Umstände modifiziert, was sich nun spekulativ so ver-
drehen läßt, daß die spätere Geschichte zum Zweck der früheren gemacht wird, z. B. daß der Entdeckung Amerikas
der Zweck zugrunde gelegt wird, der französischen Revolution zum Durchbruch zu verhelfen, wodurch dann die
Geschichte ihre aparten Zwecke erhält und eine „Person
neben anderen Personen" (als da sind: „Selbstbewußtsein",
„Kritik", „Einziger", etc.) wird, während das, was man mit
den Worten „Bestimmung", „Zweck", „Keim", „Idee" der
früheren Geschichte bezeichnet, weiter nichts ist als eine
Abstraktion von der späteren Geschichte, eine Abstraktion
von dem aktiven Einfluß, den die frühere Geschichte auf
die spätere ausübt. — Je weiter sich im Laufe dieser Entwicklung nun die einzelnen Kreise, die aufeinander einwir-

---

[1] [An diesen Stellen bricht die Darstellung ab.]

ken, ausdehnen, je mehr die ursprüngliche Abgeschlossenheit der einzelnen Nationalitäten durch die ausgebildete Produktionsweise, Verkehr und dadurch naturwüchsig hervorgebrachte Teilung der Abeit zwischen verschiedenen Nationen vernichtet wird, desto mehr wird die Geschichte zur Weltgeschichte, so daß z. B., wenn in England eine Maschine erfunden wird, die in Indien und China zahllose Arbeiter außer Brot setzt und die ganze Existenzform dieser Reiche umwälzt, diese Erfindung zu einem weltgeschichtlichen Faktum wird; oder daß der Zucker und Kaffee ihre weltgeschichtliche Bedeutung im 19. Jahrhundert dadurch bewiesen, daß der durch das napoleonische Kontinentalsystem erzeugte Mangel an diesen Produkten die Deutschen zum Aufstande gegen Napoleon brachte und so die reale Basis der glorreichen Befreiungskriege von 1813 wurde. Hieraus folgt, daß diese Umwandlung der Geschichte in Weltgeschichte nicht etwa eine bloß abstrakte Tat des „Selbstbewußtseins", Weltgeistes oder sonst eines metaphysischen Gespenstes ist, sondern eine ganz materielle, empirisch nachweisbare Tat, eine Tat, zu der jedes Individuum, wie es geht und steht, ißt und trinkt und sich kleidet, den Beweis liefert. In der bisherigen Geschichte ist es allerdings ebensosehr eine empirische Tatsache, daß die einzelnen Individuen mit der Ausdehnung der Tätigkeit zur weltgeschichtlichen, immer mehr unter eine ihnen fremde Macht geknechtet worden sind (welchen Druck sie sich denn auch als Schikane des sogenannten Weltgeistes etc. vorstellten), eine Macht, die immer massenhafter geworden ist und sich in letzter Instanz als *Weltmarkt* ausweist. Aber ebenso empirisch begründet ist es, daß durch den Umsturz[1] des bestehenden gesellschaftlichen Zustandes, durch die kommunistische Revolution (wovon weiter unten) und die damit identische Aufhebung des Privateigentums, diese den deutschen Theoretikern so mysteriöse Macht aufgelöst wird und alsdann die Befreiung jedes einzelnen Individuums in demselben Maße durchgesetzt wird, in dem die Geschichte sich vollständig in Weltgeschichte verwandelt. Daß der wirklich

---

[1] Hier steht am Rand: Über die Produktion des Bewußtseins.

geistige Reichtum des Individuums ganz von dem Reichtum seiner wirklichen Beziehungen abhängt, ist nach dem obigen klar. Die einzelnen Individuen werden erst hierdurch von den verschiedenen nationalen und lokalen Schranken befreit, mit der Produktion (auch mit der geistigen) der ganzen Welt in praktische Beziehungen gesetzt und in den Stand gesetzt, sich die Genußfähigkeit für diese allseitige Produktion der ganzen Erde (Schöpfungen der Menschen) zu erwerben. Die *allseitige* Abhängigkeit, diese naturwüchsige Form des *weltgeschichtlichen* Zusammenwirkens der Individuen, wird durch diese kommunistische Revolution verwandelt in die Kontrolle und bewußte Beherrschung dieser Mächte, die, aus dem Aufeinanderwirken der Menschen erzeugt, ihnen bisher als durchaus fremde Mächte imponiert und sie beherrscht haben. Diese Anschauung kann nun wieder spekulativ, idealistisch, d. h. phantastisch als „Selbsterzeugung der Gattung" (die „Gesellschaft und Subjekt") gefaßt und dadurch die aufeinanderfolgende Reihe von im Zusammenhange stehenden Individuen als ein einziges Individuum vorgestellt werden, das das Mysterium vollzieht, sich selbst zu erzeugen. Es zeigt sich hier, daß die Individuen allerdings *einander* machen, physisch und geistig, aber nicht sich machen, weder im Unsinn des heiligen Bruno, wonach . . .
Schließlich erhalten wir noch folgende Resultate aus der entwickelten Geschichtsauffassung: 1. In der Entwicklung der Produktivkräfte tritt eine Stufe ein, auf welcher Produktivkräfte und Verkehrsmittel hervorgerufen werden, welche unter den bestehenden Verhältnissen nur Unheil anrichten, welche keine Produktivkräfte mehr sind, sondern Destruktionskräfte (Maschinerie und Geld) — und was damit zusammenhängt, daß eine Klasse hervorgerufen wird, welche alle Lasten der Gesellschaft zu tragen hat, ohne ihre Vorteile zu genießen, welche aus der Gesellschaft herausgedrängt, in den entschiedensten Gegensatz zu allen anderen Klassen forciert wird; eine Klasse, die die Majorität aller Gesellschaftsmitglieder bildet und von der das Bewußtsein über die Notwendigkeit einer gründlichen Revolution, das kommunistische Bewußtsein, ausgeht, das sich natürlich

auch unter den anderen Klassen vermöge der Auffassung der Stellung dieser Klasse bilden kann; 2. daß die Bedingungen, innerhalb deren bestimmte Produktionskräfte angewandt werden können, die Bedingungen der Herrschaft einer bestimmten Klasse der Gesellschaft sind, deren soziale aus ihrem Besitz hervorgehende Macht in der jedesmaligen Staatsform ihren *praktisch*-idealistischen Ausdruck hat und deshalb jeder revolutionäre Kampf gegen eine Klasse, die bisher geherrscht hat, sich richtet; 3. daß in allen bisherigen Revolutionen die Art der Tätigkeit stets unangetastet blieb und es sich nur um eine andere Distribution dieser Tätigkeit, um eine neue Verteilung der Arbeit an andere Personen handelte, während die kommunistische Revolution sich gegen die bisherige Art der Tätigkeit richtet und die *Arbeit* beseitigt und die Herrschaft aller Klassen mit den Klassen selbst aufhebt, weil sie durch die Klasse bewirkt wird, die in der Gesellschaft für keine Klasse mehr gilt, nicht als Klasse anerkannt wird, schon der Ausdruck der Auflösung aller Klassen, Nationalitäten etc., innerhalb der jetzigen Gesellschaft ist; und 4. daß sowohl zur massenhaften Erzeugung dieses kommunistischen Bewußtseins wie zur Durchsetzung der Sache selbst eine massenhafte Veränderung der Menschen nötig ist, die nur in einer praktischen Bewegung, in einer *Revolution* vor sich gehen kann; daß also die Revolution nicht nur nötig ist, weil die *herrschende* Klasse auf keine andere Weise gestürzt werden kann, sondern auch, weil die stürzende Klasse nur in einer Revolution dahin kommen kann, sich den ganzen alten Dreck vom Halse zu schaffen, um zu einer neuen Begründung der Gesellschaft befähigt zu werden.

Diese Geschichtsauffassung beruht also darauf, den wirklichen Produktionsprozeß, und zwar von der materiellen Produktion des unmittelbaren Lebens ausgehend, zu entwickeln, und die mit dieser Produktionsweise zusammenhängende und von ihr erzeugte Verkehrsform, also die bürgerliche Gesellschaft in ihren verschiedenen Stufen, als Grundlage der ganzen Geschichte aufzufassen und sie sowohl in ihrer Aktion als Staat darzustellen, wie die sämtlichen verschiedenen theoretischen Erzeugnisse und Formen des Bewußtseins, Religion, Philosophie, Moral etc. etc. aus ihr zu erklären und ihren Entstehungsprozeß aus ihnen zu verfolgen, wo dann natürlich auch die Sache in ihrer Totalität (und darum auch die Wechselwirkung dieser verschiedenen Seiten aufeinander) dargestellt werden kann. Sie hat in jeder Periode nicht, wie die idealistische Geschichtsanschauung, nach einer Kategorie zu suchen, sondern bleibt fortwährend auf dem wirklichen Geschichts*boden* stehen, erklärt nicht die Praxis aus der Idee, erklärt die Ideenformationen aus der materiellen Praxis und kommt demgemäß auch zu dem Resultat, daß alle Formen und Produkte des Bewußtseins nicht durch geistige Kritik, durch Auflösung ins „Selbstbewußtsein" oder Verwandlung in „Spuk", „Gespenster", „Sparren" etc., sondern nur durch den praktischen Umsturz der realen gesellschaftlichen Verhältnisse, aus denen diese idealistischen Flausen hervorgegangen sind, aufgelöst werden können, daß nicht die Kritik, sondern die Revolution die treibende Kraft der Geschichte, auch der Religion, Philosophie und sonstiger Theorie ist. Sie zeigt, daß die Geschichte nicht damit endigt, sich ins „Selbstbewußtsein" als „Geist vom Geist" aufzulösen, sondern daß in ihr auf jeder Stufe ein materielles Resultat, eine Summe von Produktionskräften, ein historisch geschaffenes Verhältnis zur Natur und der Individuen zueinander sich vorfindet, die jeder Generation von ihrer Vorgängerin überliefert wird, eine Masse von Produktivkräften, Kapitalien und Umständen, die zwar einerseits von der neuen Generation modifiziert wird, ihr aber auch andererseits ihre eigenen Lebensbedingungen vorschreibt und ihr eine bestimmte Entwicklung, einen speziellen Charakter gibt, daß also die Umstände ebensosehr die Menschen, wie die Menschen die Umstände machen. Diese Summen von Produktionskräften, Kapitalien und sozialen Verkehrsformen, die jedes Individuum und jede Generation als etwas Gegebenes vorfindet, ist der reale Grund dessen, was sich die Philosophen als „Substanz" und „Wesen des Menschen" vorgestellt, was sie apotheosiert und bekämpft haben, ein realer Grund, der dadurch nicht im mindesten in seinen Wirkungen und Einflüssen auf die Entwicklung der Menschen gestört wird, daß diese Philosophen als „Selbstbewußtsein" und „Einzige" dagegen rebellieren. Diese vorgefundenen Lebensbedingungen der verschiedenen Generationen entscheiden auch, ob die periodisch in der Geschichte wiederkehrende revolutionäre Erschütterung stark genug sein wird oder nicht, die Basis alles Bestehenden umzuwerfen, und wenn diese materiellen Elemente einer totalen Umwälzung, nämlich einerseits die verschiedenen Produktionskräfte, andererseits die Bildung einer revolutionären Masse, die nicht nur gegen einzelne Bedingungen der bisherigen Gesellschaft, sondern gegen die bisherige „Lebensproduktion" selbst, die gesamte Tätigkeit, worauf sie basierte, revolutioniert, nicht vorhanden sind, so ist es ganz gleichgültig für die praktische Entwicklung, ob die *Idee* dieser Umwälzung schon hundertmal ausgesprochen ist — wie die Geschichte des Kommunismus dies beweist.

Die ganze bisherige Geschichtsauffassung hat diese wirkliche Basis der Geschichte entweder ganz und gar unberücksichtigt gelassen oder sie nur als eine Nebensache betrachtet, die mit dem geschichtlichen Verlauf außer allem Zusammenhang steht. Die Geschichte muß daher immer nach einem außer ihr liegenden Maßstab geschrieben werden, die wirkliche Lebensproduktion erscheint als ungeschichtlich, während das Geschichtliche als das vom gemeinen Leben Getrennte, Extraüberweltliche erscheint. Das Verhältnis der Menschen zur Natur ist hiermit von der Geschichte ausgeschlossen, wodurch der Gegensatz von Natur und Geschichte erzeugt wird. Sie hat daher in der Geschichte nur politische Haupt- und Staatsaktionen und religiöse und überhaupt theoretische Kämpfe sehen können und speziell bei jeder geschichtlichen Epoche die *Illusion dieser Epoche teilen* müssen. Z. B. bildet sich eine Epoche ein, durch rein „politische" oder „religiöse" Motive bestimmt zu werden, obgleich „Religion" und „Politik" nur Formen ihrer wirklichen Motive sind, so akzeptiert ihr Geschichtsschreiber diese Meinung. Die „Einbildung", die „Vorstellung" dieser bestimmten Menschen über ihre wirkliche Praxis wird in die einzig bestimmende und aktive Macht verwandelt, welche die Praxis dieser Menschen beherrscht und bestimmt. Wenn die rohe Form, in der die

Teilung der Arbeit bei den Indern und Ägyptern vorkommt, das Kastenwesen bei diesen Völkern, in ihrem Staat und ihrer Religion hervorruft, so glaubt der Historiker, das Kastenwesen sei die Macht, welche diese rohe gesellschaftliche Form erzeugt habe. Während die Franzosen und Engländer wenigstens an der politischen Illusion, die der Wirklichkeit noch am nächsten steht, halten, bewegen sich die Deutschen im Gebiete des „reinen Geistes" und machen die religiöse Illusion zur treibenden Kraft der Geschichte. Die Hegelsche Geschichtsphilosophie ist die letzte, auf ihren „reinsten Ausdruck" gebrachte Konsequenz dieser gesamten deutschen Geschichtsschreibung, in der es sich nicht um wirkliche, nicht einmal um politische Interessen, sondern um reine Gedanken handelt, die dann auch dem heiligen Bruno als eine Reihe von Gedanken erschienen ist, von denen einer den anderen auffrißt, und in dem „Selbstbewußtsein" schließlich untergeht, und noch konsequenter dem heiligen Max Stirner, der von der ganzen wirklichen Geschichte nichts weiß, dieser historische Verlauf als eine bloße „Ritter-", „Räuber-" und Gespenstergeschichte erscheinen mußte, vor deren Visionen er sich natürlich nur durch die „Heillosigkeit" zu retten weiß [1]. Diese Auffassung ist wirklich religiös, sie unterstellt den religiösen Menschen als den Urmenschen, von dem alle Geschichte ausgeht, und setzt in ihrer Einbildung die religiöse Phantasieproduktion an die Stelle der wirklichen Produktion der Lebensmittel und des Lebens selbst. Diese ganze Geschichtsauffassung samt ihrer Auflösung und den daraus entstehenden Skrupeln und Bedenken ist eine bloß *nationale* Angelegenheit der Deutschen und hat nur *lokales* Interesse für Deutschland, wie zum Exempel die wichtige, neuerdings mehrfach behandelte Frage: wie man denn eigentlich „aus dem Gottesreich in das Menschenreich komme", als ob dieses „Gottesreich" je anderswo existiert habe als in der Einbildung, und die gelehrten Herren nicht fortwährend, ohne es zu wissen, in dem „Menschenreich" lebten, zu welchem sie jetzt den Weg

---

[1] Hier steht am Rand: „Die sogenannte *objektive* Geschichtsschreibung bestand eben darin, die geschichtlichen Verhältnisse getrennt von der Tätigkeit aufzufassen. Reaktionärer Charakter."

suchen, und als ob das wissenschaftliche Amüsement, — denn mehr als das ist es nicht, — das Kuriosum dieser theoretischen Wolkenbildung zu erklären, nicht gerade umgekehrt darin läge, daß man ihre Entstehung aus den wirklichen irdischen Verhältnissen nachweist. Überhaupt handelt es sich bei diesen Deutschen stets darum, den vorgefundenen Unsinn in irgendeine andere Marotte aufzulösen, d. h. vorauszusetzen, daß dieser ganze Unsinn überhaupt einen aparten *Sinn* habe, der herauszufinden sei, während es sich nur darum handelt, diese theoretischen Phrasen aus den bestehenden wirklichen Verhältnissen zu erklären. Die wirkliche, praktische Auflösung dieser Phrasen, die Beseitigung dieser Vorstellungen aus dem Bewußtsein der Menschen wird, wie schon gesagt, durch veränderte Umstände, nicht durch theoretische Deduktionen bewerkstelligt. Für die Masse der Menschen, d. h. das Proletariat, existieren diese theoretischen Vorstellungen nicht, brauchen also für sie auch nicht aufgelöst zu werden, und wenn diese Masse je einige theoretische Vorstellungen, z. B. Religion, hatte, so sind diese jetzt schon längst durch die Umstände aufgelöst.

Das rein Nationale dieser Fragen und Lösungen zeigt sich auch noch darin, daß diese Theoretiker allen Ernstes glauben, Hirngespinste, wie „der Gottmensch", „der Mensch" hätten den einzelnen Epochen der Geschichte präsidiert, — der heilige Bruno geht sogar so weit, zu behaupten, nur „die Kritik und die Kritiker hätten die Geschichte gemacht" — und, wenn sie sich selbst an geschichtliche Konstruktionen geben, über alles Frühere in der größten Eile hinweg zu springen und vom „Mongolentum" sogleich auf die eigentlich „inhaltsvolle" Geschichte, nämlich die Geschichte der Halleschen und Deutschen Jahrbücher und der Auflösung der Hegelschen Schule in eine allgemeine Zänkerei übergehen. Alle anderen Nationen, alle wirklichen Ereignisse werden vergessen, das theatrum mundi beschränkt sich auf die Leipziger Büchermesse und die gegenseitigen Streitigkeiten der „Kritik", des „Menschen" und des „Einzigen". Wenn sich die Theorie vielleicht einmal daran gibt, wirklich historische Themata zu behandeln wie z. B. das 18. Jahrhundert, so geben sie nur die Geschichte der Vorstellungen, losgerissen von den Tatsachen und praktischen Entwicklungen, die ihnen zugrunde liegen, und auch diese nur in der Absicht, um diese Zeit als eine unvollkommene Vorstufe, als den noch bornierten Vorläufer der wahren geschichtlichen Zeit, d. h. der Zeit des deutschen Philosophenkampfes von 1840—1844 darzustellen. Diesem Zwecke, eine frühere Geschichte zu schreiben, um den Ruhm einer ungeschichtlichen Person und ihrer Phantasien desto heller leuchten zu lassen, entspricht es denn, daß man alle wirklich historischen Ereignisse, selbst die wirklich historischen Ereignisse der Politik, in der Geschichte nicht erwähnt und dafür eine nicht auf Studien, sondern Konstruktionen und literarischen Klatschgeschichten beruhende Erzählung gibt — wie dies vom heiligen Bruno in seiner nun vergessenen Geschichte des 18. Jahrhunderts geschehen ist. Diese hochtrabenden und hochfahrenden Gedankenkrämer, die unendlich weit über allen nationalen Vorurteilen erhaben zu sein glauben, sind also in der Praxis noch viel nationaler als die Bierphilister, die von Deutschlands Einheit träumen. Sie erkennen die Taten anderer Völker gar nicht für historisch an, sie leben in Deutschland, zu Deutschland und für Deutschland, sie verwandeln das Rheinlied in ein geistliches Lied und erobern Elsaß und Lothringen, indem sie statt des französischen Staats die französische Philosophie bestehlen, statt französische Provinzen französische Gedanken germanisieren. Herr Venedey ist ein Kosmopolit gegen die heiligen Bruno und Max, die in der Weltherrschaft der Theorie die Weltherrschaft Deutschlands proklamieren.

Es zeigt sich aus diesen Auseinandersetzungen auch, wie sehr Feuerbach sich täuscht, wenn er (Wigands Vierteljahrsschrift 1845, Bd. 2) sich vermöge der Qualifikation „Gemeinmensch" für einen Kommunisten erklärt, in ein „Prädikat" „*das*" Mensch verwandelt, also das Wort Kommunist, das in der bestehenden Welt den Anhänger einer bestimmten revolutionären Partei bezeichnet, wieder in eine bloße Kategorie verwandeln zu können glaubt. Feuerbachs ganze Deduktion in Beziehung auf das Verhältnis der Menschen zueinander geht nur dahin zu beweisen, daß die Menschen einander nötig haben und *immer gehabt haben*. Er will das

Bewußtsein über diese Tatsache etablieren, er will also, wie die übrigen Theoretiker, nur ein richtiges Bewußtsein über ein *bestehendes* Faktum hervorbringen, während es dem wirklichen Kommunisten darauf ankommt, dies Bestehende umzustürzen. Wir erkennen übrigens vollständig an, daß Feuerbach, indem er das Bewußtsein gerade dieser Tatsache zu erzeugen strebt, soweit geht, wie ein Theoretiker überhaupt gehen kann, ohne aufzuhören, Theoretiker und Philosoph zu sein. Charakteristisch ist es aber, daß die heiligen Bruno und Max die Vorstellung Feuerbachs vom Kommunisten sogleich an die Stelle des wirklichen Kommunisten setzen, was teilweise schon deswegen geschieht, damit sie auch den Kommunismus als „Geist vom Geist", als philosophische Kategorie, als ebenbürtigen Gegner bekämpfen können — und von seiten des heiligen Bruno auch noch aus pragmatischen Interessen. Als Beispiel von der Anerkennung und zugleich Verkennung des Bestehenden, die Feuerbach noch immer mit unsern Gegnern teilt, erinnern wir an die Stelle der „Philosophie der Zukunft", wo er entwickelt, daß das Sein eines Dinges oder Menschen zugleich sein Wesen sei, daß die bestimmten Existenzverhältnisse, Lebensweise und Tätigkeit eines tierischen oder menschlichen Individuums dasjenige sei, worin sein „Wesen" sich befriedigt fühle. Hier wird ausdrücklich jede Ausnahme als ein unglücklicher Zufall, als eine Abnormität, die nicht zu ändern ist, aufgefaßt. Wenn also Millionen von Proletariern sich in ihren Lebensverhältnissen keineswegs befriedigt fühlen, wenn ihr „Sein" ihrem . . . . [1]
Die Gedanken der herrschenden Klasse sind in jeder Epoche die herrschenden Gedanken, d. h. die Klasse, welche die herrschende *materielle* Macht der Gesellschaft ist, ist zugleich ihre herrschende *geistige* Macht. Die Klasse, die die Mittel zur materiellen Produktion zu ihrer Verfügung hat, disponiert damit zugleich über die Mittel zur geistigen Produktion, so daß ihr damit zugleich im Durchschnitt die Gedanken derer, denen die Mittel zur geistigen Produktion abgehen, unterworfen sind. Die herrschenden Gedanken sind

---

[1] [Hier bricht das Manuskript ab.]

weiter nichts als der ideelle Ausdruck der herrschenden **ma-**
teriellen Verhältnisse, die als Gedanken gefaßten, herrschenden materiellen Verhältnisse; also die Verhältnisse, die eben
die eine Klasse zur herrschenden machen, also die Gedanken
ihrer Herrschaft. Die Individuen, welche die herrschende
Klasse ausmachen, haben unter anderem auch Bewußtsein
und denken daher; insofern sie also als Klasse herrschen und
den ganzen Umfang einer Geschichtsepoche bestimmen,
versteht es sich von selbst, daß sie dies in ihrer ganzen Ausdehnung tun, also unter anderem auch als Denkende, als
Produzenten von Gedanken herrschen, die Produktion und
Distribution der Gedanken ihrer Zeit regeln; daß also ihre
Gedanken die herrschenden Gedanken der Epoche sind. Zu
einer Zeit z. B. und in einem Lande, wo königliche Macht,
Aristokratie und Bourgeoisie sich um die Herrschaft streiten, wo also die Herrschaft geteilt ist, zeigt sich als herr-
schender Gedanke die Doktrin von der Teilung der Gewalten, die nun als ein „ewiges Gesetz" ausgesprochen wird. —
Die Teilung der Arbeit, die wir schon oben als eine der
Hauptmächte der bisherigen Geschichte vorfanden, äußert
sich nun auch in der herrschenden Klasse als Teilung der
geistigen und materiellen Arbeit, so daß innerhalb dieser
Klasse der eine Teil als die Denker dieser Klasse auftritt
(die aktiven konzeptiven Ideologen derselben, welche die
Ausbildung der Illusion dieser Klasse über sich selbst zu
ihrem Hauptnahrungszweige machen), während die anderen sich zu diesen Gedanken und Illusionen mehr passiv
und rezeptiv verhalten, weil sie in der Wirklichkeit die aktiven Mitglieder dieser Klasse sind und weniger Zeit dazu
haben, sich Illusionen und Gedanken über sich selbst zu
machen. Innerhalb dieser Klasse kann diese Spaltung derselben sich sogar zu einer gewissen Entgegensetzung und
Feindschaft beider Teile entwickeln, die aber bei jeder praktischen Kollision, wo die Klasse selbst gefährdet ist, von
selbst wegfällt, wo denn auch der Schein verschwindet, als
wenn die herrschenden Gedanken nicht die Gedanken der
herrschenden Klasse wären und eine von der Macht dieser
Klasse unterschiedene Macht hätten. Die Existenz revolutionärer Gedanken in einer bestimmten Epoche setzt bereits

die Existenz einer revolutionären Klasse voraus, über deren
Voraussetzungen bereits oben das Nötige gesagt ist. Löst
man nun bei der Auffassung des geschichtlichen Verlaufs die
Gedanken der herrschenden Klasse von der herrschenden
Klasse los, verselbständigt man sie, bleibt dabei stehen, daß
in einer Epoche diese und jene Gedanken geherrscht haben,
ohne sich um die Bedingungen der Produktion und um die
Produzenten dieser Gedanken zu kümmern, läßt man also
die den Gedanken zugrunde liegenden Individuen und Welt-
zustände weg, so kann man z. B. sagen, daß während der
Zeit, in der die Aristokratie herrschte, die Begriffe Ehre,
Treue etc., während der Herrschaft der Bourgeoisie die Begriffe Freiheit, Gleichheit etc. herrschten. Die herrschende
Klasse selbst bildet sich dies im Durchschnitt ein. Diese Geschichtsauffassung, die allen Geschichtsschreibern vorzugsweise seit dem 18. Jahrhundert gemeinsam ist, wird notwendig auf das Phänomen stoßen, daß immer abstraktere
Gedanken herrschen, d. h. Gedanken, die immer mehr die
Form der Allgemeinheit annehmen. Jede neue Klasse nämlich, die sich an die Stelle einer vor ihr herrschenden setzt,
ist genötigt, schon um ihren Zweck durchzuführen, ihr Interesse als das gemeinschaftliche Interesse aller Mitglieder
der Gesellschaft darzustellen, d. h. ideell ausgedrückt: ihren
Gedanken die Form der Allgemeinheit zu geben, sie als die
einzig vernünftigen, allgemein gültigen, darzustellen. (Die
Allgemeinheit entspricht 1. der Klasse contra Stand, 2. der
Konkurrenz, Weltverkehr etc., 3. der großen Zahlreichheit
der herrschenden Klasse, 4. der Illusion des *gemeinschaftlichen* Interesses. Im Anfang diese Illusion wahr, 5. der
Täuschung der Ideologen und der Teilung der Arbeit.) Die
revolutionierende Klasse tritt von vornherein, schon weil sie
einer *Klasse* gegenübersteht, nicht als Klasse, sondern als
Vertreterin der ganzen Gesellschaft auf, sie erscheint als die
ganze Masse der Gesellschaft gegenüber der einzigen herrschenden Klasse. Sie kann dies, weil im Anfang ihr Interesse
wirklich noch mehr mit dem gemeinschaftlichen Interesse
aller übrigen nicht herrschenden Klassen zusammenhängt,
sich unter dem Druck der bisherigen Verhältnisse noch nicht
als besonderes Interesse einer besonderen Klasse entwickeln

konnte. Ihr Sieg nutzt daher auch vielen Individuen der übrigen, nicht zur Herrschaft kommenden Klasse, aber nur insofern, als er diese Individuen jetzt in den Stand setzt, sich in die herrschende Klasse zu erheben. Als die französische Bourgeoisie die Herrschaft der Aristokratie stürzte, machte sie es dadurch vielen Proletariern möglich, sich über das Proletariat zu erheben, aber nur insofern sie Bourgeois wurden. Jede neue Klasse bringt daher nur auf einer breiteren Basis, als die der bisher herrschenden, ihre Herrschaft zustande, wogegen sich dann später auch der Gegensatz der nichtherrschenden gegen die nun herrschende Klasse um so schärfer und tiefer entwickelt. Durch beides ist bedingt, daß der gegen diese neue herrschende Klasse zu führende Kampf wiederum auf eine entschiedenere, radikalere Negation der bisherigen Gesellschaftszustände hinarbeitet, als alle bisherigen, die Herrschaft anstrebenden Klassen dies tun konnten.

Dieser ganze Schein, als ob die Herrschaft einer bestimmten Klasse nur die Herrschaft gewisser Gedanken sei, hört natürlich von selbst auf, sobald die Herrschaft von Klassen überhaupt aufhört, die Form der gesellschaftlichen Ordnung zu sein, sobald es also nicht mehr nötig ist, ein besonderes Interesse als allgemeines oder „das Allgemeine" als herrschend darzustellen.

Nachdem einmal die herrschenden Gedanken von den herrschenden Individuen und vor allem von den Verhältnissen, die aus einer gegebenen Stufe der Produktionsweise hervorgehen, getrennt sind und dadurch das Resultat zustande gekommen ist, daß in der Geschichte stets Gedanken herrschen, ist es sehr leicht, aus diesen verschiedenen Gedanken sich „*den* Gedanken", die Idee etc. als das in der Geschichte herrschende zu abstrahieren und damit alle diese einzelnen Gedanken und Begriffe als „Selbstbestimmungen" *des* sich in der Geschichte entwickelnden Begriffs zu fassen. Es ist dann auch natürlich, daß alle Verhältnisse der Menschen aus dem Begriff des Menschen, dem vorgestellten Menschen, dem Wesen des Menschen, *dem* Menschen abgeleitet werden können. Dies hat die spekulative Philosophie getan. Hegel gesteht selbst am Ende der Geschichtsphilosophie, daß er „den

Fortgang *des Begriffs* allein betrachtet" und in der Geschichte „die wahrhafte *Theodicee*" dargestellt habe (p. 446). Man kann nun wieder auf die Produzenten „des Begriffs" zurückgehen, auf die Theoretiker, Ideologen und Philosophen, und kommt dann zu dem Resultat, daß die Philosophen, die Denkenden als solche, von jeher in der Geschichte geherrscht haben — ein Resultat, was, wie wir sahen, auch schon von Hegel ausgesprochen wurde. Das ganze Kunststück also, in der Geschichte die Oberherrlichkeit des Geistes (Hierarchie bei Stirner) nachzuweisen, beschränkt sich auf folgende drei Efforts.

Nr. 1. Man muß die Gedanken der aus empirischen Gründen, unter empirischen Bedingungen und als materielle Individuen Herrschenden von diesen Herrschenden trennen und somit die Herrschaft von Gedanken oder Illusionen in der Geschichte anerkennen.

Nr. 2. Man muß in diese Gedankenherrschaft eine Ordnung bringen, einen mystischen Zusammenhang unter den aufeinanderfolgenden herrschenden Gedanken nachweisen, was dadurch zustande gebracht wird, daß man sie als „Selbstbestimmungen des Begriffs" faßt (dies ist deshalb möglich, weil diese Gedanken vermittels ihrer empirischen Grundlage wirklich miteinander zusammenhängen und weil sie, als *bloße* Gedanken gefaßt, zu Selbstunterscheidungen, vom Denker gemachten Unterschieden, werden).

Nr. 3. Um das mystische Aussehen dieses „sich selbst bestimmenden Begriffs" zu beseitigen, verwandelt man ihn in eine Person — „das Selbstbewußtsein" — oder um recht materialistisch zu erscheinen, in eine Reihe von Personen, die „den Begriff" in der Geschichte repräsentieren, in „die Denkenden", die „Philosophen", „die Ideologen", die nun wieder als die Fabrikanten der Geschichte, als „der Rat der Wächter", als die Herrschenden gefaßt werden. Hiermit hat man sämtliche materialistischen Elemente aus der Geschichte beseitigt und kann nun seinem spekulativen Roß ruhig die Zügel schießen lassen.

Es muß diese Geschichtsmethode, die in Deutschland (und warum) vorzüglich herrscht, entwickelt werden, aus dem

Zusammenhang mit der Illusion der Ideologen überhaupt, z. B. die Illusion der Juristen, Politiker (auch der praktischen Staatsmänner darunter), aus den dogmatischen Träumereien und Verdrehungen dieser Kerls, die sich ganz einfach erklärt aus ihrer praktischen Lebensstellung, ihrem Geschäft und der Teilung der Arbeit.

Während im gewöhnlichen Leben jeder Shopkeeper sehr wohl zwischen dem zu unterscheiden weiß, was jemand zu sein vorgibt, und dem, was er wirklich ist, so ist unsere Geschichtsschreibung noch nicht zu dieser trivialen Erkenntnis gekommen. Sie glaubt jeder Epoche aufs Wort, was sie von sich selbst sagt und sich einbildet.

2. Die Teilung der Arbeit

... Aus dem ersteren ergibt sich die Voraussetzung einer ausgebildeten Teilung der Arbeit und eines ausgedehnten Handels, aus dem zweiten die Lokalität. Bei dem ersten müssen die Individuen zusammengebracht sein, bei dem zweiten finden sie sich neben dem gegebenen Produktionsinstrument selbst als Produktionsinstrumente vor. Hier tritt also der Unterschied zwischen den naturwüchsigen und den durch die Zivilisation geschaffenen Produktionsinstrumenten hervor. Der *Acker* (das Wasser etc.) kann als naturwüchsiges Produktionsinstrument betrachtet werden. Im ersten Fall, beim naturwüchsigen Produktionsinstrument, werden die Individuen unter die Natur subsumiert, im zweiten Falle unter ein Produkt der Arbeit. Im ersten Falle erscheint daher auch das Eigentum (Grundeigentum) als unmittelbare, naturwüchsige Herrschaft, im zweiten als Herrschaft der Arbeit, speziell der akkumulierten Arbeit, des Kapitals. Der erste Fall setzt voraus, daß die Individuen durch irgendein Band, sei es Familie, Stamm, der Boden selbst etc. etc., zusammengehören; der zweite Fall, daß sie unabhängig voneinander sind und nur durch den Austausch zusammengehalten werden. Im ersten Fall ist der Austausch hauptsächlich ein Austausch zwischen den Menschen und der Natur, ein Austausch, in dem die Arbeit der einen gegen die Produkte der anderen eingetauscht werden; im zweiten

Falle ist er vorherrschend Austausch der Menschen unter
sich. Im ersten Falle reicht der durchschnittliche Menschenverstand hin, körperliche und geistige Tätigkeit sind noch
gar nicht getrennt; im zweiten Falle muß bereits die Teilung zwischen geistiger und körperlicher Arbeit praktisch
vollzogen sein. Im ersten Falle kann die Herrschaft des
Eigentümers über die Nichteigentümer auf persönlichen
Verhältnissen, auf einer Art von Gemeinwesen beruhen,
im zweiten Falle muß sie in einem dritten, dem Gelde, eine
dingliche Gestalt angenommen haben. Im ersten Falle existiert die kleine Industrie, aber subsumiert unter die Benutzung des naturwüchsigen Produktionsinstruments, und
daher ohne Verteilung der Arbeit an verschiedene Individuen; im zweiten Falle besteht die Industrie nur in und
durch die Teilung der Arbeit. — —
Wir gingen bisher von den Produktionsinstrumenten aus,
und schon hier zeigte sich die Notwendigkeit des Privateigentums für gewisse industrielle Stufen. In der industrie
extractive fällt das Privateigentum mit der Arbeit noch ganz
zusammen; in der kleinen Industrie und aller bisherigen
Agrikultur ist das Eigentum notwendige Konsequenz der
vorhandenen Produktionsinstrumente; in der großen Industrie ist der Widerspruch zwischen dem Produktionsinstrument und Privateigentum erst ihr Produkt, zu dessen Erzeugung sie bereits sehr entwickelt sein muß. Mit ihr ist also
auch die Aufhebung des Privateigentums erst möglich. — —
— — Die größte Teilung der materiellen und geistigen Arbeit
ist die Trennung von Stadt und Land. Der Gegensatz zwischen Stadt und Land fängt an mit dem Übergange aus der
Barbarei in die Zivilisation, aus dem Stammwesen in den
Staat, aus der Lokalität in die Nation, und zieht sich durch
die ganze Geschichte der Zivilisation bis auf den heutigen
Tag (die Anticornlaw-League) hindurch. — Mit der Stadt ist
zugleich die Notwendigkeit der Administration, der Polizei,
der Steuern usw., kurz des Gemeindewesens und damit der
Politik überhaupt gegeben. Hier zeigt sich zuerst die Teilung der Bevölkerung in zwei große Klassen, die direkt auf
der Teilung der Arbeit und den Produktionsinstrumenten
beruht. Die Stadt ist bereits die Tatsache der Konzentration

der Bevölkerung, der Produktionsinstrumente, des Kapitals, der Genüsse, der Bedürfnisse, während das Land gerade die entgegengesetzte Tatsache, die Isolierung und Vereinzelung, zur Anschauung bringt. Der Gegensatz zwischen Stadt und Land kann nur innerhalb des Privateigentums existieren. Er ist der krasseste Ausdruck der Subsumtion des Individuums unter die Teilung der Arbeit und unter eine bestimmte, ihm aufgezwungene Tätigkeit, eine Subsumtion, die den einen zum bornierten Stadttier, den anderen zum bornierten Landtier macht und den Gegensatz der Interessen beider täglich neu erzeugt. Die Arbeit ist hier wieder die Hauptsache, die Macht *über* den Individuen, und so lange diese existiert, so lange muß das Privateigentum existieren. Die Aufhebung des Gegensatzes von Stadt und Land ist eine der ersten Bedingungen der Gemeinschaft, eine Bedingung, die wieder von einer Masse materieller Voraussetzungen abhängt, die der bloße Wille nicht erfüllen kann, wie jeder auf den ersten Blick sieht (diese Bedingungen müssen noch entwickelt werden). Die Trennung von Stadt und Land kann aufgefaßt werden als die Trennung von Kapital und Grundeigentum, als der Anfang einer vom Grundeigentum unabhängigen Existenz und Entwicklung des Kapitals, eines Eigentums, das bloß in der Arbeit und im Austausch seine Basis hat.

In den Städten, welche im Mittelalter nicht aus der früheren Geschichte fertig überliefert waren, sondern sich neu aus den freigewordenen Leibeigenen bildeten, war die besondere Arbeit eines jeden sein einziges Eigentum, außer dem kleinen, fast nur im nötigsten Handwerkszeug bestehenden Kapital, das er mitbrachte. Die Konkurrenz der fortwährend in die Stadt kommenden entlaufenen Leibeigenen, der fortwährende Krieg des Landes gegen die Städte und damit die Notwendigkeit einer organisierten städtischen Kriegsmacht, das Band des gemeinsamen Eigentums an einer bestimmten Arbeit, die Notwendigkeit gemeinsamer Gebäude zum Verkauf ihrer Waren zu einer Zeit, wo der Handwerker zugleich commerçant, und die damit gegebene Ausschließung Unberufener von diesen Gebäuden, der Gegensatz der Interessen der einzelnen Handwerke unter sich, die Notwendigkeit eines Schutzes der mit Mühe erlernten Arbeit und die feudale Organisation des ganzen Landes waren die Ursachen der Vereinigung der Arbeiter eines jeden Handwerks in Zünften. Wir haben hier auf die vielfachen Modifikationen des Zunftwesens, die durch spätere historische Entwicklungen hereinkommen, nicht weiter einzugehen. Die Flucht der Leibeigenen in die Städte fand während des ganzen Mittelalters ununterbrochen statt. Diese Leibeigenen, auf dem Lande von ihren Herren verfolgt, kamen einzeln in die Städte, wo sie eine organisierte Gemeinde vorfanden, gegen die sie machtlos waren, worin sie sich der Stellung unterwerfen mußten, die ihnen das Bedürfnis nach ihrer Arbeit und das Interesse ihrer organisierten städtischen Konkurrenten anwies. Diese einzeln hereinkommenden Arbeiter konnten es nie zu einer Macht bringen, da, wenn ihre Arbeit eine zunftmäßige war, die erlernt werden mußte, die Zunftmeister sie sich unterwarfen und nach ihrem Interesse organisierten, oder wenn ihre Arbeit nicht erlernt werden mußte, daher keine zunftmäßige, sondern Taglöhnerarbeit war, nie zu einer Organisation kamen, sondern unorganisierter Pöbel blieben. Die Notwendigkeit der Taglöhnerarbeit in den Städten schuf den Pöbel. — Diese Städte waren wahre „Vereine", hervorgerufen durch das unmittelbare Bedürfnis, die Sorge um den Schutz des Eigentums und um die Produktionsmittel und Verteidigungsmittel der einzelnen Mitglieder zu multiplizieren. Der Pöbel dieser Städte war dadurch, daß er aus einander fremden, vereinzelt hereingekommenen Individuen bestand, die einer organisierten, kriegsmäßig gerüsteten, sie eifersüchtig überwachenden Macht unorganisiert gegenüberstanden, aller Macht beraubt. Die Gesellen und Lehrlinge waren in jedem Handwerk so organisiert, wie es dem Interesse der Meister am besten entsprach; das patriarchalische Verhältnis, in dem sie zu ihrem Meister standen, gab diesem eine doppelte Macht, einerseits in ihrem direkten Einfluß auf das ganze Leben der Gesellen und dann, weil es für die Gesellen, die bei demselben Meister arbeiteten, ein wirkliches Band war, das sie gegenüber den Gesellen der übrigen Meister zusammenhielt und sie von diesen trennte; und endlich waren die Gesellen schon durch das Interesse, das sie hatten, selbst Meister zu werden, an die bestehende Ordnung geknüpft. Während daher der Pöbel es wenigstens zu Emeuten gegen die ganze städtische Ordnung brachte, die indes bei seiner Machtlosigkeit ohne alle Wirkung blieben, kamen die Gesellen nur zu kleinen Widersetzlichkeiten innerhalb einzelner Zünfte, wie sie zur Existenz des Zunftwesens selbst gehören. Die großen Aufstände des Mittelalters gingen alle vom Lande aus, blieben aber ebenfalls wegen der Zersplitterung und der daraus folgenden Roheit der Bauern total erfolglos. — —

Das Kapital in diesen Städten war ein naturwüchsiges Kapital, das in der Wohnung, den Handwerkszeugen und der naturwüchsigen, erblichen Kundschaft bestand und sich wegen des unentwickelten Verkehrs und der mangelnden Zirkulation als unrealisierbar vom Vater auf den Sohn forterben mußte. Dies Kapital war nicht wie das moderne ein in Geld abzuschätzendes, bei dem es gleichgültig ist, ob es in dieser oder jener Sache steckt, sondern ein unmittelbar mit der bestimmten Arbeit des Besitzers zusammenhängendes, von ihr gar nicht zu trennendes und insofern *ständisches Kapital.* — —

Die Teilung der Arbeit war in den Städten zwischen den einzelnen Zünften und in den Zünften selbst zwischen den einzelnen Arbeitern gar nicht durchgeführt. Jeder Arbeiter mußte in einem ganzen Kreise von Arbeiten bewandert sein, mußte alles machen können, was mit seinen Werkzeugen zu machen war; der beschränkte Verkehr und die geringe Verbindung der einzelnen Städte, der Mangel an Bevölkerung und die Beschränktheit der Bedürfnisse unter sich, ließen keine weitere Teilung der Arbeit aufkommen, und daher mußte jeder, der Meister werden wollte, seines ganzen Handwerks mächtig sein. Daher findet sich bei den mittelalterlichen Handwerkern noch ein Interesse an ihrer speziellen Arbeit und an der Geschicklichkeit darin, das sich bis zu einem gewissen bornierten Kunstsinn steigern konnte. Daher ging aber auch jeder mittelalterliche Handwerker ganz in seiner Arbeit auf, hatte ein gemütliches Knechtschaftsverhältnis zu ihr und war viel mehr als der moderne Arbeiter, dem seine Arbeit gleichgültig ist, unter sie subsumiert. — —

Die nächste Ausdehnung der Teilung der Arbeit war die Trennung von Produktion und Verkehr, die Bildung einer besonderen Klasse von Kaufleuten, eine Trennung, die in den historisch überlieferten Städten (u. a. mit den Juden) mit überkommen war und in den neugebildeten sehr bald eintrat. Hiermit war die Möglichkeit einer über den nächsten Umkreis hinausgehenden Handelsverbindung gegeben, eine Möglichkeit, deren Ausführung von den bestehenden Kommunikationsmitteln, dem durch die politischen Verhältnisse bedingten Stande der öffentlichen Sicherheit auf dem Lande (im ganzen Mittelalter zogen bekanntlich die Kaufleute in bewaffneten Karawanen herum) und von den durch die jedesmalige Kulturstufe bedingten roheren oder entwickelteren Bedürfnissen des dem Verkehr zugänglichen Gebietes abhing. — Mit dem in einer besonderen Klasse konstituierten Verkehr, mit der Ausdehnung des Handels durch die Kaufleute über die nächste Umgebung der Stadt hinaus, tritt sogleich eine Wechselwirkung zwischen der Produktion und dem Verkehr ein. Die Städte treten *miteinander* in Verbindung, es werden neue Werkzeuge aus einer Stadt in die andere gebracht, und die Teilung zwischen Produktion und Verkehr ruft bald eine neue Teilung der Produktion zwischen den einzelnen Städten hervor, deren jede bald einen vorherrschenden Industriezweig exploitiert. Die anfängliche Beschränkung auf die Lokalität fängt allmählich an, aufgelöst zu werden.

Es hängt lediglich von der Ausdehnung des Verkehrs ab, ob die in einer Lokalität gewonnenen Produktivkräfte, namentlich Erfindungen, für die spätere Entwicklung verloren gehen oder nicht. Solange noch kein über die unmittelbare Nachbarschaft hinausgehender Verkehr existiert, muß jede Erfindung in jeder Lokalität besonders gemacht werden, und bloße Zufälle, wie Irruptionen barbarischer Völker, selbst gewöhnliche Kriege, reichen hin, ein Land mit entwickelten Produktivkräften und Bedürfnissen dahin zu bringen, daß es wieder von vorne anfangen muß. In der anfänglichen Geschichte mußte jede Erfindung täglich neu und in jeder Lokalität unabhängig gemacht werden. Wie wenig ausgebildete Produktivkräfte selbst bei einem ver-

hältnismäßig sehr ausgedehnten Handel vor dem gänzlichen
Untergange sicher sind, beweisen die Phönizier, deren Erfindungen zum größten Teil durch die Verdrängung dieser
Nation aus dem Handel, die Eroberung Alexanders und den
daraus folgenden Verfall auf lange Zeit verloren gingen.
Ebenso im Mittelalter die Glasmalerei zum Beispiel. Erst
wenn der Verkehr zum Weltverkehr geworden ist und die
große Industrie zur Basis hat, alle Nationen in den Konkurrenzkampf hereingezogen sind, ist die Dauer der gewonnenen Produktivkräfte gesichert.

Die Teilung der Arbeit zwischen den verschiedenen Städten
hatte zur nächsten Folge das Entstehen der Manufakturen,
der dem Zunftwesen entwachsenen Produktionszweige. Das
erste Aufblühen der Manufakturen — in Italien und später
in Flandern — hatte den Verkehr mit auswärtigen Nationen
zu seiner historischen Voraussetzung. In anderen Ländern
— England und Frankreich z. B. — beschränkten die Manufakturen sich anfangs auf den inländischen Markt. Die
Manufakturen haben außer den angegebenen Voraussetzungen noch eine schon fortgeschrittene Konzentration der
Bevölkerung — namentlich auf dem Lande — und des Kapitals, das sich teils in den Zünften, trotz der Zunftgesetze,
teils bei den Kaufleuten, in einzelnen Händen zu sammeln
anfing, zur Voraussetzung.

Diejenige Arbeit, die von vornherein eine Maschine, wenn
auch noch in der rohesten Gestalt, voraussetzte, zeigte sich
sehr bald als die entwicklungsfähigste. Die Weberei, bisher
auf dem Lande von den Bauern nebenbei betrieben, um sich
ihre nötige Kleidung zu verschaffen, war die erste Arbeit,
welche durch die Ausdehnung des Verkehrs einen Anstoß
und eine weitere Ausbildung erhielt. Die Weberei war die
erste und blieb die hauptsächlichste Manufaktur. Die mit
der steigenden Bevölkerung steigende Nachfrage nach Klei-
dungsstoffen, die beginnende Akkumulation und Mobilisation des naturwüchsigen Kapitals durch die beschleunigte
Zirkulation, das hierdurch hervorgerufene und durch die
allmähliche Ausdehnung des Verkehrs überhaupt begün-
stigte Luxusbedürfnis gaben der Weberei quantitativ und
qualitativ einen Anstoß, der sie aus der bisherigen Produk-

tionsform herausriß. Neben den zum Selbstgebrauch webenden Bauern, die fortbestehen blieben, und noch fortbestehen,
kam eine neue Klasse von Webern in den Städten auf, deren
Gewebe für den ganzen heimischen Markt und meist auch
für auswärtige Märkte bestimmt waren. — Die Weberei, eine
in den meisten Fällen wenig Geschicklichkeit erfordernde
und bald in unendlich viele Zweige zerfallende Arbeit, wi-
derstrebte ihrer ganzen Beschaffenheit nach den Fesseln der
Zunft. Die Weberei wurde daher auch meist in Dörfern und
Marktflecken ohne zünftige Organisation betrieben, die allmählich zu Städten, und zwar bald zu den blühendsten
Städten jedes Landes wurden. — Mit der zunftfreien Manufaktur veränderten sich sogleich auch die Eigentumsverhältnisse. Der erste Fortschritt über das naturwüchsig-ständische
Kapital hinaus war durch das Aufkommen der Kaufleute
gegeben, deren Kapital von vornherein mobil, Kapital im
modernen Sinne, war, soweit davon unter damaligen Verhältnissen die Rede sein kann. Der zweite Fortschritt kam
mit der Manufaktur, die wieder eine Masse des naturwüchsigen Kapitals mobilisierte und überhaupt die Masse des
mobilen Kapitals gegenüber der des naturwüchsigen vermehrte. — Die Manufaktur wurde zugleich eine Zuflucht
der Bauern gegen die sie ausschließenden oder schlecht be-
zahlenden Zünfte, wie früher die Zunftstädte den Bauern
als Zuflucht gedient hatten.
Mit dem Anfange der Manufakturen gleichzeitig war eine
Periode des Vagabundentums, veranlaßt durch das Aufhören
der feudalen Gefolgschaften, die Entlassung der zusammen-
gelaufenen Armeen, die den Königen gegen die Vasallen gedient hatten, durch verbesserten Ackerbau und Verwandlung von großen Streifen Ackerlandes in Viehweiden. Schon
hieraus geht hervor, wie dies Vagabundentum genau mit
der Auflösung der Feudalität zusammenhängt. Schon im
13. Jahrhundert kommen einzelne Epochen dieser Art vor;
allgemein und dauernd tritt dies Vagabundentum erst mit
dem Ende des 15. und Anfang des 16. Jahrhunderts hervor.
Diese Vagabunden, die so zahlreich waren, daß u. a. Heinrich VIII. von England ihrer 72000 hängen ließ, wurden
nur mit den größten Schwierigkeiten und durch die äußerste

Not, und erst nach langem Widerstreben dahin gebracht, daß sie arbeiteten. Das rasche Aufblühen der Manufakturen, namentlich in England, absorbierte sie allmählich. — — —

Mit der Manufaktur traten die verschiedenen Nationen in ein Konkurrenzverhältnis, in den Handelskampf, der in Kriegen, Schutzzöllen und Prohibitionen durchgekämpft wurde, während früher die Nationen, soweit sie in Verbindung waren, einen harmlosen Austausch miteinander vollführt hatten. Der Handel hat von nun an politische Bedeutung.

Mit der Manufaktur war zugleich ein verändertes Verhältnis des Arbeiters zum Arbeitgeber gegeben. In den Zünften existierte das patriarchalische Verhältnis zwischen Gesellen und Meister fort; in der Manufaktur trat an seine Stelle das Geldverhältnis zwischen Arbeiter und Kapitalist; ein Verhältnis, das auf dem Lande und in kleinen Städten patriarchalisch tingiert blieb, in den größeren, eigentlichen Manufakturstädten jedoch schon früh fast alle patriarchalische Färbung verlor.

Die Manufaktur und überhaupt die Bewegung der Produktion erhielt einen enormen Aufschwung durch die Ausdehnung des Verkehrs, welche mit der Entdeckung Amerikas und des Seeweges nach Ostindien eintrat. Die neuen, von dort importierten Produkte, namentlich die Massen von Gold und Silber, die in Zirkulation kamen und die Stellung der Klassen gegeneinander total veränderten und dem feudalen Grundeigentum und den Arbeitern einen harten Stoß gaben, die Abenteuerzüge, Kolonisation, und vor allem die jetzt möglich gewordene und täglich sich mehr und mehr herstellende Ausdehnung der Märkte zum Weltmarkt, riefen eine neue Phase der geschichtlichen Entwicklung hervor, auf welche im allgemeinen hier nicht weiter einzugehen ist. Durch die Kolonisation der neuentdeckten Länder erhielt der Handelskampf der Nationen gegeneinander neue Nahrung und demgemäß größere Ausdehnung und Erbitterung.

Die Ausdehnung des Handels und der Manufaktur beschleunigte die Akkumulation des mobilen Kapitals, während in den Zünften, die keinen Stimulus zur erweiterten Produktion erfuhren, das naturwüchsige Kapital stabil blieb oder gar abnahm. Handel und Manufaktur schufen die große Bourgeoisie, in den Zünften konzentrierte sich die Kleinbürgerschaft, die nun nicht mehr, wie früher, in den Städten herrschte, sondern der Herrschaft der großen Kaufleute und Manufakturiers sich beugen mußte [1]. Daher der Verfall der Zünfte, sobald sie mit der Manufaktur in Berührung kamen.

Das Verhältnis der Nationen untereinander in ihrem Verkehr nahm während der Epoche, von der wir gesprochen haben, zwei verschiedene Gestalten an. Im Anfange bedingte die geringe zirkulierende Quantität des Goldes und Silbers das Verbot der Ausfuhr dieser Metalle, und die durch die Notwendigkeit der Beschäftigung für die wachsende städtische Bevölkerung nötig gewordene, meist vom Auslande importierte Industrie konnte der Privilegien nicht entbehren, die natürlich nicht nur gegen inländische, sondern hauptsächlich gegen auswärtige Konkurrenz gegeben werden konnten. Das lokale Zunftprivilegium wurde in diesen ursprünglichen Prohibitionen auf die ganze Nation erweitert. Die Zölle entstanden aus den Abgaben, die die Feudalherren den ihr Gebiet durchziehenden Kaufleuten als Abkauf der Plünderung auflegten, Abgaben, die später von den Städten ebenfalls auferlegt wurden und die beim Aufkommen der modernen Staaten das zunächstliegende Mittel für den Fiskus waren, um Geld zu bekommen. — Die Erscheinung des amerikanischen Goldes und Silbers auf den europäischen Märkten, die allmähliche Entwicklung der Industrie, der rasche Aufschwung des Handels und das hierdurch hervorgerufene Aufblühen der nichtzünftigen Bourgeoisie und des Geldes gab diesen Maßregeln eine andere Bedeutung. Der Staat, der des Geldes täglich weniger entbehren konnte, behielt nun das Verbot der Gold- und Silberausfuhr aus fiskalischen Rücksichten bei; die Bourgeois, für die diese neu auf den Markt geschleuderten Geldmassen der Hauptgegenstand des Akkaparements war, waren damit vollständig zufrieden; die bisherigen Privilegien wurden eine Einkommensquelle für die Regierung und für Geld verkauft;

---

[1] Hier steht am Rand: Kleinbürger. Mittelstand. Große Bourgeoisie.

in der Zollgesetzgebung kamen die Ausfuhrzölle auf, die der Industrie nur Hindernisse in den Weg legend, einen rein fiskalischen Zweck hatten. — —
Die zweite Periode trat mit der Mitte des 17. Jahrhunderts ein und dauerte fast bis zum Ende des 18. Der Handel und die Schiffahrt hatten sich rascher ausgedehnt als die Manufaktur, die eine sekundäre Rolle spielte; die Kolonien fingen an, starke Konsumenten zu werden, die einzelnen Nationen teilten sich durch lange Kämpfe in den sich öffnenden Weltmarkt. Diese Periode beginnt mit den Navigationsgesetzen und Kolonialmonopolen. Die Konkurrenz der Nationen untereinander wurde durch Tarife, Prohibitionen, Traktate möglichst ausgeschlossen; und in letzter Instanz wurde der Konkurrenzkampf durch Kriege (besonders Seekriege) geführt, entschieden. Die zur See mächtigste Nation, die Engländer, behielten das Übergewicht im Handel und der Manufaktur. Schon hier die Konzentration auf *ein* Land. — Die Manufaktur war fortwährend durch Schutzzölle im heimischen Markte, im Kolonialmarkte durch Monopole und im auswärtigen möglichst viel durch Differentialzölle geschützt. Die Bearbeitung des im Lande selbst erzeugten Materials wurde begünstigt (Wolle und Leinen in England, Seide in Frankreich), die Ausfuhr des im Inlande erzeugten Rohmaterials verboten (Wolle in England) und die des importierten vernachlässigt oder unterdrückt (Baumwolle in England). Die im Seehandel und der Kolonialmacht vorherrschende Nation sicherte sich natürlich auch die größte quantitative und qualitative Ausdehnung der Manufaktur. Die Manufaktur konnte überhaupt des Schutzes nicht entbehren, da sie durch die geringste Veränderung, die in anderen Ländern vorgeht, ihren Markt verlieren und ruiniert werden kann; sie ist leicht in einem Lande unter einigermaßen günstigen Bedingungen eingeführt und eben deshalb leicht zerstört. Sie ist zugleich durch die Art, wie sie namentlich im 18. Jahrhundert auf dem Lande betrieben wurde, mit den Lebensverhältnissen einer großen Masse von Individuen so verwachsen, daß kein Land wagen darf, ihre Existenz durch Zulassung der freien Konkurrenz aufs Spiel zu setzen. Sie hängt daher, insofern sie

es bis zum Export bringt, ganz von der Ausdehnung oder
Beschränkung des Handels ab und übt eine verhältnismäßig
sehr geringe Rückwirkung auf ihn aus. Daher ihre sekundäre Bedeutung und daher der Einfluß der Kaufleute im
18. Jahrhundert. Die Kaufleute und besonders die Reeder
waren es, die vor allen andern auf Staatsschutz und Mono-
polien drangen; die Manufakturiers verlangten und erhielten zwar auch Schutz, standen aber fortwährend hinter den
Kaufleuten an politischer Bedeutung zurück. Die Handels-
städte, speziell die Seestädte, wurden einigermaßen zivili-
siert und großbürgerlich, während in den Fabrikstädten die
größte Kleinbürgerei bestehen blieb. Vgl. Aikin, etc. etc.
Das 18. Jahrhundert war das des Handels. Pinto[1] sagt dies
ausdrücklich: Le commerce fait la marotte du siècle, und:
depuis quelque temps il n'est plus question que de commerce, de navigation et de marine. —
Die Bewegung des Kapitals, obwohl bedeutend beschleunigt,
blieb doch noch stets verhältnismäßig langsam. Die Zersplitterung des Weltmarktes in einzelne Teile, deren jeder
von einer besonderen Nation ausgebeutet wurde, die Ausschließung der Konkurrenz der Nationen unter sich, die
Unbehilflichkeit der Produktion selbst und das aus den
ersten Stufen sich erst entwickelnde Geldwesen hielten die
Zirkulation sehr auf. Die Folge davon war ein krämerhaf-
ter, schmutzig-kleinlicher Geist, der allen Kaufleuten und
der ganzen Weise des Handelsbetriebs noch anhaftete. Im
Vergleich mit den Manufakturiers und vollends den Handwerkern waren sie allerdings Großbürger, Bourgeois, im
Vergleich zu den Kaufleuten und Industriellen der nächsten Periode bleiben sie Kleinbürger. Vgl. A. Smith. — —
Diese Periode ist auch bezeichnet durch das Aufhören der
Gold- und Silberausfuhrverbote, das Entstehen des Geld-
handels, der Banken, der Staatsschulden, des Papiergeldes,
der Aktien- und Fondsspekulation, der Agiotage in allen
Artikeln und der Ausbildung des Geldwesens überhaupt.
Das Kapital verlor wieder einen großen Teil der ihm noch
anklebenden Naturwüchsigkeit.

[1] *Pinto:* Traité de la circulation et du credit. Amsterdam 1771.

Die im 17. Jahrhundert unaufhaltsam sich entwickelnde Konzentration des Handels und der Manufaktur auf ein Land, England, schuf für dieses Land allmählich einen relativen Weltmarkt und damit eine Nachfrage für die Manufakturprodukte dieses Landes, die durch die bisherigen industriellen Produktivkräfte nicht mehr befriedigt werden konnte. Diese den Produktivkräften über den Kopf wachsende Nachfrage war die treibende Kraft, welche die dritte Periode des Privateigentums seit dem Mittelalter hervorrief, indem sie die große Industrie — die Anwendung von Elementarkräften zu industriellen Zwecken, die Maschinerie und die ausgedehnteste Teilung der Arbeit — erzeugte. Die übrigen Bedingungen dieser neuen Phase — die Freiheit der Konkurrenz innerhalb der Nation, die Ausbildung der theoretischen Mechanik (die durch Newton vollendete Mechanik war überhaupt im 18. Jahrhundert in Frankreich und England die populärste Wissenschaft) etc. etc. existierten in England bereits. (Die freie Konkurrenz in der Nation selbst mußte überall durch eine Revolution erobert werden. — 1640 und 1688 in England, 1789 in Frankreich.) Die Konkurrenz zwang bald jedes Land, das seine historische Rolle behalten wollte, seine Manufakturen durch erneuerte Zollmaßregeln zu schützen (die alten Zölle halfen gegen die große Industrie nicht mehr) und bald darauf die große Industrie unter Schutzzöllen einzuführen. Die große Industrie universalisierte trotz dieser Schutzmittel die Konkurrenz (sie ist die praktische Handelsfreiheit, der Schutzzoll ist in ihr nur ein Palliativ, eine Gegenwehr in der Handelsfreiheit), stellte die Kommunikationsmittel und den modernen Weltmarkt her, unterwarf sich den Handel, verwandelte alles Kapital in industrielles Kapital und erzeugte damit die rasche Zirkulation (die Ausbildung des Geldwesens) und Zentralisation der Kapitalien. Sie zwang durch die universelle Konkurrenz alle Individuen zur äußersten Anspannung ihrer Energie. Sie vernichtete möglichst die Ideologie, Religion, Moral etc., und wo sie dies nicht konnte, machte sie sie zur handgreiflichen Lüge. Sie erzeugte insoweit erst die Weltgeschichte, als sie jede zivilisierte Nation und jedes Individuum darin in der Befriedigung seiner Bedürfnisse von der ganzen Welt abhängig machte und die bisherige naturwüchsige Ausschließlichkeit einzelner Nationen vernichtete. Sie subsumierte die Naturwissenschaft unter das Kapital und nahm der Teilung der Arbeit den letzten Schein der Naturwüchsigkeit. Sie vernichtete überhaupt die Naturwüchsigkeit, soweit dies innerhalb der Arbeit möglich ist, und löste alle naturwüchsigen Verhältnisse in Geldverhältnisse auf. Sie schuf an der Stelle der naturwüchsigen Städte die modernen, großen Industriestädte, die über Nacht entstanden sind. Sie zerstörte, wo sie durchdrang, das Handwerk und überhaupt alle früheren Stufen der Industrie. Sie vollendete den Sieg der Stadt über das Land. Ihre Signatur ist das automatische System. Sie erzeugte eine Masse von Produktivkräften, für die das Privateigentum ebensosehr eine Fessel wurde, wie die Zunft für die Manufaktur und der kleine, ländliche Betrieb für das sich ausbildende Handwerk. Diese Produktivkräfte erhalten unter dem Privateigentum eine nur einseitige Entwicklung, werden für die Mehrzahl zu Destruktivkräften, und eine Menge solcher Kräfte können im Privateigentum gar nicht zur Anwendung kommen. Sie erzeugte im allgemeinen überall dieselben Verhältnisse zwischen den Klassen der Gesellschaft und vernichtete dadurch die Besonderheit der einzelnen Nationalitäten. Und endlich, während die Bourgeoisie jeder Nation noch aparte nationale Interessen behält, schuf die große Industrie eine Klasse, die bei allen Nationen dasselbe Interesse hat und bei der die Nationalität schon vernichtet ist, eine Klasse, die wirklich die ganze alte Welt los ist und zugleich ihr gegenübersteht. Sie macht dem Arbeiter nicht bloß das Verhältnis zum Kapitalisten, sondern die Arbeit selbst unerträglich.

Es versteht sich, daß die große Industrie nicht in jeder Lokalität eines Landes zu derselben Höhe der Ausbildung kommt. Dies hält indes die Klassenbewegung des Proletariats nicht auf, da die durch die große Industrie erzeugten Proletarier an die Spitze dieser Bewegung treten und die ganze Masse mit sich fortreißen, und da die von der großen Industrie ausgeschlossenen Arbeiter durch diese große Industrie in eine noch schlechtere Lebenslage versetzt werden als

die Arbeiter der großen Industrie selbst. Ebenso wirken die
Länder, in denen eine große Industrie entwickelt ist, auf
die plus ou moins nichtindustriellen Länder, sofern diese
durch den Weltverkehr in den universellen Konkurrenzkampf hineingerissen sind.

Diese verschiedenen Formen sind ebensoviel Formen der
Organisation der Arbeit und damit des Eigentums. In jeder
Periode fand eine Vereinigung der existierenden Produktivkräfte statt, soweit sie durch die Bedürfnisse notwendig
geworden war. — —

Dieser Widerspruch zwischen den Produktivkräften und der
Verkehrsform, der, wie wir sahen, schon mehrere Male in
der bisherigen Geschichte vorkam, ohne jedoch die Grundlage derselben zu gefährden, mußte jedesmal in einer Revolution eklatieren, wobei er zugleich verschiedene Nebengestalten annahm, als Totalität von Kollisionen, Kollisionen
verschiedener Klassen, als Widerspruch des Bewußtseins, Gedankenkampf, etc., politischer Kampf, etc. Von einem bornierten Gesichtspunkte aus kann man nun eine dieser Nebengestalten herausnehmen und sie als die Basis dieser Revolutionen betrachten, was um so leichter ist, als die Individuen,
von denen die Revolutionen ausgingen, sich je nach ihrem
Bildungsgrad und der Stufe der historischen Entwicklung
über ihre eigene Tätigkeit selbst Illusionen machten. — —

Alle Kollisionen der Geschichte haben also, nach unserer
Auffassung, ihren Ursprung in dem Widerspruch zwischen
den Produktivkräften und der Verkehrsform. Es ist übrigens
nicht nötig, daß dieser Widerspruch, um zu Kollisionen in
einem Lande zu führen, in diesem Lande selbst auf die
Spitze getrieben ist. Die durch einen erweiterten internationalen Verkehr hervorgerufene Konkurrenz mit industriell entwickelteren Ländern ist hinreichend, um auch in
den Ländern mit weniger entwickelter Industrie einen ähnlichen Widerspruch zu erzeugen (z. B. das latente Proletariat in Deutschland durch die Konkurrenz der englischen
Industrie zur Erscheinung gebracht).

Die Konkurrenz isoliert die Individuen, nicht nur die Bourgeois, sondern noch mehr die Proletarier gegeneinander, trotzdem daß sie sie zusammenbringt. Daher dauert es eine lange Zeit, bis diese Individuen sich vereinigen können, abgesehen davon, daß zu dieser Vereinigung — wenn sie nicht bloß lokal sein soll — die nötigen Mittel, die großen Industriestädte und die wohlfeilen und schnellen Kommunikationen durch die große Industrie erst hergestellt sein müssen, und daher ist jede organisierte Macht gegenüber diesen isolierten und in Verhältnissen, die die Isolierung täglich reproduzieren, lebenden Individuen erst nach langen Kämpfen zu besiegen. Das Gegenteil verlangen, hieße ebensoviel, wie zu verlangen, daß die Konkurrenz in dieser bestimmten Geschichtsepoche nicht existieren soll, oder daß die Individuen Verhältnisse, über die sie als isolierte keine Kontrolle haben, sich aus dem Kopf schlagen sollen. — —

Häuserbau. Bei den Wilden versteht es sich von selbst, daß jede Familie ihre eigene Höhle oder Hütte hat, wie bei den Nomaden das separate Zelt jeder Familie. Diese getrennte Hauswirtschaft wird durch die weitere Entwicklung des Privateigentums nur noch nötiger gemacht. Bei den Agrikulturvölkern ist die gemeinsame Hauswirtschaft ebenso unmöglich, wie die gemeinsame Bodenkultur. Ein großer Fortschritt war die Erbauung von Städten. In allen bisherigen Perioden war indes die Aufhebung der getrennten Wirtschaft, die von der Aufhebung des Privateigentums nicht zu trennen ist, schon deswegen unmöglich, weil die materiellen Bedingungen dazu nicht vorhanden waren. Die Einrichtung einer gemeinsamen Hauswirtschaft setzt die Entwicklung der Maschinerie, der Benutzung der Naturkräfte, und vieler andern Produktivkräfte voraus — z. B. der Wasserleitungen, der Gasbeleuchtung, der Dampfheizung etc., Aufhebung von Stadt und Land. Ohne diese Bedingungen würde die gemeinsame Wirtschaft nicht selbst wieder eine neue Produktionskraft sein, aller materiellen Basis entbehren, auf einer bloß theoretischen Grundlage beruhen, d. h. eine bloße Marotte sein und es nur zur Klosterwirtschaft bringen. — Was möglich war, zeigt sich in der Zusammenrückung zu Städten und in der Erbauung gemeinsamer Häuser zu einzelnen bestimmten Zwecken (Gefängnisse, Kasernen etc. etc.). Daß die Aufhebung der getrenn-

ten Wirtschaft von der Aufhebung der Familie nicht zu
trennen ist, versteht sich von selbst. — —

(Der bei Sankt Max häufig vorkommende Satz, daß jeder
alles, was er ist, durch den Staat ist, ist im Grunde derselbe
wie der, daß der Bourgeois ein Exemplar der Bourgeoisgattung sei; ein Satz, der voraussetzt, daß die *Klasse* der
Bourgeois schon vor den sie konstituierenden Individuen
existiert habe.[1] Die Bürger in jeder Stadt waren im Mittelalter gezwungen, sich gegen den Landadel zu vereinigen,
um sich ihrer Haut zu wehren; die Ausdehnung des Handels, die Herstellung der Kommunikation führte die einzelnen Städte dazu, andere Städte kennenzulernen, die dieselben Interessen im Kampfe mit demselben Gegensatz durchgesetzt hatten. Aus den vielen lokalen Bürgerschaften der
einzelnen Städte entstand sehr allmählich die Bürger*klasse*.
Die Lebensbedingungen der einzelnen Bürger wurden durch
den Gegensatz gegen die bestehenden Verhältnisse und durch
die davon bedingte Art der Arbeit zugleich zu Bedingungen,
welche ihnen allen gemeinsam und von jedem einzelnen
unabhängig waren. Die Bürger hatten diese Bedingungen
geschaffen, insofern sie sich von dem feudalen Verbande
losgerissen hatten, und waren von ihnen geschaffen, insofern sie durch ihren Gegensatz gegen die Feudalität, die sie
vorfanden, bedingt waren. Mit dem Eintreten der Verbindung zwischen den einzelnen Städten entwickelten sich diese
gemeinsamen Bedingungen zu Klassenbedingungen. Dieselben Bedingungen, derselbe Gegensatz, dieselben Interessen
mußten im ganzen und großen auch überall gleiche Sitten
hervorrufen. Die Bourgeoisie selbst entwickelt sich erst mit
ihren Bedingungen allmählich, spaltet sich nach der Teilung der Arbeit wieder in verschiedene Fraktionen und absorbiert endlich alle vorgefundenen besitzenden Klassen in
sich[2] (während sie die Majorität der vorgefundenen besitzlosen und einen Teil der bisher besitzenden Klasse zu einer

---

[1] Hier steht am Rande: Präexistenz der Klasse bei den Philosophen.
[2] Hier steht am Rande: Sie absorbiert zunächst die dem Staat
direkt angehörigen Arbeitszweige, dann alle mehr oder weniger
ideologischen Stände.

neuen Klasse, dem Proletariat, entwickelt) in dem Maße, als alles vorgefundene Eigentum in industrielles oder kommerzielles Kapital umgewandelt wird. Die einzelnen Individuen bilden nur insofern eine Klasse, als sie einen gemeinsamen Kampf gegen eine andere Klasse zu führen haben; im übrigen stehen sie einander selbst in der Konkurrenz wieder feindlich gegenüber. Auf der andern Seite verselbständigt sich die Klasse wieder gegen die Individuen, so daß diese ihre Lebensbedingungen prädestiniert vorfinden, von der Klasse ihre Lebensstellung und damit ihre persönliche Entwicklung angewiesen bekommen, unter sie subsumiert werden. Dies ist dieselbe Erscheinung, wie die Subsumtion der einzelnen Individuen unter die Teilung der Arbeit und kann nur durch die Aufhebung des Privateigentums und der Arbeit selbst beseitigt werden. Wie diese Subsumtion der Individuen unter die Klasse sich zugleich zu einer Subsumtion unter allerlei Vorstellungen etc. etc. entwickelt, haben wir bereits mehrere Male angedeutet.

Wenn man diese Entwicklung der Individuen in den gemeinsamen Existenzbedingungen der geschichtlich aufeinanderfolgenden Stände und Klassen und den ihnen damit aufgedrängten allgemeinen Vorstellungen *philosophisch* betrachtet, so kann man sich allerdings leicht einbilden, in diesen Individuen habe sich die Gattung oder der Mensch, oder sie haben den Menschen entwickelt; eine Einbildung, womit der Geschichte einige starke Ohrfeigen gegeben werden. Man kann dann diese verschiedenen Stände und Klassen als Spezifikationen des allgemeinen Ausdrucks, als Unterarten der Gattung, als Entwicklungsphasen des Menschen fassen.

Diese Subsumtion der Individuen unter bestimmte Klassen kann nicht eher aufgehoben werden, als bis sich eine Klasse gebildet hat, die gegen die herrschende Klasse kein besonderes Klasseninteresse mehr durchzusetzen hat.

Die Verwandlung der persönlichen Mächte (Verhältnisse) in sachliche durch die Teilung der Arbeit kann nicht dadurch wieder aufgehoben werden, daß man sich die allgemeine Vorstellung davon aus dem Kopfe schlägt, sondern nur dadurch, daß die Individuen diese sachlichen Mächte wieder

unter sich subsumieren und die Teilung der Arbeit aufheben. Dies ist ohne die Gemeinschaft nicht möglich. Erst
in der Gemeinschaft erhält das Individuum die Mittel, seine
Anlagen nach allen Seiten hin auszubilden; erst in der Gemeinschaft wird also die persönliche Freiheit möglich. In
den bisherigen Surrogaten der Gemeinschaft, im Staat usw.
existierte die persönliche Freiheit nur für die in den Verhältnissen der herrschenden Klasse entwickelten Individuen
und nur insofern sie Individuen dieser Klasse waren. Die
scheinbare Gemeinschaft, zu der sich bisher die Individuen
vereinigten, verselbständigte sich stets ihnen gegenüber und
war zugleich, da sie eine Vereinigung einer Klasse gegenüber einer andern war, für die beherrschte Klasse nicht
nur eine ganz illusorische Gemeinschaft, sondern auch eine
neue Fessel. In der wirklichen Gemeinschaft erlangen die
Individuen in und durch ihre Assoziation zugleich ihre Freiheit. — Die Individuen gingen immer von sich aus, natürlich aber von sich innerhalb ihrer gegebenen historischen
Bedingungen und Verhältnisse, nicht vom „reinen Individuum" im Sinne der Ideologen. Aber im Lauf der historischen Entwicklung und gerade durch die innerhalb der
Teilung der Arbeit unvermeidlichen Verselbständigung der
gesellschaftlichen Verhältnisse tritt ein Unterschied heraus
zwischen dem Leben jedes Individuums, soweit es persönlich ist und insofern es unter irgendeinen Zweig der Arbeit
und die dazugehörigen Bedingungen subsumiert ist. Dies
ist nicht so zu verstehen, als ob z. B. der Rentier, der Kapitalist etc. etc. aufhörten, Personen zu sein; sondern ihre
Persönlichkeit ist durch ganz bestimmte Klassenverhältnisse
bedingt und bestimmt, und der Unterschied tritt erst im
Gegensatz zu einer andern Klasse und für sie selbst erst
dann hervor, wenn sie Bankrott machen. Im Stand (mehr
noch im Stamm) ist dies noch verdeckt, z. B. ein Adliger
bleibt stets Adliger, ein Rotürier stets Rotürier, abgesehen
von seinen sonstigen Verhältnissen, eine von seiner Individualität unzertrennliche Qualität. Der Unterschied des
persönlichen Individuums gegen das Klassenindividuum, die
Zufälligkeit der Lebensbedingungen für das Individuum
tritt erst mit dem Auftreten der Klasse ein, die selbst ein

Produkt der Bourgeoisie ist. Die Konkurrenz und der Kampf der Individuen untereinander erzeugt und entwickelt erst diese Zufälligkeit als solche. In der Vorstellung sind daher die Individuen unter der Bourgeoisieherrschaft freier als früher, weil ihnen ihre Lebensbedingungen zufällig sind, in der Wirklichkeit sind sie natürlich unfreier, weil mehr unter sachliche Gewalt subsumiert. Der Unterschied vom Stand tritt namentlich heraus im Gegensatz der Bourgeoisie gegen das Proletariat. Als der Stand der städtischen Bürger, die Korporationen etc. etc. gegenüber dem Landadel aufkamen, erschien ihre Existenzbedingung, das Mobileigentum und die Handwerksarbeit, die schon vor ihrer Trennung vom Feudalverbande latent existiert hatten, als etwas Positives, das gegen das feudale Grundeigentum geltend gemacht wurde, und nahm daher auch zunächst wieder die feudale Form in ihrer Weise an. Allerdings behandelten die entlaufenen Leibeigenen ihre bisherige Leibeigenschaft als etwas ihrer Persönlichkeit Zufälliges. Hierin aber taten sie nur dasselbe, was jede sich von einer Fessel befreiende Klasse tut, und dann befreiten sie sich nicht als Klasse, sondern vereinzelt. Sie traten ferner nicht aus dem Bereich des Ständewesens heraus, sondern bildeten nur einen neuen Stand und behielten ihre bisherige Arbeitsweise auch in der neuen Stellung bei und bildeten sie weiter aus, indem sie sie von ihren bisherigen, ihrer schon erreichten Entwicklung nicht entsprechenden Fesseln befreiten. — Bei den Proletariern dagegen ist ihre eigene Lebensbedingung die Arbeit und damit sämtliche Existenzbedingungen der heutigen Gesellschaft für sie zu etwas Zufälligem geworden, worüber die einzelnen Proletarier keine Kontrolle haben und worüber ihnen keine *gesellschaftliche* Organisation Kontrolle geben kann, und der Widerspruch zwischen der Persönlichkeit des einzelnen Proletariers und seiner ihm aufgedrängten Lebensbedingungen, der Arbeit, tritt für ihn *selbst* hervor, namentlich da er schon von Jugend auf geopfert wird und da ihm die Chance fehlt, innerhalb seiner Klasse zu den Bedingungen zu kommen, die ihn in die andere stellen. — —

N. B. Nicht zu vergessen, daß schon die Notwendigkeit der

Leibeigenen zu existieren, und die Unmöglichkeit der großen Wirtschaft, die die Verteilung von allotments an die Leibeigenen mit sich führte, sehr bald die Verpflichtungen der Leibeigenen gegen den Feudalherrn auf einen Durchschnitt von Naturallieferungen und Fronleistungen reduzierte, der dem Leibeigenen die Akkumulation von Mobilareigentum möglich machte und damit sein Entfliehen von dem Besitztum seines Herrn erleichterte und ihm Aussicht auf sein Fortkommen als Stadtbürger gab, auch Abstufungen unter den Leibeigenen erzeugte, so daß die weglaufenden Leibeigenen schon halbe Bürger sind. Wobei es ebenfalls einleuchtet, daß die eines Handwerks kundigen leibeigenen Bauern am meisten Chance hatten, sich Mobilareigentum zu erwerben.

Während also die entlaufenen Leibeigenen nur ihre bereits vorhandenen Existenzbedingungen frei entwickeln und zur Geltung bringen wollten und daher in letzter Instanz nur bis zur freien Arbeit kamen, müssen die Proletarier, um persönlich zur Geltung zu kommen, ihre eigene bisherige Existenzbedingung, die zugleich die der ganzen bisherigen Gesellschaft ist, die Arbeit, aufheben. Sie befinden sich daher auch im direkten Gegensatz zu der Form, in der die Individuen der Gesellschaft sich bisher einen Gesamtausdruck gaben, zum Staat, und müssen den Staat stürzen, um ihre Persönlichkeit durchzusetzen.

Es geht aus der ganzen bisherigen Entwicklung hervor, daß das gemeinschaftliche Verhältnis, in das die Individuen einer Klasse traten und das durch ihre gemeinschaftlichen Interessen gegenüber einem Dritten bedingt war, stets eine Gemeinschaft war, der diese Individuen nur als Durchschnittsindividuen angehörten, nur soweit sie in den Existenzbedingungen ihrer Klasse lebten, ein Verhältnis, an dem sie nicht als Individuen, sondern als Klassenmitglieder teil hatten. Bei der Gemeinschaft der revolutionären Proletarier dagegen, die ihre und aller Gesellschaftsmitglieder Existenzbedingungen unter ihre Kontrolle nehmen, ist es gerade umgekehrt; an ihr nehmen die Individuen als Individuen Anteil. Es ist eben die Vereinigung der Individuen (innerhalb der Voraussetzung der jetzt entwickelten Produktivkräfte natürlich), die die Bedingungen der freien Entwicklung und Bewegung der Individuen unter ihre Kontrolle gibt, Bedingungen, die bisher dem Zufall überlassen waren, und sich gegen die einzelnen Individuen eben durch ihre Trennung als Individuen, durch ihre notwendige Vereinigung, die mit der Teilung der Arbeit gegeben, und durch ihre Trennung zu einem ihnen fremden Bande geworden war, verselbständigt hatten. Die bisherige Vereinigung war nur eine keineswegs willkürliche, wie sie z. B. im Contrat social dargestellt wird, sondern notwendige Vereinigung (vergleiche z. B. die Bildung des nordamerikanischen Staats und die südamerikanischen Republiken); über diese Bedingungen, innerhalb deren dann die Individuen den Genuß der Zufälligkeit hatten. Dieses Recht, innerhalb gewisser Bedingungen ungestört der Zufälligkeit sich erfreuen zu dürfen, nannte man bisher persönliche Freiheit. — Diese Existenzbedingungen sind natürlich nur die jedesmaligen Produktionskräfte und Verkehrsformen. — —

Der Kommunismus unterscheidet sich von allen bisherigen Bewegungen dadurch, daß er die Grundlage aller bisherigen Produktions- und Verkehrsverhältnisse umwälzt und alle naturwüchsigen Voraussetzungen zum erstenmal mit Bewußtsein als Geschöpfe der bisherigen Menschen behandelt, ihrer Naturwüchsigkeit entkleidet und der Macht der vereinigten Individuen unterwirft. Seine Einrichtung ist daher wesentlich ökonomisch; die materielle Herstellung der Bedingungen dieser Vereinigung, sie macht die vorhandenen Bedingungen zu Bedingungen der Vereinigung. Das Bestehende, was der Kommunismus schafft, ist eben die wirkliche Basis zur Unmöglichmachung alles von den Individuen unabhängig Bestehenden, sofern dies Bestehende dennoch nichts als ein Produkt des bisherigen Verkehrs der Individuen selbst ist. Die Kommunisten behandeln also praktisch die durch die bisherige Produktion und Verkehr erzeugten Bedingungen als unorganische, ohne indes sich einzubilden, es sei der Plan oder die Bestimmung der bisherigen Generationen gewesen, ihnen Material zu liefern, und ohne zu glauben, daß diese Bedingungen für die sie schaffenden Individuen unorganisch waren.

Der Unterschied zwischen persönlichem Individuum und zufälligem Individuum ist keine Begriffsunterscheidung, sondern ein historisches Faktum. Diese Unterscheidung hat zu verschiedenen Zeiten einen verschiedenen Sinn, z. B. der Stand als etwas dem Individuum Zufälliges im 18. Jahrhundert, plus ou moins auch die Familie. Es ist eine Unterscheidung, die nicht wir für jede Zeit zu machen haben, sondern die jede Zeit unter den verschiedenen Elementen, die sie vorfindet, selbst macht, und zwar nicht nach dem Begriff, sondern durch materielle Lebenskollisionen gezwungen. Was als zufällig der späteren Zeit im Gegensatz zur früheren erscheint, also auch unter den ihr von der früheren überkommenen Elementen, ist eine Verkehrsform, die einer bestimmten Entwicklung der Produktivkräfte entsprach. Das Verhältnis der Produktionskräfte zur Verkehrsform ist das Verhältnis der Verkehrsform zur Tätigkeit oder Betätigung der Individuen. (Die Grundform dieser Selbstbetätigung ist natürlich die materielle, von der alle andere geistige, politische, religiöse etc. abhängt. Die verschiedene Gestaltung des materiellen Lebens ist natürlich jedesmal abhängig von den schon entwickelten Bedürfnissen, und sowohl die Erzeugung wie die Befriedigung dieser Bedürfnisse ist selbst ein historischer Prozeß, der sich bei keinem Schafe oder Hunde findet (widerhaariges Hauptargument Stirners *adversus* hominem), obwohl Schafe und Hunde in ihrer jetzigen Gestalt allerdings, aber malgré eux, Produkte eines historischen Prozesses sind.) Die Bedingungen, unter denen die Individuen, solange der Widerspruch noch nicht eingetreten ist, miteinander verkehren, sind zu ihrer Individualität gehörige Bedingungen[1], nichts Äußerliches für sie, Bedingungen, unter denen diese bestimmten, unter bestimmten Verhältnissen existierenden Individuen allein ihr materielles Leben, und was damit zusammenhängt, produzieren können, sind also die Bedingungen ihrer Selbstbetätigung und werden von dieser Selbstbetätigung produziert. Die bestimmte Bedingung, unter der sie produzieren, entspricht also, solange der Widerspruch

---

[1] Hier steht am Rande: Produktion des Verkehrs selbst.

noch nicht eingetreten ist, ihrer wirklichen Bedingtheit, ihrem einseitigen Dasein, dessen Einseitigkeit sich erst durch den Eintritt des Widerspruchs zeigt und also nur für die Späteren existiert. Dann erscheint diese Bedingung als eine zufällige Fessel, und dann wird das Bewußtsein, daß sie eine Fessel sei, auch der früheren Zeit untergeschoben.

Diese verschiedenen Bedingungen, die zuerst als Bedingungen der Selbstbetätigung, später als Fesseln derselben erscheinen, bilden in der ganzen geschichtlichen Entwicklung eine zusammenhängende Reihe von Verkehrsformen, deren Zusammenhang darin besteht, daß an die Stelle der früheren, zur Fessel gewordenen Verkehrsform eine neue, den entwickelteren Produktivkräften und damit der fortgeschrittenen Art der Selbstbetätigung der Individuen entsprechende gesetzt wird, die à son tour wieder zur Fessel und dann durch eine andere ersetzt wird. Da diese Bedingungen auf jeder Stufe der gleichzeitigen Entwicklung der Produktivkräfte entsprechen, so ist ihre Geschichte zugleich die Geschichte der sich entwickelnden und von jeder neuen Generation übernommenen Produktivkräfte und damit die Geschichte der Entwicklung der Kräfte der Individuen selbst.

Da diese Entwicklung naturwüchsig vor sich geht, d. h. nicht einem Gesamtplan frei vereinigter Individuen subordiniert ist, so geht sie von verschiedenen Lokalitäten, Stämmen, Nationen, Arbeitszweigen, etc. aus, deren jede anfangs sich unabhängig von den andern entwickelt und erst nach und nach mit den andern in Verbindung tritt. Sie geht ferner nur sehr langsam vor sich, die verschiedenen Stufen der Interessen werden nie vollständig überwunden, sondern nur dem siegenden Interesse untergeordnet und schleppen sich noch jahrhundertelang neben diesen fort. Hieraus folgt, daß selbst innerhalb einer Nation die Individuen, auch abgesehen von ihren Vermögensverhältnissen, ganz verschiedene Entwicklungen haben und daß ein früheres Interesse, dessen eigentümliche Verkehrsform schon durch die einem späteren angehörige verdrängt ist, noch lange im Besitz einer traditionellen Macht in der den Individuen gegenüber verselbständigten scheinbaren Gemeinschaft (Staat, Recht) bleibt, einer Macht, die in letzter Instanz nur durch eine

Revolution zu brechen ist. Hieraus erklärt sich auch, warum in Beziehung auf einzelne Punkte, die eine allgemeinere Zusammenfassung erlauben, das Bewußtsein zuweilen weiter vorgerückt scheinen kann als die gleichzeitigen empirischen Verhältnisse, so daß man in den Kämpfen einer späteren Epoche sich auf frühere Theoretiker als auf Autoritäten stützen kann. — Dagegen geht die Entwicklung in Ländern, die, wie Nordamerika, in einer schon entwickelten Geschichtsepoche von vorn anfangen, sehr rasch vor sich. Solche Länder haben keine anderen naturwüchsigen Voraussetzungen außer den Individuen, die sich dort ansiedeln und die hierzu durch die ihren Bedürfnissen nicht entsprechenden Verkehrsformen der alten Länder veranlaßt wurden. Sie fangen also mit den fortgeschrittensten Individuen der alten Länder und daher mit der diesen Individuen entsprechenden entwickelsten Verkehrsform an, noch ehe diese Verkehrsform in den alten Ländern sich durchsetzen kann. Dies ist der Fall mit allen Kolonien, sofern sie nicht bloße Militär- oder Handelsstationen sind. Karthago, die griechischen Kolonien und Island im 11. und 12. Jahrhundert liefern Beispiele dazu. Ein ähnliches Verhältnis findet statt bei der Eroberung, wenn dem eroberten Lande die auf einem anderen Boden entwickelte Verkehrsform fertig herübergebracht wird; während sie in ihrer Heimat noch mit Interessen und Verhältnissen aus früheren Epochen behaftet war, kann und muß sie hier vollständig und ohne Hindernis durchgesetzt werden, schon um den Eroberern dauernde Macht zu sichern. (England und Neapel nach der normännischen Eroberung, wo sie die vollendetste Form der feudalen Organisation erhielten.)

Dieser ganzen Geschichtsauffassung scheint das Faktum der Eroberung zu widersprechen. Man hat bisher die Gewalt, den Krieg, Plünderung, Raubmord etc. etc. zur treibenden Kraft der Geschichte gemacht. Wir können uns hier nur auf die Hauptpunkte beschränken und nehmen daher nur das frappante Beispiel, die Zerstörung einer alten Zivilisation durch ein barbarisches Volk und die sich daran anknüpfende, von vorn anfangende Bildung einer neuen Gliederung der Gesellschaft. (Rom und Barbaren, Feudalität

und Gallien, Oströmisches Reich und Türken.) Bei dem erobernden Barbarenvolke ist der Krieg selbst noch, wie
schon oben angedeutet, eine regelmäßige Verkehrsform, die
um so eifriger exploitiert wird, je mehr der Zuwachs der
Bevölkerung bei der hergebrachten und für sie einzig möglichen rohen Produktionsweise das Bedürfnis neuer Produktionsmittel schafft. In Italien dagegen war durch die
Konzentration des Grundeigentums (verursacht außer durch
Aufkauf und Verschuldung auch noch durch Erbschaft, indem bei der großen Liederlichkeit und den seltenen Heiraten die alten Geschlechter allmählich ausstarben und ihr
Besitz wenigen zufiel) und Verwandlung desselben in Viehweiden (die außer durch die gewöhnlichen, noch heute gültigen ökonomischen Ursachen, durch die Einfuhr geraubten und Tributgetreides und den hieraus folgenden Mangel
an Konsumenten für italienisches Korn verursacht wurde),
die freie Bevölkerung fast verschwunden, die Sklaven selbst
starben immer wieder aus und mußten stets durch neue ersetzt werden. Die Sklaverei blieb die Basis der gesamten
Produktion. Die Plebejer, zwischen Freien und Sklaven
stehend, brachten es nie über ein Lumpenproletariat hinaus. Überhaupt kam Rom nie über die Stadt hinaus und
stand mit den Provinzen in einem fast nur politischen Zusammenhange, der natürlich auch wieder durch politische
Ereignisse unterbrochen werden konnte.

Es ist nichts gewöhnlicher als die Vorstellung, in der Geschichte sei es bisher nur auf das *Nehmen* angekommen. Die
Barbaren *nehmen* das römische Reich, und mit der Tatsache dieses Nehmens erklärt man den Übergang aus der
alten Welt in die Feudalität. Bei dem Nehmen durch Barbaren kommt es aber darauf an, ob die Nation, die eingenommen wird, industrielle Produktivkräfte entwickelt
hat, wie dies bei den modernen Völkern der Fall ist, oder
ob ihre Produktivkräfte hauptsächlich bloß auf ihrer
Vereinigung und dem Gemeinwesen beruht. Das Nehmen
ist ferner bedingt durch den Gegenstand, der genommen
wird. Das in Papier bestehende Vermögen eines Rentiers
kann gar nicht genommen werden, ohne daß der Nehmende sich den Produktions- und Verkehrsbedingungen des

genommenen Landes unterwirft. Ebenso das gesamte industrielle Kapital eines modernen Industrielandes. Und endlich hat das Nehmen überall sehr bald ein Ende, und wenn nichts mehr zu nehmen ist, muß man anfangen zu produzieren. Aus dieser sehr bald eintretenden Notwendigkeit des Produzierens folgt, daß die von den sich niederlassenden Eroberern angenommene Form des Gemeinwesens der Entwicklungsstufe der vorgefundenen Produktivkräfte entsprechen, oder wenn dies nicht von vornherein der Fall ist, sich nach den Produktivkräften ändern muß. Hieraus erklärt sich auch das Faktum, das man in der Zeit nach der Völkerwanderung überall bemerkt haben will, daß nämlich der Knecht der Herr war und die Eroberer von den Eroberten Sprache, Bildung und Sitten sehr bald annahmen. — Die Feudalität wurde keineswegs aus Deutschland fertig mitgebracht, sondern sie hatte ihren Ursprung von seiten der Eroberer in der kriegerischen Organisation des Heerwesens während der Eroberung selbst, und diese entwickelte sich nach derselben durch die Einwirkung der in den eroberten Ländern vorgefundenen Produktivkräfte erst zur eigentlichen Feudalität. Wie sehr diese Form durch die Produktivkräfte bedingt war, zeigen die gescheiterten Versuche, andere, aus altrömischen Reminiszenzen entspringende, Formen durchzusetzen (Karl der Große, etc. etc.). — —

In der großen Industrie und Konkurrenz sind die sämtlichen Existenzbedingungen, Bedingtheiten, Einseitigkeiten der Individuen zusammengeschmolzen in die beiden einfachsten Formen: Privateigentum und Arbeit. Mit dem Gelde ist jede Verkehrsform und der Verkehr selbst für die Individuen als zufällig gesetzt. Also liegt schon im Gelde, daß aller bisherige Verkehr nur Verkehr der Individuen unter bestimmten Bedingungen, nicht der Individuen als Individuen war. Diese Bedingungen sind auf zwei — akkumulierte Arbeit oder Privateigentum oder wirkliche Arbeit — reduziert. Hört diese oder eine von ihnen auf, so stockt der Verkehr. Die modernen Ökonomen selbst, z. B. Sismondi, Cherbuliez, etc., stellen die association des individus der association des capitaux entgegen. Andererseits sind die Individuen selbst vollständig unter die Teilung der Arbeit subsumiert und dadurch in die vollständigste Abhängigkeit voneinander gebracht. Das Privateigentum, soweit es innerhalb der Arbeit der Arbeit gegenübertritt, entwickelt sich aus der Notwendigkeit der Akkumulation und hat im Anfange immer noch mehr die Form des Gemeinwesens, nähert sich aber in der weiteren Entwicklung immer mehr der modernen Form des Privateigentums. Durch die Teilung der Arbeit ist schon von vornherein die Teilung auch der Arbeits*bedingungen*, Werkzeuge und Materialien gegeben und damit die Zersplitterung des akkumulierten Kapitals an verschiedene Eigentümer und damit die Zersplitterung zwischen Kapital und Arbeit und die verschiedenen Formen des Eigentums selbst. Je mehr sich die Teilung der Arbeit ausbildet und je mehr die Akkumulation wächst, desto schärfer bildet sich auch diese Zersplitterung aus. Die Arbeit selbst kann nur bestehen unter der Voraussetzung dieser Zersplitterung.

(Persönliche Energie der Individuen einzelner Nationen — Deutsche und Amerikaner — Energie schon durch Rassenkreuzung — daher die Deutschen kretinmäßig — in Frankreich, England, etc. fremde Völker auf einen schon entwickelten, in Amerika auf einen ganz neuen Boden verpflanzt, in Deutschland die naturwüchsige Bevölkerung ruhig sitzen geblieben.)

Es zeigen sich also hier zwei Fakta. Erstens erscheinen die Produktivkräfte als ganz unabhängig und losgerissen von den Individuen, als eine eigene Welt neben den Individuen, was darin seinen Grund hat, daß die Individuen, deren Kräfte sie sind, zersplittert und im Gegensatz gegeneinander existieren, während diese Kräfte andererseits nur im Verkehr und Zusammenhang dieser Individuen wirkliche Kräfte sind. Also auf der einen Seite eine Totalität von Produktivkräften, die gleichsam eine sachliche Gestalt angenommen haben und für die Individuen selbst nicht mehr die Kräfte der Individuen, sondern des Privateigentums, und daher der Individuen nur, insofern sie Privateigentümer sind. In keiner früheren Periode hatten die Produktivkräfte diese gleichgültige Gestalt für den Verkehr der Individuen *als* Individuen angenommen, weil ihr Verkehr selbst noch ein

bornierter war. Auf der anderen Seite steht diesen Produktivkräften die Majorität der Individuen gegenüber, von
denen diese Kräfte losgerissen sind und die daher, alles wirklichen Lebensinhalts beraubt, abstrakte Individuen geworden sind, die aber dadurch erst in den Stand gesetzt werden,
als *Individuen* miteinander in Verbindung zu treten. Der
einzige Zusammenhang, in dem sie noch mit den Produktivkräften und mit ihrer eigenen Existenz stehen, die Arbeit,
hat bei ihnen allen Schein der Selbstbetätigung verloren und
erhält ihr Leben nur, indem sie es verkümmert. Während
in den früheren Perioden Selbstbetätigung und Erzeugung
des materiellen Lebens dadurch getrennt waren, daß sie an
verschiedene Personen fielen, und die Erzeugung des materiellen Lebens wegen der Borniertheit der Individuen selbst
noch als eine untergeordnete Art der Selbstbetätigung galt,
fallen sie jetzt so auseinander, daß überhaupt das materielle
Leben als Zweck, die Erzeugung dieses materiellen Lebens,
die Arbeit (welche die jetzt einzig mögliche, aber, wie wir
sehen, negative Form der Selbstbetätigung ist), als Mittel
erscheint.

Es ist also jetzt so weit gekommen, daß die Individuen sich
die vorhandene Totalität von Produktivkräften aneignen
müssen, nicht nur, um zu ihrer Selbstbetätigung zu kommen, sondern schon überhaupt, um ihre Existenz sicherzustellen. Diese Aneignung ist zuerst bedingt durch den an-
zueignenden Gegenstand — die zu einer Totalität entwickelten und nur innerhalb eines universellen Verkehrs existierenden Produktivkräfte. Diese Aneignung muß also schon
von dieser Seite her einen den Produktivkräften und dem
Verkehr entsprechenden universellen Charakter haben. Die
Aneignung dieser Kräfte ist selbst weiter nichts als die Entwicklung der den materiellen Produktionsinstrumenten entsprechenden individuellen Fähigkeiten. Die Aneignung einer
Totalität von Produktionsinstrumenten ist schon deshalb die
Entwicklung einer Totalität von Fähigkeiten in den Individuen selbst. Diese Aneignung ist ferner bedingt durch die
aneignenden Individuen. Nur die von aller Selbstbetätigung
vollständig ausgeschlossenen Proletarier der Gegenwart sind
imstande, ihre vollständige, nicht mehr bornierte Selbst-

betätigung, die in der Aneignung einer Totalität von Produktivkräften und der damit gesetzten Entwicklung einer Totalität von Fähigkeiten besteht, durchzusetzen. Alle früheren revolutionären Aneignungen waren borniert; Individuen, deren Selbstbetätigung durch ein beschränktes Produktionsinstrument und einen beschränkten Verkehr borniert war, eigneten sich dies beschränkte Produktionsinstrument an und brachten es daher nur zu einer neuen Beschränktheit. Ihr Produktionsinstrument wurde ihr Eigentum, aber sie selbst blieben unter der Teilung der Arbeit und unter ihr eigenes Produktionsinstrument subsumiert. Bei allen bisherigen Aneignungen blieb eine Masse von Individuen unter ein einziges Produktionsinstrument subsumiert; bei der Aneignung der Proletarier müssen eine Masse von Produktionsinstrumenten unter jedes Individuum und das Eigentum unter alle subsumiert werden. Der moderne universelle Verkehr kann nicht anders unter die Individuen subsumiert werden als dadurch, daß er unter alle subsumiert wird. —

Die Aneignung ist ferner bedingt durch die Art und Weise, wie sie vollzogen werden muß. Sie kann nur vollzogen werden durch eine Vereinigung, die durch den Charakter des Proletariats selbst wieder nur eine universelle sein kann, und durch eine Revolution, in der einerseits die Macht der bisherigen Produktions- und Verkehrsweise und gesellschaftlichen Gliederung gestürzt wird und andererseits der universelle Charakter und die zur Durchführung der Aneignung nötige Energie des Proletariats sich entwickelt, ferner das Proletariat alles abstreift, was ihm noch aus seiner bisherigen Gesellschaftsstellung geblieben ist.

Erst auf dieser Stufe fällt die Selbstbetätigung mit dem materiellen Leben zusammen, was der Entwicklung der Individuen zu totalen Individuen und der Abstreifung aller Naturwüchsigkeit entspricht, und dann entspricht sich die Verwandlung der Arbeit in Selbstbetätigung und die Verwandlung des bisherigen bedingten Verkehrs in den Verkehr der Individuen als solcher. Mit der Aneignung der totalen Produktivkräfte durch die vereinigten Individuen hört das Privateigentum auf. Während in der bisherigen Geschichte immer eine besondere Bedingung als zufällig erschien, ist jetzt die Absonderung der Individuen selbst, der besondere Privaterwerb eines jeden selbst, zufällig geworden.

Die Individuen, die nicht mehr unter die Teilung der Arbeit subsumiert werden, haben die Philosophen sich als das Ideal unter dem Namen: „der Mensch" vorgestellt und den ganzen, von uns entwickelten Prozeß als den Entwicklungsprozeß „des Menschen" gefaßt, so daß den bisherigen Individuen auf jeder geschichtlichen Stufe „der Mensch" untergeschoben und als die treibende Kraft der Geschichte dargestellt wurde. Der ganze Prozeß wurde so als Selbstentfremdungsprozeß „des Menschen" gefaßt, und dies kommt wesentlich daher, daß das Durchschnittsindividuum der späteren Stufe immer der früheren, und das spätere Bewußtsein den früheren Individuen untergeschoben [wurde][1]. Durch diese Umkehrung, die von vornherein von den wirklichen Bedingungen abstrahiert, war es möglich, die ganze Geschichte in einen Entwicklungsprozeß des Bewußtseins zu verwandeln. — —

Die bürgerliche Gesellschaft umfaßt den gesamten materiellen Verkehr der Individuen innerhalb einer bestimmten Entwicklungsstufe der Produktivkräfte. Sie umfaßt das gesamte kommerzielle und industrielle Leben einer Stufe und geht insofern über den Staat und die Nation hinaus, obwohl sie andererseits wieder nach außen hin als Nationalität sich geltend machen, nach innen als Staat sich gliedern muß. Das Wort „bürgerliche Gesellschaft" kam auf im 18. Jahrhundert, als die Eigentumsverhältnisse bereits aus dem antiken und mittelalterlichen Gemeinwesen sich herausgearbeitet hatten. Die bürgerliche Gesellschaft als solche entwickelt sich erst mit der Bourgeoisie; die unmittelbar aus der Produktion und dem Verkehr sich entwickelnde gesellschaftliche Organisation, die zu allen Zeiten die Basis des Staats und der sonstigen idealistischen Superstruktur bildet, ist indes fortwährend mit demselben Namen bezeichnet worden. — —

[1] Der Satz ist am Rande angestrichen und mit der Bemerkung versehen: Selbstentfremdung.

3. *Verhältnis von Staat und Recht zum Eigentum*

Die erste Form des Eigentums ist sowohl in der antiken Welt wie im Mittelalter das Stammeigentum, bedingt bei den Römern hauptsächlich durch den Krieg, bei den Germanen durch die Viehzucht. Bei den antiken Völkern erscheint, weil in einer Stadt mehrere Stämme zusammenwohnen, das Stammeigentum als Staatseigentum, und das Recht des einzelnen daran als bloße Possessio, die sich indes wie das Stammeigentum überhaupt, nur auf das Grundeigentum beschränkt. Das eigentliche Privateigentum fängt bei den alten wie bei den modernen Völkern mit dem Mobiliareigentum an. — (Sklaven und Gemeinwesen) (dominium ex jure Quiritum). Bei den aus dem Mittelalter hervorgehenden Völkern entwickelt sich das Stammeigentum, durch verschiedene Stufen — feudales Grundeigentum, korporatives Mobiliareigentum, Manufakturkapital — bis zum modernen, durch die große Industrie und universelle Konkurrenz bedingten Kapital, dem reinen Privateigentum, das allen Schein des Gemeinwesens abgestreift und alle Einwirkung des Staats auf die Entwicklung des Eigentums ausgeschlossen hat. Diesem modernen Privateigentum entspricht der moderne Staat, der durch die Steuern allmählich von den Privateigentümern an sich gekauft, durch das Staatsschuldwesen ihnen vollständig verfallen und dessen Existenz in dem Steigen und Fallen der Staatspapiere auf der Börse gänzlich von dem kommerziellen Kredit abhängig geworden ist, den ihm die Privateigentümer, die Bourgeois, geben. Die Bourgeoisie ist schon, weil sie eine *Klasse* und nicht mehr ein *Stand* ist, dazu gezwungen, sich national, nicht mehr lokal zu organisieren, und ihrem Durchschnittsinteresse eine allgemeine Form zu geben. Durch die Emanzipation des Privateigentums vom Gemeinwesen ist der Staat zu einer besonderen Existenz neben und außer der bürgerlichen Gesellschaft geworden; er ist aber weiter nichts als die Form der Organisation, welche sich die Bourgeois sowohl nach außen als nach innen hin, zur gegenseitigen Garantie ihres Eigentums und ihrer Interessen notwendig geben. Die Selbständigkeit des Staates kommt heutzutage nur noch in solchen

Ländern vor, wo die Stände sich nicht vollständig zu Klassen entwickelt haben, wo die in den fortgeschritteneren Ländern beseitigten Stände noch eine Rolle spielen und ein Gemisch existiert, in denen daher kein Teil der Bevölkerung es zur Herrschaft über die übrigen bringen kann. Dies ist namentlich in Deutschland der Fall. Das vollendetste Beispiel des modernen Staats ist Nordamerika. Die neueren französischen, englischen und nordamerikanischen Schriftsteller sprechen sich alle dahin aus, daß der Staat nur um des Privateigentums willen existiere, so daß dies auch in das persönliche Bewußtsein übergegangen ist.

Da der Staat die Form ist, in welcher die Individuen einer herrschenden Klasse ihre gemeinsamen Interessen geltend machen und die ganze bürgerliche Gesellschaft einer Epoche sich zusammenfaßt, so folgt, daß alle gemeinsamen Institutionen durch den Staat vermittelt werden, eine politische Form erhalten. Daher die Illusion, als ob das Gesetz auf dem Willen, und zwar auf dem von seiner realen Basis losgerissenen, dem *freien* Willen beruhe. Ebenso wird das Recht dann wieder auf das Gesetz reduziert.

Das Privatrecht entwickelt sich zu gleicher Zeit mit dem Privateigentum aus der Auflösung des naturwüchsigen Gemeinwesens. Bei den Römern blieb die Entwicklung des Privateigentums und Privatrechts ohne weitere industrielle und kommerzielle Folgen, weil ihre ganze Produktionsweise dieselbe blieb[1]. Bei den modernen Völkern, wo das feudale Gemeinwesen durch die Industrie und den Handel aufgelöst wurde, begann mit dem Entstehen des Privateigentums und Privatrechts eine neue Phase, die einer weiteren Entwicklung fähig war. Gleich die erste Stadt, die im Mittelalter einen ausgedehnten Seehandel führte, Amalfi, bildete auch das Seerecht aus. Sobald, zuerst in Italien und später in anderen Ländern, die Industrie und der Handel das Privateigentum weiter entwickelten, wurde gleich das ausgebildete römische Privatrecht wieder aufgenommen und zur Autorität erhoben. Als später die Bourgeoisie soviel Macht erlangt hatte, daß die Fürsten sich ihrer Interessen annahmen, um

---

[1] Hier steht am Rande: (Wucher!).

vermittels der Bourgeoisie den Feudaladel zu stürzen, begann in allen Ländern, in Frankreich im 16. Jahrhundert, die eigentliche Entwicklung des Rechts, die in allen Ländern, ausgenommen England, auf der Basis des römischen Kodex vor sich ging. Auch in England mußten römische Rechtsgrundsätze zur weiteren Ausbildung des Privatrechts (besonders beim Mobiliareigentum) hereingenommen werden. — (Nicht zu vergessen, daß das Recht ebensowenig eine eigene Geschichte hat, wie die Religion.)

Im Privatrecht werden die bestehenden Eigentumsverhältnisse als Resultate des allgemeinen Willens ausgesprochen. Das ius utendi et abutendi selbst spricht einerseits die Tatsache aus, daß das Privateigentum vom Gemeinwesen durchaus unabhängig geworden ist und andererseits die Illusion, als ob das Privateigentum selbst auf dem bloßen Privat-Willen, der willkürlichen Disposition über die Sache beruhe. In der Praxis hat das abuti sehr bestimmte ökonomische Grenzen für den Privateigentümer, wenn er nicht sein Eigentum und damit sein ius abutendi in andere Hände übergehen sehen will, da überhaupt die Sache, bloß in Beziehung auf seinen Willen betrachtet, gar keine Sache ist, sondern erst im Verkehr, und unabhängig vom Recht zu einer Sache, zu wirklichem Eigentum wird. (Ein *Verhältnis*, was die Philosophen eine Idee nennen.) *(Verhältnis für die Philosophen = Idee.* Sie kennen bloß das Verhältnis „*des* Menschen" zu sich selbst, und darum werden alle wirklichen Verhältnisse zu ihnen zu Ideen.) — Diese juristische Illusion, die das Recht auf den bloßen Willen reduziert, führt in der weiteren Entwicklung der Eigentumsverhältnisse notwendig dahin, daß jemand einen juristischen Titel auf eine Sache haben kann, ohne die Sache wirklich zu haben. Wird z. B. durch die Konkurrenz die Rente eines Grundstücks beseitigt, so hat der Eigentümer desselben zwar seinen juristischen Titel daran, samt dem ius utendi et abutendi, aber er kann nichts damit anfangen, er besitzt nichts als Grundeigentümer, falls er nicht sonst noch Kapital genug besitzt, um seinen Boden zu bebauen. Aus derselben Illusion der Juristen erklärt es sich, daß es für sie und für jeden Kodex überhaupt zufällig ist, daß Individuen in Verhältnisse un-

tereinander treten (z. B. Verträge), und daß ihm diese Verhältnisse für solche gelten, die man nach Belieben eingehen
oder nicht eingehen kann und deren Inhalt auf der individuellen Willkür der Kontrahenten beruht. So oft sich
durch die Entwicklung der Industrie und des Handels neue
Verkehrsformen gebildet haben, z. B. Assekuranz etc., Kom-
panien, war das Recht jedesmal genötigt, sie unter die Ei-
gentumserwerbsarten aufzunehmen. — —
Einfluß der Teilung der Arbeit auf die Wissenschaften.
Was bei dem Staat, Recht, Moral etc. = *Repression.* — —
Im Gesetz müssen die Bourgeois sich einen allgemeinen Ausdruck zu geben wissen, eben weil sie als Klasse herrschen.
Dem Gemeinwesen, wie es im antiken Staat, dem Feudal-
wesen, der absoluten Monarchie erscheint, diesem Band ent-
sprechen namentlich die religiösen Vorstellungen.
Naturwissenschaft und Geschichte.
Es gibt keine Geschichte der Politik, des Rechts, der Wissenschaft etc., der Kunst, der Religion etc. — —
Warum die Ideologen alles auf den Kopf stellen. — —
Juristen, Politiker (Staatsleute überhaupt), Moralisten, Religiöse. Für diese ideologische Unterabteilung in einer Klasse
*Verselbständigung des Geschäfts durch die Teilu*ng *der Arbeit,* jeder hält sein Handwerk für das wahre. Über den Zusammenhang, worin ihr Handwerk mit der Wirklichkeit
steht, machen sie sich um so notwendiger Illusionen, da dies
schon durch die Natur des Handwerks selbst bedingt wird.
Die Verhältnisse werden in der Jurisprudenz, Politik etc.
im Bewußtsein zu Begriffen; da sie nicht über diese Verhältnisse hinaus sind, sind auch die Begriffe derselben in
ihrem Kopf fixe Begriffe, der Richter z. B. wendet den Code
an, ihm gilt daher die Gesetzgebung für den wahren, aktiven Treiber. Respekt vor ihrer Ware, da ihr Geschäft es mit
Allgemeinem zu tun hat.
Idee des Rechts. Idee des Staats. Im *gewöhnlichen* Bewußtsein ist die Sache auf den Kopf gestellt. — —
Religion ist von vornherein das Bewußtsein der *Transzendenz,* [das] hervorgeht aus dem *wirklichen* Wissen . . .
Die Individuen sind immer von sich ausgegangen, gehen immer von sich aus. Ihre Verhältnisse sind Verhältnisse ihres

wirklichen Lebensprozesses. Woher kommt es, daß ihre
Verhältnisse sich gegen sie verselbständigen, daß die Macht
ihres eigenen Lebens übermächtig gegen sie wird?
Mit einem Wort: *die Teilung der Arbeit* — —[1] von der je-
desmal entwickelten Produktivkraft abhängt.
Grundeigentum, Gemeindeeigentum, feudales, modernes.
Städtisches Eigentum, Manufaktureigentum, industrielles
Kapital.

Die Beziehungen verschiedener Nationen untereinander hängen davon ab, wie weit jede von ihnen ihre Produktivkräfte,
die Teilung der Arbeit und den inneren Verkehr entwickelt
hat. Dieser Satz ist allgemein anerkannt. Aber nicht nur die
Beziehung einer Nation zur anderen, sondern auch die ganze
innere Gliederung dieser Nation selbst hängt von der Entwicklungsstufe ihrer Produktion und ihres inneren und äußeren Verkehrs ab. Wie weit die Produktionskräfte einer
Nation entwickelt sind, zeigt am augenscheinlichsten der
Grad, bis zu dem die Teilung der Arbeit entwickelt ist. Jede
neue Produktivkraft, sofern sie nicht eine bloß quantitative
Ausdehnung der bisher schon bekannten Produktivkräfte
ist (z. B. Urbarmachung von Ländereien), hat eine neue
Ausbildung der Teilung der Arbeit zur Folge.
Die Teilung der Arbeit innerhalb einer Nation führt zunächst die Trennung der industriellen und kommerziellen
von der ackerbauenden Arbeit und damit die Trennung von
Stadt und Land und den Gegensatz der Interessen beider
herbei. Ihre weitere Entwicklung führt zur Trennung der
kommerziellen Arbeit von der industriellen. Zu gleicher
Zeit entwickeln sich durch die Teilung der Arbeit innerhalb
dieser verschiedenen Branchen wieder verschiedene Abtei-
lungen unter den zu bestimmten Arbeiten zusammenwir-
kenden Individuen. Die Stellung dieser einzelnen Abteilun-
gen gegeneinander ist bedingt durch die Betriebsweise der
ackerbauenden, industriellen und kommerziellen Arbeit
(Patriarchalismus, Sklaverei, Stände, Klassen). Dieselben

---

[1] [Unleserlich.]

Verhältnisse zeigen sich bei entwickelterem Verkehr in den Beziehungen verschiedener Nationen zueinander.

Die verschiedenen Entwicklungsstufen der Teilung der Arbeit sind ebensoviel verschiedene Formen des Eigentums; d. h. die jedesmalige Stufe der Teilung der Arbeit bestimmt auch die Verhältnisse der Individuen zueinander in Beziehung auf das Material, Instrument und Produkt der Arbeit.

Die erste Form des Eigentums ist das Stammeigentum. Es entspricht der unentwickelten Stufe der Produktion, auf der ein Volk von Jagd und Fischfang, von Viehzucht oder höchstens vom Ackerbau sich nährt. Es setzt in diesem letzteren Falle eine große Masse unbebauter Ländereien voraus. Die Teilung der Arbeit ist auf dieser Stufe noch sehr wenig entwickelt und beschränkt sich auf eine weitere Ausdehnung der in der Familie gegebenen naturwüchsigen Teilung der Arbeit. Die gesellschaftliche Gliederung beschränkt sich daher auf eine Ausdehnung der Familie: patriarchalische Stammhäupter, unter ihnen die Stammitglieder, endlich Sklaven. Die in der Familie latente Sklaverei entwickelt sich erst allmählich mit der Vermehrung der Bevölkerung und der Bedürfnisse und mit der Ausdehnung des äußeren Verkehrs, sowohl des Kriegs wie des Tauschhandels.

Die zweite Form ist das antike Gemeinde- und Staatseigentum, das namentlich aus der Vereinigung mehrerer Stämme zu einer *Stadt* durch Vertrag oder Eroberung hervorgeht und bei dem die Sklaverei fortbestehen bleibt. Neben dem Gemeindeeigentum entwickelt sich schon das mobile und später auch das immobile Privateigentum, aber als eine abnorme, dem Gemeindeeigentum untergeordnete Form. Die Staatsbürger besitzen nur in ihrer Gemeinschaft die Macht über ihre arbeitenden Sklaven und sind schon deshalb an die Form des Gemeindeeigentums gebunden. Es ist das gemeinschaftliche Privateigentum der aktiven Staatsbürger, die den Sklaven gegenüber gezwungen sind, in dieser naturwüchsigen Weise der Assoziation zu bleiben. Daher verfällt die ganze hierauf basierende Gliederung der Gesellschaft und mit ihr die Macht des Volkes in demselben Grade, in dem namentlich das immobile Privateigentum sich entwickelt. Die Teilung der Arbeit ist schon entwickelter. Wir finden

schon den Gegensatz von Stadt und Land, später den Gegensatz zwischen Staaten, die das städtische und das Land-
interesse repräsentieren, und innerhalb der Städte selbst den
Gegensatz zwischen Industrie und Seehandel. Das Klassen-
verhältnis zwischen Bürgern und Sklaven ist vollständig
ausgebildet.

Mit der Entwicklung des Privateigentums treten hier zuerst
dieselben Verhältnisse ein, die wir beim modernen Privateigentum nur in ausgedehnterem Maßstabe wiederfinden
werden. Einerseits die Konzentration des Privateigentums,
die in Rom sehr früh anfing (Beweis das Licinische Ackergesetz), seit den Bürgerkriegen und namentlich unter den
Kaisern sehr rasch vor sich ging; andererseits im Zusammenhange hiermit die Verwandlung der plebejischen kleinen Bauern in ein Proletariat, das aber bei einer halben
Stellung zwischen besitzenden Bürgern und Sklaven zu keiner selbständigen Entwicklung kam.

Die dritte Form ist das feudale oder ständische Eigentum.
Wenn das Altertum von der *Stadt* und ihrem kleinen Gebiet
ausging, so ging das Mittelalter vom *Lande* aus. Die vorgefundene dünne, über eine große Bodenfläche zersplitterte
Bevölkerung, die durch die Eroberer keinen großen Zuwachs erhielt, bedingte diesen veränderten Ausgangspunkt.
Im Gegensatz zu Griechenland und Rom beginnt die feudale
Entwicklung daher auf einem viel ausgedehnteren, durch die
römischen Eroberungen und die anfangs damit verknüpfte
Ausbreitung der Agrikultur vorbereiteten Terrain. Die letzten Jahrhunderte des verfallenden römischen Reichs und
die Eroberung durch die Barbaren selbst zerstörten eine
Masse von Produktivkräften; der Ackerbau war gesunken,
die Industrie aus Mangel an Absatz verfallen, der Handel
eingeschlafen oder gewaltsam unterbrochen, die ländliche
und städtische Bevölkerung hatte abgenommen. Diese vorgefundenen Verhältnisse und die dadurch bedingte Weise der
Organisation der Eroberung entwickelten unter dem Einfluß der germanischen Heerverfassung das feudale Eigentum. Es beruht, wie das Stamm- und Gemeindeeigentum,
wieder auf einem Gemeinwesen, dem aber nicht wie dem
antiken, die Sklaven, sondern die leibeigenen kleinen Bauern

als unmittelbar produzierende Klasse gegenüberstehen. Zugleich mit der vollständigen Ausbildung des Feudalismus tritt noch der Gegensatz gegen die Städte hinzu. Die hierarchische Gliederung des Grundbesitzes und die damit zusammenhängenden bewaffneten Gefolgschaften gaben dem Adel die Macht über die Leibeigenen. Diese feudale Gliederung war ebensogut wie das antike Gemeindeeigentum eine Assoziation gegenüber der beherrschten produzierenden Klasse; nur war die Form der Assoziation und das Verhältnis zu den unmittelbaren Produzenten verschieden, weil verschiedene Produktionsbedingungen vorlagen.

Dieser feudalen Gliederung des Grundbesitzes entsprach in den *Städten* das korporative Eigentum, die feudale Organisation des Handwerks. Das Eigentum bestand hier hauptsächlich in der Arbeit jedes Einzelnen. Die Notwendigkeit der Assoziation gegen den assoziierten Raubadel, das Bedürfnis gemeinsamer Markthallen in einer Zeit, wo der Industrielle zugleich Kaufmann war, die wachsende Konkurrenz der den aufblühenden Städten zuströmenden entlaufenen Leibeigenen, die feudale Gliederung des ganzen Landes führten die *Zünfte* herbei; die allmählich ersparten kleinen Kapitalien einzelner Handwerker und ihre stabile Zahl bei der wachsenden Bevölkerung entwickelten das Gesellen- und Lehrlingsverhältnis, das in den Städten eine ähnliche Hierarchie zustande brachte wie die auf dem Lande.

Das Haupteigentum bestand während der Feudalepoche also in Grundeigentum mit daran geketteter Leibeigenenarbeit einerseits und eigener Arbeit mit kleinem, die Arbeit von Gesellen beherrschendem Kapital andererseits. Die Gliederung von beiden war durch die bornierten Produktionsverhältnisse — die geringe und rohe Bodenkultur und die handwerksmäßige Industrie — bedingt. Teilung der Arbeit fand in der Blüte des Feudalismus wenig statt. Jedes Land hatte den Gegensatz von Stadt und Land in sich, die Ständegliederung war allerdings sehr scharf ausgeprägt, aber außer der Scheidung von Fürsten, Adel, Geistlichkeit und Bauern auf dem Lande und Meistern, Gesellen, Lehrlingen und bald auch Taglöhnerpöbel in den Städten fand keine bedeutende Teilung statt. Im Ackerbau war sie durch die parzellierte Be-

bauung erschwert, neben der die Hausindustrie der Bauern
selbst aufkam, in der Industrie war die Arbeit in den einzelnen Handwerken selbst gar nicht, unter ihnen sehr wenig
geteilt. Die Teilung von Industrie und Handel wurde in älteren Städten vorgefunden, entwickelte sich in den neueren
erst später, als die Städte unter sich in Beziehung traten.
Die Zusammenfassung größerer Länder zu feudalen König-
reichen war für den Grundadel wie für die Städte ein Bedürfnis. Die Organisation der herrschenden Klasse, des
Adels, hatte daher überall einen Monarchen an der
Spitze ... [1]

---

[1] [Hier bricht die Handschrift ab.]

C. III. [Teil der „Deutschen Ideologie":]
Sankt Max

6. Die Gesellschaft als bürgerliche Gesellschaft

Wir werden uns bei diesem Kapitel etwas länger aufhalten, weil es nicht ohne Absicht das konfuseste aller „im Buche" enthaltenen konfusen Kapitel ist, und weil es zugleich am glänzendsten beweist, wie wenig es unserem Heiligen gelingt, die Dinge in ihrer profanen Gestalt kennenzulernen. Statt sie zu profanieren, heiligt er sie, indem er nur seine eigne heilige Vorstellung, dem Leser „zugute kommen läßt". Ehe wir auf die eigentliche bürgerliche Gesellschaft kommen, werden wir noch über das Eigentum überhaupt und in seinem Verhältnis zum Staat einige neue Aufschlüsse vernehmen. Diese Aufschlüsse erscheinen um so neuer, als sie Sankt Sancho Gelegenheit geben, seine beliebtesten Gleichungen über Recht und Staat wieder anzubringen und dadurch seiner „Abhandlung" „mannigfaltigere Wandlungen" und „Brechungen" zu geben. Wir brauchen natürlich bloß die letzten Glieder dieser schon dagewesenen Gleichungen zu zitieren, da der Leser sich aus dem Kapitel: „Meine Macht" ihres Zusammenhanges noch erinnern wird. —

Privateigentum oder bürgerliches Eigentum	= Nicht Mein Eigentum
	= Heiliges Eigentum
	= fremdes Eigentum
	= Respektiertes Eigentum oder Respekt vor dem fremden Eigentum
	= Eigentum *des Menschen* (p. 327, 369)

Aus diesen Gleichungen ergeben sich zugleich folgende Antithesen:

Eigentum im bürgerlichen Sinne	– Eigentum im egoistischen Sinne (p. 327).
„Eigentum *des Menschen*"	– „Eigentum Meiner".
(„Menschliche Habe"	– Meine Habe) p. 324.

Gleichungen: Der Mensch = Recht
                             = Staatsgewalt

Privateigentum oder bür- = RechtlichesEigentum(p.324)
gerliches Eigentum   = Mein durch das Recht(p.332)
                             = garantiertes Eigentum,
                             = Eigentum von Fremden,
                             = dem Fremden angehöriges Eigentum,
                             = dem Rechte angehöriges Eigentum,
                             = Rechtseigentum (p. 367, 332)
                             = ein Rechtsbegriff
                             = Etwas Geistiges
                             = Allgemeines,
                             = Fiktion
                             = reiner Gedanke
                             = fixe Idee
                             = Gespenst
                             = Eigentum des Gespenstes. (p. 368, 324, 332, 367, 369.)

Privateigentum = Eigentum des Rechts,
Recht = Gewalt des Staats
Privateigentum = Eigentum in der Gewalt des Staats
                             = Staatseigentum, oder auch
Eigentum = Staatseigentum.
Staatseigentum = Nichteigentum Meiner
Staat = der alleinige Eigentümer. (p. 339, 334)

Wir kommen jetzt zu den Antithesen.

Privateigentum	*Egoistisches Eigentum*
Vom Recht (Staat, *dem* Menschen) zum Eigentum berechtigt	– Von Mir zum Eigentum (p. 339) ermächtigt
Mein durch das Recht	– Mein durch Meine Macht oder Gewalt (p. 332)
Vom Fremden gegebenes Eigentum	– Von Mir genommenes Eigentum (p. 339)

| Rechtliches Eigentum An-
derer | – Rechtliches Eigentum des
Andern ist, was Mir Recht
ist. (p. 339) |

Was in hundert anderen Formeln, wenn man z. B. Voll-
macht statt Macht setzt, oder schon dagewesene Formeln
anwendet, wiederholt werden kann.

| Privateigentum = Fremdheit
am Eigentum aller Andern | – Mein Eigentum = Eigenheit
am Eigentum aller Andern |

oder auch:

| Eigentum an Einigem | – Eigentum an Allem (p. 343) |

Die Entfremdung als Beziehung oder Kopula kann auch in
folgenden Antithesen ausgedrückt werden:

Privateigentum	– *egoistisches Eigentum*
„Sich auf das Eigentum als Heiliges, Gespenst, beziehen"	„Die heilige Beziehung zum Eigentum aufgeben"
„es respektieren",	– es nicht mehr als fremd be- trachten,
„Respekt vor dem Eigentum haben."	vor dem Gespenst sich nicht mehr fürchten,
(p. 324)	keinen Respekt vor dem Ei- gentum haben. Das Eigen- tum der Respektlosigkeit haben. (p. 368, 340, 343)

Die in obigen Gleichungen und Antithesen enthaltenen Modi
der Aneignung werden erst beim „Verein" ihre Erledigung
finden; da wir uns einstweilen noch in der „heiligen Gesellschaft" befinden, so geht uns hier nur die Kanonisation an.
Note. Warum die Ideologen das Eigentumsverhältnis als ein
Verhältnis *„des* Menschen" fassen können, dessen verschiedene Form in verschiedenen Epochen sich danach bestimmt,
wie die Individuen sich *„den* Menschen" vorstellen, das ist
schon bei der „Hierarchie" behandelt worden. Wir brauchen hier nur darauf zurückzuverweisen.

Abhandlung Nr. 1: Über Parzellierung des Grundbesitzes,
Ablösung der Servituten und Verschlingung
des kleinen Grundeigentums durch das große

Diese Sachen werden alle aus dem heiligen Eigentum und

der Gleichung: bürgerliches Eigentum = Respekt vor dem Heiligen, entwickelt.

1. „Eigentum im bürgerlichen Sinn bedeutet *Heiliges* Eigentum, der Art, daß Ich Dein Eigentum respektieren muß. „Respekt vor dem Eigentum!" *Daher* möchten die Politiker, daß Jeder sein Stückchen Eigentum besäße, und haben durch dies Bestreben zum Teil eine unglaubliche Parzellierung herbeigeführt" p. 327, 328.

2. „Die politischen Liberalen tragen Sorge, daß wo möglich alle Servituten abgelöst werden und Jeder freier Herr auf seinem Grunde sei, wenn dieser Grund auch nur soviel Bodengehalt hat" (der *Grund* hat *Bodengehalt!*) „als von dem Dünger eines Menschen sich hinlänglich düngen läßt ... [1] Sei es auch noch so klein, wenn man nur Eigenes, nämlich ein *respektiertes Eigentum* hat. Je mehr solcher Eigner, desto mehr freie Leute und gute Patrioten hat der Staat".–p. 328.

3. „Es rechnet der politische Liberalismus, wie alles Religiöse auf den *Respekt*, die Humanität, die Liebestugenden. Darum lebt er auch in unaufhörlichem Ärger. *Denn in der Praxis respektieren die Leute Nichts*, und alle Tage werden die kleinen Besitzungen wieder von größeren Eigentümern aufgekauft, und aus den „freien Leuten" werden Tagelöhner. Hätten dagegen die „kleinen Eigentümer" *bedacht*, daß auch das große Eigentum das Ihrige sei, so hätten sie sich nicht selber respektvoll davon ausgeschlossen, und würden nicht ausgeschlossen worden sein" p. 328.

1. Zuerst wird hier also die ganze Bewegung der Parzellierung, von der Sankt Sancho nur weiß, daß sie das Heilige ist, aus einer bloßen Einbildung erklärt, die *„die* Politiker" „sich in den Kopf gesetzt haben". *Weil „die* Politiker" „Respekt vor dem Eigentum" verlangen, *daher* „möchten" sie die Parzellierung, die noch dazu überall durch das *Nicht-respektieren* des fremden Eigentums durchgesetzt worden ist! *„Die* Politiker" haben „zum Teil eine unglaubliche Parzellierung" wirklich „herbeigeführt". Es war also die Tat der „Politiker", daß in Frankreich schon vor der Revolution, wie noch heutzutage in Irland und teilweise in Wales, die

---

[1] [Punkte im Manuskript.]

Parzellierung in Beziehung auf die *Kultur* des Bodens längst bestand, und zur Einführung der großen Kultur die Kapitalien und alle übrigen Bedingungen mangelten. Wie sehr übrigens „die Politiker" die Parzellierung heutzutage durchführen „möchten", kann Sancho daraus ersehen, daß sämtliche französische Bourgeois mit der Parzellierung, sowohl weil sie die Konkurrenz der Arbeiter unter sich verringert, wie aus politischen Gründen unzufrieden sind; ferner daraus, daß sämtliche Reaktionäre (was Sancho schon aus des alten Arndt „Erinnerungen" ersehen konnte) in der Parzellierung weiter nichts sahen, als die Verwandlung des Grundeigentums in modernes, industrielles, verschacherbares, entheiligtes Eigentum. Aus welchen *ökonomischen* Gründen die Bourgeois diese Verwandlung durchführen müssen, sobald sie zur Herrschaft kommen — eine Verwandlung, die ebensogut durch die Aufhebung der über den Profit überschießenden Grundrente, wie durch die Parzellierung geschehen kann — das ist unserem Heiligen hier nicht weiter auseinanderzusetzen. Ebensowenig ist ihm auseinanderzusetzen, wie die Form, in der diese Verwandlung geschieht, von der Stufe abhängt, worauf die Industrie, der Handel, die Schiffahrt etc. eines Landes stehen. Die obigen Sätze über Parzellierung sind weiter nichts als eine bombastische Umschreibung des einfachen Faktums, daß an verschiedenen Orten, „hie und da" eine große Parzellierung existiert — ausgedrückt in der kanonisierenden Redeweise unsres Sancho, die auf Alles und Nichts paßt. Im übrigen enthalten Sanchos obige Sätze nur die Phantasien des deutschen Kleinbürgers über die Parzellierung, die für ihn allerdings das Fremde, „das Heilige" ist. Vgl. polit. Liberal.

2. Die Ablösung der Servituten, eine Misere, die nur in Deutschland vorkommt, wo die Regierungen nur durch den fortgeschrittenen Zustand der Nachbarländer und durch Finanzverlegenheiten dazu gezwungen wurden, gilt hier unserm Heiligen für Etwas, das *„die* politischen Liberalen" wollen, um „freie Leute und gute Bürger" zu erzeugen. Sanchos Horizont reicht wieder nicht über den pommerschen Landtag und die sächsische Abgeordnetenkammer hinaus. Diese deutsche Servituten-Ablösung hat nie zu irgendeinem

politischen oder ökonomischen Resultat geführt und blieb
als halbe Maßregel überhaupt ohne alle Wirkung. Von der
historisch wichtigen Ablösung der Servituten im 14. und
15. Jahrhundert, die aus der beginnenden Entwicklung des
Handels, der Industrie und dem Geldbedürfnis der Grundbesitzer hervorging, weiß Sancho natürlich wieder nichts. —
Dieselben Leute, die in Deutschland die Servituten ablösen
wollten, um wie Sancho glaubt, gute Bürger und freie Leute
zu machen, z. B. Stein u. Vincke, fanden nachher, daß um
„gute Bürger und freie Leute“ zu erzeugen, die Servitute
wiederhergestellt werden müßten, wie dies eben jetzt in
Westfalen versucht wird. Woraus folgt, daß der „Respekt“,
wie die Furcht Gottes zu allen Dingen nütze ist.
3. Das „Aufkaufen“ des kleinen Grundbesitzes durch die
großen Eigentümer findet nach Sancho statt, weil der „Respekt vor dem Eigentum“ in der Praxis nicht stattfindet. —
Zwei der alltäglichsten Folgen der Konkurrenz, Konzentration u. Akkaparement, überhaupt die *Konkurrenz*, die ohne
Konzentration nicht existiert, erscheinen hier unserm Sancho als *Verletzungen* des bürgerlichen, in der Konkurrenz
sich bewegenden *Eigentums*. Das bürgerliche Eigentum wird
dadurch schon verletzt, daß es existiert. Man darf nach Sancho Nichts kaufen, ohne das Eigentum anzugreifen. Wie tief
Sankt Sancho die Konzentration des Grundbesitzes durchschaut hat, geht schon daraus hervor, daß er nur den augenscheinlichsten Akt der Konzentration, das bloße „Aufkaufen“ darin sieht. Inwiefern übrigens die kleinen Eigentümer
dadurch aufhören, Eigentümer zu sein, daß sie Taglöhner
werden, ist, nach Sancho, nicht abzusehen. Sancho entwickelt
ja selbst auf der nächsten Seite (p. 329) höchst feierlich gegen Proudhon, daß sie „Eigentümer des ihnen verbleiben-
den Anteils am Nutzen des Ackers“, nämlich des Arbeitslohns, bleiben. — „Es will mitunter etwa in der Geschichte
gefunden werden“, daß abwechselnd der große Grundbesitz
den kleinen und der kleine den großen verschlingt, zwei Erscheinungen, die sich für Sankt Sancho friedfertig in den
zureichenden Grund auflösen, daß „in der Praxis die Leute
nichts respektieren“. Dasselbe gilt von den übrigen vielfachen Gestalten des Grundeigentums.

Und dann das weise „hätten die kleinen Eigentümer" usw.! Im Alten Testament sahen wir, wie Sankt Sancho nach spekulativer Manier die Früheren die Erfahrungen der Späteren bedenken ließ; jetzt sehen wir, wie er sich nach Kannegießer-Manier darüber beklagt, daß die Früheren nicht nur die Gedanken der Späteren über sie, sondern auch seinen eignen Unsinn nicht bedachten. Welche Schulmeister-„*Gescheitheit*". Hätten die Terroristen bedacht, daß sie Napoleon auf den Thron bringen würden — hätten die englischen Barone von Runnymede und der Magna Charta bedacht, daß 1849 die Korngesetze abgeschafft werden würden — hätte Themistokles bedacht, daß er die Perser im Interesse Ottos des Kindes schlagen würde — hätte Krösus bedacht, daß Rothschild ihn an Reichtum übertreffen würde — hätte Alexander der Große bedacht, daß Rotteck ihn beurteilen und sein Reich den Türken in die Hände fallen würde — hätte Hegel bedacht, daß er auf eine so „kommune" Weise von Sankt Sancho exploitiert werden würde, hätte, hätte, hätte! Von welchen „kleinen Eigentümern" bildet sich Sankt Sancho denn ein zu sprechen? Von den eigentumslosen Bauern, welche durch Zerschlagen des großen Grundbesitzes erst zu „kleinen Eigentümern" *wurden*, oder von denen, die heutzutage von der Konzentration ruiniert werden? In beiden Fällen sieht Sankt Sancho sich so ähnlich wie ein Ei dem andern. Im ersten Falle schlossen sie sich ganz und gar nicht vom „großen Eigentum" aus, sondern nahmen es Jeder soweit in Besitz, als er von den andern nicht ausgeschlossen wurde und Vermögen hatte. Dies Vermögen war aber nicht das Stirnersche renommistische Vermögen, sondern ein durch ganz empirische Verhältnisse bedingtes, z. B. durch ihre und die ganze bisherige Entwicklung der bürgerlichen Gesellschaft, die Lokalität und ihren größeren oder geringeren Zusammenhang mit der Nachbarschaft die Größe des in Besitz genommenen Grundstücks und die Zahl derer, die es sich aneigneten, die Verhältnisse der Industrie, des Verkehrs, die Kommunikationsmittel und Produktionsinstrumente etc. Wie wenig sie sich ausschließend gegen das große Grundeigentum verhielten, geht schon daraus hervor, daß Viele unter ihnen selbst große Grundbesitzer wurden. Sancho macht sich selbst vor Deutschland lächerlich mit seiner Zumutung, diese Bauern hätten damals die Parzellierung, die noch gar nicht existierte, und die damals die einzig revolutionäre Form für sie war, überspringen und mit einem Satze in seinen mit sich einigen Egoismus sich lancieren sollen. Von seinem Unsinn gar nicht zu sprechen, war es ihnen nicht möglich, sich kommunistisch zu organisieren, da ihnen alle Mittel abgingen, die erste Bedingung einer kommunistischen Assoziation, die gemeinsame Bewirtschaftung durchzuführen und da die Parzellierung vielmehr nur Eine der Bedingungen war, welche das Bedürfnis für eine solche Assoziation später hervorriefen. Überhaupt kann eine kommunistische Bewegung nie vom Lande, sondern immer nur von den Städten ausgehen. — Im zweiten Falle, wenn Sankt Sancho von den ruinierten kleinen Eigentümern spricht — haben diese immer noch ein gemeinsames Interesse mit den großen Grundeigentümern gegenüber der ganz besitzlosen Klasse und gegenüber der industriellen Bourgeoisie. Und falls dies gemeinsame Interesse nicht stattfindet, fehlt ihnen die Macht, sich das große Grundeigentum anzueignen, weil sie zerstreut wohnen und ihre ganze Tätigkeit und Lebenslage ihnen eine Vereinigung, die erste Bedingung einer solchen Aneignung unmöglich macht und eine solche Bewegung wieder eine viel allgemeinere voraussetzt, die gar nicht von ihnen abhängt. — Schließlich kommt Sanchos ganze Tirade darauf hinaus, daß sie sich bloß den Respekt vor dem Eigentum Anderer aus dem Kopf schlagen sollen. Hiervon werden wir weiter unten noch ein geringes Wörtlein vernehmen. Nehmen wir schließlich noch den einen Satz ad acta: *„In der Praxis respektieren die Leute eben Nichts"*; so daß es doch am „Respekt" „eben" nicht zu liegen scheint.

Abhandlung Nr. 2: Privateigentum, Staat und Recht

„Hätte, hätte, hätte!"

„Hätte" Sankt Sancho für einen Augenblick die kursierenden Gedanken der Juristen und Politiker über das Privateigentum, wie die Polemik dagegen, beiseite liegen lassen, hätte er dies Privateigentum einmal in seiner empirischen Exi-

stenz, in seinem Zusammenhange mit den Produktivkräften der Individuen gefaßt, so würde seine ganze Weisheit Salomonis, mit der er uns jetzt unterhalten wird, sich in Nichts aufgelöst haben. Es „hätte" ihm dann schwerlich entgehen können, (obwohl er, wie Habakuk, capable de tout ist) daß das Privateigentum eine für gewisse Entwicklungsstufen der Produktivkräfte notwendige Verkehrsform ist, eine Verkehrsform, die nicht eher abgeschüttelt, nicht eher zur Produktion des unmittelbaren materiellen Lebens entbehrt werden kann, bis Produktivkräfte geschaffen sind, für die das Privateigentum eine hemmende Fessel wird. Es „hätte" dann auch dem Leser nicht entgehen können, daß Sancho sich auf materielle Verhältnisse einlassen mußte, statt die ganze Welt in ein System der theologischen Moral aufzulösen, um diesem ein neues System der egoistisch sein sollenden Moral entgegenzustellen. Es „hätte" ihm nicht entgehen können, daß es sich um ganz andere Dinge als den „Respekt" und Despekt handelte. „Hätte, hätte, hätte!"
Dies „hätte" ist übrigens nur ein Nachklang des obigen Sanchoschen Satzes; denn „hätte" Sancho dies Alles getan, so hätte er allerdings sein Buch nicht schreiben können. —
Indem Sankt Sancho die Illusion der Politiker, Juristen und sonstigen Ideologen, die alle empirischen Verhältnisse auf den Kopf stellt, auf Treu und Glauben akzeptiert und noch in *deutscher* Weise dem Seinigen hinzutut, *verwandelt* sich ihm das *Privateigentum* in *Staatseigentum*, resp. *Rechtseigentum*, an dem er nun ein Experiment zur Rechtfertigung seiner obigen Gleichungen machen kann. Sehen wir uns zuerst die Verwandlung des Privateigentums in Staatseigentum an.
„Über das Eigentum entscheidet nur die Gewalt" (über die Gewalt entscheidet einstweilen vielmehr das Eigentum) „und da der Staat, gleichviel ob Staat der Bürger, Staat der Lumpe" (Stirnerscher „Verein") „oder Staat der Menschen schlechthin der allein Gewaltige ist, so ist er allein Eigentümer" p. 333.
Neben der Tatsache des deutschen „Staats der Bürger" figurieren hier wieder Sanchosche und Bauersche Hirngespinste in gleicher Ordnung, während die historisch bedeu-

tenden Staatsbildungen nirgends zu finden sind. Er verwandelt den Staat zunächst in eine Person, „*den* Gewaltigen". Das Faktum, daß die herrschende Klasse ihre gemeinschaftliche Herrschaft zur öffentlichen Gewalt, zum Staat konstituiert, versteht und verdreht er in deutsch-kleinbürgerlicher Weise dahin, daß „der Staat" sich als eine dritte Macht gegen diese herrschende Klasse konstituiert und alle Gewalt ihr gegenüber in sich absorbiert. Er wird jetzt seinen Glauben an einer Reihe von Exempeln bewähren.

Wenn das Eigentum unter der Herrschaft der Bourgeoisie wie zu allen Zeiten an gewisse, zunächst ökonomische, von der Entwicklungsstufe der Produktivkräfte und des Verkehrs abhängige Bedingungen geknüpft ist, Bedingungen, die notwendig einen juristischen und politischen Ausdruck erhalten — so glaubt Sankt Sancho in seiner Einfalt, „der *Staat* knüpfe den Besitz des Eigentums" (car tel est son bon plaisir) „an Bedingungen, wie er Alles daran knüpft, z. B. die Ehe" p. 335.

Weil die Bourgeois dem Staat nicht erlauben, sich in ihre Privatinteressen einzumischen und ihm nur soviel Macht geben, als zu ihrer eigenen Sicherheit und der Aufrechterhaltung der Konkurrenz nötig ist, weil die Bourgeois überhaupt nur insofern als Staatsbürger auftreten, als ihre Privatverhältnisse dies „gebieten", glaubt Jacques le bonhomme, daß sie vor dem Staate „Nichts sind". „Der Staat hat nur ein Interesse daran, selbst reich zu sein; ob Michel reich und Peter arm ist, gilt ihm gleich; — — — sie sind beide vor ihm nichts" p. 334. Dieselbe Weisheit schöpft er p. 345 aus der Duldung der Konkurrenz im Staat.

Wenn eine Eisenbahndirektion sich bloß um die Aktionäre zu kümmern hat, insofern sie ihre Einzahlungen leisten und ihre Dividenden empfangen, so schließt der Berliner Schulmeister in seiner Unschuld, daß die Aktionäre „vor ihr Nichts sind, wie wir vor Gott allzumal Sünder sind". Aus der Ohnmacht des Staats dem Treiben der Privateigentümer gegenüber beweist Sancho die Ohnmacht der Privateigentümer gegenüber dem Staat und seine eigne Ohnmacht gegenüber beiden.

Ferner: Weil die Bourgeois die Verteidigung ihres Eigentums im Staat organisiert haben, und „Ich“ daher „jenem Fabrikanten“ seine Fabrik nicht abnehmen kann, außer innerhalb der Bedingungen der Bourgeoisie, d. h. der Konkurrenz, glaubt Jacques le bonhomme: „Der Staat hat die Fabrik als Eigentum, der Fabrikant nur als Lehen, als Besitztum“ p. 347. Ebenso „hat“ der Hund, der mein Haus bewacht, das Haus „als Eigentum“ und Ich habe es nur „als Lehen, als Besitztum“ vom Hunde.

Weil die verdeckten materiellen Bedingungen des Privateigentums häufig in Widerspruch treten müssen mit der *juristischen Illusion* über das Privateigentum, wie sich z. B. bei Expropriationen zeigt, so schließt Jacques le bonhomme daraus, daß „hier das sonst verdeckte Prinzip daß nur der Staat Eigentümer sei, der Einzelne hingegen Lehnsträger, deutlich in die Augen springt“ p. 335. Es „springt hier nur in die Augen“, daß unsrem wackern Bürger die profanen Eigentumsverhältnisse hinter der Decke „des Heiligen“ aus den Augen gesprungen sind, und daß er sich noch immer aus China eine „Himmelsleiter“ borgen muß, um eine „Sprosse der Kultur“ zu „erklimmen“, auf der in zivilisierten Ländern sogar die Schulmeister stehen. Wie hier Sancho die zur *Existenz* des Privateigentums gehörigen Widersprüche zur *Negation* des Privateigentums macht, so verfuhr er, wie wir oben sahen, mit den Widersprüchen innerhalb der bürgerlichen Familie.

Wenn die Bourgeois, überhaupt alle Mitglieder der bürgerlichen Gesellschaft genötigt sind, sich als Wir, als moralische Person, als Staat zu konstituieren, um ihre gemeinschaftlichen Interessen zu sichern; und ihre dadurch hervorgebrachte Kollektivgewalt schon um der Teilung der Arbeit willen an Wenige delegieren, so bildet sich Jacques le bonhomme ein, daß „jeder nur solange den Nießbrauch des Eigentums hat, als er das Ich des Staates in sich trägt oder ein loyales Glied der Gesellschaft ist...[1] Wer ein Staats-Ich, d. h. ein guter Bürger oder Untertan ist, der trägt als solches Ich, nicht als eignes, das Lehen ungestört“ p. 334, 335. Auf diese Weise hat Jeder nur solange den Besitz einer Ei-

---

[1] [Punkte im Manuskript.]

senbahnaktie, als er „das Ich" der Direktion „in sich trägt",
wonach man also nur als Heiliger eine Eisenbahnaktie besitzen kann.

Nachdem Sankt Sancho auf diese Weise die Identität des
Privat- und Staatseigentums sich weisgemacht hat, kann er
fortfahren: „Daß der Staat nicht willkürlich dem Einzelnen
entzieht, was er vom Staate hat, ist nur dasselbe wie dies,
daß der Staat sich selbst nicht beraubt" p. 334, 335. Daß
Sankt Sancho nicht willkürlich anderen ihr Eigentum raubt,
ist nur dasselbe wie dies, daß Sankt Sancho sich selbst nicht
beraubt, da er ja alles Eigentum als das Seinige „ansieht".

Auf Sankt Sanchos übrige Phantasien über Staat und Eigentum, z. B. daß der Staat die Einzelnen durch Eigentum
„kirrt" und „belohnt", daß er aus besonderer Malice die
hohe Sporteltaxe erfunden habe, um die Bürger zu ruinieren, wenn sie nicht loyal seien etc. etc., überhaupt auf die
kleinbürgerlich-deutsche Vorstellung von der Allmacht des
Staates, eine Vorstellung, die bereits bei den alten deutschen
Juristen durchläuft und hier in hochtrabenden Beteuerungen sich aufspreizt, kann man uns nicht zumuten, weiter
einzugehen. — Seine hinreichend nachgewiesene Identität
von Staats- und Parteieigentum sucht er schließlich noch
durch etymologische Synonymik darzutun, wobei er seiner
Gelehrsamkeit indes en ambas posaderas schlägt.

„Mein Privateigentum ist nur dasjenige, was der Staat mir
von dem Seinigen überläßt, indem er andere Staatsglieder
darum verkürzt (priviert): es ist Staatseigentum" p. 339.

Zufällig verhält sich die Sache gerade umgekehrt. Das Privateigentum in Rom, worauf sich der etymologische Witz
allein beziehen kann, stand im direktesten Gegensatz zum
Staatseigentum. Der Staat gab allerdings den Plebejern Privateigentum, verkürzte dagegen, nicht „andere" um ihr Privateigentum, sondern diese Plebejer selbst um ihr Staatseigentum (ager publicus) und ihre politischen Rechte, und
deshalb hießen sie *selbst* privati, Beraubte, nicht aber jene
phantastischen „anderen Staatsglieder", von denen Sankt
Sancho träumt. Jacques le bonhomme blamiert sich in allen
Ländern, allen Sprachen und allen Epochen, sobald er auf

positive Fakta zu sprechen kommt, von denen „das Heilige"
keine aprioristische Kenntnisse haben kann.

Die Verzweiflung darüber, daß der Staat alles Eigentum
absorbiert, treibt ihn in sein innerstes „empörtes" Selbstbewußtsein zurück, wo er durch die Entdeckung überrascht
wird, daß er *Literat* ist. Er drückt diese Verwunderung in
folgenden merkwürdigen Worten aus:

„Im Gegensatz zum Staat fühle Ich immer deutlicher, daß
Mir noch eine große Gewalt übrig bleibt, die Gewalt über
Mich selbst"; was weiter dahin ausgeführt wird: „An Meinen Gedanken habe Ich ein wirkliches Eigentum, womit
Ich Handel treiben kann" p. 339. Der „Lump" Stirner, der
„Mensch von nur ideellem Reichtum", kommt also auf den
verzweifelten Entschluß, mit der geronnenen, sauer gewordenen Milch seiner Gedanken, Handel zu treiben. Und wie
schlau fängt er es an, wenn der Staat seine Gedanken für
Konterbande erklärt? Horcht: „Ich gebe sie auf" (allerdings sehr weise) „und tausche Andere für sie ein" (d. h.
falls jemand ein so schlechter Geschäftsmann sein sollte,
sein Gedankenwechsel anzunehmen) „die dann mein neues,
erkauftes Eigentum sind" p. 339. Der ehrliche Bürger beruhigt sich nicht eher, als bis er es schwarz auf weiß besitzt, daß er sein Eigentum redlich erkauft hat. — Siehe da
den Trost des Berliner Bürgers in allen seinen Staatsnöten
und Polizeitrübsalen: „Gedanken sind zollfrei!"

Die Verwandlung des Privateigentums in Staatseigentum
reduziert sich schließlich auf die Vorstellung, daß der Bourgeois nur besitzt als Exemplar der Bourgeoisgattung, die in
ihrer Zusammenfassung Staat heißt und den Einzelnen mit
Eigentum belehnt. Hier steht die Sache wieder auf dem
Kopf. In der Bourgeoisklasse, wie in jeder andern Klasse,
sind nur die persönlichen Bedingungen zu gemeinschaftlichen und allgemeinen entwickelt, unter denen die einzelnen Mitglieder der Klasse besitzen und leben. Wenn auch
früher dergleichen philosophische Illusionen in Deutschland kursieren konnten, so sind sie doch jetzt vollständig
lächerlich geworden, seitdem der Welthandel hinlänglich bewiesen hat, daß der bürgerliche Erwerb ganz unabhängig
von der Politik, die Politik dagegen gänzlich abhängig vom

bürgerlichen Erwerb ist. Schon im 18. Jahrhundert war die Politik so sehr vom Handel abhängig, daß z. B. als der französische Staat eine Anleihe machen wollte, ein Privatmann für den Staat den Holländern gutsagen mußte.

Daß die „Wertlosigkeit Meiner" oder „der Pauperismus" die „Verwertung" oder das „Bestehen" des „Staats" ist (p. 336), ist eine der 1001 Stirnerschen Gleichungen, die wir hier bloß erwähnen, weil wir bei dieser Gelegenheit einige Neuigkeiten über den Pauperismus hören.

„Der Pauperismus ist die Wertlosigkeit Meiner, die Erscheinung, daß Ich Mich nicht verwerten kann. Deshalb ist Staat und Pauperismus ein und dasselbe . . . [1] Der Staat geht alle Zeit darauf aus, von Mir Nutzen zu ziehen, d. h. Mich zu exploitieren, auszubeuten, zu verbrauchen, bestände dieser Verbrauch auch nur darin, daß Ich für eine Proles sorge (Proletariat). Er will, ich soll seine Kreatur sein" p. 336.

Abgesehen davon, daß sich hier zeigt, wie wenig es von ihm abhängt, sich zu verwerten, obgleich er seine Eigenheit überall und immer durchsetzen kann, daß hier abermals Wesen und Erscheinung im Gegensatz zu den früheren Behauptungen ganz voneinander getrennt werden, kommt wieder die obige kleinbürgerliche Ansicht unseres Bonhomme zutage, daß „der Staat" ihn exploitieren will. Uns interessiert nur noch die altrömische etymologische Abstammung des Proletariats, die hier naiverweise in den modernen Staat eingeschmuggelt wird. Sollte Sankt Sancho wirklich nicht wissen, daß überall, wo der moderne Staat sich entwickelt hat, das „Sorgen für eine Proles" dem Staat, d. h. den offiziellen Bourgeois gerade die unangenehmste Tätigkeit des Proletariats ist? Sollte er nicht etwa zu seinem eignen Besten auch Malthus und den Minister Duchâtel ins Deutsche übersetzen? Sankt Sancho „fühlte" vorhin „immer deutlicher", als deutscher Kleinbürger, daß ihm „im Gegensatz zum Staat noch eine große Macht blieb", nämlich dem Staat zum Trotz sich Gedanken zu machen. Wäre er ein englischer Proletarier, so würde er gefühlt haben, daß ihm „die Macht blieb", dem Staat zum Trotz Kinder zu machen.

---

[1] [Punkte im Manuskript.]

Weitere Jeremiade gegen den Staat! Weitere Theorie des
Pauperismus! Er „schafft" zunächst als „Ich" „Mehl, Leinwand oder Eisen und Kohlen", womit er die Teilung der
Arbeit von vornherein aufhebt. Dann fängt er an „lange",
zu „klagen", daß seine Arbeit nicht nach ihrem Wert bezahlt wird und gerät zunächst in Konflikt mit den Bezah-
lenden. Der Staat tritt dann „beschwichtigend" dazwischen.
„Lasse Ich Mir nicht genügen an dem Preise, den er (nämlich der Staat) für meine Ware und Arbeit festsetzt, trachte
Ich vielmehr, den Preis Meiner Ware selbst zu bestimmen,
d. h. Mich bezahlt zu machen, so gerate Ich zunächst" (großes „Zunächst" — nicht mit dem Staat, sondern) „mit den
Abnehmern der Ware in Konflikt" p. 337. Will er nun
in ein „direktes Verhältnis" mit diesen Abnehmern treten,
d. h. „sie bei den Köpfen fassen", so „interveniert" der
Staat, „reißt den Menschen vom Menschen" (obgleich es
sich nicht vom „Menschen", sondern vom Arbeiter und Arbeitgeber oder, was er durcheinander wirft vom Verkäufer
und Käufer der Ware handelte), und zwar tut der Staat
dies in der böswilligen Absicht, „um sich als *Geist*" (jedenfalls Heiliger Geist) „in die Mitte zu stellen. Die Arbeiter,
welche höheren Lohn verlangen, werden als Verbrecher behandelt, sobald sie ihn erzwingen wollen" p. 337.
Hier haben wir wieder einmal eine Blütenlese des Unsinns.
Herr Senior hätte seine Briefe über den Arbeitslohn sparen
können, wenn er sich vorher in ein „direktes Verhältnis"
zu Stirner gesetzt hätte; besonders da in diesem Falle der
Staat wohl nicht „den Menschen vom Menschen gerissen"
haben würde. Sancho läßt hier den Staat dreimal auftreten.
Zuerst „beschwichtigend", dann preisbestimmend, zuletzt als
„Geist", als das Heilige. Daß Sankt Sancho nach der glorreichen Identifikation des Privat- und Staatseigentums den
Staat auch den Arbeitslohn bestimmen läßt, zeugt von gleich
großer Konsequenz und Unbekanntschaft mit den Dingen
dieser Welt. Daß „die Arbeiter, welche höheren Lohn erzwingen wollen", in England, Amerika und Belgien keineswegs sogleich als „Verbrecher" behandelt werden, sondern
im Gegenteil oft genug diesen Lohn wirklich erzwingen, ist
ebenfalls ein unsrem Heiligen unbekanntes Faktum und

zieht durch seine Legende vom Arbeitslohn einen großen
Strich. Daß die Arbeiter, selbst wenn der Staat nicht „in
die Mitte träte", wenn sie ihre Arbeitgeber „bei den Köpfen
fassen", damit noch gar nichts gewinnen, noch viel weniger
durch Assoziationen und Arbeitseinstellungen, solange sie
nämlich Arbeiter und ihre Gegner Kapitalisten bleiben —
das ist ebenfalls ein Faktum, das selbst in Berlin einzusehen
wäre. Daß die bürgerliche Gesellschaft, die auf der Konkurrenz beruht und ihr Bourgeoisstaat ihrer ganzen materiellen Grundlage nach, keinen andern als einen Konkurrenzkampf unter den Bürgern zulassen können, und nicht
„als Geist", sondern mit Bajonetten dazwischen treten müssen, wenn die Leute sich „an den Köpfen fassen", braucht
ebenfalls nicht auseinandergesetzt zu werden.

Übrigens stellt Stirners Einfall, daß nur der Staat reicher
werde, wenn die Individuen auf der Basis des bürgerlichen
Eigentums reicher werden, oder daß bisher alles Privateigentum Staatseigentum gewesen sei, das historische Verhältnis wieder auf den Kopf. Mit der Entwicklung und Akkumulation des bürgerlichen Eigentums, d. h. mit der Entwicklung des Handels und der Industrie, wurden die Individuen immer reicher, während der Staat immer verschul-
deter ward. Dies Faktum trat schon hervor in den ersten
italienischen Handelsrepubliken, zeigte sich später in seiner Spitze in Holland seit dem vorigen Jahrhundert, wo
der Fondsspekulant Pinto schon 1750 darauf aufmerksam
machte, und findet jetzt wieder statt in England. Es zeigt
sich daher auch, daß, sobald die Bourgeoisie Geld gesammelt
hat, der Staat bei ihr betteln gehen muß und endlich von
ihr geradezu an sich gekauft wird. Dies findet in einer Periode statt, in welcher die Bourgeoisie noch eine andere
Klasse sich gegenüberstehen hat, wo also der Staat zwischen
beiden den Schein einer gewissen Selbständigkeit behalten
kann. Der Staat bleibt selbst nach diesem Ankauf immer
noch geldbedürftig und dadurch von den Bourgeois abhängig, kann aber dennoch, wenn es das Interesse der Bourgeois
erfordert, immer über mehr Mittel verfügen als andre weniger entwickelte und daher weniger verschuldete Staaten.
Aber selbst die unentwickeltsten Staaten Europas, die der

heiligen Allianz, gehen diesem Schicksal unaufhaltsam entgegen und werden von den Bourgeois angesteigert werden; wo sie sich dann von Stirner mit der Identität von Privateigentum und Staatseigentum vertrösten lassen[1] können, namentlich sein eigner Souverän, der vergebens die Stunde des Verschacherns der Staatsmacht an die „böse" gewordenen „Bürger" hinzuhalten strebt.

Wir kommen jetzt zu dem Verhältnis von Privateigentum und Recht, wo wir dieselben Siebensachen in anderer Form wieder hören. Die Identität von Privat- und Staatseigentum erhält eine scheinbar neue Wendung. Die politische *Anerkennung* des Privateigentums im Recht wird als *Basis* des Privateigentums ausgesprochen.

„Das Privateigentum lebt von der Gnade des Rechts. Nur im Recht hat es seine Gewähr — Besitz ist ja noch nicht Eigentum, es wird erst das Meinige durch Zustimmung des Rechts; — es ist keine Tatsache, sondern eine Fiktion, ein Gedanke. Das ist das Rechtseigentum, rechtliches Eigentum, garantiertes Eigentum; nicht durch Mich ist es Mein, sondern durchs — Recht" p. 332.

Dieser Satz treibt nur den schon dagewesenen Unsinn vom Staatseigentum auf eine noch komischere Höhe. Wir gehen daher gleich auf Sanchos Exploitation des Fiktiven jus utendi et abutendi über.

P. 332 erfahren wir außer der obigen schönen Sentenz, daß das Eigentum „die unumschränkte Gewalt über etwas ist, womit ich schalten und walten kann, nach Gutdünken." „Die Gewalt" ist aber „nicht ein für sich Existierendes, sondern lediglich im gewaltigen Ich, in Mir, dem Gewaltigen" p. 366. Das Eigentum ist daher kein „Ding", „nicht dieser Baum, sondern Meine Gewalt, Verfügung über ihn ist die Meinige" p. 366. Er kennt bloß „Dinge" oder „Iche". Die „vom Ich getrennte", gegen es verselbständigte, in ein „Gespenst" verwandelte „Gewalt ist das Recht". „Diese verewigte Gewalt" (Abhandlung über das Erbrecht) „erlischt selbst mit Meinem Tode nicht, sondern wird übertragen oder vererbt. Die Dinge gehören nun wirklich nicht Mir, sondern

---

[1] [Von „lassen" bis zum Ende des Absatzes von Marx in das Manuskript eingefügt.]

dem Rechte. Andererseits ist dies weiter nichts als eine Verblendung, denn die Gewalt des Einzelnen wird allein dadurch permanent und ein Recht, daß Andere ihre Gewalt
mit der seinigen verbinden. Der Wahn besteht darin, daß sie
ihre Gewalt nicht wieder zurückziehen zu können glauben"
p. 366, 367. „Ein Hund sieht den Knochen in eines anderen Gewalt und steht nur ab, wenn er sich zu schwach
fühlt. Der Mensch aber respektiert das *Recht* des Andern an
seinem Knochen . . .[1] Und wie hier, so heißt überhaupt dies
„menschlich", wenn man in allem etwas Geistiges sieht, hier
das Recht, d. h. Alles zu einem Gespenste macht und sich
dazu als zu einem Gespenste verhält . . .[1] Menschlich ist es,
das Einzelne nicht als ein Einzelnes, sondern als ein Allgemeines anzuschauen" p. 368, 369.

Das ganze Unheil entspringt also wieder aus dem Glauben
der Individuen an den Rechtsbegriff, den sie sich aus dem
Kopfe schlagen *sollen*. Sankt Sancho kennt nur „Dinge"
und „Iche", und von allem was nicht unter diese Rubriken
paßt, von allen Verhältnissen kennt er nur die abstrakten
Begriffe, die sich ihm daher auch in „Gespenster" verwandeln. „Andererseits" dämmert ihm freilich zuweilen, daß
dies Alles „weiter nichts ist als eine Verblendung", und
daß „die Gewalt des Einzelnen" sehr davon abhängig ist, ob
Andre ihre Gewalt mit der seinigen verbinden. Aber in letzter Instanz läuft alles doch auf „den Wahn" heraus, daß die
Einzelnen „ihre Gewalt nicht wieder zurückziehen zu können *glauben*". Die Eisenbahn gehört wieder „wirklich" nicht
den Aktionären, sondern den Statuten. Sancho gibt gleich
ein schlagendes Exempel am Erbrecht. Er erklärt es nicht
aus der Notwendigkeit der Akkumulation und der vor dem
Recht existierenden Familie, sondern aus der *juristischen
Fiktion* von der *Verlängerung der Gewalt* über den Tod hinaus. Diese juristische Fiktion[2] selbst wird von allen Gesetz-
gebungen immer mehr aufgegeben, je mehr die feudale Gesellschaft in die bürgerliche übergeht. (Vergleiche z. B. den
Code Napoléon.) Daß die absolute väterliche Gewalt und

---

[1] [Punkte im Manuskript.]
[2] [Dieser Satz ist eine Einfügung von Heß.]

das Majorat, sowohl das naturwüchsige Lehnsmajorat wie das spätere, auf sehr bestimmten materiellen Verhältnissen beruhen, braucht hier nicht auseinandergesetzt zu werden. Dasselbe findet bei den antiken Völkern statt in der Epoche der Auflösung des *Gemein*wesens durch das Privatleben. (Bester Beweis: die Geschichte des römischen Erbrechts.) Sancho konnte überhaupt kein unglücklicheres Beispiel wählen als das Erbrecht, das am allerdeutlichsten die Abhängigkeit des Rechts von den Produktionsverhältnissen zeigt. Vergleiche[1] z. B. römisches und germanisches Erbrecht. Ein Hund hat freilich noch nie aus einem Knochen Phosphor, Knochenmehl oder Kalk gemacht, ebensowenig wie er sich je über sein „Recht" an einem Knochen „etwas in den Kopf gesetzt hat"; Sankt Sancho hat sich ebenfalls nie „in den Kopf gesetzt", darüber nachzudenken — ob nicht das Recht, das die Menschen auf einen Knochen sich vindizieren und die Hunde nicht, mit der Art zusammenhängt, wie die Menschen diese Knochen produktiv behandeln und die Hunde nicht. Überhaupt haben wir an einem Beispiel die ganze Manier der Sanchoschen Kritik und seinen unerschütterlichen Glauben an kurante Illusionen vor uns. Die bisherigen Produktionsverhältnisse der Individuen müssen sich ebenfalls als politische und rechtliche Verhältnisse ausdrücken (siehe oben). Innerhalb der Teilung der Arbeit müssen diese Verhältnisse gegenüber den Individuen sich verselbständigen. Alle Verhältnisse können in der Sprache nur als Begriffe ausgedrückt werden. Daß diese Allgemeinheiten und Begriffe als mysteriöse Mächte gelten, ist eine notwendige Folge der Verselbständigung der realen Verhältnisse, deren Ausdruck sie sind. Außer dieser Geltung im gewöhnlichen Bewußtsein erhalten diese Allgemeinheiten noch eine besondere Geltung und Ausbildung von den Politikern und Juristen, die durch die Teilung der Arbeit auf den Kultus dieser Begriffe angewiesen sind und in ihnen, nicht in den Produktionsverhältnissen, die wahre Grundlage aller realen Eigentumsverhältnisse sehen. Diese Illusion adoptiert Sankt Sancho unbesehens, hat es damit fertig gebracht, das recht-

---

[1] [Dieser Satz ist von Marx eingefügt.]

liche Eigentum für die Basis des Privateigentums und den
Rechtsbegriff für die Basis des rechtlichen Eigentums zu erklären und kann nun seine ganze Kritik darauf beschränken, den Rechtsbegriff für einen Begriff, ein Gespenst zu
erklären. Womit Sankt Sancho fertig ist. Zu seiner Beruhigung kann ihm noch gesagt werden, daß das Verfahren
der Hunde, wenn ihrer zwei einen Knochen finden, in allen
ursprünglichen Gesetzbüchern als Recht anerkannt wird;
vim vi repellere licere, sagen die Pandekten; idque jus natura comparatur, worunter verstanden wird jus quod natura omnia animalia — Menschen und Hunden — docuit; daß
aber später die organisierte Repulsion der Gewalt durch die
Gewalt „eben" das Recht ist.

Sankt Sancho, der nun im Zuge ist, dokumentiert seine
rechtsgeschichtliche Gelehrsamkeit dadurch, daß er Proudhon seinen „Knochen" streitig macht, Proudhon, sagt er,
„schwindelt uns vor, die Sozietät sei die ursprüngliche
Besitzerin und die einzige Eigentümerin von unverjähr-
barem Rechte; an ihr sei der sogenannte Eigentümer zum
Diebe geworden; wenn sie nun dem dermaligen Eigentümer sein Eigentum entziehe, so raube sie ihm Nichts, da
sie nur ihr unverjährbares Recht geltend mache. Soweit
kommt man mit dem Spuk der Sozietät als einer moralischen Person" p. 330, 331. Dagegen will Stirner uns „vor-
schwindeln" p. 340, 367, 420 und anderwärts, Wir, nämlich die Besitzlosen, hätten den Eigentümern ihr Eigentum
geschenkt, aus Unkunde, Feigheit oder auch Gutmütigkeit
usw., und fordert uns auf, unser Geschenk zurückzuneh-
men. Zwischen den beiden „Schwindeleien" ist der Unterschied, daß Proudhon sich auf ein historisches Faktum stützt,
während Sankt Sancho sich nur etwas „in den Kopf gesetzt" hat, um der Sache eine „neue Wendung" zu geben.
Die neueren rechtsgeschichtlichen Forschungen haben nämlich herausgestellt, daß sowohl in Rom, wie bei den germanischen, keltischen und slawischen Völkern die Eigen-
tumsentwicklung vom Gemeindeeigentum oder Stammeigentum anfing und das eigentliche Privateigentum überall durch
Usurpation entstand, was Sankt Sancho freilich nicht aus
der tiefen Einsicht herausklauben konnte, daß der Rechts-

begriff ein Begriff ist. Den juristischen Dogmatikern gegenüber war Proudhon vollständig berechtigt, dies Faktum geltend zu machen und überhaupt sie mit ihren eignen Voraussetzungen zu bekämpfen. „Soweit kommt man mit dem Spuk" des Rechtsbegriffs als eines Begriffs. Proudhon könnte nur dann wegen seines obigen Satzes angegriffen werden, wenn er dem über dies ursprüngliche Gemeinwesen hinausgegangenen Privateigentum gegenüber die frühere und rohere Form verteidigt hätte. Sancho resümiert seine Kritik Proudhons in der stolzen Frage: „Warum so sentimental, als ein armer Beraubter, das Mitleid anrufen?" p. 420. Die Sentimentalität, die übrigens bei Proudhon nirgends zu finden ist, ist nur der Maritornes gegenüber erlaubt. Sancho bildet sich wirklich ein, ein „ganzer Kerl" zu sein gegenüber einem Gespenstergläubigen wie Proudhon. Er hält seinen aufgedunsenen Kanzleistil, dessen sich Friedrich Wilhelm IV. zu schämen hätte, für revolutionär. „Der Glaube macht selig!" P. 340 erfahren wir: „Alle Versuche, über das Eigentum vernünftige Gesetze zu geben, liefen vom *Busen der Liebe* in ein wüstes Meer von Bestimmungen aus." Hierzu paßt der gleich abenteuerliche Satz: „Der bisherige Verkehr beruhte auf der Liebe, dem rücksichtsvollen Benehmen, dem Füreinandertun" p. 385. — Sankt Sancho überrascht sich hier selbst mit einem frappanten Paradoxon über das Recht und den Verkehr. Wenn wir uns indes erinnern, daß er unter „der Liebe" die Liebe zu „dem Menschen" überhaupt, einem Anundfürsichseienden, Allgemeinen, das Verhältnis zu einem Individuum oder Ding als zum Wesen, zu dem *Heiligen* versteht, so fällt dieser glänzende Schein zusammen. Die obigen Orakelsprüche lösen sich dann in die alten, durch das ganze „Buch" uns ennuyierenden Trivialitäten auf, daß zwei Dinge, von denen Sancho nichts weiß, nämlich hier das bisherige Recht und der bisherige Verkehr — „das Heilige" sind, und daß überhaupt bisher nur „Begriffe die Welt beherrscht" haben. Das Verhältnis zum Heiligen, sonst „Respekt" genannt, kann auch gelegentlich „Liebe" tituliert werden (siehe „Logik").

Nur ein Beispiel, wie Sankt Sancho die Gesetzgebung in ein Liebesverhältnis und den Handel in einen Liebeshandel verwandelt: „In einer Registrationsbill für Irland stellte die Regierung den Antrag, Wähler diejenigen sein zu lassen, welche fünf Pfund Sterling Armensteuer entrichten. Also wer Almosen gibt, der erwirbt politische Rechte oder wird anderwärts Schwanenritter" p. 344. Zuerst ist hier zu bemerken, daß diese „Registrationsbill", die „politische Rechte" verleiht, eine Munizipal- oder Korporationsbill war, oder um für Sancho verständlich zu sprechen, eine „Städteordnung", die keine „politischen Rechte", sondern städtische Rechte, Wahlrecht für Lokalbeamte, verleihen sollte. Zweitens sollte Sancho, der den Mac Culloch übersetzt, doch wohl wissen, was das heißt, to be assessed to the poor-rates at five pounds. Es heißt nicht „fünf Pfund Armensteuer zahlen", sondern in den Armensteuerrollen als Bewohner eines Hauses eingetragen sein, dessen jährliche Miete fünf Pfund beträgt. Der Berliner Bonhomme weiß nicht, daß die Armensteuer in England und Irland eine lokale Steuer ist, die in jeder Stadt und in jedem Jahre verschieden ist, so daß es eine reine Unmöglichkeit wäre, irgendein Recht an einen bestimmten Steuerbetrag knüpfen zu wollen. Endlich glaubt Sancho, daß die englische und irische Armensteuer ein „Almosen" sei, während sie nur die Geldmittel zu einem offenen und direkten Angriffskrieg der herrschenden Bourgeoisie gegen das Proletariat aufbringt. Sie deckt die Kosten der Arbeitshäuser, die bekanntlich ein Malthusianisches Abschreckungsmittel gegen den Pauperismus sind. Man sieht, wie Sancho „vom Busen der Liebe in ein wüstes Meer von Bestimmungen ausläuft".

Beiläufig bemerkt, mußte die deutsche Philosophie, weil sie nur vom Bewußtsein ausging, in eine Moralphilosophie verenden, wo dann die verschiedenen Heroen einen Hader um die wahre Moral führen. Feuerbach liebt den Menschen um des Menschen willen, Sankt Bruno liebt ihn, weil er es „verdient" (Wig. p. 137) und Sankt Sancho liebt „Jeden", weil es ihm gefällt, mit dem Bewußtsein des Egoismus („Das Buch", p. 387).

Wir haben schon oben, in der ersten Abhandlung, gehört, wie die kleinen Grundeigentümer sich respektvoll vom großen Grundeigentum ausschlossen. Dies Sich-Ausschließen

vom fremden Eigentum aus Respekt wird überhaupt als
Charakter des bürgerlichen Eigentums dargestellt. Aus diesem Charakter weiß Stirner sich zu erklären, warum „innerhalb des Bürgertums, trotz seines Sinnes, daß jeder Eigentümer sei, die meisten soviel wie Nichts haben" p. 348.
Dies „kommt daher, weil die Meisten sich schon darüber
freuen, nur überhaupt Inhaber, sei es auch von einigen Lappen zu sein" p. 349. Daß „die Meisten" nur „einige Lappen" besitzen, erklärt sich Szeliga ganz natürlich aus ihrer
Freude an den Lappen.

  P. 343: „Ich wäre bloß Besitzer? Nein, bisher war man nur
Besitzer, gesichert im Besitze einer Parzelle, dadurch daß
man Andere auch im Besitze einer Parzelle ließ; jetzt aber
gehört *Alles* Mir. Ich bin Eigentümer von Allem, dessen Ich
brauche und habhaft werden kann." Wie Sancho vorhin die
kleinen Grundbesitzer sich respektvoll vom großen Grundeigentum ausschließen ließ, jetzt die kleinen Grundbesitzer
sich voneinander, so konnte er weiter ins Detail gehen, die
Ausschließung des kommerziellen Eigentums vom Grundeigentum, des Fabrikeigentums vom eigentlich kommerziellen usw. durch den Respekt bewerkstelligen lassen und es so
zu einer ganz neuen Ökonomie auf der Basis des Heiligen
bringen. Er hat sich dann nur den Respekt aus dem Kopf zu
schlagen, um die Teilung der Arbeit und die daraus hervorgehende Gestaltung des Eigentums mit einem Schlage aufzuheben. Zu dieser neuen Ökonomie gibt Sancho p. 128 „des
Buchs" einen Beleg, wo er die Nadel nicht vom shopkeeper,
sondern vom Respekt kauft, und nicht mit Geld von dem
shopkeeper, sondern mit Respekt von der Nadel. Übrigens
ist die von Sancho angefeindete dogmatische Selbstausschlie-
ßung eines Jeden vom fremden Eigentum eine rein juristische Illusion. In der heutigen Produktions- und Verkehrsweise schlägt Jeder ihr ins Gesicht und trachtet danach, alle
Andern von ihrem einstweilen Eigentum auszuschließen.
Wie es mit Sanchos „Eigentum an Allem" aussieht, geht
schon aus dem ergänzenden Nachsatz hervor: „Dessen Ich
brauche und habhaft werden kann." Er erörtert dies selbst
näher p. 353: „Sage Ich: Mir gehört die Welt, *so ist das
eigentlich auch leeres Gerede,* das nur insofern Sinn hat, als

Ich kein fremdes Eigentum respektiere." Also insofern der *Nichtrespekt* vor dem fremden Eigentum sein *Eigentum* ist. Was Sancho an seinem geliebten Privateigentum kränkt, ist eben die Ausschließlichkeit, ohne die es Unsinn wäre, das Faktum, daß es außer ihm noch andre Privateigentümer gibt. Fremdes Privateigentum ist nämlich Heiliges. Wir werden sehen, wie er in seinem Vereine diesem Übelstande abhilft. Wir werden nämlich finden, daß sein egoistisches Eigentum das Eigentum im außergewöhnlichen Verstande weiter nichts ist, als das durch seine heiligende Phantasie verklärte, gewöhnliche oder bürgerliche Eigentum.

Schließen wir mit dem Spruche Salomonis: „Gelangen die Menschen dahin, daß sie den Respekt vor dem Eigentum verlieren, so wird Jeder Eigentum haben . . .[1] dann . . .[2]

Schreiber dieses begab sich eines morgens im gebührlichen Kostüm zum Herrn Minister Eichhorn: „Weil es mit den Fabrikanten nicht geht" (der Herr Finanzminister hatte ihm nämlich weder Raum noch Geld zur Errichtung einer eigenen Fabrik gegeben, noch der Herr Justizminister ihm erlaubt, dem Fabrikanten die Fabrik zu nehmen — siehe oben Bürgerliches Eigentum), so will Ich mit jenem Professor der Rechte konkurrieren; der Mann ist ein Gimpel und Ich, der ich hundertmal mehr weiß als er, werde sein Auditorium leer machen."

— „Hast Du studiert und promoviert, Freund?"

— Nein, aber was tut das? Ich verstehe, was zu dem Lehrfache nötig ist, reichlich.

— „Tut mir leid, aber die Konkurrenz ist hier nicht frei. Gegen Deine Person ist nichts zu sagen, aber die Sache fehlt, das Doktordiplom. Und dies Diplom verlange Ich, der Staat."

— „Dies also ist die Freiheit der Konkurrenz", seufzte Schreiber dieses, „der Staat, mein Herr, befähigt mich erst zum Konkurrieren." Worauf er niedergeschlagen in seine Behausung zurückkehrte p. 347.

In entwickelten Ländern wäre es ihm nicht vorgekommen, den Staat um die Erlaubnis fragen zu müssen, ob er mit

---

[1] [Punkte im Manuskript.]
[2] [Hier fehlen vier Manuskriptseiten.]

einem Professor der Rechte konkurrieren dürfe. Wenn er
sich aber an den Staat als einen *Arbeitgeber* wendet und Be-
soldung, d. h. *Arbeitslohn* verlangt, also sich selbst in das
Konkurrenzverhältnis stellt, so ist allerdings nach seinen
schon dagewesenen Abhandlungen über Privateigentum und
privati, Gemeindeeigentum, Proletariat, lettres patentes,
Staat und Status usw. nicht zu vermuten, daß er „glücklich
werben" wird. Der Staat kann ihn, nach seinen bisherigen
Leistungen, höchstens als Küster (custos) „des Heiligen"
auf einer hinterpommerschen Domäne anstellen.

Zur Erheiterung können wir hier „episodisch" die große
Entdeckung Sanchos „einlegen", daß zwischen „Armen"
und „Reichen" kein „anderer Unterschied" existiert — „als
der der Vermögenden und Unvermögenden" p. 354.

Stürzen wir uns jetzt wieder in das „wüste Meer" der Stirnerschen „Bestimmungen" über die Konkurrenz: „Mit der
Konkurrenz ist weniger" (o „Weniger"!) die Absicht verbunden, die Sache am besten zu machen, als die andre, sie
möglichst einträglich, ergiebig zu machen. Man studiert daher auf ein Amt los (Brotstudium), studiert Katzenbuckel
und Schmeicheleien, Routine und Geschäftskenntnis, man
arbeitet auf den Schein. Während es daher scheinbar um
eine *gute Leistung* zu tun ist, wird in Wahrheit nur auf ein
gutes Geschäft und Geldverdienst gesehen. Man möchte zwar
nicht gerne Zensor sein, aber man will befördert sein. . . . [1]
Man fürchtet Versetzung oder gar Absetzung p. 354, 355.
Unser Bonhomme möge ein ökonomisches Handbuch auf-
spüren, worin selbst die Theoretiker behaupten, es sei in der
Konkurrenz um „eine gute Leistung", oder darum zu tun,
„die Sache am besten zu machen" und nicht, „sie möglichst
einträglich zu machen". Er kann übrigens in jedem derartigen Buche finden, daß innerhalb des Privateigentums die
ausgebildetste Konkurrenz, wie z. B. in England, die „Sache"
allerdings „am besten macht". Der klein kommerzielle und
industrielle Betrug wuchert nur unter bornierten Konkur-
renzverhältnissen, unter den Chinesen, Deutschen und Juden, überhaupt unter den Hausierern und Kleinkrämern.

---

[1] [Punkte im Manuskript.]

Aber selbst den Hausierhandel erwähnt unser Heiliger nicht; er kennt nur die Konkurrenz der Supernumerarien und Referendarien, er beweist sich hier als vollständigen k.-preuß. Subalternbeamten. Er hätte ebensogut die Bewerbung der Hofleute aller Zeiten um die Gunst ihres Fürsten als Beispiel der Konkurrenz anführen können, aber das lag seinem kleinbürgerlichen Gesichtskreis viel zu fern.

Nach diesen gewaltigen Abenteuern mit den Supernumerarien, Salarien — Kassen — Rendanten und Registratoren besteht Sankt Sancho das große Abenteuer mit dem famosen Roß Clavileño, davon der Prophet Cervantes zuvor geredet hat im Neuen Testament am Einundvierzigsten. Sancho setzt sich nämlich aufs hohe ökonomische Pferd und bestimmt das Minimum des Arbeitslohns vermittelst „des Heiligen". Allerdings zeigt er hier wieder einmal seine angeborene Furchtsamkeit und weigert sich anfangs, das fliegende Roß zu besteigen, das ihn in die Region trägt, „wo der Hagel, der Schnee, der Donner, Blitz und Wetterstrahl erzeugt werden", weit über die Wolken hinaus. Aber „der Herzog" das ist „der Staat" ermuntert ihn, und nachdem der kühnere und erfahrenere Szeliga — Don Quichote sich einmal in den Sattel geschwungen hat, klettert unser wackrer Sancho ihm nach auf die Croupe. Und als die Hand des Szeliga die Schraube am Kopfe des Pferdes gedreht hatte, erhob es sich hoch in die Lüfte, und alle Damen, vornehmlich Maritornes, riefen ihnen nach: „Der mit sich einige Egoismus geleite Dich, tapferer Ritter, und noch tapferer Schildknapp, und möge es Euch gelingen, uns von dem Spuk des Malambruno [1] „des Heiligen", zu befreien. Halte Dich nur in der Balance, tapfrer Sancho, damit Du nicht fallest und es Dir nicht ergehe wie Phaeton, da er den Sonnenwagen lenken wollte!"

„Nehmen wir an" (er schwankt schon hypothetisch) „daß, wie die *Ordnung zum Wesen* des Staats gehört, so auch die *Unterordnung* in seiner *Natur* (angenehme Modulation zwischen ‚Wesen' und ‚Natur' — den ‚Ziegen', die Sancho auf seinem Fluge beobachtet) gegründet ist, *so* sehen wir, daß

---

[1] [Anspielung auf Bruno Bauer.]

von den Untergeordneten (soll wohl heißen Übergeordneten) oder Bevorzugten die Zurückgesetzten *unverhältnismäßig überteuert* und *übervorteilt* werden" p. 357.

„Nehmen wir an, . . . [1] so sehen wir." Soll heißen: so nehmen wir an. Nehmen wir an, daß „Übergeordnete" und „Untergeordnete" im Staat existieren, so „nehmen wir" ebenfalls „an", daß erstere vor den letzteren „bevorzugt" werden. Doch die stilistische Schönheit dieses Satzes, sowie die plötzliche Anerkennung des „Wesens" und der „Natur" eines Dings schieben wir auf die Furchtsamkeit und Verwirrung unsres ängstlich balancierenden Sancho während seiner Luftfahrt, sowie auf die unter seiner Nase abgebrannten Raketen. Wir bewundern selbst nicht, daß Sankt Sancho sich die Folgen der Konkurrenz nicht aus der Konkurrenz, sondern aus der Bürokratie erklärt, und den Staat hier wiederum den Arbeitslohn bestimmen läßt. Er bedenkt nicht, daß die fortwährenden Schwankungen des Arbeitslohns seiner ganzen schönen Theorie ins Gesicht schlagen und ein näheres Eingehen auf industrielle Verhältnisse ihm allerdings Exempel zeigen würde, wo ein Fabrikant von seinen Arbeitern nach allgemeinen Konkurrenzgesetzen „übervorteilt" und „überteuert" würde, wenn nicht diese juristischen und moralischen Ausdrücke innerhalb der Konkurrenz allen Sinn verloren hätten.

Wie einfältiglich und kleinbürgerlich sich in dem einzigen Schädel Sanchos die weltumfassenden Verhältnisse abspiegeln, wie sehr er als Schulmeister daran gebunden ist, aus allen diesen Verhältnissen sich moralische Nutzanwendungen zu abstrahieren und sie mit moralischen Postulaten zu widerlegen, das zeigt wieder deutlich die Zwerggestalt, zu der für ihn die Konkurrenz zusammenschrumpft. Wir müssen diese kostbare Stelle in extenso mitteilen, „auf daß Nichts verlorengehe".

„Was noch einmal die Konkurrenz betrifft, so hat sie gerade dadurch Bestand, daß nicht alle sich *ihrer Sache* annehmen und sich über sie miteinander *verständigen*. Brot ist z. B. das Bedürfnis aller Einwohner einer Stadt, deshalb könnten

---

[1] [Punkte im Manuskript.]

sie leicht übereinkommen, eine öffentliche Bäckerei einzurichten. Statt dessen überlassen sie die Lieferung des Bedarfs den konkurrierenden Bäckern. Ebenso Fleisch den Fleischern, Wein den Weinhändlern usw....[1] Wenn *Ich* Mich nicht um *Meine* Sache bekümmere, so muß Ich mit dem *vorlieb*nehmen, was Anderen Mir zu gewähren *beliebt*. Brot zu haben ist Meine Sache, Mein Wunsch und Begehren, und doch überläßt man es den Bäckern und hofft höchstens durch ihren Hader, ihr Rangablaufen, ihren Wetteifer, kurz ihre Konkurrenz, einen Vorteil zu erlangen, auf welchen man bei den zünftigen, die *gänzlich und allein* im Eigentum der Backgerechtigkeit saßen, nicht rechnen konnte" p. 365.

Charakteristisch für unsern Kleinbürger ist es, daß er hier eine Anstalt, wie die öffentliche Bäckerei, die unter dem Zunftwesen vielfach existierte und durch die wohlfeilere Produktionsweise der Konkurrenz gestürzt wurde, eine lokale Anstalt, die sich nur unter beschränkten Verhältnissen halten konnte, und mit dem Eintreten der Konkurrenz, welche die lokale Borniertheit aufhob, notwendig untergehen mußte — daß Sankt Sancho eine solche Anstalt der Konkurrenz gegenüber seinen Mitspießbürgern empfiehlt. Er hat nicht einmal das aus der Konkurrenz gelernt, daß „der Bedarf" z. B. an Brot jeden Tag ein andrer ist, daß es keineswegs von ihm abhängt, ob morgen noch das Brot „seine Sache" ist, oder ob sein Bedürfnis den Andern noch für eine Sache gilt und daß — innerhalb der Konkurrenz der Brotpreis durch die Produktionskosten und nicht durch das „Belieben" der Bäcker bestimmt wird. Er ignoriert sämtliche von der Konkurrenz erst geschaffenen Verhältnisse, Aufhebung der Lokalbeschränkung, Herstellung von Kommunikation, ausgebildete Teilung der Arbeit, Weltverkehr, Proletariat, Maschinerie etc., um einen wehemütigen Blick auf die mittelalterliche Spießbürgerei zurückzuwerfen. Von der Konkurrenz weiß er soviel, daß sie „Hader, Rangablaufen und Wetteifer" ist; um ihren sonstigen Zusammenhang mit der Teilung der Arbeit, dem Verhältnis von Nachfrage und

---

[1] [Punkte im Manuskript.]

Zufuhr etc. kümmert er sich nicht. Daß die Bourgeois sich allerdings überall, wo es ihr Interesse erheischte, (und darüber wissen sie besser zu urteilen als Sankt Sancho) jedesmal „verständigten", soweit sie innerhalb der Konkurrenz und des Privateigentums dies konnten, zeigen die Aktiengesellschaften, die mit dem Aufkommen des Seehandels und der Manufaktur begannen, und alle ihnen zugänglichen Zweige der Industrie und des Handels an sich rissen. Solche „Verständigungen", die u. a. zur Eroberung eines Reiches in Ostindien führten, sind freilich kleinlich gegenüber der wohlmeinenden Phantasie einer öffentlichen Bäckerei, die in der Vossischen Zeitung besprochen zu werden verdiente. — Was die Proletarier betrifft, so sind diese wenigstens in ihrer modernen Gestalt erst aus der Konkurrenz entstanden und haben bereits vielfach gemeinschaftliche Anstalten errichtet, die aber jedesmal untergingen, weil sie nicht mit den „hadernden" Privatbäckern, Fleischern etc. konkurrieren konnten und weil für die Proletarier, wegen ihrer durch die Teilung der Arbeit selbst vielfach entgegengesetzten Interessen eine andere als politische gegen den ganzen jetzigen Zustand gerichtete „Verständigung" unmöglich ist. Wo die Entwicklung der Konkurrenz die Proletarier befähigt, sich zu „verständigen", da „verständigen" sie sich über ganz andere Dinge als über öffentliche Bäckereien. Der Mangel an „Verständigung", den Sancho hier unter den konkurrierenden Individuen bemerkt, entspricht und widerspricht vollständig seiner weiteren Ausführung über die Konkurrenz, die wir im Kommentar, Wigand p. 173, genießen. „Man führte die Konkurrenz ein, weil man ein Heil für alle darin sah, man *einigte* sich über sie, man versuchte es *gemeinschaftlich* mit ihr ...[1] man stimmte in ihr etwas so *überein*, wie sämtliche Jäger bei einer Jagd für ... ihre Zwecke es zuträglich finden können, sich im Walde zu zerstreuen und ‚vereinzelt' zu jagen ... Jetzt freilich stellt es sich heraus ... daß bei der Konkurrenz nicht jeder seinen Gewinn ... findet." — „Es stellt sich hier heraus", daß Sancho von der Jagd gerade soviel weiß, wie von der Konkurrenz. Er spricht nicht von

[1] [Punkte im Manuskript.]

einer Treibjagd, auch nicht von der Hetzjagd, sondern von der Jagd im außergewöhnlichen Verstande. Es bleibt ihm nur noch übrig, nach den obigen Prinzipien eine neue Geschichte der Industrie und des Handels zu schreiben und einen „Verein" zu einer derartigen außergewöhnlichen Jagd zustande zu bringen.

Ganz in demselben stillen, gemütlichen und dorfzeitungsmäßigen Geleise spricht er sich über die Stellung der Konkurrenz zu den sittlichen Verhältnissen aus.

„Was der Mensch als solcher (!) an körperlichen Gütern nicht behaupten kann, dürfen wir ihm nehmen: Dies der Sinn der Konkurrenz, der Gewerbefreiheit: Was er an geistigen Gütern nicht behaupten kann, verfällt uns gleichfalls. Aber unantastbar sind die *geheiligten* Güter. Geheiligt und garantiert durch wen? . . . [1] Durch den Menschen oder den Begriff, den Begriff der Sache." Als solche geheiligte Güter führt er an „das Leben", „Freiheit der Person", „Religion", „Ehre", „Anstands-", „Schamgefühl" usw. p. 325.

Alle diese „geheiligten Güter" „darf" Stirner in entwickelten Ländern zwar nicht „dem Menschen als solchen" aber doch dem wirklichen Menschen nehmen, natürlich auf dem Wege und innerhalb der Bedingungen der Konkurrenz. Die große Umwälzung der Gesellschaft durch die Konkurrenz, die die Verhältnisse der Bourgeois untereinander und zu den Proletariern in reine Geldverhältnisse auflöste, sämtliche oben genannte „geheiligte Güter" in Handelsartikel verwandelte, und für die Proletarier alle naturwüchsigen und überkommenen z. B. Familien- und politische Verhältnisse nebst ihrem ganzen ideologischen Überbau zerstörte — diese gewaltige Revolution ging allerdings nicht von Deutschland aus, Deutschland spielte in ihr nur eine passive Rolle, es ließ sich seine geheiligten Güter nehmen und bekam nicht einmal den kouranten Preis dafür. Unser deutscher Kleinbürger kennt daher nur die heuchlerischen Beteuerungen der Bourgeois über die moralischen Grenzen der Konkurrenz der Bourgeois, die die „geheiligten Güter" der Proletarier, ihre „Ehre", „Schamgefühl", „Freiheit der Person" täglich mit

---

[1] [Punkte im Manuskript.]

Füßen treten und ihnen selbst den Religionsunterricht entziehen. Diese vorgeschützten „moralischen Grenzen" gelten ihm für den wahren „Sinn" der Konkurrenz, und ihre Wirklichkeit existiert nicht für ihren Sinn.

Sancho resümiert die Resultate seiner Forschungen über die Konkurrenz im folgenden Satz: „Ist eine Konkurrenz frei, die der Staat, dieser Herrscher im bürgerlichen Prinzip, in tausend Schranken einengt?" p. 347. Das „bürgerliche Prinzip" Sanchos, „den Staat" überall zum „Herrscher" zu machen und die aus der Produktions- und Verkehrsweise hervorgehenden Schranken der Konkurrenz für Schranken zu halten, in die „der Staat" die Konkurrenz „einengt", spricht sich hier noch einmal mit gebührender „Empörung" aus.

Sankt Sancho hat in „jüngster Zeit" „aus Frankreich herüber" (vgl. Wig. p. 190) allerlei Neuigkeiten läuten gehört, und unter andern über die Versachlichung der Personen in der Konkurrenz und über den Unterschied zwischen Konkurrenz und Wetteifer. Aber der „arme Berliner" hat „aus *Dummheit* die schönen Sachen verdorben". (Wig. ibidem, wo sein böses Gewissen aus ihm redet), „so sagt er z. B." p. 346 „des Buchs": „Ist die freie Konkurrenz denn wirklich frei? Ja, ist sie wirklich eine Konkurrenz, nämlich der *Personen*, wofür sie sich ausgibt, weil sie auf diesen Titel ihr Recht gründet?" Die Dame Konkurrenz gibt sich für etwas aus, weil sie (d. h. einige Juristen, Politiker und schwärmerische Kleinbürger, die letzten Nachzügler in ihrem Gefolge) auf diesen Titel ihr Recht gründet. Mit dieser Allegorie beginnt Sancho, die „schönen Sachen" „aus Frankreich" für den Meridian von Berlin zurechtzustutzen. Wir übergehen die schon oben abgemachte absurde Vorstellung, daß „der Staat gegen Meine Person nichts einzuwenden hat" und mir so zu konkurrieren erlaubt, Mir aber „die Sache" nicht gibt (p. 347) und gehen gleich auf seinen Beweis über, daß die Konkurrenz keine Konkurrenz der Personen ist.

„Konkurrieren aber wirklich die *Personen? Nein*, wiederum *nur* die *Sachen!* Die Gelder in erster Reihe usw.; in dem Wetteifer wird immer einer hinter dem andern zurückbleiben. Allein es macht einen Unterschied, ob die fehlenden

Mittel durch *persönliche Kraft* gewonnen werden können, oder nur durch Gnade zu erhalten sind, nur als Geschenk, und zwar indem z. B. der Ärmere dem Reicheren seinen Reichtum lassen, d. h. schenken muß" p. 438. — Die Schenkungstheorie „schenken wir ihm" (Wig. p. 190). Er möge sich im ersten besten juristischen Handbuch, Kapitel „Vertrag", unterrichten, ob ein „Geschenk", das er „schenken muß", noch ein Geschenk ist. In dieser Weise „schenkt" uns Stirner unsere Kritik seines Buchs, weil er sie uns „lassen, d. h. schenken muß".

Die Tatsache, daß von zwei Konkurrenten, deren „Sachen" gleich sind, der eine den andern ruiniert, besteht für Sancho nicht. Daß die Arbeiter untereinander konkurrieren, obgleich sie keine „Sachen" (im Stirnerschen Verstande) besitzen, existiert desgleichen nicht für ihn. Indem er die Konkurrenz der Arbeiter untereinander aufhebt, erfüllt er einen der frommsten Wünsche unsrer „wahren Sozialisten", deren wärmster Dank ihm nicht entgehen wird. „Nur die Sachen", nicht „die Personen", konkurrieren. — Nur die Waffen kämpfen, nicht die Leute, die sie führen und zu führen gelernt haben. Diese sind bloß zum Totgeschossenwerden da. — So spiegelt sich der Konkurrenzkampf in den Köpfen kleinbürgerlicher Schulmeister ab, die nun sich den modernen Börsenbaronen und Cotton-Lords gegenüber mit dem Bewußtsein trösten, daß ihnen nur „die Sache" fehle, um ihre „persönliche Kraft" gegen sie geltend zu machen. Noch komischer wird diese bornierte Vorstellung, wenn man auf die „Sachen" etwas näher eingeht, statt sich auf das Allerallgemeinste und Populärste, z. B. „das Geld" (das indes nicht so populär ist, wie es scheint) zu beschränken. Unter diese „Sachen" gehört u. a. daß der Konkurrent in einem Lande und in einer Stadt lebt, wo er dieselben Vorteile hat, wie seine von ihm vorgefundenen Konkurrenten; daß das Verhältnis von Stadt und Land eine fortgeschrittene Entwicklungsstufe verlangt hat; daß er in einer günstigen geographischen, geologischen und hydrographischen Lage konkurriert; daß er als Seidenfabrikant in Lyon, als Baumwollfabrikant in Manchester fabriziert, oder in einer früheren Epoche als Reeder in Holland sein Geschäft betrieb; daß die

Teilung der Arbeit in seinem wie andern von ihm keineswegs abhängigen Produktionszweigen eine hohe Ausbildung
erlangt hat, daß die Kommunikationen ihm denselben wohlfeilen Transport sichern, wie seinem Konkurrenten, daß er
geschickte Arbeiter und ausgebildete Aufseher vorfindet. Alle
diese „Sachen", die zum Konkurrieren nötig sind, überhaupt
die Konkurrenzfähigkeit auf dem *Weltmarkte* (den er nicht
kennt und nicht kennen darf, um seiner Staatstheorie und
öffentlichen Bäckerei willen, der aber leider die Konkurrenz
und Konkurrenzfähigkeit bestimmt), kann er sich weder durch
„persönliche Kraft" gewinnen, noch durch „die Gnade"
„des Staats" „schenken lassen" (vgl. p. 348). Der preußische
Staat, der es versuchte, der Seehandlung alles dies zu „schenken", kann ihm darüber am besten Belehrung geben. Sancho
erweist sich hier als k.-preuß. Seehandlungsphilosoph, indem er die Illusion des preußischen Staats über seine Allmacht und die Illusion der Seehandlung über ihre Konkurrenzfähigkeit eines Breiteren glossiert. Übrigens hat die Konkurrenz allerdings als eine „Konkurrenz der Personen" mit
„persönlichen Mitteln" angefangen. Die Befreiung der Leibeignen, die erste Bedingung der Konkurrenz, die erste Akkumulation von „Sachen" waren rein „persönliche" Akte.
Wenn Sancho also die Konkurrenz der Personen an die Stelle
der Konkurrenz der Sachen setzen will, so heißt das: er will
in den Anfang der Konkurrenz zurückgehen und zwar mit
der Einbildung, durch seinen guten Willen und sein außer-
gewöhnlich egoistisches Bewußtsein der Entwicklung der
Konkurrenz eine andere Richtung geben zu können.
Dieser große Mann, dem nichts heilig ist, und der nach der
„Natur der Sache" und dem „Begriff des Verhältnisses"
nichts fragt, muß dennoch zuletzt die „Natur" des Unterschiedes zwischen persönlich und sachlich, und den „Begriff
des Verhältnisses" dieser beiden Qualitäten für heilig erklären, und damit darauf verzichten, sich als „Schöpfer"
dazu zu verhalten. Man kann diesen, ihm heiligen Unterschied, wie er ihn im zitierten Passus macht, indes aufheben, ohne darum „die maßloseste Entheiligung" zu bege-
hen. Zunächst hebt er ihn selbst auf, indem er durch persönliche Kraft sachliche Mittel erwerben läßt und so die

persönliche Kraft in eine sachliche Macht verwandelt. Er kann dann ruhig an die Anderen das moralische Postulat stellen, sich persönlich zu ihm zu verhalten. Gerade so hätten die Mexikaner von den Spaniern verlangen können, sie nicht mit Flinten zu erschießen, sondern mit den Fäusten auf sie dreinzuschlagen, oder mit Sankt Sancho „sie bei den Köpfen zu fassen", um sich „persönlich" zu ihnen zu verhalten. — Wenn der Eine durch gute Nahrung, sorgfältige Erziehung und körperliche Übung eine ausgebildete Körperkraft und Gewandtheit erlangt hat, während der Andere durch schmale und ungesunde Kost und davon geschwächter Verdauung, durch Vernachlässigung in der Kindheit und durch übermäßige Anstrengung nie „Sachen" gewinnen konnte, um Muskel anzusetzen, geschweige eine Herrschaft über sie zu erhalten, so ist die „persönliche Kraft" des Einen dem Andern gegenüber eine rein sachliche. Er hat sich nicht „die fehlenden Mittel durch persönliche Kraft" gewonnen, sondern im Gegenteil, er verdankt seine „persönliche Kraft" den vorhandenen sachlichen Mitteln. — Übrigens ist die Verwandlung der persönlichen Mittel in sachliche und der sachlichen in persönliche nur eine Seite der Konkurrenz, die von ihr gar nicht zu trennen ist. Die Forderung, daß man nicht mit sachlichen, sondern mit persönlichen Mitteln konkurrieren soll, kommt auf das moralische Postulat heraus, daß die Konkurrenz und die Verhältnisse, von denen sie bedingt ist, andre als ihre unvermeidlichen Wirkungen haben *sollen*. Abermalige, und diesmalige schließliche Zusammenfassung der Philosophie der Konkurrenz:

„Die Konkurrenz leidet an dem Übelstand, daß nicht jedem die Mittel zum Konkurrieren zu Gebote stehen, weil sie nicht aus der *Persönlichkeit* entnommen sind, sondern aus der *Zufälligkeit*. Die Meisten sind unbemittelt und deshalb (o Deshalb!) unbegütert" p. 349.

Es ist ihm schon eben bemerkt worden, daß in der Konkurrenz die Persönlichkeit selbst eine Zufälligkeit und die Zufälligkeit eine Persönlichkeit ist. Die von der Persönlichkeit unabhängigen „Mittel" zur Konkurrenz sind die Produktions- und Verkehrsbedingungen der Personen selbst, die innerhalb der Konkurrenz den Personen gegenüber als eine unabhän-

gige Macht erscheinen, als den Personen zufällige Mittel. Die Befreiung der Menschen von diesen Mächten wird nach Sancho dadurch bewerkstelligt, daß man sich die *Vorstellungen* von diesen Mächten oder vielmehr die philosophischen und religiösen Verdrehungen dieser Vorstellungen aus dem Kopfe schlägt, sei es durch etymologische Synonymik („Vermögen" und „vermögen"), moralische Postulate, (z. B. jeder sei ein allmächtiges Ich), oder durch affenartige Grimassen und gemütlich burleske Renommagen gegen „das Heilige".

Schon früher hörten wir die Klage, daß in der jetzigen bürgerlichen Gesellschaft, namentlich des Staats wegen, das „Ich" sich nicht verwerten, id est seine „Vermögen" nicht wirken lassen könne. Jetzt erfahren wir noch, daß die „Eigenheit" ihm nicht die Mittel zum Konkurrieren gibt, daß „seine Macht" keine Macht ist, und daß er „unbegütert" bleibt, wenn auch jeder Gegenstand, „weil *sein* Gegenstand, auch sein *Eigentum* ist". Das Dementi des mit sich einigen Egoismus ist vollständig. Aber alle diese „Übelstände" der Konkurrenz werden schwinden, sobald „das Buch" in das allgemeine Bewußtsein übergegangen ist. Bis dahin beharrt Sancho bei seinem Gedankenhandel, ohne es indes zu einer „guten Leistung" zu bringen oder, „die Sache am besten zu machen".

II. Die Empörung

Mit der Kritik der Gesellschaft ist die Kritik der alten, heiligen Welt beschlossen. Vermittelst der *Empörung* springen wir herüber in die neue egoistische Welt.

Was die Empörung überhaupt ist, haben wir bereits in der Logik gesehen: die Aufkündigung des Respekts gegen das Heilige. Hier indes nimmt sie außerdem noch einen besondern praktischen Charakter an.

> Revolution — heilige Empörung
> Empörung — egoistische oder profane Revolution
> Revolution — Umwälzung der Zustände
> Empörung — Umwälzung Meiner
> Revolution — politische oder soziale Tat
> Empörung — Meine egoistische Tat

Revolution — Umsturz des Bestehenden
Empörung — Bestehen des Umsturzes

etc etc. p. 422 usw. Die bisherige Weise der Menschen, ihre
vorgefundene Welt umzustürzen, mußte natürlich auch für
heilig erklärt und eine „eigne" Art des Bruchs der vorhandenen Welt dagegen geltend gemacht werden.
Die Revolution „besteht in einer Umwälzung des bestehenden Zustandes oder status, des Staats oder der Gesellschaft,
ist mithin eine *politische* und *soziale* Tat". Die Empörung
„hat zwar eine Umwandlung der Zustände zur unvermeidlichen Folge, geht aber nicht von ihr, sondern von der *Unzufriedenheit der Menschen mit sich* aus". „Sie ist eine Erhebung der Einzelnen, ein *Emporkommen* ohne Rücksicht
auf die Einrichtungen, welche daraus entsprießen. Die Revolution zielte auf neue *Einrichtungen;* die Empörung
führt dahin, Uns nicht mehr einrichten zu *lassen,* sondern
Uns selbst einzurichten. Sie ist kein Kampf gegen das Bestehende, da, wenn sie gedeiht, das Bestehende von selbst
zusammenstürzt. Sie ist nur ein Herausarbeiten Meiner aus
dem Bestehenden. Verlasse Ich das Bestehende, so ist es tot,
und geht in Fäulnis über. Da nun nicht der Umsturz eines
Bestehenden Mein Zweck ist, sondern Meine Erhebung darüber, so ist Meine Absicht und Tat keine politische oder
soziale, sondern als allein auf Mich und Meine Eigenheit
gerichtet, eine *egoistische*" p. 421, 422.
Les beaux esprits se rencontrent. Was die Stimme des Pre-
digers in der Wüste verkündigte, ist in Erfüllung *gegangen.*
Der Heillose Johannis Baptista „Stirner" hat im „Dr. *Kuhlmann aus Holstein*" seinen heiligen Messias gefunden. Man
höre:
„Ihr sollet nicht niederreißen und zerstören, was Euch da
im Wege stehet, sondern es umgehen und verlassen. — Und
wenn Ihr es umgangen und verlassen habt, dann höret es
von selber auf, denn es findet keine Nahrung mehr." (Das
Reich des Geistes etc. Genf 1845, p. 110.)
Die Revolution und die Stirnersche Empörung unterscheiden sich nicht, wie Stirner meint, dadurch daß die Eine eine
politische oder soziale Tat, die Andre eine egoistische Tat

ist, sondern dadurch daß die Eine eine Tat ist und die Andre keine. Der Unsinn seines ganzen Gegensatzes zeigt sich sogleich darin, daß er von „*der* Revolution" spricht, einer moralischen Person, die mit „*dem* Bestehenden", einer zweiten moralischen Person, zu kämpfen hat. Hätte Sankt Sancho die verschiedenen *wirklichen* Revolutionen und revolutionären Versuche durchgegangen, so hätte er vielleicht in ihnen selbst diejenigen Formen gefunden, die er bei der Erzeugung seiner ideologischen „Empörung" dunkel ahnte; z. B. bei den Korsikanern, Irländern, russischen Leibeignen und überhaupt bei unzivilisierten Völkern. Hätte er sich ferner um die wirklichen bei jeder Revolution „bestehenden" Individuen und ihre Verhältnisse gekümmert, statt sich mit dem reinen Ich und „dem Bestehenden" d. i. der Substanz zu begnügen (eine Phrase, zu deren Sturz keine Revolution, sondern nur ein fahrender Ritter wie Sankt Bruno nötig ist), so wäre er vielleicht zu der Einsicht gekommen, daß jede Revolution und ihre Resultate durch diese Verhältnisse, durch die Bedürfnisse bedingt war und daß „die politische oder soziale Tat" keineswegs zu „der egoistischen Tat" im Gegensatz stand.

Welche tiefe Einsicht Sankt Sancho in die „Revolution" hat, zeigt sich in dem Ausspruch: „Die Empörung hat zwar eine Umwandlung der Zustände zur Folge, geht aber nicht von ihr aus." Dies, in der Antithese gesagt, impliziert, daß die Revolution „von einer Umwandlung der Zustände" ausgeht, d. h. daß die Revolution von der Revolution ausgeht. Dagegen „geht" die Empörung „von der Unzufriedenheit der Menschen mit sich aus". Diese „Unzufriedenheit mit sich" paßt vortrefflich zu den früheren Phrasen über die Eigenheit und dem „mit sich einigen Egoisten", der stets „seinen eignen Weg" gehen kann, der stets Freude an sich erlebt und in jedem Augenblick das ist, was er sein kann. Die Unzufriedenheit mit sich ist entweder die Unzufriedenheit mit sich innerhalb eines gewissen Zustandes, durch den die ganze Persönlichkeit bedingt ist, z. B. die Unzufriedenheit mit sich als Arbeiter - oder die moralische Unzufriedenheit. Im ersten Falle also Unzufriedenheit zugleich und hauptsächlich mit den bestehenden Verhältnissen; im zweiten Falle ein ideologischer Ausdruck dieser Verhältnisse selbst, der keineswegs über sie hinausgeht, sondern ganz zu ihnen gehört. Der erste Fall führt, wie Sancho glaubt, zur Revolution; es bleibt also nur der zweite, die *moralische* Unzufriedenheit mit sich, für die Empörung. „Das Bestehende" ist, wie wir wissen, „das Heilige"; die Unzufriedenheit mit sich, reduziert sich also auf die moralische „Unzufriedenheit mit sich" als einem Heiligen, d. h. einem Gläubigen an das Heilige, das Bestehende. Es konnte nur einem malkontenten Schulmeister einfallen, sein Räsonnement über Revolution und Empörung auf Zufriedenheit und Unzufriedenheit zu basieren, Stimmungen, die ganz dem kleinbürgerlichen Kreise angehören, aus welchem Sankt Sancho, wie wir fortwährend sehen, seine Inspirationen schöpft.

Was das „Heraustreten aus dem Bestehenden" für einen Sinn hat, wissen wir schon. Es ist die alte Einbildung, daß der Staat von selbst zusammenfällt, sobald alle Mitglieder aus ihm heraustreten, und daß das Geld seine Geltung verliert, wenn sämtliche Arbeiter es anzunehmen verweigern. Schon in der hypothetischen Form dieses Satzes spricht sich die Phantasterei und Ohnmacht des frommen Wunsches aus. Es ist die alte Illusion, daß es nur vom guten Willen der Leute abhängt, die bestehenden Verhältnisse zu ändern und daß die bestehenden Verhältnisse Ideen sind. Die Veränderung des Bewußtseins, abgetrennt von den Verhältnissen, wie sie von den Philosophen als Beruf, d. h. *als Geschäft* betrieben wird, ist selbst ein Produkt der bestehenden Verhältnisse und gehört mit zu ihnen. Diese ideelle Erhebung über die Welt ist der ideologische Ausdruck der Ohnmacht der Philosophen gegenüber der Welt. Ihre ideologischen Prahlereien werden jeden Tag durch die Praxis Lügen gestraft.

Jedenfalls hat Sancho sich nicht gegen seinen Zustand der Konfusion „empört", als er diese Zeilen schrieb. Ihm steht die „Umwandlung der Zustände" auf der einen, und die Menschen auf der andern Seite, und beide Seiten sind ganz voneinander getrennt. Sancho denkt nicht im entferntesten daran, daß die „Zustände" von jeher die Zustände dieser

Menschen waren, und nie umgewandelt werden konnten, ohne daß die „Menschen" sich umwandeln und wenn es einmal so sein soll, „mit sich" in den alten Zuständen „unzufrieden" wurden. Er glaubt der Revolution, den Todesstreich zu versetzen, wenn er sie auf neue Einrichtungen zielen läßt, während die Empörung dahin führt, uns nicht mehr einrichten zu lassen, sondern uns selbst einzurichten: Aber schon darin, daß „Wir" „Uns" einrichten, schon darin, daß die Empörer „Wir" sind, liegt, daß der Einzelne sich trotz alles Sanchoschen Widerwillens von den „Wir" „einrichten lassen" muß und so Revolution und Empörung sich nur dadurch unterscheiden, daß man in der einen dies weiß und in der andern sich Illusionen macht. Dann läßt Sancho es hypothetisch, ob die Empörung „*gedeiht*" oder nicht. Wie sie *nicht* „gedeihen" soll, ist nicht abzusehen und wie sie gedeihen soll, noch viel weniger, da jeder der Empörer nur seinen eignen Weg geht, es müßten denn profane Verhältnisse dazwischen treten, die den Empörern die Notwendigkeit einer *gemeinsamen* Tat zeigten, einer Tat, die „eine politische oder soziale" wäre, gleichviel ob sie von egoistischen Motiven ausginge oder nicht. Eine fernere „lumpige Distinktion", die wieder auf der Konfusion beruht, macht Sancho zwischen „Umstürzen" des Bestehenden und „Erhebung" darüber, als ob er nicht im Umstürzen sich darüber erhebe und im Erheben darüber es umstürze, sei es auch nur insoweit als es an ihm selbst „Bestand" hat. Übrigens ist weder mit dem „Umstürzen" schlechthin noch mit dem „Sich-Erheben" schlechthin etwas *gesagt*; daß das Sich-Erheben ebenfalls in der Revolution vorkommt, kann Sancho daraus abnehmen, daß das: Levons-nous! in der französischen Revolution ein bekanntes Stichwort war.

„*Einrichtungen* zu machen, gebietet (!) die Revolution, *sich auf- oder emporzurichten*, heischt die Empörung. Welche *Verfassung* zu wählen sei, beschäftigt die revolutionären Köpfe, und von Verfassungskämpfen und Verfassungsfragen sprudelt die ganze politische Periode, wie auch die sozialen Talente an gesellschaftlichen Einrichtungen (Phalansterien u. dgl.) ungemein erfinderisch waren. *Verfassungslos* zu werden, bestrebt sich der Empörer" p. 422.

Daß die französische Revolution Einrichtungen zur Folge hatte, ist ein Faktum; daß Empörung von empor herkommt, ist auch ein Faktum; daß man in der Revolution und später um Verfassungen gekämpft hat, desgleichen; daß verschiedene soziale Systeme entworfen worden sind, ebenfalls; nicht minder daß Proudhon von Anarchie gesprochen hat. Aus diesen fünf Fakten braut sich Sancho seinen obigen Satz zusammen.

Aus dem Faktum, daß die französische Revolution zu „Einrichtungen" geführt hat, schließt Sancho, daß *die* Revolution dies „gebiete". Daraus, daß die politische Revolution eine politische war, in der die soziale Umwälzung zugleich einen offiziellen Ausdruck als Verfassungskampf erhielt, entnimmt Sancho, getreu seinem Geschichtsmakler, daß man sich in ihr um die beste Verfassung gestritten habe. An diese Entdeckung knüpft er durch ein „Wie auch" eine Erwähnung der sozialen Systeme. In der Epoche der Bourgeoisie beschäftigt man sich mit Verfassungsfragen, „wie auch" verschiedene soziale Systeme neuerdings gemacht worden sind. Dies ist der Zusammenhang des obigen Satzes.

Daß die bisherigen Revolutionen innerhalb der Teilung der Arbeit zu neuen politischen „Einrichtungen" führen mußten, geht aus dem oben gegen Feuerbach Gesagten hervor; daß die kommunistische Revolution, die die Teilung der Arbeit aufhebt, die politischen Einrichtungen schließlich beseitigt, geht ebenfalls daraus hervor; und daß die kommunistische Revolution sich nicht nach den „gesellschaftlichen Einrichtungen erfinderischer sozialer Talente" richten wird, sondern nach den Produktivkräften, geht endlich auch daraus hervor.

Aber „verfassungslos zu werden bestrebt sich der Empörer!" Er, der „geborene Freie", der von vornherein alles los ist, bestrebt sich am Ende der Tage die Verfassung loszuwerden.

Es ist noch zu bemerken, daß zur Entstehung der Sanchoschen „Empörung" allerlei frühere Illusionen unsres Bonhomme beigetragen haben. So u. a. der Glaube, die Individuen, die eine Revolution machen, seien durch ein ideelles Band zusammengehalten und ihre „Schilderhebung" beschränkte sich darauf, einen neuen Begriff, fixe Idee, Spuk, Gespenst — das

Heilige auf den Schild zu heben. Sancho läßt sie sich dies
ideelle Band aus dem Kopf schlagen, wodurch sie in seiner
Vorstellung zu einer regellosen Rotte werden, die sich nur
„empören" kann. Zudem hat er gehört, daß die Konkurrenz der Krieg Aller gegen Alle ist, und dieser Satz, ver-
mengt mit seiner entheiligten Revolution, bildet den Haupt-
faktor seiner „Empörung".

„Indem ich zu größerer Verdeutlichung auf einen Vergleich
sinne, fällt Mir wider Erwarten die Stiftung des Christentums ein" p. 423. „Christus", erfahren wir hier, „war kein
Revolutionär, sondern ein *Empörer*, der *sich* emporrich-
tete. Darum galt es ihm auch *allein* um ein: „Seid klug wie
die Schlangen." (ibid.)
Um dem „Erwarten" und dem „Allein" Sanchos zu entsprechen, muß die letzte Hälfte des eben zitierten Bibel-
spruchs (Matth. 10, 16): „und ohne Falsch wie die Tauben", nicht existieren. Christus muß hier zum zweiten Male
als historische Person figurieren, um dieselbe Rolle zu spielen, wie oben die Mongolen und Neger. Man weiß wieder
nicht, soll Christus die Empörung, oder soll die Empörung
Christus verdeutlichen. Die christlich-germanische Leicht-
gläubigkeit unseres Heiligen konzentriert sich in dem Satze,
daß Christus „die Lebensquellen der ganzen heidnischen
Welt abgrub, mit welchem der bestehende Staat ohnehin"
(soll heißen: ohne ihn) „verwelken mußte" p. 424. — Wel-
ke Kanzelblume! Siehe oben „die Alten". Im übrigen credo
ut intelligam, oder damit Ich „einen Vergleich zur Verdeutlichung" finde.
Wir haben an zahllosen Exempeln gesehen, wie unserem
Heiligen überall nichts als die *Heilige* Geschichte einfällt,
und zwar an solchen Stellen, wo sie nur dem Leser „wider
Erwarten" kommt. „Wider Erwarten" fällt ihm sogar
im Kommentar wieder ein, wo Sancho p. 154 „die jüdischen Rezensenten" im alten Jerusalem, der christlichen Definition: Gott ist die Liebe, gegenüber, ausrufen läßt: „Da
seht Ihr, daß es ein heidnischer Gott ist, der von den Christen verkündet wird; denn ist Gott die Liebe, so ist er der
Gott Amor, der Liebesgott!" — „Wider Erwarten" ist aber
das Neue Testament griechisch geschrieben und die „christ-

liche Definition" lautet: ὁ θεὸς ἀγάπη ἐστίν 1. Johannis
4, 16; während „der Gott Amor, der Liebesgott" Ἔρως heißt.
Wie also die „jüdischen Rezensenten" die Verwandlung von
ἀγάπη in ἔρως zustande brachten, darüber wird Sancho noch
Aufschluß zu geben haben. An dieser Stelle des Kommen-
tares wird nämlich Christus ebenfalls „zur Verdeutlichung"
mit Sancho verglichen; wobei allerdings zugegeben werden
muß, daß beide die frappanteste Ähnlichkeit miteinander
haben, beide „beleibte Wesen" sind und wenigstens der la-
chende Erbe an ihre wechselseitige Existenz resp. Einzigkeit
glaubt. Da Sancho der moderne Christus ist, auf diese seine
„fixe Idee" „zielt" bereits die ganze Geschichtskonstruktion.
Die Philosophie der Empörung, die uns soeben in schlechten
Antithesen und welken Redeblumen vorgetragen wurde, ist
in letzter Instanz nichts als eine bramarbasierende Apologie
der Parvenuwirtschaft (Parvenu, Emporkömmling, Empor-
gekommener, Empörer). Jeder Empörer hat bei seiner „egoistischen Tat" ein spezielles Bestehende sich gegenüber, worüber er sich zu erheben strebt, unbekümmert um die allgemeinen Verhältnisse. Er sucht das Bestehende, nur insoweit
es eine Fessel ist, loszuwerden, im übrigen dagegen sucht
er es sich vielmehr anzueignen. Der Weber, der zum Fabrikanten „emporkommt", wird dadurch seinen Webstuhl
los und verläßt ihn: im übrigen geht die Welt ihren Gang
fort und unser „gedeihender" Empörer stellt an die Andern
nur die heuchlerische moralische Forderung, auch Parvenü
zu werden, wie er. So verlaufen sich alle kriegerischen Ro-
domontaden Stirners in moralische Schlußfolgerungen aus
Gellerts Fabeln und spekulative Interpretationen der bürgerlichen Misere.
Wir haben bisher gesehen, daß die Empörung alles, nur
keine Tat ist. P. 342 erfahren wir, daß „das Verfahren des
Zugreifens nicht verächtlich sei, sondern die reine Tat des
mit sich einigen Egoisten bekundet". Soll wohl heißen der
miteinander einigen Egoisten, da sonst das Zugreifen auf
das unzivilisierte „Verfahren" der Diebe oder das zivilisierte
der Bourgeois hinausläuft, und im ersten Falle nicht gedeiht, im zweiten Falle keine „Empörung" ist. Zu bemerken ist, daß dem mit sich einigen Egoisten, der nichts tut,

hier die „reine" Tat entspricht, eine Tat, die allerdings von einem so tatlosen Individuum allein zu erwarten stand.

Nebenbei erfahren wir, was den Pöbel geschaffen hat, und wir können im voraus wissen, daß es wieder eine „Satzung" und der Glaube an diese Satzung, an das Heilige ist, der hier zur Abwechslung als Sündenbewußtsein auftritt: „Nur daß das Zugreifen *Sünde*, Verbrechen ist, nur diese Satzung schafft einen Pöbel . . . [1] Das alte Sündenbewußtsein trägt *allein* die Schuld" p. 342. — Der Glaube, daß das Bewußtsein an allem Schuld ist, ist eine Satzung, die ihn zum Empörer und den Pöbel zum Sünder macht.

Im Gegensatz zu diesem Sündenbewußtsein feuert der Egoist sich resp. den Pöbel zum Zugreifen an, wie folgt:

„Sage Ich Mir: wohin Meine Gewalt langt, das ist Mein Eigentum, und nehme Ich alles als Eigentum in Anspruch, was zu erreichen, Ich Mich stark genug fühle etc." p. 340. Sankt Sancho sagt sich also, daß er sich etwas sagen will, fordert sich auf, zu haben, was er hat, und drückt sein wirkliches Verhältnis als ein Verhältnis der Gewalt aus, eine Paraphrase, die überhaupt das Geheimnis aller seiner Renommagen ist (siehe Logik). Dann unterscheidet er, der jeden Augenblick ist, was er sein kann, also auch hat, was er haben kann, sein realisiertes, wirkliches Eigentum, das er auf Kapitalkonto genießt, von seinem möglichen Eigentum, seinem unrealisierten „Gefühl der Stärke", das er sich auf Gewinn- und Verlustkonto gutschreibt. Beitrag zur Buchführung über das Eigentum im außergewöhnlichen Verstande.

Was das feierliche „Sagen" zu bedeuten hat, verrät Sancho an einer bereits angeführten Stelle: „*Sage Ich Mir* . . . [1] so ist das eigentlich auch leeres Gerede."

Er fährt darin fort: „Der Egoismus" sagt „dem besitzlosen Pöbel", um ihn „auszurotten": „Greife zu und nimm, was du brauchst" p. 341. —

Wie „leer" dies „Gerede" ist, sieht man gleich an dem folgenden Beispiel.

„In dem Vermögen des Bankiers sehe Ich so wenig etwas Fremdes als Napoleon in den Ländern der Könige: Wir"

---

[1] [Punkte im Manuskript.]

(das ‚Ich' verwandelt sich plötzlich in ‚Wir') „tragen keine *Scheu*, es zu *erobern* und sehen Uns auch nach den Mitteln dazu um. Wir streifen ihm also den *Geist* der *Fremdheit* ab, vor dem Wir Uns gefürchtet hatten" p. 369.

Wie wenig Sancho dem Vermögen des Bankiers „den Geist der Fremdheit abgestreift" hat, beweist er sogleich mit seinem wohlmeinenden Vorschlag an den Pöbel, es durch Zugreifen zu „erobern". „Er greife zu und sehe, was er in der Hand behält!" Nicht das Vermögen des Bankiers, sondern nutzloses Papier, den „Leichnam" dieses Vermögens, der ebensowenig ein Vermögen ist, „als ein toter Hund noch ein Hund ist". Das Vermögen des Bankiers ist nur innerhalb der bestehenden Produktions- und Verkehrsverhältnisse ein Vermögen und kann nur innerhalb der Bedingungen dieser Verhältnisse und mit den Mitteln, die in ihnen gelten, „erobert" werden. Und wenn etwa Sancho sich zu andern Vermögen wenden sollte, so dürfte er finden, daß es damit nicht besser aussieht. Sodaß die „reine Tat des mit sich einigen Egoisten" schließlich auf ein höchst schmutziges Mißverständnis hinausläuft. „Soweit kommt man mit dem Spuk" des Heiligen.

Nachdem nun Sancho sich gesagt hat, was er sich sagen wollte, läßt er den empörten Pöbel sagen, was er ihm vorgesagt hat. Er hat nämlich für den Fall einer Empörung eine Proklamation nebst Gebrauchsanweisung verfertigt, die in allen Dorfkneipen aufgelegt und auf dem Lande verteilt werden soll. Sie macht Anspruch auf Insertion in den „Hinkenden Boten" und dem herzoglich-nassauischen Landeskalender. Einstweilen beschränken sich Sanchos *tendances incendiaires* auf das platte Land, auf die Propaganda unter den Ackerknechten und Viehmägden, mit Ausschluß der Städte, was ein neuer Beweis ist, wie sehr er der großen Industrie „den Geist der Fremdheit abgestreift hat". Inzwischen wollen wir das vorliegende wertvolle Dokument, das nicht verlorengehen darf, möglichst ausführlich mitteilen, um „soviel an Uns ist, zur Verbreitung eines wohlverdienten Ruhmes beizutragen" (Wig. p. 191).

Die Proklamation steht Seite 358 u. f. und beginnt, wie folgt:

„Wodurch ist denn Euer Eigentum sicher, Ihr Bevorzugten? ...[1] Dadurch daß Wir Uns des Eingriffs enthalten, mithin durch unsern Schutz ...[1] Dadurch daß Ihr Uns Gewalt antut."

Erst dadurch, daß wir uns des Eingriffs enthalten, d. h. dadurch daß wir *uns selbst* Gewalt antun, dann dadurch daß *Ihr uns* Gewalt antut. Cela va à merveille. Weiter.

„Wollt Ihr Unsern Respekt, so *kauft* Ihn für den Uns genehmen Preis ...[1] Wir wollen nur *Preiswürdigkeit*."

Erst wollen die „Empörer" ihren Respekt und den ihnen „genehmen Preis" verschachern, nachher machen sie die „Preiswürdigkeit" zum Kriterium des Preises. Erst ein willkürlicher, dann ein durch kommerzielle Gesetze, durch die Produktionskosten und das Verhältnis von Nachfrage und Zufuhr, unabhängig von der Willkür bestimmter Preis.

„Wir wollen Euer Eigentum Euch lassen, wenn Ihr dies Lassen gehörig aufwiegt ...[1] Ihr werdet über Gewalt schreien, wenn wir zulangen ...[1] ohne Gewalt bekommen wir sie nicht" (nämlich die Austern der Bevorzugten) ...[1] „Wir wollen Euch nichts, gar nichts nehmen."

Erst „lassen" wir's Euch, dann nehmen wir's Euch, und müssen „Gewalt" anwenden, und endlich wollen wir Euch doch lieber nichts nehmen. Wir lassen es Euch in dem Falle, wo Ihr selbst davon ablaßt; in einem lichten Augenblick, dem einzigen, den wir haben, sehen wir allerdings ein, daß dies „Lassen" ein „Zulangen" und „Gewalt"anwenden ist, aber man kann uns dennoch schließlich nicht vorwerfen, daß wir Euch irgend etwas „nehmen". Wobei es sein Bewenden hat.

„Wir plagen uns zwölf Stunden im Schweiße unsres Angesichts und Ihr bietet uns dafür ein paar Groschen. So nehmt denn auch für Eure Arbeit ein *Gleiches* ...[1] Nichts von *Gleichheit!*"

Die „empörten" Ackerknechte beweisen sich als echte Stirnersche „Geschöpfe".

„Mögt Ihr das nicht? Ihr wähnt, unsre Arbeit sei reichlich mit jenem Lohne bezahlt, die Eure dagegen eines Lohnes

---

[1] [Punkte im Manuskript.]

von vielen Tausenden wert. Schlüget Ihr aber die Eurige
nicht so hoch an, und ließet uns die Unsrige besser verwerten, so würden wir erforderlichenfalls wohl noch wichtigere
zustande bringen, als Ihr für die vielen tausend Taler, und
bekämt Ihr nur einen Lohn wie Wir, Ihr würdet bald flei-
ßiger werden, um mehr zu erhalten. Leistet Ihr etwas, was
uns zehn- und hundertmal mehr wert scheint, als Unsre
eigne Arbeit, ei" (ei, du frommer getreuer Knecht!) „so sollt
Ihr auch hundertmal mehr dafür bekommen; Wir denken
Euch dagegen, auch Dinge herzustellen, die Ihr Uns höher
als mit dem gewöhnlichen Tagelohn verwerten werdet."
Zuerst klagen die Empörer, ihre Arbeit werde zu niedrig bezahlt. Am Ende versprechen sie aber erst bei höherem Taglohn, Arbeit zu liefern, die „höher als mit dem gewöhnlichen Taglohn" zu verwerten ist. Dann glauben sie, sie würden außerordentliche Dinge leisten, wenn sie nur erst besseren Lohn bekämen, während sie zu gleicher Zeit vom Kapitalisten erst dann außerordentliche Leistungen erwarten,
wenn sein „Lohn" auf das Niveau des ihrigen herabgedrückt
ist. Endlich nachdem sie das ökonomische Kunststück fertiggebracht haben, den Profit, diese notwendige Form des Kapitals, ohne welchen sie sowohl wie der Kapitalist zugrunde
gehen würde — den Profit in Arbeitslohn zu verwandeln,
vollbringen sie das Wunder, „hundertmal" mehr zu zahlen,
„als ihre eigne Arbeit", d. h. hundertmal mehr als sie verdienen. „Dies ist der Sinn" des obigen Satzes, wenn Stirner
„meint, was er sagt". Hat er aber nur einen stilistischen
Fehler begangen, hat er die Empörer als Gesamtheit hundertmal mehr offerieren lassen wollen, als *jeder von ihnen*
verdient, so läßt er sie dem Kapitalisten nur das anbieten,
was jeder Kapitalist heutzutage bereits hat. Daß die Arbeit
des Kapitalisten in Verbindung mit seinem Kapital zehn-,
resp. hundertmal mehr wert ist, als die eines einzelnen bloßen Arbeiters, ist klar. Sancho läßt also in diesem Falle, wie
immer, alles beim Alten.

„Wir wollen schon miteinander fertig werden, wenn Wir
nur erst dahin übereingekommen sind, daß keiner mehr
dem andern etwas zu *schenken* braucht. Dann gehen wir
wohl gar selbst so weit, daß wir selbst den Krüppeln und

Greisen und Kranken einen angemessenen Preis dafür bezahlen, daß sie nicht aus Hunger und Not von Uns scheiden, denn wollen wir, daß sie leben, so geziemt sich's auch, daß wir die Erfüllung unsres Willens *erkaufen*. Ich sage *erkaufen*, meine also kein elendes *Almosen*."

Diese sentimentale Episode von den Krüppeln etc. soll beweisen, daß Sanchos empörte Ackerknechte bereits zu jener Höhe des bürgerlichen Bewußtseins „emporgekommen" sind, auf der sie nichts schenken und nichts geschenkt haben wollen, und auf der sie glauben, in einem Verhältnis sei die Würde und das Interesse beider Teile gesichert, sobald es in einen Kauf verwandelt sei. —

Auf diese donnernde Proklamation des in Sanchos Einbildung empörten Volks folgt die Gebrauchsanweisung in Form eines Dialogs zwischen dem Gutsbesitzer und seinen Ackerknechten, wobei sich diesmal der Herr wie Szeliga und die Knechte wie Stirner gebärden. In dieser Gebrauchsanweisung werden die englischen strikes und französischen Arbeiterkoalitionen a priori berlinisch konstruiert.

Der Wortführer der Ackerknechte: „Was hast Du denn?"
Der Gutsbesitzer: „Ich habe ein Gut von tausend Morgen."
Der Wortführer: „Und Ich bin Dein Ackerknecht und werde Dir Deinen Acker hinfort nur für einen Taler Taglohn bestellen."

Der Gutsbesitzer: „Dann nehme Ich einen andern."
Der Wortführer: „Du findest keinen, denn Wir Ackerknechte tun's nicht mehr anders, und wenn Einer sich meldet, der weniger nimmt, so hüte er sich vor Uns. Da ist die Hausmagd, die fordert jetzt auch soviel, und Du findest keine mehr unter diesem Preise."

Der Gutsbesitzer: „Ei so muß ich zugrunde gehen!"
Die Ackerknechte im Chorus: „Nicht so hastig! Soviel wie Wir wirst Du wohl einnehmen. Und wäre es nicht so, so lassen Wir so viel ab, daß Du wie Wir zu leben hast. — Nichts von Gleichheit!"

Der Gutsbesitzer: „Ich bin aber besser zu leben gewohnt!"
Die Ackerknechte: „Dagegen haben Wir nichts, aber es ist nicht Unsre Sorge; kannst Du mehr erübrigen, immerhin.

Sollen Wir Uns unterm Preise vermieten, damit Du wohlleben kannst?"

Der Gutsbesitzer: „Aber Ihr ungebildeten Leute braucht doch nicht soviel!"

Die Ackerknechte: „Nun, Wir nehmen etwas mehr, damit Wir damit die Bildung, die Wir etwa brauchen, Uns verschaffen können."

Der Gutsbesitzer: „Aber wenn Ihr so die Reichen herunterbringt, wer soll dann noch die Künste und Wissenschaften unterstützen?"

Die Ackerknechte: „I nun, die Menge muß es bringen; Wir schießen zusammen, das gibt ein artiges Sümmchen, Ihr Reichen kauft ohnehin jetzt nur die abgeschmacktesten Bücher, und die weinerlichsten Muttergottesbilder oder ein Paar flinke Tänzerbeine."

Der Gutsbesitzer: „O die unselige Gleichheit!"

Die Ackerknechte: „Nun mein bester alter Herr, Nichts von Gleichheit, Wir wollen nur gelten, was Wir wert sind, und wenn Ihr mehr wert seid, da sollt Ihr immerhin auch mehr gelten. Wir wollen nur *Preiswürdigkeit*, und denken des Preises, den Ihr zahlen werdet, Uns würdig zu zeigen."

Am Schlusse dieses dramatischen Meisterwerkes gesteht Sancho, daß „die Einmütigkeit der Ackerknechte" allerdings „erfordert" werde. Wie diese zustande kommt, erfahren wir nicht. Was wir erfahren, ist, daß die Ackerknechte nicht beabsichtigen, die bestehenden Verhältnisse der Produktion und des Verkehrs irgendwie zu ändern, sondern bloß dem Gutsbesitzer so viel abzuzwingen, als er mehr ausgibt als sie. Daß diese Differenz der Dépensen, auf die Masse der Proletarier verteilt, jedem Einzelnen nur eine Bagatelle abwerfen und seine Lage nicht im mindesten verbessern würde, das ist unserm wohlmeinenden Bonhomme gleichgültig. Welcher Stufe der Agrikultur diese heroischen Ackerknechte angehören, zeigt sich gleich nach dem Schlusse des Dramas, wo sie sich in „Hausknechte" verwandeln. Sie leben also unter einem Patriarchat, in dem die Teilung der Arbeit noch sehr unentwickelt ist, in dem übrigens die ganze Verschwörung dadurch „ihr letztes Absehen" erreichen muß, daß der Gutsherr den Wortführer in die Scheune führt und ihm

einige Hiebe aufzählt, während in zivilisierten Ländern der
Kapitalist die Sache dadurch beendigt, daß er die Arbeit
einige Zeit einstellt und die Arbeiter „spielen gehen" läßt.
Wie praktisch überhaupt Sancho bei der ganzen Anlage seines Kunstwerks zu Werke geht, wie sehr er sich innerhalb
der Grenzen der Wahrscheinlichkeit hält, geht außer dem
sonderbaren Einfall, einen Turn-out von Ackerknechten zustande bringen zu wollen, namentlich aus der Koalition der
„Hausmägde" hervor. Und welch eine Gemütlichkeit, zu
glauben, der Kornpreis auf dem Weltmarkte werde sich nach
den Lohnforderungen dieser hinterpommerschen Ackerknechte richten! statt nach dem Verhältnis von Nachfrage
und Zufuhr! Einen wahren Knalleffekt macht der überraschende Exkurs der Ackerknechte über die neueste Literatur, die letzte Gemäldeausstellung und die renommierte Tänzerin des Tages, überraschend selbst noch nach der unerwarte-
ten Frage des Gutsherrn wegen Kunst und Wissenschaft. Die
Leute werden ganz freundschaftlich, sowie sie auf dies literarische Thema kommen, und der bedrängte Gutsherr vergißt
selbst für einen Augenblick seinen drohenden Ruin, um
sein Devoûment für Kunst und Wissenschaft an den Tag zu
legen. Schließlich versichern ihn dann auch die Empörer
ihrer Biederkeit und geben ihm die beruhigende Erklärung,
daß sie weder vom leidigen Interesse, noch von subversiven
Tendenzen getrieben werden, sondern von den reinsten moralischen Motiven. Sie wollen nur Preiswürdigkeit, und versprechen auf Ehre und Gewissen, sich des höheren Preises
würdig zu machen. Die ganze Sache hat nur den Zweck, Jedem das Seine, seinen redlichen und billigen Verdienst,
„redlich erarbeiteten Genuß" zu sichern. Daß dieser Preis
von der Stellung des Arbeitsmarkts abhängt und nicht von
der sittlichen Empörung einiger literarisch gebildeten Ak-
kerknechte, die Kenntnis dieses Faktums war allerdings von
unsren Biedermännern nicht zu verlangen.
Diese hinterpommerschen Empörer sind so bescheiden, daß
sie, trotz ihrer „Einmütigkeit", die ihnen zu ganz andern
Dingen Macht gibt, Knechte nach wie vor bleiben wollen,
und „ein Taler Taglohn" der höchste Wunsch ihres Herzens
ist. Ganz konsequent katechisieren sie daher nicht den

Gutsherrn, der in ihrer Gewalt ist, sondern der Gutsherr katechisiert sie.

Der „sichere Mut" und das „kräftige Selbstgefühl des Hausknechtes" äußert sich auch in der „sichern" und „kräftigen" Sprache, die er und seine Genossen verführen. „Etwa — I nun — die Menge $m u \beta$ es bringen — artiges Sümmchen — mein bester alter Herr — immerhin". Schon vorher in der Proklamation hieß es: „Erforderlichenfalls wohl — ei — Wir *denken* herzustellen — wohl — vielleicht, etwa usw." Man meint die Ackerknechte hätten ebenfalls das famose Roß Clavileño bestiegen.

Die ganze lärmende „Empörung" unseres Sancho reduziert sich also in letzter Instanz auf ein Turn-out, aber einen Turn-out im außergewöhnlichen Verstande, nämlich einen berlinisierten Turn-out. Während die wirklichen Turnouts in zivilisierten Ländern einen immer untergeordneteren Teil der Arbeiterbewegung bilden, weil die allgemeinere Verbindung der Arbeiter untereinander zu andern Bewegungsformen führt, versucht Sancho den kleinbürgerlich karikierten Turn-out als letzte und höchste Form des welthistorischen Kampfs darzustellen.

Die Wogen der Empörung werfen uns jetzt an die Küste des gelobten Landes, da Milch und Honig fließt, wo jeder echte Israelit unter seinem Feigenbaum sitzt, und das Millennium der „Verständigung" angebrochen ist.

III. Der Verein

Wir haben bei der Empörung zuerst die Prahlereien Sanchos zusammengestellt und dann den praktischen Verlauf der „reinen Tat des mit sich einigen Egoisten" verfolgt. Wir werden beim „Verein" den umgekehrten Weg einschlagen; zuest die positiven Institutionen prüfen und dann die Illusionen unsres Heiligen über diese Institutionen daneben halten.

1. Grundeigentum

„Wenn wir den Grundeigentümern den Grund nicht länger lassen, sondern *Uns* zueignen wollen, so vereinigen Wir Uns zu diesem Zwecke, bilden einen *Verein*, eine Société (Gesellschaft), *die sich zur Eigentümerin macht;* glückt es uns, so hören jene auf, Grundeigentümer zu sein." — Der „Grund und Boden" wird dann „zum Eigentum der Erobernden...[1] und diese Einzelnen werden als eine Gesamtmasse nicht weniger willkürlich mit Grund und Boden umgehen, als ein Vereinzelter Einzelner oder sogenannter Propriétaire. Auch so bleibt also das *Eigentum* bestehen und zwar auch als „*ausschließlich*", in dem die *Menschheit*, diese große Sozietät, den *Einzelnen* von ihrem Eigentum ausschließt, ihm vielleicht nur ein Stück davon verpachtet, zu Lohn gibt...[1] So wird's auch bleiben und werden. Dasjenige, woran *alle Anteil* haben wollen, wird demjenigen Einzelnen entzogen werden, der es für sich allein haben will, es wird zu einem *Gemeingut* gemacht. Als an einem *Gemeingut* hat jeder daran seinen *Anteil* und dieser Anteil ist sein Eigentum. So ist ja auch in unsern alten Verhältnissen ein Haus, welches fünf Erben gehört, ihr Gemeingut; der fünfte Teil des Ertrags aber ist eines Jeden Eigentum" p. 329, 330.

Nachdem unsre tapfern Empörer sich zu einem Verein, einer Sozietät formiert und in dieser Gestalt sich ein Stück Land erobert haben, „macht *sich*" diese „Société", diese moralische Person, „zur *Eigentümerin*". Damit man dies ja nicht mißverstehe, wird gleich darauf gesagt, daß „diese Sozietät den Einzelnen vom Eigentum *ausschließt*, ihm vielleicht nur ein Stück davon verpachtet, zu Lohn gibt". Auf diese Weise eignet Sankt Sancho sich und seinem „Verein" seine Vorstellung vom Kommunismus an. Der Leser wird sich erinnern, daß Sancho in seiner Ignoranz den Kommunisten vorwarf, sie wollten die Gesellschaft zur höchsten Eigentümerin machen, die dem Einzelnen seine „Habe" zu Lehen gebe. — Ferner die Aussicht, die Sancho seinen Mannschaften auf einen „Anteil am Gemeingut" eröffnet. Bei einer späteren Gelegenheit sagt derselbe Sancho ebenfalls gegen die Kommunisten: „Ob das Vermögen der Gesamtheit gehört, die Mir davon einen Teil zufließen läßt, oder einzelnen Besitzern, ist für Mich derselbe Zwang, da Ich über keins von beiden bestimmen kann." (Weswegen ihm auch

---

[1] [Punkte im Manuskript.]

seine „Gesamtmasse" dasjenige „entzieht", von dem sie nicht will, daß es ihm allein gehöre und ihm so die Macht des Gesamtwillens fühlbar macht.) — Drittens finden wir hier wieder die „Ausschließlichkeit", die er dem bürgerlichen Eigentum so oft vorgeworfen hat, sodaß „ihm nicht einmal der armselige Punkt gehört, auf dem er sich herumdreht". Er hat vielmehr nur das Recht und die Macht, als armseliger und gedrückter Fronbauer darauf herumzuhocken. — Viertens eignet sich hier Sancho das Lehnswesen an, das er zu seinem großen Verdruß in allen bisher existierenden und projektierten Gesellschaftsformen entdeckte. Die erobernde „Sozietät" benimmt sich ungefähr wie die „Vereine" von halbwilden Germanen, die die römischen Provinzen eroberten, und dort ein noch sehr mit dem alten Stammwesen versetztes, rohes Lehnswesen einrichteten. Sie gibt jedem Einzelnen ein Stückchen Land „zu Lohn". Auf der Stufe, auf welcher Sancho und die Germanen des 6. Jahrhunderts stehen, fällt das Lehenswesen allerdings noch sehr mit dem „Lohn"wesen zusammen. — Es versteht sich übrigens, daß das von Sancho hier neuerdings zu Ehren gebrachte Stammeigentum sich binnen kurzem wieder in die jetzigen Verhältnisse auflösen müßte. Sancho fühlt dies selbst, indem er ausruft: „So wird's auch *bleiben* und" (schönes Und!) „*werden*" und schließlich durch ein großes Exempel von dem Hause, das fünf Erben gehört, beweist, daß er gar nicht die Absicht hat, über unsre alten Verhältnisse hinauszugehen. Sein ganzer Plan zur Organisation des Grundeigentums hat nur *den* Zweck, uns auf einem historischen Umwege zu der kleinbürgerlichen Erbpacht und dem Familieneigentum deutscher Reichsstädte zurückzuführen.

Von unsren alten, d. h. den jetzt bestehenden Verhältnissen hat sich Sancho nur den juristischen Unsinn angeeignet, daß die Einzelnen oder propriétaires „willkürlich" mit dem Grundeigentum umgehen. Im „Verein" soll diese eingebildete „Willkür" von seiten der „Sozietät" fortgesetzt werden. Es ist für den „Verein" so gleichgültig, was mit dem Boden geschieht, daß die „Sozietät" „vielleicht" den Einzelnen Parzellen verpachtet, vielleicht auch nicht. Das ist alles ganz gleichgültig. — Daß mit einer bestimmten Organisation des

Ackerbaues eine bestimmte Form der Tätigkeit, die Subsumtion unter eine bestimmte Stufe der Teilung der Arbeit gegeben ist, kann Sancho freilich nicht wissen. Aber jeder Andere sieht ein, wie wenig die von Sancho hier vorgeschlagenen kleinen Fronbauern in der Lage sind, daß „Jeder von ihnen ein allmächtiges Ich werden" kann, und wie schlecht ihr Eigentum an ihre lumpige Parzelle zu dem viel gefeierten „Eigentum an Allem" paßt. In der wirklichen Welt hängt der Verkehr der Individuen von ihrer Produktionsweise ab, und daher wirft Sanchos „Vielleicht" vielleicht seinen ganzen Verein über den Haufen. „Vielleicht" aber oder vielmehr unzweifelhaft tritt hier schon die wahre Ansicht Sanchos über den Verkehr im Verein zutage, nämlich die Ansicht, daß der egoistische Verkehr das Heilige zu seiner Grundlage hat.

Sancho tritt hier mit der ersten „Einrichtung" seines zukünftigen Vereins an das Tageslicht. Die Empörer, die „verfassungslos" zu werden sich bestrebten, „richten sich selbst ein", indem sie eine „Verfassung" des Grundeigentums „wählen". Wir sehen, daß Sancho Recht hatte, wenn er sich von neuen „Institutionen" keine glänzenden Hoffnungen machte. Wir sehen aber zugleich, daß er einen hohen Rang unter den „sozialen Talenten" einnimmt, und „an gesellschaftlichen Einrichtungen ungemein erfinderisch ist".

2. Organisation der Arbeit

„Die Organisation der Arbeit betrifft nur solche Arbeiten, welche Andre für Uns machen können, z. B. Schlachten, Ackern usw.; die übrigen bleiben egoistisch, weil z. B. Niemand an Deiner Statt Deine musikalischen Kompositionen anfertigen, Deine Malerentwürfe ausführen usw. kann. Raffaels Arbeiten kann Niemand ersetzen. Die letzteren sind Arbeiten eines Einzigen, die nur dieser Einzige zu vollbringen vermag, während Jene *menschliche*" (p. 356 identisch gesetzt mit den „*Gemeinnützigen*") „genannt zu werden verdienen, da das *Eigne* daran von geringem Belang ist, und so ziemlich *jeder Mensch* dazu abgerichtet werden kann" p. 355.

„Es ist immer fördersam, daß Wir Uns über die menschlichen Arbeiten einigen, damit sie nicht, wie unter der Konkurrenz, alle unsre Zeit und Mühe in Anspruch nehmen...[1] Für wen soll aber Zeit gewonnen werden? Wozu braucht der Mensch mehr Zeit als nötig ist, seine abgespannten Arbeitskräfte zu erfrischen? Hier schweigt der Kommunismus. Wozu? Um seiner als des Einzigen froh zu werden, nachdem er als Mensch das Seinige getan hat" p. 356, 357.

„Durch Arbeit kann Ich die Amtsfunktionen eines Präsidenten, Ministers usw. versehen; es erfordern diese Ämter nur eine allgemeine Bildung, nämlich eine solche, die allgemein erreichbar ist...[1] Kann aber auch Jeder diese Ämter bekleiden, so gibt doch erst die einzige, ihm allein eigne Kraft des Einzelnen, ihnen sozusagen Leben und Bedeutung. Daß er sein Amt nicht wie ein gewöhnlicher Mensch führt, sondern das Vermögen seiner Einzigkeit hineinlegt, das bezahlt man ihm noch nicht, wenn man ihn überhaupt nur als Beamten oder Minister bezahlt. Hat er's Euch zu Dank gemacht, und wollt Ihr diese dankenswerten Kräfte des Einzigen Euch erhalten, so werdet Ihr ihn nicht als einen bloßen Menschen bezahlen dürfen, der nur Menschliches verrichtete, sondern als Einen der Einziges vollbringt" p. 362, 363.

„Vermagst Du Tausenden Lust zu bereiten, so werden Tausende Dich dafür honorieren, es stände ja in Deiner Gewalt es zu unterlassen, daher müssen sie Deine Tat erkaufen" p. 351.

„Über Meine Einzigkeit läßt sich keine allgemeine Taxe feststellen, wie für das was Ich als Mensch tue. Nur über das Letztere kann eine Taxe bestimmt werden. Setzt also immerhin eine allgemeine Taxe für menschliche Arbeiten auf, bringt aber Eure Einzigkeit nicht um ihren Verdienst" p. 363.

Als Beispiel der Organisation der Arbeit im Verein wird p. 365 die schon besprochene öffentliche Bäckerei angeführt. Diese öffentlichen Anstalten müssen wahre Wunder sein unter der oben vorausgesetzten vandalischen Parzellierung. Zuerst soll die menschliche Arbeit organisiert und dadurch

[1] [Punkte im Manuskript.]

verkürzt werden, damit Bruder Straubinger hinterher, wenn er früh Feierabend gemacht hat, „seiner als des Einzigen froh werden kann"; (p. 357) während p. 363 das „Frohwerden" des Einzigen sich in seinen Extraverdienst auflöst. — P. 363 kommt die Lebensäußerung des Einzigen nicht hinterdrein nach der menschlichen Arbeit, sondern die menschliche Arbeit kann als einzige betrieben werden, und erfordert dann einen Lohnzuschuß. Der Einzige, dem es nicht um seine Einzigkeit, sondern um den höheren Lohn zu tun ist, könnte ja sonst seine Einzigkeit in den Kleiderschrank verschließen und der Gesellschaft zum Trotz sich damit begnügen, den gewöhnlichen Menschen und sich selbst damit einen Possen zu spielen. — Nach p. 356 fällt die menschliche Arbeit mit der gemeinnützigen zusammen, aber nach p. 351 und 363 bewährt sich die einzige Arbeit eben darin, daß sie als gemeinnützige oder wenigstens vielen nützliche extra honoriert wird.

Die Organisation der Arbeit im Verein besteht also in der Trennung der menschlichen Arbeit von der einzigen, in der Feststellung einer Taxe für die menschliche und in dem Mauscheln um einen Lohnzuschuß für die einzige Arbeit. Dieser Lohnzuschuß ist wieder doppelt, nämlich einer für die einzige Ausführung der *menschlichen* Arbeit und ein anderer für die einzige Ausführung der *einzigen* Arbeit, was eine um so verwickeltere Buchführung gibt, als heute das eine menschliche Arbeit wird, was gestern eine einzige war. (Z. B. Baumwollengarn Nr. 200 zu spinnen), und als der einzige Betrieb menschlicher Arbeiten eine fortwährende Selbstmoucharderie im eignen, und allgemeine Moucharderie im öffentlichen Interesse erfordert. Dieser ganze wichtige Organisationsplan läuft also auf eine ganz kleinbürgerliche Aneignung des Gesetzes von Nachfrage und Zufuhr hinaus, das heute existiert und von allen Ökonomen entwickelt worden ist. Sancho kann das Gesetz, wonach der Preis derjenigen Arbeiter sich bestimmt, die er für einzige erklärt, z. B. der einer Tänzerin, eines ausgezeichneten Arztes oder Advokaten, schon bei Adam Smith erklärt und bei dem Amerikaner Cooper taxiert finden. Die neueren Ökonomen haben aus diesem Gesetz das hohe Salair dessen was sie travail inproductif nennen und das niedrige der Ackerbautaglöhner, überhaupt die Ungleichheiten des Arbeitslohnes erklärt. Wir sind so mit Gottes Hilfe wieder bei der Konkurrenz angekommen, aber bei der Konkurrenz in einem gänzlich heruntergekommenen Zustande, so heruntergekommen, daß Sancho eine Taxe, eine Fixierung des Arbeitslohnes durch Gesetze, wie weiland im 14. und 15. Jahrhundert, vorschlagen kann. — Es verdient noch erwähnt zu werden, daß die hier von Sancho ans Licht gebrachte Vorstellung sich ebenfalls als etwas ganz Neues bei dem Herrn Messias Dr. Georg Kuhlmann aus Holstein findet.

Was Sancho hier menschliche Arbeiten nennt, ist, mit Ausschluß seiner bürokratischen Phantasien, dasselbe, was man sonst unter Maschinenarbeit versteht und was die Entwicklung der Industrie mehr und mehr den Maschinen anheim gibt. In dem „Verein" sind freilich bei der oben geschilderten Organisation des Grundbesitzes die Maschinen eine Unmöglichkeit, und daher ziehen es die mit sich einigen Fronbauern vor, sich über diese Arbeiten zu verständigen. Über „Präsidenten" und „Minister" urteilt Sancho this poor localized being, wie Owen sagt, nur nach seiner unmittelbaren Umgebung.

Wie immer hat Sancho hier wieder Unglück mit seinen praktischen Exempeln. Er meint, Niemand könne an Deiner Stelle Deine musikalischen Kompositionen anfertigen, Deine Malerentwürfe ausführen. Raffaels Arbeiten könne Niemand ersetzen. Sancho könnte doch wohl wissen, daß nicht Mozart selbst, sondern ein Anderer Mozarts Requiem größtenteils angefertigt und ganz ausgefertigt, daß Raffael von seinen Fresken die wenigsten selbst „ausgeführt" hat. Er bildet sich ein, die sogenannten Organisateure der Arbeit wollten die Gesamttätigkeit jedes Einzelnen organisieren, während gerade bei ihnen zwischen der unmittelbar produktiven Arbeit, die organisiert werden soll, und der nicht unmittelbar produktiven Arbeit unterschieden wird. In diesen Arbeiten aber soll nach ihrer Meinung nicht, wie Sancho sich einbildet, Jeder an Raffaels statt arbeiten, sondern Jeder, in dem ein Raffael steckt, sich ungehindert ausbilden können. Sancho bildet sich ein, Raffael habe seine

Gemälde unabhängig von der zu seiner Zeit in Rom bestehenden Teilung der Arbeit hervorgebracht. Wenn er Raffael
mit Leonardo da Vinci und Tizian vergleicht, so kann er
sehen, wie sehr die Kunstwerke des ersten von der unter
florentinischem Einfluß ausgebildeten damaligen Blüte
Roms, die des zweiten von den Zuständen von Florenz, und
später die des dritten von der ganz verschiedenen Entwicklung Venedigs bedingt waren. Raffael, so gut wie jeder andre
Künstler war bedingt durch die technischen Fortschritte der
Kunst, die vor ihm gemacht waren, durch die Organisation
der Gesellschaft und die Teilung der Arbeit in seiner Lokalität, und endlich durch die Teilung der Arbeit in allen
Ländern mit denen seine Lokalität in Verkehr stand. Ob ein
Individuum wie Raffael sein Talent entwickelt, hängt ganz
von der Nachfrage ab, die wieder von der Teilung der Arbeit und den daraus hervorgegangenen Bildungsverhältnis-
sen der Menschen abhängt.

Stirner steht hier noch weit unter der Bourgeoisie, indem er
die Einzigkeit der wissenschaftlichen und künstlerischen Arbeit proklamiert. Man hat es bereits jetzt für nötig gefunden,
diese „einzige" Tätigkeit zu organisieren. Horace Vernet hätte
nicht Zeit für den zehnten Teil seiner Gemälde gehabt, wenn
er sie für die Arbeiten angesehen hätte, „die nur dieser Einzige zu vollbringen vermag". Die große Nachfrage nach Vau-
devilles und Romanen in Paris hat eine Organisation der Arbeit zur Produktion dieser Artikel hervorgerufen, die noch
immer Besseres leistet, als ihre „einzigen" Konkurrenten in
Deutschland. In der Astronomie haben es Leute wie Arago,
Herschel, Enke und Bessel für nötig gefunden, sich zu gemeinsamen Beobachtungen zu organisieren, und sind erst
seitdem zu einigen erträglichen Resultaten gekommen. In
der Geschichtsschreibung ist es für den „Einzigen" absolut
unmöglich, etwas zu leisten, und die Franzosen haben auch
hier längst durch die Organisation der Arbeit allen andern
Nationen den Rang abgelaufen. Es versteht sich übrigens,
daß alle diese auf der modernen Teilung der Arbeit be-
ruhenden Organisationen immer noch zu höchst beschränkten Resultaten führen und nur gegenüber der bisherigen
bornierten Vereinzelung ein Fortschritt sind.

Es muß noch besonders hervorgehoben werden, daß Sancho die Organisation der Arbeit mit dem Kommunismus verwechselt und sich gar wundert, daß „der Kommunismus" ihm nicht auf seine Bedenken über diese Organisation antwortet. So wundert sich ein Gascogner Bauernjunge, daß Arago ihm nicht zu sagen weiß, auf welchem Sterne der liebe Gott seinen Hof aufgeschlagen habe.

Die exklusive Konzentration des künstlerischen Talents in Einzelnen und seine damit zusammenhängende Unterdrükkung in der großen Masse ist Folge der Teilung der Arbeit. Wenn selbst in gewissen gesellschaftlichen Verhältnissen Jeder ein ausgezeichneter Maler wäre, so schlösse dies noch gar nicht aus, daß Jeder auch ein origineller Maler wäre, so daß auch hier der Unterschied zwischen „menschlicher" und „einziger" Arbeit in bloßen Unsinn sich verläuft. Bei einer kommunistischen Organisation der Gesellschaft fällt jedenfalls fort die Subsumtion des Künstlers unter die lokale und nationale Borniertheit, die rein aus der Teilung der Arbeit hervorgeht, und die Subsumtion des Individuums unter diese bestimmte Kunst, so daß es ausschließlich Maler, Bildhauer usw. ist, und schon der Name die Borniertheit seiner geschäftlichen Entwicklung und seine Abhängigkeit von der Teilung der Arbeit hinlänglich ausdrückt. In einer kommunistischen Gesellschaft gibt es keine Maler, sondern höchstens Menschen, die unter anderem auch malen.

Sanchos Organisation der Arbeit zeigt deutlich, wie sehr alle diese philosophischen Ritter von der Substanz, sich bei bloßen Phrasen beruhigen. Die Subsumtion der „Substanz" unter das „Subjekt", wovon sie alle hohe Worte machen, ist die Herabsetzung der „Substanz", die das „Subjekt" beherrscht, zu einem bloßen „Akzidens". Dieses Subjekt zeigt sich als bloßes „leeres Gerede". Sie unterlassen es daher weislich, auf die Teilung der Arbeit, auf die materielle Produktion und den materiellen Verkehr einzugehen, die eben die Individuen unter bestimmte Verhältnisse und Tätigkeitsweisen subsumieren. Es handelt sich bei ihnen überhaupt nur darum, neue Phrasen zur Interpretation der bestehenden Welt zu erfinden, die um so gewisser in burleske Prahlereien auslaufen, je mehr sie sich über diese Welt zu erheben glauben und in Gegensatz zu ihr stellen: Wovon Sancho ein beklagenswertes Beispiel ist.

3. Geld

„Das Geld ist eine Ware, und zwar ein wesentliches *Mittel* oder Vermögen; denn es schützt vor der Verknöcherung des Vermögens, hält es im Fluß und bewirkt seinen Umsatz. Wißt Ihr ein besseres Tauschmittel, immerhin; doch wird es wieder ein Geld sein" p. 364.

P. 353 wird das Geld als „gangbares oder kursierendes Eigentum" bestimmt.

Im „Verein" wird also das Geld beibehalten, dies rein gesellschaftliche Eigentum, dem alles Individuelle abgestreift ist. Wie sehr Sancho in der bürgerlichen Anschauungsweise befangen ist, zeigt seine Frage nach einem besseren Tauschmittel. Er setzt also zuerst voraus, daß ein Tauschmittel überhaupt nötig ist, und dann kennt er kein anderes Tauschmittel als das Geld. Daß ein Schiff, eine Eisenbahn, die Waren transportieren, ebenfalls Tauschmittel sind, kümmert ihn nicht. Um also nicht bloß vom Tauschmittel, sondern vom Gelde speziell zu sprechen, ist er genötigt, die übrigen Bestimmungen des Geldes, daß es das allgemein gangbare kursierende Tauschmittel ist, alles Eigentum im Fluß erhält etc. hereinzunehmen. Damit kommen auch die ökonomischen Bestimmungen herein, die Sancho nicht kennt, die aber gerade das Geld konstituieren, und mit ihnen auch der ganze jetzige Zustand, Klassenwirtschaft, Herrschaft der Bourgeoisie etc.

Wir erhalten indes zunächst einige Aufschlüsse über den — sehr originellen — Verlauf der Geldkrisen im Verein. Es entsteht die Frage: „Wo Geld hernehmen?...[1] Man bezahlt nicht mit Geld, woran Mangel eintreten kann, sondern mit seinem Vermögen, durch welches allein wir vermögend sind ...[1] Nicht das Geld tut Euch Schaden, sondern Euer Unvermögen, es zu nehmen." Und nun der moralische Zuspruch: „Laßt Euer Vermögen wirken, nehmt Euch zusammen, und es wird an Gelde, an Eurem Gelde, dem

---

[1] [Punkte im Manuskript.]

Gelde Eures Gepräges, nicht fehlen ...[1] Wisse denn, Du hast so viel Geld, als Du Gewalt hast; denn Du gilst so viel als Du Dir Geltung verschaffst" p. 353, 364.

In der Macht des Geldes, in der Verselbständigung des allgemeinen Tauschmittels sowohl der Gesellschaft wie den Einzelnen gegenüber tritt die Verselbständigung der Produktions- und Verkehrsverhältnisse überhaupt am deutlichsten hervor. Sancho weiß, wie gewöhnlich, Nichts vom Zusammenhange der Geldverhältnisse mit der allgemeinen Produktion und dem Verkehr. Er behält als guter Bürgersmann das Geld ruhig bei, wie dies auch nach seiner Teilung der Arbeit und Organisation des Grundbesitzes nicht anders möglich ist. Die sachliche Macht des Geldes, die in den Geldkrisen eklatant hervortritt, und den „kauflustigen" Kleinbürger in der Gestalt eines permanenten Geldmangels drückt, ist dem mit sich einigen Egoisten ebenfalls ein höchst unangenehmes Faktum. Er entledigt sich seiner Ungelegenheit dadurch, daß er die gewöhnliche Vorstellung des Kleinbürgers *umgekehrt ausdrückt* und dadurch den Schein hereinbringt, als sei die Stellung der Individuen gegenüber der Geldmacht eine rein vom persönlichen Wollen oder Laufen abhängige Sache. Diese glückliche Wendung gibt ihm dann Gelegenheit, dem erstaunten und vom Geldmangel ohnehin entmutigten Kleinbürger eine durch Synonymik, Etymologie und Umlaut unterstützte Moralpredigt zu halten, und dadurch alle ungelegenen Fragen über die Ursachen der Geldklemme vorweg abzuschneiden.

Die Geldkrise besteht zunächst darin, daß alle „Vermögen" auf einmal gegenüber dem Tauschmittel depreziiert werden und das „Vermögen" über das Geld verlieren. Die Krise ist gerade dann da, wenn man nicht mehr mit seinem „Vermögen" zahlen *kann*, sondern mit Geld zahlen *muß*. Dies findet wieder nicht dadurch statt, daß Mangel an Geld eintritt, wie der Kleinbürger sich vorstellt, der die Krise nach seiner Privatmisere beurteilt, sondern dadurch, daß der spezifische Unterschied des Geldes als der *allgemeinen* Ware, des „gangbaren und kursierenden Eigentums" vor allen an-

[1] [Punkte im Manuskript.]

deren *speziellen* Waren sich fixiert, die plötzlich aufhören, gangbares Eigentum zu sein. Die Ursachen dieses Phänomens hier, Sancho zu Gefallen, zu entwickeln, kann nicht erwartet werden. Den geld- und trostlosen Kleinkrämern gibt Sancho nun zunächst den Trost, daß nicht das Geld die Ursache ihres Geldmangels und der ganzen Krise sei, sondern ihr Unvermögen, es zu nehmen. Nicht der Arsenik ist schuld daran, daß Jemand stirbt, der ihn gegessen hat, sondern das Unvermögen seiner Konstitution, Arsenik zu verdauen. — Nachdem Sancho vorher das Geld als ein wesentliches, und zwar *spezifisches* Vermögen, als allgemeines Tauschmittel, als Geld im gewöhnlichen Verstande bestimmt hat, dreht er auf einmal, sowie er sieht, zu welchen Schwierigkeiten dies führen würde, die Sache um und erklärt alles Vermögen für Geld, um den Schein der persönlichen Macht hervorzubringen. Die Schwierigkeit während der Krise ist eben, daß alles „Vermögen" aufgehört hat, „Geld" zu sein. Übrigens läuft dies auf die Praxis des Bürgers hinaus, der „alles Vermögen" solange an Zahlungsstatt annimmt, als es Geld ist, und erst dann Schwierigkeiten macht, wenn es schwierig wird, dies „Vermögen" in Geld zu verwandeln, wo er es dann auch nicht mehr für ein „Vermögen" ansieht. Die Schwierigkeit in der Krisis besteht ferner gerade darin, daß Ihr Kleinbürger, zu denen Sancho hier spricht, das Geld Eures Gepräges, Eure Wechsel nicht mehr zirkulieren lassen könnt, sondern daß man Geld von Euch verlangt, woran Ihr nichts mehr zu prägen hattet und dem kein Mensch es ansieht, daß es durch Eure Finger gegangen ist. — Endlich verdreht Stirner das bürgerliche Motto: Du gilst soviel als Du Geld hast, dahin: Du hast soviel Geld, als Du gilst, womit nichts verändert, sondern nur der Schein der persönlichen Macht hereingebracht und damit die triviale Bourgeoisillusion ausgedrückt ist, daß Jeder selbst Schuld daran sei, wenn er kein Geld habe. So wird Sancho fertig mit dem klasssichen Bourgeoisspruch: L'argent n'a pas de maître, und kann nun auf die Kanzel steigen und ausrufen: „Laßt Eure Vermögen wirken, nehmt Euch zusammen, und es wird am Gelde nicht fehlen!" Je ne connais pas de lieu à la bourse où se fasse le transfert des bonnes intentions. Er brauchte nur noch hinzuzusetzen: Verschafft Euch Kredit, knowledge ist power, der erste Taler ist schwerer zu erwerben als die letzte Million, seid mäßig und haltet das Eurige zu Rate, besonders aber pulluliert nicht zu viel usw., um statt des einen beide Eselsohren hervorblicken zu lassen. Überhaupt endigen bei dem Manne, für den jeder ist, was er sein kann und tut was er tun kann, alle Kapitel mit moralischen Postulaten.

Das Geldwesen im Stirnerschen Verein ist also das existierende Geldwesen ausgedrückt in der beschönigenden und gemütlich schwärmerischen Weise eines deutschen Kleinbürgers.

Nachdem Sancho auf diese Weise mit den Ohren seines Grauen paradiert hat, richtet sich Szeliga-Don Quichote in seiner ganzen Länge auf, um mit einer feierlichen Rede über die moderne fahrende Ritterschaft, wobei das Geld in die Dulcinea von Toboso verwandelt wird, die Fabrikanten und Commerçants en masse zu Rittern, nämlich Industrierittern zu schlagen. Die Rede hat noch den Nebenzweck zu beweisen, daß das Geld, weil ein „wesentliches Mittel", auch „wesentlich Tochter ist". Vgl. „Die Heilige Familie" p. 266. Und er reckte seine Rechte aus und sprach:

„Vom Gelde hängt Glück und Unglück ab. Es ist darum in der Bürgerperiode eine Macht, weil es nur wie ein Mädchen (Viehmädchen per appos. Dulcinea) umworben, von Niemand unauflöslich geehlicht wird. Alle Romantik und Ritterlichkeit des Werbens um einen teuren Gegenstand lebt in der Konkurrenz wieder auf. Das Geld, ein Gegenstand der Sehnsucht, wird von den kühnen Industrierittern entführt" p. 364.

Sancho hat jetzt einen tiefen Aufschluß darüber erhalten, weshalb das Geld in der Bürgerperiode eine Macht ist, nämlich erstens weil von ihm Glück und Unglück abhängt und zweitens weil es ein *Mädchen* ist. Er hat ferner erfahren, weshalb er um sein Geld kommen kann, nämlich weil ein Mädchen von Niemand unauflöslich geehlicht wird. Jetzt weiß der arme Schlucker, woran er ist.

Szeliga, der so den Bürger zum Ritter gemacht hat, macht

nun folgendermaßen den Kommunisten zum Bürger und zwar zum bürgerlichen Ehemann:

„Wer das Glück hat, führt die Braut heim. Der Lump hat das Glück. Er führt sie in sein Hauswesen, die *Gesellschaft*, ein, und vernichtet die Jungfrau. In seinem Hause ist sie nicht mehr Braut, sondern Frau, und mit der Jungfräulichkeit geht auch der Geschlechtsname verloren. Als Hausfrau heißt die Geldjungfer *Arbeit*, denn *Arbeit* ist der Name des Mannes. Sie ist im Besitz des Mannes. — Um dies Bild zu Ende zu bringen, so ist das Kind von Arbeit und Geld wieder ein Mädchen" („wesentlich Tochter") „ein unverehelichtes" (ist dem Szeliga je vorgekommen, daß ein Mädchen verehelicht" aus dem Mutterleibe gekommen ist?) „also Geld". Nach dem obigen Beweise, daß alles Geld „ein unverehelichtes Mädchen" sei, leuchtet es von selbst ein, daß alle „unverehelichten Mädchen" „Geld" sind — „also Geld, aber mit der *gewissen* Abstammung von der Arbeit" „*seinem* Vater". (Toute recherche de la paternité est interdite.) „Die Gesichtsform, das Bild trägt ein anderes Gepräge" p. 364, 365. Diese Hochzeitsleichenbitter- und Kindtaufsgeschichte beweist wohl durch sich selbst hinlänglich, wie sehr sie „wesentlich Tochter" Szeligas und zwar Tochter von „gewisser Abstammung" ist. Ihren letzten Grund hat sie indes in der Unwissenheit seines ehemaligen Stallknechts Sancho. Diese tritt deutlich heraus am Schluß, wo der Redner wieder um das „Gepräge" des Geldes ängstlich besorgt ist, und dadurch verrät, daß er noch immer das Metallgeld für das wichtigste zirkulierende Medium hält. Wenn er sich um die ökonomischen Verhältnisse des Geldes etwas näher bekümmert hätte, statt ihm einen schönen grünen Jungfernkranz zu flechten, so würde er wissen, daß von Staatspapieren, Aktien etc. nicht zu sprechen, die Wechsel den größten Teil des zirkulierenden Mediums ausmachen, während das Papiergeld ein verhältnismäßig sehr kleiner und das Metallgeld ein noch kleinerer Teil davon ist. In England zirkuliert z. B. fünfzehnmal mehr Geld in Wechseln und Banknoten, als in Metall. Und selbst was das Metallgeld betrifft, so wird es rein durch die Produktionskosten, d. h. die Arbeit bestimmt. Stirners weitläufiger Zeugungsprozeß war also hier überflüssig. — Die feierlichen Reflexionen, die Szeliga über ein auf der Arbeit beruhendes und doch vom jetzigen Gelde unterschiedenes Tauschmittel anstellt, das er bei einigen Kommunisten entdeckt haben will, beweisen nur wieder die Einfalt, mit der unser edles Paar Alles unbesehen glaubt, was es liest.

Beide führen, wenn sie nach dieser ritterlichen und „romantischen" Kampagne „des Werbens" nach Hause reiten, kein „Glück" heim, noch weniger die „Braut", am allerwenigsten „Geld", sondern höchstens ein „Lump" den andern.

4. Staat

Wir haben gesehen, wie Sancho in seinem „Verein" die bestehende Form des Grundbesitzes, die Teilung der Arbeit und das Geld, in der Weise wie diese Verhältnisse in der Vorstellung eines Kleinbürgers leben, beibehält. Daß nach diesen Prämissen Sancho den Staat nicht entbehren kann, leuchtet auf den ersten Blick ein. Zunächst wird sein neuerworbenes Eigentum die Form des garantierten, rechtlichen Eigentums anzunehmen haben. Wir haben schon gehört: „Dasjenige woran alle Anteil haben wollen, wird demjenigen Einzelnen entzogen werden, der es für sich allein haben will" (p. 330). Hier wird also der Wille der Gesamtheit geltend gemacht gegenüber dem Willen des vereinzelten Einzelnen. Da jeder der mit sich einigen Egoisten mit den andern uneinig werden und damit in diesen Widerspruch treten kann, muß der Gesamtwille auch einen Ausdruck haben gegenüber den vereinzelten Einzelnen — „und man nennt diesen Willen den *Staatswillen*" (p. 357). Seine Bestimmungen sind dann die *rechtlichen* Bestimmungen. Die Exekution dieses Gesamtwillens wird wieder Repressivmaßregeln und eine öffentliche Gewalt nötig machen. „Vereine werden dann auch in dieser Sache (dem Eigentum) die Mittel des Einzelnen multiplizieren und sein *angefochtenes* Eigentum *sicherstellen*", (garantieren also garantiertes Eigentum, also rechtliches Eigentum, also Eigentum, das Sancho nicht „unbedingt" besitzt, sondern vom „Verein" „zu Lehen trägt") p. 342.

Mit den Eigentumsverhältnissen versteht sich dann, daß das ganze Zivilrecht wiederhergestellt wird, und Sancho selbst trägt z. B. die Lehre vom Vertrag ganz im Sinne der Juristen vor, wie folgt:

„Auch hat es nichts zu sagen, wenn Ich selbst Mich um diese und jene Freiheit bringe, z. B. durch jeden *Kontrakt*" p. 409. Und um die „angefochtenen" Kontrakte „sicherzustellen", wird es ebenfalls „Nichts zu sagen haben", wenn er sich wieder einem Gerichte und allen jetzigen Folgen eines Zivilprozesses zu unterwerfen hat.

So rücken wir „allgemach aus Dämmerung und Nacht" den bestehenden Verhältnissen wieder näher, nur den bestehenden Verhältnissen in der zwerghaften Vorstellung des deutschen Kleinbürgers.

Sancho gesteht: „In bezug auf die Freiheit unterliegen Staat und Verein keiner wesentlichen Verschiedenheit. Der letztere kann ebensowenig entstehen und bestehen, ohne daß die Freiheit auf allerlei Art beschränkt werde, als der Staat mit ungemessener Freiheit sich verträgt. Beschränkung der Freiheit ist überall unabwendbar, denn man kann nicht Alles *loswerden;* man kann nicht gleich einem Vogel fliegen, bloß weil man so fliegen möchte etc. . . . .[1] Der Unfreiheit und Unfreiwilligkeit wird der Verein noch genug enthalten, denn sein Zweck ist eben nicht die Freiheit, die er im Gegenteil der Eigenheit opfert, aber auch nur der *Eigenheit*" p. 410, 411.

Abgesehen einstweilen von der komischen Distinktion zwischen Freiheit und Eigenheit, so hatte Sancho seine „Eigenheit" in seinem Vereine durch die ökonomischen Einrichtungen schon geopfert, ohne es zu wollen. Als echter „Staatsgläubiger" sieht er erst da eine Beschränkung, wo die politischen Einrichtungen anfangen. Er läßt die alte Gesellschaft fortbestehen, und mit ihr die Subsumtion der Individuen unter die Teilung der Arbeit; wobei er dann dem Schicksal nicht entgehen kann, von der Teilung der Arbeit und der ihm dadurch zugefallenen Beschäftigung und Le-

---

[1] [Punkte im Manuskript.]

benslage eine aparte „Eigenheit" sich vorschreiben zu lassen. Wird ihm z. B. das Los angewiesen, in Willenhall als Schlossergesell zu arbeiten, so wird seine aufgedrungene „Eigenheit" in einer Verdrehung der Hüftknochen bestehen, die ihm ein „Hinterbein" verschafft; wird „das Titelgespenst seines Buchs" als Throstlespinnerin existieren müssen, so wird ihre „Eigenheit" in steifen Knien bestehen. Selbst wenn unser Sancho bei seinem alten Beruf des Fronbauers bleibt, den ihm schon Cervantes angewiesen hat und den er jetzt für seinen eignen Beruf erklärt, zu dem er sich beruft, so fällt ihm kraft der Teilung der Arbeit und der Trennung von Stadt und Land die „Eigenheit" zu, von allem Weltverkehr und folglich von aller Bildung ausgeschlossen, ein bloßes Lokaltier zu werden.

So verliert Sancho im Verein seine Eigenheit malgré lui durch die gesellschaftliche Organisation, wenn wir einmal ausnahmsweise die Eigenheit im Sinne von Individualität nehmen wollen. Daß er nun auch durch die politische Organisation seine Freiheit aufgibt, ist ganz konsequent und beweist nur noch deutlicher, wie sehr er den jetzigen Zustand im Verein sich anzueignen strebt.

Die wesentliche Verschiedenheit von Freiheit und Eigenheit bildet also den Unterschied zwischen dem jetzigen Zustande und dem „Verein". Wie wesentlich dieser Unterschied ist, haben wir bereits gesehen. Die Majorität seines Vereins wird sich ebenfalls an diese Distinktion möglicherweise nicht stören, sondern das „Lossein" von ihr dekretieren, und wenn er sich dabei nicht beruhigt, wird sie ihm aus seinem eignen „Buche" beweisen, daß es erstens keine Wesen gibt, sondern Wesen und wesentliche Unterschiede „das Heilige" sind; zweitens daß der Verein nach „der Natur der Sache" und „dem Begriff des Verhältnisses" gar nicht zu fragen hat, und drittens, daß sie keineswegs seine Eigenheit antastet, sondern nur seine Freiheit, sie zu äußern. Sie wird ihm vielleicht beweisen, wenn er „sich bestrebt verfassungslos zu werden", daß sie nur seine Freiheit beschränkt, wenn sie ihn einsperrt, ihm Hiebe diktiert, ihm ein Bein ausreißt, daß er partout et toujours „eigen" ist, solange er noch die Lebensäußerungen eines Polypen, einer Auster, ja eines gal-

vanisierten Froschleichnams von sich zu geben vermag. Sie
wird ihm für seine Arbeit eine „Preisbestimmung setzen",
wie wir schon hörten, „eine wirklich *freie* (!) Verwertung
seines Eigentums nicht zulassen", da sie ihm hiermit die
Freiheit, nicht die Eigenheit beschränkt; Dinge, die Sancho
p. 338 dem Staate vorwirft. „Was soll also" der Fronbauer
Sancho „anfangen? Auf sich halten und nach dem" Verein
„nichts fragen". (ibid.) Sie wird ihm schließlich insinuieren,
so oft er gegen die ihm gesetzte Schranke poltert, daß, solange er die Eigenheit hat, Freiheiten für Eigenheiten zu
erklären, sie sich die Freiheit nimmt, seine Eigenheiten für
Freiheiten anzusehen.

Wie oben der Unterschied zwischen menschlicher und einziger Arbeit nur eine kümmerliche Aneignung des Gesetzes
von Nachfrage und Zufuhr war, so ist jetzt der Unterschied
zwischen Freiheit und Eigenheit eine kümmerliche Aneignung des Verhältnisses von Staat und bürgerlicher Gesellschaft, oder wie Herr Guizot sagt, der liberté individuelle
und des pouvoir public. Dies ist so sehr der Fall, daß er im
folgenden den Rousseau fast wörtlich abschreiben kann:

„Die Übereinkunft, das jeder einen Teil seiner Freiheit opfern muß", geschieht „ganz und gar nicht um eines allgemeinen oder auch nur um eines andern Menschen willen",
sondern „Ich ging vielmehr nur auf sie ein aus *Eigennutz*.
Was aber das Opfern betrifft, so opfere Ich doch wohl nur
dasjenige, was nicht in Meiner Gewalt steht, d. h. opfere
gar Nichts" p. 418. Diese Qualität teilt der mit sich einige
Fronbauer mit jedem andern Fronbauer und überhaupt
mit jedem Individuum, das je auf der Welt gelebt hat. Vergleiche auch Godwin, Political Justice. — Sancho scheint
nebenbei bemerkt, die Eigenheit zu besitzen, zu *glauben*
bei Rousseau schlössen die Individuen den Vertrag dem Allgemeinen zuliebe, was Rousseau nie eingefallen ist.

Indessen ein Trost ist ihm geblieben.

„Der Staat ist *heilig*, . . .[1] der Verein aber ist . . .[1] *nicht* heilig." Und darin besteht „der große Unterschied zwischen

---

[1] [Punkte im Manuskript.]

Staat und Verein" p. 411. Dieser ganze Unterschied läuft also darauf hinaus, daß der „Verein" der wirkliche moderne Staat, und der „Staat" die Stirnersche Illusion vom preußischen Staat ist, den er für den Staat überhaupt ansieht.

IX

AUS: DAS ELEND DER PHILOSOPHIE
(1847)

a. Arbeit, Lohn und Ware

Ricardo zeigt uns die wirkliche Bewegung der bürgerlichen Produktion, die den Wert konstituiert. Herr Proudhon abstrahiert von dieser wirklichen Bewegung und quält sich ab, um neue Prozesse zu erfinden und die Welt nach einer angeblich neuen Formel einzurichten, die nur der theoretische Ausdruck der von Ricardo so schön dargelegten wirklichen Bewegung ist. Ricardo nimmt seinen Ausgangspunkt aus der bestehenden Gesellschaft, um uns zu zeigen, wie sie den Wert konstituiert, Herr Proudhon nimmt als Ausgangspunkt den konstituierten Wert, um vermittelst dieses Wertes eine neue soziale Welt zu konstituieren. Für Herrn Proudhon muß der konstituierte Wert sich im Kreis bewegen und für eine bereits auf Grund dieses Wertmaßstabes völlig konstituierte Welt neuerdings konstituierend werden. Die Bestimmung des Wertes durch die Arbeitszeit ist für Ricardo das Gesetz des Tauschwertes, für Herrn Proudhon ist sie die Synthesis von Gebrauchswert und Tauschwert. Ricardos Theorie der Werte ist die wissenschaftliche Darlegung des gegenwärtigen ökonomischen Lebens, die Werttheorie des Herrn Proudhon ist die utopische Auslegung der Theorie Ricardos. Ricardo konstatiert die Wahrheit seiner Formel, indem er sie aus allen wirtschaftlichen Vorgängen ableitet, und auf diese Art alle Erscheinungen erklärt, selbst diejenigen, welche im ersten Augenblick ihr zu widersprechen scheinen, wie die Rente, die Akkumulation der Kapitalien und das Verhältnis der Löhne zu den Profiten. Gerade das ist es, was seine Lehre zu einem wissenschaftlichen System macht; Herr Proudhon, der diese Formel Ricardos mittelst rein willkürlicher Hypothesen neuerdings gefunden hat, ist demgemäß gezwungen, einzelne ökonomische Tatsachen zu suchen, die er martert

und fälscht, um sie als Beispiele, als bereits bestehende An-
wendungen, als Keime der Verwirklichung seiner neuschöp-
ferischen Idee hinstellen zu können. (Siehe unten § 3, Anwendung des konstituierten Wertes.)

Gehen wir jetzt zu den Schlüssen über, welche Herr Proudhon aus seinem (durch die Arbeitszeit) konstituierten Wert
zieht.

Eine gewisse Menge der Arbeit ist gleichwertig dem Produkt,
welches durch diese Arbeitsmenge geschaffen worden.

Jeder Arbeitstag gilt so viel als ein anderer Arbeitstag; d. h.
bei gleicher Menge gilt die Arbeit des einen so viel, wie die
Arbeit des anderen: es gibt keinen qualitativen Unterschied.
Bei gleicher Arbeitsmenge tauscht sich das Produkt des einen
für das Produkt des anderen. Alle Menschen sind Lohnarbeiter, und zwar für gleiche Arbeitszeit gleich bezahlt.
Vollständige Gleichheit beherrscht den Tausch.

Sind diese Schlüsse die natürlichen und notwendigen Konsequenzen des „konstituierten", d. h. des durch die Arbeitszeit bestimmten Wertes?

Wenn der Wert einer Ware bestimmt wird durch die zu
ihrer Herstellung erforderliche Arbeitsmenge, so folgt daraus notwendigerweise, daß der Wert der Arbeit, d. h. der
Arbeitslohn, gleichfalls durch die Arbeitsmenge bestimmt
wird, die zu seiner Herstellung erforderlich ist. Der Lohn,
d. h. der relative Wert oder der Preis der Arbeit wird demnach bestimmt durch die Arbeitszeit, die erforderlich ist zur
Erzeugung alles dessen, was der Arbeiter zu seinem Unterhalt bedarf. *„Vermindert die Herstellungskosten* der Hüte
und ihr Preis wird schließlich auf ihren neuen natürlichen
Preis herabgehen, mag auch die Nachfrage sich verdoppeln,
verdreifachen oder vervierfachen. *Vermindert die Unterhaltskosten der Menschen* durch Ermäßigung des natürlichen Preises der zum Leben notwendigen Nahrung und
Kleidung, und ihr werdet sehen wie die Löhne fallen, selbst
wenn die Nachfrage nach Arbeitern erheblich steigen sollte."
(Ricardo, Bd. 2, S. 253.)

Gewiß, die Sprache Ricardos ist so zynisch wie nur etwas.
Die Fabrikationskosten von Hüten und die Unterhaltskosten
des Menschen in ein und dieselbe Reihe stellen, heißt die

Menschen in Hüte verwandeln. Aber man schreie nicht zu sehr über den Zynismus. Der Zynismus liegt in der Sache und nicht in den Worten, welche die Sache bezeichnen. Französische Schriftsteller, wie die Herren Droz, Blanqui, Rossi und andere, machen sich das unschuldige Vergnügen, ihre Erhabenheit über die englischen Schriftsteller dadurch zu dokumentieren, daß sie den Anstand einer „humanitären" Sprache zu beobachten suchen; wenn sie Ricardo und seiner Schule ihre zynische Sprache vorwerfen, so nur, weil es sie verletzt, die ökonomischen Beziehungen in ihrer ganzen Nacktheit aufgedeckt, die Mysterien der Bourgeoisie verraten zu sehen.

Fassen wir zusammen: die Arbeit, wo sie selbst Ware ist, mißt sich als solche durch die Arbeitszeit, welche zur Herstellung der Ware Arbeit notwendig ist. Und was ist zur Herstellung der Ware Arbeit nötig? Genau die Arbeitszeit, die notwendig ist zur Herstellung der Gegenstände, die unerläßlich sind zum ununterbrochenen Unterhalt der Arbeit, d. h. um den Arbeiter in den Stand zu setzen, sein Leben zu fristen und seine Rasse fortzupflanzen. Der natürliche Preis der Arbeit ist nichts anderes als das Minimum des Lohnes.* Wenn der Marktpreis des Lohnes sich über seinen natürlichen Preis erhebt, so kommt dies gerade daher, daß das von Herrn Proudhon als Prinzip aufgestellte Wertgesetz in dem Wechsel des Verhältnisses von Angebot und Nachfrage sein Gegengewicht findet. Aber das Lohnminimum bleibt nichtsdestoweniger der Mittelpunkt, nach welchem der Marktpreis des Lohnes gravitiert.

So ist der durch die Arbeitszeit gemessene Wert notwendigerweise die Formel der modernen Sklaverei der Arbeiter,

---

* Der Satz, daß der „natürliche", d. h. normale Preis der Arbeitskraft zusammenfällt mit dem Minimum des Lohnes, d. h. mit dem Wertäquivalent der zum Leben und zur Fortpflanzung des Arbeiters absolut notwendigen Lebensmittel — dieser Satz wurde zuerst von mir aufgestellt in den „Umrissen zu einer Kritik der Nationalökonomie" (Deutsch-Französische Jahrbücher. Paris 1844) und in der „Lage der arbeitenden Klasse in England". Wie man hier sieht, hatte Marx diesen Satz damals akzeptiert. Von uns beiden hat Lassalle ihn übernommen. Wenn aber auch

anstatt, wie Herr Proudhon behauptet, die „revolutionäre Theorie" der Emanzipation des Proletariats zu sein.

b. Reichtum und Klassengegensatz

Die Dinge vollziehen sich ganz anders, als Herr Proudhon denkt. Mit dem Moment, wo die Zivilisation beginnt, beginnt die Produktion sich aufzubauen auf den Gegensatz der Berufe, der Stände, der Klassen, schließlich auf den Gegensatz zwischen angehäufter und unmittelbarer Arbeit. Ohne Gegensatz kein Fortschritt: das ist das Gesetz, dem die Zivilisation bis heute gefolgt ist. Bis jetzt haben sich die Produktivkräfte auf Grund dieser Herrschaft des Klassengegensatzes entwickelt. Heute behaupten, daß, weil alle Bedürfnisse aller Arbeiter befriedigt waren, sich die Menschen der Erzeugung von Produkten höherer Ordnung, komplizierteren Industrien haben widmen können, das hieße, von dem Klassengegensatz abstrahieren und die ganze historische Entwicklung auf den Kopf stellen. Das wäre dasselbe, als ob man sagen wollte, daß, weil man unter den römischen Kaisern Muränen in künstlichen Teichen ernährte, man die ganze römische Bevölkerung im Überfluß ernähren konnte; während gerade im Gegenteil das römische Volk des Nötigsten entbehrte, um Brot zu kaufen, die römischen Aristokraten hingegen nicht der Sklaven ermangelten, um sie den Muränen als Futter vorzuwerfen.

Der Preis der Lebensmittel ist fast stetig gestiegen, während der Preis der Manufaktur- und Luxusartikel fast stetig gesunken ist. Man nehme die Landwirtschaft selbst: die un-

---

in der Wirklichkeit der Arbeitslohn die beständige Tendenz hat, sich seinem Minimum zu nähern, so ist der obige Satz dennoch falsch. Die Tatsache, daß die Arbeitskraft in der Regel und im Durchschnitt unter ihrem Wert bezahlt wird, kann ihren Wert nicht ändern. Im „Kapital" hat Marx sowohl den obigen Satz richtiggestellt (Abschnitt: Kauf und Verkauf der Arbeitskraft) wie auch (Kap. XXIII, das allgemeine Gesetz der kapitalistischen Akkumulation) die Umstände entwickelt, welche der kapitalistischen Produktion erlauben, dem Preis der Arbeitskraft mehr und mehr unter ihren Wert zu drücken.   F. E.

entbehrlichsten Gegenstände, wie Getreide, Fleisch usw. steigen im Preis, während Baumwolle, Zucker, Kaffee usw. in überraschendem Grade stetig fallen. Und selbst unter den eigentlichen Eßwaren sind die Luxusartikel, wie Artischocken, Spargel usw. heute verhältnismäßig billiger als die nötigsten Lebensmittel. In unserer Epoche ist das Überflüssige leichter herzustellen als das Notwendige. Endlich sind in verschiedenen historischen Epochen die gegenseitigen Verhältnisse der Preise nicht sowohl verschiedene, sondern vielmehr entgegengesetzte. Im ganzen Mittelalter waren die landwirtschaftlichen Produkte verhältnismäßig billiger als die Manufakturprodukte; in der Neuzeit ist das Verhältnis ein entgegengesetztes. Hat deshalb die Nützlichkeit der landwirtschaftlichen Produkte seit dem Mittelalter abgenommen?

Die Verwendung der Produkte wird bestimmt durch die sozialen Verhältnisse, in welchen sich die Konsumenten befinden, und diese Verhältnisse selbst beruhen auf dem Gegensatze der Klassen.

c. Produktionsanarchie

Fuit Troja! Diese richtige Proportion zwischen Angebot und Nachfrage, die wiederum der Gegenstand so vieler Wünsche zu werden beginnt, hat seit langem zu bestehen aufgehört. Sie hat das Greisenalter überschritten; sie war nur möglich in jenen Zeiten, wo die Produktionsmittel beschränkt waren, wo der Austausch sich in außerordentlich engen Grenzen vollzog. Mit dem Entstehen der Großindustrie mußte diese richtige Proportion verschwinden, und mit Naturnotwendigkeit muß die Produktion in beständiger Aufeinanderfolge den Wechsel von Prosperität und Depression, Krisis, Stockung, neuer Prosperität und so fort durchmachen.

Diejenigen, welche, wie Sismondi, zur richtigen Proportionalität der Produktion zurückkehren und dabei die gegenwärtigen Grundlagen der Gesellschaft erhalten wollen, sind reaktionär, da sie, um konsequent zu sein, auch alle anderen Bedingungen der Industrie früherer Zeiten zurückzuführen bestrebt sein müssen.

Was hielt die Produktion in richtigen oder beinahe richtigen Proportionen? Die Nachfrage, welche das Angebot beherrschte, ging ihm voraus; die Produktion folgte Schritt für Schritt der Konsumtion. Schon durch die Instrumente, über welche sie verfügt, gezwungen, in beständig größerem Maße zu produzieren, kann die Großindustrie nicht die Nachfrage abwarten. Die Produktion geht der Konsumtion voraus, das Angebot erzwingt die Nachfrage.

In der heutigen Gesellschaft, in der auf den individuellen Austausch basierten Industrie, ist die Produktionsanarchie, die Quelle so viel Elends, gleichzeitig die Ursache alles Fortschritts.

Demnach von zwei Dingen eins: Entweder, man will die richtigen Proportionen früherer Jahrhunderte mit den Produktionsmitteln unserer Zeit, und dann ist man Reaktionär und Utopist in *einem*.

Oder man will den Fortschritt ohne Anarchie: und dann verzichte man, um die Produktionskräfte beizubehalten, auf den individuellen Austausch.

Der individuelle Austausch verträgt sich nur mit der kleinen Industrie früherer Jahrhunderte und der ihr eigentümlichen „richtigen Proportion", oder aber mit der Großindustrie und ihrem ganzen Gefolge von Elend und Anarchie.

d. Die Metaphysik der politischen Ökonomie

§ 1. Die Methode

Wir befinden uns jetzt mitten in Deutschland! Wir werden Metaphysik treiben müssen, wo und während wir politische Ökonomie treiben. Und auch hierin folgen wir nur den „Widersprüchen" des Herrn Proudhon. Soeben zwang er uns noch, englisch zu sprechen, selbst ein wenig Engländer zu werden. Jetzt ändert sich die Szene. Herr Proudhon versetzt uns in unser geliebtes Vaterland, und zwingt uns, wieder einmal in unserer Eigenschaft als Deutscher wieder Willen aufzutreten.

Wenn der Engländer die Menschen in Hüte verwandelt, so verwandelt der Deutsche die Hüte in Ideen. Der *Engländer*

ist *Ricardo*, der reiche Bankier und ausgezeichnete Ökonom.
Der Deutsche ist *Hegel*, simpler Professor der Philosophie
an der Universität zu Berlin.

Ludwig XV., der letzte absolute König und der Repräsentant des Verfalls des französischen Königtums, hatte einen
Leibarzt, der der erste Ökonom Frankreichs war. Dieser
Arzt, dieser Ökonom, repräsentierte den bevorstehenden
und sicheren Triumph der französischen Bourgeoisie. Der
Arzt Quesnay hat die politische Ökonomie zu einer Wissenschaft gemacht; er hat sie in seinem berühmten „*ökonomischen Tableau*" zusammengefaßt. Neben den tausend und
einem Kommentaren, die zu diesem Tableau erschienen
sind, besitzen wir einen von Quesnay selbst. Es ist dies die
„*Analyse des ökonomischen Tableau*", der „*sieben wichtige
Bemerkungen*" angehängt sind.

Herr Proudhon ist ein zweiter Doktor Quesnay. Er ist der
Quesnay der Metaphysik der politischen Ökonomie.

Nun faßt sich nach Hegel die Metaphysik, die ganze Philosophie, in der Methode zusammen. Wir müssen daher suchen, die Methode des Herrn Proudhon klarzustellen, die
mindestens ebenso dunkel ist, als das „*ökonomische Tableau*". Wir werden deshalb sieben mehr oder weniger
wichtige Bemerkungen folgen lassen.

Wenn Herr Doktor Proudhon mit unseren Bemerkungen
nicht zufrieden ist, so möge er den Abbé Baudeau spielen
und selbst die „Erklärung der ökonomisch-metaphysischen
Methode" geben.

Erste Bemerkung

„Wir geben keine *Geschichte nach der Ordnung der Zeit*,
sondern *nach der Folge der Ideen*. Die ökonomischen *Phasen* oder *Kategorien* treten in ihrer Manifestation bald
gleichzeitig, bald in verkehrter Reihenfolge auf ... Die
ökonomischen Theorien haben nicht minder ihre *logische
Abfolge* und ihre *Gliederung* in *der Vernunft;* diese Ordnung schmeicheln wir uns, entdeckt zu haben." (Proudhon,
I. éd. p. 146.)

Ganz sicher hat Herr Proudhon den Franzosen einen Schreck

einjagen wollen, indem er ihnen quasi Hegelsche Phrasen an den Kopf warf. Wir haben also mit zwei Männern zu tun: zuerst mit Herrn Proudhon und dann mit Hegel. Wodurch zeichnet sich Herr Proudhon vor den anderen Ökonomen aus? Und welche Rolle spielt Hegel in der politischen Ökonomie des Herrn Proudhon?

Die Ökonomen stellen die bürgerlichen Produktionsverhältnisse, Arbeitsleistung, Kredit, Geld etc., als fixe, unveränderliche, ewige Kategorien hin. Herr Proudhon, der diese Kategorien fertig vorfindet, will uns den Akt der Bildung und Erzeugung dieser Kategorien, Prinzipien, Gesetze, Ideen, Gedanken explizieren.

Die Ökonomen erklären uns, wie man unter den obigen gegebenen Verhältnissen produziert; was sie uns aber nicht erklären, ist, wie diese Verhältnisse selbst produziert werden, d. h. die historische Bewegung, die sie ins Leben ruft. Herr Proudhon, der diese Verhältnisse als Prinzipien, als Kategorien, als abstrakte Gedanken nimmt, hat nur diese Gedanken in eine bestimmte Ordnung zu bringen, die sich bereits in alphabetischer Reihenfolge am Schlusse jeder Abhandlung über politische Ökonomie vorfinden. Die Materialien der Ökonomen sind das bewegte und bewegende Leben der Menschen; die Materialien des Herrn Proudhon sind die Dogmen der Ökonomen. Sobald man aber die historische Entwicklung der Produktionsverhältnisse nicht verfolgt — und die Kategorien sind nur der theoretische Ausdruck derselben —; sobald man in diese Kategorien nur von selbst entstandene Ideen, von den wirklichen Verhältnissen unabhängige Gedanken sieht, ist man wohl oder übel gezwungen, den Ursprung dieser Gedanken in die Bewegung der reinen Vernunft zu verlegen. Wie erzeugt die reine, ewige, unpersönliche Vernunft diese Gedanken? Wie stellt sie es an, um sie zu erzeugen?

Hätten wir die Unerschrockenheit des Herrn Proudhon in Sachen des Hegelianismus, so würden wir sagen: Sie unterscheidet sich in sich selbst von sich selbst. Was will das sagen? Da die unpersönliche Vernunft außer sich weder einen Boden hat, auf den sie sich stellen kann, noch ein Objekt, dem sie sich entgegenstellen kann, noch ein Subjekt, mit dem

sie sich verbinden kann, sieht sie sich gezwungen, einen
Purzelbaum zu schlagen und sich selbst zu ponieren, zu
opponieren und zu komponieren — Position, Opposition,
Komposition. Um griechisch zu sprechen, haben wir These,
Antithese und Synthese. Für die, welche die Hegelsche
Sprache nicht kennen, lassen wir die Weihungsformel folgen: Affirmation, Negation, Negation der Negation. Das
nennt man reden. Es ist zwar kein Hebräisch, mit Verlaub
des Herrn Proudhon; aber es ist die Sprache dieser reinen,
vom Individuum getrennten Vernunft. An Stelle des gewöhnlichen Individuums und seiner gewöhnlichen Art zu
reden und zu denken, haben wir lediglich diese gewöhnliche Art an sich, ohne das Individuum.

Ist es zum Verwundern, daß in letzter Abstraktion, denn es
handelt sich um Abstraktion, nicht um Analyse, jedes Ding
sich als logische Kategorie darstellt? Ist es zum Verwundern, daß wenn man nach und nach alles fallen läßt, was
die Individualität eines Hauses ausmacht, wenn man von den
Baustoffen absieht, woraus es besteht, von der Form, die es
auszeichnet, man schließlich nur noch einen Körper vor sich
hat, — daß, wenn man von den Umrissen dieses Körpers absieht, man schließlich nur einen Raum hat —, daß, wenn man
endlich von den Dimensionen dieses Raumes abstrahiert,
man zum Schluß nichts mehr übrig hat, als die Quantität
an sich, die logische Kategorie der Quantität? Wenn wir sol-
chermaßen konsequent abstrahieren, von jedem Subjekt, von
allen seinen belebten oder unbelebten angeblichen Akzidentien, Menschen oder Dingen, so haben wir ein Recht zu sagen, daß man in letzter Abstraktion nur noch die logischen
Kategorien als Substanz übrig behält. So haben die Metaphysiker, die sich einbilden, vermittelst solcher Abstraktionen zu analysieren, und die, je mehr sie sich von den Gegenständen entfernen, sie desto mehr zu durchdringen wähnen,
— diese Metaphysiker haben ihrerseits Recht zu sagen, daß
die Dinge dieser Welt nur Stickereien sind auf einem Stra-
mingewebe, gebildet durch die logischen Kategorien. Da haben wir den Unterschied zwischen dem Philosophen und
dem Christen. Der Christ kennt nur eine Fleischwerdung
des *Logos*, trotz der Logik; der Philosoph kommt mit den

Fleischwerdungen gar nicht zu Ende. Daß alles, was existiert, daß alles, was auf der Erde und im Wasser lebt, durch Abstraktion auf eine logische Kategorie zurückgeführt werden kann, daß man auf diese Art die gesamte wirkliche Welt ersäufen kann in der Welt der Abstraktionen, der Welt der logischen Kategorien, wen wundert das?

Alles, was existiert, alles, was auf der Erde und im Wasser lebt, existiert nur, lebt nur vermittelst irgendwelcher Bewegung. So erzeugt die Bewegung der Geschichte die sozialen Beziehungen, die industrielle Bewegung gibt uns die industriellen Produkte etc.

Ebenso, wie wir durch Abstraktion jedes Ding in eine logische Kategorie verwandelt haben, braucht man nur von jeder unterscheidenden Eigenschaft der verschiedenen Bewegungen zu abstrahieren, um zur Bewegung im abstrakten Zustande, zur rein formellen Bewegung, zu der rein logischen Formel der Bewegung zu gelangen. Hat man erst in den logischen Kategorien das Wesen aller Dinge gefunden, so bildet man sich ein, in der logischen Formel der Bewegung die *absolute Methode* zu finden, die nicht nur alle Dinge erklärt, sondern die auch die Bewegung der Dinge umfaßt.

Es ist dies die absolute Methode, von der Hegel sagt: „Die Methode ist die absolute, die einzige, die höchste, unendliche Kraft, der kein Ding widerstehen kann. Sie ist die Tendenz der Vernunft, sich selbst in jedem Dinge wiederzufinden, wiederzuerkennen." (Logik, 3. Bd.)

Ist jedes Ding auf eine logische Kategorie und jede Bewegung, jeder Produktionsakt auf die Methode reduziert, so folgt daraus, daß jeder Zusammenhang von Produkten und Produktion, von Dingen und Bewegung, sich auf eine angewandte Metaphysik reduziert. Was Hegel für die Religion, das Recht etc. getan hat, sucht Herr Proudhon für die politische Ökonomie zu tun.

Was ist somit diese absolute Methode? Die Abstraktion der Bewegung. Was ist die Abstraktion der Bewegung? Die Bewegung im abstrakten Zustande. Was ist die Bewegung im abstrakten Zustande? Die rein logische Formel der Bewegung, oder die Bewegung der reinen Vernunft. Worin besteht die Bewegung der reinen Vernunft? Sich zu setzen, sich sich selbst entgegenzusetzen, und schließlich wieder sich mit sich selbst in *eins* zu setzen, sich als These, Antithese, Synthese zu formulieren, oder schließlich sich zu setzen, sich zu negieren und ihre Negation zu negieren.

Wie stellt es die Vernunft an, um sich als bestimmte Kategorie hinzustellen, zu setzen? Das ist die Sache der Vernunft selbst und ihrer Apologeten.

Aber, einmal dahin gelangt, sich als These zu setzen, spaltet sich diese These, indem sie sich sich selbst entgegenstellt, in zwei widerstrebende Gedanken, in positiv und negativ, in Ja und Nein. Der Kampf dieser beiden gegensätzlichen, in der Antithese enthaltenen Elemente, bildet die dialektische Bewegung. Das Ja wird Nein, das Nein wird Ja, das Ja wird gleichzeitig Ja und Nein, das Nein wird gleichzeitig Nein und Ja; auf diese Weise halten sich die Gegensätze die Waage, neutralisieren sich, heben sich auf. Die Verschmelzung dieser beiden widersprechenden Gedanken bildet einen neuen Gedanken, die Synthese derselben. Dieser neue Gedanke spaltet sich wiederum in zwei widersprechende Gedanken, die ihrerseits wiederum eine neue Synthese bilden. Aus dieser Zeugungsarbeit erwächst eine Gruppe von Gedanken. Diese Gedankengruppe verfolgt dieselbe dialektische Bewegung, wie eine einfache Kategorie, und hat zur Antithese eine gegensätzliche Gruppe. Aus diesen zwei Gedankengruppen entsteht eine neue Gedankengruppe, die Synthese beider.

Wie aus der dialektischen Bewegung der einfachen Kategorien die Gruppe entsteht, so entsteht aus der dialektischen Bewegung der Gruppen die Reihe (série) und aus der dialektischen Bewegung der Reihen das ganze System. Man wende diese Methode auf die Kategorien der politischen Ökonomie an, und man hat die Logik und die Metaphysik der politischen Ökonomie, oder mit anderen Worten, man hat die aller Welt bekannten ökonomischen Kategorien in eine wenig bekannte Sprache übersetzt, in der sie aussehen, als seien sie soeben funkelneu einem reinen Vernunftskopf entsprungen; dergestalt scheinen diese Kategorien einander zu erzeugen, sich zu verketten und an einander zu gliedern, vermittelst der bloßen Tätigkeit der dialektischen Bewegung. Der Leser braucht indes vor dieser Metaphysik mit ihrem ganzen Gerüst von Kategorien, Gruppen, Serien und Systemen nicht zu erschrecken. Trotz aller der sauren Arbeit, womit Herr Proudhon die Höhe dieses Systems der Widersprüche zu erklimmen strebt, bringt er es doch nie über die zwei ersten Stufen der einfachen These und Antithese; und auch sie hat er nur zweimal erstiegen, bei welcher Gelegenheit er einmal obendrein auf den Rücken gefallen ist. Auch haben wir bis jetzt nur die Dialektik Hegels auseinandergesetzt; wir werden später sehen, wie Herr Proudhon es fertig bringt, sie auf das kläglichste Maß herunter zu bringen. So ist für Hegel alles, was geschehen ist und noch geschieht, genau das, was in seinem eigenen Denken vor sich geht. So ist die Philosophie der Geschichte nur mehr die Geschichte der Philosophie, seiner eigenen Philosophie. Es gibt keine „Geschichte nach der Ordnung der Zeit" mehr, sondern nur noch die „Aufeinanderfolge der Ideen in der Vernunft". Er glaubt, die Welt mittelst der Bewegung des Gedankens konstruieren zu können, während er nur die Gedanken, die in jedermanns Kopf sind, systematisch rekonstruiert und nach der absoluten Methode klassifiziert.

Zweite Bemerkung

Die ökonomischen Kategorien sind nur die theoretischen Ausdrücke, die Abstraktionen der gesellschaftlichen Produktionsverhältnisse. Herr Proudhon stellt als echter Philosoph die Dinge auf den Kopf, und sieht in den wirklichen Verhältnissen nur die Fleischwerdung jener Prinzipien, jener Kategorien, die, wie uns wiederum Herr Proudhon, der Philosoph, sagt, im Schoß der „unpersönlichen Vernunft der Menschheit" schlummerten.

Herr Proudhon, der Ökonom, hat ganz gut begriffen, daß die Menschen Tuch, Leinwand, Seidenstoffe unter bestimmten Produktionsverhältnissen anfertigen. Aber was er nicht begriffen hat, ist, daß diese bestimmten sozialen Verhältnisse ebensogut Produkte der Menschen sind, wie Tuch, Leinen etc. Die sozialen Verhältnisse sind eng verknüpft mit den Produktivkräften. Mit der Erwerbung neuer Produktivkräfte verändern die Menschen ihre Produktionsweise und mit der Veränderung der Produktionsweise, der Art, ihren Lebensunterhalt zu gewinnen, verändern sie alle ihre gesellschaftlichen Verhältnisse. Die Handmühle ergibt eine Gesellschaft mit Feudalherren, die Dampfmühle eine Gesellschaft mit industriellen Kapitalisten. Aber dieselben Menschen, welche die sozialen Verhältnisse gemäß ihrer materiellen Produktionsweise gestalten, gestalten auch die Prinzipien, die Ideen, die Kategorien gemäß ihren gesellschaftlichen Verhältnissen.

Somit sind diese Ideen, diese Kategorien, ebensowenig ewig, als die Verhältnisse, die sie ausdrücken. Sie sind *historische, vergängliche, vorübergehende Produkte.*

Wir leben inmitten einer beständigen Bewegung des Anwachsens der Produktivkräfte, der Zerstörung sozialer Verhältnisse, der Bildung von Ideen; unbeweglich ist nur die Abstraktion von der Bewegung, — *mors immortalis.*

Dritte Bemerkung

Die Produktionsverhältnisse jeder Gesellschaft bilden ein Ganzes. Herr Proudhon betrachtet die ökonomischen Verhältnisse als ebenso viele soziale Phasen, die einander erzeugen, von denen die eine aus der anderen sich ergibt, wie die Antithese aus der These und die in ihrer logischen Aufeinanderfolge die unpersönliche Vernunft der Menschheit verwirklichen.

Der einzige Übelstand bei dieser Methode ist der, daß Herr Proudhon, sobald er eine einzelne dieser Phasen getrennt untersuchen will, er sie nicht erklären kann, ohne auf die anderen gesellschaftlichen Verhältnisse zurückzukommen, obwohl er diese Verhältnisse noch nicht vermittelst seiner dialektischen Bewegung hat entstehen lassen. Wenn Herr Proudhon dann mittelst der reinen Vernunft zur Erzeugung der anderen Phasen übergeht, so stellt er sich, als ob er neugeborene Kinder vor sich habe, und vergißt, daß sie ebenso alt sind, wie die erste.

So konnte er, um zur Konstituierung des Wertes zu gelangen, die für ihn die Grundlage aller ökonomischen Entwicklung ist, die Arbeitsteilung, die Konkurrenz etc. nicht entbehren. In der *Serie,* in der *Vernunft* des Herrn Proudhon, in der logischen Aufeinanderfolge sind diese Beziehungen aber noch gar nicht vorhanden.

Sobald man mit den Kategorien der politischen Ökonomie das Gebäude eines ideologischen Systems errichtet, verrenkt man die Glieder des gesellschaftlichen Systems. Man verwandelt die verschiedenen Teilstücke der Gesellschaft in ebenso viele Gesellschaften für sich, von denen eine nach der anderen auftritt. Wie kann in der Tat die logische Formel der Bewegung, der Aufeinanderfolge der Zeit allein den Gesellschaftskörper erklären, in dem alle Beziehungen gleichzeitig existieren und einander stützen?

Vierte Bemerkung

Sehen wir nunmehr, welchen Änderungen Herr Proudhon die Dialektik Hegels unterwirft, sobald er sie auf die politische Ökonomie anwendet.

Für Herrn Proudhon hat jede ökonomische Kategorie zwei Seiten, eine gute und eine schlechte. Er betrachtet die Kategorien, wie der Spießbürger die großen Männer der Geschichte betrachtet; Napoleon ist ein großer Mann, er hat viel Gutes getan, er hat auch viel Schlechtes getan.

Die *gute Seite* und die *schlechte Seite, der Vorteil* und der *Nachteil* zusammengenommen, bilden für Herrn Proudhon den *Widerspruch* in jeder ökonomischen Kategorie.

Zu lösendes Problem: die gute Seite bewahren und die schlechte beseitigen.

Die *Sklaverei* ist eine ökonomische Kategorie, wie eine andere. Sie hat also gleichfalls ihre zwei Seiten. Halten wir uns nicht bei der schlechten Seite auf und sprechen wir von der schönen Seite der Sklaverei. Wohlverstanden, es handelt sich hier nur um die direkte Sklaverei, um die Sklaverei der Schwarzen in Surinam, in Brasilien, in den Südstaaten Nordamerikas. Die direkte Sklaverei ist der Angelpunkt der bürgerlichen Industrie, ebenso wie die Maschinen etc. Ohne Sklaverei keine Baumwolle; ohne Baumwolle keine moderne Industrie. Nur die Sklaverei hat den Kolonien ihren Wert gegeben; die Kolonien haben den Welthandel geschaffen; und der Welthandel ist die Bedingung der Großindustrie.

So ist die Sklaverei eine ökonomische Kategorie von der höchsten Wichtigkeit.

Ohne die Sklaverei würde Nordamerika, das vorgeschrittenste Land, sich in ein patriarchalisches Land verwandeln. Man streiche Nordamerika von der Weltkarte, und man hat die Anarchie, den vollständigen Verfall des Handels und der modernen Zivilisation. Laßt die Sklaverei verschwinden und ihr streicht Amerika von der Völkerkarte. *

So hat die Sklaverei, weil sie eine ökonomische Kategorie ist, stets in den Institutionen der Völker figuriert. Die modernen Völker haben die Sklaverei in ihren Ländern lediglich zu maskieren gewußt, während sie sie in der neuen Welt unverhüllt eingeführt haben.

Wie wird es Herr Proudhon anfangen, die Sklaverei zu retten? Er wird das *Problem* stellen: die gute Seite dieser ökonomischen Kategorie zu erhalten und die schlechte auszumerzen.

Hegel hat keine Probleme zu stellen. Er kennt nur die Dialektik. Herr Proudhon hat von der Hegelschen Dialektik nur die Redeweise. Seine eigene dialektische Methode besteht in der dogmatischen Unterscheidung von gut und schlecht.

Nehmen wir einmal Herrn Proudhon selbst als Kategorie; untersuchen wir seine gute und seine schlechte Seite, seine Vorteile und seine Nachteile.

---

* Dies war vollkommen richtig für das Jahr 1847. Damals beschränkte sich der Welthandel der Vereinigten Staaten hauptsächlich auf die Einfuhr von Einwanderern und Industrieprodukten und auf die Ausfuhr von Baumwolle und Tabak, also von Produkten der südlichen Sklavenarbeit. Die nördlichen Staaten produzieren hauptsächlich Korn und Fleisch für die Sklavenstaaten. Erst seitdem der Norden Korn und Fleisch für die Ausfuhr produzierte und daneben ein Industrieland wurde, und seitdem dem amerikanischen Baumwollmonopol in Indien, Ägypten, Brasilien etc. eine mächtige Konkurrenz entstanden, war die Abschaffung der Sklaverei möglich. Und selbst dann hatte sie zur Folge den Ruin des Südens, dem es nicht gelungen ist, die offene Negersklaverei durch die verdeckte Sklaverei indischer und chinesischer Kulis zu ersetzen.   F. E.

Wenn er vor Hegel den Vorteil voraus hat, Probleme zu stellen, die er sich vorbehält, zum Besten der Menschheit zu lösen, so hat er den Nachteil vollständiger Unfruchtbarkeit, sobald es sich darum handelt, durch die Tätigkeit der dialektischen Zeugung eine neue Kategorie ins Leben zu rufen. Was die dialektische Bewegung ausmacht, ist gerade das Nebeneinanderbestehen der beiden entgegengesetzten Seiten, ihr Widerstreit und ihr Aufgehen in eine neue Kategorie. Sowie man sich nur das Problem stellt, die schlechte Seite auszumerzen, schneidet man die dialektische Bewegung entzwei. Es ist nicht die Kategorie mehr, die sich hier selbst, infolge ihrer widerspruchsvollen Natur, setzt und entgegensetzt; es ist vielmehr Herr Proudhon, der zwischen den beiden Seiten sich hin und her zerrt, zerarbeitet und abquält.

So in einer Sackgasse gefangen, aus der es schwer ist, mittelst erlaubter Mittel freizukommen, macht Herr Proudhon plötzlich einen wahren Riesenkraftsprung, der ihn mit einem einzigen Satz in eine neue Kategorie versetzt. Und nun enthüllt sich vor seinen erstaunten Augen die *Reihenfolge in der Vernunft*.

Er nimmt die erste beste Kategorie und legt ihr willkürlich die Eigenschaft bei, den Nachteilen der Kategorie abzuhelfen, die er weißzuwaschen hat. So beseitigen die Steuern, wenn wir nämlich Herrn Proudhon glauben, die Nachteile des Monopols; die Handelsbilanz die Nachteile der Steuern; der Grundbesitz die Nachteile des Kredits.

Indem er so nach und nach die ökonomischen Kategorien einzeln vornimmt, und aus der einen das *Gegengift* der anderen macht, bringt es Herr Proudhon fertig, mit diesem Mischmasch von Widersprüchen und Gegenmitteln für Widersprüche zwei Bände Widersprüche herzustellen, die er ganz richtig betitelt: *System der ökonomischen Widersprüche*.

Fünfte Bemerkung

„In der absoluten Vernunft sind alle diese Ideen ... gleich einfach und generell ... In der Tat gelangen wir zur Wissenschaft nur dadurch, daß wir unsere Ideen zu einer *Art von Gerüst* aufbauen. Aber die Wahrheit an sich ist unabhängig von diesen dialektischen Figuren und frei von den Kombinationen unseres Geistes." (Proudhon, Bd. II, S. 97.)

Da sehen wir plötzlich, vermittelst einer Kehrtwendung, deren Geheimnis wir jetzt kennen, die Metaphysik der politischen Ökonomie zur Illusion geworden! Niemals hat Herr Proudhon wahrer gesprochen. Ganz gewiß, von dem Augenblick an, wo der Prozeß der dialektischen Bewegung sich reduziert auf die einfache Prozedur, Gut und Schlecht einander gegenüber zu halten, Probleme zu stellen, die darauf hinauskommen, das Schlechte auszumerzen und eine Kategorie als Gegengift gegen die andere zu verabreichen, von da an haben die Kategorien keine Selbsttätigkeit mehr; die Idee „*funktioniert* nicht mehr", es ist kein Leben mehr in ihr. Weder setzt noch zersetzt sie sich fernerhin in Kategorien. Die Aufeinanderfolge der Kategorien hat sich verwandelt in ein bloßes Gerüst. Die Dialektik ist nicht mehr die Bewegung der absoluten Vernunft. Es gibt keine Dialektik mehr, es gibt höchstens nur noch pure Moral.

Als Herr Proudhon von der *Reihenfolge im Verstande,* von der logischen Aufeinanderfolge der Kategorien sprach, erklärte er positiv, daß er nicht die Geschichte nach der *Ordnung der Zeit* geben wolle, d. h. nach Herrn Proudhon, die historische Aufeinanderfolge, in welcher die Kategorien *sich offenbart haben.*

Alles vollzog sich damals für ihn in dem *reinen Äther der Vernunft.* Alles sollte sich mittelst der Dialektik aus diesem reinen Äther ableiten. Jetzt, wo es sich darum handelt, diese Dialektik in die Praxis zu übersetzen, läßt ihn die Vernunft im Stich. Die Dialektik des Herrn Proudhon schlägt der Dialektik Hegels ein Schnippchen, und so muß Herr Proudhon uns mitteilen, daß die Ordnung, in der er uns die ökonomischen Kategorien gibt, nicht mehr die Ordnung ist, in der sie sich auseinander entwickeln. Die ökonomischen Evolutionen sind nicht mehr die Evolutionen der reinen Vernunft.

Was denn gibt uns eigentlich Herr Proudhon? Die wirkliche Geschichte, das heißt, nach dem Verstande des Herrn Proudhon, die Aufeinanderfolge, in der sich die Kategorien in der Zeitordnung *offenbart* haben? Nein. Die Geschichte, wie sie sich in der Idee selbst vollzieht? Noch weniger. Also weder die profane Geschichte der Kategorien, noch ihre heilige Geschichte! Welche Geschichte gibt er uns denn nun? Die Geschichte seiner eigenen Widersprüche. Sehen wir, wie sie marschieren und Herrn Proudhon hinter sich herschleppen.

Bevor wir uns an diese Untersuchung machen, welche zu der sechsten wichtigen Bemerkung Veranlassung gibt, haben wir noch eine weniger wichtige Bemerkung zu machen.

Nehmen wir einmal mit Herrn Proudhon an, die wirkliche Geschichte nach der Zeitordnung sei die historische Aufeinanderfolge, in welcher die Ideen, die Kategorien, die Prinzipien sich offenbart haben.

Jedes Prinzip hat sein Jahrhundert gehabt, worin es sich enthüllte. Das Autoritätsprinzip hat z. B. das 11. Jahrhundert gehabt, wie das Prinzip des Individualismus das achtzehnte. Folgerichtigerweise gehörte das Jahrhundert dem Prinzip, nicht das Prinzip dem Jahrhundert. Mit anderen Worten: das Prinzip macht die Geschichte, nicht die Geschichte das Prinzip. Fragt man sich endlich, um Prinzipien wie Geschichte zu retten: warum dieses Prinzip sich gerade im 11. oder im 18. Jahrhundert und nicht in irgendeinem anderen offenbart hat, so sieht man sich notwendigerweise gezwungen, im einzelnen zu untersuchen, welches die Menschen des 11. und die des 18. Jahrhunderts waren, welches ihre jedesmaligen Bedürfnisse, ihre Produktivkräfte, ihre Produktionsweise, die Rohstoffe ihrer Produktion, welches endlich die Beziehungen von Mensch zu Mensch waren, die aus allen diesen Existenzbedingungen hervorgingen. Alle diese Fragen ergründen, heißt das nicht, die wirkliche, profane Geschichte der Menschen eines jeden Jahrhunderts erforschen, diese Menschen darstellen, wie sie in *einem* Verfasser und Schausteller ihres eigenen Dramas waren? Aber von dem Augenblick an, wo man die Menschen als die Schausteller und Verfasser ihrer eigenen Geschichte hinstellt, ist man auf einem Umweg zum wirklichen Ausgangspunkt zurückgekehrt, weil man die ewigen Prinzipien fallen gelassen hat, von denen man ausging.

Aber Herr Proudhon hat sich nicht einmal weit genug vorgewagt auf dem Querpfad, den der Ideologe einschlägt, um die große Heerstraße der Geschichte zu gewinnen.

Sechste Bemerkung

Schlagen wir mit Herrn Proudhon den Querpfad ein. Wir wollen annehmen, daß die ökonomischen Beziehungen, als *unwandelbare Gesetze*, als *ewige Prinzipien*, als *ideale Kategorien* betrachtet, früher da waren, als die tätigen und handelnden Menschen; wir wollen *sogar* annehmen, daß diese Gesetze, diese Prinzipien, diese Kategorien, von Anbeginn der Zeit an, „in der unpersönlichen Vernunft der Menschheit", geschlummert haben. Wir haben bereits gesehen, daß es bei diesen unwandelbaren, unveränderlichen Ewigkeiten keine Geschichte mehr gibt; es gibt höchstens eine Geschichte in der Idee, d. h. die Geschichte, die sich in der dialektischen Bewegung der reinen Vernunft abspiegelt. Damit aber, daß Herr Proudhon sagt, in der dialektischen Bewegung *„differenzierten"* sich die Ideen nicht mehr, hat er sowohl den *Schatten der Bewegung*, wie die *Bewegung der Schatten* ausgestrichen, mittelst deren man noch allenfalls etwas hätte zuwege bringen können, was nach Geschichte aussieht. Statt dessen schiebt er der Geschichte seine eigene Ohnmacht in die Schuhe, er schiebt die Schuld auf alles, sogar auf die französische Sprache. „Es stimmt also nicht genau", sagt Herr Proudhon, der Philosoph, „wenn man sagt, daß irgend etwas sich ereignet, daß irgend etwas produziert wird: in der Zivilisation, wie im Weltall existiert *alles*, wirkt *alles* von jeher ... *Es verhält sich ebenso mit der ganzen Sozialökonomie.*" (Bd. II, S. 102.)

So gewaltig ist die schöpferische Kraft der Widersprüche, die auf Herrn Proudhon *wirken* und ihn wirken machen, daß er da, wo er die Geschichte erklären will, sich gezwungen sieht, sie zu leugnen, daß, wo er die Aufeinanderfolge der sozialen Verhältnisse erklären will, er leugnet, daß *etwas sich ereignen* kann, daß, wo er die Produktion in allen ihren Phasen erklären will, er bestreitet, daß etwas produziert werden kann.

So gibt es für Herrn Proudhon weder Geschichte noch Aufeinanderfolge der Ideen, und doch ist sein Buch noch da, und just dieses Buch ist, nach seinen eigenen Worten, *„die Geschichte nach der Aufeinanderfolge der Ideen"*. Wie eine Formel finden, denn Herr Proudhon ist der Mann der Formeln, die ihm erlaubt, mit *einem Sprung* über alle seine Widersprüche hinwegzusetzen?

Zu diesem Zweck hat er eine neue Vernunft erfunden, die weder die reine und jungfräuliche absolute Vernunft, noch die gemeine Vernunft der in den verschiedenen Jahrhunderten auftretenden und handelnden Menschen ist, sondern eine ganz absonderliche Vernunft, die Vernunft der Gesellschaft als Person, der *Menschheit* als Subjekt, die unter der Feder des Herrn Proudhon auch zuweilen als *„Genius der Gesellschaft"*, als allgemeine Vernunft und in letzter Linie „Vernunft der Menschheit" sich vorführt. Diese, mit so viel Namen ausstaffierte Vernunft verrät sich jedoch bei jeder Gelegenheit als die individuelle Vernunft des Herrn Proudhon mit ihrer guten und ihrer schlechten Seite, ihren Gegengiften und ihren Problemen.

„Die menschliche Vernunft schafft nicht die Wahrheit", die in den Tiefen der absoluten, ewigen Vernunft sich verbirgt. Sie kann sie nur enthüllen. Aber die Wahrheiten, die sie bis jetzt enthüllt hat, sind unvollständig, unzulänglich und folglich widersprechend. Somit sind auch die ökonomischen Kategorien selbst nur von der Vernunft der Menschheit, von dem Genius der Gesellschaft entdeckte und enthüllte Wahrheiten, weshalb sie ebenfalls unvollständig sind und den Keim des Widerspruchs in sich tragen. Vor Herrn Proudhon sah der Genius der Gesellschaft nur die *gegensätzlichen Elemente,* nicht aber die einheitliche *synthetische Formel,* die beide gleichzeitig in der *absoluten Vernunft* stecken. Die ökonomischen Verhältnisse sind aber nichts anderes als die Verwirklichung auf Erden, dieser unzulänglichen Wahrheiten, dieser unvollständigen Kategorien, dieser sich widersprechenden Begriffe und deshalb sind auch sie in sich widerspruchsvoll und bieten die beiden Seiten dar, von denen die eine gut, die andere schlecht ist.

Die ganze Wahrheit, den Begriff in seiner ganzen Fülle, die synthetische Formel, die den Widerspruch aufhebt, zu finden, das ist die Aufgabe des Genius der Gesellschaft. Deshalb ist auch in der Einbildung des Herrn Proudhon dieser selbe Genius der Gesellschaft von einer Kategorie zur anderen herumgejagt worden, ohne daß er es bisher mit der ganzen Batterie seiner Kategorien fertig gebracht hätte, Gott, der absoluten Vernunft, eine synthetische Formel abzuringen.

„Zuerst stellt die Gesellschaft (der Genius der Gesellschaft) ein erstes Faktum, eine erste Hypothese auf ... eine wahrhafte Antinomie, deren gegensätzliche Resultate sich in der sozialen Ökonomie in derselben Art entwickeln, wie ihre Konsequenzen im Geiste hätten abgeleitet werden können; so daß die industrielle Entwicklung, durchaus der Ableitung der Ideen folgend, sich in zwei Richtungen teilt, die der nützlichen und die der zerstörenden Wirkungen.... Um dieses Prinzip mit doppeltem Antlitz harmonisch zu konstituieren und diesen Widerspruch aufzuheben, läßt die Gesellschaft aus demselben einen *zweiten* hervorgehen, dem bald ein dritter folgt, und dies wird *der Weg des Genius der Gesellschaft sein*, bis er nach Erschöpfung aller seiner Widersprüche, — ich setze voraus, was jedoch nicht bewiesen ist, daß der Widerspruch in der Menschheit einmal ein Ende haben werde, — mit einem Sprung auf alle seine früheren Positionen zurückkommt, und alle seine Aufgaben in *einer* einzigen Formel löst." (Bd. I, S. 133.)

Wie früher sich der *Gegensatz* in ein *Gegengift* verwandelte, so wird jetzt die *These* zur *Hypothese*. Dies Vertauschen der Worte kann uns bei Herrn Proudhon nicht wundernehmen. Die Vernunft der Menschheit, die nichts weniger als rein, da ihr Gesichtskreis beschränkt ist, stößt mit jedem Schritt auf neue zu lösende Aufgaben. Jede neue These, die sie in der absoluten Vernunft entdeckt, und die die Negation der vorhergehenden These ist, wird für sie zur Synthese, die sie ziemlich naiv für die Lösung der in Frage stehenden Aufgabe nimmt. So quält sich diese Vernunft in stets neuen Widersprüchen ab, bis sie am Ende dieser Widersprüche anlangt und merkt, daß alle ihre Thesen und Synthesen nichts anderes sind als sich widersprechende Hypothesen. In ihrer Verblüfftheit „kommt die menschliche Vernunft, der Genius der Gesellschaft, mit einem Sprung auf alle seine früheren

Positionen zurück und löst alle seine Aufgaben in einer einzigen Formel". Diese einzige Formel bildet beiläufig die veritable Entdeckung des Herrn Proudhon. Sie ist der *konstituierte Wert.*

Man macht Hypothesen nur im Hinblick auf ein bestimmtes Ziel. Das Ziel, welches sich der Genius der Gesellschaft, der durch den Mund des Herrn Proudhon spricht, in erster Linie setzte, war die Ausmerzung des Schlechten aus jeder ökonomischen Kategorie, um nur Gutes übrigzubehalten. Für ihn ist dies Gute das höchste Gut, das wahre praktische Ziel, — die *Gleichheit.* Und warum zog der Genius der Gesellschaft die Gleichheit der Ungleichheit, der Brüderlichkeit, dem Katholizismus, kurz jedem anderen Prinzip vor? Weil „die Menschheit eine solche Anzahl besonderer Hypothesen nach einander verwirklicht hat, nur mit Rücksicht auf eine höhere Hypothese", die eben die Gleichheit ist. Mit anderen Worten: weil die Gleichheit das Ideal des Herrn Proudhon ist. Er bildet sich ein, daß die Teilung der Arbeit, der Kredit, die Kooperation in der Werkstatt, kurz alle ökonomischen Verhältnisse nur erfunden worden sind zum Besten der Gleichheit, und doch sind sie schließlich stets zu ihrem Schaden ausgefallen. Wenn die Geschichte und die Fiktion des Herrn Proudhon einander auf Schritt und Tritt widersprechen, so schließt dieser, daß ein Widerspruch besteht. Wenn aber ein Widerspruch besteht, so besteht er nur zwischen seiner fixen Idee und den wirklichen Vorgängen.

Von jetzt ab ist die gute Seite eines ökonomischen Verhältnisses stets diejenige, welche die Gleichheit bekräftigt, die schlechte diejenige, welche sie verneint und die Ungleichheit stärkt. Jede neue Kategorie ist eine Hypothese des Genius der Gesellschaft behufs Ausmerzung der von der vorhergehenden Hypothese geschaffenen Ungleichheit. Mit einem Wort, die Gleichheit ist die *ursprüngliche Absicht,* die *mystische Tendenz,* das *providentielle Ziel,* welches der Genius der Gesellschaft beständig vor Augen hat, indem er sich im Zirkel der ökonomischen Widersprüche herumdreht. Daher ist auch die *Vorsehung* die Lokomotive, die das ökonomische Rüstzeug des Herrn Proudhon besser in Gang bringt als seine luftige, reine Vernunft. Er hat der Vorsehung ein ganzes Kapitel gewidmet, welches auf das über die Steuern folgt.

Vorsehung, providentielles Ziel, das ist das große Wort, dessen man sich heute bedient, um den Gang der Geschichte zu erklären. Tatsächlich erklärt dieses Wort nichts. Es ist höchstens eine rhetorische Form, eine der vielen Arten, die Tatsachen zu umschreiben.

Es ist Tatsache, daß der Grundbesitz in Schottland durch die Entwicklung der Industrie neuen Wert erhielt, diese Industrie eröffnete der Wolle neue Märkte. Um die Wolle im großen Maßstabe zu produzieren, mußte man das Ackerland in Weideland verwandeln. Um diese Umwandlung zu bewirken, mußte man die Güter konzentrieren. Um die Güter zu konzentrieren, mußte man die kleinen Pachtungen abschaffen, Tausende von Pächtern aus ihrer Heimat verjagen und an ihre Stelle einige Hirten setzen, die Millionen von Schafen bewachen. So hatte der Grundbesitz in Schottland infolge sukzessiver Umwandlungen das Resultat, daß Menschen durch Hammel verdrängt wurden. Man sage jetzt, daß es das providentielle Ziel der Institution des Grundbesitzes in Schottland war, Menschen durch Hammel verdrängen zu lassen, und man hat providentielle Geschichte getrieben.

Gewiß, die Tendenz zur Gleichheit ist unserem Jahrhundert eigen. Wer nun sagt, daß die vorhergegangenen Jahrhunderte mit vollständig verschiedenen Bedürfnissen, Produktionsmitteln etc. providentiell für die Verwirklichung der Gleichheit wirkten, der substituiert zunächst die Mittel und die Menschen unseres Jahrhunderts den Menschen und Mitteln der früheren Jahrhunderte und verkennt die historische Bewegung, mittelst deren die aufeinanderfolgenden Generationen die von den ihnen vorhergehenden Generationen erreichten Resultate umformten. Die Ökonomen wissen sehr gut, daß dasselbe Ding, das für den *einen* verarbeitetes Produkt, für den *anderen* nur Rohmaterial zu neuer Produktion ist.

Man nehme an, wie Herr Proudhon es tut, daß der Genius der Gesellschaft die Feudalherren in der providentiellen Absicht geschaffen oder vielmehr improvisiert habe, die *Zinsbauern* in *verantwortliche* und *gleichheitliche* Arbeiter zu verwandeln, und man wird eine Unterschiebung von

Zielen und Personen vollzogen haben, würdig der Vorsehung, welche in Schottland das Grundeigentum einführte, um sich das böswillige Vergnügen zu machen, Menschen durch Hammel zu ersetzen.

Da aber Herr Proudhon ein so zärtliches Interesse für die Vorsehung empfindet, so verweisen wir ihn auf die *Geschichte der politischen Ökonomie* des Herrn de Villeneuve Bargemont, der gleichfalls einem providentiellen Ziel nachläuft. Dieses Ziel ist nicht mehr die Gleichheit, sondern der Katholizismus.

Siebente und letzte Bemerkung

Die Ökonomen verfahren auf eine sonderbare Art. Es gibt für sie nur zwei Arten von Institutionen, künstliche und natürliche. Die Institutionen des Feudalismus sind künstliche Institutionen; die der Bourgeoisie natürliche. Sie gleichen darin den Theologen, die auch zwei Arten von Religionen unterscheiden. Jede Religion, die nicht die ihre ist, ist eine Erfindung der Menschen, während ihre eigene Religion eine Offenbarung Gottes ist. Wenn die Ökonomen sagen, daß die gegenwärtigen Verhältnisse — die Verhältnisse der bürgerlichen Produktion — natürliche sind, so geben sie damit zu verstehen, daß es Verhältnisse sind, in denen die Erzeugung des Reichtums und die Entwicklung der Produktivkräfte sich gemäß den Naturgesetzen vollziehen. Somit sind diese Verhältnisse selbst von dem Einfluß der Zeit unabhängige Naturgesetze. Es sind ewige Gesetze, welche stets die Gesellschaft zu regieren haben. Somit hat es eine Geschichte gegeben, aber es gibt keine mehr; es hat eine Geschichte gegeben, weil feudale Einrichtungen bestanden haben, und weil man in diesen feudalen Einrichtungen Produktionsverhältnisse findet, vollständig verschieden von denen der bürgerlichen Gesellschaft, welche die Ökonomen als natürliche und demgemäß ewige angesehen wissen wollen.

Auch der Feudalismus hatte sein Proletariat — die Leibeigenschaft, welche die Keime des Bürgertums enthielt. Auch die feudale Produktion hatte zwei antagonistische Elemente, die man gleichfalls als *gute* und *schlechte* Seite des Feudalismus bezeichnet, ohne zu berücksichtigen, daß es stets die schlechte

Seite ist, welche schließlich den Sieg über die gute Seite davonträgt. Die schlechte Seite ist es, welche die Bewegung ins Leben ruft, welche die Geschichte macht, dadurch, daß sie den Kampf zeitigt. Hätten zur Zeit der Herrschaft des Feudalismus die Ökonomen, begeistert von den ritterlichen Tugenden, von der schönen Harmonie zwischen Rechten und Pflichten, von dem patriarchalischen Leben der Städte, von dem Blühen der Hausindustrie auf dem Lande, von der Entwicklung der in Korporationen, Zünften, Innungen organisierten Industrie, mit einem Wort von *allem*, was die schöne Seite des Feudalismus bildet, sich das Problem gestellt, *alles* auszumerzen, was einen Schatten auf dies Bild wirft — Leibeigenschaft, Privilegien, Anarchie — wohin wäre sie damit gekommen? Man hätte alle Elemente vernichtet, welche den Kampf hervorriefen, man hätte die Entwicklung der Bourgeoisie im Keim erstickt. Man hätte sich das absurde Problem gestellt, die Geschichte auszustreichen.

Als die Bourgeoisie obenauf gekommen war, fragte man weder nach der guten noch nach der schlechten Seite des Feudalismus. Die Produktivkräfte, welche sich durch sie unter dem Feudalismus entwickelt hatten, fielen ihr zu. Alle alten ökonomischen Formen, die privatrechtlichen Beziehungen, welche ihnen entsprachen, der politische Zustand, welcher der offizielle Ausdruck der alten Gesellschaft war, wurden zerbrochen.

Will man somit die feudale Produktion richtig beurteilen, so muß man sie als eine auf den Gegensatz basierte Produktionsweise betrachten. Man muß zeigen, wie der Reichtum innerhalb dieses Gegensatzes produziert wurde, wie die Produktivkräfte sich gleichzeitig mit dem Widerstreit der Klassen entwickelten, wie die eine dieser Klassen, die schlechte Seite, das gesellschaftliche Übel, stets anwuchs, bis die materiellen Bedingungen ihrer Emanzipation zur Reife gediehen waren. Sagt das nicht deutlich genug, daß die Produktionsweise, die Verhältnisse, in denen die Produktivkräfte sich entwickeln, nichts weniger als ewige Gesetze sind, sondern einem bestimmten Entwicklungszustande der Menschen und ihrer Produktivkräfte entsprechen, und daß eine in den Produktivkräften der Menschen eingetretene Veränderung

notwendigerweise eine Veränderung in ihren Produktionsverhältnissen herbeiführt? Da es vor allen Dingen darauf
ankommt, nicht von den Früchten der Zivilisation, den erworbenen Produktivkräften ausgeschlossen zu sein, so wird
es notwendig, die überkommenen Formen, in welchen sie
geschaffen worden, zu zerbrechen. Von diesem Augenblick
an wird die revolutionäre Klasse konservativ.

Die Bourgeoisie beginnt mit einem Proletariat, das selbst
wiederum ein Überbleibsel des Proletariats des Feudalismus
ist. In dem Verlauf ihrer historischen Entwicklung entwik-
kelt die Bourgeoisie notwendigerweise ihren antagonistischen
Charakter, der sich bei ihrem ersten Auftreten mehr oder
minder verhüllt vorfindet, nur im latenten Zustande existiert.
In dem Maße, als die Bourgeoisie sich entwickelt, entwickelt
sich in ihrem Schoße ein neues Proletariat, ein modernes
Proletariat: es entwickelt sich ein Kampf zwischen der Pro-
letarierklasse und der Bourgeoisklasse, ein Kampf, der, bevor er auf beiden Seiten empfunden, bemerkt, gewürdigt,
begriffen, eingestanden und endlich laut proklamiert wird,
sich vorläufig nur in teilweisen und vorübergehenden Kon-
flikten, in Zerstörungswerken äußert. Andererseits, wenn
alle Angehörigen der modernen Bourgeoisie das gleiche Interesse haben, insoweit sie eine Klasse gegenüber einer anderen Klasse bilden, so haben sie entgegengesetzte, wider-
streitende Interessen, sobald sie selbst einander gegenüberstehen. Dieser Interessengegensatz geht aus den ökonomischen Bedingungen ihres bürgerlichen Lebens hervor. Von
Tag zu Tag wird es somit klarer, daß die Produktionsverhältnisse, in denen sich die Bourgeoisie bewegt, nicht einen
einheitlichen, einfachen Charakter haben, sondern einen
zwieschlächtigen; daß in denselben Verhältnissen, in denen
der Reichtum produziert wird, auch das Elend produziert
wird; daß in denselben Verhältnissen, in denen die Entwicklung der Produktivkräfte vor sich geht, sich eine Re-
pressionskraft entwickelt; daß diese Verhältnisse den *bürgerlichen Reichtum*, d. h. den Reichtum der Bourgeoisklasse nur erzeugen unter fortgesetzter Vernichtung des
Reichtums *einzelner Glieder* dieser Klasse und unter Schaffung eines stets wachsenden Proletariats.

Je mehr dieser gegensätzliche Charakter zutage tritt, desto mehr geraten die Ökonomen, die wissenschaftlichen Repräsentanten der bürgerlichen Produktion, mit ihrer eigenen Theorie in Widerspruch und verschiedene Schulen bilden sich.

Wir haben die *fatalistischen* Ökonomen, die in ihrer Theorie ebenso gleichgültig gegen das sind, was sie die Übelstände der bürgerlichen Produktionsweise nennen, als die Bourgeois selbst es in der Praxis sind gegenüber den Leiden der Proletarier, die ihnen die Reichtümer erwerben helfen. In dieser fatalistischen Schule gibt es Klassiker und Romantiker. Die Klassiker, wie Adam Smith und Ricardo, vertreten eine Bourgeoisie, die noch im Kampf mit den Resten der feudalen Gesellschaft, nur daran arbeitet, die ökonomischen Verhältnisse von den feudalen Flecken zu reinigen, die Produktivkräfte zu vermehren und der Industrie und dem Handel neue Triebkraft zu geben. Das an diesem Kampf teilnehmende Proletariat kennt, von dieser fieberhaften Arbeit absorbiert, nur vorübergehende zufällige Leiden, betrachtet sie selbst als solche. Die Ökonomen, wie Adam Smith und Ricardo, welche die Historiker dieser Epoche sind, haben lediglich die Mission, nachzuweisen, wie der Reichtum unter den Verhältnissen der bürgerlichen Produktion erworben wird; diese Verhältnisse in Kategorien, in Gesetze zu formulieren und nachzuweisen, um wie viel diese Gesetze, diese Kategorien für die Produktion der Reichtümer überlegen sind den Gesetzen und Kategorien der feudalen Gesellschaft. Das Elend ist in ihren Augen nur der Schmerz, der jede Geburt begleitet in der Natur wie in der Industrie.

Die Romantiker gehören unserer Epoche an, in der die Bourgeoisie sich im direkten Gegensatz mit dem Proletariat befindet, wo das Elend in ebenso großem Übermaße anwächst wie der Reichtum. Die Ökonomen spielen sich alsdann als blasierte Fatalisten auf und werfen von der Höhe ihres Standpunkts einen stolzen Blick der Verachtung auf die menschlichen Maschinen, die den Reichtum erzeugen. Sie wiederholen alle von ihren Vorläufern gegebenen Ausführungen, aber die Indifferenz, die bei jenen Naivität war, wird bei ihnen Koketterie.

Kommt alsdann die *humanitäre Schule*, welche sich die schlechte Seite der heutigen Produktionsverhältnisse zu Herzen nimmt. Diese sucht, um ihr Gewissen zu beruhigen, die wirklichen Kontraste, so gut es eben geht zu bemänteln, sie beklagt aufrichtig die Not des Proletariats, die zügellose Konkurrenz der Bourgeoisie unter sich; sie rät den Arbeitern, mäßig zu sein, fleißig zu arbeiten und wenig Kinder zu zeugen; sie empfiehlt den Bourgeois Überlegung in ihrem Produktionseifer. Die ganze Theorie dieser Schule besteht in endlosen Unterscheidungen zwischen Theorie und Praxis, zwischen den Prinzipien und den Resultaten, zwischen der Idee und der Anwendung, zwischen dem Inhalt und der Form, zwischen dem Wesen und der Wirklichkeit, zwischen dem Recht und der Tatsache, zwischen der guten und schlechten Seite.

Die *philanthropische Schule* ist die vervollkommte humanitäre Schule. Sie leugnet die Notwendigkeit des Gegensatzes, sie will aus allen Menschen Bourgeois machen, sie will die Theorie verwirklichen, soweit dieselbe sich von der Praxis unterscheidet und den Antagonismus nicht einschließt. Selbstverständlich ist es in der Theorie leicht, von den Widersprüchen zu abstrahieren, auf die man auf jeden Schritt in der Wirklichkeit stößt. Diese Theorie würde alsdann die idealisierte Wirklichkeit werden. Die Philanthropen wollen also die Kategorie erhalten, welche der Ausdruck der bürgerlichen Verhältnisse sind ohne den Widerspruch, der ihr Wesen ausmacht, und der von ihnen unzertrennlich ist. Sie bilden sich ein, ernsthaft die bürgerliche Praxis zu bekämpfen und sie sind mehr Bourgeois als die anderen.

Wie die *Ökonomen* die wissenschaftlichen Vertreter der Bourgeoisklasse sind, so sind die *Sozialisten* und *Kommunisten* die Theoretiker der Klasse des Proletariats. So lange das Proletariat noch nicht genügend entwickelt ist, um sich als Klasse zu konstituieren, und daher der Kampf des Proletariats mit der Bourgeoisie noch keinen politischen Charakter trägt, solange die Produktivkräfte noch im Schoße der Bourgeoisie selbst nicht genügend entwickelt sind, um die materiellen Bedingungen durchscheinen zu lassen, die notwendig sind zur Befreiung des Proletariats und zur Bildung einer neuen Gesellschaft, solange sind diese Theoretiker nur Utopisten, die, um den Bedürfnissen der unterdrückten Klasse abzuhelfen, Systeme ausdenken und nach einer regenerierenden Wissenschaft suchen. Aber in dem Maße, wie die Geschichte fortschreitet und mit ihr der Kampf des Proletariats sich deutlicher abzeichnet, haben sie nicht mehr nötig, die Wissenschaft in ihrem Kopf zu suchen; sie haben nur sich Rechenschaft abzulegen von dem, was sich vor ihren Augen abspielt und sich zum Organ desselben zu machen. Solange sie die Wissenschaft suchen und nur Systeme machen, so lange sie im Beginn des Kampfes sind, sehen sie im Elend nur das Elend, ohne die revolutionäre umstürzende Seite darin zu erblicken, welche die alte Gesellschaft über den Haufen werfen wird. Von diesem Augenblick an wird die Wissenschaft bewußtes Erzeugnis der historischen Bewegung, und sie hat aufgehört, doktrinär zu sein, sie ist revolutionär geworden.

Kehren wir zu Herrn Proudhon zurück.

Jedes ökonomische Verhältnis hat eine gute und eine schlechte Seite; das ist der einzige Punkt, in dem Herr Proudhon sich nicht selbst ins Gesicht schlägt. Die gute Seite sieht er von den Ökonomen hervorgehoben, die schlechte von den Sozialisten angeklagt. Er entlehnt den Ökonomen die Notwendigkeit der ewigen Verhältnisse; er entlehnt den Sozialisten die Illusion, in dem Elend nur das Elend zu erblicken. Er ist mit beiden einverstanden, wobei er sich auf die Autorität der Wissenschaft zu stützen sucht. Die Wissenschaft reduziert sich für ihn auf den zwergenhaften Umfang einer wissenschaftlichen Formel; er ist der Mann auf der Jagd nach Formeln. Demgemäß schmeichelt sich Herr Proudhon, die Kritik sowohl der politischen Ökonomie als des Kommunismus gegeben zu haben — er steht tief unter beiden. Unter dem Ökonomen, weil er als Philosoph, der eine magische Formel bei der Hand hat, sich erlassen zu können glaubt, in die rein ökonomischen Details einzugehen; unter den Sozialisten, weil er weder genügend Mut, noch genügend Einsicht besitzt, sich, und sei es auch nur spekulativ, über den Bourgeoishorizont zu erheben.

Er will die Synthese sein, und er ist ein zusammengesetzter

Irrtum, er will als Mann der Wissenschaft über Bourgeois und Proletariern schweben; er ist nur der Kleinbürger, der beständig zwischen dem Kapital und der Arbeit, zwischen der politischen Ökonomie und dem Kommunismus hin und her geworfen wird.

e. Arbeitsteilung[1]

Sehen wir nunmehr, wie er von der Arbeitsteilung, als allgemeinem Gesetz, als Kategorie, als Idee gefaßt, die *Unzuträglichkeiten* ableitet, die mit ihr verbunden sind. Wie kommt es, daß diese Kategorie, dieses Gesetz eine ungleiche Verteilung der Arbeit einschließt, zum Nachteil von Herrn Proudhons egalitärem System?

„Mit dieser feierlichen Stunde der Arbeitsteilung beginnt der Sturmwind über die Menschheit zu wehen. Der Fortschritt vollzieht sich nicht für alle auf eine gleiche und einheitliche Art . . . Er beginnt damit, sich einer kleinen Zahl von Privilegierten zu bemächtigen . . . Diese Bevorzugung von Personen von seiten des Fortschritts ist es, die so lange an die natürliche und providentielle Ungleichheit der Lebenslagen glauben gemacht, die Kasten ins Leben gerufen und alle Gesellschaften hierarchisch aufgebaut hat." (Proudhon Bd. I, S. 94.)

Die Arbeitsteilung hat die Kasten geschaffen: Nun sind aber die Kasten die Unzuträglichkeiten der Arbeitsteilung; also hat die Arbeitsteilung Unzuträglichkeiten geschaffen: *quod erat demonstrandum*. Will man weitergehen und fragen, was die Arbeitsteilung dahin brachte, die Kasten, die hierarchischen Konstitutionen und die Privilegien zu schaffen, so wird Herr Proudhon antworten: der Fortschritt. Und was hat den Fortschritt veranlaßt? Die Schranke. Die Schranke für Herrn Proudhon ist die Bevorzugung von Personen von seiten des Fortschritts.

Nach der Philosophie die Geschichte; aber weder die beschreibende, noch die dialektische, sondern die vergleichende Geschichte. Herr Proudhon zieht eine Parallele zwischen dem Buchdrucker von heute und dem Buchdrucker des Mittel-

---

[1] [Vgl. a. a. O. S. 114 ff.]

alters, zwischen dem Arbeiter der riesigen Hüttenwerke des Creuzot und dem Hufschmied auf dem Lande, zwischen dem Schriftsteller unserer Tage und dem Schriftsteller des Mittelalters, und er läßt die Wagschale auf Seite derer sinken, welche mehr oder weniger der Arbeitsteilung angehören, wie sie das Mittelalter erzeugt oder überliefert hat. Er stellt die Arbeitsteilung einer historischen Epoche der Arbeitsteilung einer anderen historischen Epoche gegenüber. War es das, was Herr Proudhon darzutun hatte? Nein. Er sollte uns die Unzuträglichkeiten der Arbeitsteilung im allgemeinen, der Arbeitsteilung als Kategorie zeigen. Wozu übrigens auf dieser Partie der Proudhonschen Werke beharren, da, wie wir sehen werden, er selbst ein wenig später alle diese angeblichen Entwicklungen ausdrücklich widerruft?

„Die erste Wirkung der zerstückelten Arbeit", fährt Herr Proudhon fort, „nächst der *Depravation der Seele*, ist die Verlängerung des Arbeitstages, der im umgekehrten Verhältnis zur Summe der verausgabten Intelligenz wächst ... Da jedoch die Dauer des Arbeitstages sechzehn bis achtzehn Stunden nicht überschreiten kann, so wird von dem Augenblick an, wo die Kompensation nicht mehr in der Form von Zeit genommen werden kann, sie auf den Preis genommen werden und der Lohn sinken ... Was feststeht und was lediglich hier zu vermerken gilt, ist, daß das *allgemeine Gewissen* die Arbeit eines Werkmeisters und die eines Handlangers nicht als gleichwertig taxiert. Die Herabsetzung des Preises des Arbeitstages wird hierdurch eine Notwendigkeit, so daß der Arbeiter, nachdem seine Seele durch eine degradierende Tätigkeit niedergedrückt ist, nicht umhin kann, auch in seinem Körper durch die Geringfügigkeit der Entlohnung getroffen zu werden." (Bd. I, S. 97, 98.)

Wir gehen weg über den logischen Wert dieser Syllogismen, die Kant abseitsführende Paralogismen genannt haben würde.

Dies der Inhalt:

Die Arbeitsteilung reduziert den Arbeiter auf eine degradierende Funktion. Dieser degradierenden Funktion entspricht eine depravierte Seele. Dieser Depravation der Seele entspricht eine stets wachsende Lohnsenkung. Und um zu

beweisen, daß diese Lohnsenkung einer depravierten Seele
entspricht, behauptet Herr Proudhon zur Beruhigung des
Gewissens, daß es das allgemeine Gewissen ist, welches es
so will. Zählt die Seele des Herrn Proudhon mit in dem
allgemeinen Gewissen?

Die *Maschinen* sind für Herrn Proudhon „der logische Gegensatz der Arbeitsteilung", und mit Hilfe seiner Dialektik
beginnt er damit, Maschine in *Werkstatt* umzuwandeln.

Nachdem er die moderne Werkstatt (die Fabrik) unterstellt
hat, um aus der Arbeitsteilung das Elend hervorgehen zu
lassen, setzt Herr Proudhon das durch die Arbeitsteilung ge-
schaffene Elend voraus, um zur Fabrik gelangen, und sie
als die dialektische Negation dieses Elends hinstellen zu können. Nachdem er den Arbeiter in moralischer Beziehung mit
einer *degradierenden Funktion*, in physischer mit der Geringfügigkeit des Lohnes bedacht hat, nachdem er den Arbeiter unter die *Abhängigkeit* vom *Werkführer* gestellt und
seine Arbeit auf die *Leistung* eines Handlangers herabgedrückt hat, schiebt er die Schuld von neuem auf Fabrik und
Maschinen, um den Arbeiter „dadurch, daß er ihm einen
Meister gibt", zu *degradieren*, und vollendet seine Erniedrigung dadurch, daß er ihn „von dem Range eines Handwer-
kers zu dem eines *Handlangers* sinken" läßt. Schöne Dialektik! Und wenn er hierbei noch stehen bliebe; aber nein,
er braucht eine neue Geschichte der Arbeitsteilung, nicht
mehr, um daraus die Widersprüche abzuleiten, sondern um
die Fabrik auf seine Art zu rekonstruieren. Um das zu erreichen, sieht er sich genötigt, alles zu vergessen, was er über
die Arbeitsteilung gesagt.

Die Arbeit organisiert und teilt sich verschieden, je nach
den Werkzeugen, über die sie verfügt. Die Handmühle setzt
eine andere Arbeitsteilung voraus als die Dampfmühle. Es
heißt somit der Geschichte ins Gesicht schlagen, wenn man
mit der Arbeitsteilung im allgemeinen beginnt, um in der
Folge zu einem speziellen Produktionsinstrument, den Maschinen, zu gelangen. Die Maschinen sind ebensowenig eine
ökonomische Kategorie als der Ochse, der den Pflug zieht,
sie sind nur eine Produktivkraft. Die moderne Fabrik, die
auf der Anwendung von Maschinen beruht, ist ein gesell-

schaftliches Produktionsverhältnis, eine ökonomische Kategorie [. . .]

Untersuchen[1] wir nunmehr vom historischen und ökonomischen Gesichtspunkte aus, ob die Fabrik und die Maschine in der Tat das *Autoritätsprinzip* später als die Arbeitsteilung in die Gesellschaft eingeführt hat; ob auf der einen Seite der Arbeiter rehabilitiert worden ist, trotzdem daß er auf der anderen Seite der Autorität unterworfen wurde; ob die Maschine die Rekomposition der geteilten Arbeit, die ihrer *Analyse* entgegengesetzte *Synthese* der Arbeit ist.

Die Gesellschaft als Ganzes hat das mit dem Innern einer Fabrik gemein, daß auch sie ihre Arbeitsteilung hat. Nimmt man die Arbeitsteilung in einer modernen Fabrik als Beispiel, um sie auf eine ganze Gesellschaft anzuwenden, so wäre unzweifelhaft diejenige Gesellschaft am besten für die Produktion ihres Reichtums organisiert, welche nur einen einzigen Unternehmer als Führer hätte, der nach einer im voraus festgesetzten Ordnung die Funktionen unter die verschiedenen Mitglieder der Gemeinschaft verteilt. Aber dem ist keineswegs so. Während innerhalb der modernen Fabrik die Arbeitsteilung durch die Autorität des Unternehmers bis ins einzelste geregelt ist, kennt die moderne Gesellschaft keine andere Regel, keine andere Autorität für die Verteilung der Arbeit als die freie Konkurrenz.

Unter dem patriarchalischen Regime, unter dem Regime der Kasten, des feudalen und Zunftsystems, gab es Arbeitsteilung in der ganzen Gesellschaft nach bestimmten Regeln. Sind diese Regeln von einem Gesetzgeber angeordnet worden? Nein. Ursprünglich aus den Bedingungen der materiellen Produktion hervorgegangen, wurden sie erst viel später zum Gesetz erhoben. So wurden diese verschiedenen Formen der Arbeitsteilung ebenso viele Grundlagen sozialer Organisationen. Was die Arbeitsteilung in der Werkstatt anbetrifft, so war sie in allen diesen Gesellschaftsformen sehr wenig entwickelt.

Man kann als allgemeine Regel aufstellen: Je weniger die Autorität der Teilung der Arbeit innerhalb der Gesellschaft

[1] [Vgl. a. a. O. S. 119 ff.]

vorsteht, desto mehr entwickelt sich die Arbeitsteilung im Innern der Werkstatt, und um so mehr ist sie der Autorität eines Einzelnen unterworfen. Danach steht die Autorität in der Werkstatt und die in der Gesellschaft, in bezug auf die Arbeitsteilung, im umgekehrten Verhältnis zueinander. Es kommt nunmehr darauf an, nachzusehen, was das für eine Werkstatt ist, in der die Beschäftigungen sehr getrennt sind, wo die Aufgabe jedes Arbeiters auf eine sehr einfache Operation reduziert ist, und wo die Autorität, das Kapital, die Arbeiter gruppiert und leitet. Wie ist diese Werkstatt, die Fabrik entstanden? Um diese Frage zu beantworten, haben wir zu prüfen, wie die eigentliche Manufakturindustrie sich entwickelt hat. Ich spreche hier von jener Industrie, die noch nicht die moderne große Industrie mit ihren Maschinen ist, die aber bereits weder die Industrie des Mittelalters, noch die Hausindustrie mehr ist. Wir wollen nicht zu sehr ins Detail eingehen, wir wollen nur einige Hauptpunkte feststellen, um zu zeigen, wie man mit Formeln noch keine Geschichte macht.

Eine der unerläßlichsten Bedingungen für die Bildung der Manufakturindustrie war die Akkumulation der Kapitalien, erleichtert durch die Entdeckung Amerikas und die Einfuhr seiner Edelmetalle.

Es ist hinlänglich erwiesen, daß die Vermehrung der Tauschmittel zur Folge hatte einerseits die Entwertung der Löhne und Grundrenten und andererseits die Vermehrung der industriellen Profite. Mit anderen Worten: um so viel, als die Klasse der Grundbesitzer und die Klasse der Arbeiter, die Feudalherren und das Volk sanken, um so viel hob sich die Klasse der Kapitalisten, die Bourgeoisie.

Es gab noch andere Umstände, die gleichzeitig zur Entwicklung der Manufakturindustrie beitrugen: die Vermehrung der auf den Markt gebrachten Waren, sobald einmal die Verbindung mit Ostindien auf dem Seewege um das Kap der guten Hoffnung hergestellt war, ferner das Kolonialsystem und die Entwicklung des Seehandels.

Eine andere Seite, die in der Geschichte der Manufakturindustrie noch nicht genügend gewürdigt wurde, ist die Entlassung der zahlreichen Gefolgschaften der Feudalherren, deren untergeordnete Angehörige Landstreicher wurden, ehe sie in die Werkstatt eintraten. Der Schöpfung der in die Fabrik übergehenden Werkstatt ging im 15. und 16. Jahrhundert ein fast universelles Landstreichertum voraus. Die Werkstatt fand ferner einen mächtigen Rückhalt in den zahlreichen Landleuten, die infolge der Umwandlung der Äcker in Wiesen und infolge der Fortschritte in der Landwirtschaft, die weniger Arbeiter für die Bearbeitung der Äcker nötig machten, fortgesetzt aus dem Dienst gejagt wurden und ganze Jahrhunderte hindurch in die Städte strömten.

Das Anwachsen des Marktes, die Akkumulation von Kapitalien, die in der sozialen Stellung der Klassen eingetretenen Veränderungen, eine Menge von Personen, die sich ihrer Einnahmequellen beraubt sehen, das sind ebenso viele historische Verbindungen für die Entstehung der Manufaktur. Es waren nicht, wie Herr Proudhon sagt, freundschaftliche Vereinbarungen und dergleichen, welche die Menschen in Werkstätten und Fabriken vereinigten. Nicht einmal im Schoß der alten Zünfte ist die Manufaktur erwachsen. Der Kaufmann war es, der der Prinzipal der modernen Werkstatt wurde und nicht der alte Zunftmeister. Fast überall herrschte ein erbitterter Kampf zwischen Manufaktur und Handwerk.

Die Akkumulation, die Konzentration von Werkzeugen und Arbeitern ging der Entwicklung der Arbeitsteilung im Inneren des Ateliers voraus. Eine Manufaktur bestand weit mehr in der Vereinigung vieler Arbeiter und vieler Handwerker in einem und demselben Lokal, in einem Saal unter dem Kommando eines Kapitals, als in der Auflösung der Arbeiten und der Anpassung eines speziellen Arbeiters an eine sehr einfache Aufgabe.

Der Nutzen einer Fabrikwerkstatt bestand viel weniger in der eigentlichen Arbeitsteilung als in dem Umstande, daß man in größerem Maßstabe arbeitete, viele unnütze Kosten sparte usw. Ende des 16. und Anfang des 17. Jahrhunderts kannte die holländische Manufaktur die Teilung der Arbeit noch kaum.

Die Entwicklung der Arbeitsteilung setzt die Vereinigung der Arbeiter in einer Werkstatt voraus. Es gibt sogar nicht ein einziges Beispiel dafür, weder im 16. noch im 17. Jahrhundert, daß die verschiednen Zweige eines und desselben Handwerks in dem Maße getrennt betrieben wurden, daß es genügt hätte, sie in einem Ort zu vereinigen, um damit die Fabrikwerkstatt fix und fertig herzustellen. Aber einmal die Menschen und Werkzeuge vereinigt, reproduzierte sich die Arbeitsteilung, wie sie zur Zeit der Zünfte bestanden und spiegelt sich notwendig im Innern der Fabrikwerkstatt wieder.

Für Herrn Proudhon, der die Dinge auf dem Kopf stehend sieht, wenn er sie überhaupt sieht, geht die Arbeitsteilung im Sinne von Adam Smith der Fabrikwerkstatt, die eigentlich ihre Existenzbedingung ist, voraus.

Die eigentlichen *Maschinen* datieren seit dem Ende des 18. Jahrhunderts. Nichts abgeschmackter als in den Maschinen die *Antithese* der Arbeitsteilung zu erblicken, die *Synthese*, die die Einheit in der zerstückelten Arbeit wieder herstellt. Die Maschine ist eine Vereinigung von Arbeitswerkzeugen und keineswegs eine Verbindung der Arbeiten für den Arbeiter selbst. „Wenn durch die Arbeitsteilung jede besondere Arbeitsleistung auf die Handhabung eines einfachen Instruments reduziert wurde, so bildet die Vereinigung aller dieser, durch einen einzigen Motor in Bewegung gesetzten Werkzeuge, eine Maschine." (Babbage, Traité sur l'économie des machines, Paris 1833.) Einfache Werkzeuge; Akkumulation von Werkzeugen, zusammengesetzte Werkzeuge; In-Bewegung-Setzen eines zusammengesetzten Werkzeuges durch einen einzigen Handmotor, den Menschen; In-Bewegung-Setzen dieser Instrumente durch die Naturkräfte; Maschinen; System von Maschinen, die nur einen Motor haben; System von Maschinen, die einen automatischen Motor haben, — das ist die Entwicklung der Maschine.

Die Konzentration der Produktionsinstrumente und die Arbeitsteilung sind ebenso untrennbar voneinander als auf dem Gebiete der Politik die Zentralisation der öffentlichen Gewalten und die Teilung der Privatinteressen. England mit seiner Konzentrierung des Grund und Bodens, dieses Werkzeug der agrikolen Arbeit, hat ebenfalls die Arbeitsteilung in der Agrikultur und die Anwendung der Maschi-

nerie beim Landbau. Frankreich, welches die Teilung des
Werkzeugs, des Bodens, hat, das Parzellensystem, hat im
allgemeinen weder Arbeitsteilung in der Agrikultur noch
Anwendung von Maschinen beim Landbau.

f. Koalitionen[1]

Die ersten Versuche der Arbeiter, sich untereinander zu as-
soziieren, nehmen stets die Form von Koalitionen an.
Die Großindustrie bringt eine Menge einander unbekannter
Leute an einem Ort zusammen. Die Konkurrenz spaltet sie
in ihren Interessen; aber die Aufrechterhaltung des Lohnes,
dieses gemeinsame Interesse *gegenüber* ihrem Meister, vereinigt sie in einem gemeinsamen Gedanken des Widerstandes — *Koalition*. So hat die Koalition stets einen doppelten
Zweck, den, die Konkurrenz der Arbeiter unter sich aufzuheben, um dem Kapitalisten eine allgemeine Konkurrenz
machen zu können. Wenn der erste Zweck des Widerstandes
nur die Aufrechterhaltung der Löhne war, so formieren sich
die anfangs isolierten Koalitionen in dem Maße, als die Kapitalisten ihrerseits sich behufs der Repression vereinigen,
zu Gruppen, und gegenüber dem stets vereinigten Kapital
wird die Aufrechterhaltung der Assoziationen notwendiger
für sie als die des Lohnes. Das ist so wahr, daß die englischen Ökonomen ganz erstaunt sind, zu sehen, wie die Arbeiter einen großen Teil ihres Lohnes zugunsten von Assoziationen opfern, die in den Augen der Ökonomen nur zugunsten des Lohnes errichtet wurden. In diesem Kampfe —
ein veritabler Bürgerkrieg — vereinigen und entwickeln sich
alle Elemente für eine kommende Schlacht. Einmal auf
diesem Punkte angelangt, nimmt die Koalition einen politischen Charakter an.
Die ökonomischen Verhältnisse haben zuerst die Masse der
Bevölkerung in Arbeiter verwandelt. Die Herrschaft des Kapitals hat für diese Masse eine gemeinsame Situation, gemeinsame Interessen geschaffen. So ist diese Masse bereits eine
Klasse gegenüber dem Kapital, aber noch nicht für sich selbst.

[1] [Vgl. a. a. O. S. 161 ff.]

In dem Kampf, den wir nur in einigen Phasen gekennzeichnet haben, findet sich diese Masse zusammen, konstituiert sie sich als Klasse für sich selbst. Die Interessen, welche sie verteidigt, werden Klasseninteressen. Aber der Kampf von Klasse gegen Klasse ist ein politischer Kampf.

Mit Bezug auf die Bourgeoisie haben wir zwei Phasen zu unterscheiden: die, während derer sie sich unter der Herrschaft des Feudalismus und der absoluten Monarchie als Klasse konstituierte, und die, wo sie bereits als Klasse konstituiert, die Feudalherrschaft und die Monarchie umstürzte, um die Gesellschaft zu einer Bourgeoisiegesellschaft zu gestalten. Die erste dieser Phasen war die längere und erforderte die größeren Anstrengungen. Auch das Bürgertum hatte mit partiellen Koalitionen gegen die Feudalherren begonnen.

Man hat viel Untersuchungen angestellt, um den verschiedenen historischen Phasen nachzuspüren, welche die Bourgeoisie von der Stadtgemeinde an bis zu ihrer Konstituierung als Klasse durchlaufen hat. Aber wenn es sich darum handelt, sich genau Rechenschaft abzulegen über die Strikes, Koalitionen und die anderen Formen, unter welchen die Proletarier vor unseren Augen ihre Organisation als Klasse vollziehen, so werden die einen von einer wirklichen Furcht befallen, während die anderen eine *transzendentale* Geringschätzung an den Tag legen.

Eine unterdrückte Klasse ist die Lebensbedingung jeder auf den Klassengegensatz begründeten Gesellschaft. Die Befreiung der unterdrückten Klasse schließt also notwendigerweise die Schaffung einer neuen Gesellschaft ein. Soll die unterdrückte Klasse sich befreien können, so muß eine Stufe erreicht sein, auf der die bereits erworbenen Produktivkräfte und die geltenden gesellschaftlichen Einrichtungen nicht mehr nebeneinander bestehen können. Von allen Produktionsinstrumenten ist die größte Produktivkraft die revolutionäre Klasse selbst. Die Organisation der revolutionären Elemente als Klasse setzt die fertige Existenz aller Produktivkräfte voraus, die sich überhaupt im Schoß der alten Gesellschaft entfalten konnten.

Heißt dies, daß es nach dem Sturz der alten Gesellschaft

eine neue Klassenherrschaft geben wird, die in einer neuen politischen Gewalt gipfelt? Nein.

Die Bedingung der Befreiung der arbeitenden Klasse ist die Abschaffung jeder Klasse, wie die Bedingung der Befreiung des dritten Standes, der bürgerlichen Ordnung, die Abschaffung aller Stände [1] war.

Die arbeitende Klasse wird im Laufe der Entwicklung an die Stelle der alten bürgerlichen Gesellschaft eine Assoziation setzen, welche die Klassen und ihren Gegensatz ausschließt, und es wird keine eigentliche politische Gewalt mehr geben, weil gerade die politische Gewalt der offizielle Ausdruck des Klassengegensatzes innerhalb der bürgerlichen Gesellschaft ist.

Inzwischen ist der Gegensatz zwischen Proletariat und Bourgeoisie ein Kampf von Klasse gegen Klasse, ein Kampf, der auf seinen höchsten Ausdruck gebracht, eine totale Revolution bedeutet. Braucht man sich übrigens zu wundern, daß eine auf den *Klassengegensatz* begründete Gesellschaft auf den brutalen *Widerspruch* hinausläuft, auf den Zusammenstoß Mann gegen Mann, als letzte Lösung?

Man sage nicht, daß die gesellschaftliche Bewegung die politische ausschließt. Es gibt keine politische Bewegung, die nicht gleichzeitig auch eine gesellschaftliche wäre.

Nur bei einer Ordnung der Dinge, wo es keine Klassen und keinen Klassengegensatz gibt, werden die *gesellschaftlichen Evolutionen* aufhören *politische Revolutionen* zu sein. Bis dahin wird am Vorabend jeder allgemeinen Neugestaltung der Gesellschaft das letzte Wort der sozialen Wissenschaft stets lauten:

> *Kampf oder Tod; blutiger Krieg oder das Nichts. So ist*
> *die Frage unerbittlich gestellt.*   (George Sand.)

---

[1] Stände hier im historischen Sinn der Stände des Feudalstaats, Stände mit bestimmten und begrenzten Vorrechten. Die Revolution der Bourgeoisie schaffte die Stände samt ihren Vorrechten ab. Die bürgerliche Gesellschaft kennt nur noch *Klassen*. Es war daher durchaus im Widerspruch mit der Geschichte, wenn das Proletariat als „vierter Stand" bezeichnet worden ist.   F. E.

X

MANIFEST
DER KOMMUNISTISCHEN PARTEI

Ein Gespenst geht um in Europa — das Gespenst des Kommunismus. Alle Mächte des alten Europa haben sich zu einer heiligen Hetzjagd gegen dies Gespenst verbündet, der Papst und der Zar, Metternich und Guizot, französische Radikale und deutsche Polizisten.

Wo ist die Oppositionspartei, die nicht von ihren regierenden Gegnern als kommunistisch verschrien worden wäre, wo die Oppositionspartei, die den fortgeschritteneren Oppositionsleuten sowohl wie ihren reaktionären Gegnern den brandmarkenden Vorwurf des Kommunismus nicht zurückgeschleudert hätte?

Zweierlei geht aus dieser Tatsache hervor.

Der Kommunismus wird bereits von allen europäischen Mächten als eine Macht anerkannt.

Es ist hohe Zeit, daß die Kommunisten ihre Anschauungsweise, ihre Zwecke, ihre Tendenzen vor der ganzen Welt offen darlegen und dem Märchen vom Gespenst des Kommunismus ein Manifest der Partei selbst entgegenstellen.

Zu diesem Zweck haben sich Kommunisten der verschiedensten Nationalität in London versammelt und das folgende Manifest entworfen, das in englischer, französischer, deutscher, italienischer, flämischer und dänischer Sprache veröffentlicht wird.

I.

Bourgeois und Proletarier

Die Geschichte aller bisherigen Gesellschaft ist die Geschichte von Klassenkämpfen.

Freier und Sklave, Patrizier und Plebejer, Baron und Leibeigener, Zunftbürger und Gesell, kurz, Unterdrücker und Unterdrückte standen in stetem Gegensatz zueinander, führten einen ununterbrochenen, bald versteckten, bald offenen Kampf, einen Kampf, der jedesmal mit einer revolutionären Umgestaltung der ganzen Gesellschaft endete oder mit dem gemeinsamen Untergang der kämpfenden Klassen.

In den früheren Epochen der Geschichte finden wir fast überall eine vollständige Gliederung der Gesellschaft in verschiedene Stände, eine mannigfaltige Abstufung der gesellschaftlichen Stellungen. Im alten Rom haben wir Patrizier, Ritter, Plebejer, Sklaven; im Mittelalter Feudalherren, Vasallen, Zunftbürger, Gesellen, Leibeigene und noch dazu in fast jeder dieser Klassen wieder besondere Abstufungen.

Die aus dem Untergang der feudalen Gesellschaft hervorgegangene moderne bürgerliche Gesellschaft hat die Klassengegensätze nicht aufgehoben. Sie hat nur neue Klassen, neue Bedingungen der Unterdrückung, neue Gestaltungen des Kampfes an die Stelle der alten gesetzt.

Unsere Epoche, die Epoche der Bourgeoisie, zeichnet sich jedoch dadurch aus, daß sie die Klassengegensätze vereinfacht hat. Die ganze Gesellschaft spaltet sich mehr und mehr in zwei große feindliche Lager, in zwei große, einander direkt gegenüberstehende Klassen: Bourgeoisie und Proletariat.

Aus den Leibeigenen des Mittelalters gingen die Pfahlbürger der ersten Städte hervor; aus dieser Pfahlbürgerschaft entwickelten sich die ersten Elemente der Bourgeoisie.

Die Entdeckung Amerikas, die Umschiffung Afrikas schufen der aufkommenden Bourgeoisie ein neues Terrain. Der ostindische und chinesische Markt, die Kolonisierung von Amerika, der Austausch mit den Kolonien, die Vermehrung der Tauschmittel und der Waren überhaupt gaben dem Handel, der Schiffahrt, der Industrie einen nie gekannten Aufschwung und damit dem revolutionären Element in der zerfallenden feudalen Gesellschaft eine rasche Entwicklung.

Die bisherige feudale oder zünftige Betriebsweise der Industrie reichte nicht mehr aus für den mit neuen Märkten anwachsenden Bedarf. Die Manufaktur trat an ihre Stelle. Die Zunftmeister wurden verdrängt durch den industriellen Mittelstand; die Teilung der Arbeit zwischen den verschiedenen Korporationen verschwand vor der Teilung der Arbeit in der einzelnen Werkstatt selbst.

Aber immer wuchsen die Märkte, immer stieg der Bedarf. Auch die Manufaktur reichte nicht mehr aus. Da revolutionierte der Dampf und die Maschinerie die industrielle Produktion. An die Stelle der Manufaktur trat die moderne große Industrie, an die Stelle des industriellen Mittelstandes traten die industriellen Millionäre, die Chefs ganzer industrieller Armeen, die modernen Bourgeois.

Die große Industrie hat den Weltmarkt hergestellt, den die Entdeckung Amerikas vorbereitete. Der Weltmarkt hat dem Handel, der Schiffahrt, den Landkommunikationen eine unermeßliche Entwicklung gegeben. Diese hat wieder auf die Ausdehnung der Industrie zurückgewirkt, und in demselben Maße, worin Industrie, Handel, Schiffahrt, Eisenbahnen sich ausdehnten, in demselben Maße entwickelte sich die Bourgeoisie, vermehrte sie ihre Kapitalien, drängte sie alle vom Mittelalter her überlieferten Klassen in den Hintergrund.

Wir sehen also, wie die moderne Bourgeoisie selbst das Produkt eines langen Entwicklungsganges, einer Reihe von Umwälzungen in der Produktions- und Verkehrsweise ist.

Jede dieser Entwicklungsstufen der Bourgeoisie war begleitet von einem entsprechenden politischen Fortschritt. Unterdrückter Stand unter der Herrschaft der Feudalherren, bewaffnete und sich selbst verwaltende Assoziation in der Kommune, hier unabhängige städtische Republik, dort dritter steuerpflichtiger Stand der Monarchie, dann zur Zeit der Manufaktur Gegengewicht gegen den Adel in der ständischen oder in der absoluten Monarchie, Hauptgrundlage der großen Monarchien überhaupt, erkämpfte sie sich endlich seit der Herstellung der großen Industrie und des Weltmarktes im modernen Repräsentativstaat die ausschließliche politische Herrschaft. Die moderne Staatsgewalt ist nur ein Ausschuß, der die gemeinschaftlichen Geschäfte der ganzen Bourgeoisieklasse verwaltet.

Die Bourgeoisie hat in der Geschichte eine höchst revolutionäre Rolle gespielt.

Die Bourgeoisie, wo sie zur Herrschaft gekommen, hat alle

feudalen, patriarchalischen, idyllischen Verhältnisse zerstört. Sie hat die buntscheckigen Feudalbande, die den Menschen an seinen natürlichen Vorgesetzten knüpften, unbarmherzig zerrissen und kein anderes Band zwischen Mensch und Mensch übriggelassen, als das nackte Interesse, als die gefühllose „bare Zahlung". Sie hat die heiligen Schauer der frommen Schwärmerei, der ritterlichen Begeisterung, der spießbürgerlichen Wehmut in dem eiskalten Wasser egoistischer Berechnung ertränkt. Sie hat die persönliche Würde in den Tauschwert aufgelöst und an die Stelle der zahllosen verbrieften und wohlerworbenen Freiheiten die eine gewissenlose Handelsfreiheit gesetzt. Sie hat, mit einem Wort, an die Stelle der mit religiösen und politischen Illusionen verhüllten Ausbeutung die offene, unverschämte, direkte, dürre Ausbeutung gesetzt.

Die Bourgeoisie hat alle bisher ehrwürdigen und mit frommer Scheu betrachteten Tätigkeiten ihres Heiligenscheines entkleidet. Sie hat den Arzt, den Juristen, den Pfaffen, den Poeten, den Mann der Wissenschaft in ihre bezahlten Lohnarbeiter verwandelt.

Die Bourgeoisie hat dem Familienverhältnis seinen rührend-sentimentalen Schleier abgerissen und es auf ein reines Geldverhältnis zurückgeführt.

Die Bourgeoisie hat enthüllt, wie die brutale Kraftäußerung, die die Reaktion so sehr am Mittelalter bewundert, in der trägsten Bärenhäuterei ihre passende Ergänzung fand. Erst sie hat bewiesen, was die Tätigkeit der Menschen zustande bringen kann. Sie hat ganz andere Wunderwerke vollbracht als ägyptische Pyramiden, römische Wasserleitungen und gotische Kathedralen, sie hat ganz andere Züge ausgeführt, als Völkerwanderungen und Kreuzzüge.

Die Bourgeoisie kann nicht existieren, ohne die Produktionsinstrumente, also die Produktionsverhältnisse, also sämtliche gesellschaftlichen Verhältnisse fortwährend zu revolutionieren. Unveränderte Beibehaltung der alten Produktionsweise war dagegen die erste Existenzbedingung aller früheren industriellen Klassen. Die fortwährende Umwälzung der Produktion, die ununterbrochene Erschütterung aller gesellschaftlichen Zustände, die ewige Unsicherheit und Bewe-

gung zeichnet die Bourgeoisepoche vor allen anderen aus.
Alle festen, eingerosteten Verhältnisse mit ihrem Gefolge
von altehrwürdigen Vorstellungen und Anschauungen werden aufgelöst, alle neugebildeten veralten, ehe sie verknö-
chern können. Alles Ständische und Stehende verdampft,
alles Heilige wird entweiht, und die Menschen sind endlich
gezwungen, ihre Lebensstellung, ihre gegenseitigen Beziehungen mit nüchternen Augen anzusehen.

Das Bedürfnis nach einem stets ausgedehnteren Absatz für
ihre Produkte jagt die Bourgeoisie über die ganze Erdkugel.
Überall muß sie sich einnisten, überall anbauen, überall
Verbindungen herstellen.

Die Bourgeoisie hat durch ihre Exploitation des Weltmarktes die Produktion und Konsumtion aller Länder kosmopolitisch gestaltet. Sie hat zum großen Bedauern der Reaktionäre den nationalen Boden der Industrie unter den Füßen weggezogen. Die uralten nationalen Industrien sind
vernichtet worden und werden noch täglich vernichtet. Sie
werden verdrängt durch neue Industrien, deren Einführung
eine Lebensfrage für alle zivilisierten Nationen wird, durch
Industrien, die nicht mehr einheimische Rohstoffe, sondern
den entlegensten Zonen angehörige Rohstoffe verarbeiten
und deren Fabrikate nicht nur im Lande selbst, sondern in
allen Weltteilen zugleich verbraucht werden. An die Stelle
der alten, durch Landeserzeugnisse befriedigten Bedürfnisse
treten neue, welche die Produkte der entferntesten Länder
und Klimate zu ihrer Befriedigung erheischen. An die Stelle
der alten lokalen und nationalen Selbstgenügsamkeit und
Abgeschlossenheit tritt ein allseitiger Verkehr, eine allseitige
Abhängigkeit der Nationen voneinander. Und wie in der
materiellen, so auch in der geistigen Produktion. Die geistigen Erzeugnisse der einzelnen Nationen werden Gemeingut. Die nationale Einseitigkeit und Beschränktheit wird
mehr und mehr unmöglich, und aus den vielen nationalen
und lokalen Literaturen bildet sich eine Weltliteratur.

Die Bourgeoisie reißt durch die rasche Verbesserung aller
Produktionsinstrumente, durch die unendlich erleichterten
Kommunikationen alle, auch die barbarischsten Nationen
in die Zivilisation. Die wohlfeilen Preise ihrer Waren sind

die schwere Artillerie, mit der sie alle chinesischen Mauern in den Grund schießt, mit der sie den hartnäckigsten Fremdenhaß der Barbaren zur Kapitulation zwingt. Sie zwingt alle Nationen, die Produktionsweise der Bourgeoisie sich anzueignen, wenn sie nicht zugrunde gehen wollen; sie zwingt sie, die sogenannte Zivilisation bei sich selbst einzuführen, d. h. Bourgeois zu werden. Mit einem Wort, sie schafft sich eine Welt nach ihrem eigenen Bilde.

Die Bourgeoisie hat das Land der Herrschaft der Stadt unterworfen. Sie hat enorme Städte geschaffen, sie hat die Zahl der städtischen Bevölkerung gegenüber der ländlichen in hohem Grade vermehrt und so einen bedeutenden Teil der Bevölkerung dem Idiotismus des Landlebens entrissen. Wie sie das Land von der Stadt, hat sie die barbarischen und halb barbarischen Länder von den zivilisierten, die Bauernvölker von den Bourgeoisvölkern, den Orient vom Okzident abhängig gemacht.

Die Bourgeoisie hebt mehr und mehr die Zersplitterung der Produktionsmittel, des Besitzes und der Bevölkerung auf. Sie hat die Bevölkerung agglomeriert, die Produktionsmittel zentralisiert und das Eigentum in wenigen Händen konzentriert. Die notwendige Folge hiervon war die politische Zentralisation. Unabhängige, fast nur verbündete Provinzen mit verschiedenen Interessen, Gesetzen, Regierungen und Zöllen wurden zusammengedrängt in *eine* Nation, *eine* Regierung, *ein* Gesetz, *ein* nationales Klasseninteresse, *eine* Douanenlinie.

Die Bourgeoisie hat in ihrer kaum hundertjährigen Klassenherrschaft massenhaftere und kolossalere Produktionskräfte geschaffen, als alle vergangenen Generationen zusammen. Unterjochung der Naturkräfte, Maschinerie, Anwendung der Chemie auf Industrie und Ackerbau, Dampfschiffahrt, Eisenbahnen, elektrische Telegraphen, Urbarmachung ganzer Weltteile, Schiffbarmachung der Flüsse, ganze aus dem Boden hervorgestampfte Bevölkerungen — welches frühere Jahrhundert ahnte, daß solche Produktionskräfte im Schoße der gesellschaftlichen Arbeit schlummerten?

Wir haben also gesehen: Die Produktions- und Verkehrsmittel, auf deren Grundlage sich die Bourgeoisie heranbildete, wurden in der feudalen Gesellschaft erzeugt. Auf einer gewissen Stufe der Entwicklung dieser Produktions- und Verkehrsmittel entsprachen die Verhältnisse, worin die feudale Gesellschaft produzierte und austauschte, die feudale Organisation der Agrikultur und Manufaktur, mit einem Wort die feudalen Eigentumsverhältnisse den schon entwickelten Produktivkräften nicht mehr. Sie hemmten die Produktion, statt sie zu fördern. Sie verwandelten sich in ebenso viele Fesseln. Sie mußten gesprengt werden, sie wurden gesprengt.

An ihre Stelle trat die freie Konkurrenz mit der ihr angemessenen gesellschaftlichen und politischen Konstitution, mit der ökonomischen und politischen Herrschaft der Bourgeoisklasse.

Unter unseren Augen geht eine ähnliche Bewegung vor. Die bürgerlichen Produktions- und Verkehrsverhältnisse, die bürgerlichen Eigentumsverhältnisse, die moderne bürgerliche Gesellschaft, die so gewaltige Produktions- und Verkehrsmittel hervorgezaubert hat, gleicht dem Hexenmeister, der die unterirdischen Gewalten nicht mehr zu beherrschen vermag, die er heraufbeschwor. Seit Dezennien ist die Geschichte der Industrie und des Handels nur die Geschichte der Empörung der modernen Produktivkräfte gegen die modernen Produktionsverhältnisse, gegen die Eigentumsverhältnisse, welche die Lebensbedingungen der Bourgeoisie und ihrer Herrschaft sind. Es genügt, die Handelskrisen zu nennen, welche in ihrer periodischen Wiederkehr immer drohender die Existenz der ganzen bürgerlichen Gesellschaft in Frage stellen. In den Handelskrisen wird ein großer Teil nicht der erzeugten Produkte, sondern der bereits geschaffenen Produktivkräfte regelmäßig vernichtet. In den Krisen bricht eine gesellschaftliche Epidemie aus, welche allen früheren Epochen als ein Widersinn erschienen wäre — die Epidemie der Überproduktion. Die Gesellschaft findet sich plötzlich in einen Zustand momentaner Barbarei zurückversetzt; eine Hungersnot, ein allgemeiner Vernichtungskrieg scheinen ihr alle Lebensmittel abgeschnitten zu haben; die Industrie, der Handel scheinen vernichtet, und warum? Weil sie zu viel Zivilisation, zu viel Lebensmittel, zu viel

Industrie, zu viel Handel besitzt. Die Produktivkräfte, die ihr zur Verfügung stehen, dienen nicht mehr zur Beförderung der bürgerlichen Eigentumsverhältnisse; im Gegenteil, sie sind zu gewaltig für diese Verhältnisse geworden, sie werden von ihnen gehemmt; und sobald sie dies Hemmnis überwinden, bringen sie die ganze bürgerliche Gesellschaft in Unordnung, gefährden sie die Existenz des bürgerlichen Eigentums. Die bürgerlichen Verhältnisse sind zu eng geworden, um den von ihnen erzeugten Reichtum zu fassen. — Wodurch überwindet die Bourgeoisie die Krisen? Einerseits durch die erzwungene Vernichtung einer Masse von Produktivkräften; anderseits durch die Eroberung neuer Märkte und die gründlichere Ausbeutung alter Märkte. Wodurch also? Dadurch, daß sie allseitigere und gewaltigere Krisen vorbereitet und die Mittel, den Krisen vorzubeugen, vermindert.

Die Waffen, womit die Bourgeoisie den Feudalismus zu Boden geschlagen hat, richten sich jetzt gegen die Bourgeoisie selbst.

Aber die Bourgeoisie hat nicht nur die Waffen geschmiedet, die ihr den Tod bringen; sie hat auch die Männer erzeugt, die diese Waffen führen werden — die modernen Arbeiter, die *Proletarier*.

In demselben Maße, worin sich die Bourgeoisie, d. h. das Kapital, entwickelt, in demselben Maße entwickelt sich das Proletariat, die Klasse der modernen Arbeiter, die nur so lange leben, als sie Arbeit finden, und die nur so lange Arbeit finden, als ihre Arbeit das Kapital vermehrt. Diese Arbeiter, die sich stückweise verkaufen müssen, sind eine Ware wie jeder andere Handelsartikel und daher gleichmäßig allen Wechselfällen der Konkurrenz, allen Schwankungen des Marktes ausgesetzt.

Die Arbeit der Proletarier hat durch die Ausdehnung der Maschinerie und die Teilung der Arbeit allen selbständigen Charakter und damit allen Reiz für die Arbeiter verloren. Er wird ein bloßes Zubehör der Maschine, von dem nur der einfachste, eintönigste, am leichtesten erlernbare Handgriff verlangt wird. Die Kosten, die der Arbeiter verursacht, beschränken sich daher fast nur auf die Lebensmittel, die er

zu seinem Unterhalt und zur Fortpflanzung seiner Rasse
bedarf. Der Preis einer Ware, also auch der Arbeit, ist aber
gleich ihren Produktionskosten. In demselben Maße, in
dem die Widerwärtigkeit der Arbeit wächst, nimmt daher
der Lohn ab. Noch mehr, in demselben Maße, wie Maschinerie und Teilung der Arbeit zunehmen, in demselben
Maße nimmt auch die Masse der Arbeit zu, sei es durch
Vermehrung der Arbeitsstunden, sei es durch Vermehrung
der in einer gegebenen Zeit geforderten Arbeit, beschleu-
nigten Lauf der Maschinen usw.

Die moderne Industrie hat die kleine Werkstube des patriarchalischen Meisters in die große Fabrik des industriellen Kapitalisten verwandelt. Arbeitermassen, in der Fabrik
zusammengedrängt, werden soldatisch organisiert. Sie werden als gemeine Industriesoldaten unter die Aufsicht einer
vollständigen Hierarchie von Unteroffizieren und Offizie-
ren gestellt. Sie sind nicht nur Knechte der Bourgeoisklasse,
des Bourgeoisstaates, sie sind täglich und stündlich geknechtet von der Maschine, von dem Aufseher, und vor allem von
den einzelnen fabrizierenden Bourgeois selbst. Diese Despotie ist um so kleinlicher, gehässiger, erbitternder, je offener
sie den Erwerb als ihren Zweck proklamiert.

Je weniger die Handarbeit Geschicklichkeit und Kraftäußerung erheischt, d. h. je mehr die moderne Industrie sich
entwickelt, desto mehr wird die Arbeit der Männer durch
die der Weiber und Kinder verdrängt. Geschlechts- und
Altersunterschiede haben keine gesellschaftliche Geltung
mehr für die Arbeiterklasse. Es gibt nur noch Arbeitsinstrumente, die je nach Alter und Geschlecht verschiedene
Kosten machen.

Ist die Ausbeutung des Arbeiters durch den Fabrikanten so
weit beendigt, daß er seinen Arbeitslohn bar ausgezahlt erhält, so fallen die andern Teile der Bourgeoisie über ihn
her, der Hausbesitzer, der Krämer, der Pfandleiher usw.

Die bisherigen kleinen Mittelstände, die kleinen Industriellen, Kaufleute und Rentiers, die Handwerker und Bauern,
alle diese Klassen fallen ins Proletariat hinab, teils dadurch,
daß ihr kleines Kapital für den Betrieb der großen Industrie
nicht ausreicht und der Konkurrenz mit den größeren Ka-

pitalisten erliegt, teils dadurch, daß ihre Geschicklichkeit von neuen Produktionsweisen entwertet wird. So rekrutiert sich das Proletariat aus allen Klassen der Bevölkerung.

Das Proletariat macht verschiedene Entwickelungsstufen durch. Sein Kampf gegen die Bourgeoisie beginnt mit seiner Existenz.

Im Anfang kämpfen die einzelnen Arbeiter, dann die Arbeiter einer Fabrik, dann die Arbeiter eines Arbeitszweiges an einem Ort gegen den einzelnen Bourgois, der sie direkt ausbeutet. Sie richten ihre Angriffe nicht nur gegen die bürgerlichen Produktionsverhältnisse, sie richten sie gegen die Produktionsinstrumente selbst; sie vernichten die fremden konkurrierenden Waren, sie zerschlagen die Maschinen, sie stecken die Fabriken in Brand, sie suchen die untergegangene Stellung des mittelalterlichen Arbeiters wieder zu erringen.

Auf dieser Stufe bilden die Arbeiter eine über das ganze Land zerstreute und durch die Konkurrenz zersplitterte Masse. Massenhaftes Zusammenhalten der Arbeiter ist noch nicht die Folge ihrer eigenen Vereinigung, sondern die Folge der Vereinigung der Bourgeoisie, die zur Erreichung ihrer eigenen politischen Zwecke das ganze Proletariat in Bewegung setzen muß und es einstweilen noch kann. Auf dieser Stufe bekämpfen die Proletarier also nicht ihre Feinde, sondern die Feinde ihrer Feinde, die Reste der absoluten Monarchie, die Grundeigentümer, die nichtindustriellen Bourgeois, die Kleinbürger. Die ganze geschichtliche Bewegung ist so in den Händen der Bourgeoisie konzentriert; jeder Sieg, der so errungen wird, ist ein Sieg der Bourgeoisie.

Aber mit der Entwickelung der Industrie vermehrt sich nicht nur das Proletariat; es wird in größeren Massen zusammengedrängt, seine Kraft wächst, und es fühlt sie mehr. Die Interessen, die Lebenslagen innerhalb des Proletariats gleichen sich immer mehr aus, indem die Maschinerie mehr und mehr die Unterschiede der Arbeit verwischt und den Lohn fast überall auf ein gleich niedriges Niveau herabdrückt. Die wachsende Konkurrenz der Bourgeois unter sich und die daraus hervorgehenden Handelskrisen machen den Lohn der Arbeiter immer schwankender; die immer rascher sich entwickelnde, unaufhörliche Verbesserung der Maschinerie macht ihre ganze Lebensstellung immer unsicherer; immer mehr nehmen die Kollisionen zwischen dem einzelnen Arbeiter und dem einzelnen Bourgeois den Charakter von Kollisionen zweier Klassen an. Die Arbeiter beginnen damit, Koalitionen gegen die Bourgeois zu bilden; sie treten zusammen zur Behauptung ihres Arbeitslohnes. Sie stiften selbst dauernde Assoziationen, um sich für die gelegentlichen Empörungen zu verproviantieren. Stellenweis bricht der Kampf in Emeuten aus.

Von Zeit zu Zeit siegen die Arbeiter, aber nur vorübergehend. Das eigentliche Resultat ihrer Kämpfe ist nicht der unmittelbare Erfolg, sondern die immer weiter um sich greifende Vereinigung der Arbeiter. Sie wird befördert durch die wachsenden Kommunikationsmittel, die von der großen Industrie erzeugt werden und die Arbeiter der verschiedenen Lokalitäten miteinander in Verbindung setzen. Es bedarf aber bloß der Verbindung, um die vielen Lokalkämpfe von überall gleichem Charakter zu einem nationalen, zu einem Klassenkampf zu zentralisieren. Jeder Klassenkampf ist aber ein politischer Kampf. Und die Vereinigung, zu der die Bürger des Mittelalters mit ihren Vizinalwegen Jahrhunderte bedurften, bringen die modernen Proletarier mit den Eisenbahnen in wenigen Jahren zustande.

Diese Organisation der Proletarier zur Klasse, und damit zur politischen Partei, wird jeden Augenblick wieder gesprengt durch die Konkurrenz unter den Arbeitern selbst. Aber sie ersteht immer wieder, stärker, fester, mächtiger. Sie erzwingt die Anerkennung einzelner Interessen der Arbeiter in Gesetzesform, indem sie die Spaltungen der Bourgeoisie unter sich benutzt. So die Zehnstundenbill in England.

Die Kollisionen der alten Gesellschaft überhaupt fördern mannigfach den Entwickelungsgang des Proletariats. Die Bourgeoisie befindet sich in fortwährendem Kampfe: anfangs gegen die Aristokratie; später gegen die Teile der Bourgeoisie selbst, deren Interessen mit dem Fortschritt der Industrie in Widerspruch geraten; stets gegen die Bourgeoisie aller auswärtigen Länder. In allen diesen Kämpfen sieht sie sich genötigt, an das Proletariat zu appellieren, seine Hilfe in Anspruch zu nehmen und es so in die politische Bewegung hineinzureißen. Sie selbst führt also dem Proletariat ihre eigenen Bildungselemente, d. h. Waffen gegen sich selbst zu.

Es werden ferner, wie wir sahen, durch den Fortschritt der Industrie ganze Bestandteile der herrschenden Klasse ins Proletariat hinabgeworfen oder wenigstens in ihren Lebensbedingungen bedroht. Auch sie führen dem Proletariat eine Masse Bildungselemente zu.

In Zeiten endlich, wo der Klassenkampf sich der Entscheidung nähert, nimmt der Auflösungsprozeß innerhalb der herrschenden Klasse, innerhalb der ganzen alten Gesellschaft einen so heftigen, so grellen Charakter an, daß ein kleiner Teil der herrschenden Klasse sich von ihr lossagt und sich der revolutionären Klasse anschließt, der Klasse, welche die Zukunft in ihren Händen trägt. Wie daher früher ein Teil des Adels zur Bourgeoisie überging, so geht jetzt ein Teil der Bourgeoisie zum Proletariat über, und namentlich ein Teil der Bourgeoisideologen, welche zum theoretischen Verständnis der ganzen geschichtlichen Bewegung sich hinaufgearbeitet haben.

Von allen Klassen, welche heutzutage der Bourgeoisie gegenüberstehen, ist nur das Proletariat eine wirklich revolutionäre Klasse. Die übrigen Klassen verkommen und gehen unter mit der großen Industrie, das Proletariat ist ihr eigenstes Produkt.

Die Mittelstände, der kleine Industrielle, der kleine Kaufmann, der Handwerker, der Bauer, sie alle bekämpfen die Bourgeoisie, um ihre Existenz als Mittelstände vor dem Untergang zu sichern. Sie sind also nicht revolutionär, sondern konservativ. Noch mehr, sie sind reaktionär, sie suchen das Rad der Geschichte zurückzudrehen. Sind sie revolutionär, so sind sie es im Hinblick auf den ihnen bevorstehenden Übergang ins Proletarat, so verteidigen sie nicht ihre gegenwärtigen, sondern ihre zukünftigen Interessen, so verlassen sie ihren eigenen Standpunkt, um sich auf den des Proletariats zu stellen. —

Das Lumpenproletariat, diese passive Verfaulung der untersten Schichten der alten Gesellschaft, wird durch eine proletarische Revolution stellenweise in die Bewegung hineingeschleudert, seiner ganzen Lebenslage nach wird es bereitwilliger sein, sich zu reaktionären Umtrieben erkaufen zu lassen.

Die Lebensbedingungen der alten Gesellschaft sind schon vernichtet in den Lebensbedingungen des Proletariats. Der Proletarier ist eigentumslos; sein Verhältnis zu Weib und Kindern hat nichts mehr gemein mit dem bürgerlichen Familienverhältnis; die moderne industrielle Arbeit, die moderne Unterjochung unter das Kapital, dieselbe in England wie in Frankreich, in Amerika wie in Deutschland, hat ihm allen nationalen Charakter abgestreift. Die Gesetze, die Moral, die Religion, sind für ihn ebenso viele bürgerliche Vorurteile, hinter denen sich eben so viele bürgerliche Interessen verstecken.

Alle früheren Klassen, die sich die Herrschaft eroberten, suchten ihre schon erworbene Lebensstellung zu sichern, indem sie die ganze Gesellschaft den Bedingungen ihres Erwerbes unterwarfen. Die Proletarier können sich die gesellschaftlichen Produktivkräfte nur erobern, indem sie ihre eigene bisherige Aneignungsweise und damit die ganze bisherige Aneignungsweise abschaffen. Die Proletarier haben nichts von dem ihrigen zu sichern, sie haben alle bisherigen Privatsicherheiten und Privatversicherungen zu zerstören.

Alle bisherigen Bewegungen waren Bewegungen von Minoritäten oder im Interesse von Minoritäten. Die proletarische Bewegung ist die selbständige Bewegung der ungeheuren Mehrzahl im Interesse der ungeheuren Mehrzahl. Das Proletariat, die unterste Schicht der jetzigen Gesellschaft, kann sich nicht erheben, nicht aufrichten, ohne daß der ganze Überbau der Schichten, die die offizielle Gesellschaft bilden, in die Luft gesprengt wird.

Obgleich nicht dem Inhalt, ist der Form nach der Kampf des Proletariats gegen die Bourgeoisie zunächst ein nationaler. Das Proletariat eines jeden Landes muß natürlich zuerst mit seiner eigenen Bourgeoisie fertig werden.

Indem wir die allgemeinsten Phasen der Entwickelung des Proletariats zeichneten, verfolgten wir den mehr oder minder versteckten Bürgerkrieg innerhalb der bestehenden Gesellschaft bis zu dem Punkt, wo er in eine offene Revolution ausbricht, und durch den gewaltsamen Sturz der Bourgeoisie das Proletariat seine Herrschaft begründet.

Alle bisherige Gesellschaft beruhte, wie wir schon gesehen haben, auf dem Gegensatz unterdrückender und unterdrückter Klassen. Um aber eine Klasse unterdrücken zu können, müssen ihr Bedingungen gesichert sein, innerhalb derer sie wenigstens ihre knechtische Existenz fristen kann. Der Leibeigene hat sich zum Mitglied der Kommune in der Leibeigenschaft herangearbeitet, wie der Kleinbürger zum Bourgeois unter dem Joch des feudalistischen Absolutismus. Der moderne Arbeiter dagegen, statt sich mit dem Fortschritt der Industrie zu heben, sinkt immer tiefer unter die Bedingungen seiner eigenen Klasse herab. Der Arbeiter wird zum Pauper, und der Pauperismus entwickelt sich noch schneller als Bevölkerung und Reichtum. Es tritt hiermit offen hervor, daß die Bourgeoisie unfähig ist, noch länger die herrschende Klasse der Gesellschaft zu bleiben und die Lebensbedingungen ihrer Klasse der Gesellschaft als regelndes Gesetz aufzuzwingen. Sie ist unfähig, zu herrschen, weil sie unfähig ist, ihrem Sklaven die Existenz selbst innerhalb seiner Sklaverei zu sichern, weil sie gezwungen ist, ihn in eine Lage herabsinken zu lassen, wo sie ihn ernähren muß, statt von ihm ernährt zu werden. Die Gesellschaft kann nicht mehr unter ihr leben, d. h. ihr Leben ist nicht mehr verträglich mit der Gesellschaft.

Die wesentliche Bedingung für die Existenz und für die Herrschaft der Bourgeoisklasse ist die Anhäufung des Reichtums in den Händen von Privaten, die Bildung und Vermehrung des Kapitals; die Bedingung des Kapitals ist die Lohnarbeit. Die Lohnarbeit beruht ausschließlich auf der Konkurrenz der Arbeiter unter sich. Der Fortschritt der Industrie, dessen willenloser und widerstandsloser Träger die Bourgeoisie ist, setzt an die Stelle der Isolierung der Arbeiter durch die Konkurrenz ihre revolutionäre Vereinigung durch die Assoziation. Mit der Entwickelung der großen Industrie wird also unter den Füßen der Bourgeoisie die Grundlage selbst hinweggezogen, worauf sie produziert und die Produkte sich aneignet. Sie produziert vor allem ihren eigenen Totengräber. Ihr Untergang und der Sieg des Proletariats sind gleich unvermeidlich.

II.

Proletarier und Kommunisten

In welchem Verhältnis stehen die Kommunisten zu den Proletariern überhaupt?

Die Kommunisten sind keine besondere Partei gegenüber den anderen Arbeiterparteien.

Sie haben keine von den Interessen des ganzen Proletariats getrennten Interessen.

Sie stellen keine besonderen Prinzipien auf, wonach sie die proletarische Bewegung modeln wollen.

Die Kommunisten unterscheiden sich von den übrigen proletarischen Parteien nur dadurch, daß sie einerseits in den verschiedenen nationalen Kämpfen der Proletarier die gemeinsamen, von der Nationalität unabhängigen Interessen des gesamten Proletariats hervorheben und zur Geltung bringen, andererseits dadurch, daß sie in den verschiedenen Entwickelungsstufen, welche der Kampf zwischen Proletariat und Bourgeoisie durchläuft, stets das Interesse der Gesamtbewegung vertreten.

Die Kommunisten sind also praktisch der entschiedenste, immer weiter treibende Teil der Arbeiterparteien aller Länder; sie haben theoretisch vor der übrigen Masse des Proletariats die Einsicht in die Bedingungen, den Gang und die allgemeinen Resultate der proletarischen Bewegung voraus.

Der nächste Zweck der Kommunisten ist derselbe wie der aller übrigen proletarischen Parteien: Bildung des Proletariats zur Klasse, Sturz der Bourgeoisieherrschaft, Eroberung der politischen Macht durch das Proletariat.

Die theoretischen Sätze der Kommunisten beruhen keineswegs auf Ideen, auf Prinzipien, die von diesem oder jenem Weltverbesserer erfunden oder entdeckt sind.

Sie sind nur allgemeine Ausdrücke tatsächlicher Verhältnisse eines existierenden Klassenkampfes, einer unter unsern Augen vor sich gehenden geschichtlichen Bewegung. Die Abschaffung bisheriger Eigentumsverhältnisse ist nichts den Kommunismus eigentümlich Bezeichnendes.

Alle Eigentumsverhältnisse waren einem beständigen geschichtlichen Wechsel, einer beständigen geschichtlichen Veränderung unterworfen.

Die französische Revolution zum Beispiel schaffte das Feudaleigentum zugunsten des bürgerlichen ab.

Was den Kommunismus auszeichnet, ist nicht die Abschaffung des Eigentums überhaupt, sondern die Abschaffung des bürgerlichen Eigentums.

Aber das moderne bürgerliche Privateigentum ist der letzte und vollendetste Ausdruck der Erzeugung und Aneignung der Produkte, die auf Klassengegensätzen, auf der Ausbeutung der einen durch die andern beruht.

In diesem Sinne können die Kommunisten ihre Theorien in dem einen Ausdruck: Aufhebung des Privateigentums, zusammenfassen.

Man hat uns Kommunisten vorgeworfen, wir wollten das persönlich erworbene, selbsterarbeitete Eigentum abschaffen; das Eigentum, welches die Grundlage aller persönlichen Freiheit, Tätigkeit und Selbständigkeit bilde.

Erarbeitetes, erworbenes, selbstverdientes Eigentum! Sprecht ihr von dem kleinbürgerlichen, kleinbäuerlichen Eigentum, welches dem bürgerlichen Eigentum vorherging? Wir brauchen es nicht abzuschaffen, die Entwicklung der Industrie hat es abgeschafft und schafft es täglich ab.

Oder sprecht ihr vom modernen bürgerlichen Privateigentum?

Schafft aber die Lohnarbeit, die Arbeit des Proletariers ihm Eigentum? Keineswegs. Sie schafft das Kapital, d. h. das Eigentum, welches die Lohnarbeit ausbeutet, welches sich unter der Bedingung vermehren kann, daß es neue Lohnarbeit erzeugt, um sie von neuem auszubeuten. Das Eigentum in seiner heutigen Gestalt bewegt sich in dem Gegensatz von Kapital und Lohnarbeit. Betrachten wir die beiden Seiten dieses Gegensatzes.

Kapitalist sein, heißt nicht nur eine rein persönliche, sondern eine gesellschaftliche Stellung in der Produktion einnehmen. Das Kapital ist ein gemeinschaftliches Produkt und kann nur durch eine gemeinsame Tätigkeit vieler Mitglieder, ja in letzter Instanz nur durch die gemeinsame Tätigkeit aller Mitglieder der Gesellschaft in Bewegung gesetzt werden.

Das Kapital ist also keine persönliche, es ist eine gesellschaftliche Macht.

Wenn also das Kapital in gemeinschaftliches, allen Mitgliedern der Gesellschaft angehöriges Eigentum verwandelt wird, so verwandelt sich nicht persönliches Eigentum in gesellschaftliches. Nur der gesellschaftliche Charakter des Eigentums verwandelt sich. Er verliert seinen Klassencharakter.

Kommen wir zur Lohnarbeit:

Der Durchschnittspreis der Lohnarbeit ist das Minimum des Arbeitslohnes, d. h. die Summe der Lebensmittel, die notwendig sind, um den Arbeiter als Arbeiter am Leben zu erhalten. Was also der Lohnarbeiter durch seine Tätigkeit sich aneignet, reicht bloß dazu hin, um sein nacktes Leben wieder zu erzeugen. Wir wollen diese persönliche Aneignung der Arbeitsprodukte zur Wiedererzeugung des unmittelbaren Lebens keineswegs abschaffen, eine Aneignung, die keinen Reinertrag übrig läßt, der Macht über fremde Arbeit geben könnte. Wir wollen nur den elenden Charakter dieser Aneignung aufheben, worin der Arbeiter nur lebt, um das Kapital zu vermehren, nur so weit lebt, wie es das Interesse der herrschenden Klasse erheischt.

In der bürgerlichen Gesellschaft ist die lebendige Arbeit nur ein Mittel, die aufgehäufte Arbeit zu vermehren. In der kommunistischen Gesellschaft ist die aufgehäufte Arbeit nur ein Mittel, um den Lebensprozeß der Arbeiter zu erweitern, zu bereichern, zu befördern.

In der bürgerlichen Gesellschaft herrscht also die Vergangenheit über die Gegenwart, in der kommunistischen die Gegenwart über die Vergangenheit. In der bürgerlichen Gesellschaft ist das Kapital selbständig und persönlich, während das tätige Individuum unselbständig und unpersönlich ist.

Und die Aufhebung dieses Verhältnisses nennt die Bourgeoisie Aufhebung der Persönlichkeit und Freiheit! Und mit Recht. Es handelt sich allerdings um die Aufhebung der Bourgeoispersönlichkeit, -selbständigkeit und -freiheit.

Unter Freiheit versteht man innerhalb der jetzigen bürgerlichen Produktionsverhältnisse den freien Handel, den freien Kauf und Verkauf.

Fällt aber der Schacher, so fällt auch der freie Schacher. Die Redensarten vom freien Schacher, wie alle übrigen Freiheitsbravaden unserer Bourgeoisie haben überhaupt nur einen Sinn gegenüber dem gebundenen Schacher, gegenüber dem geknechteten Bürger des Mittelalters, nicht aber gegenüber der kommunistischen Aufhebung des Schachers, der bürgerlichen Produktionsverhältnisse und der Bourgeoisie selbst.

Ihr entsetzt euch darüber, daß wir das Privateigentum aufheben wollen. Aber in eurer bestehenden Gesellschaft ist das Privateigentum für neun Zehntel ihrer Mitglieder aufgehoben; es existiert gerade dadurch, daß es für neun Zehntel nicht existiert. Ihr werft uns also vor, daß wir ein Eigentum aufheben wollen, welches die Eigentumslosigkeit der ungeheuren Mehrzahl der Gesellschaft als notwendige Bedingung voraussetzt.

Ihr werft uns mit einem Worte vor, daß wir euer Eigentum aufheben wollen. Allerdings, das wollen wir.

Von dem Augenblick an, wo die Arbeit nicht mehr in Kapital, Geld, Grundrente, kurz in eine monopolisierbare gesellschaftliche Macht verwandelt werden kann, d. h. von dem Augenblick, wo das persönliche Eigentum nicht mehr in bürgerliches umschlagen kann, von dem Augenblick an erklärt ihr, die Person sei aufgehoben.

Ihr gesteht also, daß ihr unter der Person niemanden anders versteht, als den Bourgeois, den bürgerlichen Eigentümer. Und diese Person soll allerdings aufgehoben werden.

Der Kommunismus nimmt keinem die Macht, sich gesellschaftliche Produkte anzueignen, er nimmt nur die Macht, sich durch diese Aneignung fremde Arbeit zu unterjochen.

Man hat eingewendet, mit der Aufhebung des Privateigentums werde alle Tätigkeit aufhören und eine allgemeine Faulheit einreißen.

Hiernach müßte die bürgerliche Gesellschaft längst an der Trägheit zugrunde gegangen sein; denn die in ihr arbeiten, erwerben nicht, und die in ihr erwerben, arbeiten nicht. Das ganze Bedenken läuft auf die Tautologie hinaus, daß es keine Lohnarbeit mehr gibt, sobald es kein Kapital mehr gibt.

Alle Einwürfe, die gegen die kommunistische Aneignungs- und alle Produktionsweise der materiellen Produkte gerichtet werden, sind ebenso auf die Aneignung und Produktion der geistigen Produkte ausgedehnt worden. Wie für den Bourgeois das Aufhören des Klasseneigentums das Aufhören der Produktion selbst ist, so ist für ihn das Aufhören der Klassenbildung identisch mit dem Aufhören der Bildung überhaupt.

Die Bildung, deren Verlust er bedauert, ist für die enorme Mehrzahl die Heranbildung zur Maschine.

Aber streitet nicht mit uns, indem ihr an euren bürgerlichen Vorstellungen von Freiheit, Bildung, Recht usw. die Abschaffung des bürgerlichen Eigentums meßt. Eure Ideen selbst sind Erzeugnisse der bürgerlichen Produktions- und Eigentumsverhältnisse, wie euer Recht nur der zum Gesetz erhobene Wille eurer Klasse ist, ein Wille, dessen Inhalt gegeben ist in den materiellen Lebensbedingungen eurer Klasse.

Die interessierte Vorstellung, worin ihr eure Produktions- und Eigentumsverhältnisse aus geschichtlichen, in dem Lauf der Produktion vorübergehenden Verhältnissen in ewige Natur- und Vernunftgesetze verwandelt, teilt ihr mit allen untergegangenen herrschenden Klassen. Was ihr für das antike Eigentum begreift, was ihr für das feudale Eigentum begreift, dürft ihr nicht mehr begreifen für das bürgerliche Eigentum. —

Aufhebung der Familie! Selbst die Radikalsten ereifern sich über diese schändliche Absicht der Kommunisten.

Worauf beruht die gegenwärtige, die bürgerliche Familie? Auf dem Kapital, auf dem Privaterwerb. Vollständig entwickelt existiert sie nur für die Bourgeoisie; aber sie findet ihre Ergänzung in der erzwungenen Familienlosigkeit der Proletarier und der öffentlichen Prostitution.

Die Familie der Bourgeois fällt natürlich weg mit dem Wegfallen dieser ihrer Ergänzung und beide verschwinden mit dem Verschwinden des Kapitals.

Werft ihr uns vor, daß wir die Ausbeutung der Kinder

durch ihre Eltern aufheben wollen? Wir gestehen dieses Verbrechen ein.

Aber, sagt ihr, wir heben die trautesten Verhältnisse auf, indem wir an die Stelle der häuslichen Erziehung die gesellschaftliche setzen.

Und ist nicht auch eure Erziehung durch die Gesellschaft bestimmt? Durch die gesellschaftlichen Verhältnisse, innerhalb derer ihr erzieht, durch die direktere oder indirektere Einmischung der Gesellschaft, vermittels der Schule usw.? Die Kommunisten erfinden nicht die Einwirkung der Gesellschaft auf die Erziehung; sie verändern nur ihren Charakter, sie entreißen die Erziehung dem Einfluß der herrschenden Klasse.

Die bürgerlichen Redensarten über Familie und Erziehung, über das traute Verhältnis von Eltern und Kindern werden um so ekelhafter, je mehr infolge der großen Industrie alle Familienbande für die Proletarier zerrissen und die Kinder in einfache Handelsartikel und Arbeitsinstrumente verwandelt werden.

Aber ihr Kommunisten wollt die Weibergemeinschaft einführen, schreit uns die ganze Bourgeoisie im Chor entgegen.

Der Bourgeois sieht in seiner Frau ein bloßes Produktionsinstrument. Er hört, daß die Produktionsinstrumente gemeinschaftlich ausgebeutet werden sollen, und kann sich natürlich nichts anderes denken, als daß das Los der Gemeinschaftlichkeit die Weiber gleichfalls treffen wird.

Er ahnt nicht, daß es sich eben darum handelt, die Stellung der Weiber als bloßer Produktionsinstrumente aufzuheben. Übrigens ist nichts lächerlicher, als das hochmoralische Entsetzen unserer Bourgeois über die angebliche offizielle Weibergemeinschaft der Kommunisten. Die Kommunisten brauchen die Weibergemeinschaft nicht einzuführen, sie hat fast immer existiert.

Unsere Bourgeois, nicht zufrieden damit, daß ihnen die Weiber und Töchter ihrer Proletarier zur Verfügung stehen, von der offiziellen Prostitution gar nicht zu sprechen, finden ein Hauptvergnügen darin, ihre Ehefrauen wechselseitig zu verführen.

Die bürgerliche Ehe ist in Wirklichkeit die Gemeinschaft

der Ehefrauen. Man könnte höchstens den Kommunisten vorwerfen, daß sie an Stelle einer heuchlerisch versteckten, eine offizielle, offenherzige Weibergemeinschaft einführen wollten. Es versteht sich übrigens von selbst, daß mit Aufhebung der jetzigen Produktionsverhältnisse auch die aus ihnen hervorgehende Weibergemeinschaft, d. h. die offizielle und nichtoffizielle Prostitution, verschwindet.

Den Kommunisten ist ferner vorgeworfen worden, sie wollten das Vaterland, die Nationalität, abschaffen.

Die Arbeiter haben kein Vaterland. Man kann ihnen nicht nehmen, was sie nicht haben. Indem das Proletariat zunächst sich die politische Herrschaft erobern, sich zur nationalen Klasse erheben, sich selbst als Nation konstituieren muß, ist es selbst noch national, wenn auch keineswegs im Sinne der Bourgeoisie.

Die nationalen Absonderungen und Gegensätze der Völker verschwinden mehr und mehr schon mit der Entwickelung der Bourgeoisie, mit der Handelsfreiheit, dem Weltmarkt, der Gleichförmigkeit der industriellen Produktion und der ihr entsprechenden Lebensverhältnisse.

Die Herrschaft des Proletariats wird sie noch mehr verschwinden machen. Vereinigte Aktion, wenigstens der zivilisierten Länder, ist eine der ersten Bedingungen seiner Befreiung.

In dem Maße, wie die Exploitation des einen Individuums durch das andere aufgehoben wird, wird die Exploitation einer Nation durch die andere aufgehoben.

Mit dem Gegensatz der Klassen im Innern der Nation fällt die feindliche Stellung der Nationen gegeneinander.

Die Anklagen gegen den Kommunismus, die von religiösen, philosophischen und ideologischen Gesichtspunkten überhaupt erhoben werden, verdienen keine ausführliche Erörterung.

Bedarf es tiefer Einsicht, um zu begreifen, daß mit den Lebensverhältnissen der Menschen, mit ihren gesellschaftlichen Beziehungen, mit ihrem gesellschaftlichen Dasein, auch ihre Vorstellungen, Anschauungen und Begriffe, mit einem Worte auch ihr Bewußtsein sich ändert?

Was beweist die Geschichte der Ideen anders, als daß die

geistige Produktion sich mit der materiellen umgestaltet?
Die herrschenden Ideen einer Zeit waren stets nur die Ideen
der herrschenden Klasse.

Man spricht von Ideen, welche eine ganze Gesellschaft revolutionieren; man spricht damit nur die Tatsache aus, daß sich innerhalb der alten Gesellschaft die Elemente einer neuen gebildet haben, daß mit der Auflösung der alten Lebensverhältnisse die Auflösung der alten Idee gleichen Schritt hält.

Als die Welt im Untergehen begriffen war, wurden die alten
Religionen von der christlichen Religion besiegt. Als die christlichen Ideen im 18. Jahrhundert den Aufklärungsideen unter-
lagen, rang die feudale Gesellschaft ihren Todeskampf mit
der damals revolutionären Bourgeoisie. Die Ideen der Ge-
wissens- und Religionsfreiheit sprachen nur die Herrschaft
der freien Konkurrenz auf dem Gebiete des Wissens aus.

„Aber", wird man sagen, „religiöse, moralische, philosophische, politische, rechtliche Ideen usw. modifizierten sich
allerdings im Lauf der geschichtlichen Entwickelung. Die
Religion, die Moral, die Philosophie, die Politik, das Recht
erhielten sich stets in diesem Wechsel.

Es gibt zudem ewige Wahrheiten, wie Freiheit, Gerechtigkeit usw., die allen gesellschaftlichen Zuständen gemeinsam
sind. Der Kommunismus aber schafft die ewigen Wahrheiten ab, er schafft die Religion ab, die Moral, statt sie
neu zu gestalten, er widerspricht also allen bisherigen geschichtlichen Entwicklungen."

Worauf reduziert sich diese Anklage? Die Geschichte der ganzen bisherigen Gesellschaft bewegte sich in Klassengegensätzen,
die in verschiedenen Epochen verschieden gestaltet waren.

Welche Form sie aber auch immer angenommen, die Ausbeutung des einen Teils der Gesellschaft durch den anderen
ist eine allen vergangenen Jahrhunderten gemeinsame Tatsache. Kein Wunder daher, daß das gesellschaftliche Bewußtsein aller Jahrhunderte, aller Mannigfaltigkeit und
Verschiedenheit zum Trotz, in gewissen gemeinsamen Formen sich bewegt, in Bewußtseinsformen, die nur mit dem
gänzlichen Verschwinden des Klassengegensatzes sich vollständig auflösen.

Die kommunistische Revolution ist das radikalste Brechen

mit den überlieferten Eigentumsverhältnissen; kein Wunder, daß in ihrem Entwicklungsgange am radikalsten mit den überlieferten Ideen gebrochen wird.

Doch lassen wir die Einwürfe der Bourgeoisie gegen den Kommunismus.

Wir sahen schon oben, daß der erste Schritt in der Arbeiterrevolution die Erhebung des Proletariats zur herrschenden Klasse, die Erkämpfung der Demokratie ist.

Das Proletariat wird seine politische Herrschaft dazu benutzen, der Bourgeoisie nach und nach alles Kapital zu entreißen, alle Produktionsinstrumente in den Händen des Staats, d. h. des als herrschende Klasse organisierten Proletariats zu zentralisieren und die Masse der Produktionskräfte möglichst rasch zu vermehren.

Es kann dies natürlich zunächst nur geschehen vermittels despotischer Eingriffe in das Eigentumsrecht und in die bürgerlichen Produktionsverhältnisse, durch Maßregeln also, die ökonomisch unzureichend und unhaltbar erscheinen, die aber im Lauf der Bewegung über sich selbst hinaus treiben und als Mittel zur Umwälzung der ganzen Produktionsweise unvermeidlich sind.

Diese Maßregeln werden natürlich je nach den verschiedenen Ländern verschieden sein.

Für die fortgeschrittensten Länder werden jedoch die folgenden ziemlich allgemein in Anwendung kommen können:

1. Expropriation des Grundeigentums und Verwendung der Grundrente zu Staatsausgaben.
2. Starke Progressivsteuer.
3. Abschaffung des Erbrechts.
4. Konfiskation des Eigentums aller Emigranten und Rebellen.
5. Zentralisation des Kredits in den Händen des Staats durch eine Nationalbank mit Staatskapital und ausschließlichem Monopol.
6. Zentralisation des Transportwesens in den Händen des Staats.
7. Vermehrung der Nationalfabriken, Produktionsinstrumente, Urbarmachung und Verbesserung der Ländereien nach einem gemeinschaftlichen Plan.

8. Gleicher Arbeitszwang für alle, Errichtung industrieller Armeen, besonders für den Ackerbau.
9. Vereinigung des Betriebs von Ackerbau und Industrie, Hinwirken auf die allmähliche Beseitigung des Unterschieds von Stadt und Land.
10. Öffentliche und unentgeltliche Erziehung aller Kinder. Beseitigung der Fabrikarbeit der Kinder in ihrer heutigen Form. Vereinigung der Erziehung mit der materiellen Produktion usw.

Sind im Laufe der Entwicklung die Klassenunterschiede verschwunden und ist alle Produktion in den Händen der assoziierten Individuen konzentriert, so verliert die öffentliche Gewalt den politischen Charakter. Die politische Gewalt im eigentlichen Sinne ist die organisierte Gewalt einer Klasse zur Unterdrückung einer anderen. Wenn das Proletariat im Kampfe gegen die Bourgeoisie sich notwendig zur Klasse vereint, durch eine Revolution sich zur herrschenden Klasse macht und als herrschende Klasse gewaltsam die alten Produktionsverhältnisse aufhebt, so hebt es mit diesen Produktionsverhältnissen die Existenzbedingungen des Klassengegensatzes, die Klassen überhaupt und damit seine eigene Herrschaft als Klasse auf.

An die Stelle der alten bürgerlichen Gesellschaft mit ihren Klassen und Klassengegensätzen tritt eine Assoziation, worin die freie Entwickelung eines jeden die Bedingung für die freie Entwicklung aller ist.

III.

Sozialistische und kommunistische Literatur

1. Der reaktionäre Sozialismus

a. Der feudale Sozialismus

Die französische und englische Aristokratie war ihrer geschichtlichen Stellung nach dazu berufen, Pamphlete gegen die moderne bürgerliche Gesellschaft zu schreiben. In der französischen Julirevolution von 1830, in der englischen Reformbewegung war sie noch einmal dem verhaßten Emporkömmling erlegen. Von einem ernsten politischen Kampfe konnte nicht mehr die Rede sein. Nur der literarische Kampf blieb ihr übrig. Aber auch auf dem Gebiete der Literatur waren die alten Redensarten der Restaurationszeit unmöglich geworden. Um Sympathie zu erregen, mußte die Aristokratie scheinbar ihre Interessen aus dem Auge verlieren und nur im Interesse der exploitierten Arbeiterklasse ihren Anklageakt gegen die Bourgeoisie formulieren. Sie bereitete so die Genugtuung vor, Schmählieder auf ihren neuen Herrscher singen und mehr oder minder unheilschwangere Prophezeiungen ihm ins Ohr raunen zu dürfen.

Auf diese Art entstand der feudalistische Sozialismus, halb Klagelied, halb Pasquill, halb Rückhall der Vergangenheit, halb Dräuen der Zukunft, mitunter die Bourgeoisie ins Herz treffend durch bitteres, geistreich zerreißendes Urteil, stets komisch wirkend durch gänzliche Unfähigkeit, den Gang der modernen Geschichte zu begreifen.

Den proletarischen Bettelsack schwenkten sie als Fahne in der Hand, um das Volk hinter sich her zu versammeln. So oft es ihnen aber folgte, erblickte es auf ihrem Hintern die alten feudalen Wappen und verlief sich mit lautem und unehrerbietigem Gelächter.

Ein Teil der französischen Legitimisten und das junge England gaben dies Schauspiel zum besten.

Wenn die Feudalen beweisen, daß ihre Weise der Ausbeutung anders gestaltet war als die bürgerliche Ausbeutung, so vergessen sie nur, daß sie unter gänzlich verschiedenen und jetzt überlebten Umständen und Bedingungen ausbeuteten. Wenn sie nachweisen, daß unter ihrer Herrschaft nicht das moderne Proletariat existiert hat, so vergessen sie nur, daß eben die moderne Bourgeoisie ein notwendiger Sprößling ihrer Gesellschaftsordnung war.

Übrigens verheimlichen sie den reaktionären Charakter ihrer Kritik so wenig, daß ihre Hauptanklage gegen die Bourgeoisie eben darin besteht, unter ihrem Regime entwickle sich eine Klasse, welche die ganze alte Gesellschaftsordnung in die Luft sprengen werde.

Sie werfen der Bourgeoisie mehr noch vor, daß sie ein revolutionäres Proletariat, als daß sie überhaupt ein Proletariat erzeugt.

In der politischen Praxis nehmen sie daher an allen Gewaltmaßregeln gegen die Arbeiterklasse teil, und im gewöhnlichen Leben bequemen sie sich, allen ihren aufgeblähten Redensarten zum Trotz, die goldenen Äpfel aufzulesen und Treue, Liebe, Ehre mit dem Schacher in Schafswolle, Runkelrüben und Schnaps zu vertauschen.

Wie der Pfaffe immer Hand in Hand ging mit den Feudalen, so der pfäffische Sozialimus mit dem feudalistischen.

Nichts leichter, als dem christlichen Asketismus einen sozialistischen Anstrich zu geben. Hat das Christentum nicht auch gegen das Privateigentum, gegen die Ehe, gegen den Staat geeifert? Hat es nicht die Wohltätigkeit und den Bettel, das Zölibat und die Fleischesertötung, das Zellenleben und die Kirche an ihrer Stelle gepredigt? Der christliche Sozialismus ist nur das Weihwasser, womit der Pfaffe den Ärger des Aristokraten einsegnet.

b. *Kleinbürgerlicher Sozialismus*

Die feudale Aristokratie ist nicht die einzige Klasse, welche durch die Bourgeoisie gestürzt wurde, deren Lebensbedingungen in der modernen bürgerlichen Gesellschaft verkümmerten und abstarben. Das mittelalterliche Pfahlbürgertum und der kleine Bauernstand waren die Vorläufer der modernen Bourgeoisie. In den weniger industriell und kommerziell entwickelten Ländern vegetiert diese Klasse noch fort neben der aufkommenden Bourgeoisie.

In den Ländern, wo sich die moderne Zivilisation entwickelt hat, hat sich eine neue Kleinbürgerschaft gebildet, die zwischen dem Proletariat und der Bourgeoisie schwebt und als ergänzender Teil der bürgerlichen Gesellschaft stets von neuem sich bildet, deren Mitglieder aber beständig durch die Konkurrenz ins Proletariat hinabgeschleudert werden, ja selbst mit der Entwicklung der großen Industrie einen Zeitpunkt herannahen sehen, wo sie als selbständiger Teil der modernen Gesellschaft gänzlich verschwinden und im Handel, in der Manufaktur, in der Agrikultur durch Arbeitsaufseher und Domestiken ersetzt werden.

In Ländern wie in Frankreich, wo die Bauernklasse weit mehr

als die Hälfte der Bevölkerung ausmacht, war es natürlich, daß Schriftsteller, die für das Proletariat gegen die Bourgeoisie auftraten, an ihre Kritik des Bourgeoisregimes den kleinbürgerlichen und kleinbäuerlichen Maßstab anlegten und die Partei der Arbeiter vom Standpunkt des Kleinbürgertums ergriffen. Es bildete sich so der kleinbürgerliche Sozialismus. Sismondi ist das Haupt dieser Literatur nicht nur für Frankreich, sondern auch für England.

Dieser Sozialismus zergliederte höchst scharfsinnig die Widersprüche in den modernen Produktionsverhältnissen. Er enthüllte die gleißnerischen Beschönigungen der Ökonomen. Er wies unwiderleglich die zerstörenden Wirkungen der Maschinerie und der Teilung der Arbeit nach, die Konzentration der Kapitalien und des Grundbesitzes, die Überproduktion, die Krisen, den notwendigen Untergang der kleinen Bürger und Bauern, das Elend des Proletariats, die Anarchie in der Produktion, die schreienden Mißverhältnisse in der Verteilung des Reichtums, den industriellen Vernichtungskrieg der Nationen untereinander, die Auflösung der alten Sitten, der alten Familienverhältnisse, der alten Nationalitäten.

Seinem positiven Gehalte nach will jedoch dieser Sozialismus entweder die alten Produktions- und Verkehrsmittel wieder herstellen und mit ihnen die alten Eigentumsverhältnisse und die alte Gesellschaft, oder er will die modernen Produktions- und Verkehrsmittel in den Rahmen der alten Eigentumsverhältnisse, die von ihnen gesprengt wurden, gesprengt werden mußten, gewaltsam wieder einsperren. In beiden Fällen ist er reaktionär und utopistisch zugleich.

Zunftwesen in der Manufaktur und patriarchalische Wirtschaft auf dem Lande, das sind seine letzten Worte.

In ihrer weiteren Entwickelung hat sich diese Richtung in einen feigen Katzenjammer verlaufen.

c. Der deutsche oder der „wahre" Sozialismus

Die sozialistische und kommunistische Literatur Frankreichs, die unter dem Druck einer herrschenden Bourgeoisie entstand und der literarische Ausdruck des Kampfes gegen diese Herrschaft ist, wurde nach Deutschland eingeführt zu

einer Zeit, wo die Bourgeoisie soeben ihren Kampf gegen
den feudalen Absolutismus begann.

Deutsche Philosophen, Halbphilosophen und Schöngeister
bemächtigten sich gierig dieser Literatur und vergaßen nur,
daß bei der Einwanderung jener Schriften aus Frankreich
die französischen Lebensverhältnisse nicht gleichzeitig nach
Deutschland eingewandert waren. Den deutschen Verhältnissen gegenüber verlor die französische Literatur alle unmittelbar praktische Bedeutung und nahm ein rein litera-
risches Aussehen an. Als müßige Spekulation über die Verwirklichung des menschlichen Wesens mußte sie erscheinen.
So hatten für die deutschen Philosophen des 18. Jahrhunderts die Forderungen der ersten französischen Revolution
nur den Sinn, Forderungen der „praktischen Vernunft" im
allgemeinen zu sein, und die Willensäußerungen der revolutionären französischen Bourgeoisie bedeuteten in ihren
Augen die Gesetze des reinen Willens, des Willens, wie er
sein muß, des wahrhaft menschlichen Willens.

Die ausschließliche Arbeit der deutschen Literaten bestand
darin, die neuen französischen Ideen mit ihrem alten philosophischen Gewissen in Einklang zu setzen oder vielmehr
von ihrem philosophischen Standpunkte aus die französischen Ideen sich anzueignen.

Diese Aneignung geschah in derselben Weise, wodurch man
sich überhaupt eine fremde Sprache aneignet, durch die
Übersetzung.

Es ist bekannt, wie die Mönche Manuskripte, worauf die
klassischen Werke der alten Heidenzeit verzeichnet waren,
mit abgeschmackten katholischen Heiligengeschichten über-
schrieben. Die deutschen Literaten gingen umgekehrt mit
der profanen französischen Literatur um. Sie schrieben
ihren philosophischen Unsinn hinter das französische Original. Zum Beispiel hinter die französische Kritik der Geldverhältnisse schrieben sie „Entäußerung des menschlichen
Wesens", hinter die französische Kritik des Bourgeoisstaates
schrieben sie „Aufhebung der Herrschaft des abstrakt Allgemeinen" usw.

Die Unterschiebung dieser philosophischen Redensarten
unter die französischen Entwicklungen tauften sie „Philo-

sophie der Tat", „wahrer Sozialismus", „Deutsche Wissenschaft des Sozialismus", „philosophische Begründung des
Sozialismus" usw.

Die französische sozialistisch-kommunistische Literatur wurde so förmlich entmannt. Und da sie in der Hand des Deutschen aufhörte, den Kampf einer Klasse gegen die andere
auszudrücken, so war der Deutsche sich bewußt, die „französische Einseitigkeit" überwunden, statt wahrer Bedürfnisse das Bedürfnis der Wahrheit, und statt der Interessen
des Proletariers die Interessen des menschlichen Wesens, des
Menschen überhaupt vertreten zu haben, des Menschen, der
keiner Klasse, der überhaupt nicht der Wirklichkeit, der nur
dem Dunsthimmel der philosophischen Phantasie angehört.

Dieser deutsche Sozialismus, der seine unbeholfenen Schul-
übungen so ernst und feierlich nahm und so marktschreie-
risch ausposaunte, verlor indes nach und nach seine pedan-
tische Unschuld.

Der Kampf der deutschen, namentlich der preußischen Bourgeoisie gegen die Feudalen und das absolute Königtum, mit
einem Wort, die liberale Bewegung wurde ernsthafter.

Dem „wahren" Sozialismus war so die erwünschte Gelegenheit geboten, der politischen Bewegung die sozialistischen
Forderungen gegenüberzustellen, die überlieferten Anathe-
me gegen den Liberalismus, gegen den Repräsentativstaat,
gegen die bürgerliche Konkurrenz, bürgerliche Preßfreiheit,
bürgerliches Recht, bürgerliche Freiheit und Gleichheit zu
schleudern und der Volksmasse vorzupredigen, wie sie bei
dieser bürgerlichen Bewegung nichts zu gewinnen, vielmehr
alles zu verlieren habe. Der deutsche Sozialismus vergaß
rechtzeitig, daß die französische Kritik, deren geistloses
Echo er war, die moderne bürgerliche Gesellschaft mit den
entsprechenden materiellen Lebensbedingungen und der
angemessenen politischen Konstitution voraussetzt, lauter
Voraussetzungen, um deren Erkämpfung es sich erst in
Deutschland handelte.

Er diente den deutschen absoluten Regierungen mit ihrem
Gefolge von Pfaffen, Schulmeistern, Krautjunkern und
Bürokraten als erwünschte Vogelscheuche gegen die dro-
hend anstrebende Bourgeoisie.

Er bildete die süßliche Ergänzung zu den bitteren Peitschenhieben und Flintenkugeln, womit dieselben Regierungen die deutschen Arbeiteraufstände bearbeiteten.

Ward der „wahre" Sozialismus dergestalt eine Waffe in der Hand der Regierungen gegen die deutsche Bourgeoisie, so vertrat er auch unmittelbar ein reaktionäres Interesse, das Interesse der deutschen Pfahlbürgerschaft. In Deutschland bildet das vom 16. Jahrhundert her überlieferte und seit der Zeit in verschiedener Form hier immer neu wieder auftauchende Kleinbürgertum die eigentliche gesellschaftliche Grundlage der bestehenden Zustände.

Seine Erhaltung ist die Erhaltung der bestehenden deutschen Zustände. Von der industriellen und politischen Herrschaft der Bourgeoisie fürchtet es den sichern Untergang, einerseits infolge der Konzentration des Kapitals, andererseits durch das Aufkommen eines revolutionären Proletariats. Der „wahre" Sozialismus schien ihm beide Fliegen mit einer Klappe zu schlagen. Er verbreitete sich wie eine Epidemie.

Das Gewand, gewirkt aus spekulativem Spinnweb, überstrickt mit schöngeistigen Redeblumen, durchtränkt von liebesschwülem Gemütstau, dies überschwengliche Gewand, worin die deutschen Sozialisten ihre paar knöchernen „ewigen Wahrheiten" einhüllten, vermehrte nur den Absatz ihrer Ware bei diesem Publikum.

Seinerseits erkannte der deutsche Sozialismus immer mehr seinen Beruf, der hochtrabende Vertreter dieser Pfahlbürgerschaft zu sein.

Er proklamierte die deutsche Nation als die normale Nation und den deutschen Spießbürger als den Normalmenschen. Er gab jeder Niedertracht desselben einen verborgenen, höheren sozialistischen Sinn, worin sie ihr Gegenteil bedeutete. Er zog die letzte Konsequenz, indem er direkt gegen die „rohdestruktive" Richtung des Kommunismus auftrat, und seine unparteiische Erhabenheit über alle Klassenkämpfe verkündete. Mit sehr wenigen Ausnahmen gehört alles, was in Deutschland von angeblich sozialistischen und kommunistischen Schriften zirkuliert, in den Bereich dieser schmutzigen, entnervenden Literatur.

2. Der konservative oder Bourgeoissozialismus

Ein Teil der Bourgeoisie wünscht den sozialen Mißständen abzuhelfen, um den Bestand der bürgerlichen Gesellschaft zu sichern.

Es gehören hierher: Ökonomisten, Philanthropen, Humanitäre, Verbesserer der Lage der arbeitenden Klassen, Wohltätigkeitsorganisierer, Abschaffer der Tierquälerei, Mäßigkeitsvereinsstifter, Winkelreformer der buntscheckigsten Art. Und auch zu ganzen Systemen ist dieser Bourgeoissozialismus ausgearbeitet worden.

Als Beispiel führen wir Proudhons Philosophie de la Misère an.

Die sozialistischen Bourgeois wollten die Lebensbedingungen der modernen Gesellschaft ohne die notwendig daraus hervorgehenden Kämpfe und Gefahren. Sie wollen die bestehende Gesellschaft mit Abzug der sie revolutionierenden und sie auflösenden Elemente. Sie wollen die Bourgeoisie ohne das Proletariat. Die Bourgeoisie stellt sich die Welt, worin sie herrscht, natürlich als die beste Welt vor. Der Bourgeoissozialismus arbeitet diese tröstliche Vorstellung zu einem halben oder ganzen System aus. Wenn er das Proletariat auffordert, seine Systeme zu verwirklichen, und in das neue Jerusalem einzugehen, so verlangt er im Grunde nur, daß es in der jetzigen Gesellschaft stehen bleibe, aber seine gehässigen Vorstellungen von derselben abstreife.

Eine zweite, weniger systematische, nur mehr praktische Form des Sozialismus suchte der Arbeiterklasse jede revolutionäre Bewegung zu verleiden durch den Nachweis, wie nicht diese oder jene politische Veränderung, sondern nur eine Veränderung der materiellen Lebensverhältnisse, der ökonomischen Verhältnisse ihr von Nutzen sein könne. Unter Veränderung der materiellen Lebensverhältnisse versteht dieser Sozialismus aber keineswegs Abschaffung der bürgerlichen Produktionsverhältnisse, die nur auf revolutionärem Wege möglich ist, sondern administrative Verbesserungen, die auf dem Boden dieser Produktionsverhältnisse vor sich gehen, also an dem Verhältnis von Kapital und Lohnarbeit nichts ändern, sondern im besten Fall der Bourgeoisie die Kosten ihrer Herrschaft vermindern und ihren Staatshaushalt vereinfachen.

Seinen entsprechenden Ausdruck erreicht der Bourgeoissozialismus erst da, wo er zur bloßen rednerischen Figur wird.

Freier Handel! im Interesse der arbeitenden Klasse; Schutzzölle! im Interesse der arbeitenden Klasse; Zellengefängnisse! im Interesse der arbeitenden Klasse: das ist das letzte, das einzige ernst gemeinte Wort des Bourgeoissozialismus.

Der Sozialismus der Bourgeoisie besteht eben in der Behauptung, daß die Bourgeois Bourgeois sind — im Interesse der arbeitenden Klasse.

3. Der kritisch-utopistische Sozialismus und Kommunismus

Wir reden hier nicht von der Literatur, die in allen großen modernen Revolutionen die Forderungen des Proletariats aussprach. (Schriften Baboeufs usw.)

Die ersten Versuche des Proletariats, in einer Zeit allgemeiner Aufregung, in der Periode des Umsturzes der feudalen Gesellschaft direkt sein eigenes Klasseninteresse durchzusetzen, scheiterten notwendig an der unentwickelten Gestalt des Proletariats selbst, wie an dem Mangel der materiellen Bedingungen seiner Befreiung, die eben erst das Produkt der bürgerlichen Epoche sind. Die revolutionäre Literatur, welche diese ersten Bewegungen des Proletariats begleitete, ist dem Inhalt nach notwendig reaktionär. Sie lehrt einen allgemeinen Asketismus und eine rohe Gleichmacherei.

Die eigentlich sozialistischen und kommunistischen Systeme, die Systeme St. Simons, Fouriers, Owens usw. tauchen auf in der ersten unentwickelten Periode des Kampfes zwischen Proletariat und Bourgeoisie, die wir oben dargestellt haben. (Siehe Bourgeoisie und Proletariat.)

Die Erfinder dieser Systeme sehen zwar den Gegensatz der Klassen wie die Wirksamkeit der auflösenden Elemente in der herrschenden Gesellschaft selbst. Aber sie erblicken auf der Seite des Proletariats keine geschichtliche Selbsttätigkeit, keine ihm eigentümliche politische Bewegung.

Da die Entwicklung des Klassengegensatzes gleichen Schritt hält mit der Entwicklung der Industrie, finden sie ebensowenig die materiellen Bedingungen zur Befreiung des Proletariats vor und suchen nach einer sozialen Wissenschaft, nach sozialen Gesetzen, um diese Bedingungen zu schaffen.

An die Stelle der gesellschaftlichen Tätigkeit muß ihre persönlich erfinderische Tätigkeit treten, an die Stelle der geschichtlichen Bedingungen der Befreiung phantastische, an die Stelle der allmählich vor sich gehenden Organisation des Proletariats zur Klasse eine eigens ausgeheckte Organisation der Gesellschaft. Die kommende Weltgeschichte löst sich für sie auf in die Propaganda und die praktische Ausführung ihrer Gesellschaftspläne.

Sie sind sich zwar bewußt, in ihren Plänen hauptsächlich das Interesse der arbeitenden Klasse als der leidendsten Klasse zu vertreten. Nur unter diesem Gesichtspunkt der leidendsten Klasse existiert das Proletariat für sie.

Die unentwickelte Form des Klassenkampfes, wie ihre eigene Lebenslage bringen es aber mit sich, daß sie weit über jenen Klassengegensatz erhaben zu sein glauben. Sie wollen die Lebenslage aller Gesellschaftsglieder, auch der bestgestellten, verbessern. Sie appellieren daher fortwährend an die ganze Gesellschaft ohne Unterschied, ja vorzugsweise an die herrschende Klasse. Man braucht ihr System ja nur zu verstehen, um es als den bestmöglichen Plan der bestmöglichen Gesellschaft anzuerkennen.

Sie verwerfen daher alle politische, namentlich alle revolutionäre Aktion, sie wollen ihr Ziel auf friedlichem Wege erreichen und versuchen, durch kleine, natürlich fehlschlagende Experimente, durch die Macht des Beispiels dem neuen gesellschaftlichen Evangelium Bahn zu brechen.

Die phantastische Schilderung der zukünftigen Gesellschaft entspringt in einer Zeit, wo das Proletariat noch höchst unentwickelt ist, also selbst noch phantastisch seine eigene Stellung auffaßt, seinem ersten ahnungsvollen Drängen nach einer allgemeinen Umgestaltung der Gesellschaft.

Die sozialistischen und kommunistischen Schriften bestehen aber auch aus kritischen Elementen. Sie greifen alle Grundlagen der bestehenden Gesellschaft an. Sie haben daher höchst wertvolles Material zur Aufklärung der Arbeiter geliefert. Ihre positiven Sätze über die zukünftige Gesellschaft, zum Beispiel Aufhebung des Gegensatzes von Stadt und Land, der Familie, des Privaterwerbs, der Lohnarbeit, die Verkündigung der gesellschaftlichen Harmonie, die Verwandlung des Staates in eine bloße Verwaltung der Produktion — alle diese ihre Sätze drücken bloß das Wegfallen des Klassengegensatzes aus, der eben erst sich zu entwickeln beginnt, den sie nur noch in seiner ersten gestaltlosen Unbestimmtheit kennen. Diese Sätze selbst haben daher noch einen rein utopistischen Sinn.

Die Bedeutung des kritisch-utopistischen Sozialismus und Kommunismus steht im umgekehrten Verhältnis zur geschichtlichen Entwicklung. In demselben Maße, worin der Klassenkampf sich entwickelt und gestaltet, verliert diese phantastische Erhebung über denselben, diese phantastische Bekämpfung desselben allen praktischen Wert, alle theoretische Berechtigung. Waren daher die Urheber dieser Systeme auch in vieler Beziehung revolutionär, so bilden ihre Schüler jedesmal reaktionäre Sekten. Sie halten die alten Anschauungen der Meister fest gegenüber der geschichtlichen Fortentwicklung des Proletariats. Sie suchen daher konsequent den Klassenkampf abzustumpfen und die Gegensätze zu vermitteln. Sie träumen noch immer die versuchsweise Verwirklichung ihrer gesellschaftlichen Utopien, Stiftung einzelner Phalanstere, Gründung von Home-Kolonien, Errichtung eines kleinen Ikarien, — Duodezausgabe des neuen Jerusalem — und zum Aufbau aller dieser spanischen Schlösser müssen sie an die Philanthropie der bürgerlichen Herzen und Geldsäcke appellieren. Allmählich fallen sie in die Kategorie der oben geschilderten reaktionären oder konservativen Sozialisten und unterscheiden sich nur noch von ihnen durch mehr systematische Pedanterie, durch den fanatischen Aberglauben an die Wunderwirkungen ihrer sozialen Wissenschaft.

Sie treten daher mit Erbitterung aller politischen Bewegung der Arbeiter entgegen, die nur aus blindem Unglauben an das neue Evangelium hervorgehen konnte.

Die Owenisten in England, die Fourieristen in Frankreich reagieren dort gegen die Chartisten, hier gegen die Reformisten.

IV.

Stellung der Kommunisten zu den verschiedenen oppositionellen Parteien

Nach Abschnitt II versteht sich das Verhältnis der Kommunisten zu den bereits konstruierten Arbeiterparteien von selbst, also ihr Verhältnis zu den Chartisten in England und den agrarischen Reformern in Nordamerika.

Sie kämpfen für die Erreichung der unmittelbar vorliegenden Zwecke und Interessen der Arbeiterklasse, aber sie vertreten in der gegenwärtigen Bewegung zugleich die Zukunft der Bewegung. In Frankreich schließen sich die Kommunisten an die sozialistisch-demokratische Partei an gegen die konservative und radikale Bourgeoisie, ohne darum das Recht aufzugeben, sich kritisch zu den aus der revolutionären Überlieferung herrührenden Phrasen und Illusionen zu verhalten.

In der Schweiz unterstützen sie die Radikalen, ohne zu verkennen, daß diese Partei aus widersprechenden Elementen besteht, teils aus den demokratischen Sozialisten im französischen Sinn, teils aus radikalen Bourgeois.

Unter den Polen unterstützten die Kommunisten die Partei, welche eine agrarische Revolution zur Bedingung der nationalen Befreiung macht, dieselbe Partei, welche die Krakauer Insurrektion von 1846 ins Leben rief.

In Deutschland kämpft die Kommunistische Partei, sobald die Bourgeoisie revolutionär auftritt, gemeinsam mit der Bourgeoisie gegen die absolute Monarchie, das feudale Grundeigentum und die Kleinbürgerei.

Sie unterläßt aber keinen Augenblick, bei den Arbeitern ein möglichst klares Bewußtsein über den feindlichen Gegensatz zwischen Bourgeoisie und Proletariat herauszuarbeiten, damit die deutschen Arbeiter sogleich die gesellschaftlichen und politischen Bedingungen, welche die Bourgeoisie mit ihrer Herrschaft herbeiführen muß, als ebenso viele Waffen gegen die Bourgeoisie kehren können, damit nach dem Sturz der reaktionären Klassen in Deutschland, sofort der Kampf gegen die Bourgeoisie selbst beginnt.

Auf Deutschland richten die Kommunisten ihre Hauptaufmerksamkeit, weil Deutschland am Vorabend einer bürgerlichen Revolution steht, und weil es diese Umwälzung unter fortgeschritteneren Bedingungen der europäischen Zivilisation überhaupt, und mit einem viel weiter entwickelten Proletariat vollbringt, als England im 17. und Frankreich im 18. Jahrhundert, die deutsche bürgerliche Revolution also nur das unmittelbare Vorspiel einer proletarischen Revolution sein kann.

Mit einem Wort, die Kommunisten unterstützen überall jede revolutionäre Bewegung gegen die bestehenden gesellschaftlichen und politischen Zustände.

In allen diesen Bewegungen heben sie die Eigentumsfrage, welche mehr oder minder entwickelte Form sie auch angenommen haben möge, als die Grundfrage der Bewegung hervor.

Die Kommunisten arbeiten endlich überall an der Verbindung und Verständigung der demokratischen Parteien aller Länder.

Die Kommunisten verschmähen es, ihre Ansichten und Absichten zu verheimlichen. Sie erklären es offen, daß ihre Zwecke nur erreicht werden können durch den gewaltsamen Umsturz aller bisherigen Gesellschaftsordnung. Mögen die herrschenden Klassen vor einer kommunistischen Revolution zittern. Die Proletarier haben nichts in ihr zu verlieren als ihre Ketten. Sie haben eine Welt zu gewinnen.

Proletarier aller Länder vereinigt euch!

ERLÄUTERUNGEN

4, 8 u. ius publicum: öffentliches Recht.

8, 14 o. concordia discordantium canonum: die Übereinstimmung der sich widersprechenden Kirchengesetze.

12, 1 f. *νους* [nūs]. Ein Hauptbegriff der griechischen Philosophie, unübersetzbar, vergleichbar etwa dem Begriff der Vernunft oder des Denkens in der deutschen Philosophie. Marx schildert kurz seine verschiedenen Ausdrucksformen, die er in den verschiedenen Etappen der griechischen Philosophie findet: bei Plato, bei Aristoteles.

12, 12 u. Fastnachtszeit der Philosophie, Charaktermasken. D. h. die Philosophie tritt aus ihrer Bestimmung als reine Erkenntnis jetzt in die Rolle der Rechtfertigung bestimmter Lebensideale, die Zyniker, für die nichts einen Vorrang hatte, die Alexandriner, die die griechische Philosophie zu einer religiösen Lehre umbildeten, und die Epikuräer, die den Genuß des Lebens lehren.

13, 13 u. Dialektik des Maßes heißt hier soviel wie: die Entwicklungsbedingungen des Beschränkten (im Gegensatz zur Totalität der Philosophie) für die höchste Kategorie, d. h. die höchste Bestimmung in der Philosophie halten.

15, 13 o. subjektive Pointe: in eine persönliche Zuspitzung gebracht.

15, 12 u. Akkomodation, sofern die Schüler Hegels einzelne Aussagen nicht aus dem inneren Zusammenhang seines Gedankens, sondern aus der Absicht Hegels erklären, seine philosophischen Aussagen an diesen oder jenen Umstand anzupassen.

19, 8 o. posterius: Hinterteil.

19, 10 o. punctum visus: Gesichtspunkt.

19, 7 u. *που στω* [pū stō]: Standpunkt, wörtlich: wo ich stehe.

24 ff. Subjekt und Prädikat, siehe die Erklärung in der Einleitung S. XXIII f.

25, 10 u. conditio sine qua non: unerläßliche Bedingung.

27, 8 o. Korporation heißt bei Hegel bürgerliche Vereinigung.

29, 14 u. santa casa: das Inquisitionsgebäude in Madrid.

35, 90   Mobile: das bewegende Prinzip.

38, 15 u.   vinculum substantiale: ein im Wesen der Sache begründeter Zusammenhang.

41, 1 u.   Reelles Ens (lat.): das wahrhaft Seiende — ὑποκείμενον [hypokeimenon] —, das zugrunde liegende.

45, 6 u.   die question: die Frage.

47, 4 u.   κατ ἐξοχήν [kat exochēn], im eigentlichen Sinne, schlechthin.

48, 4 u.   qua politischer Staat: in seiner Eigenschaft als politischer Staat.

54, 20 o.   Majorat: eine erbrechtliche Einrichtung, nach der der Grundbesitz adliger Familien nur ungeteilt auf den ältesten Sohn übergehen darf.

56, 3 o.   bellum omnium contra omnes: Krieg aller gegen alle, berühmter Satz des englischen Staatsphilosophen Hobbes (1588-1679), der den Zustand (Naturzustand) der Menschen ohne Staat kennzeichnet.

56, 10 o.   fixes Individuum: in sich fertiges, isoliertes Individuum, d. h. es wird nicht als gesellschaftliches Glied betrachtet.

58, 17 o.   voilà tout: das ist alles.

58, 9 u.   Formalismus: das in bloße Formeln, formelle Regeln aufgelöste gesellschaftliche Leben (Inhalt).

58, 7 u.   Materialismus — Spiritualismus: ein unechter Gegensatz, der nur aus der Trennung des Zusammengehörigen möglich ist. Die Korporationen beruhen inhaltlich, materiell, d. h. dem Interesse nach, das sie vertreten, auf demselben Prinzip wie die Bürokratie, die sich diesem Interesse gegenüber formell regelnd (spiritualistisch) verhält.

60, 17 o.   La République prêtre: die Priester-Republik.

60, 17 u.   Kategorischer Imperativ: das unbedingt geltende Sittengesetz (von Kant formuliert).

61, 1 u.   causa prima: erste (oberste) Ursache.

64, 13 o.   hors de loi: außerhalb des Gesetzes.

64, 14 o.   Voilà la collision: Da haben wir den Zusammenstoß!

66, 1 o.   re vera: in Wahrheit.

66, 6 o.   Der substantielle Standpunkt Hegels: Die Ableitung aller Bestandteile des Staates aus der Substanz, d. h. der Idee des Staates, siehe Einleitung.

68, 13 o.   assemblée constituante und assemblée constituée der aus dem Staatsrecht der französischen Revolution stammende Unterschied zwischen der Versammlung, die die Verfassung setzt (assemblée constituante, Nationalversammlung), und derjenigen, die durch diese eingerichtet wird (assemblée constituée — die gesetzgebende Versammlung, das Parlament).

71, 15 o. in persona: persönlich, er selbst.

76, 16 u. konstitutioneller Staat: ein Staat, der auf einer Verfassung (Konstitution) beruht, durch die Rechte und Pflichten der Bürger gesetzlich festgelegt sind.

76, 10 u. haut goût: Feinschmeckerei.

83, 9 u. contradictio in adjecto: übliche Bezeichnung in der Logik, wenn das Beiwort zum Hauptwort in Widerspruch steht.

86, 16 u. point d'honneur: der Ehrenpunkt.

90, 18 o. Pairs: diejenigen Mitglieder des hohen Adels, die die erste Kammer (in England das Oberhaus) bilden.

105, 4 u. Janusköpfe: bildliche Darstellung des römischen Gottes Janus mit zwei Gesichtern, das eine nach vorn, das andere zurückgewandt.

127, 1 u. ex proprio sinu: aus dem eigenen Busen.

142, 11 o. Staatsräson: die Bedeutung, die etwas allein in Hinsicht auf den Staat als solchen hat.

142, 16 o. objectum quaestionis: der Gegenstand, der in Frage steht.

149, 7 o. soit-disant: sozusagen.

151, 6 u. tiers état: der dritte Stand, das Bürgertum.

157, 1 o. Karlsbader Beschlüsse: Minister-Kongreß zwischen Preußen und Österreich 1819, auf dem scharfe Unterdrückung von Preß- und Lehrfreiheit beschlossen wurde.

157, 16 o. franz. Text: notre prince = unser Fürst. „Ich bin nicht Euer Fürst, ich bin Euer Herr."

162, 10 u. Voyez ces crapauds!: Seht diese Kröten!

165, 6 u. Muta pecora . . .: Stummes Vieh, fügsam und gefräßig.

167, 18 u. Restauration: Herstellung vergangener Zustände.

169, 16 u. Voyage en Icarie: Die Beschreibung eines zukünftigen Zustandes der Gesellschaft von Cabet.

170, 4 o. sub specie rei publicae: unter dem Gesichtspunkt des öffentlichen Gemeinwesens.

170, 6 o. hauteur des principes: Höhe der Prinzipien.

177, 14 u. franz. Text: „Es gibt in den Vereinigten Staaten weder eine Staatsreligion noch eine, die zur Religion der Mehrheit erklärt wäre, noch den Vorzug eines Kultus vor dem anderen. Der Staat steht jenseits aller Kulte."

177, 9 u. franz. Text: „Die Verfassung fordert keinen religiösen Glauben und die Ausübung eines Kultes als Bedingung der politischen Rechte."

177, 7 u. franz. Text: „Man glaubt in den Vereinigten Staaten nicht, daß ein Mensch ohne Religion ein ehrbarer Mensch sein könne."

162, 2 o. Bourgeois: der Mensch als Glied der bürgerlichen Gesellschaft.

182, 5 o. Citoyen: der Mensch als Staatsbürger.

191,12 o. Déclaration ...: Erklärung der Menschen- und Bürgerrechte: „Niemand darf wegen seiner Meinung, auch nicht der religiösen, bedrängt werden. — Die Freiheit für jeden, den religiösen Kult auszuüben, dem er zugehört."

191,18 o. Erklärung der Menschenrechte: „Die freie Ausübung der Kulte."

191,18 u. franz. Text: „Die Notwendigkeit, diese Rechte ausdrücklich zu nennen, setzt entweder die Gegenwart oder die frische Erinnerung des Despotismus voraus."

191,15 u. franz. Text: Verfassung von Pennsylvanien: „Alle Menschen haben von der Natur das unveräußerliche Recht empfangen, den Allmächtigen zu verehren nach der Stimme ihres Gewissens und niemand kann gesetzlich gezwungen werden, gegen seinen freien Willen irgendeinen religiösen Kultus oder Dienst einzurichten oder zu unterhalten. Keine menschliche Autorität kann in irgendeinem Falle in Gewissensfragen eingreifen und die Mächte der Seele kontrollieren."

191,7 u. Verfassung von New-Hampshire: „Unter den Naturrechten sind einige ihrer eigenen Natur nach unveräußerlich, weil es nichts ihnen Entsprechendes gibt. Hierunter zählen die Rechte des Gewissens."

192,18 u. Erklärung der Menschen- und Bürgerrechte. Art. 2: „Diese Rechte usw. (die natürlichen und unveräußerlichen Rechte) sind: Gleichheit, Freiheit, Sicherheit, Eigentum."

192,14 u. Art. 6: „Die Freiheit ist die zum Menschen gehörige Macht, alles das zu tun, was die Rechte des anderen nicht beeinträchtigt. — Die Freiheit besteht darin, alles tun zu können, was einem anderen nicht schadet."

193,11 o. Art. 16: „Das Recht des Eigentums ist das jedem Bürger zukommende Recht, nach seinem Belieben seine Güter, seine Einkünfte, die Früchte seiner Arbeit und seines Fleißes zu genießen und über sie zu verfügen."

193,5 u. Art. 3: „Die Gleichheit besteht darin, daß das Gesetz dasselbe für alle ist, sei es, daß es schützt, sei es, daß es straft."
Art. 8: „Die Sicherheit besteht in dem von der Gesellschaft jedem ihrer Glieder gewährten Schutz zur Bewahrung seiner Person, seiner Rechte und seines Eigentums."

195,10 o. franz. Text: „Das Ziel jeder politischen Vereinigung ist die Bewahrung der natürlichen und unveräußerlichen Menschenrechte. Die Regierung ist errichtet, um dem Menschen den Genuß seiner natürlichen und unveräußerlichen Rechte zu gewährleisten."

195, 17 u. liberté ...: die uneingeschränkte Freiheit der Presse.

195, 14 u. Die Freiheit der Presse darf dann nicht erlaubt sein, wenn sie die öffentliche Freiheit schädigt.

199, 3 o. franz. Text: „Derjenige, der das Wagnis unternimmt, ein Volk zu begründen, muß sich imstande fühlen, die menschliche Natur gleichsam zu verändern, jeden einzelnen, der für sich selbst ein vollendetes Ganzes und in sich abgeschlossen ist, zum Teil eines größeren Ganzen zu verwandeln, von dem dieser Einzelne gewisserweise sein Leben und sein Sein erhält, eine rein physische und unabhängige Daseinsweise durch eine abhängige und sittliche zu ersetzen. Er muß dem Menschen seine eigenen Kräfte nehmen, um ihm fremde zu geben, von denen er nicht ohne Unterstützung anderer Gebrauch machen kann.‟

201, 7 o. Kritik der Synoptiker: Schrift von Bruno Bauer (1840) gegen die Auslegung der Evangelien. — Das Leben Jesu: Schrift von David Fr. Strauß (1836), die das Leben Jesu als rein menschlich zu verstehendes darstellt.

202, 11 u. Laokoon: eine antike Statue, die einen von Schlangen umwundenen, von Schmerz verzerrten Mann darstellt.

203, 12 o. franz. Text: „Den einen sehen Sie an der Spitze einer angesehenen religiösen Vereinigung, der als Kaufmann begonnen hat; als sein Handel nicht mehr ging, hat er sich zum Geistlichen gemacht; der andere hat mit dem Gottesdienst angefangen, aber sobald er einiges Geld beisammen hatte, hat er die Kanzel mit dem Handel vertauscht. In den Augen vieler eröffnet der geistliche Beruf eine glänzende industrielle Laufbahn.‟

204, 5 o. Monotheismus: Religion, die nur einen Gott kennt. — Polytheismus: Vielgötterei.

207, 8 o. Pentateuch und Talmud: jüdische Gesetzbücher.

207, 9 u. oratio pro aris et focis: eine Rede für Haus und Hof, d. h. eine Rede zur eigenen Selbstrechtfertigung.

210, 2 o. a posteriori: von hinten, hinterdrein.

210, 4 o. Shylock: eine Figur aus Shakespeares Kaufmann von Venedig, der sich als Pfand von seinem Schuldner einen Schein auf ein Pfund von dessen Fleisch ausstellen läßt.

211, 17 u. Partie honteuse: der schändliche Teil.

212, 2 o. Revenant: der aus einer anderen Welt wiederkehrt = Gespenst.

213, 1 o. Prohibitivsystem: Zollsystem.

214, 6 o. œuvres incomplètes: unvollendete Werke.

214, 7 o. œuvres posthumes: nachgelassene Werke.

214, 9 o. that is the question: das ist die Frage (aus Shakespeares Hamlet).

216, 12 u. ad hominem demonstrieren: am Menschen aufweisen.

216, 3 u. kategorischer Imperativ: das oberste, unbedingte Gesetz.

217, 12 u. Säkularisation: Umwandlung des kirchlichen Eigentums in weltliches.

219, 13 o. französische Septembergesetze: die vom Ministerium Broglie unter der Regierung Louis Philippes September 1835 erlassenen Gesetze zur Knebelung der freien Presse.

219, 15 o. Pantheon: im alten Rom der Tempel aller Götter.

220, 11 u. par excellence: in ausgezeichneter Weise.

221, 19 o. mal à propos: unangebracht.

226, 16 u. ex professo: berufsmäßig.

228, 16 o. Merkantilsystem: diejenige ökonomische Anschauung, die hauptsächlich im 17. Jahrhundert den Handel und das Interesse am Geldgewinn in den Mittelpunkt stellte.

230, 11 o. Physiokratie: nationalökonomische Lehre, von dem französischen Arzt Quesnay begründet, die von der alleinigen Produktivität der Landwirtschaft ausgeht.

246, 2 u. generatio aequivoca: feststehender Ausdruck für die Urzeugung, d. h. die Erzeugung ohne Erzeuger.

250, 17 o. testimonium paupertatis: Armutszeugnis.

256, 16 o. Äschylus: griechischer Tragödiendichter, hat den Mythus von Prometheus, dem Sohn des Titanen Japetos, gedichtet, der dem Zeus das Licht für die Menschen entrissen hat.

265, 16 u. ouvrier: Arbeiter.

272, 3 u. id est: das ist.

286, 11 u. endlich-theologischer Standpunkt: eine Auffassung vom Zusammenhang der Natur, nach dem jedes einzelne Seiende auf ein anderes Seiendes als auf den eigentlichen Zweck seines eigenen Seins angelegt ist.

303, 11 o. Amendment bill: die englischen Armengesetze von 1834, die die strengen, noch aus der Zeit der Königin Elisabeth stammenden, entehrenden Armengesetze beseitigten.

307, 16 u. Don Quichotte: eine satirische Dichtung des Spaniers Cervantes, die einen Phantasten schildert, der in einer eingebildeten Welt von Rittern und Minnedienst auf Abenteuer auszieht und mit der prosaischen Wirklichkeit zusammenstößt.

317, 3 o. dialektischer Gegensatz: ein gegenseitig sich bedingender und zugleich zur Aufhebung treibender Gegensatz.

321, 12 u. franz. Text: Die Großen erscheinen uns nur groß,
Weil wir auf den Knien liegen.
- - - Erheben wir uns! - - -

322, 9 u. post festum: nach dem Fest, hinterher.

325, 7 o. Spinozismus: Schule des Spinoza, holländischer Philosoph 1632—1677.

325, 9 o. Theismus: diejenige Philosophie, die Gott als das bewegende Prinzip der Welt ansetzt.

326, 18 o. Humanismus: der Name für die geistige Bewegung des 16. Jahrhunderts, die den menschlichen Standpunkt zum Ausgang ihrer Fragestellung nahm. Mit diesem Namen bezeichnet Marx seine eigene Stellung.

327, 18 o. franz. Text: Bericht über das Körperliche und Geistige des Menschen.

327, 19 o. kartesisch: von Descartes.

327, 1 u. Lawsche Finanzspekulation: Law hatte zum erstenmal für Ludwig XV. 1718 Papiergeld ausgegeben, das zur völligen Entwertung führte.

329, 5 u. Nominalismus: scholastische Lehre, nach der die Begriffe bloße zusammenfassende Namen sind, nicht aber selbst ein wirklich Seiendes bezeichnen (Realisten).

330, 3 o. Homoiomerien: die Lehre des griechischen Philosophen Anaxagoras, daß die Urbestandteile der Dinge ihrer Masse gleichartig seien.

331, 10 u. Sensualismus: diejenige philosophische Lehre, für die nur das sinnlich Wahrnehmbare Wirklichkeit ist.

332, 7 o. franz. Titel: Versuch über den Ursprung des menschlichen Wissens.

332, 14 o. eklektische Philosophie. die Philosophie, die aus den verschiedensten Lehren Stücke zusammenstellt.

332, 15 u. Helvetius: De l'homme: Über den Menschen.

332, 5 u. L'homme machine: der Mensch, eine Maschine.

332, 3 u. Holbach, Système de la nature: System der Natur.

334, 18 o. Babouvist: ein Anhänger des Babeuf, eines der radikalsten Kämpfer der französischen Revolution, der die „Vereinigung der Gleichen" gründete und 1797 wegen einer kommunistischen Verschwörung hingerichtet wurde.

335, 17 u. Hallische Jahrbücher: eine von den Links-Hegelianern (A. Ruge) herausgegebene Zeitschrift.

336, 19 o. De l'esprit: über den Geist, eine Schrift des Helvetius.

336, 11 u. franz. Text: „Nur sich selbst kann der Mensch lieben, indem er die Dinge liebt: nur sich selbst ist er zugeneigt in den Wesen seinesgleichen." „In keinem Augenblick seines Lebens kann der Mensch sich von sich selbst loslösen: er kann sich nie aus dem Auge verlieren." „Es ist immer unser Nutzen, unser Interesse, das uns die Dinge hassen oder lieben läßt." „Der Mensch muß um seines eigenen Interesses willen die anderen lieben, denn er braucht sie zu seinem eigenen Wohlergehen ... Die Moral beweist ihm, daß von allen Wesen der Mensch dem Menschen das Notwendigste ist." „Die wahre Moral ebenso wie die wahre Politik ist diejenige, die die Menschen einander zu nähern sucht, um sie durch vereinte Anstrengung zu ihrem gegenseitigen Glück arbeiten zu lassen. Jede Moral, die unsere Interessen von denjenigen unserer Mitmenschen trennt, ist falsch, unsinnig und der Natur zuwider." „Die anderen lieben ... d. h. unsere Interessen mit denjenigen unserer Mitmenschen vereinigen, um zum gemeinsamen Nutzen zu arbeiten ... Die Tugend ist nichts als der in Gesellschaft vereinte Nutzen der Menschen." „Der Mensch ohne Leidenschaften oder ohne Wünsche hörte auf, ein Mensch zu sein ... Vollständig abgewandt von sich selbst, wie könnte man ihn bestimmen, sich anderen zuzuwenden? Ein Mensch, gegen alles gleichgültig, ohne Leidenschaften, sich selbst genug, wäre kein gesellschaftliches Wesen mehr ... Die Tugend ist nur die Teilnahme am Wohl." „Die religiöse Moral dient niemals dazu, die Sterblichen geselliger zu machen."

337, 15 o. intérêt général: das Allgemeininteresse.

337, 15 o. franz. Text: „Das Interesse der Individuen ... soll dem öffentlichen Interesse weichen. Aber ... was heißt das? Ist nicht jedes Individuum ein Teil der Allgemeinheit so gut wie jedes andere? Dieses öffentliche Interesse, welches ihr personifiziert, ist nur ein abstrakter Begriff: er gibt nur die Masse der Einzelinteressen wieder ... Wenn es gut wäre, das Glück eines Individuums zu opfern, um das der anderen zu vermehren, dann könnte es auch noch besser sein, das Glück eines zweiten, eines dritten zu opfern, ohne daß man irgendeine Grenze bezeichnen könnte ... Die individuellen Interessen sind die einzigen wirklichen Interessen."

343, 9 o. Diadochen: Die Nachfolger Alexanders des Großen, an die das große Reich zerfiel.

352, 12 o. Bruno Bauer, s. Register.

353, 12 o. generatio aequivoca: Urzeugung, d. h. Zeugung ohne Erzeuger.

371, 6 u. theatrum mundi: Welttheater.

371, 4 u. „Kritik", des „Menschen", des „Einzigen": bezieht sich auf Bruno Bauer, Feuerbach und Stirner.

379, 7 u. Anticornlaw-League: eine in England 1839 für die Abschaffung von Getreidezöllen gegründete Vereinigung von Industriellen.

388, 10 o. Navigationsgesetze und Kolonialmonopole: In England wurde 1651 durch die Navigationsakte die Schiffahrt nach England ausschließlich den Engländern vorbehalten. Der Handel mit den Kolonien wurde als Monopol bestimmten Gesellschaften (Englisch-Ostindische Kompanie) gewährt.

388, 20 o. Differentialzölle: Zölle von verschiedener Höhe, je nach dem Herkunftsland der Ware.

389, 14 o. franz. Text: „Der Handel ist das Steckenpferd des Jahrhunderts" und „seit einiger Zeit ist von nichts anderem die Rede als von Handel, Schiffahrt und Marine".

400, 13 u. adversus: gegen.

400, 12 u. malgré eux: ohne ihren Willen.

409, 11 o. dominium ex jure Quiritum: sachliche Verfügungsgewalt kraft römischen Bürgerrechts.

411, 12 o. jus utendi et abutendi: das Recht, sich einer Sache zu bedienen und sie zu verbrauchen (aufzubrauchen).

411, 17 o. das abuti: das Aufbrauchen.

415, 11 o. Licinisches Ackergesetz: Auf den Vorschlag des Volkstribun C. Licinius Stolo (ca. 370 v. Chr.) wurde beschlossen, daß nicht über ein bestimmtes Quantum Gemeindegrund an ein und denselben Privaten verkauft werden dürfte. Nach Marx beweist die Notwendigkeit, dieses Gesetz zu erlassen, die Tendenz zur Konzentration des Grundbesitzes in den Händen weniger.

421, 10 u. Sancho: Sancho Pansa, der Knappe und Begleiter Don Quijottes in Cervantes' berühmtem Roman. Auch weiterhin wird Stirner oft mit Sancho verglichen.

423, 9 o. Stein: der Freiherr vom Stein (Aufhebung der Gutsuntertänigkeit 1807—1811).
Vincke: Freiherr von Vincke, der Führer der preußischen Liberalen.

424, 10 o. Runnymede: R. hieß das Feld bei Windsor, wo 1215 die Magna Charta zwischen König Johann und den Baronen geschlossen wurde.

424, 11 o. 1846 wurde in England die Aufhebung der Getreidezölle für das Jahr 1849 beschlossen.

424, 13 o. „Otto das Kind": Spitzname für den Prinzen Otto von Bayern, der 17jährig im Jahre 1832 zum König von Griechenland eingesetzt wurde.

424, 16 o. C. v. Rotteck (1775—1840), mit Welcker Begründer des süddeutschen Liberalismus. Das Werk, auf das Marx hier anspielt, ist seine „Allgemeine Geschichte" in 9 Bänden (1813—1826).

426, 5 o. capable de tout (franz.): zu allem fähig. — Habakuk: Prophet des Alten Testaments (vgl. Hab. I, 5).

429, 5 u. ager publicus (lat.): das Gemeindeland. Vgl. d. Erl. zu S. 79, 11 o.

429, 4 u. Die etymologische Ableitung, die Marx gibt, ist irrig. privus privatus (lat.): der Abgesonderte. Hiervon ist erst die Bedeutung privare: berauben abgeleitet.

431, 15 o. Proles (lat.): der Nachkomme. Proletarius (lat.) derjenige Bürger (der niedersten Klasse), der dem Staat nicht mit Steuern, sondern nur mit der Nachkommenschaft (als Soldaten) dient.

433, 14 u. Isaac Pinto, Traité de la circulation et du crédit. Amsterdam 1771.

434, 1 o. Wie Staaten der „heiligen Allianz" (1816): Rußland, Österreich, Preußen.

437, 9 o. vim vi repellere licere (lat.): es sei erlaubt, Gewalt mit Gewalt abzuwehren.
idque ius natura comparatur (lat.): und dies Recht stammt aus der Natur.

437, 10 o. ius quod natura omnia animalia docuit (lat.): ein Recht, das die Natur alle Lebewesen lehrte.

439, 11 o. Eine McCulloch-Übersetzung Stirners ist nicht erschienen; wohl aber Übersetzungen Says und Adam Smiths.

439, 12 o. to be assessed to the poor-rates at five pounds (engl.): wird Z. 14 übersetzt.

439, 15 u. Malthusianisch: im Sinne der Lehre des Th. R. Malthus (1766—1834). Über ihn vgl. auch das „Kapital" passim.

441, 16 o. Eichhorn, der erste Minister Friedrich Wilhelms IV.

449, 16 u. Cotton-Lords (engl.): Baumwoll-Barone.

450, 13 o. Seehandlung: der Name der preußischen Staatsbank.

453, 13 u. Les beaux esprits se rencontrent (franz.): Verwandte Seelen finden sich.

453, 11 u. Johannes Baptista: Johannes der Täufer.

456, 10 u. Levons-nous! (franz.): Erheben wir uns!

458, 14 u. credo ut intelligam (lat.): ein Satz des hl. Anselm von Canterbury: ich glaube, um einsichtig zu werden.

459, 1 o. ὁ θεός ἀγάπη εστίν (ho theós agápe estín): Gott ist die Liebe.

459, 2 o. Ἔρως (Eros): der griechische Liebesgott (lat. amor).

459, 4 o. ἀγάπη, (agápe, lat. caritas): die Nächstenliebe; eros (lat. amor): die sinnliche Liebe.

462, 7 o. Cela va à merveille (franz.): das geht ja wunderbar!

464, 18 o. strike (engl.): Streik.

446, 19 o. a priori (lat.), hier: ohne den Tatbestand zu berücksichtigen.

465, 11 u. Dépensen (franz.): Unkosten.

466, 7 o. Turn-out (engl.): ein wilder Streik.

473, 10 o. Kuhlmann: vgl. Deutsche Ideologie.

473, 20 o. this poor localized being (engl.): dies arme, an die
Scholle gefesselte Lebewesen.

473, 12 u. Mozarts unvollendetes Requiem wurde von einem anderen Komponisten ergänzt.

474, 19 u. Horace Vernet, der französische Historienmaler.

478, 5 u. L'argent n'a pas de maître (franz.): das Geld hat keinen Herrn.

478, 2 u. Je ne connais pas usw. (franz.): Ich kenne keinen Platz
an der Börse, wo die guten Absichten gehandelt werden.

479, 2 o. Knowledge is power (engl.): Wissen ist Macht.

480, 18 o. (franz.): Die Nachfrage nach der Vaterschaft ist un-
tersagt.

483, 6 o. Throstlespinnerin: Wassergarnspinnerin.

483, 2 u. Partout et toujours (franz.): überall und immer.

490, 17 u. Fuit Troia (lat.): Troja ist gewesen!

498, 15 o. mors immortalis (lat.): unsterblicher Tod.

515, 12 u. quod erat demonstrandum (lat.): was zu beweisen
war — stereotyper Abschluß eines mathematischen Beweises.

530, 13 u. Douanenlinie: Zollinie.

535, 9 u. Zehnstundenbill: Englisches Gesetz von 1847, durch
das die Arbeitszeit für Jugendliche und Frauen in der
Textilindustrie auf 10 Stunden am Tag begrenzt
wurde.

547, 12 u. Progressivsteuer: Steuer, deren Satz sich mit steigen-
dem Einkommen erhöht.

549, 18 u. Legitimisten: in Frankreich die Anhänger des ehemaligen Königtums.

559, 2 o. Chartisten: Arbeiterbewegung der 30er und 40er Jahre
des 19. Jahrhunderts in England.

FREMDWÖRTERVERZEICHNIS

Abnormität: Ungewöhnlichkeit

ab ovo: vom Ursprung (vom Ei) an

absolut: das durch keine Bedingung bedingte

absorbieren: aufsaugen

abstrahieren: absehen von

abstrakt: vom Wirklichen, Bestimmten abgehoben, losgelöst

Absurdität: Absonderlichkeit

Adagio: ruhig, sanft (musikalische Bezeichnung)

adäquat: angemessen

ad libitum: nach Belieben

Administration: Verwaltung

administrativ: verwaltungsmäßig

Adoption: Annahme an Kindes Statt

Affektion des Gemüts: Gemütsbewegung

Affirmation: Bestätigung

affiziert: angetan von

agens: das Treibende, Bewegende

agglomeriert: angehäuft

Aggregatzustand: Zustand der stofflichen Beschaffenheit

Agrikultur: Landwirtschaft

Akkaparement: wucherische Bereicherung

Akkomodation: Anpassung, Angleichung

Akkumulation: Aufhäufung

akkumulieren: anhäufen

akut: zugespitzt

akzeptieren: annehmen

Akzidentien: was einer Sache zukommen kann, Zufälligkeit

Allegorie: bildliche, gleichnishafte Darstellungsweise

Alliance: Bündnis

Allotement: das Los, der Anteil

alterieren: verändern, beeinflussen

amplifizieren: erweitern

Anachronismus: Unzeitgemäßheit

Analogie: Entsprechung, Gleichnis

analysieren: auseinanderlegen

Anarchie: Herrschaftslosigkeit

Anathem: Verfluchung

annullieren: nichtig machen

Anomalie: Abweichung

Antagonist: Gegner

antediluvianisch: vor der Sintflut

anthropologisch: die Lehre vom Menschen betreffend

anthropomorphisieren: in menschliche Gestalt bringen

Antichambre: Vorzimmer

Antinomie: Gegensätzlichkeit

antiquiert: veraltet

Antistrophe: Gegenstrophe

Antithese: Gegensatz

Antizipation: Vorausnahme

à part: für sich

apart: besonders

Aphasie: Sprachlosigkeit

aphoristisch: abgerissen, kurz

Apologie: Verteidigung

apokryphisch: dunkler Herkunft

apotheosieren: verherrlichen

appellieren: anrufen, auf etwas berufen

applizieren: versetzen (jemand etwas)

Apposition: Hinzufügung, erklärender Zusatz

approbieren: bestätigen

aprioristisch: von vornherein

äquivalent: entsprechend

Arabesken: Verzierungen

Aroma: Duft

asketisch: enthaltsam

Assekuranz: Versicherung

assertorisch: versichernd

assortieren: anordnen

Assoziation: Vereinigung

Asyl: Zuflucht

Ataraxie: Unbewegtheit des Gemüts

ätherisch: luftig, überirdisch

Atheist: Gottloser

Atom: letzte Einheit, Unteilbares

Atomistik: Auflösung in letzte Bestandteile

attentieren: in andere Rechte eingreifen

Attribut: Eigenschaft, was zu einer Sache gehört

Auditorium: Zuhörerschaft

authentisch: beglaubigt, aus echter Quelle

Autonomie: Selbständigkeit

avanciert: befördert, vorgerückt

Axiom: unbestreitbarer Grundsatz

Balance: Gleichgewicht

banal: gemein, platt

barock: verschnörkelt

Barriere: Schranke

Basis: Grundlage

basieren: gründen

Belletrist: Unterhaltungsschriftsteller

biographisch: lebensbeschreibend

bizarr: kraus, verzerrt

borniert: beschränkt

Bravaden: Prahlereien

Bravourarie: besonderes Glanzstück

brouillieren: wühlen, verwüsten

burlesk: drollig, komisch

camera obscura: dunkler Kasten mit Linse, in dem alles umgekehrt erscheint

causal: ursächlich

Chance: aussichtsreiche Möglichkeit

Charte: Urkunde

chimärisch: phantastisch

Chorus: Chor

Code: Gesetzbuch

commercant: Kaufmann

commerce: Handel

conservieren: erhalten

contra: gegen

Copula: Verbindungsglied, das Wort „ist"

corpus delicti: der Gegenstand des Verbrechens

coup: Schlag

courage: Mut

courfähig: hoffähig

credo: Glaubensbekenntnis

croupe: Kreuz, Kruppe des Pferdes

curriculum vitae: Lebenslauf

Dandy: Lebemann

Debut: erster Auftritt

deduzieren: ableiten

Definition: genaue Bestimmung

degradieren: entwürdigen

deifiziert: vergottet

Dekomposition: Auseinanderfall

Dekret: Verordnung

dekretieren: verordnen

delegieren: beauftragen, übertragen

delektieren: ergötzen

demagogisch: volksverführerisch, aufwühlend

demande: Verlangen, Nachfrage

Demant: Edelstein

Dementi: Ableugnung

demonstrieren: erweisen, darlegen

Demos: Staatsvolk

Denunziation: Anzeige, Anklage

dépense: (Geld-) Ausgabe

depravieren: herabwürdigen

Depression: Niedergedrücktheit

depreziieren: abbitten, verbitten

Deputierter: Abgeordneter

Desertion: Fahnenflucht

despekt: verächtlich

Despotismus: Willkürherrschaft

destruktiv: zerstörend

determinieren: bestimmen

devoir: Pflicht

devot: untertänig

Devotion: untertänige Ergebenheit

dévouement: Ergebenheit

Devouierter: Ergebener

Dezennium: Jahrzehnt

Dezenz: Vornehmheit

dezernieren: absondern

Diatribe: schulmäßige Abhandlung

Differenz: Unterschiedlichkeit

differenzieren: unterscheiden

Dilemma: Verlegenheit

Dimension: Erstreckung

Diremption: Zerspaltung

dirimiert: auseinandergebrochen

Dislocation: Ortverschiebung

disparat: ungleichartig, unvereinbar

disponieren: verfügen

Disputation: wissenschaftliche Rede

Dissonanz: Unstimmigkeit

Distinktion: Unterscheidung

Distribution: Verteilung

Diversion: Verkehrung

Dogma: überlieferte, feste Lehre

Dogmatismus: das Ausgehen von festen Lehrsätzen

Doktrin: Lehre

doktrinär: in bestimmte Lehren verbohrt

Dokument: Schriftstück

dokumentieren: bescheinigen, belegen

Domäne: Bereich

Domestik: Diener

Dualismus: Zwiespalt, Doppeltheit

Duodez: Kleinformat

dupe: der Gefoppte

Dynastie: Fürstengeschlecht

échange: Tausch

Edikt: Erlaß

effektuieren: in Wirksamkeit setzen

Effort: Anstrengung

égalitaire: gleichheitlich

Eklat: Aufsehen

Eklektizismus: Sammelsurium

ekstatisch: den natürlichen Zustand überschreitend

elementarisch: ursprünglich, kräftig

Emanation: Hervorgehen aller Dinge aus einem höchsten Prinzip

emanzipieren: aus der Unterdrückung lösen

Emeute: Aufstand

eminent: hervorragend

Emphase: leidenschaftliche Betonung

empirisch: der Tatsachenwelt der sinnlichen Erfahrung angehörig

en bloc: im Ganzen

en miniature: im Kleinen

ennuyieren: langweilen

Ensemble: Zusammenspiel

enzyklopädisches Kompendium: ein alles umfassender Leitfaden

eruieren: ermitteln

Eskamotage: Taschenspieler

esoterisch: im Inneren verbleibend

esprit: Geist

etablieren: niederlassen

Etymologie: Abstammung des Wortes

Euphemismus: beschönigender Ausdruck

evident: einsichtig

Evolution: Entwicklung

exekutieren: vollstrecken

Exekutive: die ausführende Staatsgewalt, Verwaltung

Exempel: Beispiel

exerzieren: ausüben

exilieren: verbannen

Existentialweisen: Daseinsweisen

Existenzmedium: die Atmosphäre, in der etwas existiert

exklusiv: ausschließend

Exkremente: Ausscheidung

Exkurs: Abschweifung

exoterisch: äußerlich, von außen bestimmt

Explikation: Auseinanderlegung

explizieren: entwickeln

Exploitation: Ausbeutung

Exposition: Ausführung

ex professo: beruflich

Expropriation: Enteignung

extravagant: ausschweifend

Extrem: das Äußerste, Entgegengesetzte

Exzeß: Auswuchs

faktisch: tatsächlich

Faktum: Tatsache

Falsa: Fehler

famulus: Schüler

fanfaronieren: herausschmettern

Fatum: Schicksal

Fetisch: Gegenstand, dem geheime Kräfte zugeschrieben werden

Feudalität: Lehensherrschaft

figurieren: als etwas gelten

Fiktion: unwirkliche Annahme

Finale: Ausklang, Ende

fingiert: willkürlich angenommen

fixieren: festlegen

flagrant: deutlich auffallend, brennend

flanieren: umherschlendern

florieren: blühen

fonds: Grundstock

force: Kraft

forcieren: zwingen

formieren: bilden

Formulierung: Fassung (der Rede)

fragmentarisch: bruchstückhaft

Fraktion: Partei

frappant: schlagend, auffallend

fraternisieren: sich verbrüdern

Fresco: Wandmalerei

frivol: mutwillig

Galvanismus: tierische Elektrizität

Genealogie: Abstammung

Genesis: Entstehung

Genrebild: Volksbild, Sittenbild

geologisch: die Erdentstehung betreffend

Geognosie: Erkenntnis der Erdverhältnisse

Glacéphrase: eine glänzende, aber unechte Redewendung

Gourmanderie: Feinschmeckerei

grassieren: ins Kraut schießen

gravitieren: mit dem Schwergewicht zuneigen

Harlekinade: Narrenaufzug

Helotismus: Unterdrückung

Heraldik: Wappenkunde

Heros: Held

Hetäre: freie Geliebte

heterogen: verschiedenen Ursprungs

Heteronomie: Verschiedenheit der Bestimmung

Hierarchie: Abstufung der Ämter von oben nach unten

hieroglyphisch: geheimschriftlich

hors d'oevres: Vorerörterung (Vorspeise)

Humanität: Menschlichkeit

hydrographisch: Beschreibung der Gewässer

Hypothese: unterstellte Voraussetzung

ibidem: ebendort

identifizieren: gleichsetzen

Identität: Selbigkeit, Gleichheit

Ignoranz: Unwissenheit

Illusion: Einbildung

imaginär: eingebildet

Imagination: Einbildung

immanent: im inneren Zusammenhang begründet

immobile: unbeweglich

imperativ: in Befehlsform

impertinent: unverschämt

implizieren: einschließen

improvisieren: ohne Vorbereitung veranstalten

imputieren: unterschieben

inalterabel: unberührbar

Indifferenz: Unberührtheit

Indigestion: Unwohlsein

Indignation: Entrüstung

Indolenz: Unduldsamkeit

Induktion: Feststellung des Gemeinsamen aus einer Vielheit

Infamie: Schamlosigkeit

infizieren: anstecken

Infusorien: unsichtbare Tierchen im Wasser

inhärent: innewohnend

inkarnieren: verkörpern

Inkonsequent: ohne Folgerichtigkeit

Inkorporation: Verkörperung

inkriminieren: beanstanden

inquisitorisch: nachstellendes Verfahren

insinuieren: unterstellen, zumuten

insolvent: nicht einlösungsfähig

Inspiration: Eingebung

Institution: Einrichtung

instruieren: belehren

Insurrektion: Aufstand

Integrierung: zum Ganzen fügen

Intermezzo: Zwischenspiel

interpretieren: auslegen

intervenieren: Einspruch erheben

Irruption: Einbruch

Jeremiade: Klagelied

Journal: Zeitung

Kaleidoskop: optisches Gerät zur Erzeugung wechselnder, farbiger Bilder durch mehrfache Spiegelung

kanonisieren: in das Kirchenrecht aufnehmen

Kapitulare: Gesetze und Verordnungen der fränkischen Könige

Kapitulation: Vertrag

karambolieren: zusammenstoßen

Kardinalpunkt: der Punkt, um den sich alles dreht

Kardinaltugend: höchste Tugend

karikieren: verzerren

Kasuistik: Einteilungsschema, das jeden Fall nach seiner Besonderheit zu erfassen sucht

katechisieren: in die Form eines Lehrbuchs (religiöses) bringen

Kategorie: allgemeinste Bestimmung

Kausalnexus: Zusammenhang von Ursache und Wirkung

Kaution: Bürgschaft

Klassifikation: Einteilung

klassifizieren: einteilen

Klassizität: Vorbildlichkeit

Klerisei: Geistlichkeit

Koalition: Verbündung

Kodex: Gesetzbuch

koexistieren: zusammen bestehen

Kohäsion: gegenseitige Anziehung zwischen den kleinsten Teilchen eines festen oder flüssigen Körpers

kollegialisch: mit mehreren Mitgliedern besetzt

Kollektion: Sammlung

Kollision: Zusammenstoß, Widerstreit

kombinieren: verbinden

Komittent: Auftraggeber

komittieren: beauftragen

Komment: die rechte Art sich zu benehmen (der Studenten beim Biertrinken)

Kommentar: Erläuterung

kommerziell: kaufmännisch

Kommunikation: Mitteilung, Vermittlung

Kompensation: Ausgleich, Entsprechung

kompetent: zuständig

Komplement: Ergänzung

komponieren: zusammensetzen

Kompression: Verdichtung

kompromittieren: bloßstellen

kondensieren: verdichten

Konfiskation: staatliche Beschlagnahme

konfondieren: zusammenwerfen

konfrontieren: gegenüberstellen

Konfusion: Verwirrung

Konglomerat: Zusammengemischtes

Kongreß: Zusammenkunft

Konjunktion: Verbindungswort zwischen Sätzen

Konjunktur: Verumständung

Konklusion: Gedankenschluß

konkret: die Bestimmtheit, Wirklichkeit betreffend

Konsequenz: Ergebnis, Folgerichtigkeit

konservativ: bewahrend, das Bestehende erhaltend

konskribiert: zum Militär ausgehoben

Konskription: Aushebung (zum Militär)

Konsorten: Gefährten

konstatieren: feststellen

Konstellation: Zusammentreffen von Umständen

konstituieren: begründen, einrichten

Konstitution: (des Leibes): Beschaffenheit

konstitutionelle (Monarchie): die durch eine Verfassung beschränkte Monarchie

Konsumtion: Verzehr

Kontemplation: geistige Betrachtung

Konterbande: Schmuggelware

Konter-Revolution: Gegenrevolution

Kontrahent: Vertragspartner

Kontrast: Gegensatz

Kontroversfrage: eine umstrittene Frage

konvenieren: passen, sich schicken

Konvention: Herkommen

Konvertit: Bekehrter

konzedieren: zugestehen

konzeptiv (von Konzipieren): verfassen, schöpfen

Konzession: Zugeständnis

Konzil: Ratsversammlung

Kooperation: Zusammenarbeit
Koordination: Zuordnung, Gleichordnung
Kopie: Abdruck, Nachbild
Kopula: das Wort (ist, sind), durch das Haupt- und Beiwort verbunden werden
Korporation: Verein, Verband
kosmopolitisch: weltbürgerlich
Koterie: Gemeinheit
kreieren: schöpfen
Kretin: Mißgestalt
Kriterium: entscheidender Gesichtspunkt
kulminieren: gipfeln
Kultus: verehrende Pflege, die Formen der Religionsausübung
kurrent: laufend
kursieren: im Umlauf sein

lancieren: etwas in Gang setzen (deichseln)
lapsus: Fehler (ein Bock)
latent: verhalten, verborgen
legal: gesetzlich
legislativ: gesetzgebend
legitimieren: gesetzlich machen
lokal: örtlich
loyal: bereitwillig

machinieren: anzetteln
Magie: Zaubermacht
Majorat: ausschließliche Erbfolge des ältesten Sohnes bei Grundbesitz
Majorität: Mehrheit
Makrobiotik: Kunst, das Leben zu verlängern
Malice: Bosheit
malkontent: unzufrieden
Mammon: Geld
Mandatar: Beauftragter
Manifest: Kundgebung
Mannequin: Modepuppe
Manufaktur: Werkstattproduktion

Marotte: Grille, Steckenpferd
Matador: ein hervorragender Kämpfer
Maxime: Grundsatz
Medium: Vermittlung (ein Mittleres)
Meeting: Zusammenkunft
merkantilistisch: händlerisch
Metamorphose: Gestaltwandlung
Metaphysik: die eigentlich philosophische Erkenntnis, die des Grundes alles Seienden
Milennium: tausendjähriger Zeitabschnitt
Minimum: das Mindeste
Minorität: Minderheit
minus: abzüglich
Misere: Elend
Mixtum compositum: zusammengesetztes Gemisch
mobile: Bewegliches (Eigentum)
Mobilisation: Beweglichmachung
Modalität: Abwandlung
modifizieren: verwandeln, abwandeln
Modulation: Abwandlung
Modus: Art und Weise
Moment: Bestandteil
Monade: eine in sich geschlossene Einheit des Lebens
Monas: Einheit
Monogamie: Einehe
Monopol: ausschließliche Verfügung
moquieren: sich belustigen
motivieren: begründen
Muräne: Meeraal
Muskadin: Stutzer
Mystifikation: Verdunkelung
Mystizismus: geheimnisvolle Dunkelheit, Geheimlehre
Mythe: Sage
Mythologie: Sagenkunde

Navigation: Schiffahrt
Naturell: natürliche Anlage
Negation: Verneinung
Nemesis: Rache, Vergeltung
neutralisieren: außer Wirksamkeit setzen
Niveau: Ebene
nivellieren: auf eine Ebene herunterdrücken
Nomenklatur: Namengebung
nominell: dem Namen nach
Nonsens: Unsinn
notorisch: öffentlich bekannt

obligat: verbunden, verpflichtet
obscur: dunkel
Okkupation: Besitznahme
opponieren: in Gegensatz setzen
opus: Werk
Ordonnanz: Befehl
organisch: einen inneren Zusammenhang bildend
oro-hydrographisch: Beschreibung der Gebirge und Gewässer
orthodox: rechtgläubig
outrieren: übertreiben
Ouvertüre: Eröffnungsmusik

pagina: Seite
Pamphlet: Schmähschrift
pantheistisch: allgöttlich
Paradoxon: Unvereinbarkeit
Paralogismus: Trugschluß
Paraphrase: Umschreibung
Parenthese: Zwischenschaltung (in Klammern gesetztes)
Parodie: spöttische Nachdichtung
Partikel: Teilchen
partikular: einzeln, teilhaft
Partizipation: Teilnahme
Parzellierung: Aufteilung
Pasquill: Schmähschrift
Passion: Leidensweg Christi
Passus: Stelle
pathologisch: krankhaft
Pathos: leidenschaftliche Betonung

patriarchalisch: Herrschaft aus väterlicher Autorität
Patrizier: die vornehmen Geschlechter im alten Rom
Pauperismus: Armut
Pensum: Aufgabe
Periode: Zeitabschnitt
Peripherie: die äußerste Grenze
perhorreszieren: etwas als schrecklich darstellen
permanent: dauernd
Phänomen: Erscheinung
Phantasmagorie: phantastische Einbildung
Phantom: Erscheinung der Einbildung
Phase: Abschnitt eines Geschehens
Philantrop: Menschenfreund
Philantropie: Menschenfreundlichkeit
Phraseologie: Redewendung
Physis: körperliche Beschaffenheit
Piedestal: Untersatz für ein Denkmal
Pivot: Zapfen, Drehpunkt
platonisch: nicht ernst gemeint (nur hier!)
Plebejer: untere Volksklasse in Rom
Plenarversammlung: Vollversammlung
Pointe: Spitze (subjektive ...: persönliche Zuspitzung)
polemisieren: mit Worten bekämpfen
Polygamie: Vielehe
ponieren: setzen
Population: Bevölkerung
possessio: Besitz
Postulat: Forderung
potenzieren: erhöhen
Potpourri: allerlei Durcheinander
Prädestination: Vorherbestimmung

Prädikat: nähere Bestimmung

praeexistieren: vor allem Anfang schon da sein

pragmatisch: handgreiflich, praktisch, nützlich

Prämisse: Voraussetzung

praeservieren: schützen, bewahren

prästieren: leisten

praesumptiv: vermutlich

Praetension: Anspruch (meist übertriebener)

prekär: unsicher, abhängig

prima causa: erste Ursache

Privilegien: Sonderrechte

probat: bewährt, durchschlagend

profan: gewöhnlich, alltäglich — im Gegensatz zu heilig, außeralltäglich

Profession: Beruf

Progreß: Fortschritt

Progression: Fortgang

progressiv: fortschreitend

Prohibition: Verhinderung der Wareneinfuhr

projektieren: planen

Proklamation: Verkündung

Prolog: Vorrede

promovieren: im Rang aufrücken, den Dr.-Grad erwerben

promulgieren: öffentlich bekanntmachen

prononcieren: betonen

Proportion: Verhältnis

propriétaire: Eigentümer

prosaisch: gewöhnlich, nicht poetisch

Prosperität: Ergiebigkeit

Protestation: betonter Einspruch

prototypisch: vorbildlich

providentiell: der Vorsehung entsprechend

provozieren: aufreizen

Prozedur: Vorgang

Pseudonym: Deckname

publizieren: veröffentlichen

pullulieren: hervorsprossen, stark vermehren

pur: rein, bloß

Purismus: Säuberungswut

quästiunculi: kleine Fragen

qualifizieren: befähigen

quasi: gleichsam

Quintessenz: zusammengedrängtes Ergebnis

rangieren: eine Stelle einnehmen

Räsonnement: Beweisführung

rational: verstandesmäßig

Realinjurie: tätliche Beleidigung

Realisierung: Verwirklichung

realiter: in Wirklichkeit

Rebellion: Aufruhr

Rekurs: Rückgang

reduzieren: zurückführen auf

reflektiert: vermittelt

Reflex: Widerschein

Reflexion: Überlegung

Reflexionsverhältnis: Verhältnis der gegenseitigen Rückbeziehungen

Regime: Regierungsweise

rehabilitieren: wieder in den alten Stand setzen

Reintegration: Wiedervereinigung

rekapitulieren: wiederholen

Rekompens: Entgelt

Rekomposition: Wiederzusammensetzung

Rekrimination: Gegenbeschuldigung

Relation: Beziehung

Reminiszenz: Rückerinnerung

Rendant: Rechnungsleger

Renommage: Prahlerei

Reperkussion: Rückstoß

Replik: Erwiderung

Repräsentation: öffentliche Vertretung

Repression: Unterdrückung

Repressivmaßregel: Zwangsmaßregel

reproduzieren: wieder (noch einmal) herstellen

Repulsion: Rückstoß

res publica: das Gemeinwesen, der Staat

Residuum: Überbleibsel

Resignation: verzichtende Bescheidung

Ressource: Hilfsquelle

restaurieren: wiederherstellen

Resumé: Zusammenfassung

resumieren: zusammenfassend wiederholen

Resurrektion: Wiederauferstehung

rethorisch: rednerisch

Retina: Netzhaut

retrograd: rückschrittlich

Revanche: Vergeltung

Reverenz: Ehrerweisung

Revindikation: Zurückforderung

revozieren: widerrufen

Rezensent: Beurteiler, Kritiker

rezeptiv: aufnehmend

rhetorisch: rednerisch

ridicule: lächerlich

Ritus: feierliche Form einer Handlung

rodomontieren: großsprechen, aufschneiden

Roturier: Bauer, Unadliger

roulieren: rollen

Routine: Geläufigkeit

rubrizieren: einordnen

Sakrilegium: Verletzung der Heiligkeit

Salair: Lohn

salarieren: entlohnen

salvieren: schützen

salto mortale: sich überschlagender Sprung

sanktionieren: rechtfertigen

Sansculotte: Spottname für die nicht mit Kniehosen bekleideten bürgerlichen Anhänger der französischen Revolution

sarkastisch: beißend

Satisfikation: Genugtuung

Scholast: Schüler

scholastisch: schulmäßig gelehrt

Scholastizismus: in Formeln erstarrte Lehre

Scribent: Schreiber (verächtlich)

Sekte: eine religiöse Vereinigung außerhalb der Kirche

Sektion: Abteilung

Sentenz: kurzer Spruch

separieren: trennen

Sermon: Gespräch

servil: knechtisch

Servitut: Recht am Eigentum eines anderen

Shopkeeper: Ladenbesitzer

Skrupel: Bedenken

soi-disant: sozusagen

Sophist: Jemand, der durch rednerische Taschenspielereien zu beweisen sucht

Sophistikation: taschenspielerische Täuschung

souvenir: Erinnerung

Souveränität: oberste Herrschaftsgewalt

Sozietät: Gesellschaft

species: Art

Spektakel: Schauspiel

Spekulation: die Tätigkeit des entwerfenden Gedankens in der Philosophie

Spermatozoa: Samentierchen

Spezimina: Besonderheiten

Sphäre: Bereich

spiritualistisch: geistig

Staatsdomäne: Staatseigentum

staffieren (-aus): ausstatten
Status: Zustand
status quo: bestehender Zustand
stereotyp: in gleichbleibender Form
steril: unfruchtbar
Stimulus: Stachel
Stupidität: Stumpfheit
subaltern: untergeordnet
sublim: erhaben, erhoben
Sublimat: Erhobenheit, Veredelung
Subordination: Unterordnung
Subsistenz: Unterhalt
substantial: innerlich (nur hier)
Substanz, substanziell: das Wesen einer Sache
substituieren: unterstellen
Substrat: Auszug
subsumieren: einordnen
Subsumption: Unterordnung
subtil: fein
subversiv: zerrüttet
Sukzession: Nachfolge
Superlativ: höchste Steigerung
Supernumerie: Oberrechnungslegung
Superstruktur: Überbau
Supplement: Ergänzung
supra ordiniert: übergeordnet
Surrogat: minderwertiger Ersatz
Syllogismus: ein Urteilsschluß
symbolisch: gleichnishaft
Symptom: Anzeichen
Synkretismus: wahllose Zusammenstellung
Synonymik: Gleichnamigkeit
Synthese: Vereinigung

tangieren: berühren
Tautologie: Wiederholung desselben in anderen Worten
Teinture: Färbung
teleologisch: auf ein Ziel gerichtet

temporär: zeitlich
Tendenz: Absicht
Terminologie: feststehende Begriffssprache
terrain: Boden
testieren: zum Erben bestimmen
Theokratie: Gottesherrschaft
These: aufgestellter Grundsatz
tingieren: berühren
Tirade: langgedehnte Rede
titre: Titel
Toleranz: Duldsamkeit
torso: Bruchstück
Totalität: Ganzheit
Tradition: Überlieferung
Traktat: Vertrag, gegenseitige Angleichung; Abhandlung
Transaktion: Übertragung
transigieren: einen Vergleich eingehen
Transsubstantiation: Verwandlung des Brotes und Weines beim Abendmahl in den Leib und das Blut Christi
transzendental: jenseitig
Transzendenz: Überschreitung des bloß sinnlich Erfahrbaren
Tribunal: Gerichtshof
Tribus: Stamm
trichotomisch: dreigegliedert
Trivialität: Plattheit

universalieren: verallgemeinern
Usurpation: Besitzergreifung
utopisch: ohne Wirklichkeit

vandalisch: zerstörerisch
Variation: Verschiedenheit
Vasallen: Lebensuntertanen des Königs, Fürsten
vegetieren: ein bloß pflanzliches Dasein führen
verprovisionieren: versorgen

vindizieren: zuteilen
Virtuosität: Geschicklichkeit
Vision: eine Erscheinung, ein Gesicht
Volumen: Umfang
votieren: stimmen
vulgär: nicht-wissenschaftlich, populär

Yankee: Amerikaner

zirkulieren: kreisen
zitieren: erwähnen
Zölibat: Ehelosigkeit
Zynismus: offene Schamlosigkeit

REGISTER

Personen- und Sachregister [1]

---

[1] Das Personen- und Sachregister beschränkt sich auf solche Namen und Titel, die mit der Thematik der Frühschriften in einem engeren Sachzusammenhang stehen.